BOURGOGNE

Collection sous la responsabilité d'Anne Teffo

Ont contribué à l'élaboration de ce guide :

Édition	Damienne Gallion
Rédaction	Sylvie Kempler, Françoise Klingen
Cartographie	Véronique Aissani, Stéphane Anton, Alain Baldet, Cristina Bragaru, Michèle Cana, DzMapAlgérie, Evelyne Girard, Olivier Guinet, Alexandru Iorga, Thierry Lemasson, Aura Nicolae, Leonard Pandrea, Denis Rasse, Fabienne Renard Claudiu Spiridon, Severin Vlad
Informations pratiques	www.insee.fr (chiffres de population)
Conception graphique	Laurent Muller (couverture), Agence Rampazzo (maquette intérieure)
Relecture	Anna Crine
Régie publicitaire et partenariats	michelin-cartesetguides-btob@fr.michelin.com *Le contenu des pages de publicité insérées dans ce guide n'engage que la responsabilité des annonceurs.*
Contacts	Michelin Cartes et Guides Le Guide Vert 46, avenue de Breteuil 75324 Paris Cedex 07 ✆ 01 45 66 12 34 – Fax : 01 45 66 13 75 www.cartesetguides.michelin.fr www.ViaMichelin.com

Parution 2009

Votre avis nous intéresse

Vous souhaitez donner votre avis sur nos publications ou nous faire part de vos expériences ?
Rendez-vous sur **www.votreaviscartesetguides.michelin.fr**

Note au lecteur

L'équipe éditoriale a apporté le plus grand soin à la rédaction de ce guide et à sa vérification. Toutefois, les informations pratiques (prix, adresses, conditions de visite, numéros de téléphone, sites et adresses Internet…) doivent être considérées comme des indications du fait de l'évolution constante des données. Il n'est pas totalement exclu que certaines d'entre elles ne soient plus, à la date de parution du guide, tout à fait exactes ou exhaustives. Elles ne sauraient de ce fait engager notre responsabilité.

Le Guide Vert,
la culture en mouvement

Vous avez envie de bouger pendant vos vacances, le week-end ou simplement quelques heures pour changer d'air ? Le Guide Vert vous apporte des idées, des conseils et une connaissance récente, indispensable, de votre destination.

Tout d'abord, **sachez que tout change**. Toutes les informations pratiques du voyage évoluent rapidement : nouveaux hôtels et restaurants, nouveaux tarifs, nouveaux horaires d'ouverture... Le patrimoine aussi est en perpétuelle évolution qu'il soit artistique, industriel ou artisanal... Des initiatives surgissent partout pour rénover, améliorer, surprendre, instruire, divertir. Mêmes les lieux les plus connus innovent : nouveaux aménagements, nouvelles acquisitions ou animations, nouvelles découvertes enrichissent les circuits de visite.

Le Guide Vert **recense** et **présente ces changements** ; il réévalue en permanence le niveau d'intérêt de chaque curiosité afin de bien mesurer ce qui aujourd'hui vaut le voyage (distingué par ses fameuses 3 étoiles), mérite un détour (2 étoiles), est intéressant (1 étoile). Actualisation, sélection et évaluation sur le terrain sont les maîtres mots de la collection, afin que Le Guide Vert soit à chaque édition le reflet de la réalité touristique du moment.

Créé dès l'origine pour **faciliter et enrichir vos déplacements**, Le Guide Vert s'adresse encore aujourd'hui à tous ceux qui aiment connaître et comprendre ce qui fait l'identité d'une région. Simple, clair et facile à utiliser, il est aussi idéal pour voyager en famille. Le symbole 👪 signale tout ce qui est intéressant pour les enfants : zoos, parcs d'attractions, musées insolites, mais également animations pédagogiques pour découvrir les grands sites.

Ce guide vit pour vous et par vous. N'hésitez pas à nous faire part de vos remarques, suggestions ou découvertes ; elles viendront enrichir la prochaine édition de ce guide.

Anne Teffo
Responsable de la collection
Le Guide Vert Michelin

ORGANISER SON VOYAGE

OÙ ET QUAND PARTIR

S'Y RENDRE ET CHOISIR SES ADRESSES

À FAIRE ET À VOIR

COMPRENDRE LA RÉGION

NATURE

HISTOIRE

ART ET CULTURE

LA BOURGOGNE AUJOURD'HUI

VILLES ET SITES

À l'intérieur du premier rabat de couverture, la carte générale intitulée « **Les plus beaux sites** » donne :

- une **vision synthétique** de tous les lieux traités ;
- les **sites étoilés** visibles en un coup d'œil ;
- les **circuits de découverte**, dessinés en vert, aux environs des destinations principales.

Dans la partie « **Découvrir les sites** » :

- les **destinations principales** sont classées par ordre alphabétique ;
- les **destinations moins importantes** leur sont rattachées sous les rubriques « Aux alentours » ou « Circuits de découverte » ;
- les **informations pratiques** sont présentées dans un encadré vert dans chaque chapitre.

L'**index** permet de retrouver rapidement la description de chaque lieu.

DÉCOUVRIR LES SITES

Péniches sur le canal de Bourgogne.

Rieger B./hemis.fr

ORGANISER SON VOYAGE

OÙ ET QUAND PARTIR

Arts, culture, gastronomie, sports, loisirs en tous genres… la Bourgogne possède de nombreux atouts dans son jeu pour vous séduire.

Si vous êtes simplement de passage dans la région, vous pourrez profiter de belles **villes-étapes**, aux capacités d'hébergement étendues. Vous trouverez des monuments et des sites naturels à visiter en chemin, et de bonnes tables à découvrir, plus particulièrement sur l'axe Dijon-Mâcon, mais aussi à Sens, Montargis, Nevers, Auxerre, Joigny, Chablis, Saulieu, St-Père, Montceau-les-Mines, et en Bresse, à Bourg, Vonnas, ou Montrevel. Capitale régionale, **Dijon** constitue une belle destination pour un week-end, même prolongé, de par la seule richesse de son patrimoine historique et artistique.

Et si vous avez prévu de séjourner plus longuement en Bourgogne, sachez que vous n'aurez aucune difficulté à trouver des hébergements adaptés à vos budgets ou à vos envies : campings, chambres d'hôte de charme et hôtels, qui vous permettront de profiter de multiples possibilités de tourisme : **culturel, vert**, de **loisirs**, **gastronomique** ou **œnologique.**

Nos conseils de lieux de séjour

Pour plus d'informations sur les types d'hébergement, les services de réservation, les adresses que nous avons retenues dans ce guide, reportez-vous au chapitre « S'y rendre et choisir ses adresses », *p. 15.*

PATRIMOINE

Où que l'on aille en Bourgogne, il y a un château, une église, un village à visiter.

Ph. Gajic / MICHELIN

Tuiles vernissées des Hospices de Beaune.

Prenez par exemple pour point d'ancrage un hébergement à **Semur-en-Auxois,** où vous pourrez rester facilement une semaine, car la richesse du patrimoine de l'Auxois est exceptionnelle : abbaye de Fontenay, châteaux de Bussy-Rabutin et de Commarin, site d'Alésia, ville de Semur et village de Flavigny, splendide église de St-Thibault, forges de Buffon, etc. Vous pourrez faire de même dans le Brionnais et le Charolais, où les églises romanes sont légion, en prenant pour point de départ **La Clayette** ou **Cluny**. Et si vous aimez les châteaux de la Renaissance, ne manquez pas de découvrir ceux d'Ancy-le-Franc, de Tanlay et de Maulnes, dans l'Yonne, qui sont au moins aussi beaux que ceux du Val de Loire. Prévoyez alors un hébergement à **Tonnerre** ou à **Noyers** pour les découvrir tranquillement.

NATURE ET RANDONNÉES

Se reposer, renouer avec la nature, seul, en famille ou entre amis… Le Mâconnais, le Morvan, l'Auxois, la Puisaye et la Nièvre répondent particulièrement bien à ces besoins.

Vous apprécierez certainement la diversité des sites naturels préservés, comme les rives de Loire, les étangs de Bresse ou les monts du Morvan.

Que vous séjourniez en camping, à l'hôtel ou dans une auberge locale, vous trouverez calme et douceur de vivre, ainsi que de nombreux buts de promenades, sportives ou non.

Marcheurs et cavaliers apprécieront les nombreux **sentiers balisés** en forêt. Des **parcours aventure** sont ouverts dans les forêts du Morvan et de la Bourgogne du sud. La **Voie verte** permettra, à terme, de faire le tour de Bourgogne en circuit protégé, que ce soit à pied, en vélo ou en rollers.

Lacs et rivières sont aménagés et se prêtent aux **activités nautiques**. Les canaux dévoilent leur sereine beauté à l'allure tranquille de **croisières fluviales** animées par les passages d'écluses et les visites de villages.

Amateurs de **pêche**, vous apprécierez une semaine sur les berges de la Saône ou de ses affluents, de la Cure, rivière à truite, des étangs à carpes du Brionnais, ou encore le long du canal du Nivernais. Si vous êtes chanceux, la prise d'un silure vous donnera l'impression d'une pêche au gros !

Pochouse, fritures de rivière, accompagnées d'un vin de Bourgogne, vous laisseront un sympathique souvenir gastronomique. Des séjours pêche sont organisés ; voyez pour cela les brochures éditées par la région.

ŒNOLOGIE

De l'Auxerrois au Mâconnais, des coteaux du Charitois à la côte Chalonnaise, les routes des vins égrènent des noms connus, plus ou moins prestigieux.

Ouvertes toute l'année, mais bien plus belles à l'automne, elles peuvent pour la plupart être parcourues en boucle : allez ainsi à **Auxerre** pour découvrir les vignobles de l'Auxerrois et du Chablisien, à **Dijon** pour gagner Santenay par la côte de Nuits, puis à **Beaune** – qui est vraiment au cœur de la Bourgogne viticole – et sa côte, de Chagny à Buxy, pour sillonner la côte Chalonnaise, et de **Tournus** à **Mâcon** pour apprécier les vins du Mâconnais. Vous prolongerez cette dernière route jusqu'au Hameau du vin à **Romanèche-Thorins**. Cette visite constituera certainement le point d'orgue de votre découverte de l'œnologie.

Nos propositions d'itinéraires

Si vous souhaitez visiter dans le détail un secteur limité, mais marqué par une identité particulière, les 8 propositions d'itinéraires suivantes pourront vous servir de base pour composer votre propre voyage.

Pour vos étapes, consultez notre sélection d'adresses d'hébergement et de restauration dans l'**encadré pratique** des villes ou sites de la partie « Découvrir les sites » *(aux marges vertes)*.

DE L'YONNE AU LOING

Circuit de 3 jours au départ de Sens (170 km)

1er jour – Visitez la cathédrale de **Sens** et son trésor, le musée et le palais synodal. Trente kilomètres séparent Sens de Joigny, en passant par **Villeneuve-sur-Yonne**. **Joigny**, escale gastronomique, s'affirme comme le port d'attache des pénichettes. Prenez date pour un futur embarquement, pour un week-end ou plus...

2e jour – Poursuivez vers le sud-ouest par la D 955 pour voir le pressoir de Champvallon, puis découvrir au sud-est l'étonnant musée des Arts populaires de **Laduz**. Revenez sur vos pas sur la D 145, jusqu'à **La Ferté-Loupière**, pour admirer sa célèbre *Danse macabre*. Continuez vers le nord-ouest, pour vous rendre à **La Fabuloserie**, à Dicy, autre monde magique à visiter en famille. Vous pourrez passer la nuit à Aillant-sur-Tholon.

A. Cassaigne / MICHELIN

Maison dite d'Abraham, à Sens.

3e jour – À côté de Château-Renard (sur la D 943), le musée vivant de l'Apiculture gâtinaise vous propose de mieux connaître le monde des abeilles. Poursuivez vers l'ouest jusqu'à **Montargis**, où vous goûterez les fameuses pralines, découvrirez le musée Girodet et vous promènerez dans les « rues sur l'eau ». Vous pourrez revenir à Sens par la N 60.

DE L'AUXERROIS AU TONNERROIS

Circuit de 3 jours au départ d'Auxerre (170 km)

1er jour – Promenez-vous une demi-journée dans **Auxerre**, sur les pas de Cadet Roussel. Visitez la cathédrale St-Étienne et l'ancienne abbaye St-Germain. Quittez Auxerre au sud par la N 151, prenez la D 85 qui mène à **Coulanges-la-Vineuse**, traversez l'Yonne pour continuer dans les vignobles jusqu'à **Irancy**. Passez la fin de l'après-midi à **Noyers**, que vous aurez rejoint par la D 956 et où vous logerez.

2e jour – Voici la vallée de l'Armançon et le canal de Bourgogne... peupliers, écluses, péniches et bateaux de plaisance composent un décor de vacances. Parmi les châteaux de l'Yonne, ne manquez pas, à quelques kilomètres de distance, les joyaux de la Renaissance : **Ancy-le-Franc**, qui conserve un décor intérieur peint superbe, **Tanlay** et son pont flanqué de deux obélisques, et, sur la commune de Cruzy-le-Châtel, l'étonnant château de **Maulnes**. Arrivez à Tonnerre en fin de journée par la D 952.

3e jour – Visitez la ville de **Tonnerre**, avant de retrouver les pays de vignoble du Chablisien par la D 965. Prévoyez du temps pour la visite de caves, avant de regagner Auxerre.

DE VÉZELAY À FONTENAY

Circuit de 3 jours au départ de Vézelay (200 km)

1er jour – Ce magnifique itinéraire débute par la visite de **Vézelay**, de sa mémorable basilique, de son musée Zervos et de ses pittoresques maisons anciennes. Prenez au sud la direction de **St-Père** et sa jolie église, puis rendez-vous au château de Vauban, à **Bazoches**. Suivez la très sinueuse D 128 à travers le Morvan, qui vous mène à Quarré-les-Tombes. De là, par la D 55, gagnez **St-Léger-Vauban** et l'abbaye de la **Pierre-qui-Vire**. Poursuivez vers le sud jusqu'à Saulieu en passant par le lac de St-Agnan.

© Ville de Semur-en-Auxois

Vue du pont Pinard à Semur-en-Auxois.

2e jour – Après la visite de **Saulieu**, gagnez la **butte de Thil** par la D 980 et la D 70, puis, en revenant sur la D 980, vous parviendrez à l'admirable cité de **Semur-en-Auxois**. Poursuivez vers Venarey-les-Laumes pour vous rendre à **Alise-Ste-Reine** et **Flavigny-sur-Ozerain**, dont les délicieuses petites graines d'anis enrobées de sucre ont fait la célébrité. Finissez la journée à Montbard, que vous gagnez par la D 905.

3e jour – Visitez **Montbard** et la Grande Forge de Buffon avant d'aller admirer le chef-d'œuvre cistercien qu'est l'**abbaye de Fontenay.** Faites une étape au musée des Voitures de chefs d'État au château de **Montjalin**, que vous gagnerez à l'ouest par les D 103 et D 957. À **Avallon,** promenez-vous dans la ville et visitez le Centre d'exposition du costume pour terminer ce voyage sur une touche raffinée.

DIJON, LA CÔTE ET L'ARRIÈRE CÔTE

Circuit de 4 jours au départ de Dijon (130 km)

1er et 2e jours – À **Dijon**, vous ne manquerez ni les tombeaux des ducs de Bourgogne au musée des Beaux-Arts, ni le Puits de Moïse à la chartreuse de Champmol. Il y a tant à voir que vous pourrez facilement y rester deux journées. Et goûtez, bien sûr, aux spécialités : pain d'épice, moutarde, cassis… et escargots !

3e jour – Partez vers le sud, sur la N 74, jusqu'à Beaune à travers le fameux vignoble. Vous pourrez visiter des caves (pensez à prévenir de votre venue si vous voulez déguster des vins) dans ces villages célèbres dans le monde entier pour la qualité de leurs crus. Ne manquez pas la visite du **Clos de Vougeot**. Passez la soirée à **Beaune**, où vous vous rendrez aux fameux Hospices.

4e jour – Continuez vers le sud par la D 973 qui passe par Pommard, Volnay, Meursault et Auxey-Duresses… L'itinéraire s'enfonce ensuite dans l'arrière-côte et permet de découvrir de beaux châteaux, comme **La Rochepot**. Rejoignez ensuite la vallée de l'Ouche, au nord (N 6, puis D 17 et D 33 jusqu'à Pont-d'Ouche) et empruntez la D 18, qui longe le canal de Bourgogne, jusqu'à **Châteauneuf** et le château de **Commarin**. Vous reviendrez à Dijon par la D 16 et la D 905 ou l'autoroute A 38.

LE NORD DE LA SAÔNE-ET-LOIRE

Circuit de 3 jours au départ de Chalon-sur-Saône (190 km)

1er jour – Après avoir visité **Chalon-sur-Saône**, connu pour son carnaval, son vignoble et son musée Nicéphore-Niépce, prenez la N 80 jusqu'au **Creusot**. Le musée de l'Homme et de l'Industrie retrace l'histoire de la dynastie des Schneider et celle de la métallurgie à la fin du 19e s. Les enfants vous entraîneront au parc touristique des Combes, où les attendent de nombreuses activités de loisirs.

2e jour – Reprenez la N 80 pour visiter **Autun** et sa cathédrale St-Lazare. Poursuivez vers l'ouest par la N 81 et la D 61 jusqu'au **mont Beuvray**. Le site de l'oppidum de Bibracte est doté d'un intéressant musée de la Civilisation celtique. Revenez sur vos pas sur la D 61, puis prenez la D 994. Faites une halte au **temple des Mille Bouddhas** à La Boulaye, puis retournez à **Montceau-les-Mines** où vous passerez la soirée.

3e jour – Le thème de la mine, déjà évoqué au Creusot, se retrouve à Montceau, qui abrite un musée des Fossiles, et surtout à **Blanzy**, où un chevalement de 22 m de haut signale le carreau de l'ancien puits St-Claude. Regagnez Chalon-sur-Saône en faisant une halte au **mont St-Vincent** (D 980) pour admirer le panorama, puis dans les charmantes petites villes de St-Gengoux-le-National, Buxy et Givry, en prenant les D 105, D 60 puis D 981.

LE CHAROLAIS ET LE BRIONNAIS

Circuit de 2 jours au départ de Charolles (150 km)

1er jour – Commencez par visiter **Charolles**. Ici, on a les mots justes pour vous présenter l'entrecôte persillée de charolais. Mais à Charolles, on produit aussi de la faïence. Les châteaux et les églises romanes émaillent le bocage le long de cet itinéraire. **Digoine** est la première halte à 13 km au nord de Charolles par la D 25 et la D 128. Son théâtre, intact depuis 1850, a vu déclamer Sarah Bernhardt. Puis allez à **Paray-le-Monial** en suivant le canal du Centre. Sa basilique est la réplique, en plus modeste, de ce qu'était Cluny avant son démantèlement. Plus au sud, le **Brionnais** surprend par la beauté de ses églises, leur clocher et sculptures : gagnez **Anzy-le-Duc**, par la D 34 puis la D 10, en faisant un détour par **Varenne-l'Arconce** et ses jardins romans. De là, poursuivez jusqu'à **Semur-en-Brionnais** à l'est de Marcigny. Par la D 8 et la D 20, vous parviendrez à Charlieu.

2e jour – La vieille ville et la très belle abbaye de **Charlieu** sont attachantes. Reprenez vers le nord par la D 987 et la D 985 pour gagner **La Clayette**, où vous visiterez le beau château de **Drée**, situé au bord d'un étang. Dirigez-vous ensuite vers l'ouest pour parvenir à **St-Christophe-en-Brionnais**, au cœur de la zone d'élevage du charolais. En revenant à Charolles par la pittoresque D 20, vous prendrez de belles photos du bocage charolais !

Ph. Gajic / MICHELIN

Taureau charolais.

LA BOURGOGNE DU SUD : DE CLUNY AU PAYS DE LAMARTINE

Circuit de 4 jours au départ de Mâcon (150 km)

1er jour – Au départ de **Mâcon**, prenez la D 54, à travers les célèbres vignobles de St-Vérand et de Pouilly-Fuissé, la route de **Solutré**. L'ascension de la roche n'est pas difficile, et la vue de son sommet est vraiment belle. Pour en savoir plus sur le « solutréen », arrêtez-vous au musée, en partie creusé sous la roche. Une dizaine de kilomètres séparent la préhistoire de Lamartine, en passant par Pierreclos. **Milly**, qui abrite la résidence préférée du poète, est une visite émouvante. **St-Point**, pour les inconditionnels de l'auteur de Jocelyn, n'est pas loin. Passez sous la N 79 pour gagner **Berzé-la-Ville** et sa chapelle, puis **Berzé-le-Châtel**, dont la forteresse domine la Voie verte. Déjà, celle qui fut la « lumière du monde » se profile à l'horizon : **Cluny**, et son abbaye malheureusement mutilée.

2e jour – Partez à la découverte de Cluny, qui fut en son temps la plus grande construction européenne, puis suivez la vallée de la Grosne : elle vous conduit au village de **Taizé**, qui abrite une communauté œcuménique au rayonnement mondial. La D 981 vous mène ensuite au château de **Cormatin**, aux extraordinaires et uniques trésors du 17e s.

3e jour – L'itinéraire ouvre un nouveau chapitre de l'art roman en Bourgogne. En suivant la D 14, vous arrivez à **Chapaize**, **Brancion**, puis **Tournus**. Chacune mérite une halte. Les petites rues autour de St-Philibert abritent antiquaires, artisans et galeries d'art. Étape gastronomique réputée, Tournus ne saurait se visiter au pas de course. Photographes amateurs, prenez votre temps.

4e jour – Pourquoi ne pas revenir à Mâcon en faisant un détour par la Bresse ? À Tournus, franchissez la Saône et promenez-vous dans les rues de **Cuisery**, puis sous les arcades de **Louhans**, et regagnez Mâcon en traversant la Bresse. Prenez la D 12, puis la D 975, pour visiter la ferme de la Forêt près de

A. Cassaigne / MICHELIN

Village bressan de Mantenay-Montlin.

St-Trivier-de-Courtes. Poursuivez au sud jusqu'à **Montrevel-en-Bresse**, où il est temps de déguster un bon poulet, par exemple. Terminez l'itinéraire par la D 28. Et finissez en beauté à la Maison des vins de **Mâcon**, au musée Lamartine ou au musée des Ursulines, en quelque sorte la synthèse de ce voyage, exceptionnel à plus d'un titre.

AUX DÉTOURS DU BOCAGE BRESSAN

Circuit de 3 jours au départ de Bourg-en-Bresse (155 km)

1er jour – La montagne jurassienne à l'est et les monts du Mâconnais à l'ouest sont toujours présents à l'horizon, et les haies du bocage s'interrompent souvent, laissant admirer de magnifiques fermes en pisé avec de larges auvents pour le séchage du maïs. Nous vous proposons de commencer cet itinéraire à **Bourg-en-Bresse**, après avoir pris le temps de visiter ce joyau unique qu'est l'église de **Brou**. **St-Amour** et **Cuiseaux,** que vous rejoignez par la D 996 et la N 83, sont des haltes intéressantes avant **Louhans** (D 972, puis D 996), qui ne se résume pas à sa Grande-Rue. Visitez l'atelier de l'ancien journal *L'Indépendant*.

2e jour – Partez vers l'ouest en prenant la D 971. Demandez à voir les peintures murales de l'église de **Cuisery**, avant de flâner chez les libraires. Faites une halte pour déjeuner à **Pont-de-Vaux**, à 16 km au sud par la D 933. Prenez la D 2 vers l'est. Proche de St-Trivier-de-Courtes, la **ferme de la Forêt**, transformée en musée, restitue parfaitement la ferme bressane d'autrefois. Une cheminée sarrasine y fonctionne toujours. Revenez à Pont-de-Vaux, puis poursuivez au sud par la D 58. Le musée de la Bresse au domaine des Planons, à **St-Cyr-sur-Menthon**, prolonge cette découverte des fermes bressanes. Pas question de quitter la région sans savourer son fameux poulet de Bresse ! Quand vous aborderez **Vonnas** (au sud de St-Cyr, par la D 80), il sera certainement l'heure d'étudier la carte des auberges bressanes.

3e jour – Promenez-vous au musée des Attelages de Vonnas, et, en retournant vers Bourg-en-Bresse pour boucler ce voyage, visitez les églises de **Vandeins** et **Buellas**.

Nos idées de week-end

Voici quelques propositions pour aller à l'essentiel et profiter pleinement d'une ville ou de la région le temps d'une escapade.

DIJON

Pour vraiment tirer parti d'un week-end à Dijon, il s'agit de bien le préparer car il y a beaucoup à voir et à faire ! Le samedi matin doit être réservé à la visite du palais des ducs et des États de Bourgogne. Les tombeaux des ducs de Bourgogne sont des chefs-d'œuvre à ne pas manquer au musée des Beaux-Arts. Promenez-vous ensuite dans les rues commerçantes du centre. Vous pourrez y repérer des magasins pour l'éventuel achat d'alcools, de vins, moutarde, pain d'épice... Si l'après-midi n'est pas dédié au shopping, poursuivez par le quartier du palais de justice et le musée Magnin. Réservez votre table au restaurant, afin de tester la gastronomie locale, le soir.
Le dimanche, en fonction du temps disponible, programmez la visite de la cathédrale St-Bénigne, du museum de la ville de Dijon ou du musée de la Vie bourguignonne, qui plairont tous les deux aux petits comme aux grands.

À VÉLO OU EN ROLLERS DANS LE MÂCONNAIS

La région est desservie par le TGV (gare de Mâcon-Loché). Prévoyez des bagages légers. Il est possible de rejoindre la **Voie verte** à Charnay-lès-Mâcon soit à vélo *(possibilité de se les faire livrer à la gare, sacoches sur les vélos)*, soit par la ligne 7 du bus, avec le kit Voie verte (*voir p. 420*). Comptez presque 1h30 pour arriver à hauteur de **Berzé-la-Ville,** et quittez la Voie verte pour y grimper. Visitez le village, la chapelle des Moines et déjeunez en profitant d'une vue sur les monts du Mâconnais. Rejoignez la Voie verte pour découvrir la vue sur **Berzé-le-Châtel**. Si vous en avez toujours l'énergie, attaquez une nouvelle grimpette vers cette forteresse qui fut longtemps imprenable. Comptez encore environ une heure jusqu'à **Cluny**, étape parfaite pour le dîner et la nuit.

Profitez de la matinée du dimanche pour visiter Cluny, les vestiges de l'abbaye, la ville médiévale et le haras. Déjeunez sur place ou pique-niquez au bord de la Voie verte. La route est plane désormais ; comptez 1h environ pour atteindre l'amusant musée du Vélo, et encore quelques minutes pour parvenir au château de **Cormatin**, qui possède de magnifiques jardins. Vous aurez la possibilité de retourner à votre point de départ par la ligne 7.

LA PUISAYE DE COLETTE

Allier nature et visites culturelles en un seul week-end, c'est chose possible en Puisaye. Ce pays qui s'étend de la Loire à Auxerre conjugue belles lettres, monuments et espaces protégés, sans parler de la poterie, une tradition multicentenaire qui profite de la qualité exceptionnelle de la terre bourguignonne.

Capitale de la région, **St-Fargeau** paraît tout indiqué pour servir de base arrière à votre court séjour. Consacrez votre samedi matin au musée du Grès de **St-Amand** et aux expositions des créateurs de Puisaye à **Treigny**. Très décoratives, leurs réalisations constituent des cadeaux ou des souvenirs appréciés. Avant de retourner à **St-Fargeau** pour visiter le château et le musée de l'Aventure du son, et peut-être assister au Spectacle historique de St-Fargeau (donné à la saison estivale), arrêtez-vous à **Moutiers** afin d'admirer le dernier grand four couché du 18e s. encore en activité.

Dimanche, un voyage dans le temps s'imposera au **chantier médiéval de Guédelon**, alors qu'à deux pas du site, le **Parc naturel de Boutissaint** et ses 400 ha offrent la possibilité de très belles promenades à pied ou à vélo pour admirer les hardes de biches et de chevreuils. Avant de quitter le pays, passez par **St-Sauveur** pour plonger dans l'univers de Colette.

CHEFS-D'ŒUVRE ROMANS

Ce circuit est à réserver pour les beaux jours, la circulation pouvant être délicate dans le Morvan en hiver. Chapiteaux historiés, tympans magnifiquement sculptés, nefs éblouissantes sont inscrits au programme de ce week-end. Vézelay, St-Père (au sud de Vézelay) et Fontette (à l'est) offriront toutes les gammes d'hébergement possibles pour la première nuit. Commencez votre journée par la basilique de **Vézelay**, fièremenent dressée sur sa « colline éternelle ». Gagnez ensuite **Autun** par les D 985 et D 978, en vous arrêtant pour déjeuner dans le Morvan (à Château-Chinon, par exemple, mais il faudra faire un petit détour). À **Autun**, visitez la cathédrale St-Lazare et le musée Rolin. Une partie de la journée sera réservée à **Saulieu**, où vous pourrez peut-être faire une halte gastronomique. Consacrez la fin du week-end à la visite de l'incontournable abbaye de **Fontenay**.

LES GRANDS CRUS DE LA CÔTE

Pour les amateurs de bons vins ! Il est vrai qu'un simple week-end consacré au vignoble peut paraître un peu court, surtout si l'on souhaite déguster, comparer les crus… et repartir avec une petite réserve, bien sélectionnée, pour enrichir sa cave. Ceci est possible en deux jours avec l'**école du BIVB**, avec laquelle vous apprendrez mille et une choses sur le vin et la dégustation. Mais vous pourrez aussi vous accorder 3 ou 4 jours, d'autant qu'il n'est jamais inutile de rappeler que l'on ne saurait conduire en ayant abusé des « dégustations ». Suivez l'itinéraire décrit au chapitre « La Côte »… et faites de bonnes découvertes ! Fixin, gevrey-chambertin, aloxe-corton, pommard, volnay, puligny-montrachet risquent fort d'exciter vos papilles.

SUR LES CANAUX

Qui n'a pas rêvé un jour de pouvoir naviguer sur les canaux de Bourgogne… de prendre son temps… de savourer le spectacle qui défile… de jouer les mariniers ? Comme la lenteur de la progression peut lasser, nous vous conseillons,

S. Sauvignier / MICHELIN

Passage d'écluse au pont-canal de Digoin.

pour une première expérience, de louer une de ces merveilleuses pénichettes pour un week-end, voire 3 ou 4 jours. Le prix est d'ailleurs, lui aussi, à prendre en considération. Selon le canal que l'on souhaite explorer, Joigny, Auxerre, Briare, Digoin ou Pont-de-Vaux sont des bases de départ idéales. Un conseil : n'hésitez pas à embarquer des vélos. Les étapes n'en seront que plus intéressantes et variées.

Les atouts de la région au fil des saisons

En Bourgogne, le climat, dit semi-continental, est soumis à de forts contrastes saisonniers et aux reliefs. Vous n'aurez pas le même temps sur les plateaux du Morvan, connus pour leur fort taux d'humidité et leur fraîcheur, que dans la plaine alluviale de la Loire à l'ouest, à dominante océanique, connue pour sa douceur, ou dans celle de la Saône à l'est, déjà méditerranéenne dans sa partie sud. Vous n'aurez pas non plus le même climat dans les monts du Mâconnais et dans l'Auxois, plus au nord. Les nuances sont donc multiples.

Le printemps

C'est, avec l'automne, la plus belle saison. Vous verrez de superbes champs de colza, qui embellissent les paysages de l'Yonne. Ce département est aussi réputé pour ses cerisiers en fleurs au mois d'avril. Dans les vignobles, les viticulteurs entretiennent les sols tandis que les feuilles apparaissent. Il est temps de partir à la découverte de la région, car le temps est encore doux, et les vacanciers peu nombreux.

L'été

Il peut être chaud et sec, avec des pluies bienfaisantes ou parfois des soirées orageuses. C'est le moment de parcourir le Morvan ou de partir en bateau sur les canaux. Le nombre d'heures d'ensoleillement (très élevé) assure de belles journées de vacances.

Prévisions météo

Services téléphoniques de Météo France – Taper **3250** suivi de :

1 – toutes les prévisions météo départementales jusqu'à 7 jours (DOM-TOM compris) ;

2 – météo des villes ;

3 – météo plages et mer ;

4 – météo montagne ;

5 – météo des routes.

Accès direct aux prévisions du département – ✆ **0 892 680 2** suivi du numéro du département *(0,34 €/mn).*

Prévisions pour l'aviation ultralégère (vol libre et vol à voile) – ✆ 0 892 681 014 *(0,34 €/mn).*

Toutes ces informations sont également disponibles sur **www.meteo.fr**.

L'automne

Lorsque le vignoble, après les vendanges, passe par tous les tons du vert, de l'ocre et du doré, le soleil est encore souvent au rendez-vous. C'est la saison où il faut profiter des paysages de la Bourgogne et de sa gastronomie, alors que les visiteurs sont moins nombreux. Les nappes de brouillard envahissent petit à petit, à l'approche de l'hiver, la plaine de la Saône et les hauteurs du Morvan.

L'hiver

Saison humide, rigoureuse, elle est rythmée par les foires et les fêtes vigneronnes. Le manteau neigeux, important sur le Morvan, confère aux grandes toitures et aux flèches un charme magique. Dans l'Yonne, les forêts sont pétrifiées de blancheur, et le vignoble de Chablis est éclairé par des bougies qui éloignent les risques de gelées au printemps. Pour information : à Charolles, il gèle 111 jours par an !

S'Y RENDRE ET CHOISIR SES ADRESSES

Où s'informer avant de partir

Ceux qui aiment préparer leur voyage dans le détail peuvent rassembler toute la documentation utile auprès des professionnels du tourisme de la région, qui disposent de cartes touristiques, de brochures sur l'hébergement et la restauration, et de dépliants sur les activités, etc.

Outre les adresses indiquées ci-dessous, sachez que les coordonnées des offices de tourisme ou syndicats d'initiative des villes et sites décrits dans ce guide sont données systématiquement dans l'**encadré pratique** des villes et sites, sous la rubrique « Adresses utiles ».

LES ADRESSES UTILES

Comité régional du tourisme de Bourgogne

Conseil régional - BP 20623 - 21006 Dijon Cedex - ☎ n° Indigo 0 825 002 100 - www.bourgogne-tourisme.com.

Comités départementaux de tourisme et agences de développement touristique

Ain – 34 r. du Gén.-Delestraint - BP 78 - 01002 Bourg-en-Bresse Cedex - ☎ 04 74 32 31 30 - www.ain-tourisme.com.

Côte-d'Or – 19 r. Ferdinand-de-Lesseps - BP 1601 - 21035 Dijon Cedex - ☎ 03 80 63 69 49 - www.cotedor-tourisme.com.

Loire – 22 r. Balaÿ - 42021 St-Étienne Cedex 1 - ☎ 04 77 59 96 96 - www.loire.fr.

Loiret – 8 r. d'Escures - 45000 Orléans - ☎ 02 38 78 04 04 - www.tourismeloiret.com.

Nièvre – 2 av. St-Just - BP 10318 - 58003 Nevers Cedex - ☎ 03 86 36 39 80 - www.nievre-tourisme.com.

Saône-et-Loire – 389 av. de Lattre-de-Tassigny - 71000 Mâcon - ☎ 03 85 21 02 20 - www.bourgogne-du-sud.com.

Yonne – 1-2 quai de la République - 89000 Auxerre - ☎ 03 86 72 92 00 - www.tourisme-yonne.com.

Renseignements sur Internet

Outre les sites des comités régionaux et départementaux de tourisme et des agences de développement touristique que nous venons de mentionner, voici quelques adresses utiles à rajouter à vos favoris :

– **Généralités** sur la Bourgogne : www.bourgogne.net, www.bourgogne-tourisme.com, sites-bourguignons.ifrance.com.

– **Idées de séjours** : www.vite-en-bourgogne.com. Séjours d'un week-end ou de plusieurs jours proposés sous différents thèmes : histoire, gastronomie, bien-être...

– Tout sur les **musées** : www.musees-bourgogne.org, www.culture.gouv.fr/bourgogne.

– Tout sur l'**art roman** : www.bourgogneromane.fr.vu, www.art-roman.org, www.sitesclunisiens.org, http://cep.charolais-brionnais.net.

– Tout sur la **vigne**, les **vins**, la **gastronomie**, les produits du **terroir** : www.bivb.com, www.bourgogne-recettes.com, www.bourgogne.visite.org.

– Tout sur le **tourisme fluvial** : www.house-boat.net, www.bateauxdebourgogne.com, www.canalous-plaisance.fr.

– Suggestions d'**excursions** et **horaires des trains** en Bourgogne : www.ter-sncf.com/bourgogne.

– Pour la Côte-d'Or, suggestions de **sorties**, de **spectacles**, d'**expositions**, d'adresses d'**hébergements**, de **restaurants** : www.tamtam21.com.

TOURISME DES PERSONNES HANDICAPÉES

Un certain nombre de curiosités décrites dans ce guide sont accessibles aux personnes à **mobilité réduite**, et sont alors signalées par le symbole ♿. Le degré d'accessibilité et les conditions d'accueil variant toutefois d'un site à l'autre, il est recommandé d'appeler avant tout déplacement.

Accessibilité des infrastructures touristiques

Lancé en 2001, le label national **Tourisme et Handicap** est délivré en fonction de l'accessibilité des équipements touristiques et de loisirs au regard des quatre grands handicaps : auditif, mental, moteur ou visuel. À ce jour, plus de 2 000 sites labellisés (hébergement, restauration, musées, équipements sportifs, salles de spectacles, etc.)

ont été répertoriés en France. Vous pourrez en consulter la liste (recherche par type de handicap, région ou type d'activités) sur le site Internet de Maison de France à l'adresse suivante : http://fr.franceguide.com/voyageurs/tourisme-et-handicaps/sites-labellises.

Association Tourisme et Handicaps – 43 r. Max Dormoy - 75018 Paris - ✆ 01 44 11 10 41 - www.tourisme-handicaps.org.

Association des Paralysés de France – Direction de la Communication - 17 bd Auguste Blanqui - 75013 Paris - www.apf.asso.fr. Le magazine *Faire Face* publie chaque année, à l'intention des personnes en situation de handicap moteur, un hors-série intitulé *Guide vacances*, disponible auprès de l'APF, contenant près de 2000 références.

Accessibilité des transports

Train – Disponible gratuitement dans les gares et boutiques SNCF ou sur le site www.voyages-sncf.com, le *Mémento du voyageur handicapé* donne des renseignements sur l'assistance à l'embarquement et au débarquement, la réservation de places spéciales, etc. Vous pourrez le recevoir à domicile en écrivant à Mission voyageurs handicapés - 209/211 r. de Bercy - 75585 Paris Cedex 12.

Numéro vert **SNCF Accessibilité Service** ✆ 0 800 15 47 53, 24h/24 et 7j/7.

Service Accès Plus ✆ 08 90 64 06 50 *(0,11 €/mn)*.

Avion – Air France propose aux personnes handicapées le service d'**assistance Saphir**, avec un numéro spécial : ✆ 0 820 01 24 24. Pour plus de détails, visitez www.airfrance.fr.

Pour venir en France

Voici quelques informations pour les voyageurs étrangers en provenance de pays francophones comme la Suisse, la Belgique ou le Canada.

Pour en savoir plus, consultez le site de la Maison de la France **www.franceguide.com**.

En cas de problème, notez les coordonnées suivantes :

Ambassade de Suisse – 142 r. de Grenelle - 75007 Paris - ✆ 01 49 55 67 00 - www.eda.admin.ch/paris.

Ambassade du Canada – 35-37 av. Montaigne - 75008 Paris - ✆ 01 44 43 29 00 - www.amb-canada.fr.

Ambassade de Belgique – 9 r. de Tilsitt (sur rendez-vous) ou 1 av. Mac-Mahon (guichets) - 75017 Paris - ✆ 01 47 54 07 64 (en cas d'urgence seulement) - www.diplomatie.be/paris.

Offices de tourisme

Pour joindre tous les offices de tourisme et syndicats d'initiative en France sans en avoir les coordonnées, il suffit de composer le **3265** *(0,34 €/mn)* et, à la demande de l'opératrice, de prononcer distinctement le nom de la commune désirée. Vous serez alors directement mis en relation avec l'organisme souhaité.

Également très pratique, le site Internet **www.tourisme.fr/recherche/index.htm** vous permet de trouver les coordonnées des offices de tourisme et syndicats d'initiative en tapant le nom de la commune, ou en faisant une recherche par ordre alphabétique.

FORMALITÉS

Pièces d'identité

La carte nationale d'identité en cours de validité ou le passeport *(même périmé depuis moins de 5 ans)* sont valables pour les ressortissants des pays de l'Union européenne, d'Andorre, du Liechtenstein, de Monaco et de Suisse. Les Canadiens n'ont pas besoin de visa, mais d'un passeport valide.

Santé

Les ressortissants de l'Union européenne bénéficient de la gratuité des soins avec la **carte européenne d'assurance maladie**. Comptez un délai d'au moins deux semaines avant le départ (fabrication et envoi par la poste) pour obtenir la carte auprès de votre caisse d'assurance maladie. Nominative et individuelle, elle remplace le formulaire E 111 ; chaque membre d'une même famille doit en posséder une, y compris les enfants de moins de 16 ans.

Véhicules

Pour le conducteur : permis de conduire à trois volets ou permis international. Outre les papiers du véhicule, il est nécessaire de posséder la carte verte d'assurance.

QUELQUES RAPPELS

Code de la route

Sachez que la **vitesse** est généralement limitée à 50 km/h dans les villes et agglomérations, à 90 km/h sur le réseau courant, à 110 km/h sur les voies rapides et à 130 km/h sur les autoroutes.

Le port de la **ceinture** de sécurité est obligatoire à l'avant comme à l'arrière.

Le taux d'**alcoolémie** maximum toléré est de 0,5 g/l.

Au fil des premiers méandres de la **Seine**, au coeur d'une des plus surprenantes forêts, classée pour la richesse de sa biodiversité,

venez découvrir l'un des derniers espaces préservés de Bourgogne, **berceaux de l'ordre cisterciens et des civilisations celtiques.**

www.pays-chatillonnais.fr

Argent

La monnaie est l'**euro**. Les chèques de voyage et les principales **cartes de crédit** internationales sont acceptées dans presque tous les commerces, hôtels, restaurants et par les distributeurs de billets.

Téléphone

En France tous les numéros sont à 10 chiffres.

Pour appeler la France depuis l'étranger, composez le **00 33** et les neufs chiffres de votre correspondant français (sans le zéro qui commence tous les numéros).

Pour téléphoner à l'étranger depuis la France, composez le **00** + l'indicatif du pays + le numéro de votre correspondant.

Numéros d'urgence – Le **112** (numéro européen), le **18** (pompiers) ou le **17** (police, gendarmerie), le **15** (urgences médicales).

Transports

PAR LA ROUTE

Les grands axes

Région de passage par excellence, la Bourgogne est idéalement placée au cœur de l'Europe de l'Ouest. Les réseaux autoroutiers nationaux et internationaux y font leur jonction à égale distance de Paris, Lyon, et Genève.

L'**A 6,** « l'autoroute du Soleil », dessert les grandes villes de Bourgogne (Auxerre, Beaune, Chalon-sur-Saône, Tournus et Mâcon) avant de parvenir à Lyon et après avoir traversé le Beaujolais. L'**A 5** (qui reçoit le trafic de Calais par l'A 26), souvent moins chargée à partir de ou vers Paris, passe par Troyes et peut être une bonne alternative lors des grands départs. À Mâcon, l'**A 40** mène à Bourg-en-Bresse, Genève et au Mont Blanc. À Beaune convergent l'A 6, l'**A 31** (en provenance de Dijon et, plus au nord, de Metz et Nancy) et l'**A 36,** qui relie Besançon à Mulhouse. Le Morvan peut apparaître comme le seul obstacle à une liaison aisée avec l'Allier, la Nièvre et le Val de Loire (en venant de Paris, quittez l'A 6 et prenez l'**A 77,** qui mène à Montargis, La Charité-sur-Loire et Nevers). Cette autoroute est peu fréquentée.

Prudence au volant ! – À Mâcon, l'**A 6** est rejointe par l'**A 40**. La densité du trafic, encombré de poids lourds, et la vitesse peuvent rendre la conduite dangereuse. La circulation redevient un peu plus fluide après Beaune et l'embranchement de l'**A 31** vers Dijon, mais reste dense, surtout lors des retours de vacances ou de week-end, jusqu'à Paris. Prudence aussi en hiver sur l'**A 6,** qui subit souvent de mauvaises conditions météo au col de Bessey, près de Beaune.

Informations autoroutières – 33 r. Edmond-Valentin - 75007 Paris - ✆ 0 892 681 077 - www.autoroutes.fr. Sur ce site Internet de l'Association des sociétés françaises d'autoroutes et d'ouvrages à péage (ASFA), vous trouverez des renseignements sur la météo, les services, etc. Très utile, une feuille d'itinéraire personnalisée permet de calculer le prix du **péage** en fonction de son type de véhicule et du kilométrage parcouru.

Les cartes Michelin

En automobiliste prévoyant, munissez-vous de bonnes cartes. Les produits Michelin sont complémentaires : ainsi, chaque ville ou site présenté dans ce guide est accompagné de ses références cartographiques sur les cartes Local. Nous vous proposons de consulter également nos différentes gammes de cartes.

Les cartes **Départements** (1/150 000 ou au 1/175 000, avec index des localités et plans des préfectures) ont été conçues pour ceux qui aiment prendre le temps de découvrir une zone géographique réduite (un ou deux départements) lors de leurs déplacements en voiture. Pour ce guide, consultez les cartes Départements **319** (Nièvre, Yonne), **320**

Numérotation routière

Sur de nombreux tronçons, les routes nationales passent sous la direction des départements. Leur numérotation est en cours de modification.

La mise en place sur le terrain a commencé en 2006, mais devrait se poursuivre sur plusieurs années. De plus, certaines routes n'ont pas encore définitivement trouvé leur statut au moment où nous bouclons la rédaction de ce guide. Nous n'avons donc pas pu reporter systématiquement les changements de numéros sur l'ensemble de nos cartes et textes.

Bon à savoir – Dans la majorité des cas, on retrouve le n° de la nationale dans les derniers chiffres du n° de la départementale qui la remplace. Exemples : la N 16 devient D 1016, la N 51 devient D 951.

Distances en km	Auxerre	Beaune	Bourg-en-Bresse	Chalon-sur-Saône	Dijon	Mâcon	Montargis	Nevers	Sens
Auxerre	–	146	250	169	147	226	77	108	58
Beaune	146	–	108	29	39	85	219	150	203
Bordeaux	523	572	576	559	611	549	499	448	548
Bourg-en-Bresse	250	108	–	77	143	35	323	212	307
Chalon-sur-Saône	169	29	77	–	68	57	243	154	226
Dijon	147	39	143	68	–	123	222	186	197
Lille	375	498	603	532	465	587	321	451	309
Lyon	294	153	60	125	191	68	355	220	351
Mâcon	226	85	35	57	123	–	300	174	284
Marseille	607	465	372	437	503	379	664	532	663
Montargis	77	219	323	243	222	300	–	126	52
Nevers	108	150	212	154	186	174	126	–	166
Paris	164	307	406	329	300	387	109	239	111
Sens	58	203	307	226	197	284	52	166	–
Strasbourg	393	336	381	345	310	394	443	485	391

(Côte-d'Or, Saône-et-Loire), et pour les zones limitrophes, les n[os] **318** (Loiret, Loir-et-Cher), **327** (Loire, Rhône) et **328** (Ain, Haute-Savoie).

Les **cartes Région** couvrent le réseau routier secondaire et donnent de nombreuses indications touristiques. Elles sont pratiques lorsqu'on aborde un vaste territoire ou pour relier des villes distantes de plus de 100 km. Elles disposent également d'un index complet des localités et proposent les plans des préfectures. Pour ce guide, utilisez les cartes **519** (Bourgogne) et éventuellement **520** (Franche-Comté).

Enfin, n'oubliez pas la **carte de France n° 721**, qui vous offre la vue d'ensemble de la Bourgogne au 1/1 000 000, avec ses grandes voies d'accès, d'où que vous veniez. Et pensez également à consulter l'**Atlas routier et touristique France**.

Les informations sur Internet

Le site **www.ViaMichelin.fr** offre une multitude de services et d'informations pratiques d'aide à la mobilité (calcul d'itinéraires détaillés avec leur temps de parcours, cartes de pays, plans de villes, sélection des hôtels et restaurants du Guide Michelin...) pour la France et d'autres pays d'Europe.

EN TRAIN

Le réseau grandes lignes

Les TGV – Au départ de Paris-gare de Lyon, plusieurs TGV quotidiens mènent à Dijon en 1h40, au Creusot-Montceau-Montchanin en 1h20, Beaune en 2h10, Chalon-sur-Saône en 2h30 et Mâcon en 1h40. Dijon est à 1h55 de l'aéroport Paris-Charles-De-Gaulle. En venant de Marseille, le TGV arrive à Dijon en 3h30 et à Mâcon en 2h20, tandis qu'il faut compter 4h42 de Toulouse à Mâcon et 3h40 de Montpellier à Dijon. Les **TGV Lyria** de Paris-gare de Lyon à Genève s'arrêtent à Mâcon (1h30) et Bourg-en-Bresse (2h), tandis que ceux qui vont de Paris à Lausanne s'arrêtent à Dijon. Dijon est à 2h de Lausanne et 1h40 de Lyon.

Le **TGV Yonne-Méditerranée** relie Melun, Lyon et Marseille et dessert les gares de Laroche-Migennes (près d'Auxerre) et de Sens.

Notez que des **trains Corail** et **TER** circulent aussi entre Paris et Nevers (1h50), Paris et Auxerre (1h40), entre Lyon et Nevers (3h), Nantes et Nevers (4h15) et Dijon et Nevers (2h20). Paray-le-Monial est à 1h40 de Lyon.

Informations et réservations – ☏ 36 35 *(0,34 €/mn)* - 3615 SNCF - www.voyages-sncf.com.

Le réseau régional

Les **TER** assurent les liaisons interrégionales, permettant d'aller d'une ville à l'autre rapidement et facilement. Ces lignes ferroviaires sont parfois renforcées, dans certains cas doublées, par des lignes d'**autocars** qui sillonnent la région. Les TER sont non-fumeurs.

Quelques liaisons

Dijon et Mâcon sont reliées plus de 10 fois par jour (1h05) avec des arrêts à Beaune et Chalon-sur-Saône. Dijon est aussi reliée à Montbard (37mn), Nevers (2h15), Auxerre (1h45), Autun via Chagny (1h35), Avallon (1h32), Sens (1h48), Paray-le-Monial (1h42), et Tonnerre (1h05). De Nevers à Autun, le train met 1h40, et jusqu'à Montargis 1h16. Enfin, d'Avallon à Auxerre, il faut compter 1h, jusqu'à Clamecy 1h30, et Sens 1h35. De Clamecy à Auxerre 53mn.

Informations et réservations – 36 35 *(0,34 €/mn)* - 3615 TER - www.ter-sncf.com.

Les bons plans

Les tarifs de la SNCF varient selon les périodes : 50 % de réduction en période **bleue**, –25 % en période **blanche**, plein tarif en période **rouge** *(calendriers disponibles dans les gares et boutiques SNCF)*.

Bon à savoir – L'échange ou le remboursement de billets se fait gratuitement jusqu'à la veille du départ. Le jour même du départ, une retenue est imposée par personne et par trajet. Au-delà de cette date, tout échange ou remboursement est désormais impossible et le billet est perdu. Cette condition s'applique à tous les usagers, titulaires de cartes ou non.

Carte Bourgogne Évasion

Avec elle, vous bénéficiez de 50 % de réduction pour vous et quatre personnes les samedis, dimanches, jours fériés et pendant les vacances scolaires de l'académie de Dijon. Elle est valable 1 an sur les **trains** et les **autocars TER** de la **région Bourgogne**. Elle permet aussi de bénéficier d'offres privilégiées liées à des événements bourguignons (Chalon dans la Rue, Foire de Dijon, Grand Prix de Magny-Cours, etc.).

Les cartes de réduction

En vente dans les gares et boutiques SNCF, elles sont valables un an et vous garantissent, dans la limite des places disponibles, des réductions de 25 % à 60 % par rapport à des billets plein tarif. Vous bénéficiez par ailleurs d'un système de cumul de points fidélité vous permettant de gagner des billets.

– **Carte Enfant+** : destinée aux enfants de moins de 12 ans et leurs accompagnateurs. www.enfantplus-sncf.com.

– **Carte 12-25** : pour les 12-25 ans. www.12-25-sncf.com.

– **Carte Senior** : à partir de 60 ans. www.senior-sncf.com.

– **Carte Escapades** : permet aux 26-59 ans d'obtenir des réductions sur tout aller-retour de 200 km minimum effectué le samedi ou le dimanche, avec au choix l'aller-retour dans la même journée, ou la nuit du samedi au dimanche passée sur place et le retour effectué le dimanche. www.escapades-sncf.com.

Tarifs particuliers

Les familles ayant au minimum 3 enfants mineurs peuvent bénéficier d'une **Carte famille nombreuse** *(18 € pour le paiement des frais de dossier)* permettant une réduction individuelle de 30 à 75 % selon le nombre d'enfants (la réduction est toujours calculée sur le prix plein tarif de 2e classe, même si la carte permet de voyager en 1re). Elle ouvre droit à d'autres réductions hors SNCF *(voir p. 21)*.

Kit « Familles nombreuses » disponible sur www.voyages-sncf.com ou dans les points de vente SNCF.

Les réductions sans carte

Les usagers ne disposant d'aucune carte d'abonnement peuvent toutefois bénéficier de certaines réductions tarifaires :

– **Billets Prem's** : ni échangeables ni remboursables, ces billets s'achètent uniquement en ligne à des tarifs avantageux (aller simple en TGV à partir de 22 €), pourvu que vous réserviez jusqu'à 90 jours avant votre départ ou hors des périodes d'affluence.

Découvrez sur www.voyages-sncf.com les offres spéciales et bons plans du Net, et demandez à créer une **Alerte résa** pour être informé par mail ou sms des places disponibles sur la destination de votre choix.

– **Offre Loisir :** valable pour tous, sans limite d'âge, cette nouvelle façon de concevoir le voyage récompense clairement l'anticipation de l'achat : plus l'usager réserve à l'avance, meilleurs seront les prix. En fonction de la date de réservation et du taux de remplissage du train, le billet pourra ainsi aller du plein tarif à une réduction de 70 %.

Bon à savoir – Le **week-end**, sur certains trains, l'aller-retour Paris-Dijon en TER coûte 15 €. Renseignez-vous sur

A. Cassaigne / MICHELIN

TGV à travers les paysages du Tonnerrois.

www.cr-bourgogne.fr, rubrique Transports puis TER.

EN AVION

La Bourgogne ne possédant pas d'aéroport international, si vous désirez venir en avion, il vous faudra passer par **Lyon**. Ce moyen de transport ne s'avère guère avantageux : le temps de trajet intrinsèque est réduit, mais il faut ajouter les transferts entre les aéroports. En outre, il vous en coûtera plus cher, à moins que vous ne trouviez des vols promotionnels plus intéressants qu'un voyage en train à plein tarif. Cherchez sur Internet les vols dégriffés ou renseignez-vous auprès des compagnies aériennes.

Aéroport Dijon-Bourgogne – Il est situé à 6 km au sud-est de Dijon - BP 25, 21601 Longvic Cedex - ✆ 03 80 67 67 67 - www.dijon.aeroport.fr. L'essentiel de son activité est celle d'avions charters touristiques (vols saisonniers).

Air MANA – Renseignements et réservations ✆ 03 80 66 62 32 - www.airmana.com. C'est la seule compagnie aérienne agréée par le ministère des Transports, à être autorisée à réaliser du transport public à la demande dans la région.

Budget

Pensez aux solutions suivantes pour obtenir des réductions.

FORFAITS TOURISTIQUES

Il existe des forfaits touristiques à tarif réduit dans certaines villes de Bourgogne, comme **Beaune, Avallon** ou encore **Dijon**, qui proposent des **pass à prix malins** pour visiter les monuments de la ville et des environs. Renseignez-vous auprès des offices de tourisme locaux, et pensez bien à conserver ces forfaits sur vous pour pouvoir les présenter dans chaque site participant à l'opération.

LES BONS PLANS

Les chèques vacances

Ce sont des titres de paiement permettant d'optimiser le budget vacances/loisirs des salariés grâce à une participation de l'employeur. Les salariés du privé peuvent se les procurer auprès de leur employeur ou de leur comité d'entreprise ; les fonctionnaires auprès des organismes sociaux dont ils dépendent.

On peut les utiliser pour régler toutes les dépenses liées à l'hébergement, à la restauration, aux transports ainsi qu'aux loisirs. Il existe aujourd'hui plus de 135 000 points d'accueil.

La carte famille nombreuse

On se la procure auprès de la **SCNF** *(voir p. 20)*. Elle ouvre droit, outre les billets de train à prix réduits, à des réductions très diverses auprès des musées nationaux, de certains sites privés, parcs d'attraction, loisirs et équipements sportifs, cinéma et même des boutiques. Mieux vaut l'avoir sur soi et demander systématiquement s'il existe un tarif préférentiel famille nombreuse.

Formules pour un week-end

Sur le site www.vite-en-bourgogne.com, édité par le comité régional de tourisme, vous trouverez des idées de courts séjours et de séjours à thème (vignobles, gastronomie, art contemporain, etc).

NOS ADRESSES D'HÉBERGEMENT ET DE RESTAURATION

Au fil des pages, vous découvrirez nos **encadrés pratiques** sur fond vert. Ils présentent une sélection d'établissements dans et à proximité des villes ou des sites touristiques remarquables auxquels ils sont rattachés. Pour repérer facilement ces adresses sur nos plans, nous leur avons attribué des pastilles numérotées.

Nos catégories de prix

Pour vous aider dans votre choix, nous vous communiquons une **fourchette de prix** : pour l'hébergement, les prix communiqués correspondent aux tarifs minimum et maximum d'une chambre double ; il en va de même pour la restauration et les prix des déjeuners proposés sur place.

La mention « bc » signale les menus avec boisson comprise (verre de vin ou eau minérale au choix).

Les prix que nous indiquons sont ceux pratiqués en **haute saison** ; hors saison,

NOS CATÉGORIES DE PRIX				
	Se restaurer (prix déjeuner)		**Se loger** (prix de la chambre double)	
	Province	Paris / Grandes villes Stations	Province	Paris / Grandes villes Stations
⊖	jusqu'à 14 €	jusqu'à 16 €	jusqu'à 45 €	jusqu'à 65 €
⊖⊖	plus de 14 € à 25 €	plus de 16 € à 30 €	plus de 40 € à 80 €	plus de 65 € à 100 €
⊖⊖⊖	plus de 25 € à 40 €	plus de 30 € à 50 €	plus de 80 € à 100 €	plus de 100 € à 160 €
⊖⊖⊖⊖	plus de 40 €	plus de 50 €	plus de 100 €	plus de 160 €

de nombreux établissements proposent des tarifs plus avantageux ; renseignez-vous... Dans chaque encadré, les adresses sont classées en quatre catégories de prix pour répondre à toutes les attentes *(voir le tableau ci-dessous)*.

Premier prix – Choisissez vos adresses parmi celles de la catégorie ⊖ : vous trouverez là des hôtels, des chambres d'hôte simples et conviviales et des tables souvent gourmandes, toujours honnêtes.

Prix moyen – Votre budget est un peu plus large. Piochez vos étapes dans les adresses ⊖⊖. Dans cette catégorie, vous trouverez des maisons, souvent de charme, de meilleur confort et plus agréablement aménagées, animées par des passionnés. Là encore, chambres et tables d'hôte sont au rendez-vous, avec également des hôtels et des restaurants plus traditionnels, bien sûr.

Haut de gamme – Vous souhaitez vous faire plaisir, le temps d'un repas ou d'une nuit, vous aimez voyager dans des conditions très confortables ? Les catégories ⊖⊖⊖ et ⊖⊖⊖⊖ sont pour vous... La vie de château dans de luxueuses chambres d'hôte pas si chères que cela ou dans les palaces et les grands hôtels : à vous de choisir ! Vous pouvez aussi profiter des décors de rêve de lieux mythiques à moindres frais, le temps d'un brunch ou d'une tasse de thé... À moins que vous ne préfériez casser votre tirelire pour un repas gastronomique dans un restaurant renommé. Sans oublier que la traditionnelle formule « tenue correcte exigée » est toujours d'actualité dans ces élégantes maisons !

Se loger

La Bourgogne, très attachée à sa douceur de vivre, préserve avec soin son patrimoine. Elle offre un large éventail de lieux de séjour, que ce soit à la campagne ou dans les villes. Partout, l'accueil est au rendez-vous. Aussi, pour allier tranquillité et plaisirs de la table, il ne reste plus qu'à trouver les bons endroits et les bonnes adresses !

NOS CRITÈRES DE CHOIX

Les hôtels

Nous vous proposons, dans chaque encadré pratique, un choix très large en termes de confort. La location se fait à la nuit et le petit-déjeuner est facturé en supplément. Certains établissements assurent un service de restauration également accessible à la clientèle extérieure.

Pour un choix plus étoffé et actualisé, **Le Guide Michelin France** recommande des hôtels sur toute la France. Pour chaque établissement, le niveau de confort et de prix est indiqué, en plus de nombreux renseignements pratiques. Le symbole **Bib Hôtel** signale des hôtels pratiques et accueillants offrant une prestation de qualité à moins de 72 € en province (88 € dans les grandes villes et stations balnéaires).

Les chambres d'hôte

Vous êtes reçu directement par les habitants qui vous ouvrent leur demeure. L'atmosphère est plus conviviale qu'à l'hôtel, mais l'envie de communiquer doit être réciproque : misanthropes, s'abstenir ! Les prix, mentionnés à la nuit, incluent le petit-déjeuner. Certains propriétaires proposent aussi une table

S. Sauvignier / MICHELIN

Chambre d'hôte à Vézelay.

d'hôte, ouverte uniquement le soir, et toujours réservée aux résidents de la maison. Il est très vivement conseillé de réserver votre étape, en raison du grand succès de ce type d'hébergement.

Bon à savoir – Certains établissements ne peuvent pas recevoir vos compagnons à quatre pattes ou les accueillent moyennant un supplément; pensez à le demander lors de votre réservation.

Le camping

Le **Guide Camping Michelin France** propose tous les ans une sélection de terrains visités régulièrement par nos inspecteurs. Renseignements pratiques, niveau de confort, prix, agrément, location de bungalows, de mobile homes ou de chalets y sont mentionnés.

LES BONS PLANS

Les services de réservation

Fédération nationale des services de réservation Loisirs-Accueil – 280 bd St-Germain - 75007 Paris - ✆ 01 44 11 10 44 - www.resinfrance.com ou www.loisirsaccueilfrance.com.

La Fédération propose un large choix d'hébergements et d'activités de qualité, édite un annuaire regroupant les coordonnées des 62 centrales de réservation et, pour tous les départements, une brochure détaillée.

Fédération nationale Clévacances France – 54 bd de l'Embouchure - BP 52166 - 31022 Toulouse Cedex - ✆ 05 61 13 55 66 - www.clevacances.com. Cette fédération propose plus de 23 500 locations de vacances (appartements, chalets, villas, demeures de caractère, pavillons en résidence) et quelque 3 400 chambres d'hôte réparties sur 89 départements en France et outre-mer, et publie un catalogue par département (passer commande auprès des représentants départementaux Clévacances).

L'hébergement rural

Maison des gîtes de France et du tourisme vert – 59 r. St-Lazare - 75439 Paris Cedex 09 - ✆ 01 49 70 75 75 - www.gites-de-france.com. Cet organisme donne les adresses des relais départementaux et publie des guides sur les différentes possibilités d'hébergement en milieu rural (gîtes ruraux, chambres et tables d'hôte, gîtes d'étape, chambres d'hôte de charme, gîtes de neige, gîtes de pêche, gîtes d'enfants, camping à la ferme, gîtes Panda).

Fédération des stations vertes de vacances et villages de neige – BP 71698 - 21016 Dijon Cedex - ✆ 03 80 54 10 50 - www.stationsvertes.com.

Situées à la campagne et à la montagne, près de 600 Stations vertes sont des destinations de vacances familiales reconnues tant pour leur qualité de vie (produits du terroir, loisirs variés, cadre agréable) que pour la qualité de leurs structures d'accueil et d'hébergement.

L'hébergement pour randonneurs

Les randonneurs, mais aussi les amateurs d'alpinisme, d'escalade, de ski, de cyclotourisme et de canoë-kayak, pourront se procurer le guide **Gîtes d'étapes, refuges,** de A. et S. Mouraret, sur www.gites-refuges.com (5 €) - ✆ 05 62 90 09 90.

Les auberges de jeunesse

En Bourgogne, il n'existe qu'une seule auberge de jeunesse, située à **Vézelay**. Celle-ci est régie par l'un des deux réseaux d'auberges de jeunesse en France :

Fédération unie des auberges de jeunesse (FUAJ) – 27 r. Pajol - 75018 Paris - ✆ 01 44 89 87 27 - www.fuaj.org. La carte FUAJ est délivrée en échange d'une cotisation annuelle de 11 € pour les moins de 26 ans, de 16 € au-delà de cet âge et de 23 € pour les familles.

Bienvenue à la ferme

Ce guide, édité par l'Assemblée permanente des chambres d'agriculture (service agriculture et tourisme - 9 av. George-V - 75008 Paris - ✆ 01 53 57 11 44), est aussi en vente en librairie ou sur www.bienvenue-a-la-ferme.com. Il propose, par région et par département, des fermes-auberges, des campings à la ferme, des fermes de séjour, mais aussi des loisirs variés : chasse, équitation, approches pédagogiques pour enfants, découverte de la gastronomie des terroirs en ferme-auberge, dégustation et vente de produits de la ferme.

POUR DÉPANNER

Les chaînes hôtelières

L'hôtellerie dite « économique » peut éventuellement vous rendre service. Sachez que vous y trouverez un équipement complet (sanitaire privé et télévision), mais un confort très simple. Souvent à proximité de grands axes routiers, ces établissements n'assurent pas de restauration. Toutefois, leurs tarifs restent difficiles à concurrencer (moins de 50 € la chambre double). En dépannage, voici donc les centrales de réservation de quelques chaînes :

Akena – ✆ 01 69 84 85 17 - www.hotels-akena.com.

B & B – ✆ 0 892 782 929 - www.hotel-bb.com.

Etap Hôtel – ✆ 0 892 688 900 - www.etaphotel.com.

Villages Hôtel – ✆ 03 80 60 92 70 - www.villages-hotel.com.

Enfin, les hôtels suivants, un peu plus chers (à partir de 68 € la chambre), offrent un meilleur confort et quelques services complémentaires :

Campanile – ✆ 01 64 62 46 46 - www.campanile.fr.

Kyriad – ✆ 0 825 003 003 - www.kyriad.fr.

Ibis – ✆ 0 892 686 686 - www.ibishotel.com.

Bon à savoir – Si d'aventure vous n'avez pu trouver votre bonheur parmi toutes nos adresses, pensez à consulter les quelques sites Internet suivants :
www.partirpascher.com
www.etaphotel.com
www.optile.com
www.budget.fr

Se restaurer

La Bourgogne est une destination réputée pour son vignoble et sa gastronomie. Pour découvrir toute la richesse de cette terre, il ne faut pas hésiter à prendre les petites routes qui dévoilent souvent de magnifiques paysages. Ces escapades mettent tous les sens en éveil, car la nature est ici généreuse et les produits forts savoureux.

NOS CRITÈRES DE CHOIX

Pour répondre à toutes les envies, nous avons sélectionné des **restaurants** régionaux, bien sûr, mais aussi classiques, exotiques ou à thème... Et des lieux plus simples, où vous pourrez grignoter une salade composée, une tarte salée, une pâtisserie ou déguster des produits régionaux sur le pouce.

Pour un choix plus étoffé et actualisé, consultez **Le Guide Michelin France**, qui recommande des restaurants sur toute la France. Pour chaque établissement, le niveau de confort et de prix est indiqué, en plus de nombreux renseignements pratiques. Le symbole « **Bib Gourmand** » signale les tables qui proposent une cuisine soignée à moins de 28 € en province (36 € pour les grandes villes et les stations balnéaires).

Côte-d'Or Tourisme-R. Guiton

Plats à l'Auberge de l'abbaye de Auvillars-sur-Saône.

Quelques **fermes-auberges** vous permettront de découvrir les saveurs du terroir. Vous y goûterez des produits authentiques provenant de l'exploitation agricole, préparés dans la tradition et généralement servis en menu unique. Le service et l'ambiance sont bon enfant. Réservation obligatoire !

L'ASSIETTE DE PAYS

Cette formule simple et de qualité a été créée par la Fédération nationale des pays touristiques. Le restaurateur vous propose un plat unique préparé à base de produits du terroir, accompagné d'un verre de boisson locale. Les prix sont modérés : autour de 12 €.

Dans certains restaurants, un plat spécial est préparé pour les enfants.

Les restaurateurs affichent un petit logo rond comme une assiette, portant l'inscription « l'assiette de pays ».

Découvrez les restaurants participant à cette opération en consultant le site www.bourgogne-tourisme.com/vin/assiette_de_pays.htm.

Bon à savoir – Le ministère du Tourisme attribue aux restaurateurs qui assurent la promotion des produits du terroir le label **Restaurateurs de France**. Vous pouvez en trouver la liste complète sur le site **www.bourgogne-tourisme.com**, dans la rubrique « documents téléchargeables ».

SITES REMARQUABLES DU GOÛT

Quelques sites de la région, dont la richesse gastronomique s'appuie sur des produits de qualité, ont été dotés du label « Site remarquable du goût ». Ce sont généralement des lieux de production, des foires ou des marchés. En Bourgogne, il faut citer : la vente des Hospices de Beaune (vin) ; le marché à

ON A BEAU RETOURNER LA QUESTION DANS TOUS LES SENS, TGV, IL N'Y A PAS MIEUX POUR VOYAGER.

Et oui, TGV est bel et bien la réponse simple et rapide pour vous rendre en Bourgogne. Rejoignez directement Dijon, Mâcon, Chalon-sur-Saône ou Beaune et partez à la découverte de toute la région en réservant à des conditions avantageuses votre voiture de location AVIS en même temps que votre billet de train. En fait, voyagez avec TGV, c'est une question de bon sens. **ORGANISEZ DÈS MAINTENANT VOTRE VOYAGE EN BOURGOGNE SUR TGV.COM**

À PARTIR DE 22 EUROS*

Plus de vie dans votre vie

TGV, membre de

*Prix Prem's pour un aller simple en 2nde classe en période normale et dans la limite des places disponibles. Billets non échangeables et non remboursables. En vente dans les gares, boutiques SNCF, agences de voyages agréées SNCF, par téléphone au 3635 (0,34 € TTC/min hors surcoût éventuel) et sur www.voyages-sncf.com

SNCF - 34, rue du Commandant Mouchotte - 75014 Paris R.C.S. Paris B 552 049 447

la volaille de Louhans ; le marché aux bovins de St-Christophe-en-Brionnais ; les « Quatre Glorieuses » de Louhans, Bourg-en-Bresse, Montrevel et Pont-de-Vaux (volaille de Bresse) ; le Cassissium de Nuits-St-Georges (crème de cassis) ; l'abbaye de Flavigny (bonbon à l'anis) ; Saulieu (viande de charolais).

Pour plus d'informations, consultez le site **www.sitesremarquablesdugout.com**.

LES GRANDS CHEFS DE LA RÉGION

À Joigny (89)

L'histoire du restaurant La Côte St-Jacques, actuellement tenu par **Jean-Michel Lorain**, est le parfait exemple d'une saga familiale, commencée au lendemain de la Seconde Guerre mondiale par la grand-mère Marie.

C'est ici que le fils, Michel, fit ses débuts de cuisinier avant de donner sa renommée à l'établissement dans les années 1970, aidé par son épouse Jacqueline, sommelière. Puis ce fut l'arrivée du petit-fils Jean-Michel, en 1983, qui travailla main dans la main avec son père, après avoir fréquenté les cuisines de Troisgros, Taillevent et Girardet, entre autres. Une épopée familiale couronnée par l'arrivée de la 3e étoile en 1986.

À La Côte St-Jacques, superbe hostellerie dominant l'Yonne, chaque assiette qui sort des cuisines du talentueux Jean-Michel Lorain est un véritable hymne à la gastronomie…

La Côte St-Jacques - 14 fbg de Paris - 03 86 62 09 70.

À Chagny (71)

Bon sang ne saurait mentir ! **Jacques Lameloise** vous reçoit dans la maison qui l'a vu naître. Il est la troisième génération de cuisiniers, puisque son grand-père Pierre obtient une étoile dès 1926 à l'enseigne de l'Hôtel du Commerce (devenu par la suite Lameloise), tandis que son père Jean poursuit l'œuvre en décrochant 2 étoiles en 1974, avec l'étroite collaboration de son fils. Plus jeune chef de France à avoir reçu la distinction suprême de 3 étoiles à l'âge de 32 ans, Jacques a fait ses classes dans de grandes maisons parisiennes après s'être expatrié quelque temps à Londres au célèbre Savoy.

Le chef affectionne les recettes simples mettant en avant le terroir bourguignon, mais sa cuisine évolue parfois vers une créativité mûrement réfléchie qui fait le régal des gourmets.

Homme simple, mais perfectionniste, son souci est de rendre ses clients heureux dans son élégante maison bourguignonne où souffle l'esprit de famille, et de transmettre son amour du métier à sa fidèle équipe.

Lameloise - 36 pl. d'Armes - 03 85 87 65 65.

À Sens (89)

Patrick Gauthier, né à Sens, a connu ses premiers émois culinaires aux côtés de sa grand-mère Thérèse. Les achats au marché couvert, les plats mijotés restent gravés dans sa mémoire ! Après être passé dans les cuisines de célèbres restaurants parisiens, il retrouve sa ville natale en 1990 et crée, avec son épouse Béatrice, l'actuel restaurant La Madeleine.

« Fou du produit », il met tout son enthousiasme à le dénicher, puis à le proposer avec conviction lors des prises de commande en salle, qu'il tient à effectuer personnellement. Il estime que le contact avec ses clients lui permet de connaître la personnalité de ces derniers et de réaliser des recettes « sur mesure », qui contribueront encore davantage à leur bonheur.

Persuadé que le secret de la réussite est lié à l'harmonie entre la salle et la cuisine, il propose une cuisine haute en saveurs, mariant tradition et imagination. Patrick Gauthier, qui se donne corps et âme à son métier, mérite bien sa réputation d'artisan cuisinier.

La Madeleine - 1 r. d'Alsace-Lorraine - 03 86 65 09 31.

À Dijon (21)

Jean-Pierre Billoux est entré en cuisine il y a plus de 45 ans… Pour lui, c'était un peu comme entrer en religion ; il faut dire que les conseils d'Alexandre Dumaine (l'homme qui rendit célèbre la Côte-d'Or à Saulieu) ainsi que ceux d'Alex Humbert (chef mythique de Maxim's à Paris)

S. Sauvignier / MICHELIN

Fromage d'époisses et vin.

Astuces du guide

– Vous recherchez des adresses de **maisons de vins** et de **coopératives** ? Les rubriques *Vignobles* de la partie « À faire et à voir » *(p. 38-39)* et *Que rapporter* des encadrés pratiques des villes ou sites contiennent toutes sortes de bonnes adresses.

– Vous aimeriez apprendre à **choisir des vins** adaptés aux mets qu'ils accompagnent ? La rubrique *Le vin* de la partie « La Bourgogne gourmande » *(p. 97)* vous sera de bon conseil.

– Les grands crus vous passionnent ? La carte **Les vins en Bourgogne** *(p. 92-93)* vous les présente de façon synthétique.

– Vous voudriez connaître les dates des **manifestations** liées au vignoble ? Informez-vous auprès des offices de tourisme locaux ou du Bureau interprofessionnel des vins de Bourgogne - www.vins-bourgogne.fr/

– Et si vous voulez approfondir le sujet, consultez Le Guide Vert Les Thématiques **La France des Vignobles**.

contribuèrent fortement à conforter sa conviction et l'aidèrent à trouver son style de cuisine. Originaire de Digoin, il sera successivement à la tête de 3 maisons bourguignonnes : l'Hôtel de la Gare à Digoin, puis l'Hôtel de la Cloche à Dijon, et enfin Le Pré aux Clercs, qu'il rachète en 1995.

C'est donc dans cet élégant restaurant situé face au palais des Ducs, au cœur d'un remarquable ensemble architectural, qu'il propose une cuisine contemporaine et de terroir, volontiers dépouillée, où l'on ne retrouve jamais plus de 3 saveurs.

L'arrivée du fils Alexis ajoute désormais une touche de modernité à la carte particulièrement bien troussée. Quand vous saurez que Jean-Pierre Billoux, homme discret, consacre une bonne partie de ses loisirs à la lecture de vieux livres de cuisine, vous aurez tout compris !

Le Pré aux Clercs - 13 pl. de la Libération- ✆ 03 80 38 05 05.

LES BONS VINS ET ALCOOLS

Vous passez dans la région ? Rien ne vaut une visite dans l'antre des vignerons, pour découvrir les prestigieux nectars bourguignons dans le cadre de verdure qui les a engendrés...

À FAIRE ET À VOIR

Les activités et loisirs de A à Z

Pour plus de détails sur les activités et loisirs en région Bourgogne, contactez le comité régional Bourgogne Tourisme, les comités départementaux de tourisme et agences de développement touristique *(coordonnées p. 15)*, qui disposent de toutes sortes de brochures thématiques relevant de leur secteur géographique, et qui répondront volontiers à vos questions.

Dans les **encadrés pratiques** des villes ou sites de ce guide, les rubriques *Visite* et *Sports & Loisirs* proposent également des adresses de prestataires. N'hésitez pas à les consulter.

CYCLOTOURISME

Avec quelque 3 000 km de circuits de difficulté variée, sur des terrains plus ou moins accidentés, la Bourgogne offre de multiples possibilités d'escapade à vélo. Les plus sportifs aimeront s'attaquer aux reliefs du Morvan ou au Val Suzon, près de Dijon. Les autres préfèreront emprunter les petites routes de campagne, traverser de pittoresques villages, visiter, le temps d'une pause, une église romane, une grande abbaye cistercienne perdue au milieu des solitudes ou contempler les ondulations des vignes sagement alignées…

Les parcours sont généralement faciles sur la **Voie verte** *(voir ce nom)*, où l'on peut pédaler à l'abri de la circulation motorisée, et sur les **véloroutes** (routes ou chemins vicinaux tranquilles sur lesquels des itinéraires balisés

À faire

Pour découvrir la Bourgogne à vélo, pourquoi ne pas suivre Voie verte et/ou véloroutes…

… de Dijon à Montbard, soit 112 km le long du canal de Bourgogne,

… d'Auxerre à Decize, soit 148 km le long du canal du Nivernais,

… de Paray-le-Monial à Cronat, soit 74 km le long du canal du Centre et du canal latéral à la Loire,

… de Châlon-sur-Saône à Charnay-les-Mâcon, soit 65 km à travers des paysages de vignes et de forêts,

… de Châlon-sur-Saône à St-Léger-sur-Dheune, soit 31 km le long du canal du Centre.

/CRT Bourgogne

Le long de la Voie verte.

permettent de se promener à vélo, en boucles plus ou moins longues et plus ou moins difficiles). C'est une manière originale de découvrir la Bourgogne, par étapes de 25 à 40 km, à deux ou en petit groupe : canal du Nivernais, reliefs vers St-Honoré-les-Bains, Bresse, vallonnements du Mâconnais…

Le **Tour de Bourgogne à vélo**® *(voir p. 418)* est un ambitieux projet dont l'objectif est de créer une boucle de 800 km de voies vertes et véloroutes. Il permettra à terme aux amoureux de la petite reine de traverser la Bourgogne en empruntant de pittoresques chemins de halage le long des voies navigables, des chemins à travers les vignobles, des voies ferrées désaffectées… Une belle initiative à suivre !

Renseignements sur le Tour de Bourgogne à vélo® : www.la-bourgogne-a-velo.com.

Adresses utiles

Fédération française de cyclisme – 5 r. de Rome - 93561 Rosny-sous-Bois Cedex - ✆ 01 49 35 69 24 - www.ffc.fr. La fédération propose 47 000 km de sentiers VTT balisés, répertoriés dans un guide annuel gratuit.

Fédération française de cyclotourisme – 12 r. Louis-Bertrand - 94207 Ivry-sur-Seine Cedex - ✆ 01 56 20 88 88 - www.ffct.org.

Des vacances à vélo sont proposées par les organismes suivants :

Bourgogne Randonnée – 7 av. du 8-Septembre - 21200 Beaune - ✆ 03 80 22 06 03 - www.detours-in-france.com.

Dilivoyage – 10 av. de la République - 21200 Beaune - ✆ 03 80 24 24 82 - fax 03 80 24 24 94 - www.dilivoyage.com.

France Randonnée – 9 r. Portes-Mordelaises - 35000 Rennes - ✆ 02 99 67 42 21 - www.france-randonnee.fr. Pour les randonneurs néophytes ou chevronnés, individuels ou en famille, à pied, à vélo ou à cheval avec ou sans accompagnateur.

France à vélo – 74 Grande Rue - 89000 St-Georges sur Baulches - ✆ 03 86 42 35 96 - www.franceavelo.com.

Service Loisirs-Accueil Yonne – 1-2 quai de la République - 89000 Auxerre - ✆ 03 86 72 92 00 - plus de détails sur www.tourisme-yonne.com.

VTT

L'évolution technique du vélo a déclenché, depuis les années 1990, le phénomène vélo tout-terrain, et nombreux sont ceux qui parcourent désormais la Bourgogne à VTT. En pleine forêt ou dans le bocage, sur les chemins escarpés ou en pente douce, ce sport est toujours synonyme de nature préservée. Des stages d'initiation sont organisés et des moniteurs peuvent accompagner les randonneurs individuels sur demande (location de VTT sur place).

Bon à savoir – Les clubs cyclotouristes organisent des **sorties week-end** ou des **circuits découverte** avec des guides. Demandez leurs adresses auprès des comités départementaux de cyclotourisme, qui dépendent de la Fédération.

Le Morvan en VTT – www.26x2.fr.

ESCALADE

La Bourgogne est un bon terrain d'essai avant d'attaquer les hauts sommets. Rendez-vous dans la région de Clamecy (roches de Surgy et de Basseville, rochers du Saussois et leurs dalles en surplomb) ; Saffres, près de Vitteaux, site école très fréquenté les week-ends ; Bouilland, Hauteroche, Vieux-Château pour les sportifs confirmés ; Chambolle-Musigny et Talant, près de Dijon, pour les débutants. Sans oublier Vergisson, Solutré, St-Denis-de-Vaux, le mont Rome.

H. Le Gac / MICHELIN

Escalade dans le Morvan.

Tarifs réduits

Le passeport « Cœur de Bourgogne » permet de bénéficier de réductions sur la visite de nombreuses curiosités de la région. Vous le trouverez dans la plupart des offices de tourisme et sur les sites partenaires de l'opération. Il est composé d'un livret qui présente tous les lieux à découvrir et d'un carnet de bons de réduction. *Prix : 2 €. Donné en cadeau d'accueil dans les hôtels, chambres d'hôte et gîtes qui sont présents dans le passeport. Renseignements sur www.avallonnais-tourisme.com.*

Fédération française de montagne et d'escalade – 8 quai de la Marne - 75019 Paris - ✆ 01 40 18 75 50 - www.ffme.fr.

Bon à savoir – Pour de bonnes adresses d'escalade en Bourgogne, consultez le *Guide des sites naturels d'escalade en France*, par D. Taupin (Éd. Cosiroc/FFME).

GASTRONOMIE

Il y a de nombreuses manières de découvrir les richesses culinaires de la Bourgogne, notamment suivre un cours de cuisine, ou se rendre sur les marchés pour découvrir les produits du terroir.

Adresse utile

La Maison régionale des arts de la table – 15 r. St-Jacques - 21230 Arnay-le-Duc - ✆ 03 80 90 11 59 - www.arnay-le-duc.com.

Elle présente chaque année, d'avril à novembre, une exposition sur un thème lié à la gastronomie et aux arts de la table. Vous y trouverez aussi un espace boutique et un salon de thé.

Arts culinaires

Des séjours avec cours de cuisine sont organisés, principalement en hiver, par certains restaurateurs, dont vous pourrez télécharger la liste complète sur www.bourgogne-tourisme.com.

À la découverte de la truffe et des vins de Bourgogne – Le service Loisirs-Accueil Yonne vous propose une gamme exceptionnelle de séjours pour vivre ce que vous aimez, sans souci d'organisation. De mi-septembre à mi-décembre, le samedi, matinée découverte de la truffe de Bourgogne (conférence, démonstration, dégustation) en compagnie de Jean-Luc Barnabet, chef étoilé à Auxerre, et d'un trufficulteur.

Renseignements : Loisirs-Accueil Yonne – 1-2 quai de la République - 89000 Auxerre - ✆ 03 86 72 92 00 - www.tourisme-yonne.com.

ABC de la Cuisine (Joigny) – ✆ 03 86 62 09 70 - www.cotesaintjacques.com. Jean-Michel Lorain, chef du restaurant étoilé La Côte St-Jacques, partage son univers et initie à la cuisine contemporaine. Forfait séjour, programme et calendrier sur demande.

GOLF

La Bourgogne dispose d'un nombre important de golfs : 19 parcours, dont 11 de 18 trous, répartis sur les quatre départements. Ils allient la diversité des sites (parfois occupés par des demeures historiques, comme à Tanlay) et la facilité d'accès.

Le site Internet de la **Ligue de golf en Bourgogne** fournit les adresses ainsi que les calendriers des compétitions : consultez www.lbgolf.fr.

Bon à savoir – Pour bénéficier du **Pass Grands Golfs de Bourgogne**, contactez le Golf Mâcon La Salle – 71260 La Salle Mâcon-nord - ✆ 03 85 36 09 71 - www.passgolfsbourgogne.com. Notez aussi que les hôtels et restaurants de quelques terrains de golf, comme par exemple celui du château d'Avoise (71), permettent de passer un week-end dans un cadre agréable et paisible. Renseignez-vous !

KARTING, QUAD ET MOTO

En bordure du circuit de Nevers-Magny-Cours (grand prix de F1), une piste de **kart** accueille les amateurs à partir de 12 ans.

Vous pourrez également faire du kart avec **Made in Kart** – rte de Longeron - 89300 Joigny - ✆ 03 86 19 32 32 - www.madeinkart.com.

Pour découvrir la Bourgogne, adressez-vous à :

Bourgogne-Moto, qui organise des randonnées en forêt sur des sentiers spécialement balisés – Le Bourg - 71460 St-Clément-sur-Guye - ✆ 03 85 96 26 29/06 30 55 81 80 - www.bourgogne-moto.com.

Rando Quad Pays d'Othe - 5 r. Edmond-Fort - 89320 Cerisiers - renseignements auprès du syndicat d'initiative ✆ 03 86 96 24 99.

Sens Espace Karting, qui enseigne la pratique du karting sous forme de stages – Piste de Soucy- rte de la Chapelle-sur-Oreuse - 89100 Soucy - ✆ 03 86 86 60 40 - www.sek.fr.

NATURE

Forêts

Chaque année, principalement en été, l'Office national des forêts (ONF) organise des visites guidées dans les forêts domaniales comme celles de Bertranges et Prémery (Nièvre) ou de Chaumour (Côte-d'Or).

Office national des forêts – Direction territoriale Bourgogne-Champagne-Ardenne - 29 r. de Talant - 21000 Dijon - ✆ 03 80 76 88 00. Coordonnées des autres agences (Côte-d'Or, Nièvre, Saône-et-Loire et Yonne) sur le site www.onf.fr.

Jardins

Le guide de l'Association des parcs et jardins de Bourgogne *(gratuit, disponible dans les jardins et offices de tourisme locaux)* recense tous les jardins bourguignons, y compris ceux qui ne sont ouverts qu'à l'occasion de la Journée des jardins. Vous pouvez télécharger la brochure sur www.bourgogne-tourisme.com, rubrique « lieux de visite ».

Arcelot – 21310 Arceau - ✆ 03 80 37 18 97 - parcsetjardins.bourgogne@wanadoo.fr.

Label « Jardin remarquable » – Depuis 2003, ce label est attribué chaque année par le ministère de la Culture. Il honore les parcs et jardins, régulièrement ouverts au public, qui se distinguent par leur qualité.

Ne manquez pas, dans la Côte-d'Or, ceux des châteaux d'Arcelot, de Lantilly, de Talmay et de Barbirey-sur-Ouche, ou de l'abbaye de Fontenay ; dans la Nièvre, ceux du château de Châtillon-en-Bazois ; dans le Loiret, ceux du Grand-Courtoiseau, du château de La Bussière et l'arboretum des Barres ; en Saône-et-Loire, ceux des châteaux de Drée et de Sully, ainsi que les jardins romans de Varennes-l'Arconce.

Sites naturels

Le Conservatoire des sites naturels bourguignons est une association de protection et de gestion des milieux naturels qui propose de vous faire découvrir le patrimoine naturel de la Bourgogne ainsi que sa flore et sa faune. Du printemps à l'automne, des sorties-découvertes *(gratuites, sur réservation)* sont organisées certains week-ends *(voir notre sélection à La Charité-sur-Loire, Châtillon-sur-Seine, Tournus, Vallée de l'Yonne et Sources de la Seine)*. Le Conservatoire met à la disposition des visiteurs des dépliants décrivant les sentiers balisés dans les sites naturels.

Conservatoire des sites naturels bourguignons – Chemin du Moulin des Étangs - 21600 Fenay - ✆ 03 80 79 25 99 - www.sitesnaturelsbourgogne.asso.fr.

NAUTISME

La **voile**, bateau ou planche, se pratique sur le lac du Bourdon (près de St-Fargeau), le lac de Pont (près de Semur-en-Auxois), le lac de Panthier (à Commarin), le lac Kir (à Dijon), le lac de la Sorme (près de Montceau-les-Mines) et les plans d'eau des Genièvres (Montagny-les-Beaune), des Settons (Morvan), de Villeneuve-sur-Yonne et de Torcy (près du Creusot). Vous pourrez aussi naviguer à Mâcon, Epervans, Autun et Chalon-sur-Saône.

D'avril à novembre, deux bases nautiques organisent des stages d'**aviron** : lac des Settons (✆ 03 86 84 51 98) et Auxonne (✆ 03 80 37 36 61).

Basés sur la Saône, la Loire, l'Yonne et le lac des Settons, de juin à septembre, de nombreux clubs de **ski nautique** accueillent le débutant ou le sportif confirmé : Auxonne, Seurre, Pont-et-Massène.

A. Millot / PNR Morvan

Voile aux Settons.

Le **stade aquatique d'Arc-sur-Tille** (Côte-d'Or), avec son bassin principal de 800 m x 450 m équipé pour le slalom et le saut, est ouvert aux compétitions et peut recevoir jusqu'à 3 000 spectateurs assis.

Fédération française de ski nautique – 27 r. d'Athènes - 75009 Paris - ✆ 01 53 20 19 19 - www.ffsn.asso.fr.

PÊCHE

Truites, perches, tanches, carpes, anguilles, ombles, brochets, sandres, écrevisses du Morvan, et le fameux silure... La région, riche de quelque 5000 étangs, lacs, rivières et canaux, attire les pêcheurs, qui lancent leurs lignes dans les étangs de Bresse, de la Puisaye et du Morvan (pêche au coup), sur les parcours et dans les réservoirs (pêche à la mouche), ou encore en bateau sur la Saône. Ces rencontres avec la nature se prolongent autour d'une table, sur les terrasses des auberges des bords de Saône, pour déguster les fritures, la pochouse ou les truites préparées de mille façons.

Bon à savoir – Quel que soit l'endroit choisi, il convient d'observer la réglementation nationale et locale (les eaux de première catégorie sont autorisées de mars à septembre, celles de deuxième catégorie toute l'année ; les périodes particulières de pêche pour chaque espèce sont fixées par arrêté préfectoral), de s'affilier pour l'année en cours dans le département de son choix à une association de pêche et de pisciculture agréée, d'acquitter les taxes afférentes au mode de pêche pratiqué ou d'acheter une carte journalière.

Vous trouverez les adresses des fédérations et toutes sortes de renseignements utiles sur la pêche sur le site www.bourgogne-tourisme.com, rubrique « Activités et Loisirs ».

Conseil supérieur de la pêche – Immeuble Le Péricentre - 16 av. Louison-Bobet - 94132 Fontenay-sous-Bois Cedex - ✆ 01 45 14 36 00 - www.csp.ecologie.gouv.fr.

RANDONNÉE ÉQUESTRE

L'équitation, c'est une autre manière de découvrir la nature et de parcourir les chemins. C'est aussi une sensation de liberté et une complicité qui unit le cavalier à sa monture, toutes choses que les paysages de Bourgogne devraient révéler au fil de vos balades. Les centres équestres sont nombreux : ils proposent des stages, des séjours, des promenades, des randonnées...

Comité national de tourisme équestre – 9 bd Macdonald -75 019 Paris - ✆ 01 53 26 15 50 - www.ffe.com. Le CNTE édite une brochure annuelle, *Cheval nature*, répertoriant les établissements de tourisme équestre en France. Il publie aussi un catalogue spécial Bourgogne (gratuit et en ligne), une brochure, *Envies d'évasion*, et un spécial *Gîtes et Hébergements*.

Comité régional du tourisme équestre en Bourgogne – ✆ 03 80 38 29 95 - www.tourismequestre.com - e-mail : crte-bourgogne@ffe.com. Il regroupe toutes les informations sur la région : clubs, stages, et compétitions.

Les **comités départementaux de tourisme équestre** peuvent fournir la liste des centres équestres du département, avec leurs différentes activités, gîtes et relais, randonnées de 2 à 8 jours.

Côte-d'Or – Geneviève Pierron - La Houblonnière - 21250 Pouilly-sur-Saône - ☎ 03 80 20 45 81.

À faire

– En Saône-et-Loire, les randonneurs à cheval découvriront 600 km de **pistes vertes** balisées et jalonnées, le long du parcours, de gîtes, chambres d'hôte et hôtels équipés pour accueillir les cavaliers et leurs montures.

– Pour des vacances hors du temps, il est possible de visiter le Morvan au rythme de la nature et du pas de son cheval, dans des **roulottes** aménagées. Renseignements : Autun Morvan Tourisme - 13 r. de l'Arbalète - 71400 Autun - ☎ 03 85 86 14 41 - www.bourgogne-tourisme.com.

Nièvre – Marie-Pierre Lauprêtre - 58700 Nolay - ☎ 03 86 68 08 15.

Saône-et-Loire – Pierre Jalabert - 71460 St-Gengoux-le-National - ☎ 03 85 50 77 80.

Yonne – Robert Bruneau - 89740 Cruzy-le-Châtel - ☎ 03 86 75 23 16 - www.yonneacheval.com/cartesrando.pps

Bon à savoir – Napoléon Ier créa le premier dépôt d'étalons à Cluny, au tout début du 19e s.; c'est aujourd'hui l'un des haras nationaux les plus réputés et visités.

Haras national de Cluny – 2 r. de la Porte-des-Prés - 71250 Cluny - ☎ 03 85 59 85 00 - fax 03 85 59 24 54.

RANDONNÉE PÉDESTRE

La Bourgogne est une terre de marcheurs depuis le Moyen Âge. C'est en effet de Vézelay que part l'une des **routes de St-Jacques :** le chemin de Vézelay ou *Via Lemovicensis*, qui traverse la Bourgogne par la Nièvre sur 149 km, menant de la basilique Ste-Madeleine de Vézelay à Nevers.

Pour plus de détails, consultez le site www.chemins-compostelle.com (infos culturelles, pratiques et logistiques) ou adressez-vous à Compostelle 2000 – 26 r. de Sévigné - 75004 Paris - ☎ 01 43 20 71 66 - www.compostelle2000.com.

De façon plus générale, la Bourgogne est sillonnée par quelque 6 000 km de sentiers balisés, adaptés à l'effort de chacun, qui permettent d'apprécier des aspects connus ou moins connus de la région : les îles de la Loire, vers Decize et le Bec d'Allier, remarquables pour leur faune ; la forêt de Cîteaux en Côte-d'Or ou celle de Vauluisant (traversée au sud par le GR2) ; le bocage de Puisaye, sur les traces de Colette ; les chemins de moyenne montagne du Morvan ou les villages du Mâconnais, sur les traces de Lamartine, etc.

La région est traversée également par le GR13 (qui va de Fontainebleau à Bourbon-Lancy).

Il faut enfin mentionner la fameuse **Voie verte** *(voir ce nom)*, qui permet de marcher à l'abri de la circulation sur des chemins aménagés, notamment de la côte Chalonnaise à Charnay-les-Mâcon et de Châlon-sur-Saône à Remigny/Santenay.

Fédération française de randonnée pédestre – 64 r. du Dessous-des-Berges - 75013 Paris - ☎ 01 44 89 93 93 - www.ffrandonnee.fr. La Fédération donne le tracé détaillé des GR, GRP et PR ainsi que d'utiles conseils. Vente de topoguides sur Internet.

Comité régional de la randonnée pédestre de Bourgogne – 2 r. des Corroyeurs - Boîte Y1 - 21068 Dijon Cedex - ☎/fax 03 80 43 15 64 - crrpbourgogne@wanadoo.fr.

Comités départementaux de randonnée pédestre :

Côte-d'Or – 19 r. Ferdinand-de-Lesseps - BP 1601 - 21035 Dijon Cedex - ☎ 03 80 63 64 60.

Nièvre – 11 bis rue Roger-Salengro - 58640 Varennes-Vauzelles - ☎ 03 86 59 09 44 - http://ffrandonnee.nievre.monsite.wanadoo.fr.

Saône-et-Loire – Centre de loisirs - vieille rte d'Ozenay - 71700 Tournus - www.comiterando71.fr.

Yonne – Maison des Sports - 12 bd Galliéni - 89000 Auxerre - ☎/fax 03 86 52 61 82 - www.randopedestre89.com.

S. Sauvignier / MICHELIN

Pèlerin de Saint-Jacques-de-Compostelle.

ROUTES HISTORIQUES

Pour découvrir le patrimoine architectural, la **Fédération nationale des routes historiques** - www.routes-historiques.com - a élaboré en France 20 itinéraires à thème. Tracés et dépliants sont disponibles auprès des offices de tourisme ou de l'abbaye royale de Fontevraud - 49590 Fontevraud - ✆ 06 41 51 30 71.

Route historique des ducs de Bourgogne – ✆ 03 85 82 09 86 ou 03 80 90 74 24 - www.routedesducs.com. Cette route vous fera traverser toute la Bourgogne. Vous découvrirez à cette occasion des châteaux comme Tanlay, Ancy-le-Franc, Commarin, Bourbilly, Bussy-Rabutin et Bazoches, des abbayes, telles celles du Val-des-Choues et de Fontenay, le prieuré cistercien de Vausse, ou encore les forges de Buffon, le château de Montbard et la ville de Noyers-sur-Serein. Renseignements : château de Sully – 71 360 Sully - ✆ 03 85 82 09 86 - contact@routedesducs.com.

À faire

– Suivre sur 120 km le chemin de **Bibracte** à **Alésia**, partiellement tracé sur l'ancienne voie empruntée par l'armée gauloise.

– Parcourir le **chemin des Moines** de Couches à Cluny, lors d'un circuit de 5 à 9 jours offrant une foison d'églises romanes à travers de beaux paysages de vignobles.

– Franchir le **Morvan** sur 110 km, de Vézelay au mont Beuvray, par le GR 13 ; faire le tour du Morvan par les grands lacs (GR de pays) ; tester l'un des 35 itinéraires en boucle (de 1 à 3 jours) du Parc naturel régional du Morvan.

Bon à savoir – Durant votre séjour, renseignez-vous et profitez des formules proposées par la région : suivez par exemple la route du Cassis avec un « pass gourmand » et, grâce au « pass Bacchus », visitez le château du Clos de Vougeot ou l'Imaginarium, puis rendez-vous dans une cave pour une dégustation.

ROUTES TOURISTIQUES

Dans l'Ain

Route de la Bresse – Deux boucles balisées sont à suivre en voiture ou à vélo : l'une au nord relie Bage-le-Châtel à Vescours, l'autre au sud va de Bourg-en-Bresse à Vonnas. Elles vous feront découvrir les fermes à pans de bois et leurs pigeonniers, les cheminées sarrasines, ainsi que les artisans, les fêtes, le marché de Louhans et les bonnes tables où l'on sert des volailles de Bresse.

Renseignements – 34 r. du Gén.-Delestraint - BP 78 - 01002 Bourg-en-Bresse Cedex - ✆ 04 74 32 31 30 - www.ain-tourisme.com.

En Côte-d'Or

Toutes ces routes, cartes et dépliants sont téléchargeables sur www.cotedor-tourisme.com.

Entrée du vignoble du Clos de Vougeot.

Route des grands crus de Bourgogne – De Dijon à Santenay via Beaune, la route (80 km) passe par les villages dont les noms fleurent bon : Gevrey-Chambertin, Vougeot, Vosne-Romanée, Aloxe-Corton, Pommard. On peut également la suivre sur un sentier pédestre et VTT.

Renseignements – CCI de Dijon – ✆ 03 80 65 92 61 - www.route-des-grands-crus-de-bourgogne.com.

Route du Cassis – Vous traverserez les villages des Hautes-Côtes et les champs de cassis. Vous y rencontrerez producteurs et liquoristes, qui vous feront connaître leurs produits. Renseignements et brochure des producteurs et transformateurs de cassis disponible à l'office du tourisme de Nuits-St-Georges - ✆ 03 80 62 11 17.

Route de Madame de Sévigné – De Châtillon-sur-Seine à Saulieu, il est aisé de suivre les routes de cette fameuse épistolière du 17e s., apparentée aux Rabutin.

En Saône-et-Loire

Pour obtenir des dépliants, consultez le site www.bourgogne-du-sud.com.

Route des Grands Vins – Elle prolonge au sud la route des Grands Crus, sur 100 km, de Santenay à St-Gengoux-le-National en passant par des terroirs riches de belles appellations.

Renseignements – CCI de Chalon-sur-Saône - ✆ 03 85 42 36 00 - www.laroutedesgrandsvins.com.

Route des Châteaux en Bourgogne du sud – Elle réunit de splendides demeures médiévales, comme Berzé-le-Châtel, Germolles, Rully, Pierreclos, Brancion et Brandon, et des 17e et 18e s., tels Cormatin, Drée, La Ferté, Pierre-de-Bresse ou St-Aubin.

Renseignements – Maison de la Saône-et-Loire - 389 av. de-Lattre-de-Tassigny - 71000 Mâcon - ✆ 03 85 21 02 20 - www.bourgogne-du-sud.com.

Chemins du roman – De Paray-le-Monial, 3 circuits en boucle d'environ 120 km chacun vous mènent dans les jolies églises romanes du Brionnais et du Charolais.

Renseignements – Centre d'études des patrimoines - St-Christophe-en-Brionnais - ✆ 03 85 25 90 29 - http://cep.charolais-brionnais.net.

Route Lamartine – Une route en boucle de 60 km conduit sur les traces de l'écrivain et homme politique, originaire de Mâcon. L'itinéraire part de la ville natale du poète, passe par Milly-Lamartine et va jusqu'à Bussières.

Renseignements – Office du tourisme de Mâcon – 1 pl. St-Pierre - 71000 Mâcon - ✆ 03 85 21 07 07 - www.macon-tourism.com.

Dans l'Yonne

Route des Vignobles de l'Yonne – Voilà une jolie manière de parcourir les vignobles de Chablis, de l'Auxerrois, du Jovinien, du Tonnerrois et du Vézelien, les domaines viticoles et les plus beaux sites de ce département : Vézelay, Pontigny, Auxerre, Tonnerre, etc. Suivez les circuits (260 km) balisés par le BIVB *(voir p. 39)*.

Renseignements – Association Route touristique des vignobles de l'Yonne - ✆ 03 86 42 42 22. Une carte est disponible sur www.yonne.cci.fr.

Circuit des lavoirs du Tonnerrois – Ce circuit en boucle, que l'on peut découvrir à l'occasion d'une visite commentée, passe par 13 beaux lavoirs de Bourgogne du nord, en Châtillonnais et au pays des sources, de Salives à Baigneux-les-Juifs et Essarois.

Renseignements – Offices du tourisme d'Ancy-le-Franc - ✆ 03 86 75 03 15 - et de Tonnerre - ✆ 03 86 55 14 48 - www.tonnerre89.com.

Itinéraire cistercien – Depuis la belle abbaye de Pontigny, près d'Auxerre, ce circuit mène à plusieurs sites cisterciens : les abbayes de Vauluisant et de Quincy, les granges de Beauvais et de Crécy, qui permettent de découvrir le patrimoine architectural des moines blancs.

Renseignements – Les Amis de Pontigny - ✆ 03 86 47 54 99.

Route du Cidre et des pressoirs du pays d'Othe – Cet itinéraire vous transporte dans la campagne verdoyante et vous amène à rencontrer des producteurs de cidre, qui se servent parfois encore des vieux pressoirs.

Renseignements – Syndicat d'initiative de Cerisiers et du pays d'Othe - ✆ 03 86 96 24 99.

Ph. Gajic / MICHELIN

Maison d'enfance de Lamartine.

Route des Peintures murales de Puisaye – Avec l'ocre extraite dans la région, les artistes du Moyen Âge ont orné les églises de décors peints, que l'on découvre au cours de cette route. En passant, vous pourrez visiter la poterie de la Bâtisse et le chantier médiéval de Guédelon, qui exploitent toujours l'ocre.

Renseignements – Maison de la Puisaye-Forterre - r. Raymond-Ledroit - 89170 St-Fargeau - ✆ 03 86 74 19 27 - www.puisaye-forterre.com.

SPORTS D'EAUX VIVES

La pratique des activités sportives d'eaux vives connaît un succès croissant. Pour les amateurs de glisse, d'émotion, d'imprévu, mais aussi de calme, le Morvan offre ses multiples cours d'eau et ses lacs de retenue. La Saône et l'Yonne, la Cure, voire la Loire, ont aussi des aires prisées, comme à Cosne-Cours-sur-Loire.

Fédération française de canoë-kayak – 87 quai de la Marne - 94344 Joinville-le-Pont - ✆ 01 45 11 08 50 - www.ffcanoe.asso.fr. La Fédération édite un livre, *France canoë-kayak et sports d'eaux vives,* et avec le concours de l'IGN, une carte, *Les Rivières de France,* comportant tous les cours d'eau praticables.

Comité Bourgogne Canoë Kayak – 1 r. Etienne Baudinet - 21000 Dijon - ✆ 03 80 49 32 83.

Pour savoir où pratiquer ce sport, vous pouvez aussi vous adresser aux **comités départementaux** de la Côte-d'Or ✆ 03 80 42 06 97, de l'Yonne ✆ 03 86 95 34 10, de la

Saône-et-Loire ✆ 03 85 43 12 39 ou de la Nièvre ✆ 03 86 59 33 74. Quelques sites à retenir : Autun, les Settons, Chaumeçon, Panthier-en-Auxois, Bazolles.

AB Loisirs, à St-Père, organise toute l'année *(sur réservation)* des descentes de la Cure ou de l'Yonne en canoë-kayak, ainsi que des descentes de torrents en **rafting** dans le Morvan. Sensations vives

C. Lebourg / PNR Morvan

Kayak sur la Cure.

assurées ! Renseignements ✆ 03 86 33 38 38 - www.abloisirs.com.

Loisirs en Morvan propose rafting et hydrospeed dans la région. Renseignements – 40 rte de Lyon - 89200 Avallon - ✆ 03 86 31 90 10 - www.loisirsenmorvan.com.

THERMALISME

Le qualificatif « thermal » s'applique plus particulièrement aux eaux dont la température est d'au moins 35 °C à leur sortie du sol. Connues des Romains, grands amateurs de sources chaudes, et même des Gaulois, leurs vertus ont été redécouvertes aux 18e et 19e s. Outre les cures, certaines stations proposent des séjours de remise en forme. Le **Guide Michelin France** signale les dates officielles d'ouverture et de clôture de la saison thermale.

Centre d'information thermale – 1 r. Cels - 75014 Paris - ✆ 01 53 91 05 75 ou 0 811 908 080- www.france-thermale.org.

La Bourgogne compte deux stations thermales, l'une dans le Morvan, l'autre en Saône-et-Loire :

St-Honoré-les-Bains

À la lisière du Morvan, cette station *(voir ce nom)* est surtout connue pour le traitement des voies respiratoires et des infections ORL des adultes et des enfants, ainsi que des rhumatismes, grâce aux eaux sulfurées et chlorurées sodiques, faiblement arsenicales, d'une température de 24 à 30 °C.

Établissement thermal – BP 8 - 58360 St-Honoré-les-Bains - ✆ 03 86 30 73 27 - www.saint-honore-les-bains.com. Des séjours de remise en forme et des cures anti-tabac sont également proposés.

Bourbon-Lancy

L'eau de source de Bourbon-Lancy *(voir ce nom)* jaillit entre 54 et 60 °C. Légèrement bicarbonatée et radioactive, elle a un effet sédatif, antalgique et décontracturant sur les localisations douloureuses des rhumatismes, notamment de l'arthrose, et une action stimulante sur le plan cardio-vasculaire. Le complexe de remise en forme **Celtô** comprend piscine thermale, animations d'eau, institut de beauté et de massages, et espaces de soins (bains bouillonnnants, modelages, etc.).

Établissement thermal – 71140 Bourbon-Lancy - ✆ 03 85 89 18 84 - www.bourbon-lancy.com.

Celtô – 12 av. de la Libération - 71140 Bourbon-Lancy - ✆ 03 85 89 06 66 - www.celto.fr.

TOURISME AÉRIEN

Les amateurs de tourisme aérien auront une vue imprenable depuis les **montgolfières**, qui sont nombreuses à survoler le vignoble de la côte de Beaune, mais aussi Autun, Avallon, Dijon et Mâcon, à la belle saison et en automne.

N'oubliez pas votre appareil photo ! Vols de 1h à 3h, d'avril à novembre, tôt le matin ou en fin de journée, pour bénéficier des meilleures conditions atmosphériques.

Bourgogne Montgolfière – 71390 Moroges - ✆ 03 85 47 99 85 - www.eole71.com. Vols au-dessus des vignobles de la côte Chalonnaise.

France Montgolfières – ✆ 02 54 32 20 48. Vols au-dessus de la région de Vézelay.

Air Escargot – 71150 Remigny - ✆ 03 85 87 12 30 - www.air-escargot.com.

Air Adventures – rue du Terreau - 21320 Bellenot - ✆ 03 80 90 74 23 - www.airadventures.fr.

Choisissez de préférence les sites d'envol en deltaplane ou en parapente qui sont agréés par la **Fédération française de vol libre** - Deltaplane ✆ 03 84 42 27 69 - Parapente ✆ 03 84 23 20 40 - www.ffvl.fr.

Certains clubs régionaux sont réputés pour le vol à voile et l'**ULM** *(voir Pouilly-*

en-Auxois, La Côte, Vallée de la Cure et La Bresse).

ULM Prestige – Chemin de l'Aérodrome - 71850 Charnay-lès-Mâcon - ✆ 03 85 34 63 97 - http://ulmprestige.free.fr.

Club ULM de Bourgogne – 71800 La Clayette - ✆ 03 85 28 09 30 - www.ulm-bourgogne.fr.

TOURISME ARTISANAL ET INDUSTRIEL

Réputée pour son patrimoine artistique et sa gastronomie, la Bourgogne bénéficie en outre d'un riche réseau d'entreprises dynamiques qui perpétuent des savoir-faire ancestraux et concourent à l'innovation technique. Le tourisme artisanal et industriel *(voir encadré p. 254)* connaît un fort développement. La chambre de commerce et d'industrie de Dijon publie régulièrement un guide de découverte économique de la Côte-d'Or. On peut notamment visiter la Grande Forge de Buffon, aux environs de Montbard, le musée de la Mine et Mine-image, à La Machine, le musée de la Mine à Blanzy, le musée de l'Homme et de l'Industrie au Creusot, la carrière souterraine d'Aubigny et le musée Nicéphore-Niépce de Chalon-sur-Saône.

L'art de la poterie

Il est possible de visiter des ateliers de Puisaye *(voir ce nom)*, terre d'argile, en en demandant la liste au **syndicat d'initiative intercommunal de la Puisaye nivernaise** – 6 Grande-Rue - 58310 St-Amand-en-Puisaye - ✆/fax 03 86 39 63 15 - www.ot-puisaye-nivernaise.fr.

Association des potiers-créateurs de Puisaye – Ancien Couvent - 89520 Treigny - ✆ 03 86 74 75 38 - www.potiers-createurs-puisaye.com. Expositions de céramique contemporaine.

Des **stages** de découverte, d'initiation ou de perfectionnement des activités de la céramique, pour petits et grands, ont lieu toute l'année au Centre national d'initiation de formation de la poterie et du grès (CNIFOP) - rte de St-Sauveur - 58310 St-Amand-en-Puisaye - ✆ 03 86 39 60 17 - www.cnifop.com.

S. Sauvignier / MICHELIN

Saint-Amand-en-Puisaye.

TOURISME FLUVIAL

Près de 1200 km de canaux presque désertés par la navigation commerciale attendent les plaisanciers en Bourgogne. Ces canaux, construits à partir du 17e s., constituent, avec les rivières navigables (Yonne, Saône, Seille), un réseau exceptionnel pour tous ceux qui veulent découvrir la région au rythme des parties de pêche, des haltes-balades à bicyclette et des rencontres avec les gens du pays. Les lieux de navigation sont multiples, entre le canal de Bourgogne, l'Yonne, le canal du Nivernais, le canal du Centre, le val de Saône et les canaux du Val de Loire.

Bateaux habitables

La location de « bateaux habitables » *(house-boats)*, aménagés pour 2 à 12 personnes, permet une approche insolite des sites parcourus sur les canaux. C'est le plaisir de se réveiller chaque matin dans un lieu différent, de faire du vélo sur un chemin de halage... D'une durée d'un week-end à une semaine, voire plus, la location s'effectue sans pilote accompagnateur. Les tarifs varient selon la période de location, la dimension et le confort du bateau. Les principales bases de départ se situent à Auxerre, Digoin, Joigny, St-Jean-de-Losne et Tournus.

Bon à savoir – Aucun permis n'est exigé (la manette de commande n'a que deux positions), mais le barreur doit être majeur. Il reçoit une leçon théorique et pratique avant le début de la croisière. Le respect des limitations de vitesse, la prudence et les conseils du loueur, en particulier pour passer les écluses et pour accoster, suffisent pour manœuvrer ce type d'embarcation.

Centrale de réservation Bateaux de Bourgogne – 1-2 quai de la République - 89000 Auxerre - ✆ 03 86 72 92 00 - www.bourgogne-tourisme.com. Une demi-douzaine de loueurs pour 17 bases de départ.

Péniches-hôtels

Il en existe une trentaine en Bourgogne, équipées d'un service hôtelier en pension complète, qui effectuent des croisières de 2 à 7 jours. C'est le moyen le plus confortable pour découvrir la Bourgogne et sa gastronomie. Les capacités d'hébergement varient de 6 à 24 passagers.

Les prix s'échelonnent de 760 à 2 300 € par personne et par semaine, incluant le transfert de l'aéroport, les excursions, les animations et les visites de caves.

Bateaux promenades

C'est un excellent moyen de découvrir rivières et canaux de Bourgogne pendant quelques heures et de faire une excursion agréable. Les pilotes connaissent toutes les anecdotes attachées aux voies d'eau qu'ils empruntent. Les bateaux peuvent accueillir de 6 à 200 personnes et proposent des croisières à l'heure, à la demi-journée ou à la journée (dans ce cas, l'excursion peut s'accompagner, sur certains bateaux, d'un déjeuner à bord). Vous pouvez embarquer seul, en famille ou en groupe, à Auxerre, Pouilly-en-Auxois, St-Jean-de-Losne, Chalon-sur-Saône, La Truchère, Écuisses, Digoin, Montsauche-les-Settons et Bazolles. Des programmes à la carte sont souvent possibles, mais certains bateaux ne naviguent qu'en haute saison.

Informations pratiques

En fonction de la surface du bateau et de la durée d'utilisation, un péage est perçu (pour les bateaux privés) sur les rivières et canaux gérés par les **Voies navigables de France** – 175 r. Ludovic-Boutleux - BP 820 - 62408 Béthune Cedex - ✆ 03 21 63 24 54. Cinq formules sont possibles : forfait journée ; forfait vacances, valable uniquement 16 jours consécutifs ; forfait loisirs, valable 30 jours obligatoirement consécutifs ; forfait saison, quatre mois obligatoirement consécutifs ; forfait annuel.

Bon à savoir – Les canaux sont généralement fermés de mi-novembre à mi-mars. Les autres périodes de « chômage » (fermeture des voies navigables pour travaux d'entretien) sont indiquées aux plaisanciers par des « avis à la batellerie » consultables sur le site www.vnf.fr. Les écluses ne fonctionnent pas le dimanche de Pâques, le 1er Mai, le dimanche de Pentecôte, le 14 juillet et le 1er novembre.

S. Sauvignier / MICHELIN

Péniche sur le canal de Bourgogne.

Avant de partir

Vous trouverez des informations utiles sur le tourisme fluvial dans différentes brochures des comités départementaux de tourisme et agences de développement touristique *(coordonnées p. 15)*, et sur bourgogne-tourisme.com, rubrique « fluvial ». Pensez aussi à vous procurer les cartes nautiques et guides fluviaux suivants :

– Guides de la collection Navicarte : *Bourgogne ouest* (d'Avon à Digoin) n° 20 et *Bourgogne est* (de Joigny à Chalon-sur-Saône) n° 19. Éditions Grafocarte – 125 r. J.-J.-Rousseau - BP 40 - 92132 Issy-les-Moulineaux Cedex - ✆ 01 41 09 19 00.

– Guides des éditions du Breil : *Bourgogne-Franche-Comté* (n° 3) et *Bourgogne-Nivernais* (n° 11). Éditions du Breil – Domaine du Fitou - Le Breil - 11400 Castelnaudary - ✆ 04 68 23 51 35.

– Guides de la collection Vagnon : *La Saône, la Seille, le canal des Vosges-Moselle* (n° 6) et *Bourgogne-Centre-Nivernais* (n° 3). Éditions du Plaisancier – 43 porte du Grand-Lyon - Neyron - 01707 Miribel Cedex - ✆ 04 91 54 79 40 - www.codes-vagnon.fr.

Bon à savoir – La brochure *Flâneries au fil de l'eau* est disponible auprès de la délégation locale des Voies navigables de France - ✆ 03 80 92 55 15 - ou au comité régional du tourisme - ✆ 0825 002 100. Elles indiquent l'ensemble des activités à pratiquer sur ou à proximité du canal de Bourgogne.

VIGNOBLES

La diversité des appellations de Bourgogne (101 AOC, 23 appellations régionales, 44 communales, 33 grands crus et 622 « climats ») peut déconcerter.

Cette diversité se retrouve dans les vins blancs de Chablis, d'une finesse exquise, frais et ronds du Mâconnais, amples et racés de la côte de Beaune ; dans les vins rouges puissants de la côte de Nuits, élégants de la côte de Beaune, les plus grands vins de pinot noir du monde...

Symbole de convivialité, le vin de Bourgogne est d'un abord franc et séduisant. Il faut en débusquer les arômes, prendre son temps pour saisir les nuances de l'échelle des crus.

La N 74, qui relie Dijon à Beaune, passe par tous les villages de la Côte : Gevrey-Chambertin, Vougeot, Vosne-Romanée, des noms qui laissent rêveur... La « route des Grands Crus » permet de contempler ces parcelles si célèbres, parfois minuscules, comme Romanée-Conti ou Montrachet. Le paysage des vignes, même en hiver, est sage et mesuré, d'une calme beauté. Le terroir, les conditions climatiques et le travail des vignerons conditionnent la qualité du millésime. Les visites de caves permettent de découvrir les différentes étapes de la vinification et de l'élevage des vins, où le savoir-faire du viticulteur est déterminant.

Bon à savoir – Nombre de domaines viticoles, négociants-éleveurs et caves coopératives ont signé la **Charte de l'accueil en Bourgogne** (« De vignes en caves »), et de ce fait, vous réservent un accueil personnalisé.

Une enseigne à l'entrée de leur propriété permet de les identifier, et une liste sur la carte *La Route des vins de Bourgogne*, que vous pourrez vous procurer dans les différents organismes touristiques et maisons des vins, permet de les situer.

Renseignements

Athenaeum – 5 r. de l'Hôtel-Dieu - 21200 Beaune - ✆ 03 80 25 08 30 - www.athenaeumfr.com.

Pour tout savoir sur les vins et les vignobles, une visite de ce lieu s'impose. On y trouve à la fois livres, documentation, films vidéo, matériel de cave, verrerie, objets divers.

Bureau interprofessionnel des vins de Bourgogne (BIVB) – 12 bd Bretonnière - BP 150 - 21024 Beaune Cedex - ✆ 03 80 25 04 80 - www.vins-bourgogne.fr. Le BIVB donne de nombreuses informations et édite plusieurs brochures sur les vins, dont l'excellente carte *La Route des vins de Bourgogne*, ainsi qu'un guide annuel, *Bourgogne en fêtes*, présentant l'ensemble des manifestations ayant trait au vin.

Stages d'initiation

Pour développer l'art du « savoir boire », des stages d'initiation à la dégustation des vins de Bourgogne et des séjours œnologiques sont organisés à Beaune. Ils peuvent durer 2h, une journée, un week-end ou plusieurs jours.

École des vins de Bourgogne – 6 r. du 16e-Chasseur - 21200 Beaune - ✆ 03 80 26 35 10 - www.ecoledesvins-bourgogne.com.

Sensation Vin – 1 rue d'Enfer - 21200 Beaune - ✆ 03 80 22 17 57 - www.sensation-vin.com.

Quelques maisons des vins et grandes coopératives

Pensez aussi à consulter les **encadrés pratiques** des villes ou sites de ce guide.

Vignoble de Pouilly.

Vous y trouverez de bonnes adresses à la rubrique *Que rapporter*.

Beaune

Maison Denis Perret – Pl. Carnot - 21200 Beaune - ✆ 03 80 22 35 47 - www.denis-perret.fr. Le plus grand marchand de vin de Beaune : une anthologie des crus de Bourgogne. Un régal pour les yeux et, bien plus encore, pour le palais.

Chablis

La Chablisienne – 8 bd Pasteur - 89800 Chablis - ✆ 03 86 42 89 89 - www.chablisienne.com. Cette coopérative dispose d'une salle de dégustation pour découvrir les premiers crus et petits chablis.

Chalon-sur-Saône

Maison des vins de la côte Chalonnaise – Prom. Ste-Marie - 71100 Chalon-sur-Saône - ✆ 03 85 41 64 00. Cette maison réputée ne propose que des vins régionaux aux prix de la propriété.

Mâcon

Maison mâconnaise des vins – 484 av. De-Lattre-de-Tassigny - 71000 Mâcon (sur la RN 6) - ✆ 03 85 22 91 11 - www.maison-des-vins.com. Elle mérite vraiment la visite. En plus, son bon restaurant propose des spécialités régionales.

Mercurey

Château de Garnerot – 71640 Mercurey - ✆ 03 85 45 22 99 - http://garnerot.skyblog.com. C'est le siège de la Confrérie St-Vincent et des Disciples de la Chanteflûte, qui accueille des festivités liées au vin. Dégustations.

St-Bris-le-Vineux

Maison du vignoble auxerrois – 14 rte de Champs - 89530 St-Bris-le-Vineux - ✆ 03 86 53 66 76 - www.maisonduvignoble.com. Les viticulteurs vous font découvrir les crus qu'ils ont sélectionnés.

S. Sauvignier / MICHELIN

Sites Internet

Il n'est vraiment pas facile de se repérer dans la mosaïque du vignoble bourguignon ! De nombreux propriétaires ont décidé de se faire connaître sur le « réseau des réseaux », voire d'y commercialiser leur vin. Si vous axez votre séjour sur le vin et partez à la recherche des bonnes occasions, préparez votre itinéraire avec Le Guide Vert Les Thématiques *La France des Vignobles* et Internet. Vous pouvez vous faire livrer le vin chez vous, ce qui vous donnera un avant-goût des merveilles gustatives qui vous attendent sur place...

Informations sur la Bourgogne viticole

Bon à savoir – Viticulteurs et négociants se regroupent souvent sur le portail de leurs prestataires, ce qui vous permet, à partir d'une adresse Internet unique, d'accéder aux sites d'un grand nombre de domaines !

www.bourgogne.net – Ce site contient toutes sortes d'informations sur la Bourgogne, notamment sur le vin et les domaines viticoles.

www.frenchwines.com – Lié à la précédente adresse, l'*Annuaire des vins de France* recense les événements liés au vin. Vous y trouverez aussi un répertoire de propriétaires et négociants, ainsi que des liens utiles vers des sites d'achat en ligne.

www.divine-comedie.fr – Magazine d'actualité sur les vins de Bourgogne. Portraits de personnalités du secteur, bonnes adresses, conseils de dégustation...

www.louisjadot.com – La géographie du domaine est expliquée par le menu. La liste des appellations est aussi détaillée qu'étendue.

www.louislatour.com – Les nombreuses parcelles du domaine Latour sont illustrées par des cartes, et les vins sont décrits, accompagnés de notes de dégustation.

Vente des vins des Hospices de Beaune

Vous trouverez, sur www.hospices-de-beaune.com, le programme des différentes manifestations qui accompagnent, en novembre, la « plus grande vente de charité au monde », dans le cadre des « Trois Glorieuses ».

Acheter son vin en ligne

Bon à savoir – La plupart des sites de domaines (qui ne sont pas cités) proposent une transaction par bon de commande à imprimer, puis à envoyer. Pour les autres, lisez attentivement les conditions de vente et tenez compte du coût de la livraison.

www.denisperret.fr – *voir p. 39.*

www.vinsdebourgogne.com/fr – Le marché aux vins, situé en face de l'hôtel-Dieu, propose un grand choix de bouteilles, y compris de vieux millésimes, que vous découvrirez sur la boutique en ligne de ce site.

www.wine-searcher.com – Ce moteur de recherche vous permet de comparer les prix de différents marchands de vins pour vous aider dans votre sélection.

www.vins-du-beaujolais.com – Ce site très développé rassemble un grand nombre de producteurs. C'est l'un des meilleurs sites commerciaux.

Vin et musique

Chaque été, le Festival musical des grands crus de Bourgogne, **de Bach à Bacchus**, associe dégustations et musique. Une cinquantaine de concerts (classique, jazz, variété), un concours de piano, des « Journées de la flûte » sont organisés dans des lieux prestigieux : les caves du château de Meursault, le château du Clos de Vougeot, l'église de

À faire

Voici, à titre indicatif, quelques musées du vin à ne pas manquer lors d'un passage en Bourgogne. Pour mieux les situer, consultez la carte *Les vins en Bourgogne p. 92-93.*

Beaune (21) – Musée du Vin, *p. 142.*

Chenôve (21) – Cuverie des ducs de Bourgogne, *p. 236.*

Coulanges-la-Vineuse (89) – Musée du Vieux Pressoir et de la Vigne, *p. 123.*

Cuiseaux (71) – Le Vigneron et sa vigne, *p. 162.*

Reulle-Vergy (21) – Musée des Arts et Traditions des Hautes-Côtes, *p. 238.*

Romanèche-Thorins (71) – Hameau du vin, *p. 361.*

Vougeot (21) – Château du Clos de Vougeot, *p. 238.*

Noyers, le farinier de Cluny, la collégiale de Chablis et la proche chapelle de Préhy. Des programmes de stages œnologiques ou musicaux sont aussi proposés - ✆ 03 80 34 38 40 - www.ot-meursault.fr.

VISITES GUIDÉES

Organisées toute l'année dans les grandes villes, ou seulement en saison dans les plus petites, des visites guidées proposent aux visiteurs de découvrir le patrimoine historique, architectural ou naturel d'une localité. Renseignez-vous auprès de l'office de tourisme le plus proche, et pensez surtout à vous inscrire. En général, les visites ne sont pas assurées en deçà de quatre personnes. Pendant la période estivale, les groupes sont rapidement complets.

Reportez-vous aussi à l'**encadré pratique** des villes, dans la partie « Découvrir les sites », où nous mentionnons les visites guidées qui ont retenu notre attention sous la rubrique *Visite*.

Villes et Pays d'art et d'histoire

Sous ce label décerné par le ministère de la Culture et de la Communication sont regroupés quelque 120 villes et pays qui œuvrent activement à la mise en valeur et à l'animation de leur architecture et de leur patrimoine. Dans ce réseau sont proposées des visites générales ou insolites (1h30 ou plus), conduites par des guides-conférenciers et des animateurs du patrimoine agréés par le ministère. Renseignements auprès des offices de tourisme des villes ou sur le site **www.vpah.culture.fr**.

Les Villes et Pays d'art et d'histoire cités dans ce guide sont Dijon, Autun, Auxerre, Châlon-sur-Saône, Joigny, Nevers et le pays d'Auxois.

Voir également le chapitre « La destination en famille » *(ci-après)*.

La destination en famille

Pour varier les plaisirs de la nature, profiter d'une journée boudée par le soleil ou se faire pardonner quelques visites de musées « pour les grands », nous avons sélectionné, dans le tableau qui se trouve en p. 42-43, quelques sites ou activités susceptibles de plaire à vos enfants. Vous les repérerez, dans la partie « Découvrir les sites », grâce au pictogramme.

Bon à savoir – Pour la préparation d'un séjour en famille en Saône-et-Loire, visitez le site www.bourgogne-du-sud.com pour découvrir une itiniative originale : **Aventures Mômes** (sites, activités, aventures nature pour les 4 à 14 ans).

LES LABELS

Villes et Pays d'art et d'histoire

Le réseau des Villes et Pays d'art et d'histoire propose des **visites-découvertes** et **ateliers du patrimoine** aux enfants les mercredis, samedis ou durant les vacances scolaires. Munis de livrets-jeux et d'outils pédagogiques adaptés à leur âge, ces derniers s'initient à l'histoire et à l'architecture, et participent activement à la découverte de la ville. Ils s'expriment en atelier à partir de maquettes, gravures ou vidéos, au contact d'intervenants de tous horizons : architectes, tailleurs de pierre, conteurs, comédiens.

Bon à savoir – En juillet-août, dans le cadre de l'opération **L'Été des 6-12 ans**, ces activités sont également proposées pendant la visite des adultes.

Stations vertes

On dénombre près de 600 Stations vertes de vacances en France. Parmi les critères nécessaires à l'obtention de ce label, figurent l'**accueil des familles et des enfants** et une infrastructure permettant des **activités ludiques**. Pour découvrir la liste des stations vertes de Bourgogne, consultez le site www.stationsvertes.com.

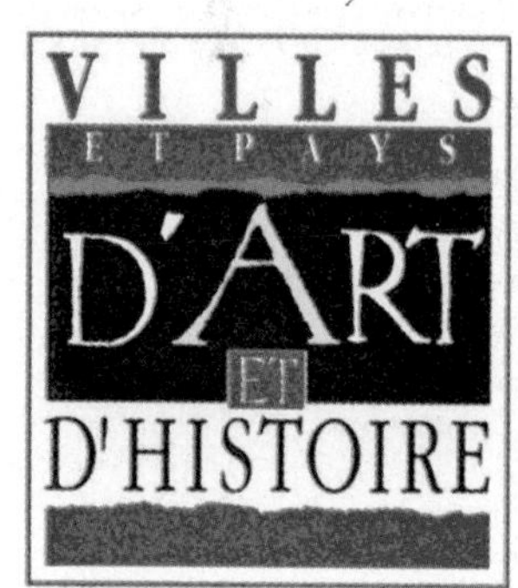

/Ministère de la Culture et la Communication

Que rapporter ?

Entre les vins de Bourgogne et les spécialités gastronomiques, vous n'aurez que l'embarras du choix si vous désirez rapporter un souvenir ou un cadeau. Pensez également à l'artisanat d'art : soieries, poteries, etc. Deux villes illustrent particulièrement bien cette diversité : Beaune, qui affiche une surprenante activité commerçante pour une ville de cette taille, avec de nombreuses boutiques de souvenirs, de décoration et d'arts de la table, des antiquaires et, naturellement, des marchands de vin s'égrènant le long des rues de la vieille ville ; et Dijon, avec une autre ambiance : dans les ruelles du centre, place aux douceurs et aux enseignes patinées.

N'oubliez pas de consulter les adresses de boutiques ou d'artisans à la rubrique *Que rapporter* des encadrés pratiques des villes et sites.

PRODUITS DU TERROIR

Spécialités gastronomiques

Les gougères (ces bouchées de pâte à choux qui accompagnent fort bien une dégustation de vins), le fameux *Helix pomatia*, ou escargot de Bourgogne, le jambon persillé, l'andouillette du Morvan, la pochouse, dont la tradition remonte à la grande époque du flottage du bois, les volailles fermières de la Bresse louhannaise (qui bénéficient d'une AOC depuis 1957), l'anis de Flavigny, les pavés charolais participent à la renommée de la table bourguignonne. La région compte nombre de grands restaurants traçant une sorte de « voie triomphale » de Sens à Vonnas, mais chaque village possède son auberge et l'on appréciera les petits établissements qui jalonnent le cours de la Saône et de ses affluents. Les bœufs élevés dans les herbages du Morvan, de l'Auxois, du Charolais et du Nivernais, les ovins de l'Auxerrois fournissent une viande savoureuse.

Fromages

La Bourgogne, c'est aussi un plateau de 27 fromages, parfois très locaux, à la saveur inimitable. Il n'y a que l'embarras du choix : le cîteaux, le saint-florentin, le brillat-savarin et le soumaintrain, issus du lait de vache, le mâcon et le bouton-de-culotte, fabriqués avec du lait de chèvre. Les moines bénédictins de l'abbaye de la Pierre-qui-Vire détiennent le secret de fabrication de la boulette, qui se distingue des nombreux fromages de la région : les vézelay, vermenton, pourly, lormes, claquebitou, cendré d'Aisy. Et ce n'est pas pour rien si Époisses est le berceau du fromage qui y est toujours produit (fromage AOC) : la qualité des produits du terroir vient des « usages locaux, loyaux et constants ».

Moutardes

Vous en trouverez dans toutes les épiceries, mais aussi dans les magasins de souvenirs. La plupart gagnent à être connues et se trouvent difficilement hors de la région : moutarde au pain d'épices, au cassis, moutarde à l'ancienne, moutarde de Dijon AOC. *Voir Beaune et Dijon.*

Gourmandises

Chaque étape de votre voyage est susceptible d'apporter son écot au chapelet

SITES OU ACTIVITÉS À FAIRE EN FAMILLE

Chapitre du guide	Nature	Musées	Loisirs
Beaune		Chambre des « pôvres » de l'hôtel-Dieu - Château de Savigny-lès-Beaune	Parc de la Bouzaise
La Bresse		Musée des attelages - Ferme-musée de la Forêt	Base de loisirs de Montrevel-en-Bresse - Ferme équestre de Lamarre
Briare	Balade en bateau sur les canaux	Pont-canal et musée - Château des Pêcheurs	Centre aquatique
Le Brionnais	Jardins romans de Varenne-l'Arconce	Musée du Reflet brionnais	Foire aux bestiaux
Chalon-sur-Saône		Musée Nicéphore-Niépce - Galerie des Sciences de l'abbaye de la Ferté	Montgolfiades
La Charité-sur-Loire	Réserve naturelle du Val-de-Loire	Pavillon du milieu de Loire	Balades sur la Loire en canoë-kayak
Château-Chinon	Randonnées à dos d'âne		Les Ruchers du Morvan
Châtillon-Coligny	Arboretum national des Barres - Promenades à dos de cheval ou de poney	Écluses de Rogny	
Châtillon-sur-Seine	Promenades à dos de cheval, de poney ou d'âne	Maison de la Forêt	Parcours accrobranche - Baignade au lac de Marcenay

SITES OU ACTIVITÉS À FAIRE EN FAMILLE			
Chapitre du guide	**Nature**	**Musées**	**Loisirs**
Clamecy		Carrière souterraine d'Aubigny, sur la commune de Taingy	
La Clayette			Moutonthèque de la Filature Plassard
Cosne-Cours-sur-Loire	Balades en canot	Musée paysan de Cadoux	Cyclo-rail du Sancerrois - équitation
Creusot-Montceau	Parc de la Verrerie	Musée de l'Homme et de l'Industrie - Musée du Canal - Musée des Fossiles - Maison d'école - Musée de la Mine	Parc touristique des Combes
Decize		Mine-image	Base de loisirs du stade nautique
Dijon	Jardin botanique	Musée des Beaux-Arts - Musée de la Vie bourguignonne - Museum de la ville de Dijon- Planétarium Hubert Curien	Lac Kir Dijon Plage en été
Flavigny-sur-Ozerain		Fabrique d'anis	
Guédelon		Visite du chantier médiéval	
Joigny		Musée des Arts populaires - La Fabuloserie	
Louhans		L'Atelier d'un journal	Site de loisirs du Domaine de la Loge
Matour		Maison des patrimoines en Bourgogne du sud - Galerie européenne de la Forêt et du Bois	Zone de loisirs du Paluet
Montargis		Musée vivant de l'Apiculture gâtinaise	Parcours-aventure de Forest Jump
Le Morvan		Maisons à thème de l'écomusée du Morvan	Base sports et nature des Settons - Balades accrobranches
Nevers		Musée Ligier F1	Karting de Nevers
Noyers			Le p'tit train de l'Yonne
Vallée de l'Ouche	Balades à dos de cheval ou de poney		Chemin de fer de la vallée de l'Ouche
La Puisaye	Parc naturel de Boutissaint - Lac du Bourdon		Cyclo-rail de Puisaye - Train touristique du pays de Puisaye-Forterre - Parc d'aventures du Bois de la folie
Romanèche-Thorins		Le Hameau en Beaujolais	Parc zoologique et d'attractions Touroparc
Saint-Fargeau			Spectacle historique de Saint-Fargeau - Ferme du château
Saint-Thibault	Parc animalier de l'Auxois, à Arnay-sous-Vitteaux		
Tournus	Réseve naturelle de la Truchère	Centre Éden à Cuisery	Base de loisirs nautiques de Laives
Vézelay			Parc « préhistorique » de Cardo-land
Voie verte	Balades à pied, à vélo ou en rollers		

/Mulot et Petitjean

Nonnettes de Dijon.

des douceurs : anis de Flavigny-sur-Ozerain, dans leur petite boîte vieillotte, bourguignottes d'Auxerre, bûchettes de Sens, granités roses de Semur-en-Auxois, marguerites de Bourgogne de Tonnerre, nougatines (mises à la mode par Napoléon III) et négus de Nevers, cabaches (du nom du roi du carnaval) et graviers de Saône de Chalon-sur-Saône, corniottes de Tournus et Chagny, graviers de Saône de Mâcon, pains d'anis d'Autun. À Dijon, c'est le feu d'artifice : cassissines, jacquelines, gimblettes, colombiers, et le fameux pain d'épice, que l'on débite encore au pavé (originaire d'Asie, il aurait été rapporté par les Croisés). La seule évocation de la poire « belle dijonnaise », pelée (avec la queue), pochée dans un sirop vanillé, et nappée d'une purée de framboise, à déguster avec une glace à la vanille et des amandes grillées, suffit pour éveiller les sens.

Vins

La fourchette des prix des vins de Bourgogne est large, de 8 à 15 € en moyenne pour une appellation communale ou communale 1er cru. On le trouve dans les caves des vignerons, dont vous trouverez la liste sur la carte *La Route des vins de Bourgogne*, éditée par le BIVB, comme dans les boutiques spécialisées des grandes villes. Certaines occasions peuvent se présenter : un grand cru autour de 23 €, par exemple, mais les bouteilles les plus prisées atteignent facilement les 75 €, voire plus s'il s'agit de bouteilles de collection...

Cassis et eaux-de-vie

Comment repartir de Dijon sans avoir acheté une bouteille de cassis et du bourgogne aligoté (celui-ci peut se déguster seul, et l'aligoté bouzeron est un excellent vin), nécessaires pour préparer le Kir® ? Ce dernier sera « royal » avec du crémant de Bourgogne, sec ou brut. À consommer (avec modération) à l'apéritif... Issus de la vigne ou des fruits, d'une distillation ou d'une infusion, les digestifs terminent les repas : crèmes de fruits (framboise, cassis, mûre, pêche de vigne), marc de Bourgogne, à déguster après le café dans une tasse encore chaude et sucrée, et fine de Bourgogne.

ET AUSSI...

À Charlieu se perpétue une tradition ancienne de **tissage de la soie**. La boutique du musée de la Soierie vend des souvenirs en soie, fabriqués en exclusivité sur place. Les métiers des **textiles** se réunissent à Flavigny vers la fin du mois de juin - ✆ 03 80 96 20 40.

Les œuvres en **grès** ou en **faïence** des **potiers** se trouvent à Nevers, dans le Morvan et, surtout, en Puisaye. En juillet, le marché des potiers à St-Sauveur mérite vraiment le détour.

Le travail du **bois** donne des objets utilitaires ou décoratifs que l'on dénichera par exemple à Chauffailles ou à Donzy-le-Pertuis.

À Vézelay, vous pourrez visiter des galeries ou rapporter des **œuvres monastiques**, que vous trouverez aussi à l'abbaye de la Pierre-qui-Vire.

Événements

En Bourgogne, on aime faire la fête. Fête truculente, gourmande, conviviale ! Les marchés ont un air de gaieté : il fait bon s'y retrouver, même dans le froid ; cela vaut la peine de se lever tôt (entre 4h et 8h du matin), de préférence en automne, pour assister au marché aux bestiaux de St-Christophe-en-Brionnais ou à une foire à Louhans. La diversité des manifestations est étonnante : grands moments de l'année vigneronne, fêtes de villages, foires aux bestiaux et aux produits du terroir (et la Bourgogne compte de nombreux fleurons !), foires gastronomiques, festivals de danse et de musique, élans de spiritualité, animations de rue pendant le carnaval. Le choix, si large, augmente le plaisir d'être « bien tombé », lors d'une étape ou d'un séjour en Bourgogne, et de participer à la vie locale.

Pour plus de détails sur les fêtes et manifestations en région Bourgogne, consultez www.bourgogne-tourisme.com et les sites des comités départementaux de tourisme et agences de développement touristique *(coordonnées p. 15)*.

Bon à savoir – La Maison du parc régional du Morvan édite le *Magazine culturel en Morvan*, contenant les dates, tarifs, lieux et coordonnées des manifestations et spectacles. *Morvan en fête* est en vente sur place, en été. Consultez également le site **www.parcdumorvan.org**.

Pour découvrir le calendrier détaillé des manifestations dijonnaises (foires, salons, congrès, brocantes, expositions, spectacles), consultez le site du Parc des congrès et des expositions de Dijon **www.dijon-congrexpo.com**.

Fin janvier-début février

Yonne, Côte-d'Or – St-Vincent tournante (procession en l'honneur du patron des vignerons dans une commune du vignoble) - www.bourgogne-tourisme.com

Fin février-début mars

Chalon-sur-Saône – Carnaval - ✆ 03 85 43 08 39 - www.carnavaldechalon.com - une sem.autour de Mardi gras.

Mars

Auxonne – Carnaval - ✆ 03 80 37 34 46 - www.ot-auxonne.fr - 1er dim.

Châtillon-sur-Seine – Défilé carnavalesque « Tape-Chaudrons » et fête du crémant - ✆ 03 80 91 50 50 - www.mairie-chatillon-sur-seine.fr.

Dijon – Festival de danse contemporaine - ✆ 03 86 73 97 27 - www.art-danse.com.

Nuits-St-Georges – Vente des vins des hospices de Nuits - ✆ 03 80 62 11 77 - www.nuits-saint-georges.com.

Week-end de Pâques

Tonnerre – Les Vinées tonnerroises - ✆ 03 86 55 14 48 - www.tonnerre.fr.

Avril

Auxerre-Vézelay – Randonnée pédestre sur une partie du chemin de St-Jacques de Compostelle - ✆ 03 86 62 07 19 - mi-avril.

C. Surirey / Mairie de Châtillon-sur-seine

Fête du Tape-Chaudron à Châtillon-sur-Seine.

Bassou – Festival de l'escargot - ✆ 03 86 73 21 04 - dernier w.-end.

La Charité-sur-Loire – Fête aux livres de printemps (livres anciens) - ✆ 03 86 70 15 06.

Mâcon – Salon des Vins et Concours des Grands Vins de France - ✆ 03 85 21 30 30 - www.concours-des-vins.com.

Tonnerre – Les Vinées tonnerroises - dégustation de vins et de produits gastronomiques, promenades en calèche - ✆ 03 86 55 14 48.

Mai - Pentecôte

Chalon-sur-Saône, Nuits-St-Georges – Montgolfiades - ✆ 03 85 48 37 97 - www.chalon-sur-saone.net - w.-end de Pentecôte.

Semur-en-Auxois – Mai médiéval - Fête des fous (à la Pentecôte), Course des chausses et Course de la bague - ✆ 03 80 97 05 96 - fin du mois.

Juin

Abbaye de Vauluisant – Festival de musique - ✆ 03 86 86 78 40 - www.vauluisant.com - mi-juin

Auxerre – Les Nuits métisses - festival de musiques et danses du monde - ✆ 03 86 52 06 19 - www.ot-auxerre.fr - fin juin

Le Creusot – Blues en Bourgogne - ✆ 03 85 55 68 99 - www.festival-du-blues.com - dernier w.-end

Escolives-Ste-Camille – Foire aux cerises - ✆ 03 86 53 36 74 - www.escolives.fr - dernier dim.

Igé – Balade gourmande dans le Mâconnais - ✆ 03 85 33 33 56 - 3e dim.

Paray-le-Monial – Fête du Sacré-Cœur - ✆ 03 85 81 62 22 - www.paray.org - 3e w-end après Pentecôte.

St-Jean-de-Losne – Pardon des mariniers et fête de la batellerie - ✆/fax 03 80 29 05 48 - www.saintjeandelosne.com - 3e dim.

Juin-juillet

Sens – Quinte & Sens - festival de musique et de danse - ✆ 03 86 83 97 70 - www.portaildusenonais.com - fin juin-déb. juil.

Juin-septembre

Auxerre – Les Grandes Heures d'Auxerre (cathédrale St-Étienne) - ✆ 03 86 52 23 29 - www.ot-auxerre.fr - tous les soirs.

Tournus – Tournus passion - ☎ 03 85 27 00 20 - www.tournugeois.com.

Juillet

Alise Ste Reine – Nuits Peplum - festival de musique (slam, nouvelle chanson française, blues) - ☎ 03 80 96 89 13 - www.lesnuitspeplumdalesia.com - fin juil.

Les nuits du péplum d'Alésia.

Autun, Vézelay – Musique en Morvan - chant choral sacré - www.musique-en-morvan.com - 2e quinz.

Bazoches – Nuits musicales de Bazoches - opéra, musique classique et gospel dans l'église Ste-Hilaire - ☎ 03 86 22 82 74.

Chalon-sur-Saône – Festival « Chalon dans la rue » - www.chalondanslarue.com - mi-juil.

Clamecy – Joutes nautiques - ☎ 03 86 29 90 43 - www.vaux-yonne.com - 14 Juil.

Parc naturel du Morvan – Sun Festival - sports de loisirs et culture sur les rives de lac des Settons - ☎ 03 80 39 90 89 - www.sunfestival.org.

Nevers-Magny-Cours – Grand prix de Formule 1 - ☎ 03 86 21 80 00 - www.magnyf1.com - juil.

Pontailler-sur-Saône – Fête de l'oignon - ☎ 03 80 36 16 62 - dernier dim.

Pontigny – Saison musicale et visite nocturne des amis de Pontigny - ☎ 03 86 47 54 99. De mai à août.

Rogny-les-Sept-Écluses – Grand spectacle pyrotechnique - ☎ 03 86 74 54 93 - dernier sam. de juil.

St-Bris-le-Vineux – Fête des peintres de vignes en caves - ☎ 03 86 53 31 79 - www.saint-bris.com - 3e w-end.

St-Sauveur-en-Puisaye – Foire aux potiers - 3e w.-end.

Selongey, Nuits-St-Georges, Seurre, Dijon – Festival international de carillon - ☎ 03 80 43 00 57 - déb. juil.

Tonnerre et environs – Festival de musique - concerts de musique classique dans la région - ☎ 03 86 54 45 26 - 1re quinz.

Vézelay – Pèlerinage de la Madeleine - 22 juil.

Juillet-août

Autun – « La cathédrale en lumière » - ☎ 03 85 86 80 38 - www.autun-tourisme.com - tous les soirs.

Autun – Visites-spectacles nocturnes - ☎ 03 85 86 80 38 - www.autun-tourisme.com.

Beaune – Festival international d'opéra baroque - ☎ 03 80 22 97 20 - www.festivalbeaune.com.

La Clayette – Son et lumière au château - ☎ 03 85 28 16 35 - fin juil.-début août.

Cluny – Les Grandes Heures (musique) - ☎ 03 80 59 05 34 - www.cluny-tourisme.com.

Cluny – Festival de jazz - août - ☎ 03 85 59 05 34.

Château de Cormatin – Les rendez-vous de Cormatin - pièces de théâtre - ☎ 03 85 50 16 55 - mi-juil. à mi-août.

St-Fargeau – Son et lumière (grand spectacle historique) - ☎ 03 86 74 05 67 - vend. et sam. mi-juil.-fin août - www.chateau-de-st-fargeau.com.

Juillet-septembre

Noyers, Cluny, Chablis, Meursault, Gevrey-Chambertin – Festival des grands crus de Bourgogne avec « Les Rencontres musicales » - ☎ 03 80 34 38 40 - www.noyers-sur-serein.com.

Ladoix-Serrigny – Balade gourmande - ☎ 03 80 26 40 64 - 1er dim.

Sens – Festival international d'orgue (cathédrale) - ☎ 03 86 83 97 70 - www.portaildusenonais.com.

Août

Anost – Fête de la vielle - ☎ 03 85 82 72 50 - 2e quinz.

Arnay-le-Duc – Musicales en Auxois - 9 concerts dans 9 lieux différents - ☎/fax 03 80 96 20 24 - 1re quinz.

Autun – Spectacle historique nocturne - ☎ 03 85 86 80 38 -

www.autun-tourisme.com - 1re quinz.

Autun – Foire du meuble - ✆ 03 85 86 80 38 - www.autun-tourisme.com - fin août- déb. sept.

Auxonne – Son et lumière - ✆ 03 80 37 34 46 - www.ot-auxonne.fr.

Boutissaint – Fête de la forêt sauvage - spectacle de vénerie, trompes de chasse, messe de St-Hubert - ✆ 03 86 74 07 08 - www.boutissaint.com - 15 août.

Cluny – Jazz à Cluny - ✆ 03 85 59 05 04 - www.cluny-tourisme.com- vers le 20 août.

Cluny – Marché des potiers - ✆ 03 85 59 05 34 - www.cluny-tourisme.com - années paires, vers le 10 août.

Corbigny – Fêtes musicales de Corbigny - ✆ 03 86 20 02 53 - www.corbigny.org - 1re quinz.

Coulanges-sur-Yonne – Joutes nautiques - ✆ 03 86 81 70 32 - 15 août.

Glux-en-Glenne – Fête des myrtilles - ✆ 06 84 80 10 19 - www.parcdumorvan.org - 1er w.-end.

Pierre-de-Bresse – Marché des potiers de Bourgogne - ✆ 03 85 76 27 16 - www.ecomusee-de-la-bresse.com - vers le 10.

Pouilly-sur-Loire – Foire aux vins - ✆ 03 86 39 03 75 - www.pouilly-surloire.fr - 15 août.

St-Christophe-en-Brionnais – Concours de bovins de race charolaise - ✆ 03 86 25 82 16 - vers le 10.

St-Honoré-les-Bains – Fête des fleurs - ✆ 03 86 30 71 70 - dim. après 15 août.

St-Léger-sous-Beuvray – Fête du Grand Morvan et de l'accordéon - ✆ 03 85 82 73 26 - 15 août.

Saulieu – Exposition nationale et Fête du Charolais - ✆ 03 80 64 06 09 - sam. et dim. suivant le 15 août.

Saulieu – Nuits Cajun et Zydéco - musique, danse, gastronomie, cinéma en provenance de Louisiane - www.bayouprod.com - plusieurs jours durant 1re quinz. d'août.

Vézelay – Rencontres musicales - ✆ 03 86 32 34 24 - www.rencontresmusicales-devezelay.com - fin août.

Septembre

Localités diverses – Festival « Musiques en voûtes » - musique de chambre dans des églises romanes - ✆ 03 80 67 11 22 - www.musiquesenvoutes.com.

Alise-Ste-Reine – Pèlerinage et mystère de Ste Reine - ✆ 03 86 33 39 50 - 1er w.-end sept.

Beaune – Jazz et grands vins de Bourgogne - ✆ 03 80 24 69 41 - www.jazzabeaunefestival.com - mi-sept.

Cluny – Les automnales du cheval et du poney - ✆ 03 85 59 85 00 - www.haras-nationaux.fr - sept. et oct.

Dijon – Fêtes de la vigne -festival de musique et de danses populaires - ✆ 03 80 30 37 95 - www.fetesdelavigne.com - déb. sept.

Nevers-Magny-Cours – Bol d'or - 24h de course à moto - ✆ 01 41 40 31 39 - www.boldor.com - mi-sept.

Octobre

Auxerre – Festival international de musique et de cinéma - ✆ 03 86 72 89 47 - www.festivalmusiquecinema.com.

Avallon – Salon des antiquaires - ✆ 03 86 34 14 19 - www.avallonais-tourisme.com.

Chalon-sur-Saône – Paulée des vendanges - ✆ 03 85 45 22 99 - www.chalon-sur-saone.net - 3e w.-end.

Dijon – Grande brocante d'automne - ✆ 03 80 77 39 00 - www.dijon-congrexpo.com.

Dijon, Marsannay-la-Côte – Marathon de la route des grands crus - ✆ 03 80 65 92 65 - www.marathon-bourgogne.org - fin oct.

Nevers – Nevers à vif - Festival rock - ✆ 03 86 59 32 75 - www.nevers-a-vif.org.

Nuits-St-Georges – Fête du vin bourru - ✆ 03 80 62 11 17 - www.lacabotte.com - dernier w.-end

Paray-le-Monial – Fête de sainte Marguerite-Marie - ✆ 03 85 81 62 22 - www.paray.org - mi-oct.

St-Léger-sous-Beuvray – Foire aux marrons - ✆ 03 85 82 53 00 - dernier w.-end.

Fin octobre-début novembre

Chablis, Joigny, St-Bris-le-Vineux – Fêtes des vins de l'Yonne - ✆ 03 86 42 80 80 (Chablis) - ✆ 03 86 62 11 05 (Joigny) - ✆ 03 86 53 66 76 (St-Bris).

Dijon – Foire internationale et gastronomique - ✆ 03 80 77 39 00 - www.dijon-congrexpo.com.

Novembre

Beaune – Exposition générale de vins de Bourgogne - ✆ 03 80 25 00 25.

Charolles – Concours de bovins charolais - ✆ 03 85 24 17 54 - w.-end le plus proche du 11 Nov.

Clos de Vougeot, Beaune, Meursault – « Les Trois Glorieuses » - vente aux enchères des vins des Hospices de Beaune - ✆ 03 80 61 07 12 - www.tastevin-bourgogne.com - mi-nov.

Noyers – Marché de la truffe - ✆ 03 86 82 66 06 - les dim. de nov. et déc.

Décembre

Bourg-en-Bresse, Louhans, Montrevel-en-Bresse, Pont-de-Vaux – Concours de volailles « Les Quatre Glorieuses » - ✆ 04 74 25 68 97 - www.bresse-bourguignonne.com - 3e sem.

Châteauneuf-en-Auxois – Messe de minuit et crèche vivante - ✆ 03 80 49 21 64 - 24 déc.

St-Bris-le-Vineux – Marché du réveillon aux caves de Bailly-Lapierre - ✆ 03 86 53 77 77 - www.caves-bailly.com - juste avant Noël.

Nos conseils de lecture

Beaux livres, documents, ouvrages pratiques ou romans pour découvrir la région ou approfondir un thème.

PRESSE

Quotidiens

Côte-d'Or : *Le Bien public*
Nièvre : *Le Journal du Centre*
Saône-et-Loire : *Le Journal de Saône-et-Loire*
Yonne : *L'Yonne républicaine*

OUVRAGES GÉNÉRAUX – TOURISME

Bourgogne romane, Éd. Zodiaque, 1986.

Villages de Bourgogne, par D. Bruillot et A. Roels, Éd. du Parcours, 1996.

Beauté de la Bourgogne, par P. Dupuy, Minerva, 1998.

La Bourgogne. Paysages naturels, faune et flore, par P. Vaucoulon et A. Chiffaut, Delachaux et Niestlé, coll. La Bibliothèque du naturaliste, 2004.

La Bourgogne vue du ciel, par A. et Y. Arthus-Bertrand, Éd. du Chêne, 1990.

Le Parc naturel régional du Morvan, Guides Gallimard, 1997.

Paysage du Morvan.

Bon à savoir – Vous pourrez commander de nombreux livrets, topo-guides et cartes sur le Morvan en cliquant sur le site **www.parcdumorvan.org** qui propose une boutique en ligne.

Nièvre, Guides Gallimard, 2001.

La Route des abbayes en Bourgogne, par F. Barbut et A. Parinet, Ouest-France, 2002.

Balades sur les routes de Bourgogne, par C. Vialle, Ouest-France, 2005.

Lavoirs de l'Yonne, par S. Rozenberg et C. Garino, Éd. de l'Armançon, 1997.

Lavoirs de Côte-d'Or, par C. Garino, F. et J.-C. Bonardo, Éd. de l'Armançon, 2000.

HISTOIRE – ART – TRADITIONS

L'État bourguignon 1363-1477, par Bertrand Schnerb, Éd. Perrin, 1999.

Splendeurs de la cour de Bourgogne, Récits et chroniques, Éd. Robert Laffont, coll. Bouquins, 1995.

Les Grands Ducs de Bourgogne, par J. Calmette, Éd. Albin Michel, 1976.

Histoire de Bibracte : le bouclier éduen, Éd. E. Mourey, 1992.

Les Routes de la faïence en Bourgogne, par J. Rosen, Éd. Presses du Réel, 2004.

Hommes et Terre de Bourgogne, par H. Vincenot, Hachette Littératures, 2000.

Métiers de Bourgogne, par B. Auboiron, Edisud, 2001.

Étrange Bourgogne, par J.-F. Bazin, Ouest-France, 2004.

VIN & GASTRONOMIE

Les Vins de Bourgogne, par F. Kennel, Éd. Aedis, 2001.

L'ABCdaire des vins de Bourgogne, par C. Pessey, Flammarion, 2001.

Histoire du vin de Bourgogne, par J.-F. Bazin, Gisserot, 2003.

Les Recettes bourguignonnes de tante Margot, par G. C. Fromageot, Ouest-France, 1995.

Cuisine de Bourgogne d'hier et d'aujourd'hui, par G. Carpentier, Ouest-France, 2001.
Histoire de moutarde, cassis et pain d'épice, par G. Renaud, Éd. Le Bien public, 1987.

LITTÉRATURE

L'Adieu aux champs, par R. Vincent, Éd. du Seuil, 1989. Une évocation tendre de la Bourgogne d'autrefois.
La Billebaude, *Le Pape des escargots*, *Les Étoiles de Compostelle*, *Le Maître des abeilles*, par H. Vincenot, Éd. Gallimard, coll. Folio. La langue à la fois verte et ouvragée de Vincenot raille avec plaisir les travers du monde moderne en célébrant la rudesse d'une Bourgogne millénaire.
Ma Bourgogne, le toit du monde occidental, par H. Vincenot, Éd. La Renaissance du Livre. Un hymne d'amour à ce pays où, selon l'auteur, « bien manger et bien boire, c'est aussi communier avec Dieu ».
Le Blé en herbe, *Chéri*, *La Chatte*, *Sido*, *Le Fanal bleu*, *La Naissance du jour*, *Les Vrilles de la vigne*, etc., par Colette, coll. Le Livre de Poche. Les classiques de la grande écrivaine native de St-Sauveur.
Colas Breugnon, par R. Rolland, LGF, coll. Le Livre de Poche, 1988. Un conte rabelaisien qui se déroule en Nivernais, écrit par l'un des plus grands pacifistes du siècle passé.
La Croix de fourche, par D. Cornaille, Éd. Presses de la Cité, 1997. Une description émouvante du monde paysan d'aujourd'hui.
Les Labours d'hiver, par D. Cornaille, Éd. Presses de la Cité, 1995. La Première Guerre mondiale vécue dans le Morvan.
La Jument verte, par M. Aymé, Éd. Gallimard, coll. Folio, 1976. Le chef-d'œuvre de Marcel Aymé, un sommet de l'humour noir.
Méditations poétiques, par A. de Lamartine, Éd. Gallimard, coll. Bibliothèque Lattès, 1981. Les œuvres du grand poète romantique, bourguignon de cœur.
Contes et légendes de Bourgogne, par M. Hérubel, Ouest-France, 2000. Un aperçu des plus belles histoires populaires bourguignonnes.
Autoportrait au radiateur, *Le Très-Bas*, *La plus que vive*, par C. Bobin, Éd. Gallimard, coll. Folio. Des ouvrages qui sont autant d'invitations à partager l'épicurisme de l'écrivain du Creusot.
Jours de colère, par S. Germain, Éd. Gallimard, coll. Folio. Une peinture de l'âpreté de la vie dans les forêts du Morvan, où l'amour se confond avec la folie.

Vendanges en Saône-et-Loire.

M. Troncy / Hoa-Qui

COMPRENDRE LA RÉGION

NATURE

De l'Auxois au Beaujolais, de la Saône à la Loire, les terroirs très divers, dont l'assemblage a formé la Bourgogne, ont su conserver leur caractère et leur diversité. Côteaux ensoleillés où s'épanouit la vigne, forêts profondes et plateaux herbeux occupés par un verdoyant bocage rythment le paysage. Partout présente, l'eau féconde les plaines alluviales fertiles et attire une faune aviaire des plus riches.

H. Champollion / MICHELIN

Paysage du Morvan.

Une mosaïque de paysages

Lieu de contact entre le Bassin parisien, le Massif central et le val de Saône, avec une histoire géologique mouvementée, la Bourgogne offre sur 31 000 km² une mosaïque de paysages particulièrement variés. Ce patrimoine naturel autorise une économie diversifiée, prise entre les influences du bassin du Rhône et de Paris, dans laquelle élevage et viticulture se voient reconnaître d'incontestables domaines d'excellence.

LES MONTS ET BORDURES ENCAISSÉES DU MORVAN

Au centre de la Bourgogne, le **Morvan** est la seule entité géographique que la Bourgogne ne partage pas avec d'autres régions. Ses sommets arrondis et ses vallées aux versants escarpés en font un pays de moyenne montagne. Ses beaux paysages, où alternent vastes forêts et bocages, sont hérités d'une histoire mouvementée. Lorsqu'il fut formé à l'ère primaire, le Morvan alternait de hauts sommets avec des dépressions profondes : le bassin d'Autun était alors un lac. Puis, les hauts pics du Morvan ayant été aplanis par l'érosion, la mer les submergea au secondaire et y déposa des sédiments. Surélevé au tertiaire lors du soulèvement alpin, le massif se fractura. Vallées encaissées et blocs granitiques sont les témoins contemporains de cette ère de turbulences. L'altitude moyenne du Morvan est modeste : 450 m. Les altitudes maximales se situent en son centre, tout particulièrement au Haut-Folin (901 m). Limité nettement à l'est par une ligne de faille abrupte, le Morvan s'incline peu à peu au nord pour se confondre avec les plateaux bourguignons. Il est irrigué par un dense réseau hydrographique qui alimente surtout le bassin de la Seine. Le climat montagnard et les sols peu fertiles expliquent, au moins en partie, l'extension de la forêt (la plus grande de Bourgogne, plantée aujourd'hui surtout de résineux) et la prépondérance de l'élevage sur les cultures.

L'**Auxois**, la **Terre plaine** et le **Bazois** sont des dépressions (fossés) qui bordent le Morvan à l'est, au nord et à l'ouest. À l'ère secondaire, ces espaces étaient recouverts de sédiments calcaires. Au tertiaire, lors du soulèvement alpin, si certaines régions comme le Morvan ont été exhaussées, d'autres comme l'Auxois, le Bazois et la Terre plaine se sont affaissées. Recouvertes de calcaire, elles ont ensuite été érodées, le plateau calcaire a reculé et laissé sa place à des terrains marneux. Les falaises qui surplombent ces plaines sont des cuestas et des buttes témoins (telles que celle d'Alésia) du Bassin parisien.

LES CUESTAS ET PLATEAUX DU BASSIN PARISIEN

Les régions du nord et de l'est de la Bourgogne appartiennent au vaste ensemble du **Bassin parisien** qui s'appuie sur le Morvan. Ce bassin résulte de l'empilement en auréoles concentriques de couches sédimentaires tantôt dures (calcaires), tantôt tendres (marnes et argiles). Cela se traduit par une succession de plaines et de plateaux. Les couches sont relevées sur les bords. Cette inclinaison et cette alternance de roches dures et tendres expliquent les gradins, visibles dans le paysage. Ces cuestas, reliefs typiques des bassins sédimentaires, résultent de l'érosion progressive des roches. Avec le temps, le plateau est rongé et la cuesta recule. Des buttes témoins, anciennement rattachées au plateau, marquent ce recul. C'est le cas du mont Lassois, dans le Châtillonnais.

Les paysages de cette extrémité du Bassin parisien ne sont pas uniformes. Au nord, le **Châtillonnais** apparaît comme une suite de vastes plateaux couverts par la plus grande forêt de feuillus de Bourgogne et creusés de vallées sèches. Le **Sénonais** et ses plateaux de grandes cultures de céréales et de betteraves rappellent la Brie. L'agriculture intensive s'explique par la fertilité des sols constitués de craie recouverte de limons.

À l'inverse, le **Gâtinais** de sable et d'argile, synonyme de « mauvaise terre », se consacre à l'élevage dans un bocage morcelé. La **Puisaye** jouxte le Gâtinais au sud-est. Ses collines sont issues de l'action érosive des cours d'eau qui ont creusé les plateaux. La région est parsemée de nombreux étangs. Les vastes forêts alternent avec la culture de plantes fourragères et l'élevage dans un paysage bocager. Personne n'a mieux su en révéler la beauté que Colette, qui y est née : « Le charme, le délice de ce pays fait de collines et de vallées si étroites que quelques-unes sont des ravins, c'est les bois, les bois profonds et envahisseurs, qui moutonnent et ondulent jusqu'à là-bas aussi loin qu'on peut voir. » *(Claudine à l'école).*

En **Nivernais**, le bocage couvre les plateaux découpés en collines qui s'inclinent en pente douce vers la vallée de la Loire.

Dans les régions de collines et de plateaux du **Charolais** et du **Brionnais**, les marnes donnent d'excellents prés « d'embouche » pour la race charolaise, la fierté et la richesse de la région.

LES PLAINES ET CÔTES DE LA SAÔNE

Le **fossé de la Saône** résulte d'un effondrement contemporain du soulèvement alpin. Les plaines du val de Saône sont une voie de passage de premier ordre entre l'Europe du Nord et l'Europe du Sud, la vallée du Rhin au nord et le sillon rhodanien au sud. Les terrasses alluviales de la Saône et de ses affluents, l'Ouche et la Tille, sont recouvertes de prairies et de terres de cultures. Ces plaines s'étendent au pied de plateaux calcaires.

Entre les vallées de l'Ouche et de la Dheune, le haut plateau calcaire de la **Montagne** s'abaisse progressivement vers l'est par une série de gradins. Le plus à l'est forme la célèbre **Côte d'Or**. Cet escarpement est dû aux cassures qui ont accompagné l'effondrement de la plaine alluviale de la Saône. La côte, de direction nord-sud, se caractérise par son tracé rectiligne, qui montre qu'elle est d'origine tectonique et non issue de l'érosion, et par des dénivellations qui atteignent parfois 200 m. Alors que les plateaux sont occupés par la culture, les bois et les pâtures, le talus est couvert de vignes. L'écrivain bourguignon Gaston Roupnel écrit à propos du vignoble qu'il « se cantonne sur les pentes basses et faciles. Il appuie son bord supérieur sur les premiers bancs calcaires. Il finit en bas dès que cesse toute pente et que la plaine commence sa lourde terre. Cette étroite et lente montée de pierrailles, c'est le vrai territoire du vignoble. »

La rive gauche de la Saône est bordée par le **Mâconnais**, qui prolonge la Côte-d'Or au sud. C'est une série de blocs basculés au tertiaire qui tournent leurs côtes abruptes (telles que les roches de Solutré et de Vergisson) vers le massif du Morvan. Ancienne région de polyculture,

Ph. Gajic / MICHELIN

Vignes au pied de la roche de Solutré.

le Mâconnais est aujourd'hui spécialisé dans la viticulture. Son vignoble sert de frontière méridionale à la Bourgogne.

Vallonnée et sillonnée de nombreux ruisseaux, les « caunes », la plaine de la **Bresse** s'étend de la Saône au Revermont jurassien. Les sols lourds sont difficiles à travailler, c'est pourquoi la région s'est essentiellement tournée vers l'élevage, particulièrement avicole.

LE SEUIL DE BOURGOGNE

Le seuil de Bourgogne est, au sens strict, la ligne de partage des eaux entre le bassin de la Seine et celui de la Saône. Il marque la frontière entre les cours d'eau qui alimentent la Seine et ceux qui regagnent la Saône, entre les plateaux du Bassin parisien (Auxerrois, Châtillonnais, Tonnerrois) et ceux inclinés vers le val de Saône. S'abaissant lentement vers le nord-ouest, il est constitué de plateaux secs contrastant avec les vallées verdoyantes de l'Yonne, la Seine, l'Armançon et du Serein.

Carrefour naturel important, il relie le Bassin parisien au sillon rhodanien, la France du sud-est à celle du nord-ouest, par diverses voies de communications.

La faune

Dans les terroirs de **bocages**, constitués depuis le Moyen Âge et présents surtout dans le sud de la région, les haies vives hébergent de nombreux oiseaux, insectes, mammifères et reptiles, qui y trouvent à la fois le gîte et le couvert.

Campagnols, musaraignes, hérissons et même renards s'y rencontrent communément ; des prédateurs ailés, tels que pie-grièches, huppes fasciées ou buses variables profitent de la richesse du milieu.

La tombée du jour marque le début du ballet des chauve-souris : vous aurez peut-être la chance d'apercevoir le petit rhinolophe dans sa quête nocturne de moustiques, de papillons et d'araignées. Ne le dérangez pas dans la journée : son espèce est en régression.

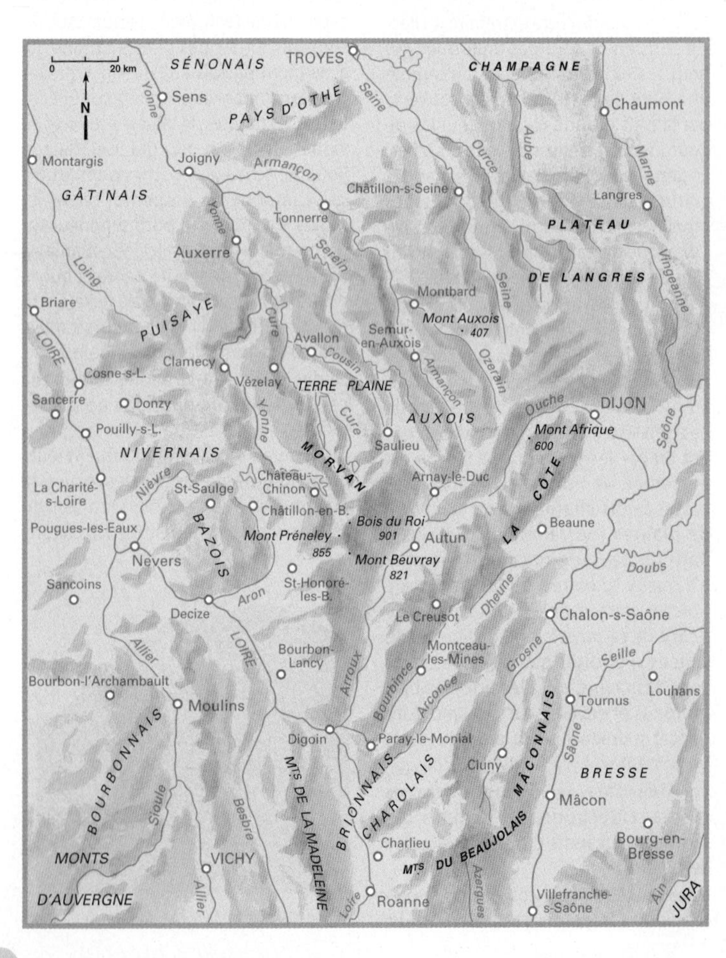

Un ambassadeur fameux

L'*Helix Pomatia*, ou **escargot de Bourgogne**, est le plus célèbre des gastéropodes de France. Et ce mollusque appartient à une espèce sauvage difficile à élever. Sa coquille est spiralée et de couleur brun jaune, sa chair est brun clair, ferme et élastique.

On le trouvait autrefois le long des chemins. Depuis 1979, son ramassage en Bourgogne est reglementé et limité dans le temps, du 1er avril au 30 juin, car il est en voie de disparition, victime de notre voracité.

De nos jours, l'escargot que l'on consomme est une espèce proche, venue généralement d'Europe centrale. Toutefois, sur les bords de l'Yonne, le véritable escargot de Bourgogne a droit lui aussi à son festival, à **Bassou**, où on le cuisine au beurre fin.

Dans les **zones de culture**, les perdrix grises, les cailles des blés, les grives, les alouettes, les busards cendrés, les lapins de garenne et les lièvres sont encore visibles, même s'ils souffrent tous de la mécanisation agricole.

Dans les **forêts** du Châtillonnais, du Tonnerrois ou des Bertranges, dans la Nièvre, les cervidés sont très nombreux. On vient les entendre au moment du brame au début de l'automne. S'il est exceptionnel de croiser un cerf et des biches, il est en revanche facile de croiser des chevreuils. Renards, sangliers et chats sauvages sont les hôtes de ces bois, tout comme les mésanges, sitelles, troglodytes, et autres grimpereaux.

De la Loire à la Saône et ses plaines inondables, des étangs de la Bresse à ceux de la Puisaye et aux sources de la Seine, les **milieux humides** sont le lieu de rassemblement de milliers d'oiseaux migrateurs. Ces espaces naturels, fragiles, sensibles aux intrusions humaines, méritent d'être respectés et préservés. Sur les grèves de la Saône, il est possible d'observer les courlis cendrés et les râles des genêts.

Les étangs et marais sont fréquentés par grèbes et canards de surface (colverts) ou plongeurs (fuligules) ; échassiers (hérons, bécassines), passereaux et petits rapaces (busards des roseaux, milans) abondent. À partir des lieux d'observation aménagés sur les berges, ou depuis votre embarcation en naviguant sur les canaux, vous observerez à loisir les habitants à plumes des roselières. Vous serez ébloui par l'élégance des aigrettes, la vivacité des martins-pêcheurs et l'habileté du balbuzard pêcheur. Ne négligez pas pour autant une gent ailée plus modeste, celle des libellules et agrions. Pensez aussi à écouter, les soirs d'été, le concert improvisé des rainettes et crapauds.

Pas moins de 40 espèces de poissons fréquentent les **eaux** de la région, témoignant ainsi de leur qualité.

Les rivières aux eaux vives et fraîches, telles que l'Ouche, la Tille et la Bèze, sont peuplées de truites fario et d'écrevisses (dont la pêche est interdite dans la région) ; les bras calmes de la Loire abritent des brochets, et la Saône le géant silure.

Les saumons et les lamproies viennent de nouveau se reproduire dans la Loire et l'Allier.

Les étangs et les lacs (il y en a, dit-on, près de 5 000 en Bourgogne), quant à eux, sont le royaume des carpes et des poissons blancs, tandis que les canaux sont appréciés des sandres et des gardons.

Héron cendré.

Les berges de la Loire sont habitées par les castors, qui se nourrissent de feuilles et d'écorce. Travailleurs acharnés, ils érigent de véritables barrages de branchages, ouvrages d'art qui leur servent d'abri. De nombreux étangs et rivières de Bourgogne abritent d'autres rongeurs, les tristement célèbres ragondins. Importés d'Amérique du Sud, ils se sont multipliés dans un environnement favorable. Leurs terriers sapant les berges, ils sont aujourd'hui considérés comme nuisibles. En revanche, les loutres ont pratiquement disparu.

La flore

Plus de **1 500 espèces** de plantes ont été recensées en Bourgogne. Certaines sont plus emblématiques que d'autres d'un climat ou de la géologie. Parmi celles-ci, il faut citer l'ajonc, qui apprécie les sols siliceux et que l'on trouve dans certains terrains granitiques du Morvan ; l'érable de Montpellier et l'inule des montagnes, qui s'épanouissent sous le climat déjà méridional des côtes Chalonnaise et Mâconnaise (on y entend chanter les cigales, c'est un signe !).

P. Huchette / MICHELIN

Boutons d'or et œillets sauvages sur la côte chalonnaise.

Environ 30 % de la Bourgogne est couverte de **massifs forestiers** (970 000 ha), dont les types varient suivant les sols et les climats. Ils sont peuplés essentiellement d'essences feuillues, chênes (rouvre ou pédonculé), hêtres, charmes et frênes, sauf dans le Morvan où les résineux, épicéas et douglas s'étendent de plus en plus et couvrent 40 % de la surface forestière. Ce sont nos arbres de Noël *(voir p. 376)* !

Les **champignons** sont rois dans les forêts aux sols acides : ainsi, à l'automne, bolets, cèpes et colombettes remplissent les paniers des amateurs, qui savent aussi distinguer la délicieuse oronge vraie de sa presque jumelle, la vénéneuse amanite tue-mouches. Les **fruits rouges**, que l'on peut parfois trouver à l'état sauvage, font eux aussi la réputation de la Bourgogne : framboises, mûres, groseilles, cerises de l'Yonne (les fameuses marmottes), cassis de Dijon (et de la Côte), que l'on trouve chez les marchands en sirop ou en crème, ou myrtilles des landes du haut Morvan. Fruits cultivés par passion près de Concœur, ils se retrouvent en pots et en bouteilles.

Le **vignoble** *(voir la carte des vins en Bourgogne p. 92-93)* occupe une surface beaucoup plus limitée (26 550 ha), mais sa renommée participe depuis deux millénaires à l'identité de la région, notamment le long de la Côte.

Enfin, les **paysages agricoles** couvrent 60 % de la région. Les plateaux du nord de la Bourgogne se couvrent de champs de colza et de céréales d'hiver, qui leur donnent des éclats magnifiques au printemps. Le blé, l'orge, le maïs et le tournesol sont également cultivés dans le Sénonais, le Nivernais, le Dijonnais et la plaine de la Saône.

Écologie et protection de l'environnement

Exception en Bourgogne, le Morvan bénéficie d'une protection en tant que **parc naturel régional**, mais là comme ailleurs, l'équilibre est fragile. Ainsi, pour protéger ce patrimoine, plus de 70 sites naturels font partie du **réseau Natura 2000,** dont une dizaine sont répertoriés comme zones importantes sur le plan ornithologique : l'arrière-côte dijonnaise et beaunoise, les massifs forestiers du Châtillonnais, la forêt de Cîteaux, les prairies inondables du val de Saône, la vallée alluviale entre Iguerande et Digoin…

Pour plus de détails sur le réseau écologique européen Natura 2000, consultez **http://natura2000.clicgarden.net**.

En Bourgogne, quatre zones sont classées **sites naturels**. Il s'agit de la zone de tourbières et d'étangs de La Truchère, aux environs de Tournus ; du Bois du Parc, dans la vallée de l'Yonne, qui conserve des fossiles de coraux extraordinaires ; des îles de la Loire, entre La Charité et Pouilly ; et de la combe de Lavaux, sur les communes de Gevrey-Chambertin et de Brochon, pour sa faune et sa flore exceptionnelles.

Près de **400 espèces** animales et végétales bénéficient également de protection, car gravement menacées de disparition du fait des insecticides, des engins agricoles, de la motorisation, de l'urbanisation et de certaines pratiques de loisirs (quads, escalade, etc.) : parmi elles, la loutre, l'écrevisse à pieds-rouges, le râle des genêts, les hirondelles, les chauves-souris…

HISTOIRE

Terre d'épopée, la Bourgogne a vu s'affronter Jules César et Vercingétorix. Terre de spiritualité, elle conserve l'immense héritage monastique des deux grands ordres religieux du Moyen Âge. Terre des fameux ducs de Bourgogne, grands mécènes, la région est alors au faîte de sa puissance et de sa renommée. Terre riche et nourricière, sillonnée de cours d'eau, elle a vu ses paysages se modeler au gré des inventions et des créations de l'homme.

© D.R

Vercingétorix jette ses armes aux pieds de César (Lionel-Noël Royer, 1899).

Des origines à nos jours

Mille ans après les Burgondes, la Bourgogne gouvernée par des princes a bien failli être de nouveau un puissant royaume. Si le nez de Louis XI eût été plus court… Il convient donc de faire la claire distinction entre l'histoire de la Bourgogne et l'histoire de France, en particulier avant la fin du 15e s.

CHRONOLOGIE

Époque préhistorique

Dès les prémices du peuplement de l'Europe, la Bourgogne est un lieu de passage et d'échanges entre le Bassin parisien et la vallée de la Saône, les pays du nord et la Méditerranée. L'homme de **Cro-Magnon** vit dans les grottes d'Arcy-sur-Cure, quand il les préfère aux campements. La mise au jour d'ossements et d'outillages à la roche de Solutré atteste l'existence d'établissements humains entre 18 000 et 15 000 ans avant l'ère chrétienne. Ce site paléolithique a d'ailleurs donné son nom à l'outillage en pierre en forme de feuilles de laurier, désigné depuis lors comme **solutréen**.

Antiquité

Avant J.-C.

8e s. – Invasion des **Celtes** (civilisation dite de « Hallstatt », du nom d'un village autrichien célèbre pour ses épées de fer) et apparition de tertres funéraires et de sépultures par incinération ou par inhumation, comme celles de Blanot *(musée archéologique de Dijon)* et de Villethierry *(musées de Sens)*.

v. 530 – Début de la **société gauloise** et développement du commerce avec les négociants grecs d'Italie du sud, ce dont témoigne le trésor de Vix, découvert sur la route de l'étain, dans la région de Châtillon-sur-Seine. À l'âge de La Tène, la région est habitée par trois peuples gaulois : les **Éduens**, le plus puissant de Gaule avec les Arvernes, qui a pour capitale l'oppidum de Bibracte *(voir mont Beuvray)* ; les **Séquanes,** au bord de la Saône ; les **Lingons**, sur le plateau de Langres, dans le Châtillonnais.

58 – Menacés par les Helvètes, les Éduens demandent le secours de Rome, leur alliée. Par sa victoire près de Montmort (non loin de Bibracte), **Jules César** commence la conquête des Gaules.

52 – Insurrection générale des Gaulois contre l'envahisseur romain. Les Éduens s'allient aux Arvernes après la victoire de **Vercingétorix** à Gergovie. Assiégé à Alésia *(voir Alise-Ste-Reine)*, le chef des Arvernes rend les armes à César, qui entreprend la rédaction de ses *Commentaires sur la guerre des Gaules*.

Musée Rolin, Autun

Casque de parade en bronze martelé (Autun, 2e s.).

Après J.-C.

21 – Les Éduens, conduits par **Sacrovir,** se révoltent sans succès contre l'empereur romain Tibère et prennent en otage à Augustodunum (Autun) des fils de chefs gaulois qui recevaient une éducation romaine.

70 – Avec la *Pax romana*, la civilisation gallo-romaine s'épanouit en Bourgogne, à Autun et Sens.

313 – Par l'édit de Milan, l'empereur Constantin accorde aux chrétiens la liberté de culte : au cours du siècle, le christianisme s'étend en Bourgogne, avec les saints Andoche, Bénigne, Reine. En 418, saint Germain, ancien commandant de garnison romaine, devient évêque d'Auxerre.

356 – Invasion germanique.

La Burgondie

442 – Originaires de l'île de Bornholm, dans la mer Baltique, et porteurs d'une civilisation avancée, les Burgondes s'installent dans le bassin de la Saône et du Rhône puis fondent un royaume auquel ils donnent leur nom : *Burgundia*, qui deviendra Bourgogne. Le roi **Gondebaud** institue par la loi Gombette l'égalité entre sujets romains et burgondes. Mais l'Empire romain d'Occident se disloque : Rome est prise en **476** par des Barbares venus de l'est.

500 – **Clovis**, roi des Francs, vainc les Burgondes qui deviennent tributaires des Mérovingiens. En **534,** ses héritiers annexent le royaume burgonde, qui occupe le quart Sud-Est de la France actuelle.

734 – **Charles Martel** reprend en main la Bourgogne après les invasions arabes. À la mort de son fils Pépin le Bref (768), elle va à Carloman, frère de Charles Ier. Ce dernier s'en empare en 771.

841 – Dans la lutte pour l'Empire de Charlemagne, **Charles II le Chauve** bat son frère Lothaire à Fontanet (Fontenoy-en-Puisaye, près d'Auxerre). Par le traité de Verdun (843), l'Empire d'Occident est démembré entre les fils de Louis le Pieux : la Bourgogne franque, qui s'arrête à la Saône, revient à Charles le Chauve ; la Bourgogne impériale, dont le nord deviendra le comté de Bourgogne, ou Franche-Comté, est attribuée à **Lothaire**.

Le duché de Bourgogne

Les ducs capétiens tiendront une place importante dans la politique du royaume de France. À leur époque, la Bourgogne deviendra un véritable bastion de la Chrétienté : c'est l'ère du rayonnement des grands **ordres monastiques** établis à Cluny, Cîteaux et Clairvaux.

Fin 9e s. – Ayant repoussé les Normands, Richard le Justicier, comte d'Autun, fonde le duché qui englobe les *pagi*, c'est-à-dire les comtés, de la zone franque.

910 – Fondation de Cluny par Guillaume d'Aquitaine.

1002-1016 – Le roi de France Robert II le Pieux, fils d'Hugues Capet, occupe la Bourgogne.

1032 – Henri Ier, fils de Robert II le Pieux, cède le duché à son frère Robert Ier le Vieux (branche bourguignonne de la maison capétienne) afin de préserver son trône. Langres, Troyes, Sens, Auxerre, Mâcon et Nevers n'en font plus partie.

1098 – Fondation de l'abbaye de Cîteaux.

1146 – **Saint Bernard** prêche à Vézelay la deuxième croisade. Après leur échec devant Damas, Germains et Français rentrent en 1149. Ils ne sont pas totalement bredouilles, puisqu'ils rapportent un arbre alors inconnu en Europe, le prunier : de là viendrait l'expression « se battre pour des prunes ».

1186 – Le duc Hugues III de Bourgogne, qui mène une active diplomatie matrimoniale, se soumet à Philippe Auguste.

1361 – Après un hiver où la Bourgogne est pillée par les Anglais (guerre de Cent Ans 1337-1453), le jeune duc Philippe de Rouvres meurt de la peste ; avec lui s'éteint la lignée des ducs capétiens. Le duché passe alors entre les mains du roi de France, Jean II le Bon, qui le remet en apanage à son 4e fils, **Philippe le Hardi**, dès 1363.

Le retour à la Couronne

1477 – À la mort de Charles le Téméraire, duc de Bourgogne, **Louis XI** annexe la Bourgogne ducale au domaine royal et crée le parlement de Dijon. Frustrée d'une grande part de son héritage, **Marie de Bourgogne,** fille du défunt duc, épouse la même année le futur empereur germanique Maximilien de Habsbourg. Elle lui donne un fils, Philippe le Beau, et une fille, Marguerite d'Autriche. À la mort de Marie, en 1482, le reste des territoires de l'ancien duché revient à son époux.

1482 – Le **traité d'Arras** met fin à la guerre de succession franco-germanique, la Bourgogne ducale revenant au royaume de France.

1519 – À la tête du Saint Empire romain germanique, **Charles Quint**, fils de Philippe le Beau, est prince bourguignon et francophone. L'un de ses principaux objectifs est de reconquérir ses droits à l'héritage du duché de Bourgogne. Son rêve est d'ailleurs de prendre place parmi les siens dans la chartreuse de Champmol *(voir Dijon)*.

Marie de Bourgogne.

1525 – Le désastre de **Pavie**, en février, contraint François Ier à céder le Milanais et la Bourgogne, à laquelle Charles Quint renoncera plus tard (paix de Cambrai en 1529, puis traité de Crépy-en-Laonnois en 1544).

1559 – Par le traité de **Cateau-Cambrésis**, qui marque la fin des guerres d'Italie, la province est définitivement rattachée au royaume de France.

1595 – Henri IV bat les Espagnols à Fontaine-Française, libérant la Bourgogne. L'Espagne garde le Charolais.

1601 – La Bourgogne s'agrandit de la Bresse, du Bugey et du Valmorey, acquis au duc de Savoie.

1631-1789 – À partir du règne de Louis XIII et jusqu'à la Révolution, les **princes de Condé** se succèdent comme gouverneurs de la province, partageant le pouvoir avec l'intendant de la généralité de Dijon (justice, police et finances). En 1650, le Grand Condé implique ses administrés dans la Fronde contre le jeune roi Louis XIV.

1693-1710 – Années difficiles : la région connaît plusieurs famines.

1789 – En juillet, St-Florentin est l'un des centres d'où part la Grande Peur. Près de Cluny et de Cormatin, des groupes de paysans révoltés sont battus par les milices. Les coupables de ces jacqueries sont condamnés à Dijon.

1790 – Le 24 février, la province est divisée en **quatre départements.** Les grands domaines du clergé, dont les vignobles, sont vendus à la bourgeoisie. Le Clos de Vougeot passe de la poche des moines de Cîteaux à la poche de banquiers parisiens.

De la fin de l'Empire à la Libération

1814 – Napoléon rompt les négociations de Châtillon-sur-Seine, qui auraient permis de faire la paix avec l'Autriche, la Russie, l'Angleterre et la Prusse, sur la base des frontières de 1792.

1816-1822 – Invention de la photographie par **Nicéphore Niépce** à St-Loup-de-Varenne, au sud de Chalon-sur-Saône.

1832 – Le **canal de Bourgogne** est ouvert à la navigation.

1836 – Les frères **Schneider** rachètent la fonderie du Creusot.

1837 – **Lamartine** est élu député de Mâcon.

1842 – Lamartine fonde à Mâcon le journal *Le Bien public*.

D.R.

Buste du chanoine Kir.

1848 – Lamartine proclame la IIe République et intègre le gouvernement provisoire comme ministre des Affaires étrangères.

1849 – Inauguration de la **gare** ferroviaire de Dijon et ouverture de la section Dijon Ville - Châlon-sur-Saône de la ligne Paris- Lyon.

1859 – Première **vente aux enchères** des vins des Hospices de Beaune.

1873 – Le maréchal **Mac-Mahon**, natif de Sully (Saône-et-Loire), vaincu à Sedan mais vainqueur des communards, est nommé président de la République par les monarchistes. Tenant de l'ordre moral, il institue un pèlerinage à Paray-le-Monial.

1878 – Destruction du vignoble par le **phylloxéra**.

1914 – À Châtillon-sur-Seine, Joffre lance l'ordre du jour du 6 septembre : « Au moment où s'engage une bataille... le moment n'est plus de regarder en arrière. »

1934 – La création de la **confrérie des chevaliers du Tastevin** à Nuits-St-Georges sort le vignoble bourguignon de sa léthargie.

Juin 1940 – Le 11, Paul Reynaud et Winston Churchill tiennent un conseil suprême à Briare. Le 17, alors que de Gaulle est parti pour Londres, les Allemands sont sur place.

1940-1944 – Pétain rencontre Goering à St-Florentin le 1er décembre 1941. La ligne de démarcation traverse la Bourgogne du sud : elle suit le Doubs, puis la Saône jusqu'à Chalon (en zone occupée), descend au sud jusqu'à Montchanin, et longe le canal du Centre jusqu'à la frontière de l'Allier. Le Mâconnais reste en zone libre. La Résistance est active en Bourgogne : les forêts du Châtillonnais et du Morvan abritent le maquis.
Le frère Roger Schutz, venu de Suisse, mais de mère bourguignonne, s'installe à **Taizé**. Il y jette les bases d'une communauté œcuménique ; ses premiers hôtes sont des juifs réfugiés.

Sept. 1944 – Le 14, la division Leclerc et l'armée De Lattre de Tassigny opèrent leur jonction près de Châtillon-sur-Seine. Le 11, **Dijon est libéré**.

Notre époque

1945 – Le **chanoine Kir** est élu maire de Dijon.

1953 – Découverte archéologique du trésor de Vix dans le Châtillonnais.

1959 – En avril, en visite à Dijon, de Gaulle s'adresse à la foule et rend hommage au chanoine Kir, député-maire : « En octobre 1944, dans les grandes joies et les grandes espérances de la Libération, j'avais à côté de moi le maire que vous avez aujourd'hui. »

1970 – Création du **Parc naturel régional du Morvan**.

1971 – Le dernier service hospitalier quitte l'hôtel-Dieu de Beaune. Le bâtiment est désormais entièrement dévolu aux visites.

1976 – La communauté de l'Emmanuel organise sa première session d'été à Paray-le-Monial.

1981 – Mise en service du **TGV sud-est**. La Bourgogne est desservie par les gares du Creusot-Montchanin et de Mâcon-Loché.

1981 – Le 10 mai, **François Mitterrand** est élu président de la République. Il prononce à Château-Chinon, dont il est le maire depuis 1959, sa première allocution radiotélévisée.

1982 – Cinq cents ans après son rattachement à la France, création de la **région Bourgogne.**

1985 – Alors que les fouilles, financées par le ministère de la Culture et de la Communication, y ont repris depuis presque un an, François Mitterrand proclame **Bibracte** « site national ».

1994-1996 – Ouvertures au public du Centre archéologique européen de Bibracte et du musée de la Civilisation celtique *(voir mont Beuvray)*.

2001 – Inauguration du **TGV Yonne-Méditerranée**, qui dessert Sens et Laroche-Migennes (près d'Auxerre).

2003 – Création de la **100e AOC** : St-bris (vin blanc sec produit à partir de cépage sauvignon).

2005 – Les Hospices de Beaune confient la vente aux enchères des vins à **Christie's**.

2006 – L'architecte **Jean-Michel Wilmotte** rénove à Dijon la place de la Libération, ancienne place Royale dessinée en 1685 par Jules Hardouin-Mansart.

Les grands-ducs d'Occident

C'est sous la dynastie des Valois, branche cadette de la dynastie capétienne, que la Bourgogne devient en un peu plus d'un siècle (1361-1477) une puissance politique de premier plan. À Dijon, les grands-ducs d'Occident mènent un train fastueux. Leur prestige est d'autant plus grand que la monarchie française est affaiblie par la folie de Charles VI et la guerre de Cent Ans. Cependant, tout s'effondre à la mort de Charles le Téméraire, qui s'est fait nombre d'ennemis : c'en est fini de l'État bourguignon.

PHILIPPE II LE HARDI, LE BIEN NOMMÉ (1363-1404)

Lors de la **bataille de Poitiers** contre le Prince noir (1356), Philippe, âgé d'à peine quinze ans, combat héroïquement aux côtés de son père, le roi de France Jean le Bon. Il se voit qualifier de « hardi » lorsque, blessé et emprisonné avec son père, il assène un soufflet à un gentilhomme anglais qui tient des propos désobligeants pour le roi. Lorsqu'il fait son entrée solennelle à Dijon en novembre 1364, ses titres de courage lui ayant valu le duché, Philippe est un beau chevalier, aimant le jeu, le luxe et les femmes, ne négligeant rien pour servir les intérêts de sa maison.

Par son mariage en 1369 avec la veuve de Philippe de Rouvres, **Marguerite de Flandre**, il hérite à la mort du comte de Flandre en 1384 d'un territoire conséquent : Nivernais, comté de Bourgogne – Franche-Comté, Artois et Flandre, qui fait de lui le plus puissant prince de la Chrétienté.

Dans le palais qu'il a fait reconstruire à Dijon, il convie peintres et sculpteurs de son domaine de Flandre. Il est toujours somptueusement vêtu, et son chapeau est garni de plumes, douze d'autruche, deux de faisan et deux d'oiseaux des Indes. Un collier d'or avec un aigle et un lion portant sa devise, « En loyauté », des rubis, des saphirs, des perles à profusion constituent sa parure habituelle.

Soucieux d'assurer à sa dynastie une nécropole royale, Philippe, premier pair de France, fonde la **chartreuse de Champmol** et charge le sculpteur Jean de Marville des plans de son tombeau. Les plus beaux marbres sont apportés de Liège, les pierres d'albâtre de Gênes.

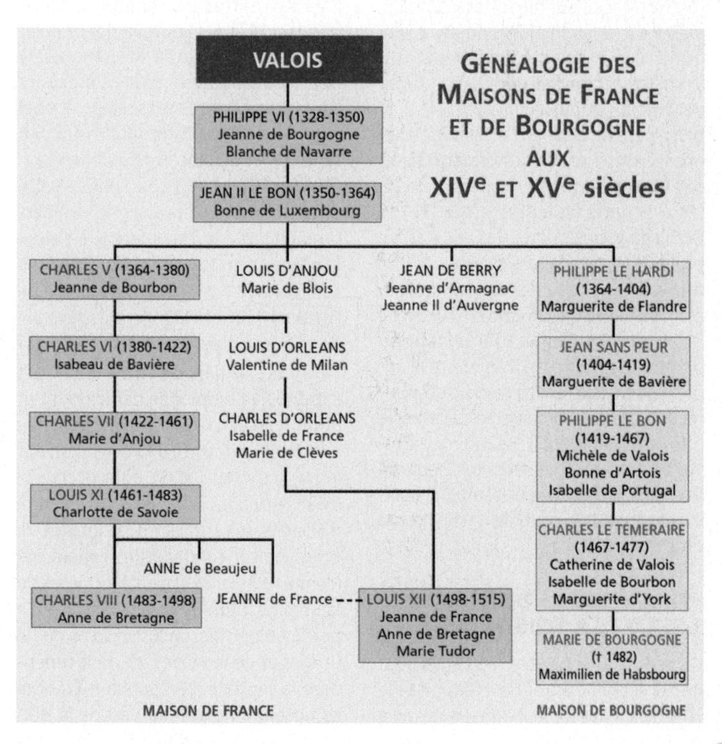

À sa mort, il a dilapidé sa fortune au point que ses fils doivent, pour payer les funérailles, mettre en gage l'argenterie ducale. Selon la coutume de Bourgogne, sa veuve vient, en signe de renonciation à la succession mobilière, déposer sur le cercueil sa bourse, son trousseau de clefs et sa ceinture.

JEAN SANS PEUR (1404-1419)

Né à Dijon en 1371, chétif et laid, mais brave, intelligent et ambitieux, Jean de Nevers s'illustre d'abord, en avril 1396, par une grande parade, à Dijon, pour fêter son départ en croisade contre les Turcs, cette dernière tournant au désastre à Nicopolis. Il ne sera libéré qu'au prix d'une rançon astronomique.

Succédant à son père Philippe le Hardi, mais plus prudent et rusé que lui, il reprend la lutte au Conseil royal face au parti de son cousin et ennemi Louis d'Orléans, frère du roi dément Charles VI, et prône des réformes administratives. Il espère en toute simplicité régner sur la France. Comme Louis a pour emblème un bâton noueux, Jean adopte un rabot, signifiant par là qu'il saura bien un jour « planer ce bâton ». Ce qu'il réalise en commanditant l'assassinat de son rival le 23 novembre 1407, après quoi il quitte aussitôt Paris.

Avec la **paix de Chartres** et le pardon du roi, Jean sans Peur regagne la capitale, mais il est violemment combattu par la faction des Orléans que dirige désormais, à la place du nouveau duc Charles, captif des Anglais depuis Azincourt (1415), le beau-père de celui-ci, Bernard d'Armagnac. Ce triste conflit des **Armagnacs** et des **Bourguignons** dresse les Français les uns contre les autres (entre 1411 et 1435), en pleine guerre de Cent Ans, au profit des envahisseurs anglais.

Après le massacre des Armagnacs fin mai 1418, Jean fait son entrée triomphale à Paris le 14 juillet au bras d'**Isabeau de Bavière**. Henri V d'Angleterre ayant pris Rouen, « le renard de Bourgogne » recherche un accord avec le dauphin, le futur roi Charles VII. Lors de leur entrevue au pont de Montereau, le 11 septembre 1419, il est « traytreusement occis et murdry » d'un coup de hache par un proche du dauphin.

PHILIPPE III LE BON (1419-1467) ET LA TOISON D'OR

Par esprit de vengeance, mais aussi pour préserver la Bourgogne, Philippe III le Bon, fils unique de Jean sans Peur, s'allie aux Anglais. Il est l'un des signataires du **traité de Troyes** en 1420, par lequel le dauphin est déchu de ses droits.

Lors de l'entrée de Philippe le Bon à Dijon en 1422, les Bourguignons fidèles au roi de France prêtent hommage à Henri V d'Angleterre tout en précisant dans les textes que c'est simplement par respect de la volonté du duc. Dix ans plus tard, sur les instances de Jeanne d'Arc, **Charles VII** est sacré à Reims et tente de reconquérir son royaume. En réaction, Philippe le Bon cherche à s'allier la noblesse en fondant, à l'occasion de son mariage à Bruges avec Isabelle de Portugal (janvier 1430), l'ordre souverain de la Toison d'or.

La même année, **Jeanne d'Arc** est capturée à Compiègne par le Bourguignon Jean de Luxembourg, puis livrée aux Anglais pour 10 000 écus d'or. Par le traité d'Arras (1435), dans la crainte de se retrouver isolé, Philippe change d'alliance, se réconcilie avec Charles VII et agrandit en contrepartie son domaine (comtés d'Auxerre et de Mâcon, villes de la Somme à titre précaire). Dijon, qui a perdu un peu de son lustre au profit de Bruges et de Bruxelles, devient cependant la capitale d'un puissant État qui comprend une grande part de la Hol-

Une culture chevaleresque

Créé en l'honneur de Dieu, de la Vierge et de saint André, et inspiré de la légende de Jason et des Argonautes, l'**ordre de la Toison d'or** comporte à l'origine vingt-cinq membres qui jurent de servir loyalement le Grand Maître, en l'espèce le duc et ses successeurs. Les chevaliers se réunissent au moins tous les trois ans et revêtent alors le plus somptueux des costumes : sur une robe écarlate fourrée de petit-gris repose un long manteau de la même teinte vermeille, également fourré de petit-gris. La devise ducale « Aultre n'auray » se détache, comme la promesse de fidélité de Philippe à Isabelle. Le collier de l'ordre est fait de briquets – des fusils – et de silex d'où jaillissent des étincelles, en souvenir du rabot et des rabotures de Jean sans Peur, et symboles bourguignons. La Toison d'or est aujourd'hui encore un ordre des plus insignes et des plus fermés. À la mort de l'un de ses membres, les héritiers renvoient au Grand Maître le collier et sa Toison *(voir Dijon)*.

lande et de la Belgique, le Luxembourg, la Flandre, l'Artois, le Hainaut, la Picardie et le territoire compris entre la Loire et le Jura. Cinq grands officiers, le maréchal de Bourgogne, l'amiral de Flandre, le chambellan, le grand écuyer et le chancelier **Nicolas Rolin**, des poètes et des artistes comme Van Eyck entourent le duc, qui possède l'une des cours les plus fastueuses d'Europe. Souvent vêtu de noir, le prince n'en aime pas moins les pierres précieuses, les joutes, les banquets et les femmes : on lui connaît une trentaine de maîtresses. Ce déploiement de luxe ne va pas sans engendrer quelques tensions : en 1453, l'année qui met un terme à la guerre de Cent Ans, les états généraux à Dijon s'insurgent contre les privilèges outranciers des commensaux de Philippe, la cour étant installée à Bruxelles.

CHARLES LE TÉMÉRAIRE (1467-1477)

Le dernier des ducs Valois de Bourgogne, peut-être le plus célèbre, grand, fortement charpenté, vigoureux, aime la chasse et les exercices violents. Dès 1465, son père lui avait confié le commandement des armées de Bourgogne. C'est aussi un esprit cultivé qui connaît le flamand, l'anglais, le latin et consacre du temps à l'étude ; l'histoire surtout le passionne.

Il est audacieux, orgueilleux et dévoré d'ambition et, comme dit de lui le perspicace Commynes (historiographe passé de son service à celui du roi) : « Il

Charles le Téméraire, duc de Bourgogne (1467-77).

désiroit grant gloire, qui estoit ce qui plus le mectoit en ces guerres que nulle autre chose et eust bien voulu resembler à ces anciens princes dont il a tant esté parlé après leur mort. »

Puisque son père a porté le même nom que Philippe de Macédoine, il rêve de devenir un nouvel Alexandre. Lors de ses rares venues à Dijon, de grandes fêtes sont organisées autour de la mythologie grecque.

Le rêve de conquête du Téméraire, c'est de rattacher les moitiés nord et sud de ses principautés afin de créer un royaume. Pour cela, et pour lutter contre les rébellions que suscite son très habile rival **Louis XI**, il soutient des guerres continuelles. Il est proche de la réussite lorsque, en 1475, il conquiert la Lorraine, mais ses troupes sont épuisées et subissent des défaites contre les Suisses. Il meurt en assiégeant Nancy (envisagé comme capitale), défendue

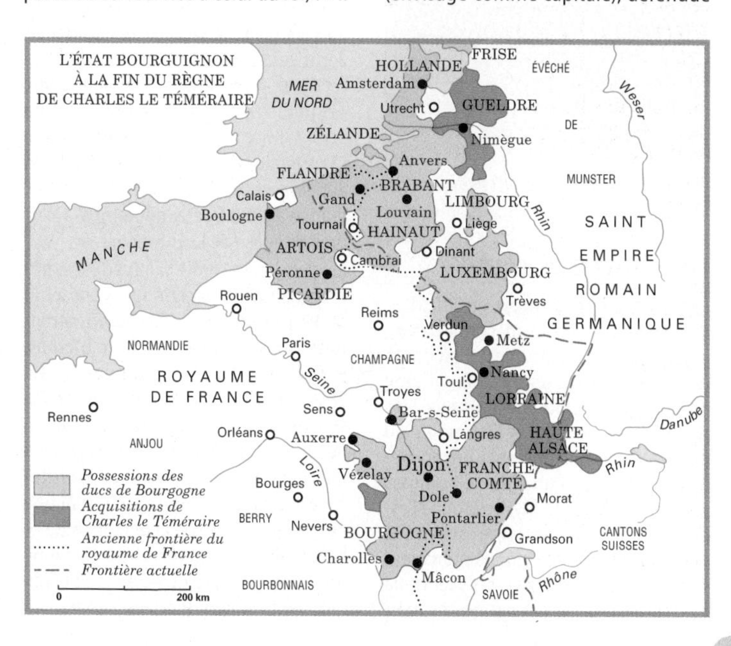

par René d'Anjou, duc de Lorraine, qui avait repris la ville trois mois plus tôt. Son corps est retrouvé dans un étang glacé, le visage rongé par les loups, ses ennemis l'ayant dépouillé « en la trouppe, sans le congnoistre ». À propos de la triste fin de la dynastie, Olivier de La Marche parle du « grand trabuchement » de 1477.

Une terre inspirée

À plusieurs reprises, la Bourgogne s'est trouvée à l'origine de grandes réformes religieuses. À partir du 10e s., elle est – avec Cluny – à l'avant-garde d'un mouvement mystique qui touchera l'ensemble de l'Église d'Occident. Au tournant des années 1100, elle conduit le renouveau de la vie monastique, avec Cîteaux et saint Bernard. Et aujourd'hui encore, elle accueille des foyers religieux novateurs : Taizé, Paray-le-Monial, mais aussi le temple bouddhique de La Boulaye ou encore le prieuré orthodoxe d'Uchon.

S. Sauvignier / MICHELIN

Abbaye de Cluny et son clocher de l'Eau-Bénite.

LA LUMIÈRE DE CLUNY

La fondation par **Bernon**, en 910, d'un couvent sur les terres mâconnaises du duc d'Aquitaine, Guillaume le Pieux, marque l'origine d'une importante réforme monastique. L'époque est propice : les débuts de la féodalité et l'instabilité du pouvoir royal se combinent à un mouvement mystique et un afflux d'hommes vers les cloîtres. À Cluny, le retour à l'esprit de la **règle bénédictine** est marqué par l'observance des grands principes : chasteté, jeûnes, obéissance, silence (la communication se fait par gestes dans un langage de signes visuels). Les offices divins occupent la plus grande partie du temps.

Saint Benoît et la règle bénédictine

Né en Nursie (Italie), Benoît s'était installé, après avoir vécu en ermite, à la tête d'un groupe de moines sur le mont Cassin en 529. S'inspirant des préceptes contemplatifs de saint Basile et de Cassien, il élabora ses Constitutions, d'où sortira la fameuse « règle bénédictine ». Si les jeûnes, le silence et l'abstinence y sont prescrits, les mortifications et les pénitences douloureuses sont sévèrement condamnées.

Le **travail manuel** tient une grande place : « les ouvriers de Dieu » travaillent 6 à 8 heures, tandis que 4 heures sont réservées à la lecture et 4 autres à l'office divin. La règle suggère que « le monastère soit construit de sorte que le nécessaire – à savoir l'eau, le moulin, le jardin – soit à l'intérieur et que s'y exercent différents métiers ». Ces orientations sont à la source de toutes les règles monastiques actuelles.

Le succès de la règle bénédictine est lié à la volonté des rois carolingiens d'imposer un modèle monastique. Dès 670, le concile d'Autun la fait adopter par de nombreuses abbayes. Louis le Pieux, l'un des fils de Charlemagne, l'étend à tout l'empire en 817.

Cluny, « seconde Rome »

La grande innovation de Cluny consiste à la fois en son indépendance à l'égard du pouvoir politique et en son engagement au service de la vitalité de l'Église. En vertu de la charte de fondation, l'abbaye est directement rattachée au Saint-Siège, ce qui en fait lui assure, étant donné l'éloignement du pouvoir pontifical, une grande autonomie. Elle sera d'ailleurs appelée la « seconde Rome ». L'abbatiale, édifiée en 1088, sera longtemps la plus grande église de la Chrétienté.

L'expansion de l'ordre clunisien est extrêmement rapide, si l'on songe qu'au début du 12e s. en Europe, 1 450 maisons comptant 10 000 moines en dépendaient. Parmi les « filiales » bourguignonnes, citons les abbayes ou prieurés de St-Germain d'Auxerre, Paray-le-Monial, St-Marcel de Chalon, Vézelay, Nevers (St-Sever et St-Étienne) et La Charité-sur-Loire. Une telle floraison s'explique en grande partie par la personnalité et la pérennité des grands abbés de Cluny (tels saint Odon, saint Maïeul, saint Odilon, saint Hugues, Pierre le Vénérable), préparant ensemble leur succession, secondés par des hommes compétents. Georges Duby parle de « l'esprit d'équipe au coude à coude » qui règne entre les moines noirs.

Durant deux ou trois générations, Cluny est donc au cœur d'un véritable empire. Personnage considérable, plus puissant parfois que le pape, dont il est le guide et le conseiller, l'abbé est consulté par les rois pour trancher les différends, régler les litiges. Les richesses s'accumulent (chaque filiale paie une redevance) et, au sommet de la pyramide, l'abbé adopte le train de vie d'un grand seigneur, au point de se faire construire une résidence particulière. Peu à peu, la spiritualité de l'ordre en est affectée, et le pouvoir suprême lui-même n'est plus exercé de façon efficace.

CÎTEAUX ET SAINT BERNARD

En lutte contre le relâchement des moines clunisiens s'élève la voix du fougueux saint Bernard. Prodigieuse destinée que celle de ce fils d'un chevalier du duc de Bourgogne, né au château de Fontaine près de Dijon : cherchant la miséricorde de Dieu, il se présente à l'âge de 21 ans (en 1112) avec une trentaine de compagnons au monastère de Cîteaux, alors sous l'abbatiat d'**Étienne Harding**. Il rencontre là l'esprit qu'il recherchait : Cîteaux, quelques années après **Molesmes** *(voir Châtillon-sur-Seine)*, a été fondé par saint Robert dans le but de rendre à l'expression religieuse l'intégrité de son ardeur. La vie monacale y est rude, pauvre et tournée vers la prière. Cette réforme trouvera en Bernard son plus célèbre promoteur.

L'envolée de Clairvaux

Trois ans après son entrée à Cîteaux, Bernard est envoyé essaimer aux limites de la Bourgogne et de la Champagne, dans la vallée de l'Absinthe, qui devient « Clairvaux » (la claire vallée). Promu abbé, il accomplit une œuvre gigantesque. Dénué de tout et de faible constitution, mais, selon la tradition, doté d'une grande beauté et d'une brillante intelligence, il se heurte au début à de grandes difficultés : rigueur du climat, maladies, souffrances physiques dues à une existence de renoncement. Il impose à ses moines, comme à lui-même, les plus durs travaux, « mangeant légumes à l'eau et buvant de l'eau claire, couchant sur un bat-flanc ou sur un pauvre grabat, ne se chauffant pas l'hiver, portant jour et nuit les mêmes vêtements d'humble laine ». Le travail retrouve la place centrale qu'il avait perdue avec Cluny. Il est une autre façon de prier, dans l'humilité et la fraternité, et permet la subsistance matérielle.

Le renom de Bernard attire bientôt à Clairvaux un grand nombre de vocations, si bien qu'en 1121 est fondée dans la Marne l'abbaye de Trois-Fontaines, que suivront bientôt 70 monastères. Sous son abbatiat, Clairvaux connaît la prospérité : dès 1135, 1 800 ha de forêts et 350 ha de prés et de champs dépendent de l'abbaye, où les bâtiments de pierre ont remplacé les bâtisses de bois des premières années.

Ce mystique, pénétré de la supériorité de la vie monastique, est amené à jouer un rôle politique de premier plan. Il rédige la **règle des Templiers**, combat l'antipape en 1130-1137, fait condamner la scolastique d'Abélard à Sens, prêche

www.abbayedereigny.com

Réfectoire des moines, à l'abbaye de Reigny.

la 2e croisade à Vézelay, puis contre l'hérésie cathare, mais aussi prend la défense des Juifs attaqués par les croisés, entretient une correspondance avec Héloïse jusqu'à la fin de sa vie et participe au développement du culte marial par de superbes textes *(Louanges sur la Vierge Mère)*.

Les effets de la réforme cistercienne

Appelant de ses vœux une beauté sobre et recueillie, Bernard fustige avec fougue un art qui détourne à la fois de la prière et de la charité :

« Que vient faire, dans les cloîtres, sous les yeux des moines occupés à prier, cette galerie de monstres ridicules, cette confondante beauté difforme et cette belle difformité ? Que signifient ces singes immondes, ces lions sauvages, ces centaures monstrueux ? Que viennent faire ces êtres qui sont moitié bête, moitié homme, ces tigres tachetés ? [...] De grâce, si on ne rougit pas de semblables inepties, qu'on regrette au moins la dépense ! »

Son exigence engendre la naissance d'un style aisément identifiable *(voir Fontenay, Pontigny)*. Saint Bernard définit radicalement la règle bénédictine promulguée avant lui et la fait appliquer à la lettre. Il interdit de percevoir des dîmes, de recevoir ou d'acheter des terres, et il impose à ses moines des conditions de vie draconiennes. L'emploi du temps est scandé avec une précision rigoureuse. La nourriture, frugale, n'a d'autres fins que de reconstituer les forces (d'où le réfectoire, terme issu de « refaire »). Le repos est de 7 heures : les moines couchent tout habillés dans un dortoir commun, en accès direct avec l'église. L'abbé vit avec ses moines dont il partage les repas.

Abbaye de Notre-Dame de Cîteaux.

Artiste, écrivain, théologien, philosophe, moine, homme d'État... saint Bernard fut l'une des grandes figures de l'Église. Il n'en a pas moins gardé, sa vie durant, le simple titre d'abbé. À sa mort en 1153, Cîteaux compte 700 moines et se voit rattacher 350 abbayes dont les quatre premières « filles » : La Ferté *(voir Chalon-sur-Saône)*, Pontigny *(voir ce nom)*, Morimond et Clairvaux *(voir Guide Vert Champagne)*.

Comme c'est souvent le cas, le rôle des cisterciens ne s'est pas limité au domaine de la foi. Extrêmement organisés et efficaces, les moines blancs ont su tirer parti des terres les plus ingrates, souvent au fond des vallées, en défrichant et en construisant digues et canaux. Ils sont ainsi passés maîtres en hydraulique *(voir Cîteaux)*, dans les techniques viticoles *(voir La Côte)*, et en œnologie comme en métallurgie *(voir Fontenay)*.

Du 12e s. à aujourd'hui, la famille cistercienne a connu des crises et des renouveaux. En 1998, des moines venus du monde entier ont participé aux célébrations du 900e anniversaire de Cîteaux.

Suivez le guide !

Dans les années 1140 paraît un ouvrage à l'usage des pèlerins de Saint-Jacques. Truffé de détails pratiques, il décrit les étapes et les monuments à la manière du Guide Vert... Aujourd'hui, les associations jacquaires fournissent un « credencial », sorte de carnet de route, indispensable pour bénéficier dans les gîtes de prix « pèlerins ».

Un **balisage** « Itinéraire du pèlerin de Saint-Jacques - Voie historique de Vézelay » est mis en place le long du parcours, scindé en étapes de près de 30 km, évitant aux randonneurs du 21e s. de se perdre.

Depuis 1998, les chemins de Saint-Jacques sont inscrits au **Patrimoine mondial de l'Unesco**, notamment du fait du rôle capital qu'ils jouèrent dans les échanges et le développement religieux et culturel au niveau européen.

Pour plus de détails sur le chemin de Vézelay, voir p. 33.

LA VITALITÉ RELIGIEUSE

De nos jours, la Bourgogne continue à jouer un rôle novateur dans le domaine religieux. **Vézelay** *(voir ce nom)*, après avoir accueilli les prières des bénédictins de la Pierre-qui-Vire *(voir le Morvan)*, puis des franciscains, résonne désormais de la liturgie des **Fraternités monastiques de Jérusalem**. Elle est redevenue le point de départ fréquenté de l'une des quatre grandes routes françaises de Saint-Jacques de Compostelle.

Plus au sud, c'est à **Paray-le-Monial** *(voir ce nom)* que sœur Marguerite-Marie Alacoque bénéficie, au 17e s., d'apparitions qui engendreront le culte du **Sacré-Cœur de Jésus** en France. Un premier pèlerinage de grande ampleur est organisé sur sa tombe en 1873, quatre ans avant le début de la construction de la basilique à Montmartre. Cent ans plus tard, le lieu de pèlerinage offre et reçoit un souffle nouveau pour avoir été choisi par une nouvelle communauté catholique, l'**Emmanuel**, pour l'organisation de ses sessions spirituelles. Aujourd'hui, cette communauté est responsable de l'animation du lieu, et les sessions ont acquis une ampleur internationale.

À quelque 50 km de là, dans le village de **Taizé** *(voir Cluny)*, s'est développée la plus internationale des communautés religieuses de Bourgogne. Avec quelques frères, le **frère Roger** (assassiné en 2005), Suisse protestant, y fonda en 1949 une communauté œcuménique, « signe concret de réconciliation entre chrétiens divisés et peuples séparés ». Elle attire aujourd'hui des milliers de jeunes et compte une centaine de frères (de confession catholique et de diverses origines évangéliques), auxquels se sont jointes deux communautés de sœurs. Des fondations ont été ouvertes en Asie, Afrique et Amérique du Sud. Chaque année, une rencontre internationale est organisée par la communauté dans une grande ville d'Europe.

Selon le fondateur du **centre monastique orthodoxe d'Uchon** *(voir Le Creusot)*, « on a oublié que la France vénérait les icônes jusqu'au 9e s. environ ». Cet ancien dessinateur publicitaire à Paris, passionné d'iconographie, a repris en 1989 le presbytère de ce village à la limite du Morvan. Le centre qu'il anime est lié au monastère de St-Michel-du-Var et à l'Église orthodoxe non pas russe, grecque ou ukrainienne, mais française.

Au sud d'Autun *(voir ce nom)* s'est ouvert en 1974 le premier et le plus important centre d'étude et de pratique bouddhique d'Europe : Dashang Kagyu Ling, le **Temple des mille bouddhas**. Il se rattache, au sein du bouddhisme dit du « grand véhicule », à une lignée de lamas originaires du Bhoutan. Les membres de la congrégation organisent, outre les cérémonies rituelles au temple, divers stages et animations culturelles (yoga, retraites méditatives, apprentissage des arts sacrés bouddhiques).

Ainsi, au travers de religions diverses, le rayonnement spirituel continue à trouver en Bourgogne une terre propice aux réformes et nouvelles fondations.

Grandes figures de la région

La Bourgogne a fortement contribué au rayonnement de la France dans les domaine des sciences, des arts et des lettres, à travers des personnalités qui ont marqué leur époque et dont voici quelques exemples.

Portrait de Mme de Sévigné.

Madame de Sévigné

Née en 1626 à Paris, **Marie de Rabutin-Chantal** appartient à une très ancienne et très noble famille de Bourgogne, et à ce titre, se rendra plusieurs fois en Auxois, dans les châteaux de Bourbilly et d'Époissses *(voir Semur-en-Auxois)* ou de Bussy-Rabutin *(voir ce nom)*.

Cousine du fameux Roger de Rabutin, qui tente désespérément de la séduire, elle échange avec lui une correspondance pleine d'esprit jusqu'à la mort de ce dernier, en 1694. La marquise meurt deux ans plus tard chez sa fille, au château de Grignan, dans la Drôme. De Châtillon-sur-Seine à Saulieu, vous pourrez suivre les **Routes Madame de Sévigné**.

Vauban

Né en 1633 dans le Morvan, à St-Léger, **Sébastien Le Prestre** est à la fois homme de guerre, architecte, urbaniste, agronome, géographe et économiste *(voir son portrait p.68)*. Ami de Jean Racine, d'une grande simplicité, ce brillant ingénieur militaire, toujours soucieux de préserver ses hommes, devient maréchal de France en 1703. Connu pour

Vauban.

ses places fortes bastionnées, remarquablement intégrées à l'environnement, Vauban est aussi l'auteur de nombreuses publications, dont une, censurée à l'époque, sur la **dîme royale**, qui propose une réforme du système fiscal. Cela lui vaut d'être disgrâcié.

En 1675, il acquiert le château de Bazoches *(voir ce nom)* où il aménage un immense bureau d'études pour y concevoir quelques-unes de ses plus célèbres fortifications. Il meurt à Paris en 1707 et est enterré dans l'église de Bazoches.

Buffon

Georges Louis Leclerc, fils d'un conseiller au parlement de Bourgogne, naît à Montbard *(voir ce nom)* en 1707. Après des études de médecine, de botanique et de mathématiques à Angers, il reçoit la charge de surintendant du Jardin du roi (le Jardin des plantes), à Paris. Dès 1749 paraissent les premiers volumes de son immense *Histoire naturelle*, qui comprend 36 volumes.

À Montbard, où il vit la plupart du temps, il fait détruire le château médiéval, à l'exception de deux tours qui lui servent d'observatoire et de bibliothèque. À la place, il aménage un jardin « pittoresque ». Homme des Lumières, ce savant très célèbre en son temps s'intéresse non seulement aux animaux et aux plantes, mais aussi à la marine, aux calculs des probabilités et à la métallurgie, ce qui l'amène à installer des forges à Montbard. Il meurt à Paris en avril 1788.

François Pompon

Né à Saulieu en 1855, ce grand artiste bourguigon fait ses débuts en tant qu'apprenti dans l'atelier de son père menuisier-ébéniste, avant d'entrer comme tailleur de pierre chez un marbrier funéraire. Il arrive à Paris à l'âge de 20 ans et, pour gagner sa vie, travaille comme praticien pour les plus grands sculpteurs : Falguière, Rodin, Camille Claudel.

Pompon expose régulièrement, mais ce n'est qu'en 1922, à l'âge de 67 ans, qu'il connaît enfin le succès avec *L'Ours*, après des années, au Jardin des plantes, à observer le mouvement des animaux, travaillant en éliminant peu à peu tous les détails, pour ne conserver que l'essentiel. Pompon meurt à Paris en 1933. L'essentiel de son œuvre est visible à Saulieu et à Dijon.

Romain Rolland

Né à Clamecy en 1866, l'écrivain vivra à Vézelay *(voir ce nom)* de 1938 jusqu'à sa mort en 1944. Professeur d'histoire et de musique, il enseigne à l'École française de Rome, à la Sorbonne et à l'École normale supérieure. En 1895, il soutient son doctorat de lettres sur « Les origines du théâtre lyrique moderne. Histoire de l'opéra avant Lulli et Scarlatti ».

L'écriture l'intéresse par dessus tout, et aussitôt qu'il le peut (1912), il cesse d'enseigner. En 1915, il reçoit le prix Nobel de littérature pour son roman fleuve en 10 volumes, *Jean-Christophe*. D'un idéal humaniste, pacifiste, il rencontre Tagore et Gandhi, correspond avec Freud, qui l'admire, et Paul Claudel, dont il partage la passion pour Wagner.

Vous découvrirez bien d'autres grands noms à la rubrique « *Pensée et belles-lettres* » de la partie « Art et culture », *p. 86*. Pensez également à consulter la rubrique *Nos conseils de lecture* dans « À faire et à voir », *p. 48*. Elle contient quelques suggestions de lecture (beaux livres, documents, ouvrages pratiques ou romans) pour mieux connaître la région ou approfondir un thème.

ART ET CULTURE

Du vase de Vix aux vitraux modernes de la cathédrale de Nevers, la Bourgogne offre au visiteur un riche patrimoine, témoin de toutes les époques artistiques. Églises romanes, monastères cisterciens ou bénédictins, hôtels-Dieu et chemins de Saint-Jacques jalonnent cette terre de spiritualité. Petites cités et belles villes invitent à la flânerie, tout autant que les châteaux et leurs jardins.

Musée Rolin, Autun

Mosaïque du Triomphe de Neptune (Autun, fin 2e s.).

Histoire des arts

Carrefour de routes et de voies d'eau, la région a connu, depuis la plus haute Antiquité, des migrations de peuples et subi l'influence de civilisations diverses. Sous le règne du monachisme, l'art roman fleurit autour de Cluny et de Cîteaux comme nulle part ailleurs. Une autre période, très riche sur le plan de la création artistique, est celle du gothique tardif déployé à la cour des grands-ducs. Philippe le Hardi, puis Philippe le Bon seront les mécènes d'une pléiade de peintres, sculpteurs, musiciens, originaires pour la plupart des « Pays-Bas » du duché.

L'ART GALLO-ROMAIN

Au moment de la conquête romaine, la capitale éduenne, **Bibracte**, rassemblait de nombreux artisans celtes qui excellaient dans le travail du bois, de la céramique et des métaux comme le fer, le bronze puis l'argent. Des sanctuaires votifs, comme aux sources de la Seine, jalonnaient les grandes voies de communication. Les Éduens, qui entretenaient depuis longtemps des rapports privilégiés avec Rome, virent avec l'implantation de la culture romaine un changement radical : celui du développement de l'urbanisation. Vers l'an 5 av. J.-C., Auguste décide de construire un nouveau chef-lieu selon les principes romains : plan orthogonal, grands axes routiers. **Augustodunum** (Autun) supplante Bibracte et devient une ville phare au niveau économique et culturel. D'autres cités, comme Alésia, Mâlain, Entrains, se développent sur des sites où l'artisanat prospère. Il faudra attendre le 2e s. pour qu'apparaissent les premiers éléments (castrum de Divio) de la future capitale, **Dijon**.

Un art de tailleurs de pierre

La nouveauté apportée par les Romains dans le monde gaulois est le **travail de la pierre**, dont les monuments cultuels sont les premiers champs d'application. Beaucoup mieux conservés que les monuments et sculptures en bois, ils nous permettent d'apprécier l'art de la période gallo-romaine. L'examen des stèles ou des sanctuaires est révélateur des différents degrés de romanisation : dans les grandes villes, l'influence de Rome est assez hégémonique, et de nombreux temples sont élevés en l'honneur d'Apollon, souvent associé à des divinités indigènes ; dans les campagnes, le panthéon romain parvient plus difficilement à assimiler les dieux celtes. Les *matres* gauloises, divinités de la prospérité et de la fécondité, restent

Musée archéologique de Dijon, cl. Perrodin.

Déesse Sequana (sanctuaire des sources de la Seine).

très vénérées ; les sources sont encore fréquentées pour leurs pouvoirs curatifs ; les ex-voto anatomiques en bois *(voir musée archéologique de Dijon)* y sont peu à peu remplacés par d'autres en pierre *(voir musée du Châtillonnais à Châtillon-sur-Seine)*. Une grande importance est donnée aux monuments funéraires, et les stèles de plus en plus expressives et réalistes donnent une image fidèle de l'organisation de la société gallo-romaine *(voir musée de Sens)*.

Les riches propriétaires se font construire des **villas** à la romaine : la *cella* gauloise est entourée de portiques, décorée de colonnes et de mosaïques, agrémentée de thermes et de salles chauffées par hypocauste.

À l'aube de l'avènement de la culture chrétienne, amorcée à Autun par le martyre de saint Symphorien et accélérée par l'évangélisation de saint Martin, de nouvelles inspirations apparaissent, qui vont changer et marquer l'art de la région.

L'ART CAROLINGIEN

Une période inventive

Après la période d'éclipse du haut Moyen Âge, l'époque carolingienne (8e-9e s.) connaît un renouveau artistique qui se manifeste principalement en **architecture**. Parmi les éléments novateurs, on relève la crypte annulaire sous le chevet, la crypte-halle aux dimensions d'une véritable église souterraine, le chapiteau cubique. Les plans des édifices religieux sont simples et les constructions, de pierres grossièrement taillées, rudimentaires. On en voit des exemples dans l'ancienne crypte de **St-Bénigne** à Dijon, ainsi que dans celles de Ste-Reine à Flavigny-sur-Ozerain et de St-Germain d'Auxerre.

La **sculpture** s'exprime alors assez maladroitement : deux chapiteaux de St-Bénigne représentent, sur chaque face, un homme en prière, les mains levées vers le ciel. Travaillée sur place, la pierre témoigne des tâtonnements du sculpteur ; certaines faces sont restées à l'état linéaire. Vestige de la basilique construite au milieu du 8e s., la crypte de Flavigny conserve quatre fûts de colonnes, dont trois semblent être romains et le quatrième carolingien ; les chapiteaux présentent un décor de feuilles plates, d'une facture très fruste.

À la même époque, fresques et enduits sont employés dans la décoration des édifices religieux. D'admirables **fresques** représentant avec beaucoup de vivacité la lapidation de saint Étienne ont été mises au jour en 1927 à St-Germain d'Auxerre.

LA GRANDE ÉPOQUE ROMANE

La blanche robe des églises

Bénéficiant de conditions particulièrement favorables à son expansion (villes nombreuses, riches abbayes, matériaux abondants), l'école romane bourguignonne s'est développée avec une extraordinaire vitalité aux 11e et 12e s., en particulier dans la région de l'actuelle Saône-et-Loire, avec environ 300 édifices contre une quarantaine dans l'Yonne et la Côte-d'Or. L'an mil correspond à un élan nouveau dans le désir de bâtir, qu'expliquent la fin des invasions, l'essor de la féodalité et du monachisme, la découverte de nouveaux procédés de construction et… la croissance démographique. Il ne reste malheureusement de cette époque que très peu de monuments civils ou militaires, souvent construits en bois, et c'est pourquoi on confond souvent art roman avec art religieux.

Parmi les abbés constructeurs d'alors, **Guillaume de Volpiano** édifia à Dijon, sur l'emplacement du tombeau de saint Bénigne, une nouvelle basilique. Commencée en 1001, elle fut consacrée en 1018. Les travaux de décoration furent confiés à un seul artiste, le moine Hunaud. L'abbatiale ayant complètement disparu dès le 12e s. par suite d'un incendie, l'église St-Vorles de Châtillon-sur-Seine – profondément modifiée dans les premières années du 11e s. –

permet de définir les caractères de l'**art préroman** : construction sommaire faite de pierres plates mal assemblées, piliers massifs, décoration très rudimentaire de niches creusées dans les murs et de corniches à bandes lombardes.

L'exemple le plus saisissant d'art roman qui nous soit parvenu est certainement **St-Philibert de Tournus**, dont le narthex et son étage composent les parties les plus anciennes. On est surpris par la puissance de cette architecture.

L'école clunisienne

Si l'art roman à ses débuts doit beaucoup aux influences étrangères, méditerranéennes surtout, la période suivante voit avec Cluny le triomphe d'une formule nouvelle, un art opulent dont les caractères vont se répandre à travers toute la Bourgogne et au-delà.

Édifiée entre 955 et 981, l'abbatiale dite **Cluny II** est déjà dotée d'une grande abside originale et d'un chevet à chapelles échelonnées et orientées. St-Pierre-et-St-Paul – **Cluny III** –, commencée en 1088 par saint Hugues et achevée vers 1130, a des dimensions proprement gigantesques, supérieures même à celles des futures cathédrales gothiques.

En 1247, un religieux italien de passage observait que « l'abbaye de Cluny est le plus noble couvent de moines noirs de l'ordre des Bénédictins de Bourgogne. Les bâtiments en sont si considérables que le pape avec ses cardinaux, toute sa cour, celle du roi et de sa suite peuvent y loger simultanément, sans que les religieux en éprouvent aucun dérangement et soient obligés de quitter leur cellule ».

Les vestiges de l'abbatiale, encore impressionnants par leur ampleur, permettent de dégager les caractères généraux de cette « école ». La voûte est en berceau brisé, véritable innovation par rapport au plein cintre, issu de l'époque romaine. Chaque travée comporte un arc doubleau : en diminuant les poussées, les arcs brisés permettent d'alléger les murs et d'élever ainsi les voûtes à une très grande hauteur. Les piliers sont cantonnés de pilastres cannelés à l'antique ; au-dessus de ces grandes arcades aiguës court un faux triforium où alternent baies et pilastres ; des fenêtres hautes surmontent l'ensemble, alors qu'auparavant, la lumière venait des tribunes et des bas-côtés.

Cette ordonnance à trois niveaux, coiffée d'une voûte en berceau brisé, se retrouve dans de nombreux édifices de la région. L'église de **Paray-le-Monial** apparaît comme une réplique. L'influence clunisienne est manifeste à **La Charité-sur-Loire**, autre prieuré dépendant de l'abbaye. À **St-Lazare d'Autun**, consacrée en 1130, on reconnaît le plan clunisien, très simplifié ; cependant, l'influence romaine est visible : par exemple, sur l'arcature du triforium, le décor chargé est le même que sur la porte d'Arroux. À **Semur-en-Brionnais**, l'élévation de l'église approche celle de Cluny. Au revers de la façade, la tribune en surplomb rappelle la tribune St-Michel. Enfin, la collégiale St-Andoche de **Saulieu** est aussi de la famille des grandes églises clunisiennes.

Parmi les églises de village construites sous l'inspiration de Cluny, celles du **Brionnais** *(voir ce nom)* sont remarquables : Monceaux-l'Étoile, Varenne-l'Arconce, Charlieu, Iguerande…

La colline éternelle

Face à cette école clunisienne, le cas de la basilique de la Madeleine à **Vézelay** est à part. Construite au début

A. Cassaigne / MICHELIN

Paray-le-Monial : basilique du Sacré-Cœur.

du 12e s., la nef est voûtée d'arêtes, alors que jusque-là seuls les collatéraux, de faibles dimensions, l'étaient. Les grandes arcades sont surmontées directement par des fenêtres hautes qui, s'ouvrant dans l'axe de chaque travée, éclairent la nef. Les pilastres sont remplacés par des colonnes engagées, et les arcs doubleaux soutenant la voûte restent en plein cintre (peut-être l'église d'Anzy-le-Duc a-t-elle servi de modèle). Pour rompre la monotonie de cette architecture, on a recours à l'emploi de **matériaux polychromes** : calcaires de teintes variées, claveaux alternativement blancs et bruns. En tant que lieu de pèlerinage, la basilique est dotée d'un chevet à déambulatoire et de chapelles rayonnantes.

L'art cistercien

Dans la première moitié du 12e s., le plan cistercien fait son apparition en Bourgogne. Caractérisé par un esprit de simplicité, il apparaît comme l'expression de la volonté de **saint Bernard**, édictée dans la Charte de charité (1119). Il s'oppose avec violence et passion à la théorie des grands constructeurs des 11e et 12e s., comme saint Hugues, Pierre le Vénérable, Suger, qui estiment que rien n'est trop riche pour le culte de Dieu. L'architecture dépouillée qu'il préconise reflète bien les principes même de la règle cistercienne, qui considère comme nuisible tout ce qui n'est pas indispensable à la bonne marche de la vie monacale. Donc, ni ornements, ni peintures, ni sculptures qui troubleraient le recueillement.

Les cisterciens imposent un plan quasi unique à toutes les constructions de l'ordre, dirigeant eux-mêmes les travaux des nouvelles abbayes. **Fontenay** montre la disposition habituelle des différents bâtiments, qui s'est répandue à travers l'Europe, de la Sicile à la Suède. Une façade simple, sans portail, avec un lanterneau, mais pas de clocher (nul besoin d'appeler les fidèles) : les cisterciens vivent à l'écart des routes fréquentées. Une nef aveugle couverte d'un berceau brisé, comme dans l'architecture clunisienne. Des bas-côtés voûtés de berceaux transversaux. Un transept qui déborde largement (croix latine), deux chapelles carrées s'ouvrant à chaque croisillon, et un chœur, carré et peu profond, se terminant par un chevet plat, éclairé par deux rangées de fenêtres, en triplet. Enfin, cinq fenêtres percées au-dessus de l'arc triomphal, et chaque travée des bas-côtés éclairée par une fenêtre. On trouve près de 600 églises de ce type, de l'Allemagne au Portugal.

En évitant tout décor, en éliminant pratiquement tout motif d'ornementation, que ce soit les vitraux de couleur, les pavements, les peintures murales ou les chapiteaux historiés, les cisterciens parviennent à exécuter des monuments d'une remarquable pureté. À l'instar des verrières en grisaille, même les enluminures sont monochromes (La Grande Bible de Clairvaux). C'est la lumière seule, la « Lumière d'En Haut », qu'il convient de glorifier.

La sculpture romane

Avec le choix du support, tympan et chapiteau, la sculpture monumentale épouse l'architecture. Le **Brionnais**, où l'on trouve une concentration exceptionnelle de portails sculptés, est le plus ancien foyer de sculpture romane bourguignonne. Dès le milieu du 11e s., un style un peu rude et naïf naît à Charlieu et dans la région : les sculpteurs se soucient peu du réel, les figures sont ramassées, hiératiques et riches en symboles. Après avoir travaillé à Cluny, appelés par l'abbé **Hugues de Semur** qui appartenait à la famille des seigneurs du Brionnais, les artistes optent pour une grâce nouvelle, allongeant les figures et créant des compositions plus souples.

La grande abbaye bénédictine de **Cluny** draina en effet sur son chantier de nombreux sculpteurs et imagiers des régions voisines, devenant un centre de création pendant une vingtaine d'années (de 1095 à 1115). Un art délicat y voit le jour. Sur les chapiteaux du chœur – rare

Tympan du portail de l'église de St-Julien-de-Jonzy.

Ph. Gajic / MICHELIN

A. Cassaigne / MICHELIN

Berzé-la-ville : fresques de la chapelle des Moines.

témoignage parvenu jusqu'à nous, présenté dans le farinier –, une végétation variée et des personnages aux attitudes adroitement observées révèlent un goût nouveau pour la nature (allégorie des saisons, fleuves du paradis). Les figures sont drapées de tuniques flottantes où les plis déterminent un modelé en harmonie avec la sérénité recherchée, preuve que l'on commence à s'émanciper des contraintes formelles du chapiteau.

Dans le domaine du ciseau, l'influence clunisienne s'est exercée à **Vézelay.** Outre ses chapiteaux historiés, la basilique de la Madeleine abrite un grand portail sculpté dont le tympan représente le Christ envoyant ses apôtres en mission avant son ascension au ciel. La composition est envahie par un mouvement magistral où souffle l'Esprit : les corps s'agitent et les draperies, sillonnées de plis aigus et serrés, bouillonnent.

Cette œuvre, réalisée vers 1125, présente des points communs avec le portail du Jugement dernier de St-Lazare d'**Autun** (1130-1135), aux figures très allongées, aux draperies plissées, encore plus fines et moulées sur les corps. Le sculpteur Gislebertus s'est attaché à rendre toute la diversité des attitudes et des sentiments humains. Les chapiteaux de la nef et du chœur évoquent, de façon vivante, des scènes de la Bible et de la vie des saints, dont s'inspireront avec talent les artistes de St-Andoche à Saulieu.

Une volonté de renouvellement du style se fait jour au milieu du 12e s. sur les portails de St-Lazare à **Avallon** : on y trouve conjointement une décoration luxuriante où apparaissent des colonnes torses, expression de la « tendance baroque » de l'art roman bourguignon, et une statue-colonne qui fait songer à celles de Chartres. Les rondes-bosses du tombeau de saint Lazare à Autun (1170-1184) annoncent également par leur troublante présence l'évolution vers le gothique.

La peinture romane

Dans la crypte de la cathédrale d'**Auxerre,** qui renferme des fresques du 11e s., on voit une représentation exceptionnelle du Christ à cheval, tenant à la main droite une verge de fer. Il est intéressant de le comparer avec le Christ en majesté peint dans le cul-de-four de l'abside, daté du 13e s.

À **Anzy-le-Duc**, un important ensemble de peintures murales, découvert au milieu du 19e s., fait montre d'une tout autre technique : teintes mates, très atténuées, dessins au trait sombre recouvrant un fond composé de bandes parallèles.

Une tradition à fonds bleus apparue à Cluny III est reprise dans la chapelle du « château des Moines », résidence des abbés à **Berzé-la-Ville** *(voir le Mâconnais),* à travers de belles compositions, probablement exécutées par les artisans de l'abbaye. L'imposant Christ en majesté, entouré de six apôtres et de nombreux autres personnages, a un air de famille avec les mosaïques de l'impératrice Théodora à St-Vital de Ravenne (6e s.). Cette correspondance entre l'art clunisien et l'art byzantin s'explique par l'action prépondérante de saint Hugues, qui entretenait des relations constantes avec l'Italie, et Rome tout particulièrement.

Considérant cette influence de Cluny sur l'art du 12e s., on peut dire que la destruction de la grande abbatiale au début du 19e s. est une perte irréparable pour notre patrimoine et pour la connaissance de l'art roman.

LE GOTHIQUE

Dès le milieu du 12e s., la **croisée d'ogives** apparaît en Bourgogne, prélude à une orientation nouvelle de l'architecture : allégement des voûtes, élargissement des baies, suppression des chapiteaux. À l'extérieur, les arcs-boutants dispensent les murs de porter, lesquels en profitent pour s'orner d'immenses verrières.

Une architecture allégée

En 1140, la tribune du narthex de Vézelay est voûtée d'ogives. Les cisterciens sont parmi les premiers à adopter cette formule des arcs diagonaux brisés et l'utilisent vers 1150 à Pontigny. À Sens, la première grande cathédrale gothique (1135-1176), dédiée à saint Étienne, est érigée selon les directives de l'archevêque Sanglier. L'emploi de voûtes sexpartites permet de remplacer les piliers uniformes par une alternance de piles fortes et de piles faibles.

Un **style bourguignon** se précise à Notre-Dame de Dijon, construite de 1230 à 1251 : au-delà du transept, le chœur, assez profond, est flanqué d'absidioles et terminé par une haute abside ; un triforium court au-dessus des grandes arcades, tandis qu'au niveau des fenêtres hautes le mur de clôture de la nef, un peu en retrait, permet d'aménager une seconde galerie de circulation. Dans l'ornementation extérieure, la présence d'une corniche – dont la forme varie d'un monument à l'autre – se développant autour du chœur, de la nef, de l'abside ou du clocher est un mode de décoration typiquement bourguignon.

Parmi les édifices élevés selon ces principes, on peut citer la cathédrale d'Auxerre, la collégiale St-Martin de Clamecy, l'église Notre-Dame de Semur-en-Auxois. Dans cette dernière, l'absence de triforium accentue encore l'impression de hauteur vertigineuse qui se dégage d'une nef étroite. L'église de St-Père présente certaines ressemblances avec Notre-Dame de Dijon. Toutefois, elle en diffère par son élévation, qui est de deux étages, avec une galerie devant les fenêtres.

L'architecture devient, à la fin du 13e s., de plus en plus légère et défie les lois de l'équilibre. En témoigne, aérien, le chœur de l'église de **St-Thibault**, dont la voûte s'élève à 27 m sur une largeur de 9,26 m.

L'architecture civile

Dijon et un certain nombre de villes comme Flavigny-sur-Ozerain, Noyers-sur-Serein ou encore Châteauneuf-en-Auxois, ont conservé des maisons à colombages et hôtels particuliers édifiés au 15e s. par de riches bourgeois. C'est également de cette époque du **gothique tardif** que datent une partie du palais des ducs de Bourgogne à Dijon (tour de la Terrasse, cuisines ducales), le palais synodal à **Sens** et l'hôtel-Dieu de **Beaune**, triomphe de l'architecture de bois. Parmi les châteaux, dont beaucoup ont gardé l'allure des forteresses du 13e s., signalons **Châteauneuf**, construit par Philippe Pot, sénéchal de Bourgogne, Posanges, et le palais ducal de **Nevers**.

La sculpture au 13e s.

Les œuvres de pierre héritent de l'influence de l'Île-de-France et de la Champagne en ce qui concerne la composition et l'ordonnance des sujets traités. Les statues-colonnes, d'un grand raffinement, présentent un hanchement plus marqué afin de souligner les mouvements ascendants du corps. Le tempérament bourguignon apparaît dans l'interprétation même de certaines scènes, où les artistes locaux ont donné libre cours à leur fantaisie.

Parmi la statuaire de cette époque épargnée par la Révolution, il reste de beaux exemples. À **Notre-Dame de Dijon**, les masques et figures sont traités avec un réalisme très poussé, certains avec une telle vérité dans l'expression qu'ils laissent à penser que ce sont là des portraits de Bourguignons faits d'après nature. Le portail de St-Thibault, en Auxois, présente des scènes consacrées à la Vierge, mais surtout cinq

G. Targat / MICHELIN

Palais ducal de Nevers.

Chefs-d'œuvre sculptés de Bourgogne

Riche d'un patrimoine exceptionnel, la Bourgogne recèle tant de trésors d'art roman et gothique, certains célèbres, d'autres moins connus, qu'il serait bien difficile d'en faire une sélection, forcément subjective. Vous apprécierez les œuvres suivantes pour leur beauté, leur expressivité ou encore la qualité de leur exécution, mais bien d'autres, tout aussi belles, vous attendent... Prenez le temps de les découvrir !

– **Tympans** de la cathédrale St-Lazare d'Autun *(p. 109)*, de la basilique Ste-Marie-Madeleine de Vézelay *(p. 413)* et de l'abbaye bénédictine de Charlieu *(p. 196)*.

– **Chapiteaux** de la cathédrale St-Lazare d'Autun *(p. 111)*, du chœur de l'abbatiale de Cluny *(p. 225)*, et de la basilique St-Andoche de Saulieu *(p. 376)*.

– **Jubé** de l'église du monastère royal de Brou *(p. 153)*

– **Mises au tombeau** de l'ancien hôpital de Tonnerre *(p. 400)* et de la collégiale N.-D. de Semur-en-Auxois *(p. 383)*.

– **Retable** de la chapelle de Marguerite au monastère royal de Brou *(p. 155)*.

– **Tombeaux** de Philippe le Hardi, Jean sans Peur et Marguerite de Bavière au musée des Beaux-Arts de Dijon *(p. 265)*, et de Marguerite de Bourbon, Philibert et Marguerite de Bourgogne au monastère royal de Brou *(p. 154)*.

... et, émouvant symbole de la source de Vie, le **Puits de Moïse** de la chartreuse de Champmol, à Dijon *(p. 271)*.

F. Klingen / MICHELIN

Chartreuse de Champmol : détail du Puits de Moïse.

grandes statues figurant le duc Robert II et sa famille.

À **St-Père**, le décor sculpté du pignon se double d'une fraîche décoration florale sur les chapiteaux. Le tympan de la porte des Bleds à Semur-en-Auxois rapporte la légende de saint Thomas. Ce style progresse avec le siècle : les bas-reliefs au soubassement des portails de la façade occidentale de la cathédrale d'Auxerre, sculptés avec délicatesse, ouvrent même la voie au maniérisme.

Les œuvres du 14e s.

L'avènement des grands-ducs Valois correspond, pour la Bourgogne, à une époque de rayonnement artistique. Pour décorer la **chartreuse de Champmol,** Philippe le Hardi dépense sans compter, attirant à Dijon nombre d'artistes originaires pour la plupart des Flandres. Des sculpteurs ayant successivement travaillé à la réalisation de son tombeau *(musée de Dijon)*, **Claus Sluter** (v. 1350-1406) est le plus grand. Il a su mettre du tempérament dans ses personnages. **Claus de Werve**, son neveu et élève, poursuit l'œuvre du maître avec une plus grande douceur. Du portail de la chapelle, il a aussi exécuté les statues du mécène et de son épouse, Marguerite de Flandre, qui seraient d'authentiques portraits : les draperies et les vêtements sont traités avec un art consommé, les expressions des personnages sont d'un réalisme saisissant. La sculpture s'oriente là vers une manière toute nouvelle : les statues cessent désormais de faire corps avec l'architecture, et la physionomie est traitée de façon naturaliste, n'hésitant pas à accuser les aspects de la laideur ou de la souffrance.

La peinture gothique

Autour du chantier de la chartreuse de Philippe le Hardi, peintres et enlumineurs venus de Paris ou des Flandres s'activent. Les œuvres de **Jean Malouel**, du Brabançon **Henri Bellechose** et de **Melchior Broederlam** se distinguent

Détail du Jugement dernier 1445-1449, huile sur bois à l'hôtel-Dieu à Beaune.

par la fluidité des formes humaines, l'élégance générale. Dus à ce dernier, les revers du retable de la Crucifixion (bois sculpté par Jacques de Baerze) font preuve d'un sens du détail, d'une maîtrise de la palette et d'un travail de l'espace qui sont la marque du **style gothique international**.

Sous Philippe le Bon, un style spécifiquement bourguignon apparaît, aux proportions plus harmonieuses et aux draperies plus sobres. Les œuvres les plus connues de cette période sont le polyptyque de l'hôtel-Dieu de Beaune, dû à **Rogier Van der Weyden**, et la *Nativité au cardinal Rolin*. Cette magnifique icône de **Jan Van Eycks** (désormais au Louvre) décora dès 1435 la chapelle du commanditaire dans la cathédrale d'Autun. Commandées elles aussi par **Nicolas Rolin**, les tapisseries de l'hôtel-Dieu de Beaune comptent parmi les plus belles de l'époque.

N'oublions pas, pour fermer le ban du 15e s., le nom de **Pierre Spicre**, peintre dijonnais, auteur des fresques de l'église Notre-Dame de Beaune.

DE LA RENAISSANCE AU ROMANTISME

Retour à l'antique

Sous l'influence de l'Italie, l'art bourguignon suit au 16e s. une orientation nouvelle, marquée par un retour aux canons antiques.

En architecture, la transition s'effectue en douceur. En Bresse, qui appartient alors au duché de Savoie, l'**église de Brou** (1513-1532) relève essentiellement de l'art gothique flamboyant. L'**église St-Michel** de Dijon est composite : tandis que la nef, commencée au début du 16e s., est de style gothique, la façade, dont la construction s'échelonne entre 1537 et 1570, est un exemple parfait du style Renaissance. C'est le triomphe des lignes horizontales, de l'emploi des ordres antiques et des voûtes à caissons. On intègre dans les façades des médaillons à l'antique, des bustes en haut-relief, et les sujets religieux font place à des sujets profanes. C'est dans les années 1520 que sont sculptées les stalles de l'**église de Montréal**, œuvre d'inspiration locale où pétille l'esprit bourguignon.

Le peintre **Jean Cousin** réalise les cartons de vitraux pour la cathédrale St-Étienne de Sens jusqu'en 1540, date à laquelle il part à Paris. Dans la seconde moitié du 16e s. se répand à Dijon la décoration ornementale telle que la conçoit **Hugues Sambin**, auteur de la porte du palais de justice et, semble-t-il, d'un grand nombre d'hôtels particuliers.

La Bourgogne n'a certes pas connu une floraison de châteaux de plaisance comme le Val de Loire, mais elle compte toutefois de grandioses demeures telles Sully *(voir Autun)*, Tanlay ou Ancy-le-Franc. Les fresques couvrant les murs d'**Ancy-le-Franc**, dues aux élèves du Primatice et de Nicolo dell'Abate, évoquent nettement l'art de Fontainebleau.

Baroque et classique

Le style baroque, enclin à la fantaisie, fait son apparition en Bourgogne sous le règne de Louis XIII dans les ors et la décoration polychrome du château de Cormatin. Le sculpteur **Jean Dubois**, né à Dijon en 1625, réalise dans cet esprit la statuaire et le mobilier de nombreux édifices.

Influencé par le château de Versailles, l'art classique est marqué par la recherche de l'équilibre rationnel. À Dijon, on aménage la **place Royale**, et l'on construit le palais des États de Bourgogne sur les plans de **Jules Hardouin-Mansart.** Les familles de parlementaires se font édifier des hôtels particuliers : bien qu'ayant gardé les caractères de la Renaissance, l'**hôtel de Vogüé** (1607-1614) présente la disposition nouvelle d'un corps de logis retiré au fond d'une cour, l'accès à la rue se faisant par une porte cochère, l'autre façade ouvrant sur des jardins.

L'ordonnance des châteaux classiques, édifiés ou agrandis aux 17e et 18e s., se signale par la rigueur et la symétrie, des ailes en retour ou esquissées par des avant-corps, une façade à fronton triangulaire ou un portique qui rappellent les temples antiques. Bussy-Rabutin, Commarin, Talmay, Beaumont-sur-Vingeanne, Pierre-de-Bresse, Drée ou St-Fargeau en sont de beaux exemples.

En peinture, au 18e s., la bourgeoisie trouve son chantre en la personne du Tournusien **Greuze**, fort apprécié de

Diderot, qui s'illustre en traitant la peinture de genre avec les ressources de la peinture d'histoire. Ce sont l'élève favori de David, **Girodet** (né à Montargis), et un enfant de Cluny, **Prud'hon**, élève lui de Devosge à l'académie de Dijon, qui reprennent le flambeau et deviennent peintres de l'Empire. Les figures rêveuses et sensuelles de l'un, les images traitées avec ardeur par l'autre, annoncent déjà l'art romantique.

L'ART MODERNE ET L'ART CONTEMPORAIN

Les œuvres créées au cours du 19e s. ont leur source scientifique dans la « Vallée de l'Image » : la photographie d'abord, avec **Niépce**, qui l'invente *(très riche musée à Chalon-sur-Saône)*, puis le cinéma, grâce au précurseur **Étienne-Jules Marey**, qui transmettra ses découvertes aux frères Lumière.

Dans le domaine de l'architecture, l'ingénieur dijonnais **Gustave Eiffel** (1832-1923) se spécialise dans la construction métallique : ponts, viaducs... et la tour qu'il élève à Paris pour l'Exposition universelle de 1889. Le visionnaire **Claude Parent**, concepteur des centrales nucléaires, dessine l'église Ste-Bernadette de Nevers en se référant pour partie à l'art cistercien. Quant à la force architecturale de St-Philibert de Tournus, elle influence le compositeur **Edgar Varèse**, au même titre que les contrepoints de **Dufay**.

Peinture et sculpture

La sculpture est représentée par les très académiques **Jouffroy** *(La Seine*, statue ornant le bassin des Sources à St-Seine-l'Abbaye) et **Eugène Guillaume** (*Le Mariage romain*, au musée de Dijon), ainsi que par **François Pompon** (1855-1933), créateur de formes animalières avec un parti pris pour la simplification expressive des formes, proche de l'esthétique japonisante.

Parmi les peintres, on retient le Beaunois **Félix Ziem** (1821-1911), proche de Corot, qui a peint la campagne de Lormes, et le Dijonnais **Alphonse Legros** (1837-1911), ami de Rodin, dont le style réaliste et les thèmes ruraux évoquent son aîné Gustave Courbet. La veine de Legros pour les scènes d'intérieur s'est en quelque sorte perpétuée au travers du penchant intimiste de **Vuillard** – né à Cuiseaux en 1868. Plus proches de nous, le Dijonnais **Jean Bertholle** (1909-1996) a travaillé avec Jean Le Moal et Manessier avant de prendre sa place dans l'abstraction de la deuxième génération dans les années 1950. Tombé amoureux de la région de Clamecy, le grand affichiste **Charles Loupot** (1892-1962) s'établit à Chevroches. Il introduit dans la réclame le cubisme et le constructivisme *(voir ses œuvres au musée Romain-Rolland, à Clamecy)*, tandis que l'Avallonnais **Gaston Chaissac**, « peintre rustique moderne » ou « Pablo morvandiau », selon ses propres termes, fut l'explorateur infatigable des supports et techniques inédits, vite étiquetés « art brut ». Enfin, **Balthus** (1908-2001), immense artiste figuratif, nous vaut par sa présence à Chassy, dans les années 1950, une vision tout à la fois élégante et organique du Morvan.

À ne pas manquer

Le **musée municipal François-Pompon** *(voir Saulieu)* réserve une place d'honneur aux œuvres de ce grand sculpteur bourguignon, chef d'atelier de Rodin.

Créateurs des 20e et 21e s.

Deux **centres d'art contemporain** sont implantés en Bourgogne, l'un au château de Ratilly, l'autre au château du Tremblay, tandis que le palais synodal de Sens, l'abbaye St-Germain à Auxerre, le musée des Ursulines à Mâcon, la galerie des Ducs à Nevers, le musée René-Davoine à Charolles présentent de belles expositions. À Dijon, le musée des Beaux-Arts expose la collection de Pierre Granville, le FRAC et l'association Le Consortium font découvrir les créations les plus récentes des artistes contemporains.

À Vézelay, le **musée Zervos** présente le legs du fondateur des *Cahiers d'Art*. L'art brut a trouvé un lieu privilégié à Dicy, près de Joigny *(voir la Puisaye)*, l'acier Inox brille dans des œuvres monumentales à Gueugnon, en Saône-et-Loire, et les sculptures dues à **Arman**, **Gottfried Honegger** ou **Karel Appel** ont transformé le campus universitaire de Dijon en véritable musée de plein air.

ABC d'architecture

Les dessins présentés dans les planches qui suivent offrent un aperçu visuel de l'histoire de l'architecture dans la région et de ses particularités. Les définitions des termes d'art permettent de se familiariser avec un vocabulaire spécifique et de profiter au mieux des visites des monuments religieux, militaires ou civils.

Architecture religieuse

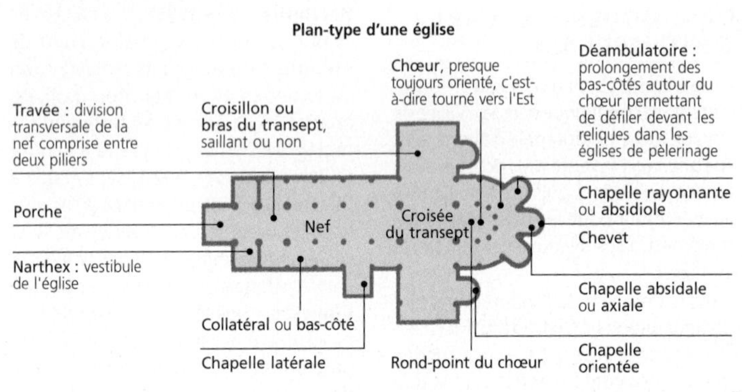

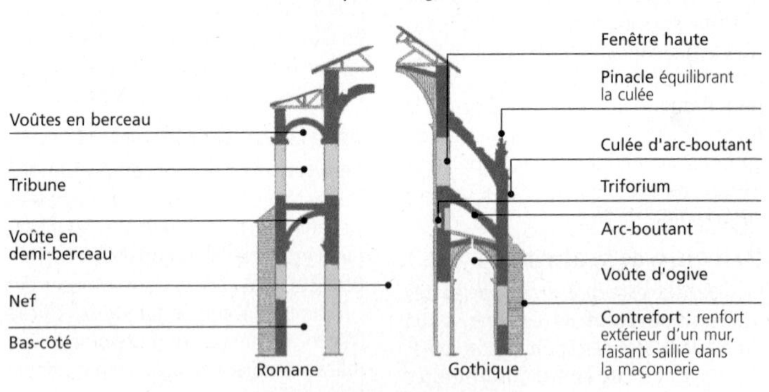

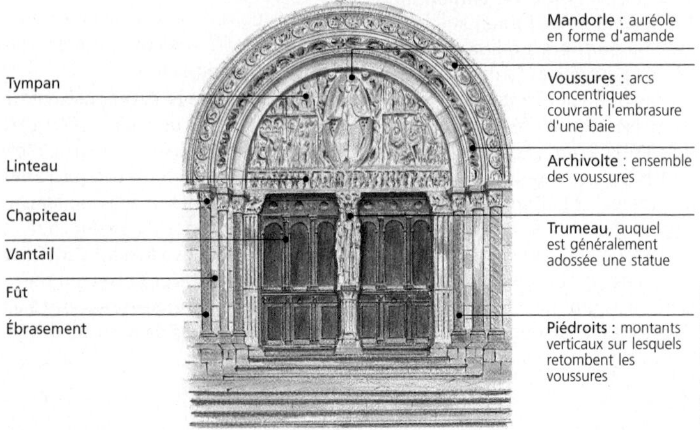

VÉZELAY – Nef de la basilique Ste-Madeleine (1096-1215).

Fenêtre haute

Corniche à frise

Pilastre : faible saillie rectangulaire du mur servant de support

Tailloir : couronnement du chapiteau

Voûte d'arêtes : formée de deux berceaux se coupant à angle droit

Formeret : arc engagé dans un mur

Claveaux (pierres taillées en coin) clairs et foncés alternés

Chapiteau historié : décoré de scènes à personnages

Arc triomphal : grande arcade qui sépare la nef centrale du transept ou du chœur

Triforium : galerie de circulation pratiquée dans l'épaisseur du mur, qui deviendra une arcature purement décorative à la fin du gothique

Demi-colonnes engagées sur les faces d'une pile cruciforme

Doubleau : arc en nervure rejoignant deux voûtes

Voûte sur croisée d'ogives

Chœur

R. Corbel/MICHELIN

TOURNUS – Abbatiale St-Philibert (11e-12e s.).

L'aspect de forteresse du mur marquant le front du narthex, réduit défensif de l'abbaye, est un exemple du premier art roman qui pénètre en Bourgogne vers l'an mil.

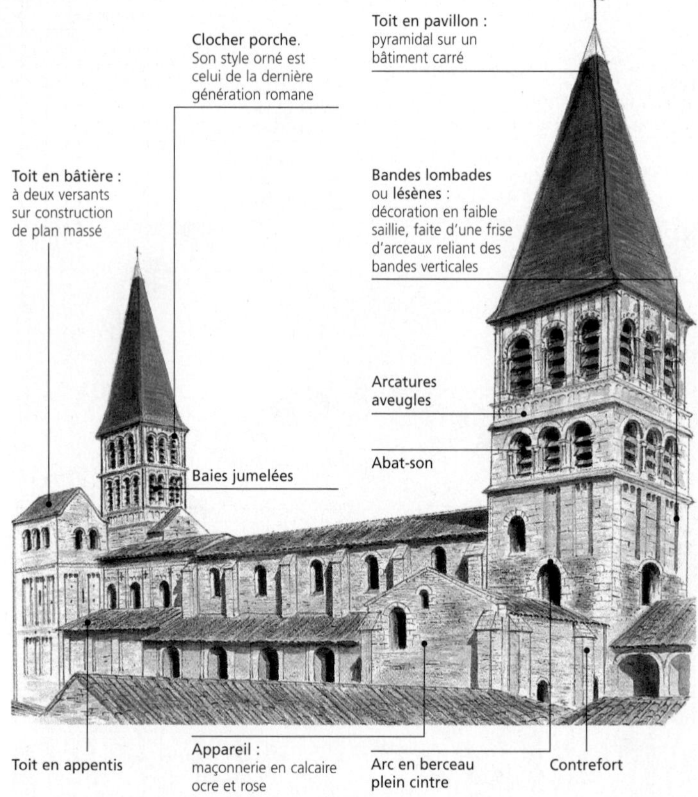

PONTIGNY – Abbatiale (1150-1206).

L'architecture cistercienne se caractérise par sa simplicité, son austérité. Un soin particulier est porté à l'agencement des différents éléments de construction.

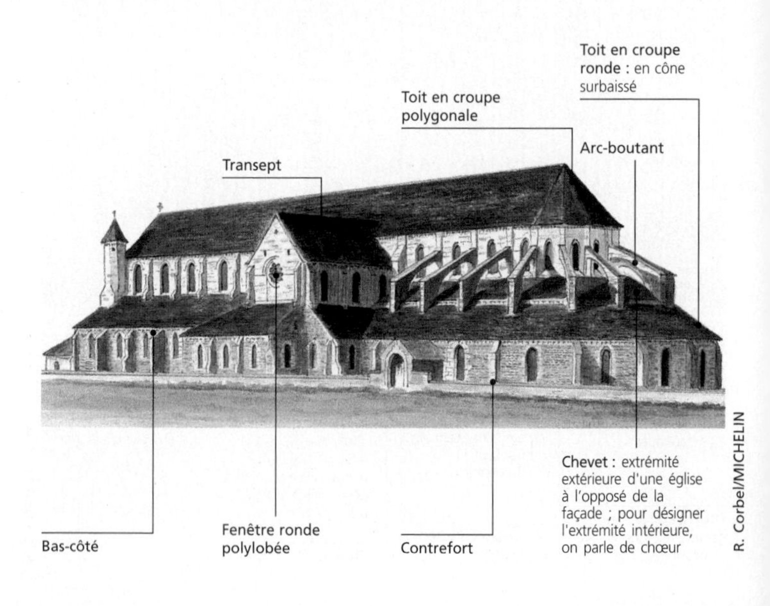

DIJON – Église St-Michel (16e et 17e s.).

La façade à deux tours s'inscrit dans la tradition gothique. Les trois portails évoquent ceux de l'art roman qui, assimilé à un art romain décadent, a servi plus ou moins directement de modèle pendant la Renaissance.

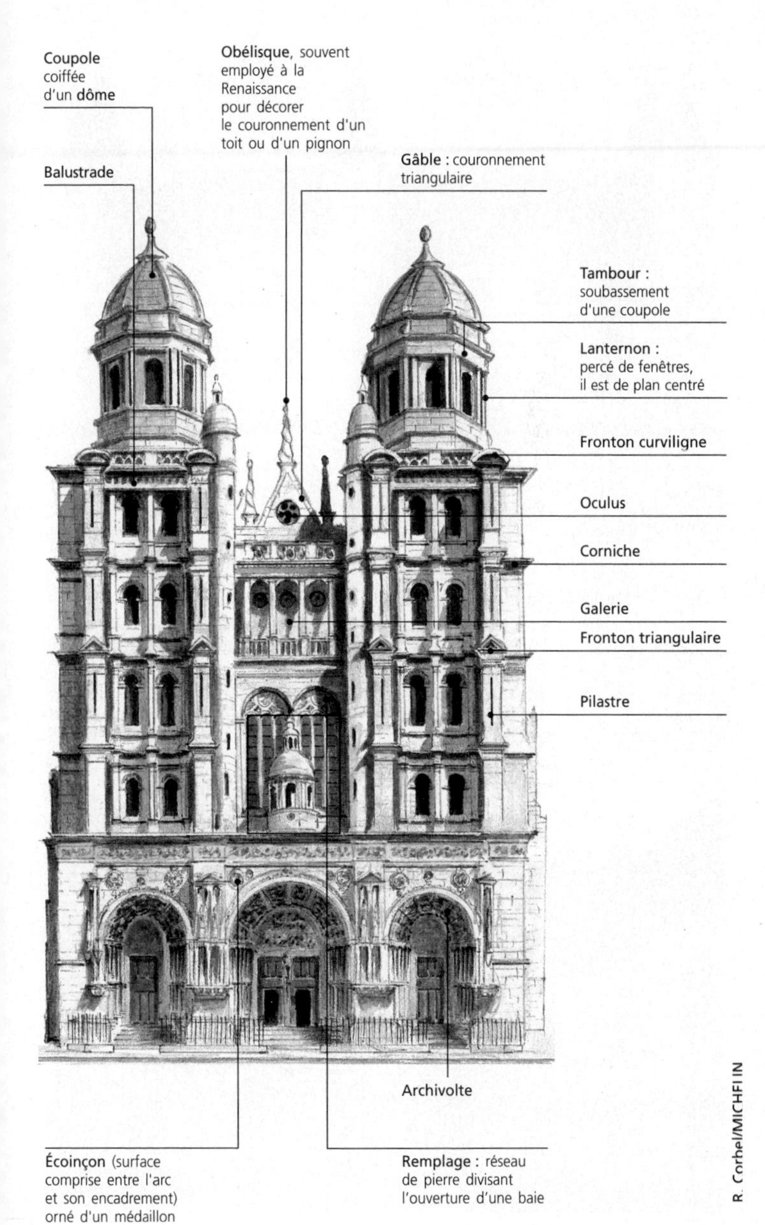

Architecture civile

NEVERS - Palais Ducal (16e s.).

Le palais ducal de Nevers préfigure les châteaux de la Loire. Une régularité nouvelle ordonne une structure dont l'origine médiévale est rappelée par les grosses tours latérales.

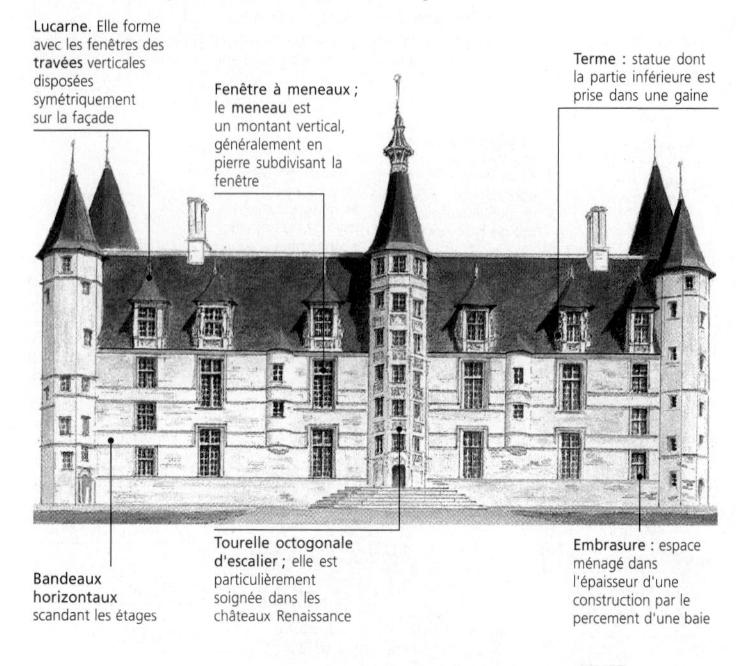

ANCY-LE-FRANC – Cour intérieure du château (commencé en 1544).

La cour carrée à quatre ailes semblables est un exemple célèbre de « travée rythmique », association de baies, pilastres et niches alternés, inventée par Bramante.

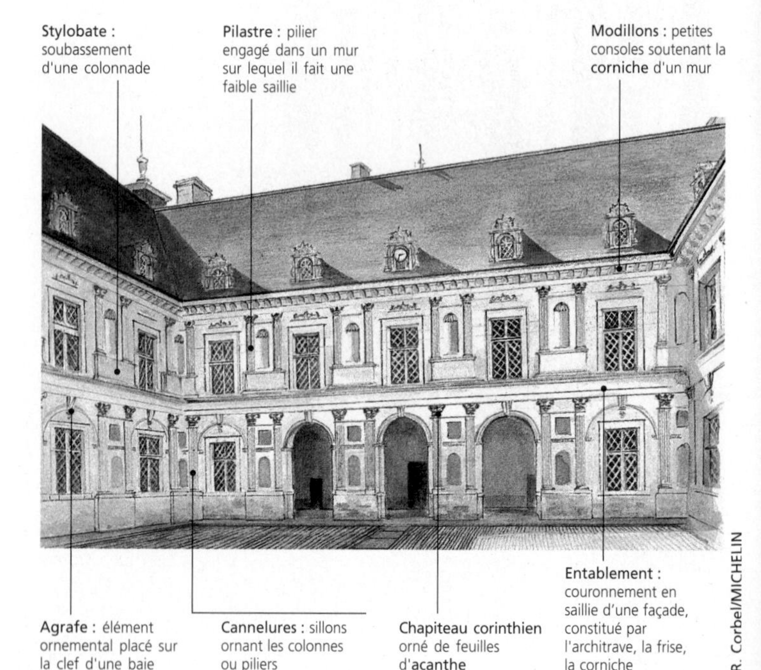

R. Corbel/MICHELIN

DIJON - Palais des États de Bourgogne (1681-1786).

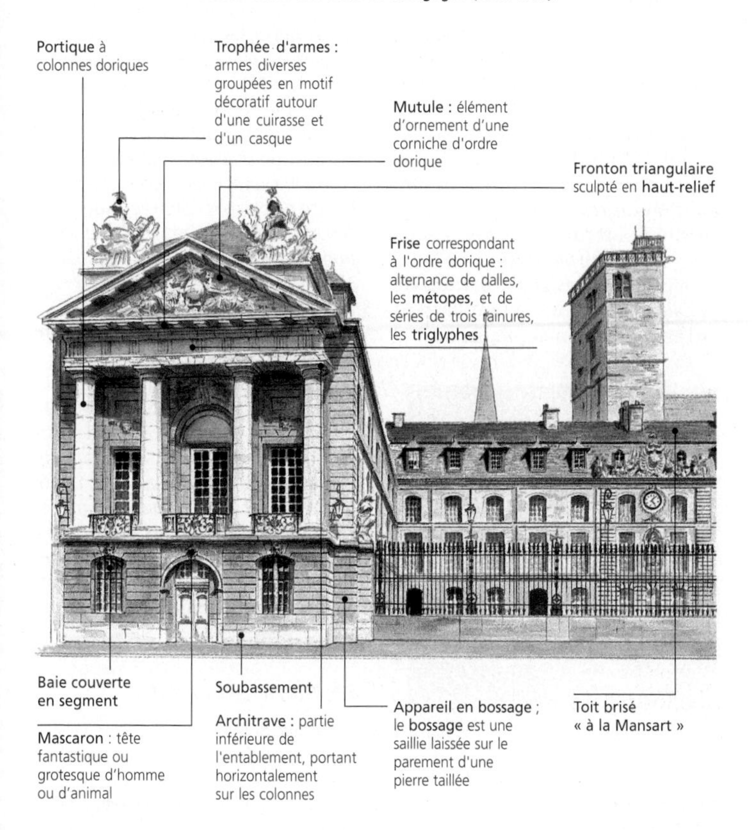

LE CREUSOT
Manufacture des cristaux de la Reine (1784-1788), château des Schneider.

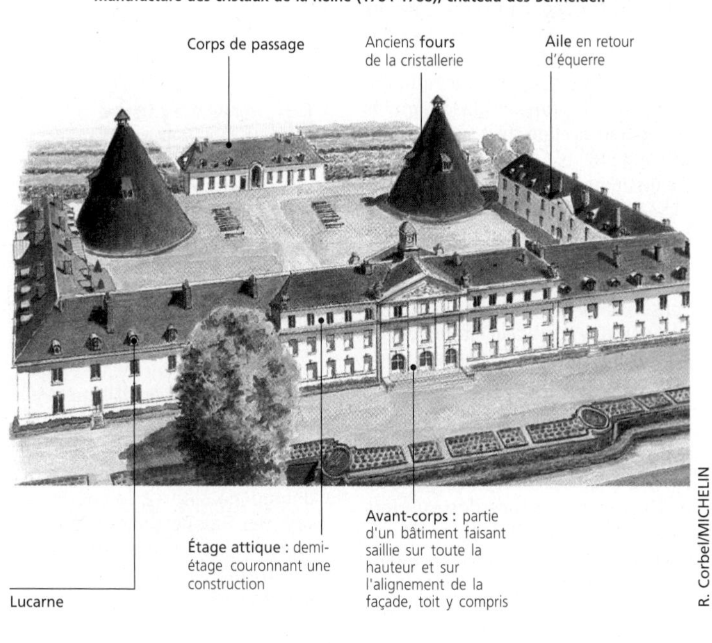

R. Corbel/MICHELIN

Maisons de pays

La Bourgogne est un seuil entre deux massifs anciens, le Morvan et les Vosges, une terre de passage entre le Bassin parisien et la vallée de la Saône, entre la France du nord et le Midi méditerranéen. Les influences en matière de construction sont donc multiples et s'ajoutent à la diversité des terroirs. Les toitures de tuiles plates ou vernissées, de laves ou d'ardoises, les constructions de calcaire ou de granite font l'attrait de l'architecture bourguignonne.

Ph. Gajic / MICHELIN

Ferme bressane.

ARCHITECTURE DU VIGNOBLE

C'est l'art de vivre du vigneron qui a contribué à l'élégance de l'architecture rurale de la **Côte**. Concentré dans les villages, l'habitat se cache parfois derrière de hauts murs et d'amples portails ; isolé au milieu des vignes, il s'entoure de bâtiments annexes plus ou moins considérables et de chais séparés (Clos de Vougeot).

On distingue trois sortes de **maisons vigneronnes**. La maison de base se compose d'une seule et unique pièce à vivre, comme « soulevée » par la cave dont les murs épais et la voûte de pierre conservent la fraîcheur et l'humidité. Vient ensuite le modèle intermédiaire, doté d'une écurie et d'une petite grange appelée « magasin ». Enfin, reconnaissables à leur galerie et leur escalier extérieur protégé par un auvent, les maisons plus cossues comportent une cuverie et un cellier. Les demeures de maîtres comme celles des ouvriers vignerons ont généralement ceci en commun : l'habitation à l'étage est desservie par un escalier de pierre extérieur au-dessus des caves et des celliers, et l'usage répandu de galeries, porches et auvents donne des façades ouvertes et plaisantes.

Dans l'**arrière-côte**, c'est-à-dire sur les « hautes côtes », où l'on produit également du vin, les maisons et dépendances, imbriquées étroitement, sont souvent adossées à une pente, au cœur d'un village-rue accroché à flanc de coteau, le plus près possible des vignes. On y retrouve une certaine sobriété : un logis très réduit, en surélévation au-dessus de la cave peu ou pas enterrée, située sous l'escalier de pierre et protégée des variations de température par l'ampleur du palier appelé localement « plafond » ; un « magasin », faisant office de cuverie ; un pressoir, surmonté d'un fenil où étaient engrangés bottes de paille et outils.

Le paysage est également parsemé ici et là de jolis **castels** flanqués de tourelles rondes ou carrées coiffées de toits pentus. Il s'agit d'exploitations agricoles consacrées tantôt à la vigne, tantôt à d'autres cultures. Et n'oublions pas les charmantes **caillebottes**, ou cabottes, cabanes faites de pierre sèche, parfois dotées d'une cheminée, qui servent d'abri aux viticulteurs pour déjeuner et stocker leurs outils.

EN PAYS CALCAIRE

Le calcaire domine dans la Côte-d'Or. Il se durcit en surface et fournit un matériau très résistant. La roche du jurassique se clive en moellons très plats et se délite en minces feuilles, les « laves », utilisées par les couvreurs.

Dans le **Châtillonnais**, les villages, peu nombreux, sont installés dans les clairières ou le long des vallées.

Carrières de pierre

Que ce soit dans le Châtillonnais, le Tonnerrois, le Beaunois, l'Autunois et le Clunysois, on remarque des trouées dans les vignobles : ce sont les carrières à ciel ouvert de **pierre de Bourgogne**. Celle-ci est un calcaire sédimentaire qui se distingue par ses grains fins, la présence de coquillages fossiles et ses variétés de couleur : ocre beige, rosé ou même bleuté. Elle est employée en dallage et sur les façades des constructions, par exemple dans l'abbaye de Cîteaux.

Créée en 1996, l'association Pierre de Bourgogne, située à Baigneux-les-Juifs, regroupe des professionnels de la filière pierre, du carrier au sculpteur en passant par les laviers, les poseurs et les tailleurs.

Pour en savoir plus, consultez le site www.pierre-bourgogne.fr

La grande exploitation comprend de vastes bâtiments autour d'une cour centrale fermée par de hauts murs ; les entrées des granges sont généralement surmontées d'arcs surbaissés. La petite exploitation de la fin du 18e s. abrite sous le même toit le logement et les bâtiments d'exploitation ; l'entrée de la grange est surmontée d'un linteau de bois. La pièce commune comporte une porte et une fenêtre accolées sur lesquelles s'alignent les ouvertures du fenil ou du grenier, qui bénéficient ainsi de la sécheresse assurée par la chaleur sous-jacente du logement. Le banc de pierre devant la maison est très fréquent en basse Bourgogne.

Dans le **Mâconnais**, les murs des maisons de vignerons sont bâtis avec du calcaire, utilisé presque à sec et sans enduit. Une galerie, protégée par l'avancée du toit, prolonge sur l'extérieur l'ancienne salle commune et sert, l'hiver, à vaquer aux occupations domestiques à l'abri de la pluie, l'été, de cuisine ou de salle à manger. Les ferronneries de porte, qui étaient autrefois fabriquées par le forgeron du village, présentent des modèles originaux de loquet de porte, d'entrée de serrure, de heurtoir, où s'ordonnent cœur, croix, oiseau et porte-bonheur.

EN PAYS CRISTALLIN

Montagne ancienne vouée à l'élevage, le **Morvan** a donné naissance à des maisons sobres en granit, couvertes d'ardoises, et à des granges-étables dont la façade est protégée de la pluie par l'avancée du toit. L'habitat est groupé en hameaux dispersés, appelés « huis », à mi-distance des pâturages et des cultures et des bois.

La maison morvandelle est un volume simple et dépouillé. La souche de cheminée en pierre taillée, l'escalier extérieur, les encadrements des ouvertures donnent de la noblesse à cet habitat pauvre. Pour ne pas empiéter sur un espace intérieur réduit, composé d'une seule pièce commune, et parfois d'une chambre supplémentaire, l'accès au comble se fait par une échelle ou un escalier extérieur toujours situé sur le mur pignon.

Devenu un pays d'élevage bovin, le Morvan accueille de grosses exploitations composées de deux bâtiments de part et d'autre d'une cour, perpendiculaires à la rue. L'exploitation type présente sous le même toit l'habitation et la grange. Les couleurs chaudes du granit apparaissent, marquant l'irrégularité de l'appareillage.

UNE MOSAÏQUE DE TOITURES

Les splendides toitures de tuiles de la région sont l'un des éléments forts de son identité. Le visiteur ne pourra qu'être ébloui par les toits de l'hôtel-Dieu de Beaune, de l'hôtel de Vogüé à Dijon ou du château de La Rochepot. L'origine de ces **tuiles vernissées polychromes**, appareillées en motifs géométriques, lignes brisées, losanges, entrelacs ou chevrons, est mal connue ; elles proviendraient d'Europe centrale via les Flandres. Ces toits décorés étaient chargés de messages symboliques, politiques ou religieux, signalant le statut social d'un notable ou la réputation d'une communauté religieuse ou laïque. Les épis de faîtage sont également en terre cuite vernissée, les girouettes travaillées, et des ergots figurent sur les arêtes des toits à pans coupés, en particulier dans la Côte-d'Or.

Sur les reliefs, les vastes toits sont recouverts de tuiles plates dites **tuiles de Bourgogne**. Longues et étroites, celles-ci, fabriquées dans le Sénonais, sont d'un brun assez foncé. Les moines cisterciens en recouvraient les toits de leurs abbayes. Malheureusement, la tuile mécanique d'emboîtement est venue remplacer ce matériau traditionnel.

Les **laves** calcaires sont des chutes de carrières sans valeur marchande, longtemps utilisées par les couvreurs. Dans les lavières, on levait ou « lavait » les croûtes superficielles pour atteindre la pierre à bâtir. Chaque « lave » pouvait être calée par des cailloux (comme sur l'église d'Ozenay, village du Mâconnais) pour que l'air puisse circuler entre les pierres, facilitant l'évaporation de l'eau et évitant le gel. Le poids considérable de ce matériau (de 600 à 800 kg au m^2) nécessitait de fortes et coûteuses charpentes, ce qui n'empêche pas nombre de lavoirs et de fontaines d'en disposer.

Vignes et tuiles vernissées.

Pensée et belles-lettres

La déclinaison des splendeurs bourguignonnes serait incomplète sans ses talents littéraires. Depuis le Moyen Âge et le mécénat des grands-ducs, la région les a vus s'exercer dans des domaines divers, de la chronique historique de Christine de Pisan aux recherches de Georges Duby, des envolées romantiques de Lamartine aux romans d'Henri Vincenot.

LE MOYEN ÂGE : LITTÉRATURE ET POUVOIR POLITIQUE

Originaire de Fontaines près de Dijon, **saint Bernard** (1090-1153) est le fondateur et le premier abbé de l'abbaye de Clairvaux. Connu et consulté par tous, ascète et mystique, c'est un grand prédicateur et l'un des plus illustres écrivains de son temps. Son œuvre se compose de traités, de sermons, et d'une riche correspondance avec les papes, les abbés et les princes, etc. Son rôle politique est primordial, et il participe à la rédaction de la règle des Templiers. Enfin, il tente vainement d'empêcher le divorce de Louis VII et Aliénor d'Aquitaine.

Mécènes, les grands-ducs de Bourgogne encouragent la littérature. Ainsi, **Christine de Pisan** (1365-1430), première femme de lettres à gagner sa vie par sa plume, est la protégée du roi de France Charles V. Elle dédie au frère de ce dernier, Philippe le Hardi, duc de Bourgogne, sa biographie, *Faits et bonnes mœurs du roi Charles V.*

L'histoire bourguignonne du 15e s. est relatée par des chroniqueurs célèbres : **Molinet** (1435-1507) consacre la plus grande partie de sa vie à l'historiographie de la Maison de Bourgogne. **Commynes** (1447-1511) est au service du comte de Charolais, le futur Charles le Téméraire, avant de s'attacher au roi de France, Louis XI, puis à Charles VIII, avec lequel il se rend en Italie. La profondeur de sa réflexion historique le distingue des chroniqueurs de son temps et nous autorise à le considérer comme le premier véritable historien bourguignon.

DE LA PLÉIADE AUX LUMIÈRES

Bonaventure des Périers (Arnay-le-Duc 1510-1543) et **Pontus de Tyard** (1521-1605) sont les principales figures littéraires de la Renaissance bourguignonne. Le premier, ami du poète Clément Marot, conteur, voit son œuvre principale, *Cymbalum Mundi* (Carillon du monde), jugée trop caustique, brûlée sur ordre du parlement. Il y ridiculisait à la fois protestants et catholiques. Le deuxième, membre de la Pléiade, comme Ronsard et Du Bellay, travaille à une œuvre philosophique, sous forme de discours qui lui permettent d'explorer toutes les sciences. Il devient évêque de Chalon-sur-Saône en 1578.

À la fois homme de guerre et homme de lettres, **Roger de Rabutin** (1618-1693), comte de Bussy, est né à Épiry dans le Morvan et mort à Autun. Ce brillant officier, érudit, est aussi un libertin. Ayant ripaillé pendant la Semaine sainte, il est exilé sur ses terres, où il rédige *l'Histoire amoureuse des Gaules*, chronique grivoise et indiscrète sur la Cour. Rabutin échange avec sa cousine Madame de Sévigné une piquante correspondance, et fait décorer son château d'une galerie de portraits assortie d'inscriptions caustiques.

Né à Dijon dans une famille de magistrats, **Jacques Bénigne Bossuet** (1627-1704) est l'un des prédicateurs majeurs de son temps. Nommé précepteur du grand dauphin, il entre à l'Académie en 1671. L'écriture de cet historien, polémiste face aux protestants, aux jésuites et à l'autorité du pape, est merveilleuse d'équilibre et de clarté.

Maréchal de France, Sébastien Le Prestre, marquis de **Vauban** (1633-1707), né à St-Léger-de-Foucherets, avant tout connu en tant qu'ingénieur militaire, est aussi un homme de lettres de talent. Il écrit sur des sujets divers (économie, géographie, population) et sur des projets de systèmes de canalisations, d'imposition de la noblesse, de monnaie unique européenne... Son château, celui de Bazoches *(voir ce nom)*, est une élégante demeure entretenue par ses descendants.

La Bourgogne a été touchée par l'esprit des Lumières. Sans jamais quitter Dijon, **Jean Bouhier** (1673-1746), président du parlement, exerce une influence importante sur l'Europe littéraire. **Charles de Brosses** (1709-1777) fréquente le cercle de gens cultivés qui est à l'origine de la fondation en 1740 de l'Académie des sciences, arts et belles-lettres de Dijon. **Buffon** (1707-1788), l'enfant de Montbard, joue un rôle de premier ordre dans la vulgarisation des sciences. Il consacre 40 ans de sa vie aux trente-six volumes de son *Histoire naturelle*, que l'on considère comme l'un des « monuments » du 18e s. Il est élu à l'Académie française à la place d'**Alexis Piron** (1689-1773), dramaturge dont l'écriture satirique choqua tellement Louis XV qu'il l'empêcha d'intégrer l'Académie. **Restif de La Bretonne** (1734-1806), né à Sacy, dresse un tableau réaliste des mœurs du siècle dans son œuvre multiforme et inclassable. Il donne de précieux renseignements sur la société de la fin du 18e s. Si ses descriptions sont parfois scandaleuses, son naturalisme est sincère et tranche avec les déclarations à la mode et l'hypocrisie de certains écrivains de son temps.

DU ROMANTISME À LA LITTÉRATURE CONTEMPORAINE

Né à Mâcon, **Alphonse de Lamartine** (1790-1869) part pour Milly et s'attache à ce terroir qu'il aime appeler sa « terre natale ». Quand il doit se séparer de sa maison de Milly en 1860, c'est un véritable déchirement, car c'est là que sont nés son amour de la nature et son sens de la démocratie. Il réside par la suite au château de St-Point, loin des agitations de la vie parisienne. Son attachement à la Bourgogne transparaît clairement dans ses poèmes : « Ah ! c'est que j'ai quitté pour la paix du désert/La foule où toute paix se corrompt ou se perd,/ C'est que j'ai retrouvé dans mon vallon champêtre/ Les soupirs de ma source et l'ombre de mes hêtres,/ Et ces monts, bleus piliers d'un cintre éblouissant,/ Et mon ciel étoilé d'où l'extase descend ! »

S. Sauvignier / MICHELIN

Alphonse de Lamartine.

Lacordaire (1802-1861), prêtre dominicain, catholique libéral, élu député en 1848, milite en faveur de la démocratie chrétienne.

La région est aussi le berceau de **Pierre Larousse** (1817-1875), originaire de Toucy, qui se lance dans les folles aventures de la rédaction du *Nouveau Dictionnaire de la langue française*, paru en 1856, et du *Grand Dictionnaire universel*. Il met aussi au point des principes pédagogiques novateurs pour l'époque, qui développent activement l'intelligence et le jugement des enfants.

Jules Renard (1864-1910), que l'on connaît par son incontournable *Poil de Carotte*, passe toute son enfance à Chitry-les-Mines, partagé entre sa vie de famille difficile et sa passion pour la nature. Styliste remarquable et excellent observateur, il est classé parmi les écrivains naturalistes.

Romain Rolland (1866-1944), figure de l'« intellectuel de gauche » en relation avec le monde entier, est très attaché à la campagne nivernaise.

Quant à **Colette** (1873-1954), elle n'a jamais oublié son enfance merveilleuse à St-Sauveur : « Vous n'imaginez pas quelle reine de la terre j'étais à douze ans ». Même mariée et installée à Paris, elle reste très liée à sa région.

Jacques Copeau (1879-1949) collabore à la création de la NRF et fonde en 1913 le théâtre du Vieux-Colombier à Paris, puis installe sa troupe, Les Copiaux, à Pernaud-Vergelesses. Il relance au 20e s. l'esprit des fabliaux du Moyen Âge et de la *commedia dell'arte*.

Marie Noël (1883-1967), la « Muse d'Auxerre », vécut loin des tumultes de la vie parisienne. Elle reçut le grand prix de l'Académie française en 1962. Certaines de ces œuvres ont été mises en musique.

Henri Vincenot (1912-1985), né et mort à Dijon, ayant vécu à Commarin, évoque avec tendresse la vie des paysans bourguignons dans ses chroniques terriennes que sont *Le Pape des escargots* et *La Billebaude*.

L'historien **Georges Duby** (1919-1996) recherche dans le Mâconnais, près de Cluny, les traces des Français de l'an mil. Disciple de la « Nouvelle Histoire », il s'intéresse aux mentalités et aux idées, sans renoncer à l'histoire événementielle.

Né en 1951 au Creusot, **Christian Bobin** (*Le Très-Bas, La Plus que vive*), chroniqueur de l'instant qui enseigne à savourer la vie, étonne le microcosme de l'édition parisienne en caracolant en tête des ventes, tout en continuant à vivre et écrire au Creusot.

Pourtant, il dit de sa terre natale : « Mon pays est minuscule, il a 21 centimètres de large sur 29,7 centimètres de haut. Ma région est la page blanche et elle seule. C'est un beau pays couvert de neige toute l'année et parfois traversé de pluies d'encre. »

LA BOURGOGNE AUJOURD'HUI

La Bourgogne demeure aujourd'hui une terre de contrastes. Fortement industrialisée à l'est, avec le couloir Dijon-Mâcon, très bien desservie par de grands axes routiers, fluviaux et ferroviaires, la région reste enclavée sur de vastes territoires faiblement peuplés, tel le sauvage Morvan. Elle peut néanmoins s'enorgueillir de ses savoir-faire industriels et de la renommée internationale des produits de ses terroirs.

Ph. Benet / MICHELIN

Exploitation céréalière de la Côte-d'Or.

Une économie diversifiée

UNE AGRICULTURE EFFICACE

La Bourgogne a conservé un caractère rural marqué. Les agriculteurs représentent en effet 5,6 % de la population active régionale, proportion nettement supérieure à la moyenne nationale. Ils se sont spécialisés dans quatre principaux domaines de production qui assurent les trois quarts des recettes agricoles : les céréales, les oléagineux (colza, tournesol), la viande bovine et la viticulture *(voir rubrique « Les vignobles », p. 90)*.

Si, comme pratiquement partout en France, la tendance à un dépeuplement des campagnes se confirme, l'agriculture bourguignonne n'en demeure pas moins dynamique, diversifiée et largement reconnue pour la qualité de ses productions. Les terres se concentrent peu à peu aux mains d'agriculteurs de moins en moins nombreux, mais plus jeunes que la moyenne des agriculteurs français.

La Bourgogne est la deuxième région française productrice de **colza**, et la dixième pour les **céréales**. L'Yonne, comme une large partie du Bassin parisien auquel elle appartient, est une région de production céréalière, surtout de blé et d'orge, sur de grandes exploitations qui rappellent un peu celles de la Beauce ou de la Brie, avec des paysages de vastes champs sans haie ni clôture.

La Bourgogne élève par ailleurs le quatrième **cheptel bovin** du pays. Les prairies du Morvan, du Charolais, du Brionnais et du Nivernais nourrissent des **vaches charolaises**, qui fournissent une viande de qualité à la renommée mondiale, des laitières de race holstein et des montbéliardes, cette dernière race ayant d'ailleurs son berceau dans le Châtillonnais, au nord de Dijon. Également originaire de la Saône-et-Loire, le **mouton charollais** est réputé pour sa viande.

En tête de la **filière avicole** bourguignonne, durement affectée par la crise de la grippe aviaire, la Saône-et-Loire affichait, début 2006, un volume total de quelque 17 500 tonnes de volailles produites (poulets, canards, pintades, dindes), soit plus de 56 % de la production globale de la Bourgogne. Cette filière compte la prestigieuse **volaille de Bresse**, estampillée d'une AOC, dont la production se répartit sur les départements de l'Ain, de Saône-et-Loire et du Jura.

TRADITION MINIÈRE ET SIDÉRURGIQUE

Grâce à ses forêts, vastes réserves de combustible végétal, et à ses gisements de fer, la Bourgogne connut dès l'Antiquité une importante activité métallurgique. Les fouilles archéologiques ont révélé qu'à l'époque gauloise, certains centres comme **Bibracte** et **Alise-Ste-Reine** abritaient des artisans métallurgistes dont la production était appréciée des Romains.

Grands producteurs de fer jusqu'au milieu du 14e s., les **moines cisterciens** jouèrent un rôle primordial dans l'évolution des techniques, en Bourgogne et ailleurs : inventeurs de l'arbre à cames, ils surent utiliser l'énergie hydraulique pour activer de petits martinets à fer et, dès le début du 13e s., des soufflets de forge. Des températures élevées et une meilleure combinaison du carbone et du fer étaient ainsi atteintes, ce qui leur permit de découvrir la fonte. Le bâtiment de forge de l'abbaye de **Fontenay** *(voir ce nom)* représente un des rares témoignages de cette industrie du Moyen Âge.

Au 16e s., la production s'intensifia grâce à l'invention des hauts-fourneaux. La forge de **Buffon** *(voir Montbard)* offre un des derniers exemples de cette sidérurgie dite classique, tributaire de la force hydraulique et du charbon de bois.

Le 18e s. vit naître en Angleterre la sidérurgie moderne, avec l'utilisation du coke comme combustible et la découverte de la machine à vapeur. En 1785, la Fonderie royale **du Creusot** *(voir ce nom)* alimenta pour la première fois en France ses hauts-fourneaux au coke. Faute de soutien financier, la réussite technique ne fut pas exploitée. Les forges à l'anglaise ne virent le jour en France qu'en 1819, deux ans plus tard à **Fourchambault** en Bourgogne, et en 1822 à **Ste-Colombe-sur-Seine**. En 1826, les « houillères, forges, fonderies et ateliers du Creusot » sont rachetés par les **Schneider** et deviennent en une quarantaine d'années le plus grand centre sidérurgique et mécanique de France.

Aux 18e et 19e s., le développement de la sidérurgie et l'exploitation des ressources houillères régionales engendrent la création ou la croissance de nombreuses villes, dont **Le Creusot**, **Montceau-les-Mines**, **Montchanin**, **Blanzy** (Saône-et-Loire), **La Machine**, **Decize**, **Imphy**, **Fourchambault** et **Guérigny** (Nièvre).

Au 20e s., ces industries sont touchées par la crise due à la concurrence et à l'utilisation d'énergies autres que le charbon. Certaines de ces villes entament alors une période difficile. La métallurgie et la transformation des métaux demeurent toutefois le secteur dominant en termes d'emploi dans la région, avec la présence de grands groupes tels qu'Arcelor, Vallourec, Eramet, Sfarsteel, etc.

AUTRES INDUSTRIES

La Bourgogne est la 14e région industrielle française, le département le plus industrialisé étant la Saône-et-Loire.

Deuxième secteur d'importance après la métallurgie, l'industrie des **biens d'équipement mécanique** est représenté par des entreprises telles qu'Areva, Saint-Gobain Seva, Thermodyn, à Chalon-sur-Saône et au Creusot, et Cermex et Savoye dans la Côte-d'Or.

L'**industrie agroalimentaire** est un acteur majeur : Unilever Bestfoods gère à Dijon son centre de recherches sur le goût, la sécurité alimentaire et la nutrition, après le rachat d'Amora et Maille ; Senoble, une entreprise icaunaise, tient tête à Nestlé dans la région ; les volaillers DUC et LDC ont survécu aux effets néfastes de la canicule de 2003 et à la crise de la grippe aviaire en diversifiant leurs activités.

La région a bénéficié de la décentralisation des années 1960 et de la proximité de Paris ; une usine Peugeot a par exemple été implantée à Dijon. Si cette dernière a été partiellement cédée à un groupe japonais en 2000, le constructeur automobile français fait vivre un riche tissu de fournisseurs dans la région (Faurecia, Freudenberg, Benteler).

Les industries d'**équipement électrique et électronique** sont en fort retrait, avec les fermetures de certains sites de Thomson et des restructurations chez Schneider.

Portrait statistique

Alors qu'elle se situe au 6e rang des régions françaises pour sa **superficie** (31 582 km^2), la Bourgogne n'est qu'au 16e rang pour sa **population** (1 626 000 hab. en 2005), ce qui traduit de faibles **densités** (51 hab. au km^2), inférieures de moitié à la moyenne nationale. Une part de la Bourgogne fait d'ailleurs partie de la **diagonale du vide**, ligne imaginaire allant des Ardennes aux Pyrénées qui relie les espaces faiblement peuplés. Les 3 aires les plus peuplées de Bourgogne sont l'axe **Dijon-Beaune-Chalon-Mâcon**, la **vallée de l'Yonne** (d'Auxerre à Sens) et le **Val de Loire** (de Nevers à Cosne-Cours-sur-Loire).

Le tourisme en Bourgogne

Riche de plus de 2 000 sites classés (dont 820 églises, chapelles et établissements conventuels, quelque 400 châteaux, palais et manoirs et 21 sites archéologiques) et d'une centaine de musées, la Bourgogne est renommée pour son **patrimoine historique et architectural**. Véritable poumon vert aux portes du Bassin parisien, elle offre des possibilités illimitées de **vacances vertes** : randonnées à cheval, à pied, ou à vélo, pêche, croisières fluviales... La qualité des crus et la chaleur de l'accueil des vignerons font par ailleurs du **tourisme œnologique** l'un des attraits majeurs de la région : visites de caves et dégustations raviront les amateurs de bons vins.

Ph. Gajic / MICHELIN

Village de la côte de Beaune.

L'activité touristique en Bourgogne se concentre sur les mois de juillet et août. Dijon draine le plus grand nombre de visiteurs, suivie d'Auxerre-Avallon, Beaune, Mâcon, Chalon-sur-Saône et le Val de Loire.

Dotée d'un large choix de **structures d'accueil** (environ 600 hôtels, auxquels viennent s'ajouter villages de vacances, chambres d'hôte, gîtes, campings, bateaux habitables), la Bourgogne se place au 12e rang des destinations choisies par les Français. Ces derniers constituent les deux-tiers de la population touristique globale, les Franciliens à eux seuls représentant 32 % de ce total. Britanniques et Allemands viennent en tête de la clientèle étrangère, attirés par la douceur de vivre qui fait la réputation de la région.

Avec plus de 3 000 salariés, Kodak était, en 1989, le premier employeur privé de Bourgogne. Mais avec le déclin de la photo argentique, le groupe a décidé, en 2005, de fermer le site de Chalon-sur-Saône dans un délai de 2 à 5 ans. La réindustrialisation de ce site est en cours avec l'installation progressive d'entreprises telles que Champion Chemtech Limited, Cofathec Services, CEPL, JDM Call, Rave ou encore Intertek Analyses.

Essilor, leader mondial des verres ophtalmiques, est basé à Dijon. Le secteur pharmaceutique connaît des fortunes diverses : rachat en 2005 de Fournier Pharma par le groupe belge Solvay, redressement de son ancienne filiale Urgo et expansion de Sanofi-Aventis sur le site de Quetigny dans la Côte-d'Or.

Le verrier Saint-Gobain emploie un millier de personnes dans la région chalonnaise et fait appel à un sabotier de Gouloux (Nièvre) pour équiper son personnel chargé de l'entretien des fours.

Citons également, parmi les grands employeurs de la région, le groupe Seb, Selongey, Fiat Powertrain Technologie (ex Iveco) et... Michelin.

UN SECTEUR TERTIAIRE EN PLEIN ESSOR

Le secteur tertiaire emploie près de deux actifs sur trois en Bourgogne, la Côte-d'Or, avec Dijon, étant le département qui regroupe le plus grand nombre d'entreprises du tertiaire. Les produits de biens intermédiaires (sidérurgie, parachimie, matériel électrique), les produits agroalimentaires, les produits laitiers et les glaces, et bien sûr, le vin, produit-phare de la région, constituent l'essentiel des exportations vers l'étranger.

Les vignobles

Le nom de Bourgogne est, pour tous les gourmets, synonyme de bon vin. Son vignoble est l'un des plus beaux du monde, et sa renommée s'appuie sur un savoir-faire millénaire lié à une solide tradition gastronomique.

LE VIN DE BOURGOGNE DANS L'HISTOIRE

La culture de la vigne se généralise dans le sillage de la conquête romaine. Très vite, le vin de Bourgogne acquiert ses titres de noblesse ; les préfets de la

Séquanaise l'apprécient, ce que rappelle aujourd'hui la dénomination du **Clos de la Romanée**.

Les Burgondes ne sont pas en reste ; leur roi Gontran, converti au christianisme, donne ainsi ses vignes dijonnaises à l'abbé de St-Bénigne. Depuis, les échanges de vins (à la fois marque de richesse et substance d'ordre spirituel), de vignes et de services se sont perpétués.

Autorisés par la règle à boire un peu de vin, les moines de Cîteaux développent le vignoble au 12e s. et constituent le célèbre **Clos de Vougeot.** En plantant du chardonnay blanc dans la région de Pontigny, ils « inventent » le **chablis**.

En 1359, Jean de Bussières, abbé de Cîteaux, offre au pape Grégoire XI trente pièces de sa récolte du Clos de Vougeot. Le Saint-Père promet de se souvenir d'un tel présent. Quatre ans plus tard, il le nomme cardinal. C'est l'abbé Courtépée qui rapporte cette anecdote, quelques années avant la « confiscation » du clos et l'interdiction de l'ordre cistercien par la Révolution.

Les ducs de Bourgogne s'intitulent « princes des meilleurs vins de la chrétienté » et font présent de leur vin aux rois. Charles le Téméraire en offre même à son pire ennemi, le fourbe Louis XI, qui apprécie en particulier le **volnay.**

Philippe Auguste, déjà, avait fait venir un baril de Beaune, « vin de riche gent », avant d'affronter Jean sans Peur et ses alliés à Bouvines (1214).

On sait que le Roi-Soleil prolongeait ses jours avec les **vins de Nuits**, que la Pompadour raffolait de la **romanée-conti** (son abbé, le libertin cardinal de Bernis, célébrait pour sa part la messe avec du **meursault**) et que Napoléon Ier avait un faible pour le **corsé chambertin**.

Au sujet de ce dernier cru, Alexandre Dumas dira par la bouche d'Athos que « rien ne projette sur l'avenir une teinte plus rose ».

Au 18e s. s'organise le commerce des vins : à Beaune, puis à Nuits-St-Georges et à Dijon s'ouvrent des maisons de négociants qui envoient dans le royaume et en pays étrangers (Angleterre, Belgique, Scandinavie, Suisse, Prusse, Amérique) des représentants chargés d'ouvrir de nouveaux marchés aux vins de Bourgogne.

Au cours du 19e s., les échanges internationaux s'étant fort développés, l'Amérique exporte un ennemi de la vigne, le **phylloxéra**, un insecte qui fait son apparition dans le département du Gard en 1863. Signalé à Meursault en 1878, il ravage en peu de temps tout le vignoble bourguignon, provoquant la ruine de la population viticole.

Heureusement, la greffe de plants français sur des porte-greffes américains immunisés permet de reconstituer la vigne. On en profite pour ne conserver que les meilleurs terroirs, ce qui garantit la qualité des crus.

LA VIGNE DANS LE PAYSAGE

Quelque 26 500 ha de vignobles, répartis sur les 4 départements, produisent **101 AOC**, ou vins à appellation contrôlée, le dernier en date étant le tonnerre blanc.

La production moyenne annuelle de vins fins est d'environ 1 500 000 hl (soit 200 millions de bouteilles), dont près de 50 % partent à l'export dans 140 pays.

Dans l'Yonne, la région de **Chablis** offre d'excellents vins blancs, secs et légers, dont de grands crus issus des collines au

A. Cassaigne / MICHELIN

Sulfatage de la vigne.

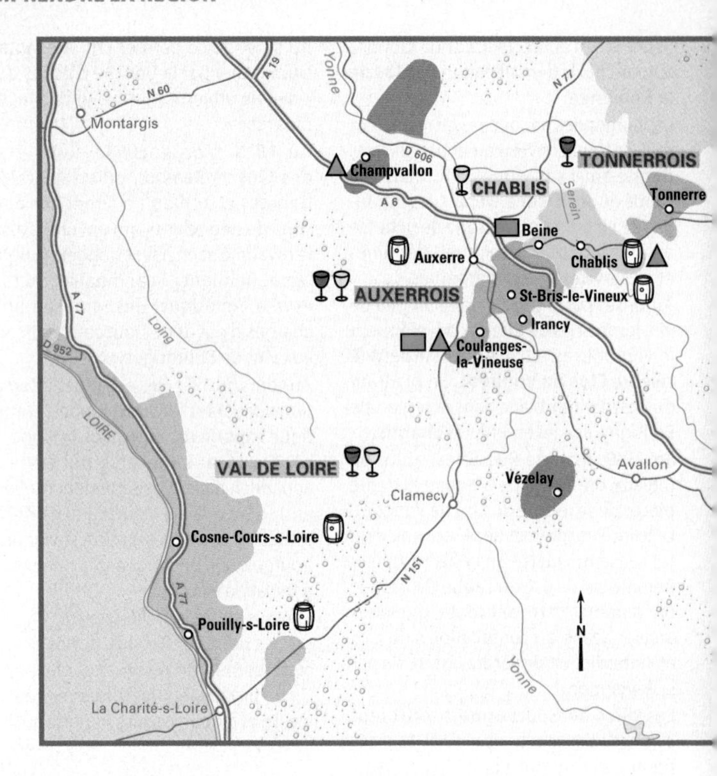

nord du village (à déguster dans l'ambiance médiévale de l'Obédiencerie du domaine Laroche ; *voir p. 179*), et les coteaux de l'**Auxerrois** des vins blancs, rosés et rouges (irancy et coulanges-la-vineuse).

Pouilly-sur-Loire, dans la Nièvre, fournit des vins blancs très réputés (pouilly-fumé) au goût de pierre à fusil, qui les apparente aux vins de Sancerre, leurs proches voisins. Tous deux sont issus de cépage sauvignon.

Dans la Côte-d'Or se déploie, de Dijon à Santenay, le plus prestigieux des vignobles, aux 32 grands crus *(voir La Côte)*.

La **côte de Nuits** engendre presque exclusivement de très grands vins rouges, dont les plus célèbres sont produits dans les communes de Gevrey-Chambertin, Morey-St-Denis, Chambolle-Musigny, Vougeot, Vosne-Romanée, Nuits-St-Georges.

La **côte de Beaune** présente à la fois une gamme de grands vins rouges, à Aloxe-Corton, Savigny-lès-Beaune, Pommard, Volnay, et des sommités en vins blancs : corton-charlemagne, meursault, puligny-montrachet, chassagne-montrachet, ainsi que pernand-vergelesses, ladoix ou savigny-lès-beaune.

En **Saône-et-Loire**, dans la région de Mercurey (côte Chalonnaise), on goûte des vins rouges de qualité (givry, rully), mais surtout des vins blancs (rully, montagny), tandis que le Mâconnais s'enorgueillit de son pouilly-fuissé, vin blanc de grande classe, aux arômes d'amande et de noisette.

On a coutume d'intégrer l'appellation « Beaujolais » dans les vins de Bourgogne ; cependant, il ne s'en produit qu'une minorité dans les limites départementales, dont quatre fameux crus : saint-amour, juliénas, chénas et moulin-à-vent. Au Hameau du vin, à Romanèche-Thorins *(voir ce nom)*, on peut non seulement les déguster, mais aussi découvrir leur cycle de production. Cette partie du Mâconnais, au sol granitique chargé de manganèse, porte le nom de « haut Beaujolais ».

LES FERMENTS DE LA GRÂCE

La qualité d'un vin dépend à la fois du cépage, du terroir, du climat et du travail de l'homme.

Le cépage

Depuis fort longtemps, le plant noble produisant tous les grands vins rouges de la Bourgogne est le **pinot noir**. Spécifiquement bourguignon, ce cépage, qui aime les sols argilo-calcaires, a été implanté avec succès en Suisse et même en Afrique du Sud, dans la région du Cap. Il était déjà fort prisé à l'époque des grands-ducs, puisqu'une ordonnance prise en 1395 par Philippe le Hardi le défendait contre le « gamay déloyal »

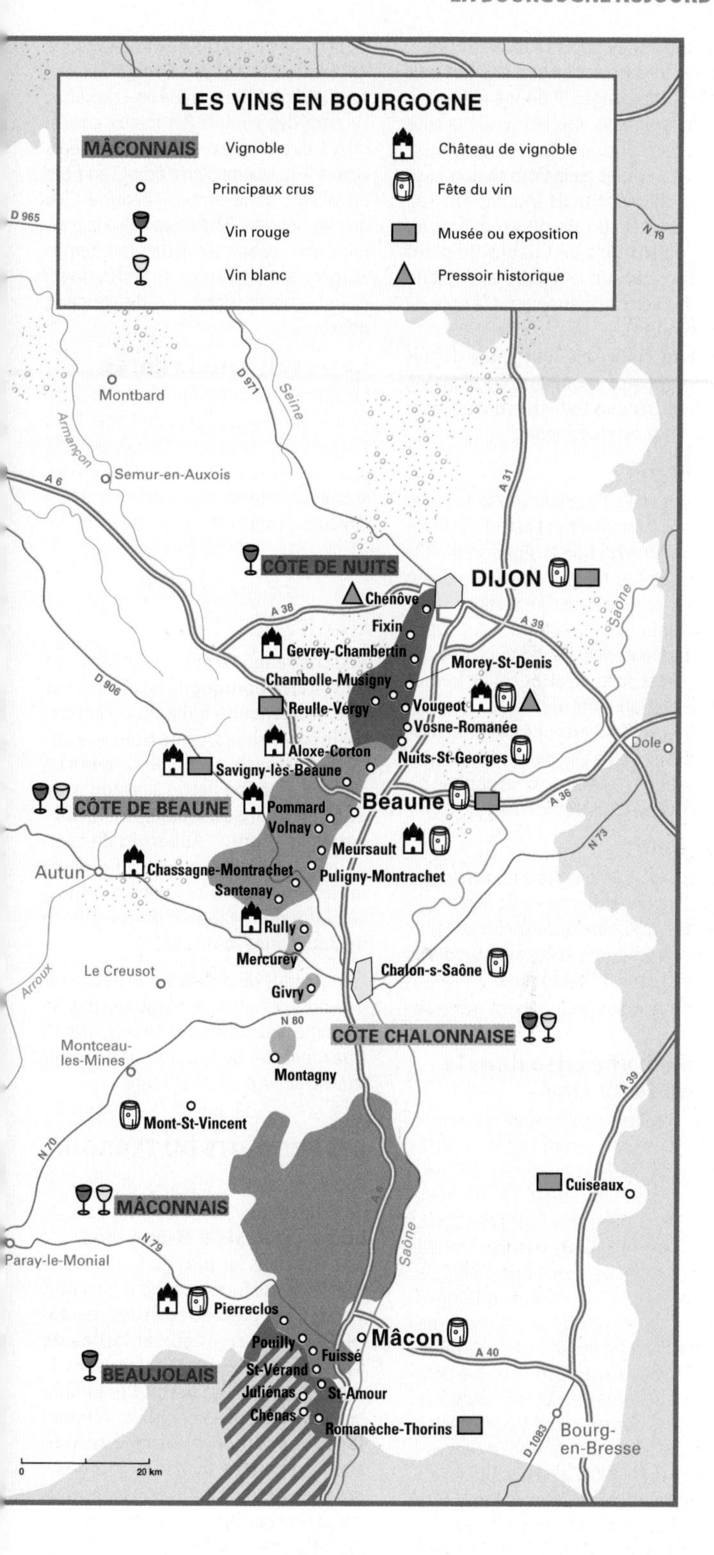

(le gamay convient mieux en Beaujolais). Le jus du pinot noir est incolore et une vinification spéciale permet de produire le vin de Champagne. Il est à noter qu'un pied de vigne peut produire du raisin pendant un siècle, et qu'il doit avoir au moins vingt ans pour fournir un grand vin.

Le **chardonnay**, appelé aussi « aubaine », est aux vins blancs ce que le pinot noir est aux vins rouges. Il donne naissance aux magnifiques vins blancs de la côte de Beaune (montrachet, meursault), aux crus réputés de la Côte chalonnaise (rully), du Mâconnais (pouilly-fuissé), dont c'est le terrain de prédilection, ainsi qu'aux vins de Chablis (le plant étant connu dans la région, en dépit de son origine cistercienne, sous le nom de « Beaunois »).

L'aligoté, cultivé en Bourgogne depuis très longtemps, produit un vin blanc vif, répandu dans les terres ne convenant ni au pinot ni au chardonnay.

Le terroir

C'est dans les sols caillouteux et secs des coteaux, laissant filtrer l'eau et s'échauffant facilement, que la vigne se plaît le mieux. En Bourgogne, malgré la diversité des sols, il existe une certaine unité géologique. Les terrains calcaires, sur les escarpements de faille, donnent des vins bouquetés, forts en alcool et de longue conservation (côte-de-nuits, côte-de-beaune), les terrains composés de silice, de calcaire et d'argile des vins minéraux, aromatiques (chablis, qui se déploie sur une couche d'huîtres fossiles).

Le climat

Synonyme de lieu-dit en Bourgogne, le « climat » est le critère de reconnaissance en AOC, alors que c'est le cépage en Alsace, la propriété-château en Bordelais, et la marque en Champagne.

Le vignoble bourguignon est généralement étagé sur des coteaux dont l'altitude varie entre 200 et 500 m. Dans chaque village, le vignoble est divisé en « climats ». Le nom des climats les mieux situés, c'est-à-dire devant produire les meilleurs vins, a le privilège d'être accolé au nom du village, par exemple « Beaune-Clos des Mouches ». Parmi ces climats, certains sont renommés depuis longtemps et leur nom seul suffit à les désigner : chambertin, musigny, clos-de-vougeot, richebourg.

Le travail dans la durée

La vigne sans l'homme n'est rien – ou plutôt demeure à l'état de liane. D'où l'importance de sa mise en valeur par le viticulteur qui la taille, la protège du gel, la palissse et maîtrise la vendange, avant d'assurer la vinification et d'élever le vin.

Y a-t-il une crise dans le monde du vin ?

Les années se suivent et ne se ressemblent pas, comme dit la sagesse populaire. Elles peuvent donner des vins très différents. Les derniers meilleurs millésimes sont 1999, 2002, 2003 et 2005. Cette dernière année serait même exceptionnelle... Et cela tombe bien, car, depuis quelques temps, le monde du vin traverse une crise, liée à la crise économique mondiale, mais aussi à la forte baisse de la consommation en France. Toutefois, la filière demeure optimiste, grâce à une bonne exportation de ses vins aux États-Unis (2005) – où nos bouteilles sont bien appréciées, comme cela apparaît dans les films *Sideways* et *Mondovino*. Au Royaume-Uni, comme dans les pays nordiques, le vin de Bourgogne se porte bien et tendrait même à remplacer la bière.

La Bourgogne gourmande

Attachée à son terroir et cultivant l'art de vivre, la Bourgogne se définit par une gastronomie qui a du caractère. Nulle part ailleurs, on ne trouve escargots, cuisses de grenouilles, œufs en meurette, andouillettes à la moutarde de Dijon, époisses, soumaintrain, nonnettes et négus... Auberges de campagne et établissements renommés mettent en valeur ces bons produits. Le plaisir du voyage est là, avec du vin de Bourgogne, bien sûr !

Pour plus de détails sur la gastronomie bourguignonne, n'oubliez pas de consulter les rubriques *Se restaurer* et *Que rapporter* de la partie « Organiser son voyage » *p. 24-27 et 41-44.*

LES PRODUITS DU TERROIR

Heureuse province, la Bourgogne dispose de riches pâtures pour les troupeaux de **bœufs charolais** et de **moutons**, que l'on voit dans les prés du Morvan à la Bresse, et qui fournissent d'excellentes viandes. Elle possède aussi des champs céréaliers réservés aux **volailles de Bresse**, élevées en liberté dans la campagne riche en herbe. Les innombrables rivières, lacs et torrents abritent **tanches, brochets** et **sandres, truites**, ainsi qu'**ablettes, loches** et **goujons**.

L'Auxerrois fournit des **cerises marmottes**, des **escargots** et des **cornichons**, tandis que le pays d'Othe produit des **pommes à cidre**, le val de Saône des **oignons**, l'Auxois des **prunes** et **pruneaux** (à Vitteaux). Et dans chacun des départements, des **vins** à goûter lors de la Saint-Vincent tournante, par exemple.

D'origine quelquefois bénédictine, la fabrication de fromages donne, dans le nord de la région, des « pâtes molles », **soumaintrain** et **époisses**, tous deux au ton ocre, ce dernier très coulant et très fort, à la croûte lavée au marc (l'une des 42 AOC en France), et le non affiné **saint-florentin**, commercialisé depuis le 18e s. dans l'Auxerrois. Dans le sud sont produits surtout des fromages de chèvre : le **bouton-de-culotte**, un chèvreton haut de 3 cm, le **charolais** et le **mâconnais**, également coniques. L'abbaye de Cîteaux produit un fromage de lait de vache à pâte pressée non cuite, connu sous le nom de « **trappiste** », et celle de la Pierre-qui-Vire un fromage frais aux herbes à base de lait de vache.

La truffe de Bourgogne

Très prisé au 19e s., le *Tuber uncinatum* ou « truffe de Bourgogne », faisait même concurrence à sa cousine périgourdine, avec une production de 78 tonnes par an en 1900. Tombée dans l'oubli après la Première Guerre mondiale, la truffe bénéficie d'un regain d'intérêt depuis les années 1990. Ce champignon, issu d'un mycelium qui vit en association avec les racines des arbres, est noir à l'extérieur, brun foncé veiné de blanc à l'intérieur ; il est récolté avec l'aide d'un chien ou d'un porc, du mois de septembre au mois de janvier, selon un arrêté préfectoral. Cette truffe a un goût de noisette et une chair croquante : elle se consomme fraîche, émincée très finement au moment de la servir. Elle se marie bien à une poularde de Bresse. On peut en acheter en décembre au marché de Noyers-sur-Serein.

LA SCIENCE CULINAIRE

À l'image du terroir, la cuisine en Bourgogne est riche et généreuse. Point de prétention dans ses élaborations, elle se façonne avec les produits que lui donne sa terre et nourrit les bons vivants comme les amateurs de cuisine raffinée. Notez que l'un des plus anciens livres de recettes, le *Cuisinier françois*, fut rédigé par François Pierre, dit La Varenne (Dijon 1618-1678), écuyer de cuisine du marquis du Blé d'Uxelles à Cormatin *(voir ce nom)*, au milieu du 17e s. Cet ouvrage révolutionna l'art culinaire : La Varenne le codifia et nous laissa parmi ses inventions la recette de la « duxelles ».

Le **vin** joue un rôle de premier plan dans nombre de recettes. Parmi les plus célèbres, il faut citer les **meurettes,** matelotes au vin rouge aromatisé et épicé, auxquelles on incorpore lardons, petits oignons et champignons, et qui agrémentent les poissons, les œufs pochés et les volailles. Et le grand classique **bœuf bourguignon**, plat familial et traditionnel (le collier de bœuf, découpé en cubes, mijote longuement dans du vin rouge, avec des oignons et des lardons), dont la saveur est rehaussée par un bon cru régional, par exemple un irancy ; ce plat gagne à être consommé réchauffé, après que la viande s'est bien imbibée de la sauce : elle fond alors sous la langue. Il ne faut pas oublier le coq au vin, souvent présenté comme étant « au chambertin »...

La Bourgogne est connue aussi pour ses charcuteries, notamment ses jambons, tels que le **saupiquet du Morvan** et le **jambon à la chablisienne**, qui sont servis chauds avec une sauce à base de vin blanc, additionné de crème, tout comme les andouillettes.

À **Dijon**, les spécialités sont toutes un régal : le **jambon persillé** (les morceaux maigres sont pris dans une gelée de volaille très persillée) ; le **poulet Gaston-Gérard** (du nom d'un maire de la ville). La **moutarde** de Dijon est celle que les Européens consomment le plus. Très répandue en Bourgogne dès le Moyen Âge, elle fut pour Rabelais « ce baume naturel et réparant l'andouille ». On prépare ainsi le lapin « à la dijonnaise » (à la moutarde). Il y a aussi le **pain d'épice**, fait avec du seigle, du miel et de l'anis, qui se présente soit

A. Cassaigne / MICHELIN

Pot de moutarde de Dijon.

R. Marcialis /

Spécialité bourguignonne : les escargots.

sente soit sec, sous forme de pavé, soit moelleux, rond, fourré de marmelade, recouvert d'un glaçage ou décoré de fruits confits et enveloppé d'un papier d'argent : c'est une vraie friandise qui porte le nom de **nonnette** parce que faite autrefois par les nonnes, dans les couvents. Le **cassis**, pour sa part, entre dans la préparation de bonbons, les cassissines, de gelées, de confitures, de jus de fruits et surtout de la liqueur dite « **crème de cassis** » (AOC cassis de Dijon), commercialisée depuis un siècle et demi par Lejay-Lagoute.

Les gourmets sont gâtés en **Bresse**. Parmi les recettes locales, signalons le **gratin de queues d'écrevisses**, préparé dans une sauce Nantua (beurre d'écrevisse et crème fraîche), les **cuisses de grenouilles** sautées avec une persillade, le **poulet à la crème et aux morilles** et le **gâteau de foies blonds** (œufs, crème et foies de volaille).

LA CARTE DES SPÉCIALITÉS

En entrée sont proposées les **gougères** *(voir encadré)*, bouchées soufflées de pâte à chou au gruyère, que l'on consomme tièdes, et les **œufs en meurette**.

Parmi les plats de poissons, sont inscrits au menu la **pochouse**, une matelote cuisinée avec des poissons d'eau douce et mouillée au vin blanc, la **meurette de poisson**, les **brochets braisés** ou en quenelles, les **salades aux écrevisses** et les **fritures de goujons**.

Dans la rubrique des viandes, dégustez l'excellent **charolais** – tendre, fin, goûteux – poêlé avec des champignons, la **potée bourguignonne**, à base de palette et de jarret de porc, de chou, carottes, navets, et pommes de terre, les **poulardes de Bresse**, les **pigeonneaux rôtis**, et, en saison, les **colverts de la Dombes**, le **lièvre à la Piron**, le **chevreuil** aux baies de cassis.

Les moelleuses gougères

Pour concocter ces délicieux choux, amenez à ébullition 125 g de lait avec 125 g d'eau, 100 g de beurre et 5 g de sel. Lorsque le liquide arrive à ébullition, retirez la casserole du feu et versez très vite 150 g de farine. Remuez bien. Ajoutez 5 œufs, les uns après les autres, en remuant à chaque fois, puis 100 g de gruyère râpé. Poivrez. Formez les choux sur la plaque du four beurrée, lissez-les à la fourchette, passez un pinceau trempé dans un jaune d'œuf délayé avec un peu d'eau. Parsemez du gruyère sur les choux. Enfournez-les à 200° pendant 20mn.

Les fromages de chèvre ou de vache peuvent être « nature », affinés au marc de Bourgogne, comme l'**époisses** et la **cabriotte**, ou encore accompagnés d'herbes aromatiques, comme les **faisselles**.

Au registre des sucreries, le péché de gourmandise peut se prolonger en fin de repas avec la **flamousse,** les **cacous aux cerises**, les **tartouillats**, les **gaufrettes mâconnaises** et tous les desserts à base de fruits rouges, tels les flans au cassis ou les sorbets. Et pour un petit goût de sucré supplémentaire, goûtez les **pralines** de Montargis, les **anis** de Flavigny, les **nougatines** et les **négus** de Nevers.

LE VIN

Le repas débute par un moment de convivialité : **l'apéritif**. Sur ce chapitre, l'ambassadeur de Bourgogne s'appelle le **kir** – du nom du chanoine qui fut maire de Dijon de 1945 à 1968. Pour le réussir, il convient de prendre une liqueur de cassis peu alcoolisée, c'est-à-dire à 16°, car il faut équilibrer le sucre de la liqueur avec l'acidité du vin blanc aligoté en respectant la proportion : 1/5 de liqueur et 4/5 de vin.

La recette du kir royal est la même, mais le vin pétillant (de préférence un crémant de Bourgogne ou un champagne) remplace le vin blanc. Ensuite, il s'agit de choisir les **vins** adaptés aux mets qu'ils vont accompagner.

– Avec des **fruits de mer** ou **poissons** : chablis, meursault, pouilly-fuissé, mâcon ou autres vins blancs secs servis frais et non frappés (12-14 °C) ; le puligny-montrachet accorde parfaitement ses arômes de fleurs, telles que l'aubépine, et d'amande fraîche aux poissons et fruits de mer finement cuisinés ; pour atténuer le gras du saumon fumé, un simple aligoté convient très bien.

– Avec les **volailles**, les **viandes blanches** et les **plats légers** : côtes-de-beaune, mercurey (qui se marie bien avec le bœuf bourguignon), beaujolais

Ph. Gajic / MICHELIN

Vieux marc de Bourgogne.

Le choix d'un vin

Il doit tenir compte du **renom** de son **cru**, mais aussi du **millésime** qui peut largement en modifier la qualité. Les conditions climatiques déterminent en effet une hiérarchie des années, lesquelles sont parfois très contrastées :

Bourgogne blanc – Grandes années : 1990-1992-1995-1996-1997-2002-2005.

Bourgogne rouge – Grandes années : 1990-1993-1995-1996-1997-1999-2002-2005.

ou autres vins rouges légers servis à la température de la cave (15-16 °C).

– Avec **gibier**, **viandes rouges**, **cèpes** et **fromages** : chambertin, chambolle-musigny, côtes-de-nuits, pommard et autres vins rouges corsés servis chambrés (16-18 °C) ; avec les chèvres secs, ne pas hésiter à déboucher une bouteille de blanc tel qu'un pouilly-fumé délivrant ses arômes de bois brûlé et de végétaux.

Même s'ils n'ont pas l'exceptionnelle longévité du vin jaune du Jura, les vins de Bourgogne vieillissent assez bien et atteignent leur apogée après quelques années ; le temps de garde conseillé est le plus souvent de 5 à 7 ans, mais il va de 8 à 10 ans pour les grands vins blancs et de 10 à 15 ans pour les grands vins rouges. Le vieillissement est variable selon les conditions de stockage, qui doivent respecter certaines règles : lieu sombre et aéré, sans vibration, à la température stable de 11 à 14° environ, au sol de terre battue couvert de graviers, et dont l'hygrométrie se situe entre 70 et 80 %. Précisons pour finir que les bourgognes rouges, moins tanniques que les bordeaux, ne demandent pas à être décantés avant le service.

Avec le café, les agapes se termineront agréablement sur une **fine** ou un **marc de Bourgogne**. Cet alcool ambré et charpenté est produit par la distillation des marcs de raisin – peaux et pépins – et vieilli en fûts de chêne.

Si vous souhaitez approfondir le sujet au point d'en faire un métier, vous pouvez vous inscrire à l'université de Dijon, qui prépare au diplôme national d'œnologue. Plus simplement, vous pourrez compléter vos connaissances en lisant le Le Guide Vert Les Thématiques *La France des Vignobles*.

Vue de Vézelay et de la basilique Ste-Madeleine.

Wysocki P./hemis.fr

Alise-Sainte-Reine

674 ALISIENS
CARTE GÉNÉRALE B2 – CARTE MICHELIN DÉPARTEMENTS 320 G4 – CÔTE-D'OR (21)

La recherche de vestiges de la lutte qui mit aux prises César et Vercingétorix anime ce village depuis plus d'un siècle. Photos aériennes, fouilles interminables, thèses savantes… rien n'a été oublié dans cette longue quête. Si, au 19e s., il s'agissait de prouver que le site était bien celui de la bataille d'Alésia, les milliers de clichés aériens et les grandes campagnes de fouilles de la seconde moitié du 20e s. ont dissipé les doutes. Désormais, archéologues et historiens sont confrontés à un nouveau défi : comment lire dans un paysage rural grandement préservé les épisodes mythiques de cette bataille décisive de la guerre des Gaules ?

Se repérer – Alise-Ste-Reine se trouve à 16 km au nord-est de Semur-en-Auxois. On y accède en suivant la D 954 qui passe par Venarey-les-Laumes.

À ne pas manquer – Le site de la célèbre bataille d'Alésia et le superbe panorama du mont Auxois.

Organiser son temps – Comptez environ 1h pour la visite du mont Auxois.

Avec les enfants – En été, les enfants sont invités à partir à la découverte du site et à participer à des ateliers de céramique, de mosaïque ou de jeux gallo-romains. Autre idée d'activité en famille : le festival « Nuits du péplum d'Alésia », fin juillet *(voir rubrique Événements p.46)*.

Pour poursuivre la visite – Voir aussi le château de Bussy-Rabutin, Flavigny-sur-Ozerain, l'abbaye de Fontenay, Montbard, Semur-en-Auxois, la Voie verte.

Ph. Matthieu / SEM Alésia

Statue de Vercingétorix sur le site d'Alésia.

Comprendre

DÉBAT POUR UNE GRANDE DÉFAITE

Le siège d'Alésia – Après son échec devant Gergovie, fief des Arvernes, près de Clermont-Ferrand au printemps 52 av. J.-C. *(voir Le Guide Vert Auvergne)*, le proconsul **César** bat en retraite vers le nord, afin de rallier, près de Sens, les légions de son lieutenant Labienus. Cette jonction opérée, et alors qu'il regagnait ses bases romaines, sa route est coupée par l'armée gauloise de **Vercingétorix**. Au fait, saviez-vous que ce mot, qui n'est pas un patronyme, signifie littéralement « le chef suprême des combattants », le terme *rix* désignant le roi *(voir mont Beuvray)* ?

Malgré l'effet de surprise et l'avantage du nombre, les Gaulois subissent un cuisant échec, et le chasseur devenu chassé décide de ramener ses troupes dans l'oppidum d'Alésia. Commence alors un siège mémorable. Maniant la pelle et la pioche, l'armée de César (50 000 hommes) entoure la place d'une double ligne de tranchées, murs, palissades, tours ; la contrevallation, première ligne de fortifications, face à Alésia, doit interdire toute tentative de sortie des assiégés, la seconde, la circonvallation, tournée vers l'extérieur, est faite pour contenir les assauts de l'armée gauloise de secours. Pendant six semaines, Vercingétorix essaie en vain de briser les lignes romaines. L'armée gauloise de secours, forte de près de 250 000 guerriers, ne parvient pas davantage à forcer le barrage et bat en retraite. Affamés, les assiégés capitulent. Pour sauver ses soldats, Vercingétorix se livre à son rival. Celui-ci le fera figurer dans son « triomphe » six ans plus tard avant de le faire étrangler au fond de son cachot, le Tullianum, à Rome.

Une « bataille » d'érudits – L'emplacement d'Alésia a été vivement contesté sous le second Empire par quelques érudits qui situaient le lieu du combat à Alaise, village du Doubs. Le botaniste **Georges Colomb** (1856-1945), originaire de Lure en Haute-Saône, fut un ardent défenseur de cette hypothèse comtoise (il croyait par ailleurs beaucoup en la pédagogie par le dessin; c'est ainsi qu'il devint Christophe, le spirituel auteur des premières BD françaises : *La Famille Fenouillard, Le Sapeur Camember et L'Idée fixe du savant Cosinus*).

Le saviez-vous ?

Alise-Ste-Reine tire son nom d'Alésia, cité dont les origines gauloises furent très controversées, et du souvenir d'une jeune chrétienne martyrisée, dit-on, en cet endroit au 3e s. (sa fête, en septembre, attire les pèlerins).

Depuis le 15 février 1985, le lieu de la bataille d'Alésia (7 000 ha) est classé, au titre de la loi du 2 mai 1930, en tant que **Site d'intérêt historique et paysager national**. Il est adossé au mont Auxois, butte de 407 m aux versants abrupts qui sépare les vallées de l'Oze et de l'Ozerain et domine la plaine des Laumes.

Pour mettre fin à ces controverses quelque peu politiques, Napoléon III fit exécuter des fouilles autour d'Alise-Ste-Reine en 1861. Elles ont été dirigées, notamment de 1862 à 1865, par le baron **Eugène Stoffel**, aide de camp de l'empereur. Ces recherches permirent de découvrir de nombreux vestiges d'ouvrages militaires attribués à l'armée de César, des ossements d'hommes et de chevaux, des armes ou débris d'armes, des meules à grain, des pièces de monnaie. Au terme des fouilles, en 1865, l'érection sur le plateau d'une statue de Vercingétorix n'a pas mis fin aux polémiques.

Les fouilles franco-allemandes des années 1990 ont clarifié la situation : pour la communauté archéologique européenne, c'est bien autour du mont Auxois que s'est déroulée la fameuse bataille. Le conseil général de la Côte-d'Or, en partenariat avec le ministère de la Culture, y réalise peu à peu un parc archéologique d'envergure européenne *(voir p. 102)*.

Découvrir

LE MONT AUXOIS★

Panorama★

À l'ouest du plateau, à proximité de la colossale **statue** en bronze de Vercingétorix, œuvre du Bourguignon Millet, le panorama s'étend sur la plaine des Laumes et les sites occupés par l'armée romaine lors du siège d'Alésia; au loin, la région de Saulieu.

Les fouilles

03 80 96 96 23 - www.alesia.com - juil.-août : 9h-19h (dernière entrée 30mn av. fermeture); de déb. avr. à fin juin et en sept. : 9h-18h; de mi-mars à fin mars. et de déb. oct. à mi-nov. : 10h-17h - 3 € (7-16 ans 2 €). Visite guidée (1h) sur demande.

Au sommet de l'oppidum de 100 ha s'étendait une ville gallo-romaine dont la prospérité semble liée à son importante activité métallurgique. Au cours de la visite *(itinéraire fléché, vestiges numérotés)*, on observe sa distribution en quartiers assez distincts autour du forum.

À l'**ouest**, le quartier monumental regroupe le théâtre (dont le dernier état date du 1er s. de notre ère), le centre religieux et une basilique civile.

Au nord s'étendent un secteur prospère réunissant des boutiques, la grande maison de la « Cave à la Mater » équipée d'un hypocauste (système antique de chauffage par le sol) et la maison corporative des bronziers.

Au **sud-est**, le quartier des artisans présente de petites maisons, souvent accompagnées d'une cour où s'exerçait précisément l'activité artisanale.

Au **sud-ouest**, les vestiges de la basilique mérovingienne Ste-Reine, entourée seulement d'un cimetière, marquent la fin de l'occupation du plateau par la population, qui s'installe dès lors à l'emplacement du village actuel.

Bon à savoir – D'importants travaux de mise en valeur du site d'Alésia prévoient, à l'horizon 2011, l'aménagement du **MuséoParc,** un parc archéologique paysager doté de la reconstitution d'un segment des lignes fortifiées romaines. Cet immense site (7 000 ha) devrait par ailleurs accueillir deux structures circulaires : un **musée archéologique** *(à proximité du village d'Alise-Ste-Reine)* consacré à la vie sur le mont Auxois depuis l'époque gauloise jusqu'au Moyen Âge et présentant les objets découverts lors des fouilles, et un **centre d'interprétation** *(près de Venarey-les-Laumes)* qui donnera, dès 2010, une vision explicite du siège d'Alésia, notamment grâce à une grande maquette. Un parcours de découverte, qui pourra se faire à pied ou en vélo, fera le lien entre les différents sites.

Visiter

Fontaine Sainte-Reine

On rapporte qu'une source miraculeuse aurait jailli sur le lieu où fut décapitée **sainte Reine**, jeune fille au teint de rose élevée dans la foi chrétienne qui refusa d'épouser le gouverneur romain Olibrius. Jusqu'au 18e s., la vertu curative de ses eaux fut renommée. Près de la fontaine, fréquentée par de nombreux pèlerins depuis le Moyen Âge et encore de nos jours, une chapelle abrite une statue vénérée de la sainte (15e s.). L'hôpital à proximité fut créé en 1660 sur les instances de saint Vincent de Paul.

Église Saint-Léger

Cette église des 7e et 10e s., restaurée dans son état primitif, a été construite sur le plan des anciennes basiliques chrétiennes avec une nef couverte en charpente et une abside en cul-de-four. Le mur sud est mérovingien, le mur nord carolingien. Elle accueille le **pèlerinage de sainte Reine** *(1er w.-end de sept.)*.

Théâtre des Roches

Il a été créé en 1945, sur le modèle des théâtres antiques, pour accueillir les représentations du *Mystère de sainte Reine*. C'est l'unique mystère encore célébré comme au Moyen Âge, et cela depuis l'an 866 !

Alise-Sainte-Reine pratique

Voir aussi les carnets pratiques de Flavigy-sur-Ozerain, Bussy-Rabutin, Montbard et Semur-en-Auxois.

Adresse utile

Office du tourisme du pays d'Alésia et de la Seine – *Pl. Bingerbrück - 21150 Venarey-les-Laumes - ☏ 03 80 96 89 13 - www.alesia-tourisme.net - avr.-sept. : tlj sf dim 9h30-12h30, 14h-19h (juil.-août aussi les dim. 10h-12h) ; oct.-mars : tlj sf dim 10h-12h, 15h-18h.*

Se loger

Hôtel Le Verger sous les Vignes – *Le Haut du Village - 21350 Villeferry - 11 km au sud par D 905 et D 117b - ☏ 03 80 49 60 04 - www.bourgogne-en-douce.com - P - 18 ch. 62/70 € - rest. 13/22 €.* Dominant le village, cette structure insolite aux allures de petit complexe hôtelier rassemble 5 maisons pour un total de 18 chambres d'hôte soignées. Cet ensemble, original et plaisant, a été conçu de manière à associer intimité, convivialité, confort et détente (salle de remise en forme avec sauna et jacuzzi).

Se restaurer

Auberge du Cheval Blanc – *R. du Miroir - ☏ 03 80 96 01 55 - www.regis-bolatre.com - fermé 6 janv.-3 fév., dim. soir et lun. - 19/43 €.* Près de la mairie, bâtisse en pierres du pays où l'on vient faire de goûteux repas à composantes bourguignonnes dans une salle à manger rustique où crépite un feu de bûches réconfortant quand le froid sévit. Accueil sympathique, ambiance familiale.

Château d'Ancy-le-Franc★★

CARTE GÉNÉRALE B2 – CARTE MICHELIN DÉPARTEMENTS 319 H5 – YONNE (89)

Situé sur les bords de l'Armançon et du canal de Bourgogne, ce superbe palais Renaissance reste, en dépit de maints aléas, l'une des plus belles demeures de la région. Ne vous fiez pas à son aspect épuré, presque austère : il ne présage ni du raffinement de la cour intérieure, ni des superbes décors peints des appartements.

G. Corbic / MICHELIN

Château d'Ancy-le-Franc.

- **Se repérer** – Le château d'Ancy se trouve sur la D 905, à 18 km au sud-est de Tonnerre et à 29 km au nord-ouest de Montbard.
- **À ne pas manquer** – La galerie de Pharsale, chef-d'œuvre pictural de la Renaissance ; la chapelle Ste-Cécile et ses peintures en trompe-l'œil ; l'élégante chambre des arts et son décor dû à Nicolo dell'Abate.
- **Organiser son temps** – Prolongez la visite en suivant le circuit des lavoirs grâce au dépliant fourni par l'office de tourisme.
- **Avec les enfants** – Notez qu'un feuillet jeu-découverte, conçu à leur attention, les attend à l'accueil.
- **Pour poursuivre la visite** – Voir aussi l'abbaye de Fontenay, Montbard, Noyers, le château de Tanlay, Tonnerre, la Voie verte.

Comprendre

Un palais au bois dormant – Gouverneur du Dauphiné et époux d'Anne-Françoise de Poitiers, sœur de Diane, Antoine III de Clermont fit construire Ancy en 1546 sur les plans de **Sebastiano Serlio**. Le talent de cet architecte bolonais, venu à la cour de François Ier, joua un grand rôle dans l'introduction des principes de la Renaissance italienne en France. Les travaux seront terminés 50 ans plus tard par Jacques Ier Androuet Du Cerceau. En 1684, le domaine est vendu à Louvois. Au milieu du 19e s., la famille de Clermont-Tonnerre en redevient propriétaire ; à la mort du dernier duc (1940), le château passe à ses neveux, les princes de Mérode. En 1980, la propriété est cédée, et l'opulent mobilier vendu aux enchères. Après 1985, le château vivra une période noire, avant son rachat, en 1999, par la société Paris Investir, qui le restaure avec brio.

Découvrir

LE CHÂTEAU

Extérieur

Formé par quatre ailes en apparence identiques reliées par des pavillons d'angle (inspirés de Bramante), le château constitue un ensemble carré d'une parfaite homogénéité. Les douves, comblées il y a plus de deux siècles, seront restituées.

Cette architecture est le premier modèle de la Renaissance classique en France. Le vaste quadrilatère a ici l'ampleur d'un véritable palais ; les côtés nord et sud comportent une longue galerie ouvrant par trois arcades. Serlio y utilise la travée rythmique (alternance d'arcades et de niches créant un temps fort entre deux temps faibles).

À remarquer

Entre les pilastres du rez-de-chaussée, la **devise** des Clermont-Tonnerre, *Si omnes ego non* (« Si tous [t'ont renié], moi pas »), rappelle qu'au 12e s. le comte Sibaut de Clermont aida à rétablir sur le siège de saint Pierre le pape bourguignon Calixte II, élu à Cluny lors de la querelle des Investitures. Reconnaissant, le pape fit l'honneur à Sibaut de pouvoir porter sur les armes familiales la tiare et les clefs pontificales.

Intérieur

Sur les quelque 120 pièces que compte le château, on n'en visite qu'une vingtaine. ☎ 03 86 75 14 63 - www.chateau-ancy.com - visite guidée (50mn) de fin mars à mi-nov. : 10h30, 11h30, 14h, 15h et 16h (visite suppl. avr.-sept. : 17h) - fermé lun. (sf si j. fériés) - 8 € (-6 ans gratuit ; -11 ans 5 €).

La somptueuse décoration murale intérieure, exécutée en plusieurs campagnes au milieu du 16e s., fut confiée à des artistes régionaux ainsi qu'à des élèves du **Primatice** et de **Nicolo dell'Abate** (seconde école de Fontainebleau). Les rares pièces du mobilier initial du palais ne donnent qu'une idée lointaine du luxe de l'époque et de l'harmonie d'ensemble.

Rez-de-chaussée – Fermé pour restauration. Il abrite la **salle de Diane** *(Diane surprise au bain par Actéon)*, dont les voûtes, d'inspiration italienne, datent de 1578, et, de l'autre côté de la cour, les monumentales cuisines.

1er étage – On y découvre la **chapelle Ste-Cécile★**, établie sur deux niveaux et voûtée en berceau. Les peintures en trompe-l'œil, ayant pour thème les Pères du désert, sont l'œuvre d'André Ménassier, un artiste bourguignon de la fin du 16e s.

L'imposante **salle des Gardes** (200 m^2) fut spécialement décorée pour accueillir Henri III, qui, cependant, ne séjourna jamais au château. Sur la grande cheminée, remarquez le portrait équestre d'Henri III.

Quant à la bibliothèque, elle compte quelque 3 000 volumes. L'étage comprend aussi le **salon Louvois★** (ancienne chambre du Roi dans laquelle Louis XIV a dormi le 21 juin 1674), la **galerie des Sacrifices** et la **galerie de Médée**, au pavement coloré.

Le **cabinet du Pastor Fido★** est lambrissé de chêne sculpté. Les scènes peintes au début du 17e s. en haut des murs sont tirées d'une tragi-comédie de Guarini (1590), elle-même inspirée du drame pastoral du Tasse, *Aminta*. L'histoire est celle d'un oracle arcadien qui doit mettre fin au traditionnel sacrifice d'un jeune homme à Diane grâce à un « berger fidèle ». La pièce possède un magnifique plafond à caissons Renaissance.

Salle des gardes au château d'Ancy-le-Franc.

Les murs de la **chambre de Judith** sont ornés de neuf tableaux maniéristes de très belle qualité (fin 16e s.) qui racontent l'histoire de Judith. Cette dernière est ici figurée sous les traits de Diane de Poitiers ; Holopherne reprend ceux de François Ier.

La visite se poursuit en passant dans la **chambre des Arts★**, dont le décor dû à Nicolo dell'Abate illustre les arts libéraux, puis dans la charmante chambre des Fleurs, qui donne sur le parc.

Dans l'aile sud, les peintures de la **galerie de Pharsale★★** ont été réalisées dans un étonnant camaïeu d'ocres ; la finesse du dessin, la variété d'attitude des chevaux, les expressions des protagonistes, les détails anatomiques donnent à l'œuvre de Nicolo dell'Abate un souffle épique.

LE BOURG

Musée de la Faïencerie

✆ 03 86 75 03 15 - Pâques à sept. : 10h-13h, 14h-18h ; oct. à Pâques : tlj sf w.-end 8h30-12h-13h-17h. Entrée libre.

L'office de tourisme expose, dans quelques salles, les faïences qui furent produites dans les anciennes dépendances du château, à la fin du 18e et au début du 19e s. La manufacture, qui appartenait à la famille Louvois, réalisa des pièces qui témoignent de l'influence de Nevers et que l'on connaît notamment grâce aux fouilles qui ont été effectuées sur place.

Château d'Ancy-le-Franc pratique

Voir aussi les carnets pratiques de Noyers, Montbard et Tonnerre.

Adresse utile

Office du tourisme du canton d'Ancy-le-Franc – *59 Grande-Rue - 89160 Ancy-le-Franc - ✆ 03 86 75 03 15 - www.cc-ancylefranc.net/tour - de Pâques à fin sept. : 10h-13h, 14h-18h ; d'oct. à Pâques : lun.-jeu. 8h30-12h15, 13h-17h, vend. 8h30-12h15.*

Se loger et se restaurer

Hostellerie du Centre – *34 Grande Rue - 89160 Ancy-le-Franc - ✆ 03 86 75 15 11 - www.diaphora.com/hostellerieducentre - fermé 20 déc.-31 janv., dim. soir et lun. du 15 nov. au 15 mars - 11/45 € - 22 ch. 49 € - ☕ 7 €.* Petit immeuble ancien disposant de chambres pratiques et fraîches, plus spacieuses à l'annexe. La piscine couverte permet de se détendre toute l'année. Sobre salle à manger où l'on propose une cuisine traditionnelle et quelques spécialités bourguignonnes.

Sports & Loisirs

3 b Tourisme – *6 imp. Cambourcet - 10 km au sud par D 905 - 89390 Cry - ✆ 03 86 55 93 54 - www.3btourisme.com - avr.-mai : w.-end sur réserv. téléphonique ; juin-sept. : 9h30-19h sur réserv. - parc aventure : 16 € ; location canoé et vélos : 5 €/h.* Idéalement située à l'orée de la forêt et au bord de l'eau, cette base de loisirs propose un éventail complet d'activités sportives : aventure dans les arbres avec plusieurs parcours et niveaux de difficulté, canoë-kayak sur la rivière, ou encore balades à pied ou à vélo le long du canal de Bourgogne. Sur place, snack-bar avec terrasse ombragée en été.

Arnay-le-Duc

1 829 ARNÉTOIS
CARTE GÉNÉRALE B3 – CARTE MICHELIN DÉPARTEMENTS 320 G7 – CÔTE-D'OR (21)

Cette petite ville ancienne, aux toits pointus qui dominent la vallée de l'Arroux, est une étape agréable, que ce soit pour sa baignade aménagée dans l'étang ou sa Maison régionale des arts de la table. Tradition bien bourguignonne, l'art culinaire y est mis à l'honneur, avec la confrérie de la Poule au pot d'Henri IV…

- **Se repérer** – Arnay-le-Duc se trouve entre Morvan et Auxois, sur la D 906, à 28 km au sud-est de Saulieu, et à autant d'Autun (au nord-est) par la D 981.
- **À ne pas manquer** – Dégustez du jambon persillé ou une bonne poule au pot : ce sont les spécialités de la région.
- **Organiser son temps** – D'avril à novembre, visitez les expositions consacrées à la gastronomie et à la table à la Maison régionale des arts de la table.
- **Avec les enfants** – Après avoir flâné dans les rues d'Arnay, proposez-leur une halte baignade à la base de loisirs de l'étang Fouché *(voir carnet pratique)*.
- **Pour poursuivre la visite** – Voir aussi Autun, le Morvan, Nolay, la vallée de l'Ouche, Pouilly-en-Auxois, Saulieu.

Se promener

Au cours de votre promenade, vous remarquerez de nombreuses maisons anciennes (notamment rue des Ursulines, rue St-Honoré...), comme la **maison Bourgogne**, de la fin du Moyen Âge, ou encore le **château des princes de Condé**, qui embellirent au 17e s. cette demeure Renaissance.

Église Saint-Laurent

Elle date des 15e et 16e s. Un vestibule avec dôme (18e s.) précède la nef (15e s.) dont la voûte primitive de pierre a été refaite en bois en 1859 en forme de carène renversée. La 1re chapelle à gauche possède un intéressant plafond Renaissance à caissons et un saint Michel en bois doré du 15e s. Dans la 1re chapelle à droite, Pietà polychrome du 16e s.

Le saviez-vous ?

Arnay-le-Duc devrait son nom soit à la rivière Arroux, soit au dieu gaulois **Arnos**.

La ville fut achetée en 1342 par le duc de Bourgogne **Eudes IV**, et vit naître en 1510 **Jean Bonaventure** (dit Des Périers). Ce dernier, littérateur dont les contes satiriques firent l'unanimité contre lui et provoquèrent sa disgrâce, fut secrétaire de Marguerite de Navarre.

Tour de la Motte-Forte

Derrière le chevet de l'église, cette grosse tour du 15e s., couronnée de mâchicoulis, est le seul vestige d'un important château féodal détruit pendant les guerres de Religion. *Expositions juin-août : merc.-dim. 14h30-18h30, entrée libre.*

Maison régionale des Arts de la table

03 80 90 11 59 - de déb. avr. au 11 Nov. : 10h-12h, 14h-18h - 4,50 € (8-14 ans 3,50 €).

Les anciens hospices St-Pierre (17e s.), rénovés, présentent chaque année une nouvelle exposition sur un thème culinaire lié à l'histoire de la table et de la gourmandise. Les cuisines conservent un imposant vaisselier du 18e s. et des céramiques d'antan.

Maison régionale des arts de la table

Œuvre du grand céramiste et potier Bernard Palissy (16e s.).

Aux alentours

Bard-le-Régulier

17 km à l'ouest. Le hameau est doté d'une **église**, qui appartenait à un prieuré de chanoines augustins, surmontée d'une élégante tour octogonale, de style oriental. Elle date de la fin du 12e s., bien que présentant certains archaïsmes à l'intérieur (voûtes en plein cintre dominantes, baies étroites, piles sans chapiteaux). Le sol présente aussi la particularité de s'élever par trois fois jusqu'à l'autel, pour racheter une déclivité accentuée.

L'église renferme, en plus d'un gisant du 13e s., quelques statues des 15e, 16e et 17e s., dont une, très élaborée, de saint Jean l'Évangéliste, en pierre (fin 15e s.), et surtout de riches et plaisantes **stalles**, dont le caractère grotesque de certaines figures ne manquera pas de vous amuser. Sculptées à la fin du 14e s., distribuées sur quatre rangs (deux à droite, deux à gauche, en vis-à-vis) dans la dernière travée précédant le chœur, elles sont au nombre d'une trentaine. Sur les accoudoirs sont représentées des figurines du bestiaire de l'Apocalypse de saint Jean ; sur les faces latérales, l'Annonciation, la Visitation, la Nativité, la Cène, le martyre de saint Jean l'Évangéliste, patron de l'église, etc.

Signal de Bard – *De Bard, 1 km à l'est, plus 1h30 à pied AR.*

Arrivé au signal (554 m), vous aurez mérité une belle **vue** étendue, au nord-est sur l'Auxois, au sud-ouest sur le Morvan.

Église de Manlay

12 km à l'ouest. Église fortifiée du 14e s. Sa façade est flanquée de deux tours rondes percées de meurtrières et son chœur est situé dans un donjon carré.

Arnay-le-Duc pratique

Voir aussi les carnets pratiques d'Autun, de Pouilly-en-Auxois et de Saulieu.

Adresse utile

Office du tourisme d'Arnay-le-Duc – *15 r. St-Jacques - 21230 Arnay-le-Duc - ✆ 03 80 90 07 55 - www.arnay-le-duc.com - mi-juin au 21 sept. : 9h-12h30, 14h-18h ; 22 sept.-9 nov. : tlj sf dim. et lun. 10h-12h, 14h-18h ; 10 nov. à fin mars : tlj sf dim. et lun. 10h-12h, 14h-17h. ; avr. : tlj sf dim. et lun. 9h-12h30, 14h-18h ; déb. mai à mi-juin : tlj sf dim. 9h-12h30, 14h-18h.*

Se loger

Hôtel Clair de Lune – *4 r. du Four - ✆ 03 80 90 01 38 - www.chez-camille.fr - 13 ch. 32 € - ☕ 5 € - rest. 20/50 €.* Même s'il s'agit de l'annexe de l'hôtel Chez Camille, cet établissement propose un hébergement correct et s'avère une alternative intéressante à son aîné. Vous y trouverez 13 chambres fonctionnelles, simples et confortables.

Chambre d'hôte Le Cottage du Château – *Au bourg - 21360 Chaudenay-le-Château - 15 km à l'ouest par D 17 et D 115 B - ✆ 03 80 20 00 43 - le.cottage@libertysurf.fr - 5 ch. 55/62 € ☕ - repas 25 €.* À l'orée de la forêt, cette maison et son ancienne bergerie abritent 5 chambres avec entrée indépendante. Beaux volumes mis en valeur par un mobilier et des tissus minutieusement choisis. Si le soleil est au rendez-vous, petit-déjeuner dans le jardin fleuri.

Se restaurer

Chez Camille – *1 pl. Édouard-Herriot - ✆ 03 80 90 01 38 - www.chez-camille.fr - 20/86 € - 11 ch. 79 € - ☕ 9 €.* Chambres personnalisées, plutôt « cosy ». Certaines jouissent du privilège d'un petit salon ; d'autres, au second étage, font admirer leur charpente apparente. Plats aux accents bourguignons à déguster dans une salle de style jardin d'hiver avec verrière.

Sports & Loisirs

Base de Loisirs de l'étang Fouché – *✆ 03 80 90 07 55.* Si le soleil commence à taper fort, on appréciera d'aller se rafraîchir dans cet étang calme et agréable. Baignade surveillée en été, pédalos et toboggan aquatique. Parcours découverte. À noter, l'accès facilité aux personnes à mobilité réduite.

Bourgogne Archerie – *Hameau d'Auxerain - 9 km au sud par D 981 et D 16 - 21340 Viévy - ✆ 03 80 90 17 82 - www.bourgognearcherie.com.* Ce centre d'archerie propose des formules découverte destinées aux néophytes ou des stages de perfectionnement pouvant durer plusieurs jours. Location de matériel et plusieurs parcours (25 ha) où sont disséminées 40 cibles 3D. Cours encadrés par l'ancien champion de monde Olivier Carreau.

Autun★★

15 100 AUTUNOIS
CARTE GÉNÉRALE B3 – CARTE MICHELIN DÉPARTEMENTS 320 F8 – SAÔNE-ET-LOIRE (71)

« Sœur et émule de Rome » : ces mots gravés sur la façade de l'hôtel de ville peuvent paraître exagérés, et pourtant, un théâtre de 20 000 places, le plus grand de Gaule, l'imposant temple de Janus, des portes monumentales et bien d'autres vestiges attestent sa puissance passée. La beauté de son cadre, les rues médiévales, les sculptures de la cathédrale et la richesse de ses musées ne manquent pas de séduire ses visiteurs. De plus, la cité a développé une industrie du meuble réputée grâce aux forêts de l'Autunois, où dominent les hêtres.

Se repérer – L'accès à cette région boisée est facilité par la proximité du TGV (Le Creusot) et par un important réseau routier : N 80 (vers Le Creusot, Chalon), D 981 (vers Dijon), D 973 (vers Beaune), D 978 (vers Nevers).

Se garer – Vous trouverez de grands parkings gratuits sur le Champ-de-Mars ou le boulevard Frédéric-Latouche.

À ne pas manquer – Deux œuvres exceptionnelles de l'artiste autunois Gislebertus : le tympan de la cathédrale St-Lazare et la fameuse *Tentation d'Ève*, conservée au musée Rolin ; et bien sûr, les vestiges de la ville gallo-romaine.

Organiser son temps – Amateurs de statuaire romane, attention : le musée Rolin est fermé le mardi.

Avec les enfants – Le château de Sully leur propose un livret-aventures, et selon l'époque de l'année, divers ateliers et animations costumées.

Pour poursuivre la visite – Voir aussi Arnay-le-Duc, Le Creusot-Montceau-les-Mines, le Morvan.

G. Corbic / MICHELIN

Vue sur la ville d'Autun.

Comprendre

DEUX ÉPOQUES GLORIEUSES

La Rome des Gaules – Les splendeurs d'*Augustodunum*, ville fortifiée d'Auguste, fondée au 1er s. avant J.-C., éclipsèrent rapidement la place forte gauloise existante : la capitale éduenne de **Bibracte**. En 21, l'Éduen Sacrovir se révolte : il est écrasé près d'Autun par l'armée de Silius (Germanie). La grande route commerciale et stratégique Lyon-Boulogne, sur laquelle la ville avait été construite, assure sa fortune. Extraordinaire pôle de romanisation, Autun eut cependant à subir dès le 3e s. de désastreuses invasions. Il ne reste aujourd'hui de l'enceinte fortifiée et des nombreux monuments publics de l'époque que deux portes et les vestiges d'un théâtre.

Le siècle des Rolin... – La ville connaît au Moyen Âge un regain de prospérité. Elle le doit en grande partie au rôle joué par les Rolin. Né à Autun en 1376 dans l'hôtel qui porte son nom, **Nicolas Rolin** devient l'un des avocats les plus célèbres de son temps. Habile négociateur attaché à Jean sans Peur, il reçoit de Philippe le Bon la charge de chancelier de Bourgogne et participe aux démarches qui aboutissent à l'arrestation de Jeanne d'Arc. Beaune et Autun témoignent de l'ampleur de son mécénat. Parvenu au faîte des honneurs et des richesses, il fonda l'hôtel-Dieu de Beaune. Louis XI, qui ne l'appréciait guère, déclara : « Il était juste, après avoir fait tant de pauvres pendant sa vie, qu'il leur donnât un logement après sa mort. »

Nicolas Rolin fit construire à Autun la collégiale Notre-Dame. Il mourut à Autun en 1461 et y fut inhumé. L'un de ses fils, le **cardinal Rolin**, devenu évêque d'Autun, fit de la ville un grand centre religieux. De cette époque datent l'achèvement de la cathédrale St-Lazare, l'édification de remparts au sud de la cité et la construction de nombreux hôtels particuliers.

... et leur postérité – Le rôle politique de l'évêque d'Autun fut longtemps très important. Molière aurait pris pour modèle l'un d'entre eux, Gabriel de Roquette, pour son Tartuffe. **Talleyrand** fut titulaire de cette charge de 1789 à 1791, mais lui préféra celle de député du clergé. Musset fit le rapprochement des deux : « Roquette dans son temps/Talleyrand dans le nôtre/Furent les évêques d'Autun/Tartuffe est le portrait de l'un/Ah ! si Molière eût connu l'autre. »

Se promener

LA VILLE HAUTE

Partez de la place du Champ-de-Mars (parking, office du tourisme).

Lycée Bonaparte (A2)

Ancien collège de jésuites, construit en 1709, il termine noblement le « Champ » (c'est ainsi que les Autunois appellent la place). Ses **grilles★**, forgées en 1772, sont rehaussées de motifs dorés : médaillons, mappemondes, astrolabes, lyres.

Sur la gauche, l'**église Notre-Dame (A2)**, du 17e s., servit de chapelle à ce collège qui abrita le fantasque comte de Bussy-Rabutin, puis Napoléon, Joseph et Lucien Bonaparte. Napoléon n'y resta que quelques mois en 1779, avant d'entrer à l'école de Brienne.

Empruntez la rue St-Saulge pour voir au n° 24 l'hôtel de Morey, du 17e s., puis la rue Chauchien, aux façades agrémentées de balcons en fer forgé.
Rejoignez les remparts par la rue Cocand.

Les remparts (A/B2)

À hauteur du boulevard des Résistants-Fusillés, notez le bel aperçu de la portion la mieux conservée des remparts gallo-romains. Longez-les à votre guise jusqu'à la tour des Ursulines, donjon du 12e s.
Revenez vers la cathédrale par la rue Notre-Dame *(hôtel de Millery au n° 12)* pour flâner dans la rue Dufraigne *(maisons à pans de bois)* et l'impasse du Jeu-de-Paume *(hôtel Mac-Mahon)*. La place d'Hallencourt donne sur l'évêché, dont la cour est accessible.
Gagnez ensuite la rue St-Antoine. Plus loin, prenez à gauche la rue de l'Arbalète, qui rejoint le secteur piétonnier de la rue aux Cordiers.

Passage couvert (A/B2)

Ce passage du milieu du 19e s. ouvre sur la place du Champ-de-Mars par un majestueux portail classique.
Suivez la rue De-Lattre-de-Tassigny, bordée d'hôtels particuliers du 18e s.

Hôtel de ville (B2)

Il abrite une importante **bibliothèque** contenant une riche collection de **manuscrits★** et d'incunables.
Terminez votre promenade en passant dans la rue Jeannin, derrière la mairie, et dans l'un de ses jardins cachés par une porte cochère.

Visiter

Cathédrale St-Lazare★★ (B2)

Afin de rivaliser avec la basilique de son diocèse, Ste-Madeleine de Vézelay, l'évêque **Étienne de Bâgé** décide, en 1120, de créer un lieu de pèlerinage à Autun. Les reliques de saint Lazare, alors abritées dans la cathédrale St-Nazaire, feront l'objet du culte. Consacrée en 1130 par le pape Innocent II, la nouvelle cathédrale est rapidement achevée, en 1146. Extérieurement, l'édifice a perdu son caractère roman : le clocher, frappé par la foudre en 1469, est reconstruit et surmonté d'une flèche gothique. La partie supérieure du chœur et les chapelles du bas-côté droit datent aussi du 15e s. ; celles du bas-côté gauche sont du 16e s. Quant aux deux tours du grand portail, inspirées de celles de Paray-le-Monial, elles ont été édifiées au 19e s. à l'occasion d'importants travaux de restauration contrôlés par Viollet-le-Duc. En 1766, l'édifice subit de graves dommages : les chanoines du chapitre détruisent le jubé, le tympan du portail nord et le splendide tombeau de saint Lazare (qui se dressait derrière le maître-autel), dont il reste fort heureusement de précieux éléments *(voir musée Rolin)*.

Tympan du portail central★★★ – Réalisé entre 1130 et 1135, il compte parmi les chefs-d'œuvre de la sculpture romane.
Son auteur, **Gislebertus**, a laissé son nom sur le rebord supérieur du linteau, sous les pieds du Christ. La signature à cet endroit peut laisser penser que Gislebertus fut aussi le maître d'œuvre de l'ensemble de la cathédrale. On ne sait malheureusement rien de ce sculpteur (et peut-être architecte), bien que son art trahisse une formation dans les ateliers de Vézelay et sans doute de Cluny. Sa force créatrice, son sens de la forme et sa puissance expressive se retrouvent dans presque toute la décoration sculptée de St-Lazare. Par les plis des vêtements, les vagues de la chevelure, l'expression des visages, la structuration de l'espace pour exprimer l'ordre ou le désordre, il donne vie à la pierre.
Au centre, le Christ en majesté siège dans une mandorle soutenue par qua-

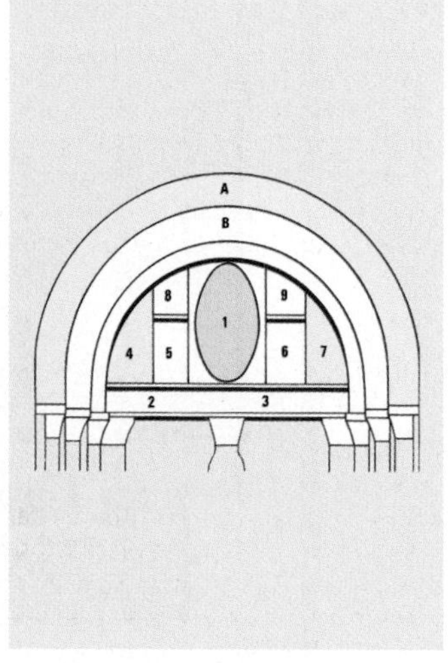

Schéma du tympan du portail principal.

tre anges, dominant toute la scène **(1)**. Au bas, les morts sortent de leur tombeau, prévenus de l'heure du jugement par quatre anges soufflant dans de grands olifants **(4, 7, 8, 9)** ; au centre du linteau, les élus **(2)** sont séparés des damnés **(3)** par un ange. À la gauche du Christ, l'archange saint Michel fait face au Malin, qui tente de fausser la pesée des âmes en tirant sur le fléau de la balance **(6)**. Derrière lui s'ouvre l'Enfer, dont la place est judicieusement réduite à l'extrême droite du tympan **(7)**, tandis que le Ciel occupe tout le registre supérieur avec, à droite, deux apôtres – ou le prophète Élie et le patriarche Énoch transportés vivants au Ciel – **(9)**, et à gauche, Marie **(8)**, qui domine la Jérusalem céleste **(4)** et le groupe des apôtres **(5)** attentifs à la pesée des âmes ; saint Pierre, reconnaissable à la clef qu'il porte sur l'épaule, prête main-forte à un bienheureux, tandis qu'une âme tente de prendre son envol en s'accrochant au manteau d'un ange sonnant de la trompette.

La **figure humaine**, privilégiée par le sujet même du tympan, est traitée avec une extrême diversité. Le Christ, sa cour céleste et les personnages bibliques sont tous vêtus de draperies légères, finement plissées, qui témoignent de l'essence immatérielle des êtres qui les portent. Les **morts**, beaucoup plus petits et sculptés en fort relief, ont une tout autre présence : la nudité des corps (libérés de toute honte) permet d'exprimer par des attitudes variées l'état d'âme de chacun. Les élus cheminent le regard tendu vers le Christ en un cortège paisible ; parmi eux, on distingue prélats et seigneurs en manteau ainsi que deux pèlerins portant des sacoches, l'une ornée d'une coquille Saint-Jacques, l'autre de la croix de Jérusalem. La **terreur**, l'angoisse des damnés s'expriment dans les lignes chaotiques des corps et la composition hachée du groupe.

Les trois voussures de l'arc en plein cintre coiffent l'ensemble de la composition : la voussure extérieure **(A)** symbolise le temps qui passe, les médaillons représentant alternativement les travaux des mois et les signes du zodiaque ; au centre, entre les Gémeaux et le Cancer, l'année est figurée sous les traits d'un petit personnage accroupi. Sur la voussure centrale **(B)** serpente une guirlande de fleurs et de feuillages.

Intérieur – Les piliers et les voûtes datent de la première moitié du 12e s. Le caractère roman clunisien subsiste malgré de nombreux remaniements : élévation sur trois niveaux (grands arcs brisés, faux triforium et fenêtres hautes), massifs piliers cruciformes cantonnés de pilastres cannelés, berceau brisé sur doubleaux dans la nef et voûtes d'arêtes dans les collatéraux. Cependant, le chœur adopte la formule

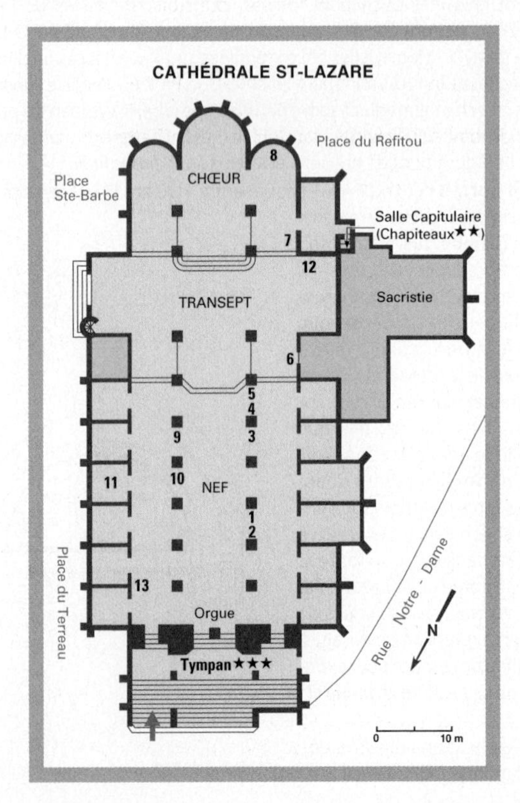

S. Sauvignier / MICHELIN

Tuiles vernissées de la cathédrale St-Lazare.

paléochrétienne de l'abside flanquée de deux absidioles ; leur voûtement en cul-de-four a disparu à la fin du 15e s., lorsque le cardinal Rolin fit percer de hautes fenêtres. Par ailleurs, la présence à Autun d'abondants vestiges antiques explique que se soit généralisé l'usage des pilastres cannelés surmontés de chapiteaux à feuillages à l'ensemble de la galerie haute, conférant ainsi à l'église une grande unité intérieure. Cette majestueuse ordonnance est animée par le décor sculpté des chapiteaux, dont certains seraient dus au ciseau de Gislebertus. Selon un ordre que le visiteur peut suivre sur place, les pièces les plus intéressantes sont les suivantes :

1) et **2)** Simon le Magicien tente de monter au Ciel en présence de saint Pierre, clef en main, et de saint Paul. Simon tombe, la tête la première, sous le regard satisfait de saint Pierre et les ricanements du Diable.

3) Lapidation de saint Étienne, premier martyr chrétien.

4) Samson renverse le temple, représenté de façon symbolique par une colonne.

5) Chargement de l'arche de Noé, lequel, à la fenêtre supérieure, surveille les travaux.

6) Porte de la sacristie du 16e s.

7) Statues funéraires de Pierre Jeannin (mort en 1623), président du parlement de Bourgogne et ministre d'Henri IV, et de sa femme.

8) Les reliques de saint Lazare avaient été placées provisoirement dans l'abside de la chapelle St-Léger.

9) Apparition de Jésus à sainte Madeleine. Admirez les volutes du feuillage à l'arrière-plan de ce chapiteau inachevé.

10) Deuxième Tentation du Christ. Assez curieusement, le Diable seul est juché au sommet du temple.

11) Dans la chapelle de sépulture des évêques d'Autun, vitrail de 1515 représentant l'arbre de Jessé.

12) Tableau d'Ingres (1834) représentant le martyre de saint Symphorien à la porte St-André.

13) La Nativité. La Vierge est couchée, aidée par un groupe de femmes. L'Enfant Jésus est au bain. Sur le côté, saint Joseph médite.

Salle capitulaire – *Empruntez l'escalier.* Construite au début du 16e s., elle abrite de beaux **chapiteaux★★** (12e s.) en pierre grenée contenant du mica, qui ornaient à l'origine les piliers du chœur et du transept restaurés par Viollet-le-Duc en 1860.

Les plus remarquables sont sur le mur droit après l'entrée : pendaison de Judas entre deux démons qui tirent les cordes ; fuite en Égypte (on ne manquera pas de rapprocher ce chapiteau de celui de Saulieu) ; sommeil des Mages (les Mages, couronnés, sont couchés dans un même lit ; touchant la main du plus proche, un ange lui montre l'étoile à suivre) ; Adoration des Mages (Joseph, relégué à droite, médite encore, le menton dans la main).

Fontaine St-Lazare – Près de la cathédrale, ce charmant édifice Renaissance à coupole et lanternon a été construit en 1543 par le Chapitre. Un premier dôme, d'ordre ionique, en supporte un autre plus petit, d'ordre corinthien, coiffé d'un pélican (symbole du sacrifice) dont l'original est au musée Rolin.

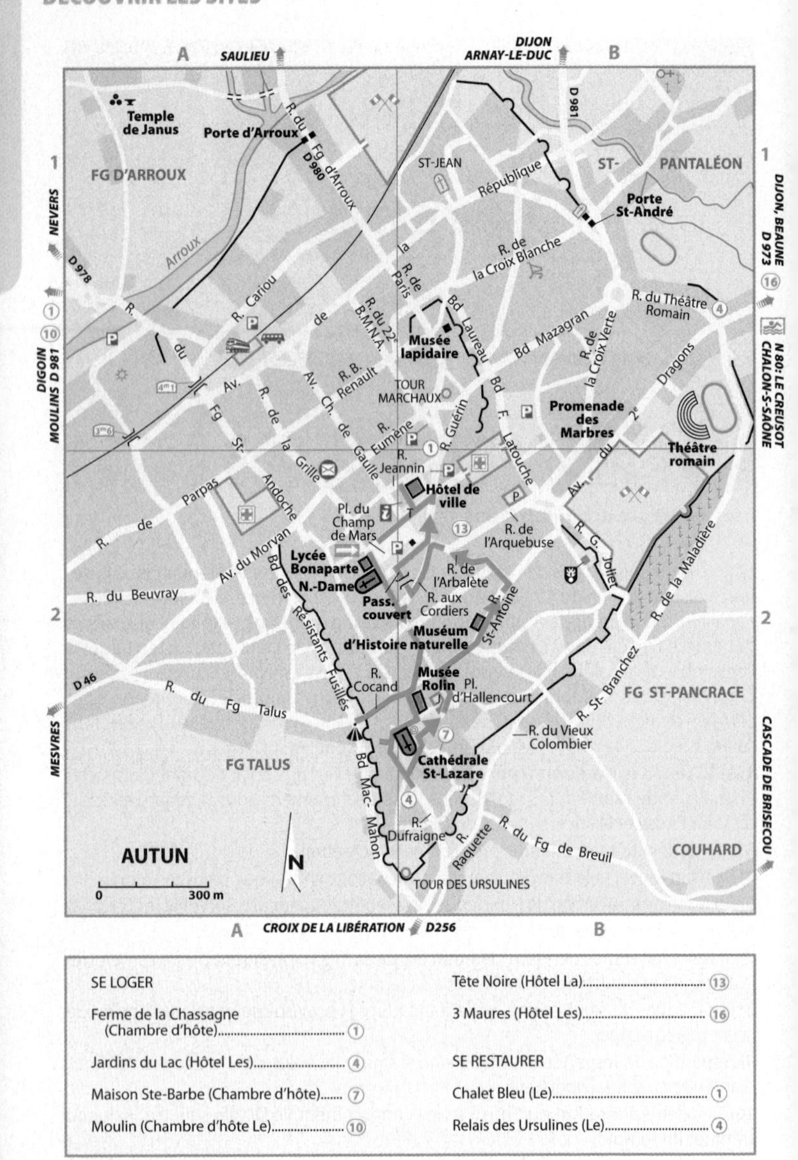

Musée Rolin★ (B2)

03 85 52 09 76 - avr.-sept. : 9h30-12h, 13h30-18h ; oct.-mars : 10h-12h, 14h-17h, dim. 10h-12h, 14h30-17h (dernière entrée 15mn av. fermeture) - fermé mar., 25 déc., 1er janv., 1er Mai, 14 Juil., 1er et 11 Nov. - 3,40 € (enf. 1,80 €).

Situé à l'emplacement de l'ancien hôtel Rolin, le musée expose ses collections dans une vingtaine de salles, réparties en quatre départements. Le **fonds médiéval** est présenté dans une aile construite au 15e s. pour le chancelier Rolin. L'**archéologie** gallo-romaine, l'Antiquité tardive et le haut Moyen Âge, la **peinture** européenne à partir du 17e s. et l'**histoire régionale** se partagent l'hôtel Lacomme attenant, établi au 19e s. sur la base médiévale d'origine, autrefois appelée « le donjon ».

Au rez-de-chaussée de l'hôtel Lacomme, sept salles abritent une abondante collection de pièces gallo-romaines, témoins de la grande richesse d'*Augustodunum*. Les plus beaux vestiges de cette cité y sont exposés (remarquez le casque d'apparat romain) ; la civilisation gallo-romaine est abordée à travers le cirque (jolies statuettes de gladiateurs), la philosophie (admirez la finesse de détails et de teintes des **mosaïques**, surtout de celle dite « des Auteurs grecs »), l'habitat, les parures et les soins du corps, la religion, avec ses cultes à des divinités de traditions indigène (comme Épona, la déesse aux chevaux), romaine ou égyptienne, et enfin l'art païen (sculpture savante et mosaïque dite du « Triomphe de Neptune »). À l'étage sont exposés des peintures, sculptures et meubles de la Renaissance à nos jours.

Traversez la cour pour accéder à l'hôtel Rolin.

Deux salles (8 et 9) abritent des chefs-d'œuvre de la **statuaire romane★★** dus, en particulier, à deux grands noms de l'école bourguignonne : Gislebertus et le moine Martin. Du premier, appréciez **La Tentation d'Ève★★**, dont la sensualité naît du savant jeu de courbes du corps et des végétaux. Le second réalisa en partie le **tombeau de saint Lazare★★** : conçu comme une église miniature de 6 m de haut, il s'élevait dans le chœur de la cathédrale jusqu'à sa destruction en 1766. Il ne reste du groupe de statues qui l'entouraient, illustrant la scène de la résurrection du saint, que les longues et émouvantes figures de saint André et des sœurs de Lazare, Marthe (qui se bouche le nez) et Marie-Madeleine. Une **maquette** et des fragments lapidaires permettent de reconstituer le monument et de se faire une idée du saisissement que devait ressentir le pèlerin en pénétrant dans le mausolée.

Au premier étage sont rassemblées des sculptures des 14e et 15e s. provenant des ateliers d'Autun. La salle consacrée aux Rolin (10) renferme la célèbre **Nativité au cardinal Rolin★★** (1480), œuvre qui trahit la formation flamande du peintre par son extrême minutie d'exécution et ses couleurs froides, mais dont la plastique et la beauté grave sont la marque de la peinture gothique française. La statuaire est représentée par la **Vierge★★** d'Autun en pierre polychrome ainsi que par un bel ensemble de sculptures réalisées par des artistes de la cour de Philippe le Bon.

Muséum d'Histoire naturelle (B2)

✆ 03 85 52 09 15 - www.autun.com - tlj sf lun., mar. et j. fériés : 14h-17h - 3,40 € (enf. 1,80 €). Axé sur l'évolution du bassin d'Autun et du Morvan au cours des grandes ères géologiques, il présente, dans leur contexte d'époque, divers échantillons minéralogiques (beaux quartz et blocs de houille conservant l'empreinte de plantes ou d'animaux de l'ère primaire). Il traite, en particulier, de l'histoire des schistes bitumineux, roches qui, lors de leur traitement par pyrogénation, ont permis la production de 1838 à 1957 d'huile de schiste équivalent au pétrole naturel. Petits et grands apprécieront la collection d'**oiseaux naturalisés** de la Bourgogne actuelle.

Découvrir

LA VILLE GALLO-ROMAINE

Théâtre romain (B1)

Les vestiges de sa *cavea* à trois étages de gradins permettent de mesurer ce que fut le plus vaste théâtre de Gaule : il peut aujourd'hui recevoir jusqu'à 12 000 spectateurs. On y donne encore des jeux, comme au temps de l'Empire : c'est le Péplum d'Augustodunum *(en août)*. Remarquez les fragments lapidaires gallo-romains encastrés dans les murs de la maison du gardien.

Promenade des Marbres (B1)

Cette large promenade plantée d'arbres doit son nom aux vestiges romains qui y ont été retrouvés. Près de là s'élève un bel édifice du 17e s. précédé d'un jardin à la française et couvert d'un toit en tuiles vernissées. Construit par Daniel Gittard, architecte d'Anne d'Autriche, cet ancien séminaire abrite maintenant l'**École militaire préparatoire**.

Porte Saint-André★ (B1)

Les routes du pays des Lingons venant de Langres et de Besançon aboutissaient ici. C'est l'une des quatre portes qui faisait partie de l'enceinte gallo-romaine dotée de 54 tours semi-circulaires. Elle présente deux grandes arcades pour le passage des voitures et deux plus petites pour celui des piétons. Elle est surmontée d'une galerie de dix arcades et a été restaurée par Viollet-le-Duc. Un des corps de garde qui la flanquaient subsiste encore grâce à sa conversion en église au Moyen Âge (l'intérieur est orné de fresques représentant les travaux des mois). La tradition place le martyre de saint Symphorien non loin de là.

Porte d'Arroux (A1)

Celle-ci s'est appelée *Porta Senonica* (porte de Sens) et donnait accès à la Via Agrippa qui reliait Lyon à Boulogne-sur-Mer. De belles proportions, moins massive et en moins bon état que la porte St-André, elle possède le même type d'arcades. La galerie supérieure, ornée d'élégants pilastres cannelés à chapiteaux corinthiens, a été édifiée à l'époque constantinienne.

Musée lapidaire (B1)

✆ 03 85 86 80 38 - avr. à mi-sept. : 14h-17h. L'ancienne chapelle St-Nicolas (édifice roman du 12e s. dont l'abside est ornée d'un Christ peint en majesté) appartenait à un hôpital. La chapelle et ses galeries, qui enserrent le jardin attenant, abritent maints vestiges gallo-romains (fragments d'architecture et de mosaïques, stèles) et médiévaux (sarcophages, chapiteaux), trop grands pour trouver place au musée Rolin, ainsi que des éléments de statuaire

Temple de Janus (A1)

Prenez la rue du Morvan, puis le faubourg St-Andoche.

Cette tour quadrangulaire, construite extra-muros, haute de 24 m, dont il ne reste que deux pans, se dresse solitaire au milieu de la plaine, au-delà de l'Arroux. Il s'agit de la *cella* d'un temple dédié à une divinité inconnue (l'attribution à Janus est de pure fantaisie ; au Moyen Âge, on l'appelait tour de Genetoye).

Aux alentours

Croix de la Libération★

6 km au sud. Au cours de la montée en lacet, vous aurez une excellente vue sur la cathédrale, la vieille ville, les cônes des terrils des Télots, le Morvan à l'horizon. Environ 50 m après le pavillon d'entrée du château de Montjeu, à droite, un chemin en forte pente conduit à la Croix de la Libération, croix de granit édifiée en 1945 pour commémorer la libération d'Autun. De la croix, **vue★** sur la dépression d'Autun et la vallée de l'Arroux et, plus loin, de gauche à droite, sur les monts du Morvan, la forêt d'Anost et le revers de la Côte.

Cascade de Brisecou

2 km au sud plus 45mn à pied AR. Garez-vous à Couhard près de l'église.

Un sentier longeant un ruisseau conduit au joli **site★** arboré où coule la cascade. Au retour, vue sur la **pierre de Couhard**, que rejoint un sentier partant du parking : cette curieuse pyramide serait un monument funéraire dominant l'une des nécropoles de la ville, contemporain du théâtre romain.

Château de Sully★

15 km au nord-est en direction de Beaune ou Nolay. ✆ 03 85 82 09 86 - www.chateaudesully.com - visite guidée (50mn) juil.-août : 10h-19h (dernier dép. 17h30) ; Pâques à juin et sept. à Pâques (le château n'est pas ouvert en continu à cette période, téléphoner) : 10h-18h (dernier dép. 16h30) - 7,30 € (enf. 4,75 €).

Cette résidence Renaissance constitue un bel ensemble, avec son vaste parc et ses dépendances (18e s). Ayant acquis la terre de Sully en 1515, Jean de Saulx étoffa la place forte du 14e s. en doublant la façade et en intégrant la tour, au sud-est, dans une construction plus importante, qui sera poursuivie par son fils, Gaspard de Saulx-Tavannes, et achevée par ses petits-fils. « C'est le Fontainebleau de Bourgogne », disait Mme de Sévigné. Trois siècles plus tard, en 1808, le futur maréchal de **Mac-Mahon**,

Château de Sully.

duc de Magenta, et président de la République de 1873 à 1879, naquit au château. Le domaine appartient toujours à ses descendants, qui y vivent et l'animent, grâce à de nombreuses animations tout au long de l'année. Le fait que le château soit habité donne encore plus de charme et d'intérêt à la visite.

Extérieur – Quatre ailes flanquées de tours d'angle carrées posées en losanges enserrent une cour intérieure qui, par son ordonnance et sa décoration, rappelle le château d'Ancy-le-Franc *(voir ce nom)*. À l'ouest, la façade d'entrée présente, au premier étage, de larges baies séparées par des pilastres. Sur la façade sud, deux tourelles en encorbellement encadrent la chapelle. La façade nord, refaite au 18e s., est précédée d'un large escalier monumental donnant accès à une terrasse, aux beaux balustres, dominant une pièce d'eau. Enfin, les douves qui entourent le château sont alimentées par la Drée.

Intérieur – Les fastueux décors du 19e s. (remarquez le dallage du vestibule, qui alterne dalles de marbre noir et cabochons blancs à l'inverse de ce qui se fait habituellement, et la belle salle de bal) sont peuplés des souvenirs de grandes figures familiales : Charlotte de Mac-Mahon, dont le régisseur sauva le château pendant la Révolution en maquillant son cadavre, faisant croire qu'elle se reposait, le président Mac-Mahon, bien sûr, promu duc par Napoléon III après sa victoire à Magenta (Italie), et Marguerite de Mac-Mahon, qui permit à son mari aviateur de fuir la *Kommandantur* en faisant mine de le chercher dans le château.

Au premier étage, on peut voir également la galerie de la chasse, qui contient de nombreux tableaux et trophées en rapport avec ce thème.

Parc – Il a été créé au 17e s par les fils de Gaspard de Saulx-Tavannes, qui se sont inspirés du style de Le Nôtre, puis les jardins ont été modifiés par le paysagiste Achille Duchêne au 19e s. En s'y promenant, on découvre un potager clos de murs, labellisé Jardin remarquable en 2005, un verger, des arbres centenaires, mais aussi un miroir d'eau, un pigeonnier et une chapelle du 13e s. *(prix du parc d'entrée seul : 3,50 €, tlj de déb. avr. à déb. nov 10h-18h).*

Couches

25 km au sud-est par la D 978. La **maison des Templiers** est une belle construction à loggia et colonnade du début du 17e s.

Château – *À 1 km du bourg. ✆ 03 85 45 57 99 - visite guidée (45mn) juil.-août : 10h-12h, 14h-18h ; juin et sept. : 14h-18h ; avr.-mai et oct. : dim. et j. fériés 14h-18h - 7 € (enf. 4 €).* Il s'agirait du château de Marguerite de Bourgogne (15e s.), épouse répudiée de Louis X le Hutin, qui aurait fini ses jours ici comme « prisonnière libre » après sa disparition de Château-Gaillard, où elle était recluse pour adultère.

Très restauré, le château a conservé de son passé défensif un pont-levis, une partie d'enceinte, quelques vestiges de tours, et ses deux cours, haute et basse, séparées par une porte monumentale.

On visite la chapelle du 15e s. érigée par un Montaigu et consacrée par le cardinal Rolin (statues et retables d'époque), la tour des prisons et le donjon carré, qui remonte au 12e s. (armes, tapisseries d'Aubusson).

Après la visite, vous pourrez déguster, à la cave, des vins du Couchois produits au domaine.

Château de Plaige

La Boulaye, 32 km au sud par la D 981, puis la D 994. La propriété de Plaige (1900) a été vendue en 1974 à des disciples du lama tibétain Kalou Rinpoché, fondateur de 75 monastères. Dans celui-ci, l'un des plus importants en Europe, onze lamas enseignent le bouddhisme Vajrayana à une trentaine de moines.

Temple des Mille bouddhas (Congrégation Dashang Kagyu Ling) – *✆ 03 85 79 62 53- www.mille-bouddhas.com - possibilité de visite guidée (1h) juil.-août : 10h-12h, 14h30-18h30 ; sept.-juin : 14h30-17h30 : rituel du soir (sf merc.) - sais. 5 €, hors sais. 4 € (12-18 ans 2,50 €).* Oriflammes et bannières de prière accueillent le visiteur *(déchaussé)* au temple inauguré en 1987, remarquable par son architecture et sa décoration traditionnelle himalayenne. L'édifice est orné de statues géantes (l'une mesure 16 m de haut) et de peintures murales d'une grande richesse iconographique, réalisées sur place par des artistes résidents.

Le chorten (monument symbolique de l'Éveil), la fontaine de richesse et l'Institut Marpa complètent le site.

Autun pratique

Adresse utile

Office du tourisme d'Autun – *2 av. Charles-de-Gaulle -71400 Autun - 03 85 86 80 38 - www.autun-tourisme.com - juin-sept. : 9h-19h ; oct.-mai : tlj sf dim. 9h-12h30, 14h-18h.*

Visites

Visites guidées – Autun, qui porte le label Ville d'art et d'histoire, propose des visites-découvertes *(1h)* animées par des guides conférenciers agréés par le ministère de la Culture et de la Communication de déb. juil. à mi-sept. *- 5,60 € - renseignements à l'office de tourisme.*

Le Petit Train – *juin-août : tlj - 6 €.* Parcours de 50 mn au départ de la place du Champ-de-Mars ou du parvis de la cathédrale.

Nocturnes de la cathédrale – En juil.-août, visite libre en soirée de la cathédrale, avec musiciens, artistes et poètes.

Se loger

Hôtel Les Jardins du Lac – *Plan d'eau du Vallon - 03 85 86 25 25 - lesjardinsdulac@wanadoo.fr - P - 20 ch. 58 € - 6,90 € - rest. (soir seult) 10/18 €.* Idéalement situé entre le golf et la base de loisirs, cet établissement propose des chambres fonctionnelles (avec TV, douche et WC) conçues dans un style proche des hôtels de chaîne.

Hôtel Tête Noire – *3 r. de l'Arquebuse - 03 85 86 59 99 - www.hoteltetenoire.fr - fermé 15 déc.-25 janv. - 31 ch. 71/88 € - 10,50 € - rest. 18/50 €.* On rénove cette adresse progressivement : les chambres, pimpantes et garnies d'un mobilier rustique en bois peint, sont bien insonorisées. À table, carte classique et menu « terroir » servis dans une plaisante salle à manger.

Hôtel Les 3 Maures – *4 pl. de la République - 71490 Couches - 03 85 49 63 93 - www.hoteldestroismaures.com - fermé 18 fév.-20 mars, 18-26 déc., mar. midi et lun. hors sais. - P - 35 ch. 54/58 € - 7 € - rest. 16/40 €.* Préférez les chambres situées dans la nouvelle aile de cet ancien relais de poste. Grand caveau voûté où l'on vend des vins de Bourgogne. Salle à manger rustique agrémentée d'un beau plafond à la française.

Chambre d'hôte La Ferme de la Chassagne – *Les 4 Vents - 71190 Laizy - 14 km au sud-ouest d'Autun par N 81 et chemin à dr. (ancien circuit dir. La Boulaye) - 03 85 82 39 47 - francoise.gorlier@wanadoo.fr - fermé 11 nov.-15 fév. - - 4 ch. 47/55 € - repas 18 €.* La bâtisse, restaurée, conserve le charme des fermes d'antan avec ses robustes poutres apparentes et son mobilier ancien. Les chambres sont simplement décorées, mais très agréables. Table d'hôte avec produits de l'exploitation familiale et légumes du jardin.

Chambre d'hôte Maison Sainte-Barbe – *7 pl. Ste-Barbe - 03 85 86 24 77 - www.maisonsaintebarbe.fr.st - - P - 3 ch. 64 €* . Ancien logis de chanoines (15e-18e s.) au pied de la cathédrale. Grandes chambres personnalisées, jolie salle des petits-déjeuners agrémentée de meubles anciens, jardin clos.

Chambre d'hôte Le Moulin – *Le Bois du Caveau - 71320 La Boulaye - 03 85 79 58 43 - torrione.christian@wanadoo.fr - - 3 ch. 85 € - repas 15/25 €.* Derrière la façade massive de cet ancien moulin du 19e s. et ses petites fenêtres en demi-cercle se cachent des chambres spacieuses, éparpillées dans toute la maison. Immense salle à manger et salon avec mezzanine. Piscine chauffée.

Se restaurer

Le Relais des Ursulines – *2 r. Dufraigne - 03 85 52 26 22 - www.lerelaisdesursulines.com - fermé sam. midi et jeu. en hiver - 13,40/19,40 €.* Mi-bistrot, mi-restaurant, cette vieille maison située à deux pas de la cathédrale a un décor sympathique : comptoir en bois, cuivres, objets chinés, piano mécanique... et dispose également d'une 2e salle plus orientale. Au menu, pizzas, grillades au feu de bois et spécialités régionales. Belle terrasse ombragée.

Le Chalet Bleu – *3 r. Jeannin - 03 85 86 27 30 - www.lechaletbleu.com - fermé 16 fév.-10 mars, dim. soir du 15 nov. au 31 mars, lun. soir et mar. - 18/60 €.* Un restaurant sympathique en plein centre-ville, derrière l'hôtel de ville. Petit salon d'accueil « cosy » et agréable salle à manger ornée de fresques représentant des paysages et jardins imaginaires. La table est soignée et marie habilement terroir et tradition.

Que rapporter

Bon à savoir – Vous trouverez de nombreux commerces dans les petites rues piétonnes du centre-ville, sur la place du Champs-de-Mars, l'avenue Charles-de-Gaulle, rue Guérin et autour de la cathédrale.

Henriot – *29 r. Guérin - 03 85 52 28 56 - www.charcuteriehenriot.fr - tlj sf lun. 8h-12h30 (dim. mat. 12h), 15h-19h - fermé 14 juin-10 juil.* Impossible de manquer cette boucherie-charcuterie tant sa belle devanture attire le regard. La maison est également réputée pour la qualité de ses produits : vous apprécierez tout particulièrement le jambon persillé, le jambon cru du Morvan, le pâté de campagne, la terrine de lièvre et de gibier en saison, l'andouillette, la mousse de volaille et les plats cuisinés.

Sports & Loisirs

La Forêt de Planoise – *Au golf - 03 85 52 09 28.* Une base de loisirs a été aménagée dans la forêt ; on y pratique, entre autres, l'équitation, le golf, le tennis ou la voile sur le plan d'eau du Vallon.

Auxerre★★

37 100 AUXERROIS
CARTE GÉNÉRALE A2 – CARTE MICHELIN DÉPARTEMENTS 319 E5 – YONNE (89)

Au cœur d'un vignoble dont le cru le plus renommé est le chablis, la capitale de la basse Bourgogne étage avec assurance ses monuments sur une colline au bord de l'Yonne. Cette situation privilégiée lui a valu la création d'un port de plaisance, point de départ du canal du Nivernais. Ses boulevards ombragés aménagés sur les anciens remparts de la ville, ses rues animées et ses belles maisons à pans de bois agrémentent la promenade.

Office du tourisme de l'Auxerrois

Vue d'Auxerre et des rives de l'Yonne.

- **Se repérer** – Auxerre est située à 166 km de Paris, 149 km de Dijon et 15 km de Chablis. Vous pouvez y accéder par l'A 6. La station du TGV Yonne-Méditerranée, à Laroche-Migennes, se trouve à 21 km au nord de la ville.
- **Se garer** – Des parkings gratuits vous attendent à la périphérie de la ville.
- **À ne pas manquer** – La tour de l'Horloge ; la charmante place St-Nicolas ; l'ancienne abbaye St-Germain, pour sa crypte carolingienne et son musée d'Art et d'Histoire ; l'incontournable cathédrale St-Étienne et ses superbes vitraux du 13e s.
- **Organiser son temps** – Pour profiter de jolis paysages de cerisiers en fleurs, prévoyez une excursion dans l'Auxerrois au mois d'avril.
- **Avec les enfants** – Louez un bateau électrique pour une balade sur l'eau, et découvrez la ville, en faisant un jeu de pistes, sur les traces de Cadet Roussel.
- **Pour poursuivre la visite** – Visitez aussi Chablis, la vallée de la Cure, Joigny, Pontigny, Seignelay, la Voie verte, la vallée de l'Yonne.

Comprendre

Un peu d'histoire – À proximité d'une simple bourgade gauloise *(Autricum)*, les conquérants romains établirent la ville d'*Autessiodurum*, située sur la grande voie de Lyon à Boulogne-sur-Mer. Dès le 1er siècle, elle devient une ville importante, dont témoignent les vestiges découverts lors des fouilles archéologiques.

L'influence intellectuelle et spirituelle de la cité au Moyen Âge repose en grande partie sur le rayonnement de l'**évêque saint Germain** (début du 5e s.) et des pèlerinages organisés auprès de son tombeau. Au 12e s., Auxerre est déclarée « ville sainte » par la papauté.

Les champions d'Auxerre – À quelques siècles d'intervalle, Auxerre (prononcez

Le saviez-vous ?

Parmi les célébrités locales figurent également **Cadet Roussel**, dont la statue trône sur la place Charles-Surugue, et... **Jean-Paul Rappeneau**, le réalisateur de *Cyrano de Bergerac*, tourné en partie à Dijon et à l'abbaye de Fontenay.

« Ausserre ») accueille deux grandes figures de notre histoire. En 1429, **Jeanne d'Arc** y passe à deux reprises, d'abord avec une poigné de hardis compagnons qui l'accompagnent de Vaucouleurs à Chinon, puis, quelques mois plus tard, à la tête d'une armée de 12 000 hommes et en compagnie de Charles VII, qu'elle conduit à Reims pour le faire sacrer. Le 17 mars 1815, **Napoléon**, au retour de l'île d'Elbe, arrive à Auxerre ; le maréchal Ney, envoyé pour le combattre, tombe dans ses bras, et ses troupes renforcent la petite armée de l'Empereur.
La ville a notamment donné le jour à **Paul Bert** (1833-1886), savant physiologiste et homme d'État éminent de la IIIe République qui contribua à l'instauration de l'école obligatoire et gratuite et fut gouverneur du Tonkin et de l'Annam en Indochine, et à **Marie Noël** (1883-1967), poétesse dont les œuvres *(Les Chansons et les Heures, Chants et Psaumes d'automne, Le Cru d'Auxerre)* laissent entrevoir une douloureuse recherche de la paix intérieure.
Depuis les années 1980, Auxerre s'est fait connaître à l'étranger grâce à sa fameuse équipe de football, l'AJA, fondée en 1905 par l'**abbé Deschamps** ; cet ecclésiastique dynamique a d'ailleurs donné son nom au stade de la ville. L'entraîneur, **Guy Roux**, habitant Appoigny, au nord d'Auxerre, est parvenu à lui faire réaliser le rare doublé championnat/coupe de France en 1996. Le centre d'entraînement est une véritable pépinière de talents, cédés très cher aux grandes équipes européennes (citons Ferreri, Cantona, Boli, Diomède et Cissé).

Se promener

C'est dans un quartier d'Auxerre (rue de Strasbourg) qu'**Étienne Chatiliez** a tourné, en 1990, certaines scènes de sa comédie grinçante, *Tatie Danielle*.

Quartier de la Marine (B1)

Montez sur la passerelle qui enjambe l'Yonne pour prendre du recul et admirer les trois constructions superposées de l'abbaye St-Germain.
Autrefois domaine des coches d'eau, le quartier a gardé ses ruelles sinueuses. Prenez la rue de la Marine pour voir les vestiges de la tour d'angle nord-est de l'enceinte gallo-romaine, traversez la charmante **place St-Nicolas** pour atteindre la jolie place du Coche-d'Eau. Remarquez l'hostellerie du 17e s. ornée de la statue de saint Nicolas, patron des marins.
Remontez la rue du Dr-Labosse pour rejoindre la rue Cochois. Notez au passage la préfecture, ancien palais des évêques, et la maison Defert.
Gagnez le centre-ville par la place St-Étienne devant la cathédrale, puis à gauche par la rue Maison-Fort et la rue Joubert.

Centre-ville (A/B-1/2)

Il conserve nombre d'intéressantes vieilles demeures, la plupart du 16e s. La rue Fécauderie (deux maisons à pans de bois possèdent un superbe poteau cornier sculpté, à l'angle de la rue Joubert et du passage Manifacier) mène à la belle **place de l'Hôtel-de-Ville**, où, figée parmi les passants, se dresse une statue polychrome de **Marie Noël** en vieille dame ; belles maisons aux n°s 4, 6, 16, 17, 18.

Tour de l'Horloge (A2)

De style flamboyant, cette tour, construite au 15e s. sur les fondations de l'enceinte gallo-romaine, était appelée aussi tour Gaillarde (du nom de la porte qu'elle défendait) et faisait partie des fortifications ; le beffroi et l'horloge symbolisaient les libertés communales accordées par le comte d'Auxerre. L'horloge (17e s.) présente un double cadran indiquant sur les deux faces les mouvements apparents du soleil et de la lune. Le cadran astronomique fut célébré par Restif de La Bretonne, qui vécut plusieurs années de sa jeunesse dans un atelier d'imprimeur au pied de cette tour.
Un passage voûté, attenant à la tour de l'Horloge, donne accès à la place du Mar.-Leclerc ; sous la voûte, une plaque rappelle la mémoire de **Guillaume Roussel** (1743-1807), huissier à Auxerre, dont les déboires inspirèrent la célèbre chanson *Cadet Roussel*, qui fut composée sous la Révolution par les volontaires de l'Yonne.
Passez sous l'Horloge. Au n° 6, remarquez un poteau cornier sculpté et quatre maisons accolées en face. Prenez à gauche la **rue de la Draperie** ; celle-ci débouche sur la **place Charles-Surugue**, où s'élève une fontaine à l'effigie de Cadet Roussel. Voyez les maisons à pans de bois et la tentative d'Art nouveau sur la poste (1909). Longez la poste par la rue René-Schaeffer jusqu'à l'église **St-Eusèbe**, vestige d'un prieuré, qui conserve un clocher du 12e s. décorée d'arcs polylobés. Sa flèche de pierre date du 15e s. À l'intérieur, remarquez le chœur Renaissance, la chapelle axiale et les vitraux du 16e s. Un hôtel particulier a été construit au 18e s. à l'emplacement des granges du prieuré.

Empruntez la rue Diderot pour parvenir, au n° 5 place Robillard, devant le plus vieil édifice civil en pierre d'Auxerre : l'**hôtel du Cerf-Volant** (14e et 15e s.). Sa jolie girouette rappelle qu'il fut un temps un magasin d'instruments de musique.

Revenez vers la cathédrale en passant par la place des Cordeliers.

Vous pourrez admirer un bel hôtel Renaissance dit « de Crôle », à lucarnes et corniche sculptées, **rue de Paris**, n° 67.

Visiter

Cathédrale Saint-Étienne★★ (B1)

℘ 03 86 52 23 29 - visite du trésor et de la crypte de Pâques au 1er nov. : 9h-18h ; reste de l'année : 10h-17h. Son et lumière : 1er juin-20 août, à 22h ; 21 août-30 sept., à 21h30.

Vers l'an 400, saint Amâtre fit bâtir un sanctuaire à cet emplacement. Celui-ci, embelli au cours des siècles suivants, fut incendié à plusieurs reprises. Suite à un nouveau sinistre, Hugues de Châlon entreprit en 1023 la construction d'une cathédrale romane sur le site, puis, en 1215, Guillaume de Seignelay fit édifier une cathédrale gothique, dont le chœur et les verrières furent achevés en 1234. La nef, les collatéraux, les chapelles et le transept sud datent de l'an 1400. Quant à la tour nord, elle fut achevée vers 1525.

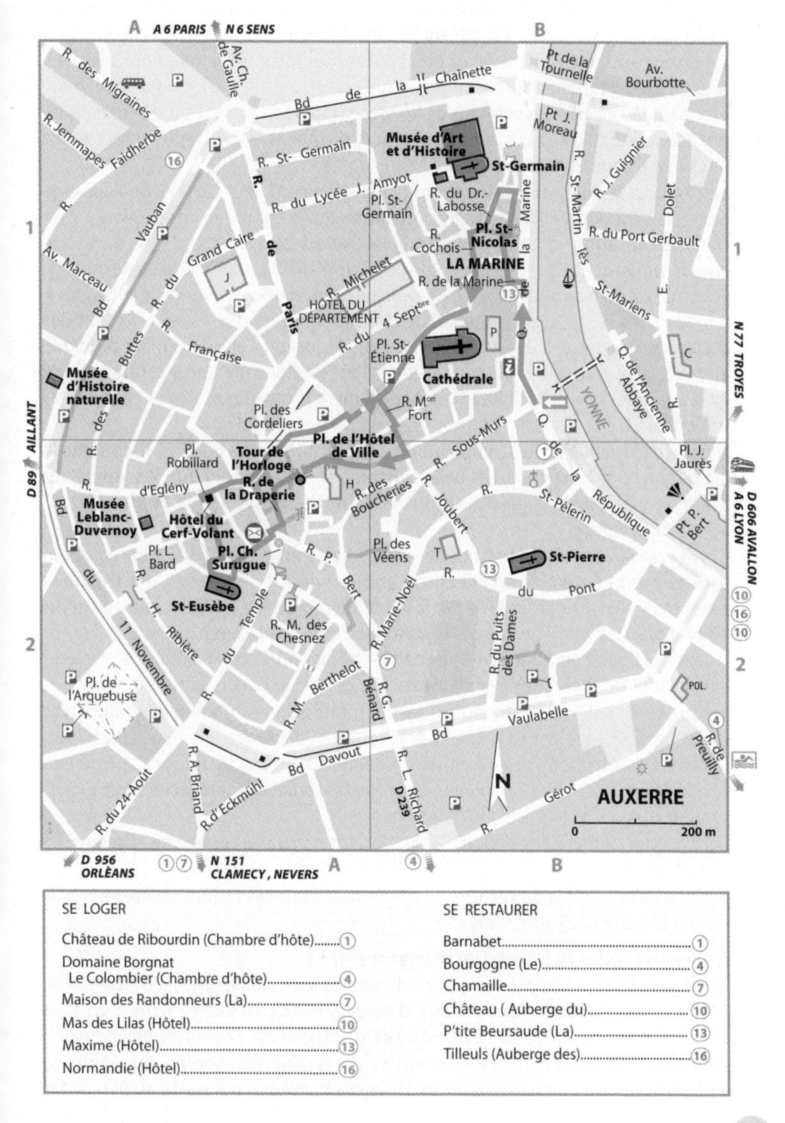

SE LOGER

Château de Ribourdin (Chambre d'hôte)........①
Domaine Borgnat Le Colombier (Chambre d'hôte)........④
Maison des Randonneurs (La)........⑦
Mas des Lilas (Hôtel)........⑩
Maxime (Hôtel)........⑬
Normandie (Hôtel)........⑯

SE RESTAURER

Barnabet........①
Bourgogne (Le)........④
Chamaille........⑦
Château (Auberge du)........⑩
P'tite Beursaude (La)........⑬
Tilleuls (Auberge des)........⑯

Façade – De style flamboyant, la façade est encadrée de deux tours aux contreforts ouvragés ; la tour sud reste inachevée. La façade est ornée de quatre étages d'arcatures surmontées de gâbles.

Au portail central, le Christ trône au tympan, entre la Vierge et saint Jean. Le linteau évoque le Jugement dernier. Le Christ préside, ayant à sa droite les vierges sages et à sa gauche les vierges folles (tenant leur lampe renversée). Ces 12 statuettes s'étagent au long des piédroits. Au-dessus du portail central, légèrement en retrait, une rosace de 7 m de diamètre s'inscrit entre les contreforts. Les célèbres sculptures des 13e et 14e s. ont été mutilées au 16e s. lors des guerres de Religion, et la tendre pierre calcaire a souffert des intempéries.

Au portail de gauche, les sculptures des voussures retracent la vie de la Vierge et de ses parents, saint Joachim et sainte Anne. Le registre restant du tympan représente le couronnement de la Vierge. Les médaillons du soubassement traitent différentes scènes de la Genèse.

Le portail de droite date du 13e s. Le **tympan**, divisé en 3 registres, et les voussures sont consacrés à l'enfance du Christ et à la vie de saint Jean-Baptiste. Au registre supérieur des soubassements sont représentées 6 scènes des amours de David et de Bethsabée – 8 statuettes placées entre les pinacles symbolisent la Philosophie (à droite avec une couronne) et les Sept Arts libéraux. À droite du portail, un haut-relief représente le Jugement de Salomon.

Des deux portails latéraux, celui du sud, du 14e s., consacré à saint Étienne, est le plus intéressant. Le portail nord est dédié à saint Germain.

Intérieur – La nef, construite au 14e s., a été voûtée au 15e s. (hauteur : 34 m). Au mur du fond du transept droit, on remarque quatre consoles à figures d'un réalisme étonnant. Au-dessus, les verrières de la rosace (1550) montrent Dieu le Père entouré des Puissances célestes. La rosace du bras nord du transept (1530) représente la Vierge entourée d'anges et d'emblèmes de Notre-Dame.

Le **chœur** et le **déambulatoire** remontent au début du 13e s. En 1215, Guillaume de Seignelay, évêque d'Auxerre, grand admirateur de l'art nouveau appelé alors « style français » (le terme « gothique » n'est employé que depuis le 17e s.), décida de raser le chœur roman et fit élever ce splendide ouvrage d'architecture sur la crypte du 11e s. Tout autour du déambulatoire se déroule un magnifique ensemble de **vitraux★★** à médaillons du 13e s., où dominent les tons bleus et rouges. Ils représentent des scènes de la Genèse, l'histoire de David, celle de Joseph, celle de l'Enfant prodigue et des légendes de saints. Le soubassement est souligné par une arcature aveugle ornée de têtes sculptées, figurant essentiellement prophètes et sibylles, parfois des drôleries.

Dans la partie gauche du déambulatoire, un tableau sur bois du 16e s. représente la lapidation de saint Étienne. Les beaux **vitraux** des rosaces sont du 16e s. Appréciez la finesse extrême du vitrail de la chapelle Notre-Dame-des-Vertus, au-dessus de la statue de la Vierge.

Crypte romane★ – Ce seul vestige de la cathédrale romane (1023-1035), qui constitue un intéressant ensemble architectural, abrite, à défaut de reliques, des **fresques** exceptionnelles, des 11e et 13e s. Sur la voûte est représenté le **Christ monté sur un cheval blanc** entouré de 4 anges équestres : c'est le seul exemple connu en France d'une telle figuration. L'autre fresque, dans le cul-de-four, montre le Christ en majesté entouré des symboles des évangélistes et de deux chandeliers à sept branches.

Trésor★ – Il renferme, entre autres pièces intéressantes, des émaux champlevés des 12e et 13e s., des livres d'heures des 15e et 16e s., des miniatures et des triptyques d'ivoire, ainsi qu'une **Mise au tombeau★** peinte sur ardoise, attribuée au peintre de l'école de Fontainebleau Luca Penni. Observez les couleurs froides et le dessin précis, caractéristiques du maniérisme florentin.

Pour gagner l'abbaye St-Germain, longez le flanc nord de la cathédrale et descendez la rue Cochois.

Vous passez devant la préfecture, anciennement logis des évêques d'Auxerre, puis devant le portail de l'ancien évêché.

Ancienne abbaye Saint-Germain★★ (B1)

☎ 03 86 18 05 50 - visite guidée de la crypte carolingienne (45mn) juin-sept. : 10h-12h30, 14h-18h30 ; oct.-mai : 10h-12h, 14h-18h (dernière visite 1h av. fermeture) - fermé mar., 1er et 8 Mai, 1er et 11 Nov., 25 déc., 1er janv. - 4,50 € (-16 ans gratuit), 1er dim. du mois gratuit.

Cette abbaye bénédictine fut fondée au 6e s. par la reine Clothilde, épouse de Clovis, à l'emplacement d'un oratoire où saint Germain, évêque d'Auxerre au 5e s., avait

G. Corbic / MICHELIN

Ancienne abbaye St-Germain.

été inhumé. Au temps de Charles le Chauve, elle possédait une école célèbre où enseignèrent des maîtres réputés comme Héric ou Rémi d'Auxerre, qui fut le maître de saint Odon de Cluny. L'évangélisateur de l'Irlande, saint Patrick, y apprit la science théologique.

Église abbatiale – La démolition, en 1811, des travées occidentales de l'église a isolé le beau **clocher** du 12e s. appelé tour St-Jean, de construction romane. Il est haut de 51 m ; sa base, de plan carré, surmontée du beffroi, et ses gables étagés donnent un puissant relief à l'élan de sa flèche de pierre. Les fouilles archéologiques ont dégagé les fondations des **avant-nefs** carolingiennes et romanes : les vestiges (sarcophages, éléments sculptés...) sont visibles dans la crypte archéologique, accessible par l'église.

L'église supérieure, de style gothique, a été construite du 13e au 15e s. pour remplacer l'église romane ; l'unique chapelle axiale à dix branches date de 1277 : elle est reliée par un beau passage au déambulatoire et repose sur les solides assises de deux chapelles inférieures superposées construites à la même époque. Notez la belle hauteur sous voûte.

Crypte★★ – Elle forme une véritable église souterraine : au centre, la « confession », appelée ainsi parce qu'elle contenait les reliques de croyants qui n'avaient pas été martyrs. Possédant trois nefs voûtées en berceau, elle offre, du haut de ses trois marches, une belle perspective sur une succession de voûtes carolingiennes et gothiques. Coiffées de chapiteaux d'inspiration ionique, quatre colonnes incorporant des éléments gallo-romains soutiennent deux poutres millénaires en cœur de chêne.

Dans le couloir de circulation, des **fresques★** du 9e s. – parmi les plus anciennes de France – représentent le Jugement et la Lapidation de saint Étienne ainsi que deux évêques, aux tons rouges et ocre.

Le **caveau**, profond de 5 m, où le corps de saint Germain fut déposé, est surmonté d'une voûte étoilée de soleils peints (symbole de l'éternité) rappelant les mosaïques de Ravenne, où l'évêque est mort. Il contient les sarcophages de plusieurs évêques, contrairement à la tradition qui voudrait les voir dans la cathédrale.

La chapelle d'axe, ou chapelle Ste-Maxime, reconstruite au 13e s. à l'emplacement qu'occupait autrefois la rotonde de la crypte carolingienne, comporte une belle voûte d'ogives à dix branches. Elle se superpose à la chapelle St-Clément, à laquelle on accède par un escalier droit *(à droite en sortant de la chapelle Ste-Maxime)*.

Musée d'Art et d'Histoire – Il est installé dans les bâtiments conventuels de l'ancienne abbaye, comprenant le logis de l'abbé reconstruit au début du 18e s. *(entrée de l'abbaye et du musée)*, le cellier du 14e s., la salle des moines, la salle capitulaire du 12e s. (dont on a retrouvé la belle façade derrière le cloître) et la sacristie.

Le circuit débute au 2e étage par la salle de préhistoire et de protohistoire consacrée au paléolithique, au néolithique, à l'âge du bronze et à l'âge du fer. Au 1er étage, dans la salle gallo-romaine, remarquez un superbe petit cheval enseigne gaulois provenant de Guerchy. Au rez-de-chaussée, la sacrisitie présente l'évêque **saint Germain** (337-448). Dans les salles voûtées du sous-sol, vous découvrirez l'activité des moines copistes ainsi que des objets trouvés lors des fouilles (bijoux, armes, vases...) dans la région. Voyez aussi le trésor d'Asquins (6e s.) et la collection numismatique.

Église Saint-Pierre (B2)

Rue Joubert, vous remarquerez – encadré par deux maisons – un superbe portail Renaissance sur lequel figurent Noé, ivre, et Cérès, déesse de l'Abondance. Ce portail, inspiré du Castelnuovo à Naples, s'ouvre sur la place de l'église St-Pierre. Reconstruite aux 16e et 17e s. dans le style classique, elle conserve des éléments décoratifs de la Renaissance. Très ornée, la tour, de style flamboyant, s'inspire de la tour nord de la cathédrale.

Musée Leblanc-Duvernoy (A2)

✆ 03 86 18 05 50 - tlj sf mar. 14h-18h - fermé 1er janv., 1er et 8 Mai, 1er et 11 Nov., 25 déc. - 2,20 € (enf. gratuit), 1er dim. du mois gratuit.

Aménagé dans une demeure du 18e s., ce musée est surtout consacré à la **faïence** : nombreuses pièces provenant de fabriques françaises ou appartenant à la production locale (en particulier de l'époque révolutionnaire). Il abrite également une série de fastueuses **tapisseries de Beauvais** du 18e s. figurant des scènes de l'histoire de l'empereur de Chine, ainsi qu'une importante collection de grès de Puisaye.

Musée d'Histoire naturelle (A1)

✆ 03 86 72 96 40 - 13h30-17h30 - fermé sam. et j. fériés et 24 déc.-1er janv. - gratuit.

Dans le pavillon entouré d'un petit parc botanique, ce musée consacre ses expositions temporaires aux sciences naturelles du monde entier.

Aux alentours

Canal du Nivernais

S'étirant sur 180 km, le canal du Nivernais part du village de St-Léger-des-Vignes, près de Decize dans la Nièvre, pour aboutir à Auxerre. La préfecture de l'Yonne est une base idéale pour le découvrir, en bateau, à pied ou en vélo *(voir Auxerre pratique, rubrique Sports & Loisirs)*. Parmi les multiples canaux qui traversent ou effleurent la Bourgogne, le canal du Nivernais est peut-être celui qui a le plus gardé son atmosphère d'antan, avec son aspect étroit, ses courbes, ses ponts de pierre et ses ouvrages d'art. Parmi ceux-ci, le tunnel de la Collancelle, long de 758 m, niché dans un écrin de verdure quasi-amazonienne, ou encore l'échelle de Sardy et sa sucession de 16 écluses. En le suivant, on découvre aussi les divers paysages naturels de la région (côtes calcaires, paysages bocagers, prairies…), en ayant une chance d'apercevoir martins-pêcheurs, bergeronnettes grises ou hérons cendrés…

Petite histoire du canal

Hiver 1782-83 : il fait très froid, les Parisiens grelottent. Le bois du Morvan, transporté par flottage sur les rivières, ne suffit plus. Les autorités décident alors de faire construire le canal du Nivernais, pour relier la Loire à la Seine et acheminer ainsi le bois d'autres réserves forestières de la région. Les travaux commencent en 1784 pour s'achever près de 60 ans plus tard, en 1841. Ils auront été souvent interrompus, entre autres à cause de la dureté de la tâche. Une centaine d'ouvriers trouvent la mort en creusant le tunnel de la Collancelle. Une fois ouvert, le canal sert non seulement à charrier du bois, mais aussi de la houille, du vin, des céréales, des pierres de taille. Il tombe en désuétude au 19e s., pris de vitesse par la concurrence du charbon du Nord. Il échappe ainsi à la modernisation que connaîtront d'autres voies d'eau, ce qui lui confère aujourd'hui tout son charme.

Circuit de découverte

L'AUXERROIS

Circuit de 50 km – environ 3h.

Cette excursion dans les environs immédiats d'Auxerre présente un intérêt tout particulier en avril, à l'époque des cerisiers en fleur. Le vignoble alterne avec les vergers et ajoute à l'attrait du paysage, souvent vallonné. Autour de jolis villages, de vastes cerisaies recouvrent les coteaux bordant la vallée de l'Yonne et descendent jusqu'au creux de la vallée même.

Dirigez-vous vers St-Bris-le-Vineux, 8 km au sud-est par la D 606, puis la D 956.

La route s'élève le long des coteaux qui prennent l'aspect d'un immense jardin coupé de petits bois.

Saint-Bris-le-Vineux

Ce joli village du vignoble d'Auxerre possède une **église** gothique du 13e s., avec voûtes du chœur et du bas-côté gauche de la Renaissance. Remarquez les vitraux Renaissance, la chaire sculptée, une peinture murale immense de l'arbre de Jessé (généalogie du Christ), datant de 1500, dans la 1re travée droite du chœur. Dans le bras droit du transept, une chapelle abritant le sarcophage de saint Cot montre une clef pendante très basse, portant un blason sculpté aux armoiries des Coligny et des Dreux de Mello. *Visite sur demande au ✆ 03 86 42 24 14 (presbytère de Coulanges-la-Vineuse).*

A. Doire / CRT Bourgogne
Cerisiers en fleurs aux environs d'Irancy.

St-Bris a également conservé quelques maisons anciennes des 14e et 15e s. On peut voir au n° 1 de la rue de l'Église une remarquable cave romane, à deux nefs, avec colonnes et chapiteaux.

C'est dans ce village qu'est né en 1923 **Jean-Marc Thibault**, comédien qui fut longtemps le comparse de Roger Pierre avant d'affronter Rosy Varte dans le long succès télévisuel de *Maguy* (entre 1985 et 1993).

Caves de Bailly – *Au sud-ouest de St-Bris-le-Vineux, sur l'Yonne. ✆ 03 86 53 77 77 - visite guidée et dégustation (1h) avr.-oct. : 14h30-17h30 ; nov.-mars : w.-end et j. fériés 15h30-16h30 - 4,50 € (avec verre-souvenir).*

Ces carrières souterraines, qui fournirent à Paris les pierres du parvis (19e s.) de Notre-Dame, abritent depuis 1972 plus de 3 ha de caves. Visite guidée des salles, présentation de l'élaboration du crémant de Bourgogne, avec dégustation finale.

Poursuivez 5 km au sud. Nombreuses belles échappées sur la vallée de l'Yonne.

Irancy

Dans un vallon couvert d'arbres fruitiers, ce village produit les vins rouges et rosés les plus réputés du vignoble auxerrois. C'est la patrie de **Jacques-Germain Soufflot** (1713-1780), architecte de l'hôtel-Dieu à Lyon et du Panthéon à Paris.

Rendez-vous à Escolives-Ste-Camille après avoir franchi l'Yonne à Vincelottes.

Escolives-Sainte-Camille

Située à flanc de coteau, la charmante **église** romane est précédée d'un narthex à arcades en plein cintre. Elle possède une flèche octogonale recouverte de briques posées de chant. La crypte, du 11e s., abritait naguère les reliques de sainte Camille, compagne de sainte Magnance *(voir Avallon)*, de retour de Ravenne avec la dépouille de saint Germain.

À la sortie nord du village *(rue Raymond-Kapps)*, les **vestiges**, en partie sous abri, d'un bourg et de thermes gallo-romains (1er au 3e s.) ainsi que d'un cimetière mérovingien font l'objet de fouilles. *✆ 03 86 53 34 79 - visite guidée avr.-oct. : 10h, 11h, 14h, 15h, 16h, 17h ; nov.-mars : sur demande préalable - fermé 1er janv., 1er Mai, 1er nov., 25 déc. - gratuit.*

Coulanges-la-Vineuse

Le nom même de ce petit village haut perché, entouré de vignes, évoque une antique tradition viticole. Sur 135 ha, de Jussy à Migé, en passant par Escolives, le vignoble de Coulanges donne des bourgognes coulanges-la-vineuse rouges (cépage pinot noir) à la fois tendres et légers, des blancs fruités et des rosés.

Musée du Vieux Pressoir et de la Vigne – *55 bis r. André-Vildieu - 89580 Coulanges-la-Vineuse - ✆ 03 86 42 20 59 - mi-juin-mi-sept. : tlj sf dim. et merc. 15h-18h - 3,50 € (-16 ans gratuit).* En plus d'une exposition d'outils anciens de vignerons, de caves du 12e s., ce musée recèle un vrai trésor : un pressoir à abattage de type médiéval.

Par la D 85, puis la D 463, retournez vers Auxerre.

Dans le village de **Gy-l'Évêque**, visitez l'église (13e-16e s.) où est exposé un **Christ aux orties★** (16e s.). Le village est également très fier de son **lavoir**, considéré comme l'un des plus beaux de la région.

Regagnez Auxerre par Vallan.

Auxerre pratique

Adresse utile

Office du tourisme d'Auxerre et l'Auxerrois – *1/2 quai de la République - 89000 Auxerre - ☏ 03 86 52 06 19 - www.ot-auxerre.fr - de mi-juin à mi-sept. : 9h-13h, 14h-19h, dim. 9h30-13h, 15h-18h30 ; de mi-sept. à mi-juin : 9h30-12h30, 14h-18h, sam. 9h30-12h30, 14h-18h30, dim. 10h-13h.*

Bon à savoir – Valable un an à partir de la date d'achat, le **passeport Auxerre Privilèges** propose des tarifs avantageux sur plusieurs visites (musées, cathédrale, caves de Bailly et autres), sur les locations de VTC et vélos électriques ainsi que sur les croisières sur le canal du Nivernais (Sports & Loisirs). *En vente 2 € à l'office de tourisme.*

Rencontres autour des vins et des produits du terroir – L'office du tourisme d'Auxerre organise pendant l'été les **Jeudis du goût** (jeudis de juillet et d'août) : les viticulteurs de la région viennent présenter leurs produits, à l'office du tourisme ou sur le bateau l'Hirondelle II pendant la promenade sur le canal du Nivernais. En décembre : les **Samedis gourmands** permettent de goûter truffes de Bourgogne, chocolats ou terrines. Dégustations gratuites à l'office de tourisme.

Visites

Bon à savoir – Un **itinéraire fléché** intitulé « Sur les traces de Cadet Roussel » permet de découvrir la vieille ville. Les flèches en bronze, scellées au sol, sont à l'effigie du huissier. Le circuit est également adapté aux enfants. Brochure d'accompagnement disponible à l'office de tourisme.

Visites guidées – Auxerre, qui porte le label Ville d'art et d'histoire, propose des visites-découvertes *(1h30 à 2h)* animées par des guides-conférenciers agréés par le ministère de la Culture et de la Communication *- 5 € (-12 ans gratuit) - renseignements à l'office de tourisme ou sur www.ot-auxerre.fr.*

Se loger

La Maison des randonneurs – *5 r. Germain-Bénard - ☏ 03 86 41 43 22 - www.maison-rando.fr - fermé janv. - 8 ch. 29 € - ☕ 5 €.* La municipalité a décidé d'aménager cette ancienne maison bourgeoise en gîte d'étape. En dépit du confort un peu spartiate des chambres, de 4 à 8 couchages, on appréciera néanmoins sa situation en plein centre-ville et le joli parc boisé juste à côté. Le gérant organise des visites d'Auxerre et des vignobles alentour.

Hôtel Normandie – *41 bd Vauban - ☏ 03 86 52 57 80 - www.hotelnormandie.fr - 47 ch. 67/95 € - ☕ 8,50 €.* Belle maison bourgeoise (19e s.) séparée de la rue par une cour-terrasse. Confortables chambres diversement meublées ; l'aile récente est plus tranquille. Billard.

Hôtel Maxime – *2 quai Marine - ☏ 03 86 52 14 19 - www.lemaxime.com - P - 26 ch. 77/113 € - ☕ 10 €.* Dans le quartier de la marine (maisons à pans de bois), hôtel familial qui daterait du 19e s. Chambres avec vue sur l'Yonne ou plus calmes côté cour.

Hôtel Mas des Lilas – *La Cour Barrée - 89290 Champs-sur-Yonne - ☏ 03 86 53 60 55 - www.lemasdeslilas.com - fermé vac. de fév. - P - 17 ch. 59 € - ☕ 7,50 €.* Ces pavillons nichés dans un plaisant jardin fleuri abritent de petites chambres bien tenues ; toutes sont de plain-pied et bénéficient d'une terrasse ouverte sur la verdure.

Chambre d'hôte Domaine Borgnat – *1 r. de l'Église - 89290 Escolives-Ste-Camille - 9,5 km au sud d'Auxerre par D 239 - ☏ 06 19 97 06 46 ou 03 86 53 35 28 - www.domaineborgnat.com - 5 ch. 62/72 € ☕ - repas 24/35 €.* Dans cette ferme fortifiée du 17e s., qui se trouve au sein d'une belle propriété viticole, vous aurez le choix entre 5 chambres d'hôte rénovées, décorées avec soin et 3 gîtes dont 1 aménagé dans le pigeonnier. Wi-fi. Les repas façon terroir font découvrir les vins du domaine, que l'on peut aussi déguster lors de la visite des superbes caves. Stages autour du vin. Piscine chauffée. Accueil sympathique.

Chambre d'hôte Château de Ribourdin – *89240 Chevannes - 7 km au sud-ouest d'Auxerre par N 151 puis D 1 et rte secondaire - ☏ 03 86 41 23 16 - www.chateauderibourdin.com - 5 ch. 70/80 € ☕.* Dressés en contrebas du village, au milieu de champs de blé, ce magnifique petit château du 16e s. et son pigeonnier ont fière allure. L'ancienne grange du 18e s. accueille les chambres, baptisées chacune du nom d'un château des environs, et la salle des petits-déjeuners agrémentée d'une cheminée.

Se restaurer

La P'tite Beursaude – *55 r. Joubert - ☏ 03 86 51 10 21 - auberge.beursaudiere@wanadoo.fr - 24/27 €.* L'enseigne à consonance régionale, La salle à manger au cachet campagnard simple et chaleureux, les serveurs qui officient en costume local et de copieuses recettes puisant dans le terroir : c'est un véritable concentré de Bourgogne que l'on découvre en poussant la porte de cette P'tite Beursaude !

Auberge du Château – *89580 Val-de-Mercy - 18 km au sud d'Auxerre par D 606, D 85 et D 38 - ☏ 03 86 41 60 00 - delfontaine.j@wanadoo.fr - fermé 15 janv.-5 mars, dim. soir, mar. midi et lun. - réserv. obligatoire - 25/42 € - 6 ch. 69/91 € - ☕ 10 €.* Voilà une auberge de campagne comme on les aime : deux petites salles à manger au chaleureux décor bourgeois, exposition de tableaux d'artistes locaux, terrasse d'été dressée dans le joli jardin fleuri, cuisine traditionnelle et quelques chambres confortables.

Le Bourgogne – *15 r. Preuilly - 03 86 51 57 50 - contact@lebourgogne.fr - fermé 31 juil.-29 août, 23 déc.-2 janv., jeu. soir, dim., lun. et j. fériés - 28 €.* Ex-garage abritant désormais un sympathique restaurant au cadre rustique. L'ardoise du jour annonce des recettes du terroir concoctées au gré du marché. Belle terrasse d'été.

Auberge des Tilleuls – *89290 Vincelottes - 16 km au sud d'Auxerre par D 606 et D 38 - 03 86 42 22 13 - www.auberge-les-tilleuls.com - fermé 19 déc.-21 fév., jeu. d'oct. à Pâques et merc. - 26/56 € - 5 ch. 55/77 € - 10,50 €.* Faites donc un petit détour en dehors des routes fréquentées pour apprécier le cadre bucolique et la cuisine traditionnelle soignée de cette auberge de village. L'été, sa terrasse dressée en bordure de l'Yonne est très prisée. Belle carte de vins bourguignons.

Chamaille – *89240 Chevannes - 8 km au sud-ouest d'Auxerre par N 151 puis D 1 - 03 86 41 24 80 - www.lachamaille.fr - fermé vac. de fév. - réserv. obligatoire - 38/57 € - 3 ch. 60/70 € - 10 €.* Si cette ancienne ferme date des 16e et 18e s. et l'atmosphère qui y règne s'avère agréablement agreste, la cuisine proposée est quant à elle résolument dans l'air du temps, voire même inventive. Vous pourrez la déguster dans un cadre rustique ou sous une véranda ouverte sur le parc traversé par un ruisseau.

Barnabet – *14 quai de la République - 03 86 51 68 88 - www.jlbarnabet.com - fermé 23 déc.-12 janv., mar. midi, dim. soir et lun. - 29 € déj. - 46/73 €.* Un peu en retrait des quais bordant l'Yonne, cette maison de caractère est le rendez-vous des gourmands et gourmets. Élégante salle à manger aux tons pastel ou terrasse dans la cour intérieure. Cuisine au goût du jour pour cette table particulièrement soignée.

Que rapporter

Au Fin Palais – *3 pl. St-Nicolas - quartier de la Marine - 03 86 51 14 03 - aufinpalais@club-internet.fr - 9h30-19h30 - fermé 15-30 janv.* On trouve dans cette boutique les fleurons de la cuisine bourguignonne, issus des meilleurs producteurs du cru : terrines du Morvan, petit salé aux lentilles, bœuf bourguignon, pain d'épice, nonnettes, croquets, confitures, moutardes, vinaigres et les fameux escargots. Un petit espace est réservé aux vins et liqueurs.

P. Soufflard – *23 r. Joubert - 03 86 52 07 07 - mar. 8h-12h30, 16h-19h30, merc. 10h30-12h30, 15h-19h30, jeu. 8h30-12h30, 15h-19h30, vend. 15h-19h, sam. 8h-12h30, 15h-19h.* Époisses Berthaut, Plaisir au chablis, brillat-savarin,pouligny saint-pierre, vézelay, crottin de Chavignol, délice de Bourgogne, roquefort, comté, morbier sont un mince échantillon de tous les fromages que l'on trouve ici. Monsieur Soufflard sélectionne lui-même ses produits et ne travaille que des fromages fermiers et AOC.

Les Agapes – *13 r. Preuilly - 03 86 52 15 22 - ragaine.marc@wanadoo.fr - tlj sf dim. et lun. 9h-12h30, 14h-19h - fermé j. fériés.* Dans la boutique de ce meilleur caviste indépendant du monde 2003, vous découvrirez une sélection de vins, spiritueux, idées cadeaux…

Domaine Anita, Jean-Pierre et Stéphanie Colinot – *1 r. des Chariats - 89290 Irancy - 03 86 42 33 25 - earlcolinot@aol.com - tlj sf dim. apr.-midi sur RV 9h-12h, 14h-18h30 - ouv. le mat. des j. fériés.* La famille colinot élabore leurs vins dans le respect des méthodes ancestrales pratiquées en Bourgogne. Ils vinifient sept cuvées issues des meilleurs lieux-dits d'Irancy : Palotte, Côte du Moutier, les Mazelots, les Cailles, Bondardes, les Bessys et Veaupesiot. Dégustation et visite des chais du 17e s.

Domaine Rigoutat – *2 r. du Midi - 4 km au nord-est de Coulanges sur la D 463 - 89290 Jussy - 03 86 53 33 79 - http://domainerigoutat.skyblog.com/ - sur RV - fermé 1er-15 août.* Charte de l'accueil. Pascale et Alain proposent dans de belles caves voûtées des bourgognes coulanges-la-vineuse, des bourgognes aligotés et des crémants de Bourgogne.

Sports & Loisirs

Le canal du Nivernais – Il existe plusieurs manières de découvrir le canal à partir d'Auxerre (*renseignements à l'office de tourisme) :*

- **en bateau-promenade** : le bateau « l'Hirondelle » propose des promenades d'1h30. Du 1er avr. au 31 oct.
- **en bateau électrique** (4-5 pers. max.) Ces bateaux sans permis se louent de la demi-heure (12 €) à la journée (80 €). De mi-mars à fin sept.
- **en vélo ou à pied**, en suivant le chemin de halage.

Bon à savoir – Une carte des **chemins de halage**, agrémentée de quelques explications vous guidera à travers les promenades, de 3 à 12 km, formant le circuit de l'Auxerrois. Au programme, le chemin des cerisiers, celui de la Vallée de l'Yonne, ou encore la coulée verte et le parc de l'Arbre sec. *En vente à l'office de tourisme.*

Passeport Auxerre Privilèges – Valable un an à partir de la date d'achat, ce **passeport** propose des tarifs avantageux sur plusieurs visites (musée, cathédrale et autres), sur les locations de vélos électriques ainsi que sur les croisières sur le canal du Nivernais. En vente pour seulement 2 € à l'office du tourisme.

La Calèche d'Amédée – *La Cour Carrée - 03 86 53 86 63.* Venez découvrir le vignoble auxerrois lors d'une promenade en calèche ! Voici une manière amusante de profiter des paysages de la région, et éventuellement, de faire connaissance avec les vignerons et leurs caves.

Événements

Les Grandes Heures d'Auxerre – Tous les soirs du 1er juin au 30 sept. à la cathédrale St-Étienne (à 22h ou 21h30). Spectacle son et lumière. ✆ 03 86 52 23 29.

Festivals musicaux – Ils sont nombreux pendant l'été : « Nuits métisses » (musiques du monde), « Garçon, la Note » (concerts gratuits dans les cafés), « Les Fanfaronnades » (fanfares), etc.

Fleurs de vignes – Le 3e dim. de mai, sur les quais de la Marine et de la République, les professionnels du vins du Grand Auxerrois et de Chablis font goûter leur production. Concerts, expositions, animations pour les enfants.

Auxonne

7 717 AUXONNAIS
CARTE GÉNÉRALE C3 – CARTE MICHELIN DÉPARTEMENTS 320 M6 – CÔTE-D'OR (21)

Tout témoigne par ici du rôle de place forte tenu par cette ancienne ville frontalière : casernes, arsenal, remparts, champ de tir et château militaire du 15e s. Comme pour apaiser les esprits, la Saône pacifique passe calmement le long d'allées ombragées et offre un plan d'eau bien apprécié des plaisanciers.

Se repérer – Auxonne se trouve près de la Franche-Comté, à 32 km de Dijon par la D 905.

À ne pas manquer – La statue de Napoléon Bonaparte sur la place d'Armes, érigée en souvenir du passage de l'illustre homme à Auxonne ; le barrage à aiguilles sur la Saône et son ingénieux système escamotable de régulation des eaux.

Avec les enfants – Les différentes activités nautiques à pratiquer sur la Saône *(voir carnet pratique)* et les balades dans la forêt des Crochères devraient faire leur bonheur.

Pour poursuivre la visite – Voir aussi la vallée de la Saône.

Comprendre

Le lieutenant Bonaparte – Le régiment d'artillerie de La Fère est en garnison à Auxonne depuis décembre 1787 lorsque Bonaparte y entre, au début de juin 1788, en qualité de lieutenant en second. Il a alors dix-huit ans et suit les cours théoriques et pratiques de l'École royale d'artillerie, avec un désir très vif de s'instruire qui le fait remarquer comme à Valence, sa garnison précédente. Épuisé par les veilles et par les privations auxquelles sa maigre solde le contraint, il quitte Auxonne le 1er septembre 1789 pour sa Corse natale. Il revient à Auxonne à la fin de février 1791, accompagné de son frère Louis, dont il devient le mentor, et assiste en spectateur attentif aux événements qui se précipitent à Paris. En avril, nommé lieutenant, il rejoint le régiment à Valence. Cinq ans plus tard, il sera nommé commandant en chef de l'armée d'Italie. On connaît la suite...

Patrimoine industriel

Le **barrage à aiguilles** d'Auxonne – l'un des plus longs ouvrages de ce type conservé en France (220 m) – fut conçu en 1840 d'après un modèle mis au point par l'ingénieur **Charles Poiré**.

De quoi s'agit-il exactement ? D'un barrage mobile à fermettes et aiguilles de bois, de section carrée, que l'on place les unes à côté des autres pour former la bouchure du barrage. Hautes de trois à cinq mètres et larges de dix à douze centimètres, ces aiguilles se manipulent les unes après les autres. Donc, en période de crue, on les retire manuellement, on couche les fermettes... et le barrage s'efface !

Se promener

Garez votre voiture près du jardin de l'Hôtel-de-ville.

La **porte de Comté**, qui date de 1503, avait été conservée dans les fortifications ultérieures, disparues depuis.

Église Notre-Dame

Élevée aux 13e et 14e s., elle est hérissée de gargouilles et de statues. Son transept est flanqué à droite d'une tour romane.

Le porche (16e s.) abrite les statues des prophètes refaites en 1853 par le sculpteur Buffet. Six d'entre elles sont une copie fort libre du Puits de Moïse de la chartreuse de Champmol à Dijon. À l'intérieur, remarquez dans l'absidiole droite une belle Vierge au raisin, œuvre bourguignonne du 15e s. ; sur le 4e pilier de la nef, à droite, une châsse de saint Hubert, polychrome, peinte au 15e s. ; dans la 1re chapelle du bas-côté gauche, un Christ aux liens du 16e s. et un saint Antoine ermite de la fin du 15e s. ; dans le chœur, un aigle en cuivre servant de lutrin, et des stalles du 16e s.

Près de l'église, au centre de la place d'Armes et face à l'**hôtel de ville**, édifice en brique du 15e s., s'élève la **statue** du *Lieutenant Napoléon Bonaparte* par Jouffroy (1857).

Rejoignez le château par la rue du Bourg, puis la rue du Dr-Roussel (maisons anciennes).

Musée Bonaparte

✆ 03 80 31 15 33 - mai-sept. : 10h-12h, 15h-18h - gratuit.

Installé dans la plus grosse tour de la forteresse édifiée par Louis XI, et plusieurs fois remaniée, il présente des objets personnels du lieutenant et des armes de soldats du Premier et du Second Empire.

Auxonne pratique

Adresse utile

Office du tourisme d'Auxonne – *11 r. de Berbis - 21130 Auxonne - ✆ 03 80 37 34 46 - www.ot-auxonne.fr - 9h-12h, 14h-18h, lun. 14h-18h, fermé dim. sf juil -août (9h-12h, 14h-18h).*

Se loger

Chambre d'hôte Les Laurentides – *27 r. du Centre - 21130 Athée - 5 km au nord d'Auxonne sur D 24 - ✆ 03 80 31 00 25 - http://leslaurentides.over-blog.com - - 4 ch. 52 € - repas 22 €.* Cette accueillante ferme de 1870 allie charme et confort. Ses chambres, aménagées dans l'ancien grenier, sont toutes décorées d'œuvres de la maîtresse de maison, peintre à ses heures ; les plus agréables donnent sur le magnifique jardin. Salon et cuisine équipée à disposition des hôtes.

Se restaurer

Des Halles et Hôtel du Corbeau – *1 r. Berbi - ✆ 03 80 27 05 30 - www.hotel-auxonne.com - fermé 26 déc.-18 janv., dim. soir et lun. hors sais. - 13 € déj. - 20/50 € - 9 ch. 60/70 € - 6 €.* Bois, béton, décoration et mobilier désign composent le cadre contemporain de ce bistrot où l'on sert une cuisine traditionnelle et du marché assortie de suggestions du jour. Petites chambres coquettes pour l'étape.

Sports & Loisirs

Base de loisirs – *- Rte d'Athée - ✆ 03 80 37 36 61 - www.base-auxonne.fr - avr.-oct. : tlj sf w.-end 8h30-12h, 13h30-17h.* Cette base de loisirs aménagée à deux pas du centre-ville fera le bonheur des amateurs de sport grâce à la qualité de ses installations. Un éventail complet d'activités parmi lesquelles la planche à voile, le canoë et le kayak. Encadrement assuré par des professionnels qualifiés.

Le Maltess – *Le Creux de l'Oiseau - ✆ 03 80 29 15 88 - fermé oct.-mars - 9 à 56 € (enf. 7 à 36 €).* Rien de tel qu'une croisière pour découvrir les charmes et les secrets de la Saône. De la petite promenade à la formule déjeuner, voici l'occasion unique de faire connaissance avec la faune et la flore bourguignonne au fil de l'eau.

Avallon★

7 366 AVALONNAIS
CARTE GÉNÉRALE B2 – CARTE MICHELIN DÉPARTEMENTS 319 G7 – YONNE (89)

Perché sur un promontoire granitique isolé entre deux ravins, Avallon domine la vallée du Cousin. Cette pittoresque cité ne manque pas d'attraits, avec sa ceinture murée, ses jardins, ses maisons anciennes et, dans la ville basse, ses céramistes et verriers d'art à l'œuvre. Avallon est un excellent point de départ pour la visite de l'Avallonnais et du Morvan.

Se repérer – Avallon se trouve à 14 km à l'est de Vézelay par la D 957, et à 40 km au nord-ouest de Saulieu par la D 906.

Se garer – Profitez des parkings au nord de la ville, notamment près de l'hôpital.

À ne pas manquer – La célèbre série du *Miserere* de Georges Rouault, au musée de l'Avallonais ; les expositions thématiques du Centre du costume ; le château de Chastellux, tout près d'Avallon *(voir Alentours).*

Organiser son temps – Prévoyez environ 2h pour découvrir la ville fortifiée.

Avec les enfants – Ils seront fascinés par les prestigieuses berlines du musée des Voitures de chefs d'État au château de Montjalin.

Pour poursuivre la visite – Voir aussi la vallée de la Cure, le Morvan, Vézelay.

Comprendre

Forteresse et Forte-Épice – Puissamment fortifié, Avallon devint au Moyen Âge l'une des « clefs » de la Bourgogne. Parti à la conquête du duché de Bourgogne, le roi de France Robert le Pieux, fils de Hugues Capet, assiège Avallon en 1005. Vainqueur, il massacre la plupart des habitants. L'annexion au domaine royal aura lieu en 1016.

En 1432, alors que Philippe le Bon se trouve en Flandre, **Jacques d'Espailly**, surnommé Forte-Épice, parvient, à la tête d'une bande d'aventuriers du Nivernais, à se rendre maître des châteaux de la basse Bourgogne. Il va même jusqu'à menacer Dijon. Une nuit de décembre, alors que les Avallonnais, tranquilles dans leurs murailles, dorment sans inquiétude, Forte-Épice surprend la garde et enlève la ville. Le duc de Bourgogne, alerté, revient en hâte. Il fait diriger une « bombarde » contre la cité : les boulets de pierre ouvrent dans la muraille une large brèche par laquelle se précipite l'armée bourguignonne. Mais l'assaut est repoussé. Exaspéré, Philippe le Bon envoie chercher chevaliers et arbalétriers. Forte-Épice, se sachant perdu, disparaît par une des poternes qui ouvrent sur la rivière, abandonnant ses compagnons dans sa fuite.

Le saviez-vous ?

On a retrouvé, sur une monnaie celte, le nom gravé d'*Aballo*, qui peut être rapproché du mot saxon signifiant « pomme » : *Apfel, apple…*

Les Avallonnais ont adopté **Vauban** (né à St-Léger) comme l'un des leurs : sa statue par Bartholdi trône au bout de la promenade des Terreaux. Sur un autre registre, Avallon a servi de cadre au film d'André Hunebelle, *Le Capitan* (1961), avec Jean Marais et Bourvil.

Découvrir

LA VILLE FORTIFIÉE★

Partez du bastion de la Porte auxerroise au nord (parking).

Le tour des remparts

Depuis l'hôpital, bâtiment du début du 18e s., suivez la rue Fontaine-Neuve dominée par la tour des Vaudois ; le bastion de la côte Gally surplombe un terre-plein propice à la promenade, au-dessus du ravin du ru Potot.

Promenade de la Petite-Porte – De la terrasse plantée de tilleuls, le regard embrasse la vallée du Cousin, à 100 m en contrebas, les monts du Morvan et quelques manoirs.

Par la rue du Fort-Mahon, vous rejoignez le bastion de la Petite-Porte, après la tour du Chapitre (1454) et la tour Gaujard.

Prolongez à l'est ce tour des remparts.

En suivant en contre-haut le ravin des Minimes, vous voyez la tour de l'Escharguet, puis la tour Beurdelaine. Construite en 1404 par Jean sans Peur, cette dernière fut renforcée en 1590 par un bastion couronné d'une échauguette en encorbellement.

Église Saint-Lazare

Au 4e s., un édifice fut fondé ici sous le vocable de Notre-Dame. D'un sanctuaire du 10e s. subsiste une crypte sous le chœur actuel. À cette époque, l'église reçut du duc de Bourgogne, Henri le Grand, frère de Hugues Capet, le crâne de saint Lazare, insigne relique à l'origine d'un culte. Dès la fin du 11e s., l'affluence des pèlerins était telle qu'il fut décidé, en accord avec les moines constructeurs de Cluny, d'agrandir l'église. Consacré en 1106 par le pape Pascal II, le sanctuaire fut vite trop petit, et on reporta la façade à une vingtaine de mètres vers l'avant pour allonger la nef.

Les portails★ – La façade était autrefois flanquée au nord d'une tour-clocher au pied de laquelle était percé le portail nord ; le clocher, incendié puis ruiné plusieurs fois, s'écroula de nouveau en 1633, écrasant dans sa chute ce petit portail et une partie de la façade. Il fut remplacé en 1670 par la tour actuelle. Les voussures du **grand portail** sont remarquables ; elles sont composées de 5 cordons sculptés d'angelots, de musiciens de l'Apocalypse, signes du zodiaque et travaux des mois, feuilles d'acanthe et de vigne. Remarquez les élégantes colonnettes à cannelures en hélice et les colonnes torses alternant avec les colonnes droites.

Le tympan et le linteau du **petit portail** portent encore leurs sculptures malheureusement mutilées ; on croit reconnaître l'Adoration et la Chevauchée des Mages, leur visite à Hérode puis la Résurrection et la Descente aux limbes. Quant au décor des voussures, il est d'inspiration végétale : guirlandes de roses épanouies, giroflées, arums stylisés. À droite, dans le prolongement de la **façade**, se trouvent les vestiges de l'ancienne église St-Pierre qui servit d'église paroissiale jusqu'à la Révolution. Sa vaste nef abrite des expositions temporaires. À gauche du chevet, une terrasse permet d'en détailler les sculptures et de dominer la vallée du Cousin, par-delà le parc des Chaumes.

Intérieur – La façade, lors de son déplacement, s'est trouvée orientée en biais par rapport à l'axe de la nef qui suit, par paliers successifs, la déclivité du sol (le chœur se trouve 3 m plus bas que le seuil). Dans le bas-côté sud, voyez les statues en bois

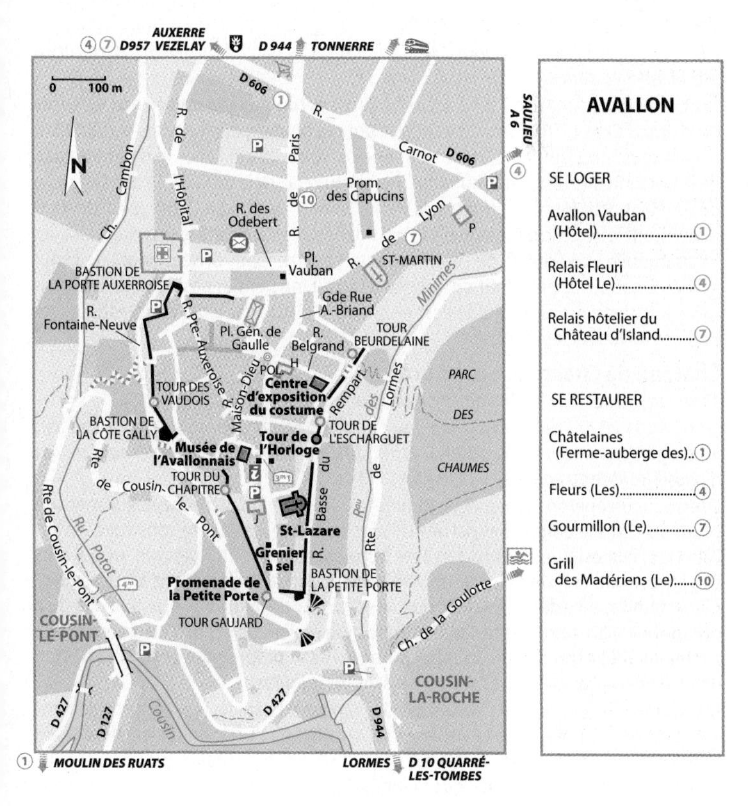

peint (17e s.) de sainte Anne et la Vierge (15e s.) et un saint Michel terrassant le dragon, en pierre (14e s.). La chapelle en rotonde à droite du chœur est entièrement revêtue de peintures en trompe-l'œil, du 18e s. Ne manquez pas, lorsque vous serez dans le chœur, de lever la tête vers la splendide tribune d'orgues, du 15e s.

Tout près, dans la rue Bocquillot, passez voir le **grenier à sel**, ancien pressoir du 15e s., avec sa niche à coquille et ses fenêtres à meneaux.

Tour de l'Horloge

Édifiée au 15e s. sur la porte de la Boucherie, cette belle tour, flanquée d'une tourelle coiffée d'ardoise et surmontée d'un campanile qui abritait le guetteur, se dresse au point culminant de la ville.

Visiter

Musée de l'Avallonnais

03 86 34 03 19 - ♿ - juil.-sept. : 14h-18h ; oct.-juin : w.-end, j. fériés et vac. scol. 14h-18h - fermé mar. - gratuit. Fondé en 1862, le musée est installé dans l'ancien collège édifié au 17e s. L'histoire de l'Avallonnais y est présentée au travers des collections, qui remontent à la préhistoire, avec l'ensemble des résultats des fouilles d'Arcy-sur-Cure menées, en particulier par Leroi-Gourhan et son équipe, de 1946 à 1963. Vous découvrirez aussi des créations d'artistes régionaux, que ce soit des sculpteurs, tels Loiseau-Bailly et Vigoureux, l'orfèvre Jean Després, ou des peintres, comme Antoine Vestier (*Petite Fille au perroquet,* 1790). Les collections recèlent aussi la célèbre série du **Miserere★** de Georges Rouault et les premiers tableaux qu'il a peints pour le musée en 1895 (*Stella Matutina* et *Stella Vespertina*, où se lisent très nettement l'influence de son maître Gustave Moreau).

Centre d'exposition du costume

03 86 34 19 95 - visite guidée (45mn) de mi-avr. au 1er nov. : 10h30-12h30, 13h30-17h30 - 4 € (enf. 2,50 €).

Une belle demeure des 17e et 18e s. sert d'écrin à des **costumes★** anciens présentés lors d'expositions thématiques régulièrement renouvelées.

Aux alentours

Château de Montjalin

7 km à l'est, à Sauvigny-le-Bois, sur la D 957. 03 86 34 46 42 - www.voitures-presidentielles. com - ♿ - 9h-19h - 6 € (enf. 3 €).

Cet élégant château du 18e s. accueille dans ses communs le **musée des Voitures de chefs d'État★**. Très longues et noires pour la plupart, découvertes ou blindées, majestueuses ou fringantes, une trentaine de voitures officielles illustrent un pan de la personnalité de grands hommes. Remarquez la copie de la DS 19 dans laquelle de Gaulle roulait lors de l'attentat du Petit-Clamart, la Lincoln Continental de Kennedy, modèle de celle dans laquelle le président américain a été assassiné, la Lincoln « Papamobile » de Paul VI, ou l'extravagante Cadillac (pare-brise d'avion) de l'émir d'Abou Dhabi... La présentation, un peu à l'étroit, ne permet pas de circuler autour des véhicules. Les visites guidées sont un vrai « plus », car alors ces prestigieuses berlines dévoilent leurs secrets...

Château de Chastellux-sur-Cure★

13 km au sud par la D 944, en direction de Lormes.

03 86 34 20 03 - de mi-avr. à déb nov. : tlj sf lun. et mar., fermé le reste de l'année ; visites guidées uniquement, à 10h15, 11h15, 14h30, 15h30 et 16h30 - elles sont suivies d'une visite libre du parc - 8 € (-18 ans 6 €, - 13 ans 5 €).

Dressé sur un éperon rocheux qui domine la Cure, le château de Chastellux mérite à plusieurs titres le détour. Ses parties les plus anciennes ayant été construites avant l'an 1116, elle est l'une des forteresses les plus anciennes du Morvan, et qui plus est, encore habitée. Depuis plus de 1 000 ans, le domaine appartient à une seule et même famille, celle des Chastellux, proches des ducs de Bourgogne : autant dire qu'il occupe une place importante dans l'histoire de la région. Or, ce château n'a ouvert ses portes au public qu'en 2008, sous l'impulsion de son propriétaire, le comte Philippe de Chastellux, qui assure très souvent les visites guidées.

Intérieur – Sur les nombreuses pièces que compte le château, une partie seulement est ouverte au public, mais la visite est susceptible évoluer d'année en année. Elle permet de découvrir une salle des gardes (13e s.) ornée de plusieurs grandes tapisseries, un fumoir, une bibliothèque contenant plus de 9 000 ouvrages dont certains très anciens, un cloître aux peintures Renaissance... Dans le salon aux portraits de famille, n'hésitez pas à poser des questions : chaque ancêtre a son histoire, souvent rocambolesque, tel Henri-Georges de Chastellux, qui, peu avant la Révolution, reçut l'ordre de veiller sur Madame Victoire, la fille de Louis XV. Contraint d'émigrer pour l'Italie, il ne revint qu'en 1810 et dut vendre plusieurs de ses propriétés pour récupérer son château, qui avait été vandalisé.

Parc – Pour mieux appréhender le côté « imprenable » de la forteresse, la visite guidée commence près des enceintes du château, d'où l'on domine les environs. Mais à la fin de la visite, il est possible de découvrir librement une partie du parc de 20 ha (un plan est fourni). Vous y trouverez une basse cour, des écuries, les maisons du menuisier, du jardinier, une glacière profonde de 8 m, un étang, un verger, un potager... Bref, de quoi vivre en parfaite autarcie, ce que les propriétaires du château ont fait durant des siècles.

Château de Chastellux.

Sainte-Magnance

15 km au sud-est, en direction de Saulieu (D 606). L'**église** de ce petit village, édifiée vers 1514, est de style gothique. Le chœur et l'abside sont surmontés de voûtes flamboyantes. Elle renferme l'insolite **tombeau★** de sainte Magnance, du 12e s., endommagé à la Révolution puis restauré. Ses bas-reliefs racontent la légende et les miracles de la sainte, qui accompagna avec sainte Camille et trois dames romaines le corps de saint Germain d'Auxerre, mort à Ravenne au milieu du 5e s.

Montréal★

12 km au nord-est d'Avallon (D 957). Enfermé dans ses remparts dominant la rive gauche du Serein, ce bourg médiéval compte parmi les plus caractéristiques de Bourgogne.

Le vieux bourg – On entre par la porte d'En-Bas aux belles arcades du 13e s., puis l'on monte la rue principale bordée de jolies maisons anciennes. Notez que l'ensemble du village est parfaitement entretenu.

Église – *✆ 03 86 32 12 74 - des Rameaux à mi-nov. : 9h-18h ; reste de l'année : w.-end 10h-17h.* Cet édifice de style ogival primitif du 12e s. a été restauré par Viollet-le-Duc. La porte d'En-Haut qui précède la collégiale lui sert de clocher. Le portail en plein cintre de la façade, surmonté d'une rosace, est orné de redents descendant le long des piédroits et du trumeau.

À l'intérieur, au bas de la nef, une tribune en pierre du 12e s. est supportée par une fine colonnette. Les 26 **stalles★** en chêne sculpté, des années 1520, attribuées aux deux frères Rigolley de Nuits-sous-Ravières (sur l'Armançon, près d'Ancy-le-Franc), méritent d'être détaillées. Tous les sujets traités, la plupart du Nouveau Testament, mais aussi des scènes rurales, sont formidables d'expressivité. Dans le chœur, à gauche, se trouve une **retable** en albâtre du 15e s. *(malheureusement très incomplet, à la suite d'un vol)* d'origine anglaise, consacré à la vie de la Vierge. Remarquez encore la chaire et le lutrin du 15e s., un triptyque et une Vierge en bois des 16e et 17e s., de belles pierres tombales.

Panorama – De la terrasse, au fond du cimetière, derrière l'église, on découvre toute la vallée du Serein, l'Auxois, la Terre-Plaine et, plus loin, les monts du Morvan. Remarquez dans la plaine, en direction de Thizy, au nord-est, une vaste ferme bourguignonne fortifiée.

Circuit de découverte

VALLÉE DU COUSIN★

Circuit de 33 km – environ 1h. Effectuez tout d'abord 6 km vers l'ouest par la D 606, puis prenez à gauche la D 128.

Vault-de-Lugny

Le bourg possède une **église** du 15e s. à chevet plat, consacrée à saint Germain. À l'intérieur, une **peinture murale** du milieu du 16e s. se déroule tout autour de la nef et du chœur, entre les grandes arcades et la retombée des ogives. Cette fresque, d'environ 70 m de longueur, représente 13 tableaux de la Passion du Christ. Les scènes sont traitées avec beaucoup d'habileté.

Continuez sur 1,5 km au sud-est.

La route suit une boucle du Cousin et laisse sur la gauche un **château** féodal entouré de douves, avec donjon du 14e s. (établissement hôtelier de luxe). *03 86 34 07 86 - www.lugny.fr - 18 avr. à mi-nov. : tlj sf w.-end et j. fériés 10h-16h - sur demande - gratuit.*

Pontaubert

La localité, qui s'étage sur la rive gauche du Cousin, détient une église de style roman bourguignon due aux moines hospitaliers.

Poursuivez à l'est sur la D 427.

Les Ruats

La route, qui longe le cours du Cousin dans une gorge granitique et boisée, serpente dans un décor de verdure. D'anciens **moulins**, comme celui des Ruats, ont été aménagés en hôtels, dans un site agréable.

Office du tourisme de l'Avallonnais et du Morvan

La vallée du Cousin.

La route passe au pied de l'éperon où domine Avallon, et continue à remonter la rive droite du Cousin.

Méluzien

Site charmant au confluent du ru des Vaux et du Cousin. La route s'élève à travers bois jusqu'à Magny ; vous vous dirigez alors au sud vers le Cousin.

Moulin-Cadoux

Un vieux pont, avec parapet en dos d'âne, franchit la rivière, composant un charmant tableau.

Marrault

On aperçoit, à droite, un château du 18e s., où Pasteur fit plusieurs séjours, et aussitôt après, à gauche, l'étang du Moulin.

Revenez à Avallon par la D 10. Jolie vue sur la ville.

Avallon pratique

Adresse utile

Office du tourisme d'Avallon – *6 r. Bocquillot - 89200 Avallon - ✆ 03 86 34 14 19 - www.avallonais-tourisme.com - de mi-juin à fin sept. : 9h30-13h, 14h-19h ; oct.-mars : mar.-sam. 9h30-12h30, 14h30-18h, lun. 14h30-18h, dim. 10h-13h vac. scol. ; de déb. avr. à mi-juin : lun.-sam. 9h30h-12h30, 14h30-18h, dim. 10h-13h vac. scol.*

Se loger

Hôtel Avallon Vauban – *53 r. de Paris - ✆ 03 86 34 36 99 - www.avallonvaubanhotel.com - P - 26 ch. 59/60 € - 8,50 €.* Au bord d'un carrefour animé, cette demeure régionale s'ouvre sur un vaste parc ombragé. Décor frais et meubles en merisier dans les chambres (plus calmes à l'arrière).

Hôtel Le Relais Fleuri – *✆ 03 86 34 02 85 - www.relais-fleuri.com - P - 48 ch. 79/88 € - 12,50 € - rest. 20/62 €.* Cet hôtel situé sur la route de Saulieu abrite des chambres vastes et confortables, de plain-pied avec un parc de 4 ha doté de tennis et d'une piscine. Lumineuse salle à manger rustique et appétissante carte régionale ; cave riche en bourgognes.

Relais hôtelier du Château d'Island – *89200 Island - 7 km au sud-ouet d'Avallon par D 957 puis D 53 - ✆ 03 86 34 22 03 - http://disland.free.fr - fermé 4 janv.-1er mars et 15 nov.-23 déc. - 5 ch., 2 suites et 5 appartements 95/160 € - 11 € - rest. 30/55 €.* Voilà une occasion de séjourner dans un château des 15e et 18e s., au milieu de son parc. Une chambre ou une suite ? Quel que soit votre choix, vous apprécierez les meubles anciens, les poutres massives, les cheminées et la vue sur les arbres centenaires.

Se restaurer

Le Grill des Madériens – *22 r. de Paris - ✆ 03 86 34 13 16 - fermé en hiver, dim. soir et lun. - réserv. conseillée le w.-end - 9/20 €.* Les patrons de ce restaurant très animé se sont inspirés de l'île de Madère pour créer une atmosphère typique dans le décor des salles à manger voûtées : azulejos, dentelles, etc. Dans l'assiette, les fameuses brochettes géantes, des salades et quelques plats de cuisine française pour les inconditionnels.

Ferme-auberge des Châtelaines – *Les Châtelaines - 3 km au sud d'Avallon par D 127 puis rte secondaire - ✆ 03 86 34 16 37 - fermé 15 nov.-15 mars, lun.-vend. hors sais. et lun.-merc. du 1er juil. au 1er sept. - - réserv. conseillée - 12/18,50 €.* À l'entrée de la vallée du Cousin, cette ferme élève porcs, agneaux et lapins. Tout est fait maison, des terrines au fromage, en passant par les pâtisseries et les légumes du jardin. Salle à manger simple, toiles cirées, outils agrestes et gaufriers aux murs. Jolie vue sur Avallon.

Le Gourmillon – *8 r. de Lyon - ✆ 03 86 31 62 01 - fermé 5-25 janv. et dim. soir - 18/32 €.* Cette petite adresse sagement champêtre du centre-ville propose des menus à des prix si sympathiques que le canard à la bourguignonne, le jambon du Morvan ou le gâteau de pain d'épice en deviennent presque encore plus savoureux. Laissez libre cours à votre gourmandise, sans autre souci que de découvrir ces généreux menus du terroir.

Les Fleurs – *69 rte de Vézelay - 86200 Pontaubert - 5 km au nord d'Avallon par D 606 et D 957 - ✆ 03 86 34 13 81 - www.hotel-lesfleurs.com - fermé 19 déc.-25 janv., jeu. sf 1er juil.-15 sept. et merc. - 17/41 € - 7 ch. 51/57 € - 7,50 €.* Auberge familiale peu à peu rajeunie : intérieur aux tons pastel ouvert sur la terrasse dressée face au jardin. Plats traditionnels et régionaux. Chambres rafraîchies.

Faire une pause

Chez Dame Jeanne – *59 Grande-Rue - ✆ 03 86 34 58 71 - tlj sf jeu. 8h-19h.* Le décor de ce salon de thé, aménagé dans une belle maison du 17e s., plaît beaucoup : murs en pierre apparente, poutres, cheminée allumée en hiver, mobilier contemporain et jolie terrasse. La carte des thés et des cafés est fort intéressante. Pour accompagner ces breuvages, spécialité de tourte bourguignonne, mais aussi tartes salées ou sucrées, cake aux fruits et fondant au chocolat.

Que rapporter

Atelier Verrerie d'art – *13 rue des Isles Labaumes - 89200 Avallon - ✆ 03 86 34 10 14 - D'Avallon, prendre direction Vézelay par la vallée du Cousin.* Vases, verres, flacons, luminaires, etc. La salle d'exposition est juste à côté de l'atelier : selon sa disponibilité, le maître verrier, Olivier Lesniewicz, exécute ses créations devant les visiteurs.

Sports & Loisirs

Loisirs en Morvan – *40 r. de Lyon - ✆ 03 86 31 90 10 - www.loisirsenmorvan.com.* Ouvert toute l'année, cette structure offre un éventail complet d'activités physiques et sportives telles que l'escalade, le VTT, le tir à l'arc ou le paint-ball. Le parc aventure compte 70 ateliers repartis sur 4 parcours. Enfin, les amateurs d'eaux vives trouveront leur bonheur à bord des canoës et des rafts.

Château de Bazoches★★

CARTE GÉNÉRALE B2 – CARTE MICHELIN DÉPARTEMENTS 319 F7 – NIÈVRE (58)

Cette fière demeure remonte au Moyen Âge. Son nom est sans doute moins célèbre que celui de son illustre propriétaire, le maréchal de Vauban. Lorsque ce dernier s'y établit après la victoire de Maastricht (où mourut d'Artagnan), il transforma le château en « bureau d'études », d'où il conçut pour le roi Louis XIV les fameuses places fortes du « Pré carré ».

- **Se repérer** – Campé à mi-pente d'une colline boisée, le château de Bazoches se trouve à 10 km de Vézelay par la D 958.
- **À ne pas manquer** – La galerie où Vauban et ses ingénieurs conçurent une multitude de plans et études d'ouvrages fortifiés ; l'armure du maréchal ; l'ambiance studieuse des bibliothèques et cabinets de lecture du rez-de-chaussée.
- **Organiser son temps** – Prévoyez environ 1h30 pour visiter le château.
- **Avec les enfants** – Belle occasion pour vous d'évoquer, autour du plan-relief de Neuf-Brisach, la vie et l'œuvre du grand ingénieur militaire qu'était Vauban.
- **Pour poursuivre la visite** – Voir aussi Avallon, le Morvan, Vézelay, la vallée de l'Yonne.

F. Klingen / MICHELIN

Château de Bazoches et jardins.

Visiter

03 86 22 10 22 - www.chateau-bazoches.com - juil.-août : 9h30-18h ; du 22 mars à fin juin et sept. : 9h30-12h, 14h15-18h - de déb. oct. au 11 nov. : 9h30-12h, 14h15-17h - 7 € (7-14 ans 3,50 €). Aire de pique-nique près de l'entrée du château.

Proche d'Autun et des thermes de Saint-Père-sous-Vézelay, Bazoches fut un lieu d'échange durant la période gallo-romaine. Édifié à la fin du 12e s., d'architecture trapézoïdale, avec trois tours rondes et un donjon rectangulaire, le château est typiquement féodal (la quatrième tour, à mâchicoulis, fut ajoutée au 14e s.).

Le **maréchal de Vauban** (1633-1707), qui aurait dû en hériter, fit l'acquisition de son *« petit patrimoine provincial qui l'oblige à beaucoup d'entretien »* en 1675 grâce à une rétribution pour la prise de Maastricht en moins de 15 jours, le transformant en garnison. Restauré et entièrement meublé, l'intérieur permet

La Dîme royale

Publié peu avant la mort de Vauban, cet ouvrage fait le bilan de ses observations effectuées au long de ses multiples périples, et les conclusions qu'il en tire sont d'ordre économique et fiscal.

L'idée maîtresse est de taxer chaque individu en proportion de ses revenus. À une époque où la noblesse était exemptée d'impôts, les réactions de la cour et du roi furent négatives, jetant, d'après Saint-Simon, son auteur visionnaire dans la disgrâce.

de mieux connaître ce brillant ingénieur, qui fut aussi un écrivain éclairé. Il affectionnait beaucoup cette demeure, et les nombreux souvenirs qu'il a laissés illustrent avec bonheur sa personnalité, sa famille, ses conditions de vie et de travail.

Dans les **salons**, ornés de meubles et de peintures des 17e et 18e s., ne manquez pas la grande tapisserie d'Aubusson avec des motifs de paons (17e s.), ni le portrait de Vauban avec sa fameuse cicatrice sur la joue, dû à l'atelier de Rigaud, ni, à travers les croisées, la **vue** sur Vézelay.

La **galerie★** que fit construire Vauban pour y travailler, avec ses ingénieurs, à l'édification de quelque 300 ouvrages et places fortes, a été brillamment reconstituée. Au fond de la salle est exposée l'armure du maréchal, sur laquelle vous remarquerez les traces des coups qu'il a reçus. À côté, voyez la belle **maquette** qui illustre une fortification idéale, selon le système de défense mis au point par Vauban.

De part et d'autre de la copie du **plan-relief de Neuf-Brisach**, les murs sont ornés des arbres généalogiques de la famille des propriétaires du château, descendants de Vauban. *Pour un complément d'information sur la technique des fortifications, une visite de la maison Vauban à St-Léger-Vauban s'impose; voir p. 322.*

L'**antichambre** a conservé des ouvrages du maréchal, dont l'œuvre porta non seulement sur l'art militaire, mais aussi sur la navigation et la construction des fours fanaux, la statistique, l'agriculture, ou le rétablissement de l'édit de Nantes (révoqué en 1685).

La **chambre★** de Vauban, habillée de brocart rouge, a gardé un ensemble de mobilier fort rare, composé d'un lit et de six fauteuils tapissés d'époque. Le portrait à cheval de Louis XIV par Van der Meulen trône au-dessus de la cheminée. Sur le bureau hollandais se trouve un buste du maréchal par Coysevox. Quant au **bureau** du maréchal, en forme de pentagone, il émeut par le bucolique décor aux oiseaux de son plafond et par une collection de petits portraits, dont trois dus à Clouet, peintre à la cour des Valois.

Au rez-de-chaussée, en bas de l'escalier d'honneur, sont présentés trois **bibliothèques** et **salons de lectures**, riches de volumes anciens et d'éditions rares. Avec son plafond peint et ses portes intactes, la **chambre de la maréchale** marque la suite de la visite. Vous y découvrirez un superbe plan de Paris, dit « de Turgot », ainsi que le portrait de l'épouse de Vauban, administratrice de la propriété pendant ses campagnes; elle mourut en 1705, deux ans avant lui. Enfin, une minuscule **chapelle** attirera votre attention par ses voûtes peintes attribuées à Jean Mosnier, décorateur de Chambord.

Poursuivez la visite à l'extérieur, en vous promenant sur la terrasse. Du **bastion**, vous distinguerez au loin la basilique de Vézelay, et vous apercevrez en contrebas du château le petit village de Bazoches. C'est dans son église (12e-16e s.) que se trouve le **tombeau** de Vauban, son cœur reposant depuis 1809 dans le cénotaphe érigé à sa mémoire aux Invalides à Paris.

Bazoches pratique

Voir aussi les carnets pratiques d'Avallon, du Morvan, de la vallée de l'Yonne et de Vézelay.

Se loger

Hôtel Les Deux Ponts – *Rte de Seigland - 89450 Pierre-Perthuis - 03 86 32 31 31 - lesdeuxponts@gmail.com - fermé vac. de fév. - - 7 ch. 55 € - 7 € - rest. 23 €.* Maison de pays avenante et fleurie au bord d'une route de campagne. Chambres simples dotées d'une bonne literie et de salles de bains bien équipées. Originale salle à manger dont le cadre épuré est égayé d'amusants lustres hollandais en verre.

Se restaurer

Ferme-auberge de Bazoches – *Domaine de Rousseau RD 958 - 03 86 22 16 30 - www.auberge-bazoches.com - - réserv. conseillée - 17/25 € - 5 ch. 42 € .* Face au château, maison de maître du 18e s. abritant une ferme d'élevage de bœufs charolais et de truies de plein air. Côté table, on vous proposera les terrines maison, le bourguignon à l'ancienne, du porc au miel et des volailles fermières. Vous pourrez dormir sous les toits, dans l'une des chambres mansardées garnies de meubles anciens.

Beaune★★

21300 BEAUNOIS
CARTE GÉNÉRALE C3 – CARTE MICHELIN DÉPARTEMENTS 320 I7 – CÔTE-D'OR (21)

Au cœur du vignoble bourguignon, Beaune, prestigieuse cité du vin, est aussi une incomparable ville d'art. Son splendide hôtel-Dieu, son église Notre-Dame, sa ceinture de remparts, dont les bastions abritent les caves les plus connues de la région, ses jardins et ses maisons anciennes constituent l'un des plus beaux ensembles de Bourgogne.

Ph. Benet / MICHELIN

Les toits de l'hôtel-Dieu.

- **Se repérer** – Il n'y a guère de ville en Bourgogne mieux desservie que Beaune : au croisement de l'A 6, de l'A 31 (nord) et de l'A 36 (est) ; de la D 974 pour Chagny, de la D 19 pour Chalon, et de la D 973 pour Seurre…
- **Se garer** – Profitez des parkings à l'extérieur des remparts.
- **À ne pas manquer** – L'extraordinaire toiture de tuiles vernissées de l'hôtel-Dieu ; le magnifique *Jugement dernier* de Van der Weyden ; les tapisseries richement colorées de la collégiale Notre-Dame.
- **Organiser son temps** – Venez assister, le troisième dimanche de novembre, aux « Trois Glorieuses », vente aux enchères des vins des Hospices de Beaune.
- **Avec les enfants** – Après avoir découvert l'émouvante « chambre des Pôvres » de l'hôtel-Dieu, ils apprécieront une promenade dans l'agréable parc de la Bouzaise. La collection de voitures, motos et avions du château de Savigny-lès-Beaune devrait aussi leur plaire.
- **Pour poursuivre la visite** – Voir aussi la Côte, Nolay, la vallée de l'Ouche.

Comprendre

LA CAPITALE… DU BOURGOGNE

Beaune ou Dijon ? – Sanctuaire gaulois puis romain, siège d'un parlement au Moyen Âge, Beaune a été jusqu'au 14e s. la résidence habituelle des ducs de Bourgogne, avant qu'ils ne se fixent définitivement à Dijon. Les archives de la ville possèdent la charte originale des libertés communales accordées par le duc Eudes, en 1203. L'enceinte et les tours, toujours en place de nos jours, ont été édifiées à partir du 15e s. À la mort du dernier duc de Bourgogne, Charles le Téméraire, en 1477, la ville résiste avec opiniâtreté à Louis XI et ne se rend qu'après un siège de cinq semaines.

Une querelle de clocher – La rivalité entre Dijonnais et Beaunois a fait couler des flots d'encre fielleuse sous la plume du poète satirique **Alexis Piron** (1689-1773). Il est aussi l'auteur d'épigrammes contre Voltaire.

Un jour, à la suite d'un concours d'arquebusiers où ses concitoyens avaient été battus par les Beaunois, Piron compose une ode vengeresse, intitulée *Voyage à Beaune*, dans laquelle il compare les Beaunois aux ânes de leur pays – les frères

Lasnes, commerçants de la région, avaient en effet pris pour enseigne cet animal, provoquant les quolibets de leurs concitoyens – et prétend leur couper les vivres en tranchant les chardons de tous les talus des environs. Ce poème lui valut d'être interdit de séjour à Beaune.
Néanmoins, il a la témérité de s'y rendre un dimanche à la messe puis au spectacle. Bientôt, les gens le reconnaissent et lui manifestent si bruyamment leur courroux qu'un jeune spectateur, soucieux de ne rien perdre de la pièce, s'écrie : « Paix donc ! On n'entend rien ! ». Ce à quoi notre fanfaron réplique : « Ce n'est pas faute d'oreilles ». Les spectateurs se ruent sur lui, et cette nouvelle plaisanterie lui aurait coûté cher si un Beaunois compatissant ne lui avait donné asile et fait quitter la ville nuitamment. À la fin du 18e s., la population des deux cités était comparable : près de 20 000 habitants.
Les Trois Glorieuses – Chaque année, sous la halle médiévale, a lieu la célèbre vente aux enchères des vins des Hospices de Beaune. Les annonces du crieur ne sont plus guettées par les experts, car le marteau et la voix du commissaire-priseur ont pris le relais. Seule la pièce de charité est encore vendue à la bougie, d'où son nom d'« enchères à la chandelle ».
Le produit de ce qu'on a appelé « la plus grande vente de charité du monde » est toujours consacré à la modernisation des installations chirurgicales et médicales de l'hôpital de Beaune, ainsi qu'à l'entretien de l'hôtel-Dieu.

Découvrir

HÔTEL-DIEU★★★ (A2)

03 80 24 45 00 - www.hospices-de-beaune.tm.fr - ♿ - possibilité de visite guidée (1h) de fin mars à mi-nov. : 9h-18h30 ; reste de l'année : 9h-11h30, 14h-17h30 - 6 € (enf. 2,80 €).
Merveille de l'art burgondo-flamand, l'hôtel-Dieu de Beaune fut fondé en 1443 par le chancelier de Philippe le Bon, **Nicolas Rolin**. Et c'est d'ailleurs à la puissante famille Rolin *(voir Autun)* que la ville doit ses plus grands trésors. À l'intérieur de cet écrin médiéval, parvenu intact jusqu'à nous, un service hospitalier moderne a fonctionné jusqu'en 1971.
Façade extérieure – La vaste et haute toiture d'ardoise est le principal élément décoratif de cette sobre façade. Avec ses lucarnes, ses girouettes, ses fins pinacles et sa dentelle de plomb, elle est d'une parfaite élégance. Au centre, une flèche aiguë fuse vers le ciel. Le porche d'entrée est surmonté d'un auvent d'une grande légèreté dont les trois pignons d'ardoise à pendentifs se terminent en pinacles ouvragés. Les girouettes portent différents blasons. Sur la porte aux beaux vantaux, remarquez le guichet de fer forgé aux pointes acérées et le heurtoir, magnifiques pièces ciselées datant du 15e s.
Cour d'honneur – Les bâtiments qui l'entourent forment un ensemble à la fois gai, intime et cossu, « plutost logis de prince qu'hospital de pauvres ». Les ailes de gauche et du fond sont surmontées d'une magnifique toiture de tuiles vernissées. Cette parure multicolore, ponctuée de tourelles, est percée d'une double rangée de lucarnes et hérissée de girouettes armoriées et d'épis de plomb ouvragés. Une galerie à pans de bois, desservant le premier étage, repose sur de légères colonnettes de pierre formant cloître au rez-de-chaussée. Le bâtiment de droite, construit au 17e s. sur des dépendances, ne dépare pas l'ensemble. Au revers de la façade, les pavillons qui encadrent la porte d'entrée datent du 19e s. Le vieux puits, avec son armature de fer forgé et sa margelle de pierre, complète ce qui est devenu un tableau classique.
Grand-Salle ou « chambre des pôvres » ★★★ – Cette immense salle des malades (50 m de long, 14 m de large et 16 m de haut) a conservé une magnifique **voûte** en carène de navire renversée, dont les longues poutres transversales sont comme « avalées » par des monstres marins multicolores symbolisant l'enfer. Dès l'entrée, vous serez frappé par l'impeccable alignement des 28 lits à colonnes, dont la blancheur éclatante des draps tranche avec le rouge des courtines. Au sol, le carrelage porte les initiales de Guigone de Salins et Nicolas Rolin, et la devise « Seulle », expression du fidèle attachement de ce dernier à son épouse. Au fond de la salle, au-dessus de la grande porte, admirez la poignante statue en chêne d'un **Christ de pitié**★ de la fin du 15e s.
Chapelle – Une simple cloison de style flamboyant (reconstituée au 19e s. ainsi que le grand vitrail) séparait la grand-salle de la chapelle. Du fait de cette proximité, les malades pouvaient suivre les offices sans même devoir se déplacer. C'est dans ce lieu

de prière, au-dessus de l'autel, qu'était autrefois accroché le fameux retable de Rogier Van der Weyden *(voir plus bas)*, commandé par Nicolas Rolin. Remarquez une plaque funéraire en bronze à la mémoire de Guigone de Salins, fondatrice de l'hôtel-Dieu qui, à la mort de son époux en 1461, veilla au bon fonctionnement de l'hôpital.

Salle Sainte-Anne – *Ne se visite pas.* Cette pièce était à l'origine dotée de lits réservés aux « âmes nobles ». Elle recrée aujourd'hui l'ambiance de l'ancienne lingerie, avec ses mannequins affairés au travail, revêtus des robes que portèrent les Dames hospitalières jusqu'en 1961. Le mur est orné d'une somptueuse tapisserie aux armes des fondateurs, représentative des couvertures jadis posées sur les lits des malades les jours de fêtes solennelles.

Riches Hospices

Les Hospices de Beaune (sous cette appellation sont rassemblés l'hôtel-Dieu, l'hospice de la Charité et le centre hospitalier) possèdent notamment un magnifique vignoble de 60 ha entre Aloxe-Corton et Meursault comptant des crus universellement réputés. C'est un titre de gloire que de figurer parmi les « vignerons des Hospices » (au nombre de 25).

Salle Saint-Hugues – Désaffectée depuis 1982, cette salle de malades a été partiellement réaménagée dans son décor du 17e s., les lits étant ceux en usage à la fin du 19e s. Les peintures murales, d'Isaac Moillon, représentent neuf miracles du Christ ainsi que saint Hugues, en évêque et en chartreux. Ce dernier, ressuscitant des enfants morts de la peste, est également représenté sur le retable de l'autel.

Salle Saint-Nicolas – Ancienne infirmerie des malades « en danger de mort » créée grâce à la générosité de Louis XIV, elle abrite une exposition permanente sur l'histoire de l'hôtel-Dieu. Au centre de la salle, un pavage de verre permet de voir couler la Bouzaise, sur laquelle cette partie de l'hôpital fut construite afin de faciliter l'évacuation des eaux usées.

Cuisine – *Commentaire et animation sonore toutes les 15mn.* Un décor ancien a été reconstitué autour de la vaste cheminée gothique à double foyer, munie d'un étonnant **tournebroche** à automate datant de 1698.

Pharmacie – Ses murs lambrissés présentent une superbe collection de **pots en faïence** du 18e s. dans lesquels étaient stockées poudres, huiles et concoctions les plus diverses. Notez un grand mortier de bronze (1760), qui servait à la préparation des remèdes, ainsi qu'un tableau (1751) illustrant les différentes tâches nécessaires à la préparation d'un médicament dans une apothicairerie du 18e s.

Salle du Polyptyque – *Entrée par la salle Saint-Louis.* Elle a été spécialement construite pour accueillir le tableau du **Jugement dernier★★★** de Rogier Van der Weyden. Ce chef-d'œuvre extraordinaire de l'art flamand, réalisé entre 1445 et 1448, fut soigneusement restauré au 19e s, quoique scié dans l'épaisseur afin de pouvoir exposer les deux faces simultanément. Une grosse loupe mobile permet de mesurer l'incroyable minutie des détails et la poignante vérité d'expression de tous les personnages. Il fut un temps où le guide s'en chargeait avec une lampe de poche, et avec faconde.

Dans le panneau central du **retable ouvert**, le Christ préside au Jugement dernier ; il trône sur un arc-en-ciel au milieu de nuées d'or, évoquant le Paradis, au-dessus de saint Michel qui pèse les âmes avec un regard à la fois paisible et saisissant. Autour des deux grandes figures, la Vierge et saint Jean-Baptiste implorent la clémence du Seigneur. Derrière eux prennent place les apôtres, quelques personnages importants intercédant en faveur de l'humanité, les damnés et les sauvés.

Sur le mur latéral droit, on voit le **revers du retable**. Les admirables portraits de Nicolas Rolin et de sa femme sont accompagnés de grisailles représentant saint Sébastien et saint Antoine, qui fut le premier patron de l'hôtel-Dieu, et la scène de l'Annonciation.

Remarquez aussi, sur un autre registre, une superbe tapisserie « aux mille fleurs » (début 15e s.) racontant la légende de saint Éloi.

Salle Saint-Louis – Construite en 1661 sur l'emplacement d'une ancienne grange, elle abrite notamment des **tapisseries de Tournai** (début 16e s.) figurant la parabole de l'Enfant prodigue, ainsi qu'une série de **tapisseries de Bruxelles** (fin 16e s.) retraçant l'histoire de Jacob. Des coffres gothiques et une fontaine complètent le décor de cette pièce, qui marque la fin de la visite.

Sortie par la boutique.

Ph. Gajic / MICHELIN

Grand-Salle ou « chambre des Pôvres » de l'hôtel-Dieu.

Se promener

DANS LE CENTRE

Parkings près des boulevards Foch et Joffre. Entrez par la porte St-Nicolas, arc de triomphe élevé sous Louis XV.

Admirez le porche baroque à droite. Laissez sur votre gauche l'**hôtel de ville (A1)**, qui occupe les bâtiments de l'ancien couvent des Ursulines (17e s.).

Les nos 18, 20, 22 et 24 de la **rue de Lorraine (A1)** forment un bel ensemble de maisons du 16e s. Remarquez au passage à gauche, dans la **rue Rousseau-Deslandes (A/B1)**, le no 10 : une maison romane ornée au premier étage d'arcatures tréflées. Reprenez la rue de Lorraine. Belle maison au no 55. La chapelle de l'oratoire (1710) est occupée par le tribunal de commerce.

Le saviez-vous ?

C'est le dieu gaulois des eaux vives, *Belenos*, qui a donné son nom à la ville.

À Beaune et à Meursault eut lieu, en 1966, le tournage d'un film resté longtemps à la première place au box-office français, *La Grande Vadrouille*.

Hôtel de la Rochepot★ (A1)

Ne se visite pas. Sur la place Monge, cet édifice datant de 1522 possède une jolie façade gothique avec une galerie à trois étages. En face s'élèvent le beffroi avec sa couverture de poutrelles (14e s.) et la statue de Monge, enfant du pays, par Rude. Aîné des quatre fils d'un commerçant forain de Beaune, **Gaspard Monge** (1746-1818) se révéla très tôt doué pour les sciences physiques et mathématiques. Créateur de la géométrie descriptive, ministre de la Marine pendant la Révolution, il fonda l'École polytechnique et participa à l'expédition d'Égypte.

Au no 4 de la place Carnot, se trouve une maison du 16e s. dont une moitié de la façade comporte de ravissantes sculptures.

Place de la Halle (A2)

On est au cœur de la ville. Autour de la place et dans les rues avoisinantes, remarquez les belles devantures des magasins de spécialités régionales : vins et alcools bien sûr, mais aussi confiseries. Au-delà des Hospices, on peut s'arrêter rue Rolin, au marché aux vins, pour une dégustation. L'hôtel-Dieu domine l'ensemble par sa belle toiture de tuiles vernissées. À ses côtés flamboie le décor chargé de la Caisse d'épargne, construite en 1894. Longez-la.

Au no 13 de la place Fleury, ne manquez pas l'**hôtel de Saulx (A2)**, avec sa jolie tourelle et sa cour intérieure.

Par l'avenue de la République et la rue d'Enfer, gagnez l'ancien hôtel des ducs de Bourgogne, des 15e et 16e s., qui abrite aujourd'hui le musée du Vin de Bourgogne. *Poursuivez jusqu'à Notre-Dame.*

Près de la collégiale, à voir de préférence du parvis, la maison du Colombier, jolie demeure Renaissance *(2 r. Fraysse)*.

Collégiale Notre-Dame★ (A1)

☏ 03 80 24 56 78 - juin-sept. : 9h30-12h30, 14h-19h, dim. et j. fériés 13h-19h ; fin mars à fin mai et oct. : 9h30-12h30, 14h-17h, dim. et j. fériés 13h-17h - gratuit - possibilité de visite guidée (2,50 €) des tapisseries sur demande à l'office de tourisme de mi-avr. à fin oct.

Cette « fille de Cluny », entreprise vers 1120 et largement inspirée de St-Lazare d'Autun, reste, malgré des adjonctions successives, un bel exemple de l'art roman bourguignon.

Extérieur – Un large porche à trois nefs du 14e s. dissimule la façade. Le décor sculpté a été détruit pendant la Révolution, mais les beaux **vantaux** aux panneaux sculptés (15e s.) subsistent. Dans cet ensemble de belles proportions, on reconnaît les différentes phases de construction : déambulatoire et absidioles de pur style roman, chœur remanié au 13e s. et arcs-boutants du 14e s.

La tour de la croisée du transept, où les baies en tiers-point se superposent aux arcatures romanes, est coiffée d'un dôme galbé avec un lanternon du 16e s.

Intérieur – La haute nef, voûtée en berceau brisé, est flanquée d'étroits bas-côtés voûtés d'arêtes. Un triforium aux baies partiellement aveugles entoure l'édifice, qui offre un décor d'arcatures et de pilastres cannelés d'inspiration autunienne. La croisée du transept est couverte d'une coupole octogonale sur trompes. Le chœur, entouré d'un déambulatoire sur lequel s'ouvrent trois absidioles en cul-de-four, est remarquable par ses proportions. Notez la présence dans le chœur d'une Vierge noire du 12e s. Outre la décoration des pilastres des bras du transept, on peut apprécier la réussite des sculptures de certains chapiteaux de la nef figurant l'arche de Noé, la lapidation de saint Étienne et l'arbre de Jessé.

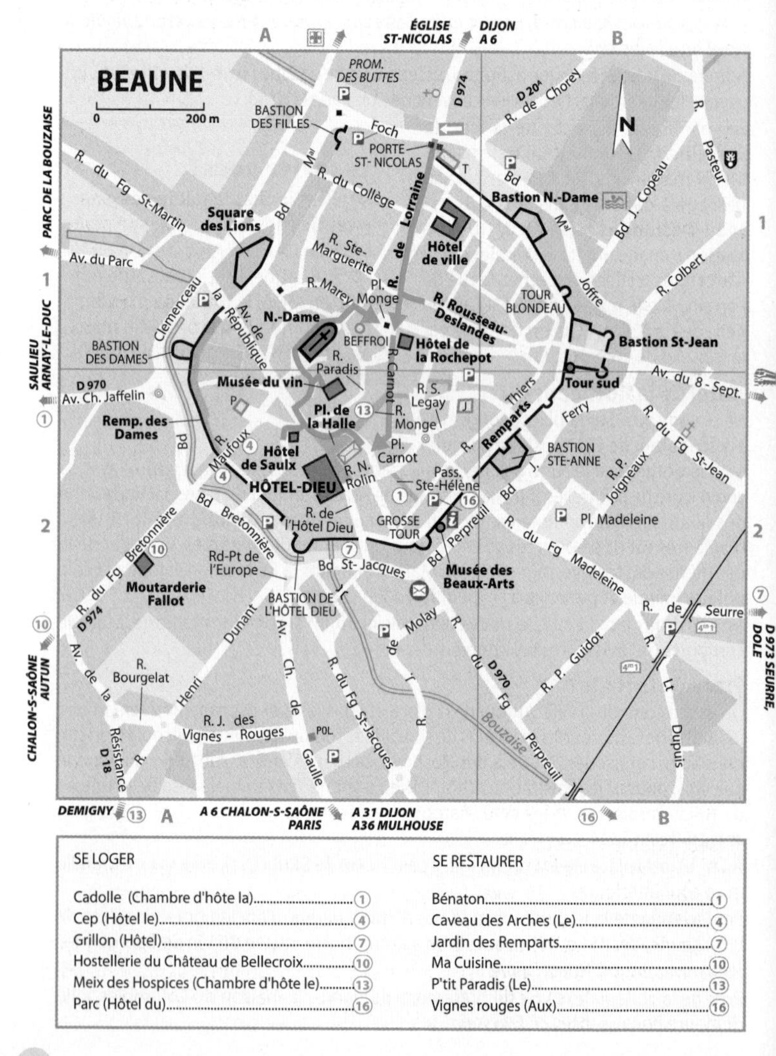

En remontant le bas-côté gauche, regardez dans la deuxième chapelle les fresques du 15e s. représentant la résurrection de Lazare, attribuées à l'artiste bourguignon Pierre Spicre, une Pietà du 16e s., et, dans la troisième chapelle, deux retables du 15e s. Dans le bas-côté sud au niveau de la première travée, la chapelle Renaissance est ornée d'un beau plafond à caissons.

Tapisseries★★ – Le plus beau se cache peut-être derrière le maître-autel : une magnifique suite de tapisseries, dites « de la vie de la Vierge », marquant le passage de l'art du Moyen Âge à la Renaissance. Cinq panneaux aux riches couleurs, tissés en laine et soie, retracent l'histoire de la Vierge en une série de 19 tableaux. Ils furent commandés en 1474, puis exécutés d'après les cartons de Spicre, sur les indications du cardinal Rolin, et offerts à l'église en 1500 par le chanoine Hugues Le Coq. Remarquez les effets de profondeur et de moirage dus à l'emploi de demi-teintes.

Bâtiments monastiques – On peut y accéder par une porte romane ouvrant dans le transept; une partie du cloître, qui date du 13e s., et la salle capitulaire ont été restaurées.

Contournez la collégiale par la gauche et admirez au passage la **vue** sur le chevet.

Retournez vers la rue de Lorraine par la place Monge.

AUTOUR DES REMPARTS

Les remparts★

Assez bien conservés, ils forment autour de la vieille ville un chemin de ronde presque ininterrompu de 2 km, avec des enclaves privées ici et là. Leur ceinture de moellons, rectangulaire, est festonnée de quelques tours et de huit bastions de formes variées, à bossages. L'un de ces bastions est double : il s'agit de celui de l'ancien château, dit **bastion St-Jean (B1)**. *On peut en effectuer le tour extérieur complet, à pied ou en voiture.*

Suivez les boulevards extérieurs, par l'ouest, à partir du boulevard Joffre.

La tour nord du château, hérissée de gargouilles et creusée d'une niche abritant une statue de Vierge à l'Enfant, plonge dans le fossé planté de grands cerisiers. Après avoir dépassé la tour Blondeau en saillie sur le rempart, vous arrivez devant le **bastion Notre-Dame (B1),** au faîte garni de beaux arbres et dont une charmante échauguette coiffe l'éperon.

Le rempart s'interrompt de part et d'autre de la porte St-Nicolas. Vous voyez ensuite le bastion des Filles, dénaturé par la toiture qui le recouvre, avant de parvenir à l'ancien bastion St-Martin, arasé, dont la terrasse triangulaire et ombragée, le **square des Lions (A1),** domine un jardin.

Suivent le bastion des Dames, surmonté d'une belle maison et d'arbres, le **rempart des Dames (A2)**, promenade ornée d'une double file de grands platanes, et le bastion de l'hôtel-Dieu, au bas desquels court un ruisseau aboutissant à un lavoir. Vous découvrez alors la « Grosse Tour » (15e s.) du rempart Madeleine, puis le bastion Ste-Anne, livré à la végétation.

Vous terminez devant la **tour sud** du château, entourée d'arbres, et que précède le fossé garni de haies et de bambous. Prenez un peu de recul pour profiter du joli tableau qu'offre la tour avec, à son sommet, une petite maison à pinacles noirs et, à l'arrière-plan, les toits vernissés d'autres bâtiments.

HORS LES MURS

Église Saint-Nicolas (A1)

Sortez de la ville au nord (D 974). L'église (13e s.) du quartier des Vignerons possède une tour romane coiffée d'une belle flèche de pierre. Un porche du 15e s., pourvu d'une charpente couverte de tuiles et supportée par des piliers en pierre de taille, abrite un portail du 12e s. Le tympan monolithe représente saint Nicolas sauvant trois jeunes filles que leur père voulait vendre.

Parc de la Bouzaise

Sortez par l'avenue du Parc (Fg St-Martin). C'est un agréable but de promenade, avec ses beaux ombrages et son lac artificiel aux sources de la rivière *(canotage)*, et le départ de randonnées le long des sentiers beaunois.

Moutarderie Fallot (A2)

À quelques dizaines de mètres du rempart des Dames. Billets et réservation à l'office de tourisme - ✆ 03 80 26 21 30 - www.fallot.com - visite guidée sur demande (1h) de mi-mars à mi-nov. : tlj sf dim. et j. fériés 10h et 11h30 - 10 € (-10 ans 8 €).

Une des dernières moutarderies traditionnelles a aménagé de petits espaces de découverte de la *Brassica juncea* et des règles de l'art pour la transformer en véritable moutarde de Dijon. Vous y découvrirez les gestes liés à la fabrication, et pourrez participer à la dégustation en fin de visite.

Visiter

Musée du Vin (A2)

✆ 03 80 22 08 19 - www.musees-bourgogne.org - possibilité de visite guidée (1h, dernière entrée 30mn av. fermeture) avr.-nov. : 9h30-18h ; déc.-mars : tlj sf mar. 9h30-17h - fermé 1er janv., 25 déc. - 5,40 € (-10 ans gratuit) - billet combiné avec le musée des Beaux-Arts.

Il est installé dans l'ancien **hôtel des ducs de Bourgogne★**, des 15e et 16e s., où la pierre et le bois se complètent harmonieusement. La cour intérieure évoque un délicieux décor de théâtre. La Porterie, bâtiment du 15e s. situé à droite de la porte d'entrée, est intéressante. La cuverie (14e s.), à laquelle on accède par un vaste portail, abrite une impressionnante collection de pressoirs et de cuves. L'histoire du vignoble bourguignon et de la culture de la vigne est retracée au rez-de-chaussée. On voit notamment une Vierge au raisin (N.-D.-de-Beaune), statue en pierre polychrome du 16e s. Au 1er étage sont évoqués la tonnellerie, le commerce et les arts bachiques. La salle d'honneur, dite « salle de l'Ambassade des vins de France », est décorée de tapisseries des ateliers d'Aubusson, l'une de Lurçat *(Le Vin source de vie)* et les autres de Michel Tourlière *(Le Vigneron* et *Les Oiseaux sauvages)*.

Musée des Beaux-Arts (A2)

✆ 03 80 24 56 92 - avr.-nov. : 14h-18h ; déc.-mars : tlj sf mar. 14h-18h ; fermé 1er janv., 25 déc. - 5,40 € (11-18 ans 3,50 €) - billet combiné avec le musée du Vin.

Fondé en 1850, ce musée présente ses collections de sculptures et de peintures, du 12e au 20e s. Parmi les œuvres maîtresses, voyez les allégories des quatre éléments de l'atelier de Brueghel de Velours, la Croix vivante de la fin du 16e s. Admirez aussi les tons lumineux des toiles de Venise par **Félix Ziem** (1821-1911), né à Beaune, dont le musée possède 31 tableaux.

Aux alentours

Le vignoble de la Côte★★

La visite de la Côte et du vignoble est le complément indispensable de celle de Beaune : les amateurs d'art et de bons vins en seront à parts égales comblés, tout comme les randonneurs et cyclistes *(guides des circuits en vente à l'office de tourisme). Notez que les circuits recommandés dans le chapitre « La Côte » sont accessibles au départ de Beaune.*

Montagne de Beaune

4 km au nord-ouest. De la table d'orientation située près du monument aux morts *(à 600 m environ au sud de la statue de N.-D.-de-la-Libération)*, on découvre une **vue** étendue sur la ville aux jolis toits de tuiles brunes, sur le vignoble et, au sud, sur les monts du Mâconnais. La lumière y est plus belle encore l'après-midi !

Château de Savigny-lès-Beaune

5 km au nord-ouest. ✆ 03 80 21 55 03 - www.chateau-savigny.com - avr.-oct. : 9h-18h30 ; nov.-mars : 9h-12h, 14h-17h30 (dernière entrée 1h30 av. fermeture) - fermé 1re quinz. de janv. - 8 € (9-16 ans 4 €).

B. Rieger / hemis.fr

Musée des avions de chasse au château de Savigny-Lès-Beaune.

Dans ce village connu pour ses vins de qualité se dresse un imposant château du 14e s., construit par Jean de Frolois, maréchal de Bourgogne, qui accueille désormais de surprenantes collections. À l'entrée, le « petit château » (fin 17e s.), remarquable par son appareillage en calcaire grossier, a été aménagé pour recevoir un espace de dégustation-vente de vins ainsi qu'une exposition... de **voitures Abarth** de compétition (courses de côte et d'endurance). La visite du parc révèle bien des surprises, avec une trentaine de prototypes de tracteurs-enjambeurs et, surtout, près de 80 **avions de chasse**, dont un Mystère IV, un Ouragan et un F84G de la Patrouille de France, une série de Mirage (III à V), un Jaguar (1971) ayant participé à la guerre du Golfe, un Vampire, etc.

Le château a été remanié par la famille Bouhier au 17e s. : les ouvertures ont alors été multipliées. L'intérieur est agencé pour les séminaires et réceptions. Le deuxième étage est réservé à la **moto★** et aux maquettes d'avion. Réunissant plus de 250 exemplaires de motos de tous les pays, des marques les plus prestigieuses (Norton, Honda, Blériot, Vélocette, Agusta, Peugeot, BSA, NSU, Horex...) aux plus éphémères, cet ensemble en présente les évolutions mécaniques et esthétiques depuis le début du 20e s. Le manque de commentaire réserve pourtant leur découverte aux vrais amateurs.

Comblanchien

14 km au nord. Le bourg est connu pour sa très belle pierre de calcaire dur que l'on extrait des falaises voisines : elle est fréquemment employée en remplacement du marbre, plus coûteux. Le village vécut dans la nuit du 21 au 22 août 1944 une épreuve terrible : soupçonné d'abriter des Résistants, il fut en grande partie incendié. Vingt-trois habitants furent emmenés en otage à Dijon : 12 furent libérés, 2 s'enfuirent, et 9 ne rentrèrent qu'en 1945 après avoir été déportés en Allemagne.

Beaune pratique

Adresse utile

Office du tourisme de Beaune – *6 bd Perpreuil - 21200 Beaune - ✆ 03 80 26 21 30 - www.ot-beaune.fr - 21 mars- 16 nov. : 9h-19h, dim. 9h-18h ; 17 nov.-20 mars : 9h-18h, dim. 10h-12h30, 13h30-17h. Fermé 1er janv. et 25 déc.*

Visites

Bon à savoir – La vieille ville est cernée par un périphérique à sens unique, tournant dans le sens inverse des aiguilles d'une montre. En haute saison, le plus rapide est de se garer à proximité et de faire les visites à pied.

Visites guidées – Beaune propose des visites-découvertes *(1h30)*, animées par des guides, de déb. juil. à mi-sept. *Renseignements à l'office de tourisme.*

Pass Beaune – Disponible auprès de l'office de tourisme, il offre des tarifs groupés sur les visites des sites incontournables de la région.

Se loger

Chambre d'hôte Le Meix des Hospices – *R. Basse (près de l'église) - 71150 Demigny - 10 km au sud de Beaune par D 18 - ✆ 03 85 49 98 49 - http://perso.wanadoo.fr/demigny-chambres-hotes - ⊭ - 3 ch. 50/56 €* ☕. Ancienne annexe des Hospices de Beaune et ses dépendances disposées autour d'une cour carrée. Les chambres, calmes, spacieuses et garnies d'un mobilier contemporain, jouent la sobriété ; l'une d'elles est logée sous les toits. À disposition, coin cuisine, salle de détente, barbecue, transats, terrain de pétanque, etc.

Hôtel Le Grillon – *21 r. Seurre - ✆ 03 80 22 44 25 - www.hotel-grillon.fr - fermé fév. - P - 17 ch. 54/95 € - ☕ 9 €.* Cette pimpante maison rose aux volets vert amande blottie dans un jardin clos abrite des chambres printanières garnies en partie de meubles chinés chez les antiquaires. Salon-bar aménagé sous les voûtes d'un caveau et terrasse fleurie accueillant le service des petits-déjeuners aux beaux jours.

Hôtel du Parc – *13 r. du Golf - 21200 Levernois - 5 km au sud-est de Beaune par rte de Verdun-sur-le-Doubs, D 970 puis D 111L - ✆ 03 80 24 63 00 - www.hotelleparc.fr - fermé 28 nov.-27 janv. - P - 17 ch. 55/70 € - ☕ 8 €.* Une jolie cour agréablement fleurie sépare les deux bâtisses aux façades tapissées de vigne vierge qui composent l'hôtel. Dans les chambres, meubles anciens, luminaires « rétro » et tentures colorées créent une chaleureuse atmosphère. Le parc situé sur l'arrière est un gage de tranquillité. Accueil familial attentionné.

Chambre d'hôte La Cadolle – *Grande-Rue - 21200 Bouze-les-Beaune - 6 km au nord-ouest de Beaune par D 970 - ✆ 03 80 26 08 99 -www.lacadolle.com -fermé déc.-janv. - ⊭ - 3 ch. 55 €* ☕. Partagée en deux parties jumelles, cette maison en pierre, fort bien restaurée, dispose de 3 chambres possédant leur parquet d'origine. Celles du 1er étage ouvrent chacune sur un petit balcon, tandis que la dernière offre un confort plus « cosy ». Un ensemble agréable, bien tenu par des propriétaires accueillants.

Hostellerie du Château de Bellecroix – *Rte de Chalon - 71150 Chagny - 18 km au sud-ouest de Beaune par N 74 puis N 6 - 03 85 87 13 86 - www.chateau-bellecroix.com - fermé 19 déc.-13 fév., et merc. hors sais. - P - 19 ch. 85/220 € - 18,50 € - rest. 25/63 €.* Au fond d'un parc arboré se dressent les deux tours de ce château du 18e s. Derrière lui, celles d'une ancienne commanderie des Chevaliers de Malte du 12e s. Chambres meublées à l'ancienne. Belles imitations de boiseries médiévales en staff dans la salle à manger.

Hôtel Le Cep – *27 r. Maufoux - 03 80 22 35 48 - www.hotel-cep-beaune.com - P - 49 ch. 160/244 € - 20 €.* Hôtels particuliers (16e et 18e s.) abritant des chambres personnalisées et de superbes suites nommées d'après les grands crus de la Côte d'Or. On petit-déjeune dans l'ancien caveau voûté ou, l'été, dans l'élégante cour Renaissance ombragée par un vénérable saule pleureur.

Se restaurer

Aux Vignes rouges – *4 bd Jules Ferry - 03 80 24 71 28 - www.auxvignesrouges.com - fermé 15-31 août et mar. - 14,50/45 €.* Une cuisine à vue sépare les deux salles de cette table traditionnelle au décor intimiste. Mobilier de bistrot à l'avant; cadre plus rustique à l'arrière. Terrasse protégée.

Le Caveau des Arches – *10 bd Perpreuil - 03 80 22 10 37 - www.caveau-des-arches.com - fermé 24 juil.-25 août, 23 déc.-17 janv., dim. et lun. - 21/45 €.* Repas traditionnel à apprécier sous une voûte souterraine en pierres (18e s.) intégrant des soubassements d'un pont (15e s.) qui desservait la cité. Décor moderne soigné; excellent choix de bourgognes : environ 600 appellations !

Ma Cuisine – *Passage Ste-Hélène - 03 80 22 30 22 - macuisine@wanadoo.fr - fermé août, vac. de Noël, merc. et w.-end - 22 €.* Les assiettes au goût du jour concoctées par le chef satisfont sans conteste le palais, mais le véritable atout de l'adresse réside dans sa carte des vins : bourgognes en tête, une myriade de crus en provenance de toutes les régions s'y disputent la vedette. Sachez en outre que la cave est ouverte à la vente au détail.

Le P'tit Paradis – *25 r. Paradis - 03 80 24 91 00 - fermé 8-16 mars, 9-17 août, 21 nov.-14 déc., lun. et mar. - 27/35 €.* Tournée vers le joli jardin fleuri, salle à manger actuelle prolongée d'une agréable terrasse. Cuisine au goût du jour à tendance régionale et vins de petits producteurs.

Jardin des Remparts – *10 r. de l'Hôtel-Dieu - 03 80 24 79 41 - www.le-jardin-des-remparts.com - fermé fév., 1er-7 mars, 1er-5 août, 28 nov.-2 déc., dim. et lun. - 35/88 €.* Ravissante maison des années 1930 et son délicieux jardin-terrasse longeant les remparts beaunois. Élégant intérieur contemporain, cuisine inventive et belle carte des vins.

Bénaton – *25 r. du Fg-Bretonnière - 03 80 22 00 26 - www.lebenaton.com - fermé 26 fév.-4 mars, 3-9 juil., merc. et jeu. sf le soir en sais. - 45/85 €.* Ce petit restaurant aux prétentions gastronomiques officie à l'écart du centre-ville. Cuisine inventive à apprécier dans une salle relookée en style contemporain, élégante et feutrée, ou, dès les premiers beaux jours, sur la terrasse du jardin, meublée en teck.

Faire une pause

Bouché – *1 pl. Monge - 03 80 22 10 35 - www.chocolat-bouche.com - tlj sf lun. (non fériés) 8h-20h, dim. 8h-13h, 15h-20h.* Ce salon de thé cossu renferme de belles boîtes cadeaux destinées à recevoir les douceurs maison : Burgondines, escargots en chocolat, cassissines, marrons glacés, fruits confits… ou la dernière création, le Sénevé, chocolat à la moutarde de Bourgogne. Au rayon pâtisserie, vous hésiterez entre la tarte vigneronne, le millefeuille traditionnel ou l'un des 20 entremets maison.

Palais des Gourmets – *14 pl. Carnot - 03 80 22 13 39 - tavenetjs@wanadoo.fr - mai-sept : 7h-19h30 ; oct.-avr. : tlj sf mar. 7h-19h - fermé le midi d'oct. à avr.* Cette pâtisserie-salon de thé vous réserve ses créations comme les Nuages de Bourgogne (meringues au cassis), la Rose des vignes (pâte de fruits à la pêche de vigne et ganache noire parfumée à la rose), les cassissines au nom évocateur, le « Nicolas Rolin »… La maison propose également d'autres spécialités : petits fours, glaces et toute une gamme de chocolats ainsi que les thés « Mariage Frères ».

En soirée

Place Carnot – Sur cette grande place entièrement rénovée, les terrasses ont la chance de rester ensoleillées toute la journée. Un lieu idéal pour prendre son petit déjeuner ou plus si affinités…

Le Bistrot Bourguignon – *8 r. Monge - 03 80 22 23 24 - www.lebistrotbourguignon.com - tlj sf dim. et lun. 11h-15h, 18h-23h - fermé fév., 1 sem. à Noël et le soir (sf vend. et sam.) du 20 déc. au 10 mars.* Mariage heureux du vin et de la musique jazz en ce sympathique bistrot installé dans une demeure ancienne. On déguste quelques bons verres confortablement installé dans de mœlleux fauteuils ou sur la terrasse. Concerts une fois par mois.

Que rapporter

Marché aux Vins – *2 r. Nicolas-Rolin - ✆ 03 80 25 08 20 - www.marcheauxvins.com - sept.-juin : 9h30-11h30, 14h-17h30 ; juil.-août : 9h30-17h30 - fermé 25 et 26 déc., 1er et 2 janv.* Le marché aux vins situé face aux célèbres Hospices occupe une partie de l'ancienne église des Cordeliers (13e et 14e s.). Le circuit de dégustation (15 crus bourguignons) débute par les caves et se poursuit dans les chapelles. Visite du caveau des vieux millésimes sur demande. Boutique en fin de parcours.

Eddy Raillard – *4 r. Monge - ✆ 03 80 22 23 04 - tlj sf lun. 8h-12h30, 14h30-19h et dim. 9h-12h de mai à fin nov. - fermé 3 sem. en juil., 1 sem. déb. déc., 1er janv., 1er et 8 Mai.* Entrez donc dans cette boutique et vous serez conquis. Des saucissons pendent au plafond. Le jambon persillé, le pâté et l'andouillette maison respirent la fraîcheur. La noix de jambon sec, la tourte beaunoise, le jambonneau cuit font saliver. D'ici peu, on parlera de l'adresse comme d'une institution…

Les Caves du Couvent des Cordeliers – *6 r. de l'Hôtel-Dieu - ✆ 03 80 25 08 85 - legrands@kriter.com - 9h30-11h30, 14h-17h30 - fermé 1er-22 janv., 24,25 et 31 déc. et les merc., jeu. du 1er déc. au 15 mars.* L'ancien couvent des Cordeliers de Beaune (1243) abrite ces caves que l'on peut visiter avant de déguster quelques grands crus de Bourgogne. La maison propose 80 références parmi lesquelles des côtes-de-beaune, des côtes-de-nuits et les vins des Hospices de Beaune. Choix de produits régionaux en complément.

Cave Patriarche Père & Fils – *5-7 r. du Collège - ✆ 03 80 24 53 78 - www.patriarche.com - janv.-mars : 9h30-11h30, 14h-17h30 (w.-end 17h) - fermé 1er janv. et 25 déc.* Les plus grandes caves de Bourgogne (15 000 m²), situées dans l'ancien couvent des Dames de la Visitation, datent des 14e et 16e s. Visite audio-guidée et dégustation libre de treize vins.

Caves de La Reine Pédauque – *R. de Lorraine, Porte St-Nicolas - ✆ 03 80 22 23 11 - cavesreinepedauque@corton-andre.com - mars-nov. : 9h45-12h15, 14h-18h45 ; déc.-fév. : 9h45-12h15, 14h-17h45 - fermé 1re sem de janv., 1er nov., 25 déc. et lun.* Après la visite guidée des caves voûtées du 18e s., vous êtes invités à une dégustation commentée de vins de Bourgogne, autour d'une belle table ronde en marbre. Un régal ! Vente à emporter et expéditions.

Le Comptoir Viticole – *1 r. Samuel-Legay - ✆ 03 80 22 15 73 - www.comptoirviticole.com - tlj sf dim. 9h-12h, 14h-19h - fermé j. fériés.* Cette boutique s'adresse aussi bien aux viticulteurs qu'aux amateurs passionnés de vin. Elle propose en effet de multiples articles souvent pratiques : machines à boucher, égouttoirs à bouteilles, tire-bouchons, bouteilles de différentes tailles, accessoires pour la dégustation, etc.

Vins de Bourgogne Denis-Perret – *40 r. Carnot - ✆ 03 80 22 35 47 - contact@denisperret.fr - mai-oct. : 9h-19h, dim. 10h-12h ; reste de l'année : tlj sf dim. 9h-12h, 14h-19h (sam. 10h) - fermé j. fériés apr.-midi.* Cinq négociants-propriétaires et quelques grands propriétaires se sont associés pour vous présenter les plus grands crus de Bourgogne : clos-vougeot, montrachet, chambertin… Un tel florilège pourrait laisser pantois si de jeunes œnologues n'étaient là pour vous aider dans votre choix et vous conseiller telle ou telle recette en accompagnement.

L'Athenaeum de la vigne et du vin – *5 r. de l'Hôtel-Dieu - face aux Hospices de Beaune - ✆ 03 80 25 08 30 - www.athenaeumfr.com - 10h-19h - fermé 1er janv. et 25 déc.* Cette librairie a acquis une réputation internationale pour son catalogue quasi exhaustif d'ouvrages sur la Bourgogne, l'œnologie et la gastronomie. Vous y trouverez aussi nombre d'objets de cave : tire-bouchons, couteaux de sommelier, verres de dégustation… Un bel espace où il fait bon musarder.

Loisirs

Bon à savoir – « Le Pass Beaune » proposé par l'office du tourisme, où quatre formules offrent des tarifs groupés sur les visites des sites incontournables de la région. De nombreux châteaux et autres trésors du patrimoine local, mais également quelques activités de loisirs, à découvrir en famille. Procurez-vous la brochure, très détaillée.

Vinea Tours – *✆ 03 80 22 51 70 ou 06 73 38 97 19.* Offrez-vous une excursion sans aucun effort ! À bord d'un 4x4 luxueux (7 places) climatisé avec toit panoramique, vous partirez pour l'un des 3 circuits proposés (avec dégustation) : côte et hautes côtes de Nuits, côte et hautes côtes de Beaune, ou encore le déjeuner dans les vignes. D'une durée de 2h30 à 3h30 selon le parcours.

Événement

Les Trois Glorieuses – Cette fameuse vente aux enchères de vins a lieu le 3e dim. de nov., au cours de la 2e journée des « Trois Glorieuses », après Vougeot et avant Meursault.

Mont Beuvray★★

CARTE GÉNÉRALE B3 – CARTE MICHELIN DÉPARTEMENTS 320 E8 – SAÔNE-ET-LOIRE (71)

Situé à proximité de la source de l'Yonne, ce site a la forme d'un plateau qui se détache du massif du haut Morvan. Occupé dès l'époque néolithique, le mont Beuvray (alt. 821 m) fut choisi au 2e s. avant J.-C. par la puissante tribu gauloise des Éduens pour y fonder sa capitale : Bibracte. Mis en valeur par les fouilles, qui offrent chaque année de nouvelles découvertes, un vaste musée et des reconstitutions, cet endroit est l'un des plus fréquentés du Morvan.

Fouilles sur le site archéologique de Bibracte.

www.bibracte.fr

- **Se repérer** – Le mont Beuvray se trouve à 8 km à l'ouest de St-Léger-sous-Beuvray. De Château-Chinon, l'accès se fait par la D 27, et d'Autun par la D 981, puis à droite la D 61 à Fontaine-la-Mère. La D 274 gravit le mont à sens unique, puis s'embranche sur la D 3 de l'autre côté de la plate-forme.
- **À ne pas manquer** – Admirez par temps clair, depuis l'oppidum, le superbe panorama sur Autun, le signal d'Uchon et Mont-St-Vincent. Si vous avez de la chance, vous apercevrez peut-être même le mont Blanc…
- **Organiser son temps** – La visite guidée (1h30) de Bibracte vous permettra de mieux comprendre le site et d'en saisir toute l'importance archéologique. L'accès au site est libre toute l'année, mais les chantiers de fouilles ne fonctionnent que de juin à octobre.
- **Avec les enfants** – Dans le musée de la Civilisation celtique, les maquettes, audiovisuels et reconstitutions diverses présentent de façon ludique la vie quotidienne des Celtes.
- **Pour poursuivre la visite** – Voir aussi Autun, Château-Chinon, Luzy, le Morvan, Moulins-Engilbert, St-Honoré-les-Bains.

Comprendre

Un site historique national – Placé à un carrefour de voies de communication, Bibracte fut non seulement un centre politique, religieux et d'artisanat, mais aussi un important marché où s'échangeaient des biens de toute l'Europe celtique et méditerranéenne. Au début de l'ère chrétienne, sous le règne d'Auguste, la cité fut délaissée au profit de la ville nouvelle d'*Augustodunum* (Autun), à 25 km. La tradition commerçante s'est cependant perpétuée jusqu'au 16e s. par des foires qui animaient régulièrement le mont Beuvray. Les 200 ha enclos de ce vaste oppidum regorgent de vesti-

La Pierre de la Wivre

Selon la tradition, c'est du haut de ce rocher marquant l'origine volcanique du mont Beuvray, à l'ouest de la porte du Rebout, que Vercingétorix aurait harangué ses troupes après avoir été proclamé chef de la coalition contre César.

ges, témoignages d'une importante activité. Les maisons d'habitation, constituées de murs en terre étayés par des poteaux de bois, abritaient peut-être 10 000 personnes. En cas de danger, la population agricole des environs pouvait trouver refuge derrière les remparts.

Les premières fouilles scientifiques de l'oppidum ont été effectuées à la fin du 19e s. par **Jacques-Gabriel Bulliot** et se sont poursuivies sous la conduite de son neveu **Joseph Déchelette**, l'un des fondateurs de l'archéologie protohistorique. Interrompues en 1907, elles ne reprirent qu'à partir de 1984, cette fois avec le concours de chercheurs originaires d'une dizaine de pays européens, tous concernés par la civilisation celtique.

Le saviez-vous ?

Phonétiquement, le lien entre *Beuvray* et *Bibracte* est assez clair, ce dernier terme ayant été forgé par César à partir, semble-t-il, d'un mot d'origine indo-européenne signifiant « forteresse », précédé du préfixe « bi » marquant un redoublement. En effet, Bibracte était « deux fois fortifiée », c'est-à-dire défendue par une double ligne de fortifications – de type *murus gallicus*, en bois et terre habillés d'un parement de pierre.

La guerre des Gaules – En 52 av. J.-C., c'est dans l'enceinte de Bibracte que **Vercingétorix**, roi des Arvernes, est désigné par les tribus gauloises pour prendre la tête des troupes coalisées contre les Romains. Les Éduens, alliés de Rome, avaient, cinq ans auparavant, demandé l'aide de **César** pour se défendre contre les Helvètes qui commençaient à envahir la région. L'habile proconsul entama alors la conquête des Gaules dans l'optique d'égaler le prestige militaire de Pompée puis d'obtenir les pleins pouvoirs à Rome. Le renversement d'alliance opéré par les Éduens lors de sa défaite à Gergovie, la capitale des Arvernes (proche du Clermont-Ferrand actuel), n'aura freiné qu'un temps sa marche en avant.

Les armées confédérées des Gaulois parties de Bibracte pour défendre Vercingétorix assiégé à Alésia, autre ville éduenne, sont défaites et leur chef fait prisonnier *(voir Alise-Ste-Reine)*. L'hiver suivant, une fois l'insurrection réprimée, le vainqueur Jules César entreprend à Bibracte la rédaction de ses *Commentaires sur la guerre des Gaules*, dans lesquels l'usage de la troisième personne et un ton détaché masquent sous le couvert d'une chronique d'historien une immense ambition. Un grand pas aura été pour lui franchi, juste avant le Rubicon, entre Bibracte et Rome.

Découvrir

Centre archéologique européen★

Il comprend un **Centre de recherche** *(à Glux-en-Glenne, 5 km au nord par la D 300)*, dont le service de documentation est accessible à tous en semaine, ainsi qu'un musée aménagé au pied même de l'oppidum.

Musée de la Civilisation celtique★ – *03 85 86 52 35 - www.bibracte.fr - ♿ - possibilité de visite guidée (1h30) juil.-août : 10h-19h ; de mi-mars à fin juin et de déb. sept. à mi-nov. : 10h-18h - un kit d'accompagnement est fourni au public malvoyant - ateliers pour les enfants merc. et jeu. 13h30-16h - 5,75 € (-12 ans gratuit) - passeport visite guidée du site et musée 9,50 €.*

Quelles étaient exactement les relations entre Gaulois et Romains ? Comment se fait-il que l'habitat révèle une si forte influence romaine, bien avant la guerre des Gaules ? C'est le type de questions que les fouilles amènent à se poser. Depuis 1994, le nombre et l'importance des publications du Centre de recherche ne cessent de s'accroître. Elles devraient, à terme, faire évoluer le musée.

Ouvert au public depuis l'été 1996, le musée moderne présente au rez-de-chaussée le mobilier recueilli au cours des fouilles : amphores, vaisselle de bronze, outils, armes, bijoux, sculptures...

Au premier étage, la civilisation celtique est évoquée dans son ensemble à partir du matériel prélevé sur d'autres sites importants : Alésia, *Argentomagus* (près d'Argenton-sur-Creuse, dans l'Indre), La Tène (Suisse), Manching (Allemagne), le Titelberg (Luxembourg), etc.

Toutes sortes de supports pédagogiques sont utilisés pour montrer la réalité quotidienne de la société éduenne et pour expliquer l'univers des Celtes : plans, photos prises en cours de fouilles, dessins interprétatifs, vidéos, bornes interactives, diaporamas, maquettes et moulages réalisés au fur et à mesure des découvertes. Des regroupements thématiques (économie, religion, traditions funéraires, guerre des Gaules...) permettent de suivre l'évolution et de constater l'unité culturelle du monde celtique.

Oppidum de Bibracte

03 85 86 52 39 - www.bibracte.fr - - poss. de visite guidée (1h30 à 3h) juil.-août : 11h, 14h, 15h et 16h15 ; de mi-mars à fin juin et de déb. sept. à mi-nov. : dim. et j. fériés 14h30 (déb. à mi-sept. tlj) - site gratuit - passeport visite guidée site et musée 9,50 €.

De l'esplanade de la Chaume *(table d'orientation)*, on découvre un **panorama★★** sur Autun, le signal d'Uchon et Mont-St-Vincent ; par beau temps, on distingue le Jura et même le mont Blanc. À condition d'avoir beaucoup d'imagination, la visite du site (135 ha) permet d'entrevoir ce que fut la cité gauloise, son étendue, ses différentes composantes, notamment le quartier artisanal du Champlain. Aussi vaut-il mieux suivre les visites guidées. La voirie antique est progressivement réhabilitée. Les vestiges les plus intéressants (fontaine St-Pierre, pâture du couvent) sont protégés par des abris ; un élément de rempart et l'une des quatre portes d'accès monumentales, la **porte du Rebout**, ont été partiellement reconstitués.

Mont-Beuvray pratique

Voir aussi les carnets pratiques d'Autun, de Château-Chinon, du Morvan et de St-Honoré-les-Bains.

Se loger

Chambre d'hôte Maison de Bourgogne – *Maison de Bourgogne - 71990 La Comelle - 9 km au sud-est par D 3 et D 114 - 03 85 82 56 09 - maisondebourgogne@numeo.fr - fermé nov.-15 mars - - 3 ch. 47/50 €* . Malgré leur relative simplicité, les chambres de cette ferme restaurée sont décorées avec goût et offrent une jolie vue sur la campagne environnante. Au rez-de-chaussée, la salle à manger et le salon donnent directement sur une agréable terrasse. Accueil sympathique et ambiance conviviale.

Chambre d'hôte du Moulin de Bousson – *Au bord du lac - 71190 St-Didier-sur-Arroux - 15 km au sud-est par D 3 et D 114 - 03 85 82 35 07 - www.bousson.fr - - 3 ch. 50/60 €* . Ce vieux moulin joliment restauré conserve en ses murs les vestiges de son activité passée. Même si les chambres, à l'étage, sont décorées avec une pointe d'exotisme, rien ne saurait masquer leur caractère rustique, visible du plancher jusqu'aux poutres. Vue bucolique sur le lac. Accueil simple et souriant.

Se restaurer

Auberge de l'Étang – *Au bord du lac - 71190 St-Didier-sur-Arroux - 15 km au sud-est par D 3 et D 114, au bord du lac - 03 85 82 24 56 - 9/30 €.* Face au plan d'eau, auberge ouverte toute l'année. Ici, pas de haute gastronomie, mais quelques spécialités locales fort sympathiques, ou encore des omelettes et des grillades. Une petite terrasse couverte, particulièrement agréable si le soleil est au rendez-vous.

Sports & Loisirs

Bon à savoir – Chaque année en juillet, une centaine de cavaliers participent à la **randonnée équestre Bibracte-Alésia** co-organisée par l'association La Route des Helvètes. Cette manifestation est animée en soirée par un groupe de musique traditionnelle. Renseignements au *03 86 30 42 78.*

Centre Equestre du Croux – - *5 km à l'est de St-Léger-sous-Beuvray par D 3 - 71990 St-Léger-sous-Beuvray - 03 85 82 56 07 - http://perso.wanadoo.fr/lecroux/.* Ce centre équestre propose des séjours vacances dédiés aux jeunes de 6 à 17 ans. Les plus grands pourront découvrir les joies de la randonnée itinérante (elle ne dure qu'une journée pour les 11 à 14 ans). Mais que les parents se rassurent, il existe aussi des formules destinées aux adultes.

Bourbon-Lancy★

5 502 BOURBONNIENS
CARTE GÉNÉRALE B4 – CARTE MICHELIN DÉPARTEMENTS 320 C10 – SAÔNE-ET-LOIRE (71)

Bâtie sur une colline volcanique d'où l'on découvre largement la vallée de la Loire et les plaines du Bourbonnais, Bourbon-Lancy est à la fois une ville au cachet ancien et une station thermale réputée, dotée d'un casino et d'un golf. La route des Châteaux de Bourgogne du sud passe non loin de là, au château de St-Aubin.

- **Se repérer** – Bourbon-Lancy se situe en aval de Digoin, par la D 979.
- **À ne pas manquer** – Visitez la vieille ville et sa pittoresque tour de l'Horloge, puis découvrez, en bord de Loire, le château de St-Aubin à la décoration raffinée.
- **Organiser son temps** – Soyez ponctuel pour voir le bredin, qui sonne les heures, tirer la langue ! Et si vous aspirez à la détente et la relaxation, réservez-vous du temps pour faire un tour au nouveau centre de remise en forme Celtô.
- **Avec les enfants** – La base de loisirs intégrant l'agréable plan d'eau du Breuil, avec plage, toboggans aquatiques, jeux d'enfants... Succès assuré !
- **Pour poursuivre la visite** – Voyez aussi Digoin, Luzy, la Voie verte.

Se promener

LA VIEILLE VILLE

Circuit au départ du beffroi

Près de la mairie, le beffroi (fin 14e s.) est élevé sur une porte fortifiée – actuelle **tour de l'Horloge★**. Passez-la pour admirer le « bredin », **automate** qui sonne les heures en tirant la langue.

Rue de l'Horloge, **maison de bois★** du 16e s. richement ornée : colonne cornière, chapiteaux sculptés, fenêtres en accolades, médaillons vernissés...

Poursuivez dans la rue Notre-Dame pour jeter un œil au petit jardin de la collégiale, à droite. Passez sous le porche de l'hôtel de Guy de Salin, et prenez à gauche le long des remparts *(tour complet : 4 km)*. Remarquez les deux échauguettes. Continuez tout droit pour voir la vue se dégager sur un beau **panorama**. Le chemin passe sous un bosquet d'acacias après lequel vous remonterez à gauche vers l'église du Sacré-Cœur, près de la mairie.

Bourbon-Expo

03 85 89 18 27 - ♿ - possibilité de visite guidée (1h) sur demande - juil.-août, tlj sf mar. 15h-18h - 2 € (enf. gratuit). Ce musée présente une rétrospective des machines agricoles, produites par l'usine Puzenat (1874-1956), qui révolutionnèrent les travaux des champs au début du 20e s. : herses en Z, moissonneuses, batteuses, râteaux faneurs... avant que l'on y monte des moteurs de poids lourds. Les métiers du bois sont illustrés dans une autre salle par une collection d'outils de moindre ampleur.

Église Saint-Nazaire et musée

03 85 89 18 27 - ♿ - possibilité de visite guidée (1h) sur demande - juil.-août, tlj sf mar. 15h-18h - 2 € (enf. gratuit). Cet édifice de style roman, à plafond lambrissé et plan basilical augmenté d'un transept, dépendait du prieuré clunisien fondé par Ancel de Bourbon. Il abrite depuis 1901 un musée qui expose des antiquités locales (admirez les Vénus gallo-romaines découvertes en 1984), des fragments lapidaires provenant d'églises environnantes, ainsi que des peintures et sculptures du 19e s. Voyez notamment les œuvres de Puvis de Chavannes.

LE QUARTIER THERMAL

Hospice d'Aligre

Dans la chapelle, on peut voir une jolie chaire sculptée offerte en 1687 par Louis XIV à Mme Élisabeth d'Aligre, abbesse de St-Cyr. À gauche de la chapelle, sur le palier du grand escalier, se trouve une statue en argent de sa descendante, la marquise d'Aligre (1776-1843), bienfaitrice de l'hospice.

La station thermale

Au pied de la colline fortifiée, dans la cour des bains, les sources jaillissent à une température de 56 à 60 °C, débitant plus de 400 000 litres par jour. Utilisées dès l'Antiquité romaine, elles soignent les affections rhumatismales (arthrose) et circulatoires.

Aux alentours

Signal de Mont★

7 km au nord-est par la D 60, plus 15mn à pied AR. Du belvédère (alt. 469 m), **panorama★** sur le Val de Loire, les monts du Morvan, le signal d'Uchon, le Charolais, la Montagne bourbonnaise et, par temps clair, sur les monts d'Auvergne.

Château de Saint-Aubin★

7 km au sud par la D 979. ✆ 03 85 53 95 20 - www.chateaudestaubin.com - visite guidée (1h) tlj sf sam. : juil.-août 11h30 et ttes les heures de 14h30 à 16h30; de mi-juin à fin-juin et de déb. sept. à mi-sept. : 14h30-16h30, visites guidées ttes les heures. 7 € (-10 ans gratuit). Randonnées découvertes du parc, des sources ou des abeilles avec un guide : sur réservation.

Dominant la Loire, l'élégante construction néoclassique de pierre blonde fut édifiée dans les années 1770 par l'architecte Verniquet comme résidence de chasse pour le président du parlement d'Aix-en-Provence. De la salle à manger à la cuisine, et du grand escalier aux appartements privés, le mobilier et la décoration sont raffinés. Dans une galerie des communs, bâtis en briques, découvrez les portraits de famille des Saint-Mauris (15e-19e s.). Et pour finir, profitez des chaises longues installées près du chenil, au pied du vaste potager.

Bourbon-Lancy pratique

Adresse utile

Office du tourisme et du thermalisme de Bourbon-Lancy – *Pl. d'Aligre, 71140 Bourbon-Lancy - ✆ 03 85 89 18 27 - www.bourbon-lancy.com - avr.-oct. : 9h-12h30, 14h-19h, sam. 9h-12h, 15h-18h30, dim. 10h-12h, 15h-18h ; horaires variables le reste de l'année ; se renseigner. Visite guidée de la ville les mar. d'avr. à sept. (2 €) ou sur demande.*

Se loger

⊖ **Camping St-Prix** – *✆ 03 85 89 20 98 - www.aquadis-loisirs.com - ouv. d'avr. à déb. nov. - réserv. conseillée - 128 empl. 19 €.* Si les blocs sanitaires, vieillissants quoique bien entretenus, auraient bien besoin d'une remise à neuf, les deux parties ombragées de l'espace campable donnent, en revanche, entière satisfaction. Le secteur dédié au locatif dispose de chalets en bois avec terrasses, très agréables, à deux pas du plan d'eau.

⊖⊖ **Tourelle du Beffroi** – *17 pl. de la Mairie - ✆ 03 85 89 39 20 - www.latourelle.fr - P - 8 ch. 73 € - ☕ 9 €.* Vous dénicherez cette jolie maison 1900 à tourelle dans la vieille ville, à l'ombre du beffroi. Chambres coquettes et personnalisées, jardinet, terrasse et accueil convivial, vous apprécierez son ambiance « guesthouse ».

Se restaurer

⊖ **Le Champ St-Vérain** – *1 r. de la Mairie - ✆ 03 85 89 30 52 - alain.durand.blu@alicedsl.fr - fermé le soir sf juil.-août et vend. - formule déj. 10,50 € - 13,50/29 €.* Face à la mairie, ce petit restaurant offre un large choix de plats, même dans les premiers prix. Une cuisine maison, très goûteuse et un service à la fois souriant et rapide, dans un cadre soigné (tables en bois, double nappage et serviettes en tissu). Adresse fort sympathique, qui mérite le détour.

⊖⊖ **Villa du Vieux Puits** – *7 r. Bel-Air - ✆ 03 85 89 04 04 - fermé 15 fév.-15 mars, dim. soir et lun. - 20/40 € - 7 ch. 50/60 € - ☕ 10 €.* Cette coquette auberge familiale, aménagée dans les murs d'une tannerie au fond d'un jardin, propose une carte d'inspiration traditionnelle où quenelles de brochet à la sauce aux écrevisses côtoient foie gras de canard, saumon rôti à la peau ou volaille à la crème et aux morilles. Chambres douillettes à disposition.

En soirée

Le Casino – *Le Breuil - au bord du plan d'eau - ✆ 03 85 89 38 80 - www.vikings-casinos.fr.* Ce casino situé face au plan d'eau ne se contente pas de faire vibrer les flambeurs. Un programme complet de spectacles, de conférences et d'expositions tout au long de l'année redonnera le sourire aux moins chanceux. Et si toutes les tables de jeux sont prises, on trouvera bien une place parmi celles du restaurant.

Sports & Loisirs

Bon à savoir – Plusieurs dépliants, disponibles à l'office de tourisme, offrent une description des différents circuits de randonnées. Le plus court, partant du beffroi, fait le tour de la ville et de ses remparts, tandis que les autres, toujours de niveau facile, vous emmèneront sur les bords de la Loire ou dans les forêts.

Plan d'eau du Breuil – Sur un site aménagé de 13 ha, verdoyant et ombragé, le Plan d'eau du Breuil dispose de plusieurs aires de jeux pour enfants, d'une agréable plage de sable et d'un toboggan aquatique pour les apprentis casse-cou. Des aires de pique-nique à proximité, pour continuer à profiter de la fraîcheur de l'eau pendant le repas.

Bourg-en-Bresse★★

40 300 BURGIENS
CARTE GÉNÉRALE C4 – CARTE MICHELIN DÉPARTEMENTS 328 E3 – AIN (01)

Bourg est la capitale historique de la plantureuse région d'élevage de la Bresse. La production de volaille blanche assure son renom, et depuis le Moyen Âge, la ville est le grand centre de fabrication des meubles « rustique bressan » en bois fruitier et frêne, ainsi que des émaux. Mais c'est son monastère royal qui fait l'essentiel de sa renommée : une œuvre flamboyante où se grave une belle histoire.

- **Se repérer** – Bourg se trouve à 36 km à l'est de Mâcon par la D 1079.
- **Se garer** – Sur le champ de foire pour visiter la ville, ou sur le parking près du monastère de Brou, à 3 km de là.
- **À ne pas manquer** – Brou est l'un de ces chefs-d'œuvre inoubliables, qui vaut largement le voyage pour ses tombeaux, ses stalles, ses vitraux et son jubé.
- **Organiser son temps** – En décembre ont lieu les Glorieuses, concours de volailles de Bresse. Notez-le sur votre calendrier !
- **Avec les enfants** – Suivez avec eux l'amusant parcours-découverte au musée du Revermont à Cuisiat. Et faites une halte baignade au parc de loisirs de Bouvent *(voir carnet pratique)*.
- **Pour poursuivre la visite** – Voir aussi la Bresse, Mâcon, Romanèche-Thorins.

S. Sauvignier / MICHELIN

Église du monastère royal de Brou.

Comprendre

DES TRAITÉS ET UN VŒU

D'un seigneur à l'autre – La lignée des seigneurs du pays s'éteint au 13e s. L'héritage revient aux puissants voisins, les ducs de Savoie, qui forment la province de Bresse. Bourg en deviendra la capitale. En 1536, lors de la 8e guerre d'Italie, le duc refuse la traversée de ses domaines à **François Ier**, qui veut envahir le Milanais. Le roi passe outre et, pour mieux assurer ses communications, met la main sur la Bresse, la Savoie, le Piémont.

Le traité de Cateau-Cambrésis met un terme à la 11e guerre (1559), obligeant **Henri II** à restituer ces conquêtes au duc Emmanuel-Philibert. En 1600, au cours de la guerre franco-savoyarde, Bourg résiste à **Henri IV**, mais celui-ci finit par envahir le duché. Le traité de Lyon, signé en 1601, contraint le duc de Savoie à échanger la Bresse, le Bugey, le Valmorey et le pays de Gex contre le marquisat de Saluces, dernier vestige des possessions françaises en Italie. Bourg entre alors dans l'histoire de France.

D'une dame à l'autre – En 1480, Philippe, comte de Bresse, plus tard duc de Savoie, a un accident de chasse. Sa femme, **Marguerite de Bourbon**, la grand-mère de François Ier, fait vœu, s'il guérit, de transformer en monastère l'humble prieuré de Brou. Le comte se rétablit, mais Marguerite meurt sans avoir pu accomplir sa promesse. Elle en laisse le soin à son mari et à leur fils Philibert le Beau. Passé le péril, on oublie la promesse… Vingt années s'écoulent. Philibert, qui a épousé **Marguerite d'Autriche** en 1501, meurt inopinément. Sa veuve y voit un châtiment céleste. Pour que l'âme de son mari repose en paix, elle va se hâter de réaliser le vœu de Marguerite de Bourbon, d'autant plus volontiers que cela doit lui permettre d'affirmer sa propre souveraineté et de rivaliser en prestige avec sa belle-sœur Louise de Savoie, bientôt régente de France. Les travaux commencent à Brou, en 1506, par les bâtiments du monastère. L'église du prieuré est ensuite abattue pour faire place à un édifice qui servira d'écrin aux trois tombeaux où reposeront Philibert, sa femme et sa mère. Marguerite, qui réside en Flandre, confie le chantier à un maître maçon flamand, **Van Boghem**, qui sera à la fois architecte et entrepreneur général. Réalisateur remarquable, il réussit à élever l'édifice dans le temps record de 19 ans (1513-1532).

Marguerite meurt deux ans avant la consécration, sans avoir jamais vu son église autrement que sur plans. Plus chanceuse que sa fondatrice, l'église de Brou traverse les guerres de Religion et la Révolution sans dommages irréparables.

Le couvent est successivement transformé en étable à porcs, en prison, en caserne, en refuge pour mendiants, en asile de fous. Il devient séminaire en 1823 et abrite aujourd'hui le musée. Depuis quatre siècles, Brou est avant tout un symbole de l'amour conjugal…

Se promener

Maisons anciennes

Deux édifices à pans de bois, de la fin du 15e s., attirent le regard : la **maison Hugon (2)**, à l'angle de la rue Gambetta et de la rue V.-Basch, et la **maison Gorrevod (2)**, dans la rue du Palais.

On remarque également, à l'angle de l'hôtel de ville, l'**hôtel de Bohan (2)**, à la belle façade de pierre du 17e s., et rue Teynière, l'**hôtel de Marron de Meillonnas (2),** du 18e s., dont vous pourrez observer les belles ferronneries des balcons. Rue J.-Migonney, une rangée de maisons médiévales à pans de bois en encorbellement jouxte la **porte des Jacobins (2)**, datant de 1437.

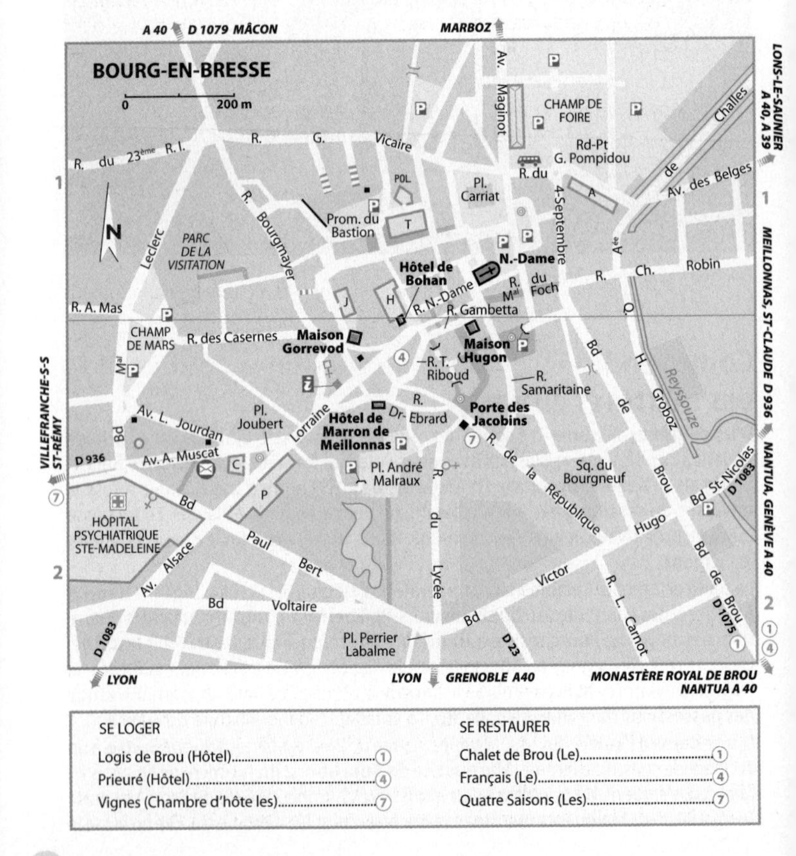

Église Notre-Dame (1)

Commencée en 1505, cette collégiale n'a été terminée qu'au 17e s. Extérieurement, elle présente une abside et une nef flamboyantes. Un triple portail Renaissance orne la façade. Le portail central est surmonté d'une Vierge à l'Enfant, copie d'une œuvre de Coysevox (17e s.). Le haut clocher a été élevé sous Louis XIV, mais le dôme et le lanternon ont été reconstruits au début du siècle. Il faut une certaine ponctualité ou beaucoup de chance pour écouter le carillon qui joue à 7h50, 11h50 et 18h50.

Intérieur – Il est orné d'un mobilier et d'œuvres d'art dignes d'attention : dans l'abside, belles **stalles**★ sculptées du 16e s. Le maître-autel, l'aigle-lutrin, la chaire et le buffet d'orgue, tous en bois sculpté, sont du 18e s. ; le luxueux autel de la chapelle à gauche du chœur est du 19e s. Dans la chapelle de l'Annonciation *(à droite du chœur)* se trouve la Vierge noire du 13e s. qui est à l'origine de la construction de l'église. La chapelle St-Crépin *(3e du bas-côté gauche)* abrite une verrière de la Crucifixion, des statues polychromes et un diptyque représentant la Cène, exécutés au 16e s. Les nombreuses verrières, datant du milieu du 20e s., qui décorent les bas-côtés sont dues, pour celles de gauche, à Le Chevallier, pour celles de droite, à Auclair.

Le saviez-vous ?

Il faut prononcer *Bourk* : ce terme d'origine germanique ayant signifié « château fort » avant de désigner « un gros village ». Au 10e s. en effet, Bourg n'est encore qu'un village qui groupe ses chaumières autour d'une forteresse.

L'homme politique **Edgar Quinet** est né à Bourg en 1803. Démocrate, anticlérical, historien proche de Michelet, il fut l'un des premiers à investir les Tuileries en 1848. Comme Hugo (qui prononcera un discours mémorable à ses funérailles, en 1875), il dut s'exiler après le coup d'État de « Napoléon le Petit ».

Visiter

MONASTÈRE ROYAL DE BROU★★★ (2)

Autrefois établi au voisinage de Bourg, cet ancien prieuré bénédictin, autour duquel s'était formée une petite agglomération, se retrouve maintenant au cœur d'un quartier englobé par l'extension urbaine.

Église★★

04 74 22 83 83 - juil.-sept. : 9h-18h ; avr.-juin : 9h-12h30, 14h-18h ; oct.-mars : 9h-12h, 14h-17h - fermé 1er janv., 1er Mai, 1er et 11 Nov., 25 déc. - 6,50 € (-18 ans gratuit), billet combiné avec le musée - audioguides en location.

Ce monument, où le gothique flamboyant est pénétré par l'art de la Renaissance, est contemporain du château de Chenonceau. En avant de la façade, on verra, à plat sur le sol, un cadran solaire géant, recalculé en 1757 par l'astronome Lalande, enfant de Bourg.

Extérieur – La façade principale, au pignon trilobé, est très richement sculptée dans sa partie centrale. Le tympan du beau **portail**★ Renaissance représente, aux pieds du Christ aux liens, Philibert le Beau, Marguerite d'Autriche et leurs saints patrons. Au trumeau, saint Nicolas de Tolentino, à qui l'église est dédiée (la mort de Philibert survint au jour de fête de ce saint) ; dans les ébrasements, saint Pierre et saint Paul. Surmontant l'accolade du portail, saint André.

Toute une flore sculptée, gothique flamboyant (feuilles et fruits) ou d'inspiration Renaissance (laurier, vigne, acanthe), se mêle à une décoration symbolique où les palmes sont entrelacées de marguerites. D'autres emblèmes de Brou, les initiales de Philibert et de Marguerite unies par des lacs d'amour (cordelière festonnant entre les deux lettres), alternent avec les bâtons croisés, armes de la Bourgogne. Les façades du transept, plus simples, offrent un pignon triangulaire à pinacles. La tour, carrée, élève ses cinq étages sur le flanc droit de l'abside.

Depuis 1996, la toiture de l'église de Brou (profondément modifiée lors de travaux réalisés en 1759 par les moines augustins) a bénéficié d'une ambitieuse campagne de restauration pour lui redonner son aspect originel : les charpentes à la Mansart ont été remplacées par un comble à la française, beaucoup plus pentu. La couverture a retrouvé sa polychromie d'antan grâce à l'utilisation de tuiles plates vernissées et colorées ; le motif losangé est aux couleurs dominantes de la région (brun foncé, pain d'épice, jaune et vert).

Nef – En entrant dans l'église, après avoir longé le cloître orné d'un magnifique magnolia nain étoilé, on apprécie la clarté blonde qui baigne la nef et ses doubles bas-côtés. La lumière des fenêtres hautes illumine l'enduit des murs sur lequel a été dessiné un faux appareillage. Les piliers composés d'un faisceau serré de colonnettes montent d'un seul jet à la voûte, où ils s'épanouissent en nervures multiples aux clefs ouvragées. La balustrade qui court au-dessous des fenêtres de la nef est finement sculptée. L'ensemble architectural a beaucoup de noblesse.

Dans la 2e travée de la nef, à droite, une **cuve baptismale (1)** en marbre noir du 16e s. porte la devise de Marguerite. Le bras droit du transept a un remarquable **vitrail (2)** du 16e s. représentant Suzanne accusée par les vieillards *(en haut)* et disculpée par Daniel *(en bas)*.

La nef et le transept, accessibles aux fidèles, étaient séparés du chœur, domaine propre des religieux et sanctuaire des tombeaux, par le jubé. À sa droite s'ouvre la **chapelle de Montécuto (3),** dans laquelle se trouve une maquette du monastère tel qu'il était vers 1525. Sur la gauche du jubé, sont exposées des stalles en chêne (15e s.) de l'église Saint-Pierre, l'église paroissiale qui précédait l'église de Brou.

Jubé★★ – Observez l'étonnante richesse ornementale des arcs en anse de panier formant comme une dentelle de pierre sur cette clôture de séparation entre la nef et le chœur.

Chœur – Marguerite a tout mis en œuvre pour obtenir la perfection dans la magnificence. Prise dans son ensemble, l'ornementation sculptée de Brou frise l'excès ; mais le moindre détail (clefs de voûtes chiffrées, appareillage de fausses pierres, dessins des arêtes…) est traité avec maîtrise. L'enchantement est d'autant plus vif que l'examen est minutieux.

Les stalles★★ – Elles bordent les deux premières travées de chœur. Au nombre de 74 (pour 12 moines), elles ont été taillées dans le chêne en deux ans seulement, de 1530 à 1532. Si leur structure est encore médiévale, remarquez l'esprit de la Renaissance flamande dans les torsions des corps allongés et les gestes vifs. Le maître Pierre Berchod, dit Terrasson, dut mobiliser tous les menuisiers sculpteurs d'une région où le travail du bois a toujours été à l'honneur. Leur dessin est attribué à Jean de Bruxelles. Les sièges, les dossiers, les dais présentent un luxe de détails ornementaux et de statuettes qui en font un des chefs-d'œuvre du genre. Les stalles du côté gauche offrent des scènes du Nouveau Testament et des personnages satiriques. Celles du côté droit se rapportent à des personnages et à des scènes de l'Ancien Testament.

Les tombeaux★★★ – De nombreux artistes ont collaboré à ces trois monuments, point culminant de l'épanouissement de la sculpture flamande en Bourgogne. Les

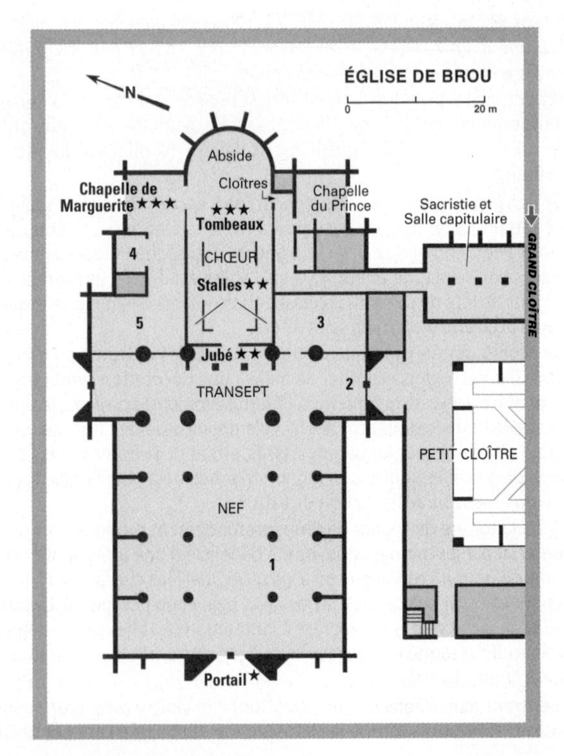

L'infortunée princesse

Sur le dais du tombeau de Marguerite d'Autriche est gravée sa **devise** : *« Fortune infortune fort une »*, que l'on peut développer en « Fortune (le destin) infortune (accable, persécute) fort (durement) une (une femme) ». Rappelons brièvement cette douloureuse destinée.

Fille de l'empereur Maximilien et petite-fille de Charles le Téméraire, elle perd sa mère Marie de Bourgogne à l'âge de 2 ans. L'année suivante, elle est élevée à la cour de Louis XI et on l'unit, par la cérémonie religieuse du mariage, au dauphin Charles, encore enfant. La Franche-Comté constitue la dot de la fillette. Le mariage blanc annulé, Marguerite épouse, à 17 ans, l'infant d'Espagne. Elle perd son mari après quelques mois d'union et met au monde un enfant mort-né. Quatre ans plus tard, son père, Maximilien, lui fait épouser en troisièmes noces Philibert de Savoie, jeune homme de son âge, volage et futile, mais qui respecte sa femme « intelligente pour deux » et la laisse pratiquement gouverner à sa place. Après trois années passées auprès de son « beau duc », le destin porte un nouveau coup à Marguerite : Philibert est emporté par un refroidissement pris à la chasse. Veuve pour la seconde fois, à 24 ans, elle reste fidèle à la mémoire de Philibert jusqu'à son dernier soupir.

Ph. Gajic / MICHELIN

Marguerite d'Autriche.

plans ont été tracés par **Jean de Bruxelles**, qui a fourni aux sculpteurs des dessins « aussi grands que le vif ». L'ornementation et la petite statuaire sont dues, pour la plus grande part, à un atelier flamand installé à Brou auquel collaboraient également des artistes français (**Michel Colombe**), des Allemands et des Italiens. Les statues des trois personnages princiers ont été exécutées entre 1526 et 1531 par **Conrad Meyt**, artiste allemand installé à Malines, au service de Marguerite dès 1512. Tout acquis aux idéaux de la Renaissance, Meyt a fait montre plusieurs fois de son goût pour les nudités de pierre. Les effigies du prince et des princesses sont taillées dans le marbre de Carrare. Les gros blocs, venant d'Italie, ont été transportés par mer, puis par la voie du Rhône. Ils ont ensuite voyagé sur des chars traînés par neuf chevaux, à l'allure de 5 à 6 km par jour. Philibert et les deux Marguerite sont représentés, sur chacun de leur tombeau, étendus sur une dalle de marbre noir, la tête sur un coussin brodé. Suivant la tradition, un chien, emblème de la fidélité, est couché aux pieds des deux princesses ; un lion, symbole de la force, aux pieds du prince. Des angelots entourent les statues, symbolisant l'entrée des défunts au ciel.

Le tombeau de **Marguerite de Bourbon** occupe une niche creusée en enfeu dans le mur droit du chœur. Les deux autres tombeaux, formés chacun de deux dalles superposées, ont la particularité d'offrir du même personnage une double représentation, vif et mort. Celui de **Philibert** est placé au centre. La dépouille figurée du duc presque nu, sur la dalle du dessous, est particulièrement émouvante. Celui de **Marguerite d'Autriche**, sur la gauche du chœur, avec son énorme dais de pierre ciselée, prolonge le mur de clôture. Comme Philibert, Marguerite est représentée en double, dans son linceul : sur la plante du pied, on remarque la blessure qui, suivant la légende, a causé, par gangrène, la mort de la princesse.

Les vitraux★★ – Les grandioses verrières ont été exécutées par des artistes lyonnais de 1525 à 1531. Elles illustrent surtout le thème de la résurrection. Celles de l'abside représentent, au centre, l'Apparition du Christ ressuscité à Madeleine *(partie supérieure)* et la visite du Christ à Marie *(partie inférieure)*, scènes tirées de gravures d'Albrecht Dürer. À gauche et à droite, Philibert et Marguerite sont agenouillés près de leurs patrons. Au-dessus du couple sont reproduits, étincelants de couleurs, les blasons des familles (Savoie et Bourbon pour le duc, Empire et Bourgogne pour la duchesse), ainsi que les blasons des villes de l'État savoyard.

Chapelles et oratoires – Sur la gauche du chœur s'ouvre la remarquable **chapelle de Marguerite★★★**, dont un retable et un vitrail font l'orgueil. Le **retable★★★** représente les Sept Joies de la Vierge. Exécuté en marbre blanc, il nous est parvenu dans un état de conservation rare. C'est un prodige de finesse dans l'exécution, un véritable tour de force qui confond l'esprit. Dans chacune des niches ménagées à cet effet se détache une scène des Sept Joies : en bas, à gauche, l'Annonciation ; à droite, la Visitation ; au-dessus, la Nativité et l'Adoration des Mages ; plus haut, l'Apparition du Christ à sa mère et la Pentecôte encadrent l'Assomption. Trois statues couronnent le retable : la Vierge à l'Enfant est entourée de sainte Madeleine et de sainte Marguerite.

De chaque côté du retable, on remarque saint Philippe et saint André. On note des influences multiples pour le **vitrail★★★**, d'une couleur somptueuse. Il est inspiré d'une gravure de Dürer représentant l'Assomption. Les verriers ont ajouté Philibert et Marguerite, à genoux, auprès de leurs patrons. La frise du vitrail, reproduction d'un dessin que Titien avait composé pour sa chambre, figure en camaïeu le Triomphe de la Foi : le Christ, dans son char, est tiré par les Évangélistes et les personnages de l'Ancienne Loi ; derrière se pressent les docteurs de l'Église et les saints du Nouveau Testament.

Marguerite avait voulu qu'on installât, pour son usage personnel, deux oratoires superposés contigus à la **chapelle,** dite **de Madame (4)**, le plus bas au niveau du chœur, l'autre à celui du jubé, et reliés par un escalier. Ces deux pièces, garnies de tapisseries, équipées chacune d'une cheminée, devaient constituer de véritables petits salons. Une fenêtre oblique, ménagée au-dessous d'une arcade, aurait permis à la princesse de suivre l'office. La **chapelle** voisine, qui porte le nom de **Laurent de Gorrevod (5)**, conseiller de Marguerite, possède un superbe **vitrail★★** représentant l'Incrédulité de saint Thomas, ainsi qu'un triptyque commandé par le cardinal de Granvelle.

À droite du chœur, dans la **chapelle du Prince** sont exposés les vestiges d'un site funéraire antique découvert à Brou : sarcophages gallo-romains et burgondes, bijoux, éléments de parure, statuettes…

Musée★

✆ 04 74 22 83 83 - juil.-sept. : 9h-18h ; avr. -juin : 9h-12h30, 14h-18h ; oct.-mars : 9h-12h, 14h-17h - fermé 1er janv., 1er Mai, 1er et 11 Nov., 25 déc. - 6,50 € (-18 ans gratuit). Il est installé dans les bâtiments du monastère, qui s'organisent autour de trois cloîtres à étage, cas unique en France. L'ancien prieuré bénédictin était si délabré et si humide que les moines obtinrent de Marguerite d'Autriche de commencer les travaux par le couvent et non par l'église.

Petit cloître – Cloître originel de Brou, il permettait aux moines de se rendre à couvert du monastère à l'église. Une galerie du 1er étage desservait l'appartement que Marguerite d'Autriche s'était réservé ; l'autre devait lui permettre de gagner directement la chapelle haute en passant par le jubé. Au rez-de-chaussée se trouvaient la sacristie et la première salle du chapitre, maintenant réunies en une seule salle affectée aux expositions temporaires. Des galeries, aujourd'hui dépôt lapidaire (fragments de corniches et pinacles), s'offre une **vue** sur le pignon du transept droit et le clocher.

Grand cloître – C'était celui où les moines déambulaient en méditant. Il donne accès à la deuxième salle du chapitre, devenue salle d'accueil du musée.

Premier étage – Un escalier permet d'accéder au dortoir, où les cellules des moines abritent des collections de peinture, de mobilier et d'art décoratif. Sur le palier et dans le renfoncement situé au milieu du grand couloir, on peut voir de beaux meubles bressans et une vitrine présentant des faïences de Meillonnas du 18e s. *(voir « Aux alentours »).* Les cellules du côté sud sont dédiées à l'art du 16e au 18e s. : on remarque parmi les tableaux hollandais le beau **portrait de Marguerite d'Autriche★** dû à son peintre de cour, B. Van Orley (vers 1518), et un triptyque de la même année (*Vie de saint Jérôme*) ; les pièces suivantes présentent des peintures des 17e et 18e s. de l'école italienne (Magnasco : *Moines se flagellant*) et de l'école française du 18e s. (Largillière, Gresly), ainsi que du mobilier bourguignon et lyonnais (meubles de Nogaret) et des objets d'art religieux français. Sur le côté nord, les salles de droite sont consacrées à la peinture française du 19e s. (Gustave Doré, Gustave Moreau, école lyonnaise) ; celles de gauche au style troubadour et à la peinture du début du 20e s. (L. Jourdan, Migonney, Utrillo). La grande salle des États abrite une collection d'art contemporain.

Dans l'angle sud-est du grand cloître, on pénètre au rez-de-chaussée dans le réfectoire où sont exposées des sculptures religieuses du 13e au 17e s., notamment une Vierge romane polychrome (12e s.), un Saint Sépulcre de 1443, Philibert et saint Philibert provenant du tympan de l'église de Brou (début du 16e s.).

De là, on accède au 3e cloître.

Cloître des cuisines – Destiné aux communs, à la différence des deux autres, il conserve des traits caractéristiques de la région, tels les toits en pente douce couverts de tuiles creuses et les arcs en plein cintre.

Aux alentours

Saint-Rémy

7 km à l'ouest. Le bourg est dominé par sa petite église romane, intéressante par la belle charpente de sa nef et, dans le chœur, son harmonieuse arcature romane.

Meillonnas

12 km au nord-est. Meillonnas fut longtemps célèbre pour ses faïenceries dont la production fut particulièrement prisée sous Louis XV. L'activité industrielle s'est éteinte en 1866, mais on l'a reprise artisanalement depuis 1967 selon des dessins traditionnels. Voyez les maisons du 16e s. autour de l'église.

Treffort

15 km au nord-est. Cette ville fortifiée a conservé tout le charme de son cadre médiéval. Empruntez les ruelles qui grimpent vers l'église *(juil.-août : tlj ; juin et sept. : w.-end)* et empruntez le Fiscal, surprenant chemin herbeux et fleuri. La Grande-Rue permet de gagner la halle du 15e s. L'église Notre-Dame (14e et 15e s.), surmontée d'un clocher à dôme, offre un ensemble de vingt-neuf stalles portant de remarquables médaillons sculptés.

Cuisiat

19 km au nord-est. L'ancienne mairie-école du village accueille le **musée du Revermont** , qui évoque la vie des hommes de la région du 18e s. à nos jours : reconstitution de la classe de l'école communale, présentation de la vie des enfants, du passé viticole et du travail de la faïence à Meillonnas, potager et verger conservatoires où l'on découvre le cornichon d'âne et d'autres plantes amusantes. *℘ 04 74 51 32 42 - www.ain.fr - juil.-sept. : tlj sf mar. 11h-18h, dim. et j. fériés 11h-19h ; avr.-juin et oct. : tlj sf mar. et merc. 14h-18h, dim. et j. fériés 10h-18h - fermé 2 nov. à déb. avr. - 4,50 € (-16 ans gratuit).*

Bourg-en-Bresse pratique

Adresse utile

Office du tourisme de Bourg-en-Bresse – *6 av. Alsace-Lorraine - BP 190- 01005 Bourg-en-Bresse Cedex - ℘ 04 74 22 49 40 - www.bourg-en-bresse.org - juil.-août : lun.-vend. 9h-12h30, 13h30-19h, sam. 9h-12h, 14h-18h ; sept.-juin : lun.-vend. 9h-12h, 14h-18h30, sam. 9h-12h, 14h-18h.*

Se loger

Chambre d'hôte Les Vignes – *01310 Montcet - 12 km à l'ouest de Bourg-en-Bresse par D 936 puis D 45 - ℘ 04 74 24 23 13 - www.chambres-hotes-lesvignes.com - - 4 ch. 44/57 € - repas 21,50 €.* Cette maison bressane bâtie en brique et bois profite d'un emplacement calme en pleine campagne. Un labyrinthe d'herbes, une piscine et un étang poissonneux agrémentent l'agréable et vaste jardin fleuri. Chaleureuses chambres aux murs lambrissés. Petits-déjeuners servis en terrasse ou sous la véranda.

Hôtel Logis de Brou – *132 bd de Brou - ℘ 04 74 22 11 55 - www.logisdebrou.com - P - 30 ch. 61/72 € - 9 €.* Cet établissement traditionnel est situé à proximité de l'église de Brou. Les chambres sont confortables, très bien entretenues et garnies d'un mobilier varié (moderne, rustique ou bambou) ; toutes bénéficient d'un balcon. L'hôtel est agrémenté d'un jardin fleuri.

Hôtel Prieuré – *49 bd de Brou - ℘ 04 74 22 44 60 - www.hoteldupricure.com - P - 14 ch. 78/90 € - 9,50 €.* Maison récente dont les chambres (non-fumeurs), dotées de mobilier de style Louis XV, Louis XVI ou bressan, disposent presque toutes d'un balcon avec vue sur l'église de Brou.

Se restaurer

Le Chalet de Brou – *168 bd de Brou - ℘ 04 74 22 26 28 - fermé 1er-15 juin, 23 déc.-23 janv., lun. soir, jeu. soir et vend. - 16/45 €.* Un petit restaurant où règne une gentille ambiance familiale face à la célèbre église de Brou. Boiseries, chaises rustiques et tapisseries font le charme un brin désuet de la salle à manger. Cuisine traditionnelle mâtinée d'influences régionales proposée à prix raisonnables.

Les Quatre Saisons – *6 r. de la République - ℘ 04 74 22 01 86 - fermé 2-10 janvier, 1er-10 mai, 15-30 août, sam. midi, dim. et lun. - 19/55 €.* Le patron, passionné de vins et de produits locaux, vous mettra en appétit en vous commentant ses plats du terroir, aussi joliment réinventés que généreux. Ambiance conviviale.

Le Français – *7 av. Alsace-Lorraine - ℘ 04 74 22 55 14 - fermé 20-24 mai, 1er-24 août, 24 déc.-4 janv., sam. soir et dim - 24/51 €.* Cette authentique brasserie 1900 en plein centre-ville est très sympathique avec ses hauts plafonds moulés et ses grands miroirs. La carte suit la tradition de ce style de restaurant et son banc d'écailler fera le bonheur des amateurs de fruits de mer.

Que rapporter

Marché – *Champ-de-Foire - merc. mat. et sam. mat.* Ce marché de tradition vous convie à la découverte d'une gastronomie régionale dont la réputation n'est plus à faire. Les volailles, orgueil de la plantureuse Bresse, tiennent le haut du pavé. Chaque année, en décembre, elles sont présentées dans le cadre d'un concours qui suscite l'admiration gourmande !

Piroud Sarl Volailler – *69 av. Maginot - ✆ 04 74 23 13 87 - tlj sf dim. et lun. 8h-12h30 et 14h-18h30 - fermé j. fériés.* Ces volaillers frère et sœur ont la passion du poulet : celui qui fait le renom de la Bresse, bien sûr, mais aussi et surtout le poulet fermier de l'Ain, vedette incontestée de ce magasin où l'on se préoccupe davantage de la qualité des produits proposés que du décor. Poules blanches, pintades fermières, canards et canettes de la Dombe viennent compléter un étal fort riche au demeurant.

Émaux Bressans Jeanvoine – *1 r. Thomas-Riboud - ✆ 04 74 22 05 25 - www.emaux-bressans.com - tlj sf dim. et lun. 9h-12h, 14h-19h - fermé j. fériés.* Créés par un émailleur parisien installé à Bourg-en-Bresse, les émaux Bressans sont aujourd'hui réalisés artisanalement par la maison Jeanvoine. Les nombreuses couches d'émail sont agrémentées de motifs en or, disposés selon une tradition qui remonte à 1850.

Sports & Loisirs

Parc de loisirs de Bouvent – *Du centre-ville de Bourg-en-Bresse, en voiture, prendre direction Pont-d'Ain - en bus, ligne 5 (ouverte en saison, ttes les 30 mn) direction Ainterexpo, arrêt Bouvent plage. - ✆ 04 74 45 18 30 - 2,60 € (-16 ans 1,30 €).* Parc de 56 ha aux portes de Bourg-en-Bresse, plan d'eau, espaces de jeux.

Événement

Les « Glorieuses de Bresse » – à partir du 3e vend. de déc. se déroulent 4 concours de volaille de Bresse à Bourg-en-Bresse, Pont-de-Vaux, Montrevel-en-Bresse et Louhans.

Brancion★

CARTE GÉNÉRALE C4 – CARTE MICHELIN DÉPARTEMENTS 320 I10 – SAÔNE-ET-LOIRE (71)

Au cœur du pays de l'art roman, ce charmant bourg médiéval, soigneusement restauré, est perché sur une arête d'où se dessinent deux ravins profonds et s'étalent des monts boisés. Protégé par ses remparts et son château fort, c'est l'un des sites les plus vertigineux du Mâconnais.

Se repérer – Brancion se trouve à 14 km au sud-ouest de Tournus par la D 14.

Se garer – L'accès de la localité est interdit aux voitures. Utilisez le parc de stationnement aménagé extra-muros.

À ne pas manquer – Profitez de la jolie vue sur le village depuis la table d'orientation en haut du donjon. Et prenez le temps de flâner tranquillement dans les ruelles de cet authentique village médiéval pour en apppécier tous les trésors.

Avec les enfants – Faites-leur mener l'enquête pour découvrir la vie au Moyen Âge. Le cadre s'y prête vraiment, et chaque pan de mur cache une histoire…

Pour poursuivre la visite – Voir aussi Chapaize, Cormatin, Tournus, la Voie verte.

Découvrir

Après avoir franchi l'enceinte du 14e s. par la porte fortifiée à herses ouverte sur le village, vous aurez l'étrange impression qu'il ne manque rien à ce tableau, sauf peut-être les chausses, pour se croire en plein Moyen Âge. Vous découvrirez tour à tour les restes imposants du château fort, les ruelles sinueuses bordées de maisons médiévales, les halles du 14e s. avec leur superbe charpente, et bien sûr, l'église fièrement perchée à l'extrémité du promontoire.

Château

✆ 03 85 32 19 70 - www.brancion.fr - de mi-avr. à fin sept. : 10h-12h30, 13h30-18h30 ; déb. oct.-mi-déc. : ven.-dim. 13h30-18h30 - 4 € (5-16 ans 2 €).

Forts de leur position, les seigneurs de Brancion, batailleurs, furent souvent en conflit avec les moines de Cluny. Lors des croisades, ils lèvent une armée, mais celles-ci font leur ruine, les obligeant à céder leur fief aux ducs de Bourgogne, et Josserand le Grand meurt à la bataille de la Mansourah (*son gisant est visible dans l'église).* Le château féodal, entouré d'arbres et de buis, remonte au début du 10e s.

Ph. Gajic / MICHELIN

Village médiéval de Brancion.

(fondations en arêtes de poisson). Remanié au 14e s. par Philippe le Hardi, qui lui adjoignit un logis, une barbacane, dite « la maison de Beaufort », où résidèrent les ducs de Bourgogne, il a été démantelé pendant la Ligue, en juin 1594, par les troupes du colonel d'Ornano. Le donjon du 13e s. a été restauré ainsi que quelques salles. De sa plate-forme *(87 marches)*, où une table d'orientation a été aménagée, vous aurez une **vue★** d'ensemble sur le village et son église, la vallée de la Grosne, les monts du Charolais et du Morvan.

Église Saint-Pierre

C'est un bâtiment trapu de la fin du 12e s., de style roman, surmonté d'un clocher carré et dont la pureté de ligne s'allie aux tons de la pierre calcaire et à la toiture de « laves » (pierres plates extraites sur les collines calcaires de la rive droite de la Saône).

À l'intérieur, on peut voir des **fresques** de la fin du 13e s., commandées par le duc Eudes IV de Bourgogne, et de nombreuses pierres tombales. Parmi les peintures murales *(campagne de restauration en cours)*, remarquez sur la paroi droite de l'abside une Résurrection des morts.

La terrasse de l'église, située à l'extrémité du promontoire, commande une **vue** sur toute la vallée.

Brancion pratique

Voir aussi les carnets pratiques de Chapaize, du château de Cormatin, de Tournus et de la Voie verte.

Se loger

Hôtel Montagne de Brancion – *Au col de Brancion - 03 85 51 12 40 - www.brancion.com - fermé de déb. nov. à mi-mars - P - 19 ch. 100/170 € - 18 € - rest. 28/78 €.* Rien ne troublera votre repos dans cet hôtel magnifiquement situé au-dessus des vignobles, face aux monts du Mâconnais. Les chambres sont claires avec leurs meubles en bambou ou en bois cérusé. Salle à manger lumineuse ouvrant sur le jardin fleuri avec sa piscine. Cuisine au goût du jour.

Se restaurer

Ferme-auberge de Malo – *Lieu-dit Malo - 71240 Étrigny - 9 km au nord de Brancion par D 159 puis rte secondaire - 03 85 92 21 47 - www.aubergemalo.com - fermé 10 nov.-1er avr. - réserv. obligatoire - 14/22 € - 3 ch. 52 € - 6 €.* Murs crépis, poutres, photos anciennes, cuivres et cheminée décorent la salle des repas de cette jolie ferme médiévale. À table, dégustez légumes du potager, volailles et porcs élevés sur place et charcuteries « maison ». Sur demande, promenade gratuite en calèche (selon disponibilité). Chambres d'hôte, calmes, coquettes et équipées de wifi. Prêt de vélos pour les résidents.

La Bresse★★

CARTE GÉNÉRALE C3/4 – CARTE MICHELIN DÉPARTEMENTS 328 D/E-2/3
SAÔNE-ET-LOIRE (71), AIN (01)

Terre de traditions et de gastronomie, la Bresse, qui s'étend au sud de la Bourgogne, est une région attachante, souvent méconnue. Parcourue de nombreux cours d'eau, elle offre un bel exemple de bocage. Les paysages sont aisément reconnaissables à la présence de la volaille blanche qui court dans les prés, de séchoirs à maïs et de belles fermes à pans de bois, parfois surmontées de singulières mitres et de moulins endormis.

Se repérer – Cette plaine sédimentaire est limitée à l'ouest par la Saône et à l'est par les plateaux du Revermont.

À ne pas manquer – Visitez l'écomusée de la Bresse bourguignonne à Pierre-de-Bresse et le musée de la Bresse à Saint-Cyr-sur-Menthon. Et bien sûr, dégustez de la délicieuse volaille de Bresse aux morilles et des galettes aux pralines !

Organiser son temps – Assistez en décembre aux Glorieuses, concours des volailles de Bresse. Et réservez-vous suffisamment de temps pour parcourir tranquillement, en voiture ou à vélo, la Bresse savoyarde et la Bresse bourguignonne : vous en apprécierez mieux les différences et l'originalité.

Avec les enfants – Vous n'aurez que l'embarras du choix, entre le domaine des Planons, la ferme-musée de la Forêt à Saint-Trivier-de-Courtes, le musée des Attelages à Vonnas, et les activités nautiques de Montrevel-en-Bresse.

Pour poursuivre la visite – Voir aussi Bourg-en-Bresse, Louhans, Mâcon, Romanèche-Thorins, Tournus.

Comprendre

DISPARITÉS ET IDENTITÉ DE LA BRESSE

Les influences de la Bourgogne et de la Méditerranée ont creusé un fossé entre le nord et le sud de la région, qui ont connu des destins très différents. L'histoire permet de distinguer la Bresse du nord, dite Bresse bourguignonne, et la Bresse du sud, appelée Bresse savoyarde.

La Bresse louhannaise ou bourguignonne – La proximité du puissant duché de Bourgogne a éclipsé pendant des siècles les efforts du nord de la Bresse. Ces « terres d'outre-Saône », ayant longtemps constitué une zone frontalière, ont souvent été disputées. Peu fréquentée par la noblesse et longtemps privée d'administrations locales efficaces, la région louhannaise s'est progressivement affirmée grâce à l'essor de ses exploitations agricoles et à la naissance d'une bourgeoisie qui a pris en main la gestion de la ville et de ses environs. À la manière d'un centre culturel, l'**écomusée de la Bresse bourguignonne** s'applique à mettre en valeur les points forts de la région.

La Bresse bressane ou savoyarde – Située dans l'actuel département de l'Ain, la Bresse du sud est beaucoup mieux connue et a largement profité du dynamisme de sa capitale Bourg-en-Bresse. Contrairement à la partie nord, elle a connu très rapidement une unité politique amorcée par la famille de Bâgé. En 1272, le mariage de Sibylle de Bâgé et d'Amédée V le Grand, comte de Savoie, rattache la province à la maison de Savoie. Elle y restera jusqu'au traité de Lyon (1601) par lequel, grâce à la victoire de Chambéry, Henri IV obtient son retour à la couronne. La princesse Marguerite d'Autriche a considérablement renforcé le prestige et le rayonnement de la capitale bressane par l'exceptionnelle réalisation de Brou *(voir Bourg-en-Bresse)*.

Malgré ces différences historiques, l'observateur attentif découvrira une véritable culture bressane. Celle-ci se fonde sur la pérennité des traditions, la renommée de la production agricole et de la gastronomie, l'originalité de l'habitat rural.

Les « ventres jaunes »

De la rivalité entre les paysans bressans et leurs voisins du Revermont, les « cavets », dont les terres sont beaucoup plus difficiles, est né le sobriquet de « ventres jaunes ». Il rappelle l'importance du maïs dans la nourriture régionale ; le plat traditionnel bressan, « les gaudes », est en effet une bouillie à base de farine de maïs torréfié.

Habitat rural et traditions – Plutôt boisée mais pauvre en pierre, la terre bressane a favorisé la construction de

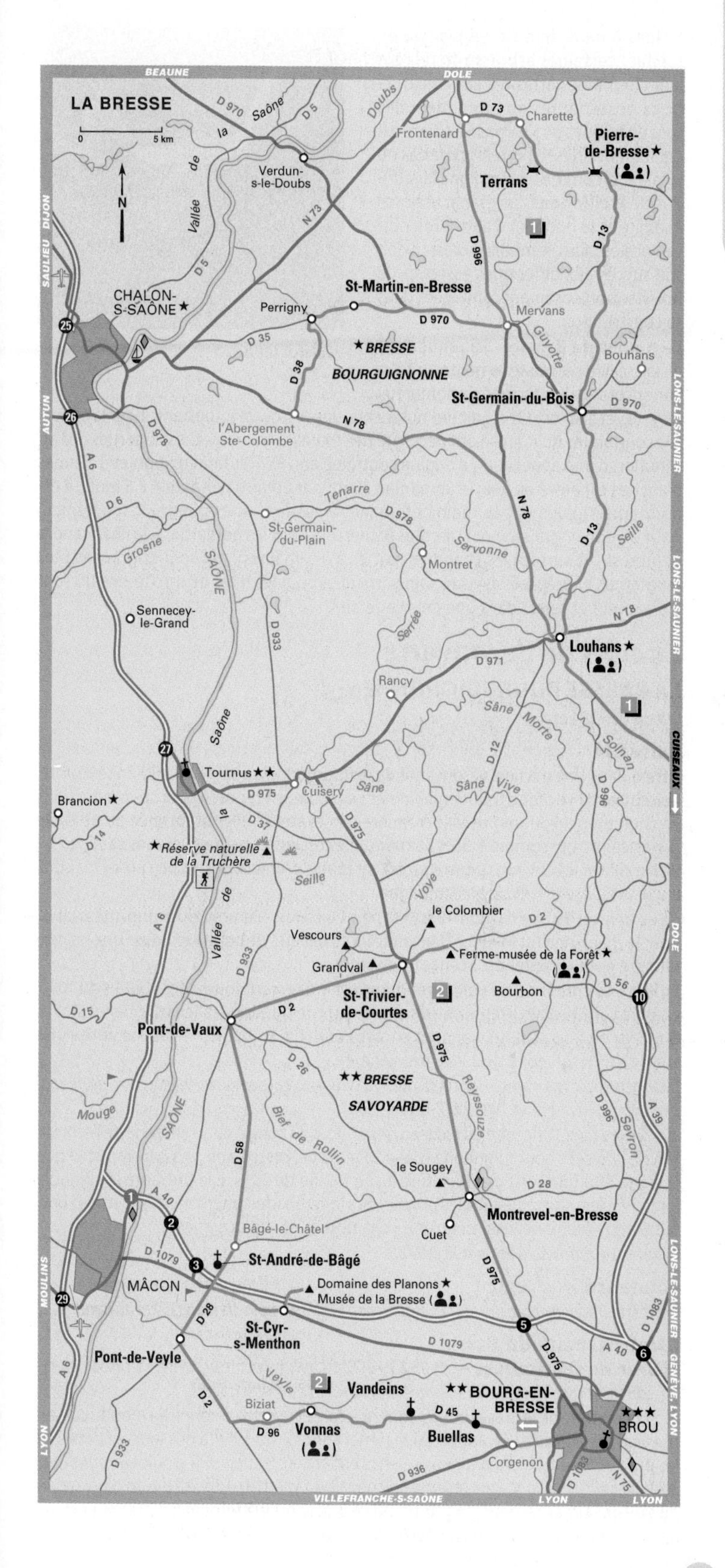
LA BRESSE
BEAUNE
DOLE
DIJON
SAULIEU
AUTUN
MOULINS
LYON
VILLEFRANCHE-S-SAÔNE
LONS-LE-SAUNIER
CUISEAUX
GENÈVE, LYON
Verdun-s-le-Doubs
Frontenard
Charette
Pierre-de-Bresse ★
Terrans
St-Martin-en-Bresse
Perrigny
CHALON-S-SAÔNE ★
Mervans
Bouhans
★ BRESSE BOURGUIGNONNE
St-Germain-du-Bois
l'Abergement Ste-Colombe
St-Germain-du-Plain
Montret
Sennecey-le-Grand
Louhans ★
Rancy
Tournus ★★
Cuisery
Brancion ★
★ Réserve naturelle de la Truchère
le Colombier
Vescours
Grandval
Ferme-musée de la Forêt ★
Bourbon
St-Trivier-de-Courtes
Pont-de-Vaux
★★ BRESSE SAVOYARDE
le Sougey
Montrevel-en-Bresse
Cuet
Bâgé-le-Châtel
St-André-de-Bâgé
MÂCON
Domaine des Planons ★
Musée de la Bresse
St-Cyr-s-Menthon
Pont-de-Veyle
Vandeins
★★ BOURG-EN-BRESSE
★★★ BROU
Biziat
Vonnas
Buellas
Corgenon

fermes à pans de bois, en pisé ou en torchis; certaines arborent fièrement leur cheminée sarrasine. Les constructions postérieures ou monumentales sont en briques ou « carons ». La terre est également utilisée pour les poteries ou la faïence, comme en témoigne la fabrique de **Meillonnas**. L'artisanat régional exploite avec bonheur d'autres ressources locales; ainsi, le mobilier bressan doit son succès aux différentes essences de bois harmonieusement combinées dans sa construction.

Ph. Gajic / MICHELIN

Poulet de Bresse.

Le poulet de Bresse – La renommée de la volaille de Bresse remonte au 17e s. Son succès a fait la fortune de nombreux éleveurs et elle constitue, aujourd'hui encore, une ressource importante pour la région. Les contraintes du marché ont nécessité de strictes réglementations assorties de l'attribution d'une appellation d'origine contrôlée en 1957. Le fameux poulet à plumes blanches est élevé en liberté (minimum 10 m^2 par poulet) pendant 4 à 5 mois; il est nourri principalement au grain et termine sa vie dans une épinette (cage fermée) pour un bon engraissement; les plus recherchés sont les poulardes à la chair tendre et juteuse, et surtout les chapons (castrés à 8 semaines), qui sont engraissés plus longtemps et préparés avec un soin particulier pour les fêtes de fin d'année (ils sont alors roulés et serrés dans une toile végétale).

Circuits de découverte

LA BRESSE BOURGUIGNONNE★ 1

Circuit de 138 km.

Cuiseaux

Située dans une enclave verdoyante de la Bourgogne au sein de la Franche-Comté, Cuiseaux, à la vocation traditionnellement agricole, est réputée pour ses productions en charcuterie. Longtemps ville frontière très exposée, elle fut fortifiée au 12e s. De son enceinte qui comptait alors 36 tours, elle conserve encore quelques vestiges. La vieille ville et les environs permettent d'agréables promenades, ici parmi des maisons anciennes, là en forêt ou en campagne.

Le peintre **Vuillard** (1868-1940) est né à Cuiseaux. Membre du groupe des Nabis, dont le théoricien fut Maurice Denis, il se lia au milieu symboliste et utilisa une palette raffinée pour évoquer des scènes intimistes.

Église – Le chœur de cet édifice moderne est intéressant; outre des statues du 16e s. en bois polychrome, il renferme deux tableaux de primitifs italiens. De belles stalles du 15e s. en bois sculpté viennent encore l'enrichir. Le bas-côté gauche abrite une statue de Vierge noire du 13e s., très vénérée.

Le Vigneron et sa vigne – *03 85 76 27 16 - www.ecomusee-de-la-bresse.com - de mi-mai à fin sept.: tlj sf mar. 15h-19h - 3 € (7-18 ans 1,50 €).*

Située dans l'enceinte du château des princes d'Orange, cette antenne de l'écomusée de la Bresse bourguignonne (siège à Pierre-de-Bresse, *voir plus loin*) rappelle que Cuiseaux fut une zone de viticulture jusqu'à la fin du 19e s. Elle présente le vignoble jurassien, les outils et ustensiles propres au vigneron (documentaire audiovisuel sur la fabrication du tonneau) ainsi qu'une « chambre à feu » (pièce à vivre).

Gagnez Louhans à 20 km par la D 972.

Louhans★ *(voir ce nom)*

Quittez Louhans au nord par la D 13 en direction de St-Germain-du-Bois (15 km au nord).

Saint-Germain-du-Bois

Maison de l'agriculture – *03 85 76 27 16 - www.ecomusee-de-la-bresse.com - de mi-mai à fin sept.: tlj sf mar. 15h-19h - 3 € (7-18 ans 1,50 €).*

L'écomusée de la Bresse bourguignonne consacre cette antenne au monde paysan bressan; elle retrace l'évolution du matériel agricole du 19e s. à nos jours et présente les productions traditionnelles avec, en premier lieu, le maïs et le poulet *(programme audiovisuel)*. Un espace est réservé au cheval; on y voit la reconstitution d'un atelier de bourrelier harnacheur, on y apprend ce que sont un étalonnier ou un hongreur.

Reprenez la D 13 en direction de Pierre-de-Bresse.

Pierre-de-Bresse

Écomusée de la Bresse bourguignonne★ – *✆ 03 85 76 27 16 - www.ecomusee-de-la-bresse.com - de mi-mai à fin sept. : 10h-19h ; de déb. oct. à mi-mai : 14h-18h - fermé 25 déc.-1er janv. - 6 € (7-18 ans 2 €).* Entouré d'un parc de 30 ha, c'est un bel édifice du 17e s. en brique claire et à toits d'ardoise. Ses douves et son plan en U, flanqué aux quatre angles de tours rondes coiffées de dômes, trahissent sa construction sur l'emplacement d'une maison forte. L'axe de la cour d'honneur a été magnifié au 18e s. par une avant-cour encadrée par de vastes communs que cerne une deuxième boucle de douves. Dans l'aile centrale du château qui abrite l'écomusée, l'escalier du vestibule d'entrée, à la belle rampe en fer forgé, et deux salles, 18e et 19e s., témoignent des aménagements intérieurs d'époque. Sur trois niveaux, des expositions permanentes et temporaires présentent le milieu naturel, l'histoire, la vie traditionnelle et l'économie actuelle du terroir *(documentaires audiovisuels).*

Bon à savoir – L'écomusée de la Bresse bourguignonne est relayé sur son territoire par différentes antennes. En dehors de celles de Cuiseaux et St-Germain-du-Bois *(citées plus haut)*, elles sont installées à Louhans et Rancy *(voir p. 292)*, St-Martin-en-Bresse *(voir ci-dessous)*, Verdun-sur-le-Doubs *(voir p. 373)* et Romenay (musée du Terroir *✆ 03 85 76 27 16 - tlj sf mar. de mi-mai à fin sept. : 15h-19h - 3 €, 7-18 ans 1,50 €).*

Continuez sur la D 73 en direction de Charette-Varennes.

Château de Terrans

Le dessin du château, dont la construction débuta en 1765, est d'une grande sobriété. Une belle grille en fer forgé ferme la cour d'honneur, laissant apparaître une élégante façade dont la porte d'entrée est précédée d'un escalier encadré de deux lions.

Poursuivez sur la D 73 jusqu'à Frontenard et prenez à gauche la D 996 en direction de Louhans. À Mervans, prenez à droite la D 970 sur 7 km et tournez à gauche en direction de Saint-Martin-en-Bresse.

Saint-Martin-en-Bresse

À St-Martin-en Bresse, poursuivez sur la D 35 jusqu'au hameau de Perrigny.

Maison de la forêt et du bois de Perrigny – *✆ 03 85 76 27 16 - www.ecomusee-de-la-bresse.com - de mi-mai à fin sept. : tlj sf mar. 15h-19h - 3 € (7-18 ans 1,50 €).*

Au centre du secteur boisé de la Bresse, l'écomusée de la Bresse bourguignonne présente ici les différentes essences de la forêt bressane (sculptures d'Alan Mantle) et les métiers directement liés au bois.

Prenez la D 38 en direction de L'Abergement-Ste-Colombe, et regagnez Louhans par la N 78 puis Cuiseaux.

LA BRESSE SAVOYARDE★★ 2

Circuit de 104 km.

Bourg-en-Bresse★★ *(voir ce nom)*

Quittez Bourg-en-Bresse à l'ouest en direction de Villefranche-sur-Saône. À Corgenon, prenez à droite la D 45 jusqu'à Buellas.

Buellas

L'**église**, précédée d'un auvent rustique, est intéressante par la belle arcature romane du chœur et son ensemble de statues. Remarquez le geste des anges soutenant la gloire où s'inscrit le Christ. *Visite sur demande au ✆ 04 74 24 20 38 (mairie).*

Poursuivez sur la D 45 jusqu'à Vandeins.

Vandeins

L'**église** est ornée d'un portail sculpté datant du 12e s. Au **tympan★**, le Christ bénissant est une belle œuvre romane. La Cène, de facture plus grossière, est représentée sur le linteau, entre deux petits groupes de damnés, sur les piédroits.

Continuez sur la D 96 qui conduit à Vonnas.

Vonnas

Cette paisible petite ville abondamment fleurie est une fameuse étape gastronomique aux confins de la Bresse et de la Dombes. Si vous souhaitez goûter *la* volaille de votre vie, Georges Blanc, un des meilleurs cuisiniers de France, pourra vous soumettre sa « poularde de Bresse aux gousses d'ail et foie gras ».

Musée des Attelages, de la Carrosserie et du Charronnage – *✆ 04 74 50 09 74 - de mi-mars à mi-nov. : tlj sf lun. 10h-12h, 14h-18h - fermé 1er Mai - 4,60 € (10-16 ans 2,30 €).*

Installé dans un moulin, ce musée présente une collection de charrettes et de voitures à cheval, ainsi que les métiers du bois, du cuir et du fer.

Reprenez la D 96 en direction de Biziat et rejoignez la D 2 qui mène à Pont-de-Veyle.

Pont-de-Veyle

Arrosée par la Veyle, ceinturée par d'anciens fossés en eau, la bourgade s'est développée dès le 13e s. et a servi de havre aux protestants mâconnais jusqu'à la révocation de l'édit de Nantes (1685). Elle a conservé de beaux vestiges, dont la **porte de l'Horloge**, la maison du Guetteur (16e s.), la maison de Savoie (*66 Grande-Rue* - 15e s.) et l'église de style jésuite (1752).

Sortez de Pont-de-Veyle au nord par la D 28. 3 km plus loin, prenez à droite la D 1079 (anciennement N 79) en direction de Bourg-en-Bresse.

Saint-Cyr-sur-Menthon

La commune rassemble plusieurs exemples exceptionnels d'architecture rurale. Au nord de la D 1079, on peut encore voir l'une des plus grandes **poypes** (mottes féodales) de la région : 46 m de diamètre et 9,50 m de haut. Un peu plus loin, le hameau de la Mulatière a conservé plusieurs fermes à cheminée sarrasine, dont la plus importante est celle du domaine des Planons.

Musée de la Bresse – Domaine des Planons★ – *03 85 36 31 22 - www.ain.fr - juin.-sept. : tlj sf mar. 10h-18h, dim. et j. fériés 10h-19h ; déb. avr. à fin mai et 1er oct.-11 nov. : tlj sf mar. et merc. 10h-18h - 4,50 € (-16 ans gratuit).*

Ce très bel exemple d'architecture bressane accueille le musée de la Bresse, aménagé, depuis l'été 2005, dans un bâtiment d'architecture contemporaine, semi-enterré. En suivant les panneaux de verre ondoyant comme le paysage environnant, vous y découvrirez toute la Bresse à travers les collections de costumes et de parures, dont de superbes émaux bressans, ainsi que les produits du terroir.

Suivant le plan d'une **ferme** à cour fermée, assez inhabituel en Bresse, le corps des bâtiments du domaine des Planons s'ouvre par un large porche ou « passou ». La maison d'habitation, remarquable par sa cheminée sarrasine, a été construite à partir de 1490 et restaurée selon les techniques traditionnelles. Un inventaire de 1784, retrouvé sur les lieux, permet de reconstituer fidèlement l'organisation et le mobilier d'une ferme à l'époque. Derrière la maison, le jardin potager a été recréé avec précision. Les autres bâtiments, dont certains bénéficient d'une animation sonore, présentent les dépendances d'une ferme, l'élevage du poulet de Bresse et quelques collections sur la vie rurale.

Les cheminées sarrasines

Particulièrement répandues dans la Bresse savoyarde, elles ont été construites sur l'ancien domaine des sires de Bâgé depuis le 13e s. Une trentaine seulement, bâties entre le 15e et le 18e s., sont conservées aujourd'hui ; elles se caractérisent à l'intérieur par un énorme foyer, non adossé au mur, surmonté d'une hotte sous laquelle on peut se tenir debout, et d'un conduit de fumée en torchis et pans de bois. Ces « foyers chauffant au large » étaient répandus dans toute la France, mais la spécificité de ceux de Bresse est la présence d'une mitre ressemblant à un petit clocher – ou plus rarement à un reliquaire – qui coiffe le conduit. De plan rond, carré (sur le modèle du clocher de St-Philibert de Tournus) ou octogonal (celui de St-André-de-Bâgé), et d'inspiration romane, gothique ou parfois byzantine, ces mitres sont ajourées sur un ou plusieurs étages et se terminent par un cône, une pyramide ou un clocheton de style baroque surmontés d'une croix en fer forgé *(une carte du domaine des Planons permet de les localiser et de remarquer leur variété)*. Leur appellation « sarrasine » date seulement du 18e s. Elle ne traduit pas une origine géographique, que l'on ignore, mais une survivance du sens médiéval du mot, qui signifiait « appartenant à une civilisation étrangère, ancienne ou inconnue ».

Ph. Gajic / MICHELIN

Cheminée sarrasine au domaine des Planons.

Jacass / MICHELIN

Ensemble caractéristique de l'architecture rurale bressane à la ferme-musée de la Forêt.

Le vaste **parc** accueille des animations complémentaires : mare, jeu de quilles, exposition sur le bois, élevage moderne de volailles selon les règles de l'AOC.

Revenez à St-Cyr-sur-Menthon, et reprenez la D 1079 jusqu'au croisement avec la D 28. Tournez à droite vers Bâgé-le-Châtel. L'église est isolée sur la gauche, avant le village.

Saint-André-de-Bâgé

L'**église** romane, bâtie à la fin du 11e s. grâce aux moines de Tournus, est isolée au milieu d'un cimetière. Un **clocher**★ octogonal très élégant, coiffé d'une flèche en pierre, domine l'abside et ses deux absidioles. Le chœur est tout à fait intéressant pour ses colonnettes et ses chapiteaux historiés.

Gagnez Bâgé-le-Châtel, et continuez au nord sur la D 58 jusqu'à Pont-de-Vaux.

Pont-de-Vaux

Cette cité est attachée à la mémoire du **général Joubert**, commandant en chef de l'armée d'Italie, glorieux compagnon de Bonaparte, mort à Novi en 1799 (souvenirs au musée) et inhumé dans l'église de Pont-de-Vaux. Sa disparition obligea Sieyès à choisir un autre militaire (Bonaparte) pour opérer le coup d'État contre le Directoire... Autrefois ville frontière de Savoie, la petite cité s'est développée dans une boucle de la Reyssouze, affluent de la Saône bien connu des pêcheurs. Le cours aval de celui-ci, canalisé, permet aux plaisanciers naviguant sur la Saône de venir faire escale dans cette bourgade au cadre agréable (maisons à pans de bois, édifices ou façades des 16e et 17e s.) et qui accueille en décembre l'une des quatre Glorieuses de Bresse (concours de volailles).

Musée Chintreuil – *✆ 03 85 51 45 65 - de déb. avr. au 11 nov. : tlj sf mar. 14h-18h - 3,50 €.* Il expose notamment d'intéressantes toiles de Jules Migonney *(Vieille Mauresque)* et d'Antoine Chintreuil (élève de Corot).

Église Notre-Dame – Elle remonte au 15e s. Sa façade, de style jésuite, est ornée de coquilles baroques. Faute de place, l'église fut bâtie tout en longueur et s'achève par un chœur de style gothique flamboyant éclairé par de grandes verrières. Outre les boiseries, qui proviennent de la chartreuse de Montmerle (vendue à la Révolution), l'église est ornée de onze grandes peintures dues à un élève de Boucher, Nicolas Brenet (18e s.).

Sortez de Pont-de-Vaux au nord-est par la D 2 en direction de St-Triviers-de-Courtes.

Saint-Trivier-de-Courtes

Ancienne possession stratégique des sires de Bâgé, la ville fut érigée en comté en 1575. Elle est aujourd'hui célèbre pour les nombreuses fermes à cheminée sarrasine conservées dans les environs :

Ferme de Grandval – *1,5 km à l'ouest par la D 2.*

Ferme de Vescours – *5 km à l'ouest; à gauche à l'entrée du village.*

Ferme du Colombier à Vernoux – *3 km au nord-est.*

Ferme-musée de la Forêt★ – *3 km à l'est de St-Trivier. ✆ 04 74 30 71 89 - www.st-trivier-de-courtes.com - juil.-sept. : 10h-12h, 14h-18h30, lun. 14h-18h30; avr.-juin et oct. : w.-end et j. fériés 10h-12h, 14h-18h30 - 3 € (-12 ans gratuit).*

Cette jolie ferme des 16e et 17e s. a été restaurée et transformée en musée fermier bressan. Le bâtiment – remarquez le balcon à croisillons de bois et la cheminée sarrasine – présente un intérieur traditionnel ; la cheminée à foyer ouvert, de 4 m de côté, est soutenue par une poutre de 4 t. Dans le second bâtiment, vous verrez une collection d'outillage agricole ancien.
Ferme de Bourbon à Saint-Nizier-le-Bouchoux – *6 km à l'est de St-Trivier.*
De retour à St-Trivier, prenez la D 975 au sud en direction de Bourg-en-Bresse.

Montrevel-en-Bresse

Ancien fief de la famille de Montrevel, la ville est aussi la patrie de saint Pierre Chanel (1803-1841), missionnaire martyrisé dans l'île de Futuna et devenu saint patron de l'Océanie. Le village de **Cuet**, rattaché à la commune, perpétue le souvenir du saint (Musée océanien). La **ferme du Sougey** a conservé sa belle mitre carrée (17e s.).
Sur les gravières de la vallée de la Reyssouze, la **base de loisirs de Montrevel** constitue un important pôle d'attractions touristique de la Bresse.

La Bresse pratique

Voir aussi les carnets pratiques de Bourg-en-Bresse, Chalon-sur-Saône, Louhans, Mâcon et Tournus.

Visite

Bon à savoir – Le **passeport Musées de l'Ain** donne accès aux expositions permanentes et temporaires et aux animations des musées de la Bresse, dont le domaine des Planons. Il s'achète sur les quatre sites départementaux des musées des Pays de l'Ain. *Prévoir une photo d'identité. Passeport adultes : 10 €, jeunes (16-25 ans) 5 €.*

Se loger

Auberge de la Croix Blanche – *71580 Beaurepaire-en-Bresse - 03 85 74 13 22 - www.elphicon.com/lacroixblanche - fermé 2-9 janv., 12-19 juin, 13 nov.-4 déc., dim. soir et lun. sf juil.-août - 14 ch. 36/47 € - 11 € - rest. 15/50 €.* Au bord d'un axe fréquenté, auberge repérable à la croix blanche de sa toiture et aux épis de maïs séchant sous l'appentis de sa façade. Chambres proprettes côté jardin. Table au décor bressan ; produits régionaux préparés dans un registre actuel.

Hôtel Vuillot – *36 r. Édouard-Vuillard - 71480 Cuiseaux - 03 85 72 71 79 - hotel.vuillot@wanadoo.fr - fermé janv., dim. soir et lun. - 15 ch. 52/56 € - 8,50 € - rest. 14/45 €.* Maison bourguignonne en belles pierres du pays abritant des petites chambres proprettes, dans un bourg conservant des vestiges de ses anciennes fortifications. Restaurant sagement campagnard prolongé d'une véranda. Spécialités de la Bresse et des Dombes.

Chambre d'hôte du Château de Bourdonnel – *Pont de Veyle - 01290 St-André-d'Huiriat - 1 km au sud-est de St-André-d'Huiriat par D 96 - 04 74 50 03 40 - bourdonnel@wanadoo.fr - - réserv. obligatoire - 3 ch. 55 € - repas 20 €.* Ce château, dont l'origine remonte à 1560, se niche dans un vaste parc entouré par la campagne bressane. Vieux meubles de famille et parquets anciens agrémentent les chambres. Grande salle à manger ornée de moulures tricentenaires.

Au Puits Enchanté – *1 pl. René-Cassin - 71620 St-Martin-en-Bresse - 03 85 47 71 96 - www.aupuitsenchanté.com - fermé 8-16 mars - P - 13 ch. 47 € - 8,50 € - rest. 20/45 €.* Au centre du village, cet hôtel familial est tout simple avec ses arbustes en façade. Chambres modestes mais propres. Prenez votre petit-déjeuner sous la véranda. Salle à manger classique avec rideaux fleuris. Cuisine soignée à prix sages.

Hôtel Pillebois – *Rte de Bourg-en-Bresse - 01340 Montrevel-en-Bresse - 2 km au sud de Montrevel sur D 975 - 04 74 25 48 44 - www.hotellepillebois.com - fermé dim. d'oct. à avr. - P - 30 ch. 80 € - 8 €.* Une maison bressanne moderne à la sortie du village. Tons pastel dans les chambres aux meubles cérusés. Vous rêverez à l'Aventure, son restaurant décoré sur le thème de la mer avec sa pirogue échouée au centre de la salle à manger. Terrasse abritée, tournée sur la piscine.

Hôtel Georges Blanc – *Pl. du Marché - 01540 Vonnas - 04 74 50 90 90 - www.georgesblanc.com - fermé janv. - 35 ch. 180/450 € - 28 € - rest. 120/230 €.* Soyez fou pour une fois ! L'élégance et le raffinement de cette magnifique maison à colombages au bord de la Veyle et ses chambres luxueuses personnalisées n'ont d'égal que sa table réputée. Vous y retrouverez toute la tradition culinaire régionale au sommet de son art.

Se restaurer

Le Comptoir – *1 r. des Abattoirs - 01340 Montrevel-en-Bresse - 04 74 25 45 53 - www.restaurant-lea.com - fermé 26 juin-10 juil., 18 déc.-8 janv., dim. soir, mar. soir et merc. - 18/31 €.* Si vous recherchez l'authenticité d'un café traditionnel, rendez-vous au Comptoir : banquettes, affiches, miroirs et cuisine de bistrot alléchante. Quelques plats régionaux.

Place – *51 pl. de la Mairie - 01310 Polliat - 04 74 30 40 19 - fermé 24 juil.-14 août, 2-16 janv., dim. soir et lun. - 18/55 € -*

7 ch. 46/52 € - ☕ 7,50 €. Cette longue bâtisse donnant sur la place principale d'un charmant village fleuri constitue un bon pied-à-terre pour la découverte de la Bresse. Dans le décor rénové de la salle à manger, on sert avec beaucoup d'attention une vraie cuisine bressane. Les chambres, simples, sont pratiques et bien tenues.

⊖⊖ Ferme-auberge du Poirier – *Au Bourg de Cuet - 01340 Montrevel-en-Bresse - 1 km au sud-ouest de Montrevel par D 67 - ✆ 04 74 30 82 97 - www.fermeaubergedupoirier.fr - fermé 30 oct.-20 mars et le soir du dim. au vend. - réserv. obligatoire - 19,50/23,50 €.* Cette grande maison basse est typiquement bressane. Élevage en plein air de poulets et chapons, charolais et porcs. Des sabots ornent la salle à manger sous les poutres avec sa cheminée. Vous dégusterez tous les produits de la ferme.

⊖⊖ L'Ancienne Auberge – *01540 Vonnas - ✆ 04 74 50 90 50 - www.georgesblanc.com - fermé janv. - 25/49 €.* Ce restaurant sur la place du marché s'est rhabillé à la mode du début du 20e s., époque où les grands-parents de la famille y tenait une limonade. Les tables serrées et les banquettes en moleskine donnent le ton de ce décor bistrot, sans prétention mais convivial. Cuisine soignée.

⊖⊖ Moulin d'Hauterive – *8 r. du Moulin - 71350 Chaublanc - ✆ 03 85 91 55 56 - www.moulinhauterive.com - fermé 1er déc.-8 fév., dim. soir, merc. et jeu. sf juil.-août, lun. et mar. - 25/62 € - 10 ch. 109/139 € - ☕ 15 €.* Isolé en pleine nature, ce vieux moulin à farine bordant la Dheune fut bâti au 12e s. par les moines de l'abbaye de Cîteaux. Chambres personnalisées ; beaux meubles anciens. Deux salles à manger cossues et jolie terrasse au bord de l'eau ; boutique de vins.

Que rapporter

Foire de la Balme – *71330 Bouhans.* Si vous êtes dans la région fin août, ne manquez à aucun prix cette manifestation commerciale, l'une des plus importantes de France, qui a lieu au village de Bouhans depuis 1645 !

Sports & Loisirs

Ferme Equestre de Lamarre – *À Lamarre - 10 km à l'est de Cuiseaux rte de Loisia - 71480 Cuiseaux - ✆ 03 84 85 90 89 - www.pottok-poney.com.* Située à deux pas des premiers plateaux jurassiens, cette ferme équestre propose à toute la famille de partir en promenade en pleine nature, à dos de cheval ou de poney. Balades en calèche, pour 1 h.

Montgolfières de l'Yonne – *La ferme du Verger - 89000 Perrigny - ✆ 03 86 46 15 18 - aerostation89@wanadoo.fr.* Vol en montgolfière, vol d'initiation et école de pilotage.

Événement

Les Glorieuses de Bresse – La 3e sem. de déc. se déroulent 4 concours de volaille de Bresse à Bourg-en-Bresse, Pont-de-Vaux, Montrevel-en-Bresse et Louhans.

Briare

5 660 BRIAROIS
CARTE GÉNÉRALE A2 – CARTE MICHELIN DÉPARTEMENTS 318 N6 – LOIRET (45)

Cette charmante ville, dotée d'un port de plaisance bien équipé, propose de nombreuses croisières sur le canal. C'est avec plaisir qu'on se promène sur les berges de la Loire et qu'on admire la magnifique architecture métallique du célèbre pont-canal dont la maçonnerie fut réalisée par la société Eiffel.

Se repérer – Dans un pays où l'eau est intimement liée à la terre, Briare occupe une position clef au débouché de la liaison Seine-Loire, en limite de Bourgogne (12 km au sud-est de Gien par la D 952).

À ne pas manquer – Le fameux pont-canal, pour son étonnante architecture métallique et l'ingéniosité de sa conception ; les expositions du musée des Deux Marines et du Pont-Canal ; l'église de Briare, au sol décoré de mosaïques.

Organiser son temps – Prévoyez un pique-nique sur les aires aménagées au bord du canal.

Avec les enfants – Proposez-leur une balade en bateau *(voir carnet pratique)* pour franchir le pont-canal et passer une écluse. Puis suivez avec eux le parcours des cabanes au château des Pêcheurs de La Bussière.

Pour poursuivre la visite – Voir aussi Châtillon-Coligny, Cosne-Cours-sur-Loire, la Puisaye.

Ph. Gajic / MICHELIN

Pont-canal de Briare.

Comprendre

Le canal de Briare – Entrepris en 1604 sur l'initiative de Sully, ministre d'Henri IV, par la Compagnie des seigneurs du canal de Loyre en Seine, il ne fut terminé qu'en 1642. C'est le premier canal à bief de partage construit en Europe : long de 57 km, il unit la Loire à la Seine via le Loing. Le bief de partage des eaux séparant les bassins de la Loire et de la Seine s'étend entre Ouzouer-sur-Trézée et Rogny-les-Sept-Écluses *(voir Châtillon-Coligny).*

Boutons et mosaïques – « Cité des perles », Briare fut célèbre et prospère au début du 20e s. grâce à sa manufacture de boutons de porcelaine, de perles, de jais et surtout de mosaïques de revêtement de sol en céramique, dites « émaux de Briare » *(voir le musée p. ci-dessous).*

Découvrir

Pont-canal★★

Construit en 1890, contemporain de la tour Eiffel, cet ouvrage d'art exceptionnel permet au canal latéral à la Loire de franchir le fleuve pour s'unir au canal de Briare. La gouttière métallique contenant le canal est formée de plaques assemblées, comme la Tour, par des millions de rivets. Longue de 662 m, large de 11 m (avec les chemins de halage), elle repose sur 14 piles en maçonnerie réalisées… par la société Eiffel. Le tirant d'eau est de 2,20 m.

Le saviez-vous ?

Briare doit son nom à l'ancienne *Brivoduro*, que nos savants étymologistes décomposent ainsi : *brivo*, le pont, et *duro*, la forteresse, aujourd'hui disparue.

On peut sans exagération compter au nombre des célébrités locales le très inventif fabricant de boutons industriels **Jean-Félix Bapterosses**, et **Gustave Eiffel**, le génial concepteur du pont-canal.

Musée de la Mosaïque et des Émaux

02 38 31 20 51 - - juin-sept. : 10h-18h30 ; fév.-mai et oct.-déc. : 14h-18h - fermé 25 déc - 5 € (7-15 ans 2,50 €).

Dans l'enceinte de la manufacture encore en activité, on commence par une infinie variété de boutons. Le musée retrace la carrière de Jean-Félix Bapterosses, père de la première machine à fabriquer des boutons de façon « industrielle », devançant même l'Angleterre, dont l'outillage ne pouvait frapper qu'une seule pièce à la fois. Mécanicien averti, Bapterosses invente de nouveaux procédés et se lance dans la fabrication des perles, dont on peut voir aussi de nombreux modèles réalisés tant pour l'Europe que pour l'Afrique et l'Asie. En 1882, c'est au tour de la mosaïque de sortir de l'atelier. Pour la décoration artistique de ces « émaux », il est fait appel à l'un des précurseurs de l'Art nouveau : Eugène Grasset. Les pièces exposées témoignent du grand talent de l'ornemaniste, d'autres, plus récentes, de celui de Vasarely.

Il est intéressant de compléter la visite du musée par l'**église**, dont le sol est décoré de ces mosaïques simulant la Loire.

Musée des Deux Marines et du Pont-Canal

✆ 02 38 31 28 27 - juin-sept. : 10h-12h30, 14h-18h30 ; de déb. oct. à mi-nov. et mars-mai : 14h-18h - 5 € (enf. 4 €).

La Loire a été un moyen de communication et d'échanges privilégiés, et même une des artères économiques principales entre la Méditerranée et l'Atlantique. Une intense activité se développa autour de la voie d'eau : mariniers, haleurs, débardeurs, cordiers, pêcheurs… C'est l'histoire de tout un peuple, des relations avec « les gens d'à terre » et entre ceux du fleuve et du canal (qui ne s'aimaient pas !) que vous découvrirez ici.

Aux alentours

Ouzouer-sur-Trézée

7 km au nord-est (D 47). Ce petit village, construit à flanc de coteau au bord de l'eau, possède une **église** gothique de la fin du 12e s. La nef, d'une grande unité, est fermée par un chœur plat d'influence cistercienne. Les élégantes piles à noyau cylindrique, d'où s'élèvent de minces faisceaux de colonnettes, et les arcades brisées, largement moulurées, s'inspirent en revanche de l'architecture de Notre-Dame de Paris. *Sur demande au ✆ 02 38 31 93 90 (mairie).*

Château de Pont-Chevron

9 km au nord. ✆ 02 38 31 92 02 - mai-août : tlj sf mar. 14h-18h - 5,50 € (enf. 2,50 €).

Cet édifice d'aspect classique a été, en réalité, construit à la fin du 19e s. pour le comte Louis d'Harcourt. Il dresse sa noble façade blanche au milieu de bois et d'étangs aux confins de la Puisaye et du Gâtinais. Profitez du parc et de la roseraie.

Dans un pavillon à l'entrée du domaine sont exposées des **mosaïques gallo-romaines** du 2e s. apr. J.-C. Elles sont composées de dessins géométriques en noir et blanc ; l'une représente des jeux, l'autre une tête de dieu polychrome.

La Bussière

13 km au nord. Ce village s'inscrit dans un tranquille paysage de bois, d'étangs et de cultures. La proximité des nombreux réservoirs d'eau qui alimentent le canal de Briare en fait le rendez-vous de nombreux pêcheurs, dont la passion s'exprime à travers les collections du château.

Château des Pêcheurs★ – *✆ 02 38 35 93 35 - visite guidée (40mn) juil.-août : 10h-18h ; avr.-juin et de déb. sept. à mi-nov. : tlj sf mar. 10h-12h, 14h-18h - 7,50 € (enf. 4,50 €).*

Imposante demeure seigneuriale reconstruite sous Louis XIII, l'édifice est intéressant par son architecture à chaînages de brique. Il fut, en 1577, pendant les guerres de Religion, le théâtre d'un épisode sanglant : le massacre par les protestants d'un groupe de prêtres giennois venus trouver refuge en ces lieux.

Entouré de larges douves, le logis principal abrite une importante collection d'œuvres d'art sur le thème de la **pêche**. Au sous-sol, la cuisine et la lingerie d'autrefois se visitent.

Derrière les communs en brique losangée, promenez-vous dans le vaste **potager** qui a gardé sa structure du 18e s. Une importante collection de légumes, de fleurs et de fruits sont cultivés dans la tradition des jardins utilitaires d'autrefois.

Un jeu d'énigmes et d'orientation fera découvrir aux enfants une dizaine de cabanes disséminées dans le **parc** du château : cabane du jardinier, cabane du pêcheur en roseaux, cabane des petits enfants en osier vivant…

Briare pratique

Adresse utile

Office du tourisme intercommunal de Briare – *1 pl. Charles-de-Gaulle - 45250 Briare-le-Canal - ✆ 02 38 31 24 51 - www.briare-le-canal.com - de mi-juil. à mi-août : 10h-12h, 14h-18h ; de déb. avr. à mi-juil. et de mi-août à fin sept. : 10h-12h, 14h-18h, dim. 10h-12h ; oct.-mars : mar.-sam. 10h-12h, 14h-17h, lun. 14h-17h.*

Se loger

⊖ Chambre d'hôte Madame François-Ducluzeau - Domaine de La Thiau – *Rte de Gien, lieu-dit La Thiau - ✆ 02 38 38 20 92 - http://lathiau.club.fr - ⊭ - 3 ch. plus une suite 54/64 € ☕.* Cette belle maison de maître du 18e s. se dresse au milieu d'un vaste parc arboré, entre autres, d'un magnifique cèdre. Ses chambres possèdent un charme suranné : tapisseries fleuries, toiles de Jouy, meubles anciens… Sur place, location de vélos, tennis et proximité du GR 3.

⊖⊖ Hôtel Le Nuage – *R. Briare - 45230 La Bussière - ✆ 02 38 35 90 73 - www.lenuage.com - fermé 24 déc.-2 janv. - P - 16 ch. 52 € - ☕ 7 € - rest. 12/18 €.* Établissement récent de type motel situé aux portes du village. Chambres pratiques et joliment aménagées. Détente assurée par la salle de fitness. Plats classiques et grillades servis

Se restaurer

⊖⊖ **Le Petit Saint-Trop** – *5 r. Tissier, port de plaisance - ✆ 02 38 37 00 31 - le-petit-saint-trop@wanadoo.fr - fermé 3 sem. en janv. et 2 sem. en oct. - 16/43 €.* Après avoir bourlingué de par le monde pendant 20 ans, le chef cuisinier a choisi de poser ses valises du côté du port de plaisance. Il ne lui aura pas fallu longtemps pour « remettre à flots » ce restaurant avec une carte brasserie traditionnelle. Jolie fresque représentant le port de St-Tropez dans une des salles.

Que rapporter

Chocolats Chimères – *Pont-Canal - ✆ 02 38 37 10 58 - rousselrv@aol.com - tlj sf lun. 10h30-12h30, 14h30-18h30.* Installée au tout début du pont-canal, cette jolie boutique propose un choix varié de confiseries. Quand vient l'été, il est possible de déguster une glace, pratiquement les pieds dans l'eau, tout en profitant de l'atmosphère paisible du canal.

Sports & Loisirs

Centre Aquatique – *R. des Prés-Gris - ✆ 02 38 31 26 87.* Ouvert toute l'année, le centre aquatique des Prés Gris accueille petits et grands dans son bassin sportif avec toboggan et pataugeoire. Activités variées (leçons de natation, aquafitness, bébés nageurs...) et espace balnéo pour se détendre dans le sauna ou le jacuzzi.

Station Locations Loisirs – *Port de plaisance - ✆ 06 20 81 56 13 - stationlocation@aol.com - fermé Toussaint-Pâques.* On connaît par cœur les pédalos, canoës et autres kayaks que l'on trouve traditionnellement au bord des plans d'eau. Alors, découvrez vite les étranges engins flottants proposés ici (vélo d'eau, navyglisseur ou cycloglisseur, etc.) pour une balade d'une heure ou d'une demi-heure sur les bords de Loire.

Bateaux touristiques – *Port de plaisance - ✆ 02 38 37 12 75 - www.bateaux-touristiques.com - avr.-oct. : dép. à 15h. Réserv. - fermé nov.-mars.* Embarquez à bord de l'un des 3 bateaux-mouches construits spécialement pour emprunter les canaux de Briare. Plusieurs formules (circuits simples ou croisières-repas) comprenant, bien entendu, un passage par le pont-canal, cette construction unique au monde qui enjambe la Loire.

Le Petit Train – *Pont-Canal - ✆ 02 38 37 11 94 - avr.-juin : dim. et j.fériés, juil.-août : tlj, sept.-15 oct. : dim. - 5 € (enf. 4,20 €).* Partant du célèbre pont-canal, ce petit train propose une visite commentée de Briare et de ses environs. Un circuit de 45 minutes pour tout connaître de la ville fleurie, des écluses pittoresques et des déversoirs du canal.

Le Brionnais★★

CARTE GÉNÉRALE B4 – CARTE MICHELIN DÉPARTEMENTS 320 E/F-11/12
LOIRE (42), SAÔNE-ET-LOIRE (71)

Cette jolie région, dont l'élevage des bovins constitue la ressource principale, est jalonnée de splendides églises romanes que l'on découvre avec bonheur en suivant les Chemins du roman. Le Brionnais formait autrefois l'un des 19 bailliages du duché de Bourgogne, dont la capitale était alors Semur-en-Brionnais.

Se repérer – C'est un pays vallonné d'où l'on découvre la vallée de la Loire, le Forez et les monts du Beaujolais. Il s'étend principalement sur la rive droite de la Loire, entre Charlieu et Paray-le-Monial.

À ne pas manquer – Partez à la découverte des quatre sites clunisiens du Brionnais : Semur-en-Brionnais, Varenne-l'Arconce, Iguerande et Marcigny. Et ne manquez pas l'église d'Anzy-le-Duc, surmontée d'un élégant clocher et dotée d'un abondant décor sculpté.

Organiser son temps – Assistez à la foire aux bestiaux de St-Christophe-en-Brionnais le mercredi après-midi. L'expérience en vaut la peine !

Avec les enfants – L'évocation de la vie brionnaise au musée du Reflet brionnais les captivera. Ils pourront ensuite se détendre dans les sympathiques jardins romans de Varenne-l'Arconce.

Pour poursuivre la visite – Voir aussi Charlieu, Charolles, La Clayette, Digoin, Paray-le-Monial.

Comprendre

Une floraison de pierre – Dans l'étroit espace compris entre l'Arconce et le Sornin, une douzaine d'églises romanes construites sous l'influence de Cluny méritent d'être vues, ainsi que plusieurs châteaux. Si le **granit** et le **grès** ne permettent d'obtenir que des effets de ligne ou de masse comme à Varenne-l'Arconce, Bois-Ste-Marie, Châteauneuf ou St-Laurent-en-Brionnais, le **calcaire**, au contraire, se prête au travail du sculpteur – d'où la beauté des façades et des portails décorés. Les mêmes thèmes se déclinent autour des expressions et des attitudes des personnages. Au tympan apparaît le Christ en majesté, ou bien le Christ de l'Ascension, nimbé. Les linteaux ont une décoration particulièrement fouillée : nombreux personnages assistant au triomphe du Christ. La disproportion met bien en évidence la hiérarchie entre le Christ, les évangélistes, la Vierge et les apôtres.

Circuit de découverte

ÉGLISES ET CHÂTEAUX EN BRIONNAIS★

Quittez Charlieu à l'ouest par la D 487, puis la D 4.

L'abondance de matériaux de premier ordre, bancs de calcaire jaunâtre d'un grain très fin, à la fois résistant et facile à travailler, explique les tons ocre ou jaune de la plupart des édifices du Brionnais, qui prennent une belle couleur bronze au soleil couchant.

La Bénisson-Dieu

Dans la vallée de la Teyssonne, le village possède une **église** précédée d'une grande tour carrée du 15e s. Ce sont les seuls vestiges de l'abbaye fondée au 12e s. par les disciples de saint Bernard et qui devint un couvent de femmes au 17e s. La nef de l'église, du début de la période gothique, est couverte d'une superbe toiture aiguë à **tuiles vernissées** disposées en losanges.

Dans le bas-côté droit sont réunies de belles œuvres du 15e s. : stalle abbatiale, statues en pierre du Père éternel et de sainte Anne, la Vierge et l'Enfant (de l'école de Michel Colombe). La chapelle de la Vierge, à droite en entrant, est une adjonction du 17e s. due à l'abbé de Nérestang : peintures murales et belle Vierge en marbre blanc. *De Pâques à sept. - renseignements au ✆ 04 77 60 12 42 (office de tourisme).*

Revenez vers la Loire, prenez la D 482 sur la gauche après l'avoir franchie.

Iguerande

Cette **église** trapue (début 12e s.), aux lignes très pures, occupe le sommet d'une butte dominant la vallée de la Loire, le Forez à gauche et les monts de la Madeleine à droite. Remarquez les modillons sculptés du chevet et, dans la nef et le chœur, de curieux chapiteaux dont celui du « cyclope » musicien *(1er pilier de gauche).*

À deux pas de l'église, de l'autre côté de la place fleurie, le **musée du Reflet brionnais** occupe les trois niveaux d'une maison ancienne. Bien mis en scène, ses « personnages » évoquent la vie brionnaise entre 1850 et 1950 : le triporteur de l'épicier, la fanfare, la pêche, la vie quotidienne à la maison, le **travail de la vigne** et les costumes. *✆ 03 85 84 15 69 - visite guidée (1h) mi-avr. à fin oct. : 14h30-18h - 4 € (enf. 2 €).*

Traversez de nouveau la Loire pour gagner la D 122, en direction de Melay.

Peu après avoir passé le canal, trouvez à droite le court chemin et le pont qui mènent à la **stèle de Bagneaux**. Elle commémore l'atterrissage, dans la nuit du 19 au 20 mars 1943, d'un avion anglais venu déposer ici trois chefs de la Résistance : Jean Moulin, le général Delestraint et Christian Pineau. Jean Moulin, venu unifier la Résistance, sera arrêté dans le Rhône le 21 juin et mourra quelques semaines plus tard des suites de terribles tortures.

Marcigny

Ville natale d'**Irène Popard** (1894-1950), créatrice de la gymnastique rythmique, Marcigny est agréablement situé à proximité de la Loire, sur les dernières pentes du Brionnais. La ville a conservé autour

Le saviez-vous ?

Le Brionnais est un peu « la ligne de partage des mots » entre le nord et le sud de la France, où débutent les dialectes issus du franco-provençal.

Résonances romanes fédère en Bourgogne du sud les trois centres d'études d'art roman, dont le Centre international d'études des patrimoines en Charolais-Brionnais, qui a mis en place une signalétique pour suivre les **Chemins du roman.** *Pour en savoir plus, consultez le site www.bourgognedusud.com.*

de l'église des maisons à pans de bois du 16e s. Entre la place du Cours et la place Reverchon, remarquez un hôtel particulier de 1735. Marcigny est le siège, depuis 1850, d'une fabrique de poterie culinaire renommée, **Émile Henry** *(magasin sur place)*.

Tour du Moulin – *03 85 25 37 05 - de mi-juin à mi-sept. : 10h30-12h30, 14h-19h ; déb. avr. à mi-juin et de mi-sept. à fin oct. : 14h-18h (dernière entrée 1h av. fermeture) - 3,50 € (-12 ans gratuit).* Cette grande tour, vestige des remparts protégeant un ancien prieuré de dames bénédictines autour duquel s'est propagée la ville, est une belle construction du 15e s., aux murs curieusement ornés de boulets de pierre en relief.

Un **musée** consacré à l'histoire locale y a été installé : outre des collections de faïences anciennes, parmi lesquelles des majoliques italiennes, il présente d'importantes sculptures du 12e au 17e s., une pharmacie comptant 113 vases de Nevers, et enfin deux drageoirs de Bernard Palissy (16e s.).

Au dernier étage, on découvre l'envolée de la haute **charpente★** en châtaignier, prête à affronter les tempêtes.

Prenez la D 10 en direction de Charolles.

Anzy-le-Duc★

Agréablement campé sur les hauteurs, dans la vallée de l'Arconce, le village s'est développé autour de son prieuré fondé au 9e s. par le monastère de St-Martin d'Autun. Un de ses premiers prieurs, Hugues de Poitiers, connu pour sa sainteté et ses liens avec le fondateur de Cluny, contribua largement à la renommée et à l'essor de cette fondation. Comme tant d'autres, le prieuré est tombé en décadence avant de disparaître à la Révolution. Son église a traversé les siècles et reste l'un des plus beaux exemples d'art roman dans la région, sur le même modèle que Charlieu (*voir ce nom*).

Église★ – Sa construction aurait été entreprise au début du 11e s. La beauté de l'édifice, surmonté d'un magnifique **clocher** roman, tour polygonale à trois étages de baies, est rehaussée par les tons dorés de la pierre. La nef, couverte de voûtes d'arêtes et éclairée par des fenêtres hautes, a des lignes très pures.

Les chapiteaux, fort bien conservés, représentent, dans la nef, des scènes bibliques et des allégories. Bien qu'en assez mauvais état, les **fresques** du chevet montrent une grande qualité d'exécution ; elles évoquent la vie des saints Jean-Baptiste et Hugues d'Anzy. Celles du chœur représentent l'Ascension du Christ. L'une d'elles fait allusion à Letbaldus, viguier de Semur, qui, au 9e s., fit don de sa villa d'Anzy-le-Duc pour y établir une colonie bénédictine.

Contournez les dépendances de l'ancien prieuré, dont une tour carrée forme l'élément principal. Un **portail** primitif percé dans le mur d'enceinte comporte un tympan représentant à gauche l'Adoration des Mages, à droite le Péché originel, le linteau figurant la séparation des élus et des damnés.

Vous pouvez faire un petit détour au nord par la D 174, auquel cas vous rejoindrez ensuite Varenne directement par la D 130.

Montceaux-l'Étoile

Au portail de l'**église**, sous le cintre, admirez le tympan et le linteau sculptés dans un seul bloc de pierre : ils figurent l'Ascension, comme à Anzy-le-Duc et à St-Julien-de-Jonzy. Les colonnes portant les voussures sont ornées de chapiteaux.

Au lieu-dit Bornat, prenez la D 34 à gauche.

Varenne-l'Arconce

Le transept saillant et le clocher carré de type « Paray-le-Monial » donnent à l'**église** une silhouette massive. Le grès dont elle est bâtie a restreint la décoration sculptée. Au-dessus d'une porte sud, un élégant tympan représente l'agneau de Dieu. L'intérieur contient des statues en bois, dont certaines polychromes, ainsi qu'un christ du 16e s.

Les Jardins romans – *03 85 25 92 05 - www.jardinsromans.com - du dern. w.-end avr. à fin oct. : 14h-18h - 7 € (forfait pour une famille 15 €).*

En haut du village, ce petit domaine est organisé en jardins à thèmes : promenez-vous notamment dans le jardin des aromatiques, le cloître des senteurs, puis dans le jardin ethno-botanique ou encore dans les jardins aquatiques… Ici, il est interdit de ne pas toucher ! Un bouquet extraordinaire d'odeurs et de couleurs vous enchantera, sans compter la dégustation à la fin de la visite qui titillera vos papilles.

Château de Chaumont

5 km au sud-est par la D 158 (près d'Oyé). La façade Renaissance du château est flanquée d'une tour ronde ; l'autre façade, de style gothique, est moderne. L'ampleur de ses bâtiments est saisissante.

Gagnez Semur en passant par St-Christophe-en-Brionnais.

Semur-en-Brionnais★

L'ancienne capitale du Brionnais apparaît sur un promontoire couvert de vignes et d'arbres fruitiers. Un château, une église romane, un ancien prieuré et un auditoire de justice (mairie) du 18e s. composent un ensemble architectural séduisant dans le ton ocre-rose.

Église Saint-Hilaire★ – De style clunisien, elle présente un très beau chevet ; son aspect trapu est atténué par la hauteur des murs pignons à l'extrémité du chœur et des bras du transept, et sa sévérité par les corniches de modillons sculptés qui règnent à la base des toits. L'élégant clocher octogonal qui la domine est remarquable par son double étage d'arcatures romanes géminées qui s'ouvrent, à l'étage supérieur, sous un réseau de voussures.

Le portail ouest est richement décoré, mais ses sculptures sont traitées avec une certaine maladresse dans le modelé. À la clef de la voussure extérieure, on voit, comme à Charlieu, l'agneau nimbé. Au linteau est représenté un épisode de la vie de saint Hilaire : condamné par un concile d'évêques ariens, il part en exil ; en chemin, il rencontre un ange qui lui rend l'espoir et sa place parmi les évêques ; cependant, le Diable s'empare brutalement de l'âme du président du concile.

La nef est très harmonieuse, avec son triforium soutenu par des arcs à deux voussures, qui vient, au revers de la façade, former une tribune ronde en saillie, supportée par un encorbellement prenant appui sur la clef de voûte de la porte. Cette tribune est vraisemblablement inspirée de celle de la chapelle St-Michel établie au-dessus du grand portail dans l'église abbatiale de Cluny.

Château Saint-Hugues – *☏ 03 85 25 28 84 - visite guidée (1h) - de déb. mars à mi-nov. : 10h-12h, 14h-18h, dim. et j. fériés 14h-18h - fermé 3e dim. de juil. - 3,50 € (-12 ans gratuit).*

Du château, **vue** sur les coteaux plantés de vignes et, au loin, sur les monts du Forez et de la Madeleine. On visite ce qu'il reste de l'édifice : le donjon rectangulaire bâti au 9e s., où naquit saint Hugues, le fameux abbé de Cluny, et deux petites tours arrondies aménagées en prison au 18e s.

Empruntez la D 9.

Saint-Julien-de-Jonzy

Édifié sur l'une des plus hautes collines de la région, le village offre un beau **panorama** sur les paysages vallonnés du Brionnais et du Beaujolais. D'un édifice roman du 12e s., l'église actuelle, raccourcie, conserve un clocher carré et un joli portail sculpté dont certains détails rappellent le porche de Charlieu.

Le portail★ – Les sculptures du tympan et du linteau sont prises dans un même bloc de grès dont la finesse met en valeur la virtuosité de l'artiste. La Cène prend place au linteau : toutes les têtes, sauf deux, ont été martelées en 1793 par les révolutionnaires, qui ont changé le nom du bourg en Bellevue-de-Cray. Les plis de la nappe, comme

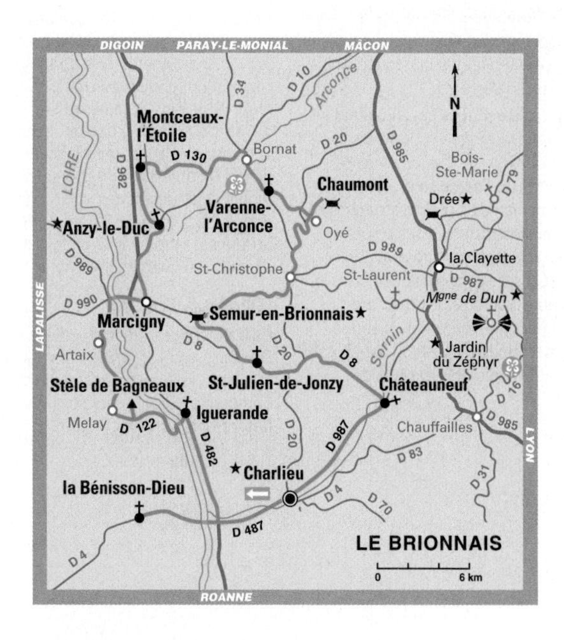

ceux des vêtements séraphiques au-dessus, sont traités avec souplesse ; une scène du Lavement des pieds figure à chaque extrémité.

Intérieur – L'ancienne croisée du transept, voûtée d'une coupole sur trompes, forme l'avant-nef de l'église ; les quatre colonnes engagées ont conservé de beaux chapiteaux ; celle de droite présente un décor de feuilles d'eau, réminiscence de l'art cistercien.

Prenez la D 8 après être sorti du village à l'est.

Châteauneuf

L'**église** est, comme le château du Banchet, mise en valeur par un cadre boisé. Une des dernières constructions romanes en Bourgogne, elle se signale par sa façade massive, son portail latéral droit dont le linteau porte une sculpture naïve des 12 apôtres. Entrez, observez les fenêtres hautes de la nef dont les pénétrations sont supportées par de fines colonnes à chapiteaux et, au transept, la coupole sur trompes dont la base octogonale est allégée par une galerie à arcatures.

Retour à Charlieu par la D 987.

Le Brionnais pratique

Voir aussi le carnet pratique de Charlieu.

Adresse utile

Office du tourisme des cantons de Marcigny-Semur-en-Brionnais – *Pl. des Halles - 71110 Marcigny - ✆ 03 85 25 39 06 - juil.-août : 9h-12h, 14h-18h30, dim. 10h30-12h30 ; mars-juin et sept.-oct. : tlj sf dim. 9h-12h, 14h-18h ; nov. et fév. : tlj sf dim. 9h-12h, 14h-17h30 ; déc.-janv. : tlj sf dim. 9h-12h, 14h-17h.*

Se loger

Chambre d'hôte M. Mathieu – *71600 Sermaize-du-Bas - prendre D 34, puis D 458 à Poisson dir. St-Julien-de-Civry - ✆ 03 85 81 06 10 - mp.mathieu@laposte.net - fermé 12 nov.-14 mars - P - 5 ch. 60 €.* Ancien et agreste relais de chasse en pierres dorées proposant des chambres nettes, personnalisées par des meubles chinés et desservies par une tour ronde dotée d'un escalier à vis.

Chambre d'hôte Les Récollets – *4 pl. du Champ-de-Foire - 71110 Marcigny - ✆ 03 85 25 05 16 - lesrecollets.com - 5 ch. 72/78 €.* Encore en pleine rénovation mais déjà plein d'attrait, cet ancien couvent du 17e s. vous accueille dans une atmosphère reposante. La cuisine et la salle à manger ont conservé leur charme d'antan et les chambres, joliment décorées, offrent de beaux volumes. Piscine à disposition. Week-ends thématiques (œnologie et cours de cuisine).

Se restaurer

La Fontaine – *Au bourg - 71740 Châteauneuf - ✆ 03 85 26 26 87 - fermé 14-22 nov., 9 janv.-8 février, dim. soir hors sais., mar. soir et merc. - 16/45 €.* Ancien atelier de tissage où grimpe la glycine. La salle est aménagée à la façon d'un jardin d'hiver « rétro », avec fontaine et mosaïque décorative. Produits du terroir.

Que rapporter

Antenne touristique Foires – *Grande Allée de Tenay - 71800 St-Christophe-en-Brionnais - ✆ 03 85 25 98 05 - hors sais. : merc. apr.-midi, visite guidée à 14h ; sais. : mar. apr.-midi, jeu. mat., vend. et sam. 10h-12h, 14h-17h - fermé j. fériés.* Le village de St-Christophe-en-Brionnais est célèbre depuis cinq siècles pour ses foires au bétail de race charolaise. Les ventes se succèdent tous les mercredis après-midi à partir de 13h. Visite guidée à partir de 14h.

Leblanc – *Le Bas - 71340 Iguerande - ✆ 03 85 84 07 83 - www.huile-leblanc.com - 9h-19h.* Sur les étagères de la boutique se côtoient huiles de noisettes, pistaches, pignons de pins, sésames grillés, pépins de raisin et une sélection de vinaigres fins et de moutarde réalisée à la meule de pierre. N'oubliez pas de jeter un œil au moulin, instrument de travail de la famille depuis 1878. Ici, en effet, les méthodes artisanales employées n'ont pas bougé d'un iota en quatre générations.

Sports & Loisirs

Golf du Château de la Frédière – *La Frédière Céron - 71110 Marcigny - ✆ 03 85 25 27 40 - golflafrediere@europost.org.* Campagne vallonnée, obstacles d'eau et hôtel-restaurant avec piscine.

Château de Bussy-Rabutin★

CARTE GÉNÉRALE B2 – CARTE MICHELIN DÉPARTEMENTS 320 H4 – CÔTE-D'OR (21)

La riche et originale décoration intérieure n'est pas signée et ne le méritait pas. Mais faut-il le regretter ? Roger de Rabutin ne s'y est pas trompé : le seul vrai artiste du château, c'est lui. Et c'est à lui, son amertume, son brillant esprit du Grand Siècle et son incroyable insolence, qu'on rend visite.

Ph. Gajic / MICHELIN

Château de Bussy-Rabutin.

Se repérer – Bussy-Rabutin se trouve à 6 km au nord-est de Venarey-les-Laumes (D 954) et à 20 km au sud-est de Montbard.

À ne pas manquer – Les extraordinaires galeries de portraits disséminées à travers le château : rois de France, dames de la Cour et favorites, hommes de guerre ; et deux incontournables : la tour Dorée et le cabinet des Devises.

Organiser son temps – Prévoyez environ 45mn pour une visite guidée des lieux.

Avec les enfants – Après une visite studieuse du château et de ses intérieurs richement décorés, faites-leur découvrir le parc ainsi que les jardins, attribués à Le Nôtre.

Pour poursuivre la visite – Voir aussi Alise-Ste-Reine, Flavigny-sur-Ozerain, l'abbaye de Fontenay, Montbard, la Voie verte.

Le saviez-vous ?

Tout dans le château rappelle le destin de Roger de Rabutin : « Nous pénétrerons dans un château rempli d'emblèmes qui peignent l'amour trompé dans son espoir, et l'ambition malheureuse dans ses projets. » (A.L. Milin).

Comprendre

Les mésaventures de Roger de Rabutin – L'art de la plume, si favorable à Mme de Sévigné, sa cousine, causa bien des ennuis à Roger de Rabutin, comte de Bussy (1618-1693), que Turenne décrivait au roi comme « le meilleur officier de ses armées, pour les chansons », malgré une brillante carrière militaire.

S'étant compromis, en compagnie de libertins, dans une orgie au cours de laquelle il improvisa et chanta des couplets tournant en ridicule les amours du jeune Louis XIV et de Marie Mancini, il fut exilé en Bourgogne par ordre du roi. Rejoint dans sa retraite par sa tendre maîtresse, la marquise de Montglas, il composa, pour la divertir, une *Histoire amoureuse des Gaules*, chronique satirique des aventures galantes de la Cour.

Par la trahison d'une femme, ce libelle conduisit son auteur, pourtant fraîchement élu à l'Académie française, tout droit à la Bastille. Il y séjourna un peu plus d'un an avant d'être autorisé à retourner en exil sur ses terres (en 1666), mais célibataire cette fois, la belle marquise s'étant montrée fort oublieuse. Sa fille, veuve de Coligny, l'y rejoignit plus tard.

Visiter

☎ 03 80 96 00 03 - visite guidée sur demande (45mn ; dernière entrée 1h av. fermeture) de mi-mai à mi-sept. : 9h15-12h, 14h-18h ; de mi-sept. à mi-mai : 9h15-12h, 14h-17h - fermé lun., 1er janv., 1er Mai, 1er et 11 Nov., 25 déc. - 6,50 € (-18 ans gratuit).

Ce château fort du 15e s. fut racheté à la Renaissance par les comtes de Rochefort, lesquels firent abattre le mur qui fermait la cour (la courtine), transformèrent les quatre tours de défense en tours d'habitation et dotèrent les ailes d'une décoration raffinée. La façade est du 17e s. Commencé par le grand-père de Roger de Rabutin, le rez-de-chaussée date du règne de Louis XIII, alors que les parties supérieures évoquant le premier style Louis XIV furent terminées en 1649.

APAD CMN, Dijon
Cabinet des Devises.

Intérieur

Toute la décoration intérieure des appartements, cage dorée où l'exilé exhale sa nostalgie de l'armée, de la vie de cour, son ressentiment envers Louis XIV et sa tenace rancune amoureuse, a été conçue par Bussy-Rabutin lui-même. La collection de portraits relève d'une mode de l'époque.

Cabinet des Devises ou salle à manger

Peints sur la boiserie, panneaux figuratifs ou allégoriques et savoureuses devises composées par le maître de maison forment un assemblage imprévu. Des vues de châteaux et monuments, dont certains n'existent plus, figurent sur les panneaux supérieurs. Sur la cheminée, voyez le portrait de Bussy-Rabutin par Lefèvre, un élève de Lebrun. Le mobilier est Louis XIII.

Antichambre des hommes de guerre

Les portraits de 65 hommes de guerre célèbres, de Du Guesclin jusqu'à notre hôte, « maistre de camp, général de la cavalerie légère de France », sont disposés sur deux rangs tout autour de la pièce. Quelques-unes de ces toiles sont des originaux, la plupart des copies exécutées au 17e s. L'ensemble n'en présente pas moins un intérêt historique indéniable. Les boiseries et les plafonds sont décorés de fleurs de lys, de trophées, d'étendards et des chiffres enlacés de Bussy et de la marquise de Montglas. Sur les panneaux du bas, entre les croisées, observez deux des devises qui évoquent la légèreté de la maîtresse infidèle. S'il avait d'abord écrit pour elle (mais qui ?), le galant comte se venge de sa maîtresse en l'associant à de redoutables devises : « Elle fuit le mauvais temps », « Elle attire pour perdre », « Plus légère que le vent »...

Cousin, cousine

Mme de Sévigné est très présente au château, mais en portrait seulement. Elle était proche de Roger de Rabutin, son cousin, par bien des aspects : l'esprit, l'amour des belles-lettres (il fut académicien), le goût de plaire. Elle était à son goût, mais repoussa ses avances. On peut lire sur un mur cette inscription en latin : « Plus elle est froide, plus je m'enflamme. »

Chambre de Bussy

On reconnaît, parmi les portraits de vingt-cinq grandes dames de la Cour et favorites, Gabrielle d'Estrées, Ninon de Lenclos, Mme de Maintenon, Mme de La Sablière (par Mignard). Louise de Rouville, seconde femme de Bussy-Rabutin, est réunie en un triptyque avec Mme de Sévigné et sa fille, Mme de Grignan, réputée pour sa grande beauté.

Tour Dorée★

L'exilé s'est surpassé dans la décoration de cette pièce où il avait installé son bureau (il s'y est fait représenter en empereur romain). Entièrement couverte de peintures, elle occupe le premier étage de la tour ouest. Les sujets empruntés à la mythologie et à la galanterie de l'époque sont accompagnés de quatrains et de distiques ravageurs. Sous le plafond à caissons richement décoré, une série de portraits (copies) des grands personnages des règnes de Louis XIII et de Louis XIV couronne l'ensemble.

Chapelle

La galerie des rois de France mène à la tour sud qui abrite un oratoire orné d'un beau mobilier : retable de pierre du 16e s. représentant la résurrection de Lazare, et Visitation du 18e s. en pierre polychrome avec costumes bourguignons.

Jardins et parc

Un parc de 34 ha, étagé en amphithéâtre avec de beaux escaliers de pierre, compose une magnifique toile de fond aux jardins attribués à Le Nôtre, à la foisonnante statuaire (17e au 19e s.), aux fontaines et aux pièces d'eau.

Aux alentours

Bussy-le-Grand

2 km au nord. Situé à flanc de colline – face à celle de Bussy-le-Château –, le village a vu naître le général Junot, fait duc d'Abrantès par Napoléon. Il possède une grande **église** du 12e s., restaurée, d'extérieur sobre, et dont l'intérieur séduit par son architecture (triple nef à piliers sous arcades, coupole sur trompes à la croisée du transept), ses sculptures (chapiteaux historiés, ciborium flamboyant) et son mobilier des 17e et 18e s. (boiseries du chœur, chaire, aigle-lutrin). *℘ 03 80 96 07 87 - mai-oct. : 10h-19h.*

Musée Gorsline – *Rte d'Etormay. ℘ 03 80 96 03 29 - www.musee-gorsline.com - possibilité de visite guidée (1h15) 1er juin-30 sept. : tlj sf lun. 15h-19h ; le reste de l'année : sur demande - 2 € (6-16 ans : 1 €).*

Animé par la femme de l'artiste, le musée présente des œuvres originales du peintre américain **Douglas Gorsline** (1935-1985), connu pour ses nombreuses illustrations de livres et de magazines.

Château de Bussy-Rabutin pratique

Voir aussi le carnet pratique d'Alise-Ste-Reine

Se loger

Chambre d'hôte Clos Mussy – *R. du Château - 21150 Mussy-la-Fosse - 11 km au sud-est de Bussy-Rabutin par D 954 - ℘ 03 80 96 97 87 - www.closmussy.fr - fermé 15 nov.-15 fév. - - 5 ch. 70/85 € - repas 30 €.* Les trois chambres de ce logis du 16e s, allient charme ancien et confort actuel. La décoration subtile et les couleurs choisies mettent en valeur les murs en pierres apparentes, tandis que les salles d'eau jouent la carte de la modernité avec leur mobilier assez sobre. Jolie vue sur la colline d'Alésia.

Se restaurer

Le Rabutin – *R. de la Montagne - 21150 Bussy-le-Grand - 3 km au nord de Bussy-Rabutin - ℘ 03 80 96 06 52 - le.rabutin@orange.fr - formule déj. 12,5 € - 14,50/23 €.* Une décoration relativement minimaliste dans ce restaurant, mais vous serez pleinement satisfait en découvrant dans votre assiette des produits de qualité, préparés maison et copieusement servis... Une adresse toute simple, bienvenue pour se familiariser avec la cuisine locale.

Chablis

2 476 CHABLISIENS
CARTE GÉNÉRALE B2 – CARTE MICHELIN DÉPARTEMENTS 319 F5 – YONNE (89)

« Porte d'or » de la Bourgogne, petite ville baignée par le Serein, Chablis est la capitale du prestigieux vin blanc de Bourgogne. Le paysage vallonné, couvert de vignobles, offre un cadre agréable aux amateurs de randonnée.

- **Se repérer** – Chablis se trouve à équidistance d'Auxerre et de Tonnerre (environ 16 km sur la D 965).
- **À ne pas manquer** – Les spécialités culinaires, telles que l'andouillette, qui se marie très bien avec les crus locaux, ou encore le jambon à la Chablisienne.
- **Organiser son temps** – Venez déguster le vin de Chablis le dernier week-end de novembre ou lors de la St-Vincent tournante, vers la fin du mois de janvier, et suivez le défilé des attelages de l'Yonne au mois de mai.
- **Avec les enfants** – Faites un pique-nique dans le parc de la Liberté, au bord du Serein : ils y trouveront balançoire, toboggans et tables de ping-pong.
- **Pour poursuivre la visite** – Voir aussi le château d'Ancy-le-Franc, Auxerre, la vallée de la Cure, Pontigny, Seignelay, le château de Tanlay, Tonnerre.

Comprendre

Capulum ou *Schabl* serait à l'origine du nom de Chablis, autrement dit un câble, celui qui servait à passer le gué de la rivière avec plus de sérénité.

Le vin de Chablis – Ce très ancien vignoble, dont on peut situer la naissance vers la fin de l'Empire romain, fut relancé par les moines cisterciens de Pontigny au Moyen Âge, et connut au 16e s. sa plus grande prospérité. Il y avait alors à Chablis et dans la région plus de 700 propriétaires viticulteurs. De nos jours, le vin de Chablis, vif et élégant, est toujours fort apprécié pour sa saveur fine et son bouquet minéral (pierre à fusil, silex). Sa robe or vert est à nulle autre pareille. Son parfum particulier s'élabore vers le mois de mars qui suit la récolte et conserve longtemps une remarquable fraîcheur. L'unique cépage est le **chardonnay**, qui révèle ici toute l'expression d'un terroir, dans les vins blancs exclusivement. L'aire de production s'étend sur une vingtaine de communes, de Maligny et Ligny-le-Châtel au nord à Préhy et Poilly-sur-Serein au sud, de Viviers et Béru à l'est à Beines et Courgis à l'ouest. Ce vignoble regroupe quatre appellations. Les **chablis grands crus**, les plus prestigieux, sont groupés sur les coteaux abrupts de la rive droite du Serein (101 ha). Ils sont constitués par 7 « climats » : Vaudésir, Valmur, Grenouilles, les Clos, les Preuses, Bougros et Blanchots. Les **chablis premiers crus** s'étendent sur les deux rives du Serein, sur le territoire de Chablis et des huit communes environnantes (750 ha). Ensuite viennent les **chablis** dont le vignoble est le plus étendu (3 000 ha), puis les **petits chablis** (650 ha). Ils accompagnent volontiers les fruits de mer et les spécialités de la région : escargots, gougères, jambon persillé, andouillette chablisienne, poularde à la crème et aux morilles, poisson de rivière et fromages de chèvre ou de région, tels le chaource, l'époisses ou le soumaintrain.

Visiter

Collégiale Saint-Martin

03 86 42 80 80 - juil.-août : 11h-13h, 15h-18h, vend. et sam. 11h-13h, 14h30-18h, dim. 14h-18h. Visite commentée gratuite sur demande.

Les chanoines de St-Martin-de-Tours, ayant fui devant les Normands, fondèrent ici cette collégiale afin d'y abriter les reliques de leur saint. Elle fut reconstruite après 1220. Sur les vantaux du portail latéral droit (dit « porte aux Fers »), de style roman, remarquez les pentures du début du 13e s. et les fers à cheval, ex-voto des pèlerins à saint Martin, patron des cavaliers. L'intérieur forme un ensemble homogène, inspiré de Saint-Étienne de Sens. Au chevet de la collégiale, dans le beau bâtiment des 15e et 16e s. qui appartenait aux chanoines, est visible un ancien **pressoir** en bois. En vous promenant dans la ville, vous verrez aussi de jolis bâtiments : l'église **St-Pierre**, le prieuré **St-Cosme** (13e s.), l'**hôtel-Dieu** et la **porte Noël**.

Aux alentours

Château de Béru

À 9 km à l'est de Chablis.

03 86 75 90 43 - www.chateaudeberu.com - tlj du 15 juin au 15 sept. : 10h30-12h 30, 15h-19h - sur rendez-vous le reste de l'année - 5 € (8 € avec dégustation du vin du château).

Différentes époques se côtoient dans ce château, construit au 12e s. puis modifié à la Renaissance et au 17e s. Il appartient à la même famille depuis 1627, celle des comtes de Béru. Sur la porte de l'édifice, on peut voir un cadran solaire et lunaire du 15e s, dont il n'existe qu'un seul équivalent en Europe (au Queen's College de Cambridge). Le château, qui domine les coteaux de Chablis, produit son propre vin.

Chablis pratique

Adresse utile

Office du tourisme de Chablis – *1 r. du Maréchal-de-Lattre-de-Tassigny - 89800 Chablis - ☎ 03 86 42 80 80 - www.chablis.net - 10h-12h30, 13h30-18h (juil.-août -19h, déc.-fév. -17h) - fermé. dim. nov.-mars.*

Se loger

⊖ **Chambre d'hôte La Marmotte** – *2 r. de l'École - 89700 Collan - 7,5 km au nord-est de Chablis par D 150 puis D 35 - ☎ 03 86 55 26 44 - www.bonadresse.com/bourgogne/collan.htm - ⊭ - 3 ch. et 1 gîte 47 € ☕.* Au cœur d'un petit village typique, maison ancienne rénovée où poutres et pierres apparentes ont été préservées. Chambres coquettes, toutes égayées par une couleur différente. Petit-déjeuner servi dans le jardin d'hiver agrémenté d'une fontaine.

⊖⊖⊖ **Hôtel du Vieux Moulin** – *18 r. des Moulins - ☎ 03 86 42 47 30 - www.larochehotel.fr - fermé janv. et dim. soir hors sais. - P - 7 ch. 90/255 € - ☕ 12 €.* Subtile alliance de tradition (poutres, pierres) et de modernité (salles de bains design, wifi), ou comment le domaine Laroche conçoit le luxe discret. Vraie cuisine du terroir s'accordant parfaitement avec les crus du vignoble. Stages d'œnologie à la boutique.

Se restaurer

⊖⊖ **Le Syracuse** – *19 av. du Mar.-de-Lattre-de-Tassigny - ☎ 03 86 42 19 45 - fermé 2 sem. en mars et 2 sem. en oct. - 16/29 €.* Ce restaurant installé au cœur du village a tout ce qu'il faut pour séduire : la salle rustique et climatisée est plaisante, la cuisine traditionnelle soignée, la carte des vins propose une belle sélection de chablis et le service s'avère efficace. N'hésitez donc pas !

⊖⊖⊖ **Hostellerie des Clos** – *18 r. Jules-Rathier - ☎ 03 86 42 10 63 - www.hostellerie-des-clos.fr - fermé 23 déc.-23 janv. - 40/75 €.* L'hostellerie, située au cœur du village, occupe les murs de l'ancien hospice de Chablis. Élégante salle à manger ouvrant sur le jardin, chambres soignées et table régionale réputée honorant dignement ce petit royaume du vin.

Que rapporter

Sarl Maison de l'andouillette M. Soulié – *3 bis pl. du Gén.-de-Gaulle - ☎ 03 86 42 12 82 - www.chablisnet/lamaisondelandouillette.fr - 9h30-18h, dim. 8h30-15h - fermé 1er janv. et 25 déc.* Michel Soulié, diplômé AAAAA (Association Amicale des Amateurs d'Andouillette Authentique) depuis 1978, la prépare de façon artisanale et vend également de nombreux autres produits régionaux.

Château Long-Depaquit – *45 r. Auxerroise - ☎ 03 86 42 11 13 - chateau-long-depaquit@albert-bichot.com - tlj sf dim. 9h-12h30, 13h30-18h - fermé 25 déc.-1er janv., 1er Mai et 1er nov.* Ce vaste domaine viticole qui appartint jusqu'à la Révolution à l'abbaye cistercienne de Pontigny produit des AOC chablis premier et grand crus, élevés en partie en fûts de chêne. Le vin issu de la parcelle de La Moutonne, monopole du domaine, est quant à lui considéré comme « le huitième grand cru de Chablis ». Caveau de dégustation et vente à l'orangerie du château.

Domaine Laroche (caveau de dégustation) – *18 r. des Moulins - ☎ 03 86 42 47 30 - www.larochehotel.fr - tlj sf lun. 10h-18h30 sur RV pour la visite des caves - fermé janv. et fév - visite et dégustation : 10 €.* Créé en 1850, le domaine couvre, 5 générations plus tard, plus de 100 ha répartis sur les quatre appellations de Chablis. Son siège, l'Obédiencerie de Chablis, noble et ancestrale demeure du 9e et du 16e s., abrite dans ses caves la petite crypte qui reçut, de 877 à 887, les reliques du grand saint Martin. Visite de l'Obédiencerie, ses caves et son pressoir du 13e s. Dégustation.

Événements

Fête des vins de Chablis – 4e w.-end d'oct. - dégustation, exposition, repas gastronomique - *renseignements au ☎ 03 86 42 42 22.*

Saint-Vincent tournante du Chablisien – déb. fév. - se célèbre à tour de rôle dans chaque village de la région (procession et banquet).

Marché des vins de l'Yonne – 2e sam. de mai - dégustation, vente de vins, produits du terroir, artisanat, en centre-ville.

Chalon-sur-Saône★

46 200 CHALONNAIS – AGGLO : 130 825 HABITANTS
CARTE GÉNÉRALE C3 – CARTE MICHELIN DÉPARTEMENTS 320 J9 – SAÔNE-ET-LOIRE (71)

Centre portuaire, industriel et commercial d'une grande activité, Chalon est la deuxième agglomération de Bourgogne, et la capitale d'une riche zone de culture et d'élevage, au cœur d'un vignoble dont certains crus sont dignes de leurs illustres voisins. Ses foires et les fêtes du carnaval attirent une foule considérable.

Se repérer – Au point de jonction de la Saône et du canal du Centre, au carrefour de plusieurs nationales (N 6, N 78, N 80) et sur le passage de l'A 6, Chalon est également desservi par le TGV.

Se garer – Vous trouverez des parkings gratuits, surtout à l'est de la ville, sur la place du collège et près de la promenade Ste-Marie.

À ne pas manquer – Visitez le musée Nicéphore-Niépce : vous êtes ici dans la patrie de l'inventeur de la photographie ! Ne manquez pas non plus le musée Denon et ses pièces archéologiques trouvées dans la Saône.

Organiser son temps – Réservez-vous environ 1h30 pour vous promener tranquillement au cœur de la roseraie St-Nicolas.

Avec les enfants – Vos inventeurs en herbe apprécieront l'amusante galerie des sciences de l'abbaye de la Ferté, à St-Ambreuil. Ils seront également séduits par les Montgolfiades *(voir carnet pratique)*, à la Pentecôte, lors desquelles une centaine de ballons multicolores animent le ciel de la région.

Pour poursuivre la visite – Voir aussi la Bresse, la vallée de la Saône.

S. Sauvignier / MICHELIN

Place St-Vincent.

Comprendre

De l'Empire romain à l'empire Schneider – Sa situation en bordure d'une grande voie navigable et à un important carrefour de routes fit choisir cette place par Jules César comme entrepôt de vivres au temps de ses campagnes en Gaule.

Du Moyen Âge, on retiendra les **foires aux sauvagines**, témoins du rôle de carrefour européen joué par la cité. Chalon doit en effet une part de sa célébrité à ces peaux de petits animaux à fourrure tels que renards, fouines ou blaireaux… Les foires, qui y avaient lieu deux fois par an et duraient un mois, comptaient parmi les plus fréquentées d'Europe. Mais si la fourrure a longtemps été chez elle à Chalon, le marché du cuir s'est en grande partie substitué à cette ancienne activité, la mode du vêtement de cuir s'étant bien développée au cours des dernières décennies.

La création du **canal du Centre** (fin 18e s.-début 19e s.), puis celle des canaux de Bourgogne et du Rhône au Rhin ont encore développé le commerce régional par voie d'eau.

En 1839, les usines **Schneider** du Creusot installent au débouché du canal du Centre une importante usine dite « Le Petit Creusot », devenue « Creusot-Loire ».
Les chantiers navals entreprennent dès lors la construction d'une longue série de bateaux métalliques : torpilleurs, sous-marins et contre-torpilleurs. C'est ainsi que 81 torpilleurs ont été montés pour le compte de la Marine nationale et des marines bulgare et turque entre 1889 et 1906. L'unité la plus importante fut le torpilleur *Mangini*, lancé en décembre 1911 pour la marine bolivienne. Long de 78,10 m, il avait un tirant d'eau de 3,08 m, trop fort pour pouvoir descendre le cours de la Saône. C'est avec un bateau porteur qu'il dut gagner la Méditerranée.
Plus tard, les habitants de Chalon-sur-Saône ont pu voir des submersibles de type SC 1 croiser le long des quais de la ville. Cette dernière fabrication, destinée à la Bolivie et au Japon, ne s'arrêta qu'avec la Seconde Guerre mondiale.
Spécialisée dans la métallurgie lourde, Creusot-Loire subit de plein fouet la crise sidérurgique de 1984. Cependant, d'autres industries se sont implantées depuis les années 1970, dont Saint-Gobain, Framatome, L'Air Liquide et Kodak. Face au déclin de l'argentique, ce dernier a décidé, en 2005, de fermer son site de Chalon-sur-Saône dans un délai de 2 à 5 ans.

Images de Niépce

Une statue *(quai Gambetta)*, un musée à son nom et un monument à St-Loup-de-Varennes *(7 km au sud de Chalon)*, où fut mise au point sa découverte, perpétuent son souvenir. Quant à la toute première photographie, *Le Toit des Cras*, prise de sa fenêtre à St-Loup après 10h de temps de pose, sur une plaque d'étain recouverte de bitume de Judée, elle est précieusement conservée dans un bain d'hélium à l'université d'Austin au Texas.

Un génie inventif – Chalon voit naître **Joseph Nicéphore Niépce** en 1765 *(au 15 r. de l'Oratoire)*. Nicéphore ? Ce prénom, Joseph Niépce se l'attribue après avoir été... remercié d'un poste d'instituteur. Nicéphore est à la fois le patriarche des iconostases et « celui qui apporte la victoire ». Tout un programme pour un chercheur de génie, passionné par la peinture et les arts...
Niépce met au point, avec son frère Claude, un moteur dont le principe est celui du moteur à réaction, le « pyréolophore ». Il dessine aussi une version de la draisienne, qu'il appelle « la machine à courir assis ». Passionné par la lithographie (gravure sur pierre), il réussit, en 1816, à fixer en négatif l'image obtenue au moyen de la chambre noire, puis, en 1822, à avoir une image positive fixée. Après ces résultats, Niépce élabore vers 1826 un procédé de photogravure : l'**héliographie**. Il meurt à Chalon en 1833, six ans avant la consécration officielle de sa trouvaille par Arago.

Se promener

Maisons anciennes

Certaines des demeures séculaires du vieux Chalon méritent d'être signalées, surtout dans le quartier St-Vincent, où de belles façades à pans de bois ont été dégagées sur la place du même nom (notez également, à l'angle de la rue St-Vincent, une statue du saint), dans la rue aux Fèvres, la rue de l'Évêché, etc. **Rue St-Vincent (B2)**, on remarque un carrefour pittoresque à la jonction des rues du Pont et du Châtelet ; **rue du Châtelet (B2)**, au n° 37, une belle façade du 17e s., avec bas-reliefs, médaillons et gargouilles ; **Grande-Rue (B2)**, au n° 39, une vaste maison du 14e s. restaurée.

Cathédrale Saint-Vincent (B2)

Sanctuaire de l'ancien évêché de Chalon (supprimé en 1790), St-Vincent ne présente pas un aspect homogène. Ses parties les plus anciennes remontent à la fin du 11e s. ; le chœur est du 13e s. Sa façade et ses clochers néogothiques (1825) lui donnent un air étrange. À l'intérieur, les piliers cantonnés de pilastres cannelés et de colonnes engagées sont dotés pour certains de chapiteaux semblables à ceux d'Autun. Dans la chapelle absidale nord, remarquez la grande armoire eucharistique contemporaine en bronze doré (1986). Dans le chœur, voyez le dais finement sculpté. Dans l'abside, se trouve un triptyque

Le saviez-vous ?

Cavillonum fut fondée à l'époque gallo-romaine sur les bases d'un port (déjà !) éduen.

Né à Chalon en 1732, l'architecte **Émiland Gauthey** a marqué la Bourgogne de son style, du canal du Centre à l'hôtel de ville de Tournus en passant par l'église de Louhans.

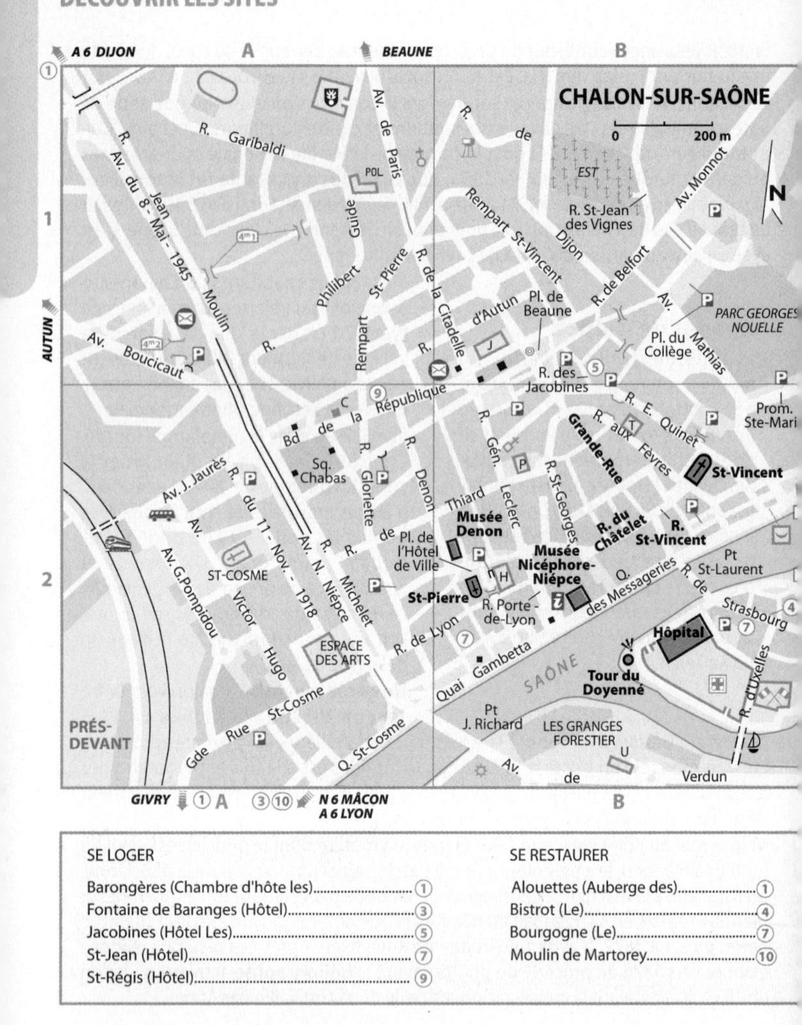

de 1608 (Crucifixion). Dans la chapelle donnant accès à la sacristie, on admire une voûte à cinq clefs pendantes et un beau vitrail représentant la femme aux douze étoiles de l'Apocalypse. Le bras droit du transept ouvre sur la chapelle Notre-Dame-de-Pitié (Pietà du 15e s. et tapisseries Renaissance) ainsi que sur un cloître du 15e s., restauré, où se trouvent quatre belles statues en bois ; la cour du cloître a retrouvé son puits. Dans le bas-côté droit, nombreuses pierres tombales et chapelles fermées par des claustras (« grilles » de pierre). La dernière chapelle latérale contient une Pietà polychrome du 16e s.

Hôpital (B2)

℘ 03 85 44 65 87 - visite guidée (1h30) avr.-sept. : merc., jeu. 14h30 ; oct.-mars : merc. 14h30 ; tte l'année : sur réserv. 1er et 3e dim. 14h30 - fermé j. fériés - 3 € (-15 ans gratuit).

Les chanoines n'avaient pas autorisé le chancelier Rolin à installer ses hospices à Chalon ; il les installa donc à Beaune. Seul le bâtiment à degrés d'inspiration flamande date de la construction initiale (1528). Quelques siècles plus tard, en voyage à Chalon, **Victor Hugo** allait remarquer la nouveauté de la façade de St-Vincent et la salle d'hôpital, « dans une belle boiserie Louis XIV, luisante comme du bronze ». À l'en croire, il s'agissait là d'un « hôpital désirable pour les poètes ».

Le premier étage, réservé aux religieuses, comprend des pièces lambrissées, dont l'infirmerie qui abrite quatre lits fermés de rideaux. Le réfectoire et le couloir des cuisines, meublé de vaisseliers remplis d'étains et de cuivres, sont remarquables. La pharmacie (1715) présente une collection de pots du 18e s. classés selon les potions qu'ils contiennent : écorces, racines, bois, feuilles, etc. Les bâtiments s'étendirent à partir du 17e s. et, dès le début du 18e s., certaines pièces furent ornées de magnifiques

boiseries★. La chapelle, d'architecture métallique (1873), a recueilli des œuvres d'art provenant des parties démolies à l'époque : boiseries armoriées, chaire du 17e s., rare Vierge à l'encrier et verrières Renaissance.

Tour du Doyenné (B2)

Jadis proche de la cathédrale, ce beffroi du 15e s. fut démonté en 1907, puis reconstruit à la pointe de l'île. Remarquez à ses côtés un beau tilleul, provenant des pépinières de Buffon.

Roseraie Saint-Nicolas (B2)

Des quais, 4 km par les ponts des îles de la Saône, au sud, puis la rue Julien-Leneuveu, à gauche. Au départ de l'aire de loisirs St-Nicolas, circuit pédestre de 5 km : 1h30 au cœur de la roseraie.

Cette prestigieuse roseraie (comptant quelque 25 000 plants) dissémine ses parterres au milieu d'immenses pelouses semées de bosquets.

Église Saint-Pierre (B2)

Construite de 1698 à 1713 dans un style italien, cette ancienne chapelle bénédictine présente une façade imposante (refaite au 19e s.).

À l'intérieur s'ouvrent une vaste nef et un chœur sous coupole peuplés de statues, dont certaines sont du 17e s. : saint Pierre et saint Benoît à l'entrée du chœur, sainte Anne et la Vierge terrassant le dragon dans le transept.

Dans le chœur, stalles sculptées et orgue d'époque Régence surmonté d'un Saül jouant de la harpe.

Visiter

Musée Denon★ (B2)

03 85 94 74 41 - tlj sf mar. et j. fériés 9h30-12h, 14h-17h30 - gratuit.

Installé dans une annexe (18e s.) de l'ancien couvent des Ursulines, dotée pour lui d'une façade néoclassique, ce musée porte le nom de l'une des gloires de la ville : le baron Dominique Denon, dit Vivant Denon *(voir encadré, p. 184)*.

Les riches collections du musée sont présentées au travers d'expositions temporaires. Elles couvrent l'art pictural du 17e s. au 20e s. L'école italienne est illustrée par le napolitain Solimena, par des toiles baroques de Giordano, par Bassano *(Plan de Venise, Adoration des bergers)* ; le Siècle d'or hollandais (17e s.) par un *Bouquet de tulipes* de Hans Bollongier et de belles natures mortes de Jean-David De Heem. La peinture française se distingue par des paysages préimpressionnistes du peintre chalonnais Étienne Raffort.

Les pièces archéologiques exposées ont pour la plupart été retrouvées lors de fouilles subaquatiques ou de dragages de la Saône : les « feuilles de laurier », les vases et les fibules en bronze gaulois et les dagues du Moyen Âge témoignent de la présence ancienne de l'homme en Chalonnais. Ne manquez pas le très réaliste groupe gallo-romain en pierre : un lion terrassant un gladiateur.

Souriez !

Remarquez les premiers appareils de Nicéphore Niépce et de Daguerre (son associé en 1829, lequel développe un matériel commercialisable : le **daguerréotype**), le Grand Photographe de Chevalier (vers 1840), les appareils Dagron ou Bertsch pour la photographie microscopique, les Dubroni (photographie instantanée, 1860), les canons à ferrotypes (support métallique au lieu du verre), les cyclographes (photographie panoramique, 1890) de Damoiseau, la « photosculpture » de Givaudan…

Musée Nicéphore-Niépce★★ (B2)

03 85 48 41 98 - www.museeniepce.com - juil.-août : 10h-18h ; reste de l'année : 9h30-11h45, 14h-17h45 - possibilité de visite guidée - fermé mar. et j. fériés - gratuit.

Situé dans l'hôtel des Messageries royales (18e s.), au bord de la Saône, le musée conserve une très riche collection d'images et matériels, qui permet de suivre la découverte et les évolutions de la photographie. Tout au long de la visite, bornes audiovisuelles ou interactives rendent encore plus attractives l'exposition. La présentation permet de suivre les progrès spectaculaires de l'image : projection lumineuse (lanternes magiques), vues stéréoscopiques (relief), premières éditions d'albums par W. H. Fox Talbot (*The Pencil of Nature*, 1844), premières photographies en couleurs, photochromies de Louis Ducos du Hauron (1868), holographie (1948-1970)…

Le baron Denon

Diplomate de l'Ancien Régime, né à Chalon-sur-Saône en 1747, **Dominique Vivant** fréquente Voltaire et Pierre-le-Grand. Graveur renommé, membre de l'Académie des beaux-arts en 1787, il part en Italie ; de retour à Paris, la Convention le considère comme un émigré : son ami le peintre David le sauve de justesse de la guillotine.

Lors de la campagne d'Égypte, il réalise le relevé des monuments (préfiguration de l'égyptologie), avant de devenir le conseiller artistique de Napoléon Ier, surintendant des arts en quelque sorte, grand pourvoyeur et organisateur des musées de France.

Ayant quitté ses fonctions officielles, il se consacre, comme son compatriote Niépce, au procédé nouveau de la **lithographie**.

Artiste complet, il est l'auteur d'un roman, *Point de lendemain*. Ce livre fera l'admiration de Philippe Sollers, qui consacrera un livre à Denon, *Le Cavalier du Louvre*. Les autoportraits du baron, dessinés et gravés, sont visibles au musée Denon *(voir p. 183)*.

Cette progression s'accélère au 20e s., qui voit l'apparition du format 24 x 36 (1923) et le succès populaire de la « photo ». Parmi les pièces exposées, on trouve les premiers Kodak, des petits appareils espions, l'appareil lunaire d'Hasselblad (programme Apollo) et le Globuloscope panoramique (1981).

Aux alentours

Saint-Loup-de-Varennes

7 km au sud de Chalon par la N 6.

Musée de la Première Photo – *☏ 03 85 94 84 60 - www.niepce.com - de mi-juin à déb. sept. : 10h-19h - fermé lun. et mar. - 6 € (enf. 3 €).*

Il est émouvant de découvrir la chambre d'où fut prise la première photographie, le grenier qui abritait les expériences de Niépce et de Daguerre. Dans les lieux mêmes de l'invention, venez découvrir les premiers procédés et appareils photo reproduits et commentés.

Saint-Ambreuil

10 km au sud de Chalon par la N 6.

Abbaye de la Ferté – *☏ 03 85 44 17 96 - www.abbayeferte.com - visite guidée (50mn) juil.-août : 10h30, 11h30, 14h30, 15h30, 16h30, 17h30 (sam. dernière visite 16h30) ; avr.-juin et de déb. sept. à mi-oct. : 14h30, 15h30, dim. et j. fériés 10h30, 11h30, 14h30, 15h30, 16h30, 17h30, sam. 14h30, 15h30, 16h30 - visite thématique (juil.-août 10h30, 16h) en costumes 18e pour les enf. (7 €) - visite « simple »: 7 € (enf. 2 €).*

Dernier vestige de l'abbaye, avec le réfectoire en voûtes d'ogives, cette aile du 17e s. correspond à l'ancien logis de l'abbé. Les appartements de ce dernier sont décorés de mobilier des 17e et 18e s.

Dans l'amusante galerie des sciences sont réunis à la fois instruments de mesure et ouvrages scientifiques, ainsi que des portraits et bustes de la savante dynastie familiale : elle compte l'inventeur de l'eau oxygénée et celui du célèbre crayon Conté !

Circuit de découverte

LA CÔTE CHALONNAISE

Circuit de 70 km – environ 3h.

Quittez Chalon au sud-ouest par la N 80. Rejoignez la D 981 que vous prenez à droite vers Givry.

Entre les côtes de Beaune et de Nuits au nord, le Mâconnais et le Beaujolais au sud, la côte Chalonnaise forme un trait d'union. Elle produit certains crus réputés, tels que le mercurey, le givry, le montagny, le rully et le bouzeron. Les vignerons y produisent surtout des vins rouges (pinot noir) dans le nord et des vins blancs (chardonnay) dans le sud.

Givry

Givry produit des vins appréciés depuis longtemps : ils constituaient l'ordinaire du bon roi Henri IV. La localité offre l'aspect d'une tranquille petite cité de la fin du 18e s., avec son hôtel de ville installé dans une porte monumentale de 1771, ses fontaines et son **église**.

Chef-d'œuvre de Gauthey, cette dernière est couverte de coupoles et de demi-coupoles; quatre groupes de deux grosses colonnes entourent sa nef. La halle ronde, ancien marché aux grains, dont les grandes arcades laissent apercevoir la jolie spirale de l'escalier central, date du début du 19e s.

Continuez au nord sur la D 981.

Château de Germolles

✆ 03 85 98 01 24 - http://chateaudegermolles.free.fr/menu.html - visite guidée (1h) de mai à mi-oct. : tlj 9h30-19h30 (dern. visite 18h30) ; de mi-mars à avr. et de mi-oct. au 11 Nov. : 14h-18h sf lun. - 7 € (-12 ans 1,50 €).

Cette maison forte du 13e s. – que précède une ferme du 14e s., à fenêtres à meneaux – fut rachetée au 14e s. par Philippe le Hardi, frère du roi Charles V. Il l'offre à son épouse, Marguerite de Flandre, qui la transforme en « maison de plaisance ducale ». La demeure prend à l'époque un aspect très bucolique : suivant la volonté de sa propriétaire, une bergerie voit le jour, on se met à cultiver la vigne, une immense roseraie s'épanouit... La visite guidée, très intéressante, permet de découvrir un vaste cellier roman-gothique, deux chapelles superposées, et plusieurs pièces du château. La plus remarquable est sans doute la chambre de Marguerite de Bavière, la belle-fille de Marguerite de Flandre, épouse de Jean sans Peur. On y voit des **peintures murales** d'époque extrêmement rares (car les demeures princières du 14e et 15e s. ont pratiquement disparu en France), représentant les initiales des propriétaires du château (M et P) et des chardons.

Espace ouvert sur les prés qui l'environnent, le parc du château se visite librement. On y découvre, entre autres, tilleuls, mûriers, chênes, cyprès et arbres exotiques (gingko biloba, araucaria), et à la belle saison, lauriers et orangers.

À Germolles, prenez à gauche un chemin vicinal dans la vallée des Vaux.

Vallée des Vaux

C'est le nom donné à la pittoresque haute vallée de l'Orbise. À partir de Mellecey, les villages situés à mi-côte présentent le type des cités viticoles avec les celliers attenants aux maisons : St-Jean-de-Vaux *(où débute la D 124 que vous prenez à droite)*, St-Mard-de-Vaux.

Dans St-Mard, tournez à droite vers Bourgneuf-Val-d'Or. Empruntez la D 978 à gauche, puis tournez tout de suite à droite vers Rully, situé entre les vignobles de Mercurey et de Bouzeron.

Rully

Ce gros village, ouvert sur la Saône, consacré au vin, possède un château médiéval doté d'un donjon du 12e s. bien conservé.

Rejoignez la N 6 et revenez à Chalon-sur-Saône.

Châlon-sur-Saône pratique

Adresse utile

Office du tourisme de Chalon-sur-Saône – *4 pl. du Port-Villiers - 71100 Chalon-sur-Saône - ✆ 03 85 48 37 97 - www.chalon-sur-saone.net - juil.-août : 9h-19h, dim. et j. fériés 10h-12h, 16h-19h ; avr.-juin et sept. : tlj sf dim. et j. fériés 9h-12h30, 14h-18h30 ; oct.-mars : tlj sf dim. et j. fériés 9h-12h30, 14h-18h.*

Visites

Visites guidées – Au travers de visites variées, générales ou thématiques, les guides conférenciers de Chalon-sur-Saône, qui porte le label Ville d'art et d'histoire, vous feront découvrir les différentes facettes de cette cité. *Programme disponible à l'Espace patrimoine (✆ 03 85 93 15 98) et à l'office de tourisme (✆ 03 85 48 37 97).*

Espace patrimoine – *24 quai des Messageries - ✆ 03 85 93 15 98 - juin-sept. : 10h-18h ; reste de l'année : tlj sf lun. et mar. 10h-12h, 14h-18h - fermé j. fériés - gratuit.* Il présente de façon didactique l'histoire et l'urbanisme de la ville.

Transports

Bon à savoir – Mis en place par la ville de Châlon, le « Pouce », service de navette gratuite, agrémente le quotidien des habitants et des touristes. *Un petit bus passe toutes les 15mn, suivant un circuit ponctué par 17 arrêts dans les lieux de grande affluence, tlj sf dim. 7h30-19h30.*

Se loger

Hôtel Les Jacobines – *10 r. des Jacobines - ✆ 03 85 48 12 24 - duloquin.nathalie@wanadoo.fr - fermé 1 sem. en* *hiver et 2 sem. en août - 23 ch. 32/36 € - ☕ 6 €.* Les chambres de cet hôtel, un brin exiguës, n'offrent qu'un confort minimaliste, mais on appréciera de trouver un hébergement en plein centre-ville, pratiquant des prix très bas. Préférez la partie rénovée, dotée d'équipements sanitaires complets... Sans toutefois verser dans le grand luxe.

Hôtel St-Jean – *24 quai Gambetta - ✆ 03 85 48 45 65 - www.hotelsaintjean.fr - 25 ch. 56 € - ☕ 6 €.* Cet hôtel familial, bien placé en bordure de Saône, vous réservera un accueil plein d'attention. Chambres soigneusement tenues, décorées de motifs floraux, et salle des petits-déjeuners sous verrière, dans l'esprit jardin d'hiver.

Hôtel Fontaine de Baranges – *R. Fontaine-de-Baranges - 71390 Buxy - ✆ 03 85 94 10 70 - www.hotelfb.com - P - 18 ch. 67/107 € - ☕ 9 €.* Un maître vigneron occupait cette élégante demeure conservant son cachet du 19e s. Chambres spacieuses et personnalisées, dont un tiers offrent l'agrément d'une terrasse privative tournée vers le jardin romantique. Belle cave voûtée pour les petits-déjeuners.

Chambre d'hôte les Barongères – *3 r. du Boubouhard - 71150 Farges-lès-Chalon - 10 km au nord par N 6 - ✆ 03 85 41 90 47 - www.lesbarongeres.com - 3 ch. 60 € ☕.* Cette maison relativement récente se trouve au cœur d'un paisible bourg. Les petites chambres ouvrent directement sur la pelouse. Mobilier et décoration très sobres mais corrects et équipements sanitaires complets. Terrasses ombragées et piscine agréable. Adresse idéale pour le repos.

Hôtel St-Régis – *22 bd de la République - ✆ 03 85 90 95 60 - www.saint-regis-chalon.com - 36 ch. 98/175 € - ☕ 13,50 € - rest. 22/54 €.* Cet hôtel au charme tout provincial a du caractère et est idéalement situé en plein centre-ville. Les chambres, bien tenues sont personnalisées et lumineuses. Salon-bar feutré avec fauteuils en cuir et boiseries. Salle à manger spacieuse et claire.

Se restaurer

Le Bourgogne – *28 r. de Strasbourg - ✆ 03 85 48 89 18 - www.restau-lebourgogne-chalon.fr - fermé 4-19 juil., 25-30 déc., dim. soir et lun. - 18/47 €.* Dans un cadre offrant le charme des bâtisses anciennes, vous dégusterez des plats régionaux (escargots de Bourgogne, œufs en meurette ou tournedos de Charolais) et quelques recettes plus « tendance » telles que le bavarois de rouget, la brochette de St-Jacques aux épices ou le magret de canard aux pêches caramélisées.

Le Bistrot – *31 r. de Strasbourg - ✆ 03 85 93 22 01 - fermé w.-end - 24/34 €.* Ce bistrot tout de rouge vêtu (boiseries décorées d'affiches anciennes, banquettes, lustres design, etc.) a vraiment belle allure, en particulier sa petite salle à manger voûtée du sous-sol qui donne sur une cave vitrée. Cuisine au goût du jour avec légumes du jardin et belle sélection de vins de Bourgogne.

Auberge des Alouettes – *1 rte de Givry - 71880 Châtenoy-le-Royal - 4 km à l'ouest de Chalon-sur-Saône par D 69 - ✆ 03 85 48 32 15 - fermé 4-19 janv., 15 juil.-6 août, dim. soir, mar. soir et merc. - 20/31 €.* Sur la route de Givry, petit restaurant sympathique avec deux salles à manger rustiques et une belle cheminée. Cuisine traditionnelle bien tournée et à prix raisonnables. Terrasse d'été.

Moulin de Martorey – *Chemin de Martorez - 71100 St-Rémy - ✆ 03 85 48 12 98 - www.moulindemartorey.net - fermé 23 fév.-8 mars, 16-31 août, dim. soir, mar. midi et lun. - 30/84 €.* Paisible minoterie du 19e s. surplombant un bief. Bel intérieur rustique (jolies dalles de pierre) agencé autour de l'ancienne machinerie. Cuisine personnalisée et carte des vins attractive.

En soirée

Place St-Vincent – Bordée de maisons polychromes à colombages, cette place regroupe la majorité des cafés, bars à vin et pubs de la ville dont les terrasses se dressent autour d'une fontaine.

L'Abattoir – *52 quai St-Cosme - ✆ 03 85 90 94 70 - www.labattoir.com - horaires selon manifestations - entrée libre.* Centre national de production des arts de la rue, l'Abattoir accueille toute l'année artistes et compagnies. À l'issue de leur résidence, celles-ci proposent un chantier, représentation publique et gratuite d'une étape de création. En juillet, le festival « Chalon dans la rue » rassemble plus de 350 000 personnes.

Que rapporter

Bon à savoir – De la place St-Vincent à la place de l'Hôtel-de-Ville, vous traversez le Chalon commerçant. Sur votre droite, la rue aux Fèvres, la Grande Rue et la rue St-Georges sont, elles aussi, intéressantes à parcourir.

Marché – Depuis 1448, le marché anime la place St-Vincent et la rue aux Fèvres. Charcuterie traditonnelle, fromages, fruits et légumes vous attendent les vendredis et dimanches matin.

Légendes Gourmandes – *4 pl. St-Vincent - ✆ 03 85 48 05 64 - tlj sf lun. 9h30-12h, 14h30-19h, dim. 9h30-12h30 - fermé j. fériés.* Mesdames Lotz et Sotty proposent un véritable tour de France gastronomique : de la Provence à la Bretagne en passant par la Bourgogne, elles ont sélectionné toutes sortes de produits pour leurs qualités gustatives : vinaigres, terrines, sirops, caramels, sardines, alcools, etc.

Le Cellier Saint-Vincent – *14 pl. St-Vincent, quartier St-Vincent - ✆ 03 85 48*

78 25 - www.achat-chalon.com/cellier-stvincent - tlj sf lun. 9h15-12h15, 14h15-19h15, dim. 9h-12h30 - fermé j. fériés. Cave à vin maintenant complétée par un Bar à vin : « Le 120 ». Vous pourrez, sur un même lieu déguster et/ou acheter une des nombreuses sélections de spiritueux, vins, bières de toute les régions du monde. Conseils à la vente, pour vous aider à personnaliser votre choix. Également nombreux accessoires (verres, carafes...).

La Maison des Vins de la côte Chalonnaise – *2 prom. Ste-Marie - ☏ 03 85 41 64 00 - maisondesvins2@wanadoo.fr - tlj sf dim. 9h-19h - fermé j. fériés.* Cette maison réputée, tenue par une association de viticulteurs de la côte Chalonnaise, ne propose que des vins régionaux aux prix de la propriété. Givry, montagny, rully ou mercurey, tous ont été choisis après dégustation à l'aveugle… Autant dire qu'ici, on connaît très bien le métier. Vente de verres, carafes, tire-bouchons et divers accessoires de cave.

Événements

Jour des Gôniots – www.carnavaldechalon.com - La semaine de carnaval a lieuautour de Mardi gras (fin février- début mars) : parade nocturne, cavalcades rutilantes avec des chars colorés. C'est le grand jour des Gôniots (« personnes mal habillées » en patois). Animation assurée par la confrérie carnavalesque. La réputation de ce carnaval dépasse largement la ville de Chalon-sur-Saône.

Montgolfiades – Le week-end de Pentecôte (mai), le ciel chalonnais se pare de montgolfières multicolores venues de toute l'Europe.

« Chalon dans la rue » – www.chalondanslarue.com - Durant 4 jours, pendant la 2e quinzaine de juillet, ce festival invite les meilleures compagnies théâtrales, stars du bitume ou inconnues. « Chalon dans la rue » est un important rendez-vous du théâtre contemporain.

Chapaize★

159 CHAPAIZOIS

CARTE GÉNÉRALE C4 – CARTE MICHELIN DÉPARTEMENTS 320 I10 – SAÔNE-ET-LOIRE (71)

À proximité du Bisançon, rivière que borde à l'est la belle forêt de Chapaize, ce petit village agricole abrite quelques maisons typiques du vignoble de la Côte, dont certaines remontent au 18e s. Il est dominé par une église très originale, dernier témoin d'un prieuré roman fondé au 11e s. par les bénédictins de Chalon.

- **Se repérer** – Chapaize se trouve à 19 km à l'ouest de Tournus par la D 14.
- **À ne pas manquer** – L'église romane St-Martin et son clocher lombard, d'une hauteur inattendue ; le superbe panorama, du haut du mont St-Romain, sur la plaine de la Saône, la Bresse et le Beaujolais.
- **Pour poursuivre la visite** – Voir aussi Brancion, Cormatin, Tournus, la Voie verte.

Visiter

Église Saint-Martin★

Construite du premier quart du 11e s. au début du 13e s. en belle pierre calcaire locale, dans un style roman marqué d'influences lombardes (des maçons venus d'Italie ont sans doute participé à sa réalisation), elle se fait remarquer par la hardiesse de son clocher.

Extérieur – De plan basilical à nef centrale rehaussée au 12e s., l'église montre des murs latéraux épaulés d'épais contreforts et une sobre façade au pignon triangulaire souligné d'arcatures. Véritable campanile lombard (milieu du 11e s.), toutefois bâti sur la croisée du transept où il s'élève à une hauteur inattendue (35 m), le **clocher**, symbole de pouvoir, est un privilège inscrit dans la féodalité : autrement dit, le seigneur du village étant maître du clocher, plus ce dernier est beau et élevé, plus le sire est puissant.

Ce clocher-ci accroît l'effet de son envolée par de subtils artifices architecturaux : coupe rectangulaire à peine marquée ; premier étage – aussi haut que les deux autres additionnés – discrètement pyramidal et orné de bandes lombardes verticales, des arcatures horizontales délimitant les étages supérieurs ; baies inégales et de niveaux décalés, dont la largeur augmente avec l'élévation…

Le chevet fut refait au début du 13e s. dans l'élégante simplicité de celui de Lancharre, et les toitures d'origine remplacées vers la fin du 14e s. Des sculptures archaïques rongées par les intempéries ornent d'un décor floral ou d'un visage les chapiteaux des baies de la façade et du clocher ; remarquez, sur la face nord de celui-ci, la colonne où s'adosse un personnage en pied – préfiguration des statues-colonnes.

Intérieur – L'intérieur à trois nefs, d'un sombre dépouillement, surprend dès l'entrée par deux singularités : les proportions des piliers (4,80 m de circonférence) et leur dévers accentué, surtout vers la gauche. Ces piles rondes, chapeautées d'impostes en triangle, forment sept travées, dont deux pour le chœur, et reçoivent les lourds arcs doubleaux de la voûte en berceau brisé (surélevée au 12e s.). La croisée du transept est voûtée d'une admirable coupole ovoïde sur trompes, soutenue par des arcs en plein cintre. Abside et absidioles, voûtées en cul-de-four, sont éclairées, la première par de larges baies, les secondes par des fenêtres axiales dont l'une ornée de colonnettes à chapiteaux sculptés (baies latérales percées au 19e s.).

Aux alentours

Lancharre

2 km au nord-est. Le hameau englobe les vestiges d'un couvent de chanoinesses établi au 11e s. par les sires de Brancion. L'**ancienne église** conventuelle, émouvante dans son abandon, réunit deux édifices accolés des 12e et 14e s. composant le chevet et le transept sur lequel s'élève, à gauche, un clocher carré percé de grandes baies ogivales. De la nef disparue, où prend place le cimetière, il ne subsiste qu'un pan de mur et la première travée jouxtant le chœur.

À l'intérieur, remarquez les vastes absides et absidioles, voûtées en cul-de-four ; le chœur dont l'arc triomphal retombe sur deux élégants piliers aux chapiteaux sculptés de têtes et la coupole sur trompes supportant le clocher ; une dizaine de dalles funéraires des 13e et 14e s., certaines gravées d'effigies de dames ou de chevaliers.

Chissey-lès-Mâcon

4,5 km au sud par la D 282. L'église du 12e s., à l'élégant clocher clunisien, abrite de très curieux chapiteaux historiés.

Mont Saint-Romain★

11 km au sud de Chapaize, au-delà de Chissey, prendre la D 187, puis la D 446. Une route en forte montée se détachant de la D 446 conduit au mont. Prenez le chemin vers la tour accolée au restaurant (parking). Du sommet de la tour, on découvre un magnifique **panorama★★** *(table d'orientation)* : à l'est sur la plaine de la Saône, et au-delà sur la Bresse, le Jura et les Alpes ; au sud sur le Mâconnais et le Beaujolais ; à l'ouest sur le Charolais.

De là, vous pourrez gagner le col de la Pistole et, à partir de Bissy-la-Mâconnaise, vous pénétrez dans la zone du vignoble mâconnais.

Chapaize pratique

Voir aussi les carnets pratiques de Brancion, du château de Cormatin, de la Voie verte et de Tournus.

Se loger

Hôtel La Place – *Hameau La Place, D 981 - 71460 Malay - 03 85 50 15 08 - www.hotel-cormatin.com - fermé janv., dim. soir et lun. sf juin-août - 30 ch. 58/60 € - 10 € - rest. 18/40 €.* En plus de chambres correctes et de bon confort avec leurs sanitaires complets, cet hôtel dispose d'une piscine, d'une aire de jeux et même d'une salle de musculation pour garder la forme. Salle à manger aux accents rustiques avec ses murs en pierre ornés de vieux outils. Une adresse familiale, très sympathique.

Se restaurer

Auberge du col des chèvres – *Lieu-dit Dulphey - 71240 Mancey - 03 85 51 06 38 - aub.coldeschevres.para@wanadoo.fr - 18/28 €.* Derrière ses allures d'auberge campagnarde traditionnelle, cet établissement semble s'éloigner des sentiers battus et jouer la carte de l'inventivité dans l'assiette. Le résultat pouvant s'avérer parfois surprenant mais plutôt réussi, satisfera même les plus difficiles. À découvrir.

La Charité-sur-Loire★

5 405 CHARITOIS
CARTE GÉNÉRALE A3 – CARTE MICHELIN DÉPARTEMENTS 319 B8 – NIÈVRE (58)

Enjambée par un beau pont de pierre en dos d'âne, la Loire vient baigner les quais de cette cité historique, adossée à des remparts. Vous aimerez ses maisons anciennes et ses ruelles étroites, pressées autour d'une superbe église prieurale qui fut, après celle de Cluny, la plus grande de France…

Office de tourisme de la Charité-sur-Loire et du Pays Charitois

Église prieurale Notre-Dame dominant la Loire.

- **Se repérer** – La Charité se trouve entre Cosne et Nevers, sur la N 7. C'est la seule ville sur la Loire nivernaise qui n'occupe pas un site de confluent.
- **Se garer** – Garez-vous sur les parkings visiteurs du prieuré ou de l'Europe.
- **À ne pas manquer** – Visitez la fameuse église prieurale Notre-Dame, et admirez la belle vue d'ensemble de la ville à partir du pont ou des remparts.
- **Organiser son temps** – Bibliophiles en tous genres, sachez que La Charité est une « Ville du livre ». Accordez-vous le temps de flâner dans le quartier historique pour découvrir ses librairies, bouquinistes et artisans du livre.
- **Avec les enfants** – Munis de jumelles, partez avec eux en canoë à la découverte de la réserve naturelle du val de Loire, peuplée d'oiseaux migrateurs et de quelques castors.
- **Pour poursuivre la visite** – Voir aussi Cosne-Cours-sur-Loire, Nevers, Prémery.

Comprendre

La pucelle et le brigand – Fortifiée au 12e s., la ville, « poste considérable à cause du passage de la Loire », allait être l'enjeu de luttes entre les Armagnacs et les Bourguignons au cours de la guerre de Cent Ans. Occupée par les premiers, partisans de Charles VII, la ville est prise en 1423 par **Perrinet-Gressard**, aventurier payé à la fois par le duc de Bourgogne et par les Anglais. En décembre 1429, Jeanne d'Arc, venant de St-Pierre-le-Moûtier *(voir Nevers)*, met le siège devant **La Charité**. Mais l'insuffisance des troupes, les rigueurs du froid et peut-être une « merveilleuse finesse »,

Le saviez-vous ?

La Charité-sur-Loire fut fondée sur l'ancien site de **Seyr** (« ville au soleil » en phénicien).

Son abbaye, réorganisée au 11e s., attirait voyageurs, pèlerins et pauvres. Connaissant l'hospitalité des moines, beaucoup venaient solliciter « la charité des bons pères ». « Aller à la charité » passa dans le langage courant, et le nom fut attribué à la localité. Les armes de la ville, trois bourses d'or ouvertes sur champ d'azur, rappellent la prodigalité des religieux. Aujourd'hui, cette tradition caritative se perpétue dans l'activité de l'hôpital psychiatrique, le plus gros employeur de la ville.

jamais élucidée, de Perrinet-Gressard l'obligent à lever le siège. Quant à Perrinet-Gressard, il ne rendra la ville à Charles VII qu'après 1435 et la signature de la paix d'Arras entre Armagnacs et Bourguignons, moyennant une forte rançon et la charge à vie de capitaine de La Charité. La ville fera à nouveau l'objet de plusieurs changements de main, cette fois entre les catholiques et les protestants (1559-1577). En 1570, elle fait partie des quatre places de sûreté des huguenots en France.

Se promener

Place Sainte-Croix

C'est ici que l'imbrication de la ville et du prieuré est la plus manifeste : cette place est en fait à l'intérieur de l'ancienne église prieurale détruite en 1559. En effet, le 31 juillet 1559 démarre un grand incendie qui ravage 6 travées de Notre-Dame, le clocher, la chapelle axiale, la nef de St-Laurent, le dortoir, le cloître, les logis des officiers, la cuisine, le chauffoir et de nombreuses maisons en ville.

Le prieuré était « flambant neuf » aux deux sens du terme : vingt ans auparavant, le prieur Jean de la Madeleine de Ragny avait financé sa remise en état. En levant la tête, on aperçoit les arcatures du faux triforium sous lesquels ont été encastrées des habitations au 19e s., après la vente des biens nationaux.

Église prieurale Notre-Dame★★

Visite : 1h. Le pape Pascal II consacra l'église en 1107. La Charité resta toujours dépendante de sa maison mère, Cluny, mais engendra 400 nouvelles fondations. Malgré ses blessures, l'édifice reste l'un des plus dignes représentants de l'architecture romane en Bourgogne.

Avec ses cinq nefs, 122 m de longueur, 37 m de largeur et 27 m de hauteur sous la coupole, elle était, après celle de Cluny, la plus grande de France et pouvait contenir cinq mille personnes. Elle faisait partie des cinq privilégiées honorées du titre de « fille aînée de Cluny » et ne possédait pas moins d'une cinquantaine de « filiales », jusqu'à Constantinople. Lorsque Cluny décide cette nouvelle fondation, c'est à dessein qu'elle la préfère monumentale. Bien implantée sur les routes des pèlerinages, plus au sud, elle pose un bastion en terre vierge, dans le diocèse d'Auxerre. Cet ancrage lui permettra de rayonner et d'essaimer dans la partie nord de la France.

Extérieur – Isolée du reste de l'édifice par l'incendie de 1559 qui ravagea une bonne partie de la ville, la façade se dresse place des Pêcheurs. L'ample **tour Ste-Croix** a été édifiée au 12e s. De plan carré, à deux étages de fenêtres, elle est surmontée d'une flèche couverte d'ardoise remplaçant l'originale en pierre. Elle est décorée d'arcatures aveugles et de motifs sculptés figurant des rosaces. Les deux portes sont murées ; l'une d'elles conserve son **tympan**, avec une rare scène de la Nativité où Marie est représentée couchée, et où l'on voit au-dessus d'elle l'enfant Jésus réchauffé par l'âne et le bœuf. Une seconde tour aurait dû encadrer le portail central, mais elle ne fut probablement jamais construite.

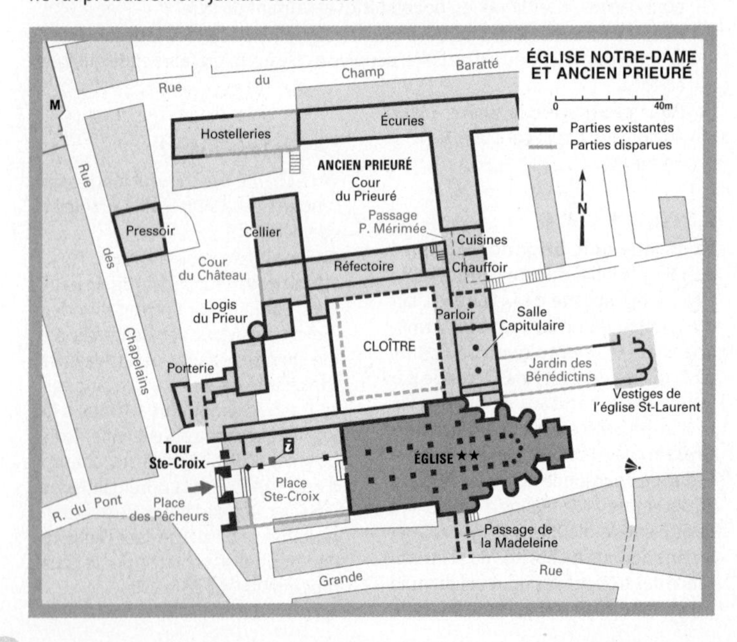

Intérieur – L'église actuelle occupe les quatre premières travées de la nef originelle, le transept et le chœur. De l'entrée, notez la taille de l'église et la surélévation du sol, visible au pied du pilier et due à l'accumulation de remblais, ainsi que la déclivité avec le portail; il est probable que l'église ait, dès l'origine, disposé de plusieurs niveaux. Fort mal restaurée en 1695, la nef a perdu son intérêt, mais le transept constitue avec le chœur un magnifique ensemble roman. La croisée est surmontée d'une coupole octogonale sur trompes; les croisillons comptent trois travées et deux absidioles remontant au 11e s., c'est la partie la plus ancienne de l'édifice. Un **bestiaire** à huit motifs souligne le faux triforium dont les arcatures quintilobées, d'inspiration arabe, sont supportées par des pilastres ornementés. Les vitraux modernes sont l'œuvre de Max Ingrand.

La Charité, « Ville du Livre »

Depuis l'an 2000, La Charité est devenue « Ville du livre ». En témoignent les nombreux libraires, bouquinistes et artisans du livre que vous trouverez dans le centre historique de la cité : place des Pêcheurs, rue du Pont, rue des Hôtelleries, rue du Petit-Rivage, Grande-Rue ou encore rue de la Verrerie. *Renseignements : Association Seyr Livres - 8 pl. des Pêcheurs - 58400 La Charité-sur-Loire - ✆ 03 86 70 18 99.*

Juste avant de quitter l'église par le croisillon droit, remarquez le **tympan de la Transfiguration★** à droite de la porte. Notez le mouvement des prophètes Moïse et Élie qui encadrent le Christ : ils semblent danser, les courbes de leur corps épousant celles du tympan. En dessous, voyez l'Adoration des Mages et la Présentation au Temple. Décors et frises sont admirablement soignés. **Mérimée** rapporte que les tympans étaient en place, mais insérés dans des échoppes de serruriers. Celui de la Transfiguration donnait dans une chambre à louer. Un locataire, furieux de cohabiter avec des punaises, se vengea en brisant la tête de l'Enfant Jésus présenté au Temple. Cela arriva peu avant le passage de Mérimée, qui demanda à son retour le transfert des tympans dans l'église. Seul celui de la Transfiguration fut déplacé…

Vue sur le chevet★ – Le passage de la Madeleine (16e s.), voûté d'ogives, permet de rejoindre le **jardin des Bénédictins**, d'où l'on découvre le bel ensemble formé par le chevet, le transept et la tour octogonale de l'abbatiale. Ici, des fouilles ont mis au jour une deuxième église du prieuré, l'**église St-Laurent**. Contemporaine de Notre-Dame, elle était vraisemblablement consacrée à une importante fonction clunisienne : la prière pour les morts.

Faites le tour du jardin pour atteindre les cours du monastère. Empruntez le passage Prosper-Mérimée.

Ancien prieuré

Une ambitieuse campagne d'achat et de restauration redonne vie et unité à ce vaste ensemble (250 m de côté), qui a gardé de très beaux éléments : salle capitulaire (14e s.), cloître (18e s.), réfectoire, salon et salle à manger du prieur…

Cour du château

Sur la gauche, on reconnaît, au fond de la cour, la tour du Logis du prieur, du 16e s., avec sa jolie tourelle à sept pans, et le cellier, du 13e s. Entre les deux, un bâtiment néogothique du 19e s. laisse voir, à sa droite et en hauteur, le montant du portail monumental par lequel s'achevait le cloître du 17e s., à quelques mètres de là. Retournez-vous pour voir, au n° 19, les anciennes hostelleries, remaniée au 18e s.

Longez les hostelleries.

Les remparts

Leur origine remonte à 1164. De leurs diverses tours, jolies **vues★** sur l'église, la Loire et la vieille ville.

Descendez par le raidillon des Huguenots.

Remarquez dans la rue des Chapelains, aux nos 16 et 29, les vestiges d'un pressoir du 16e s. et d'un hôtel-Dieu qui ne fonctionna que quelques années.

Le quartier des pêcheurs

Il en reste peu de chose : des ruelles étroites et, rue Basse-de-Loire, le « guichet », sous le quai Foch, témoin du lien vital entre ce quartier et le fleuve.

Empruntez l'escalier le long du guichet et prenez les quais à gauche.

Admirez les deux maisons symétriques du 18e s. qui encadrent l'arrivée sur la ville, au commencement de la rue du Pont. Quai Clemenceau, remarquez, entre les nos 3 et 5, la maison du Grenier à sel (16e s.) et au n° 17, la porte des Mariniers (17e s.).

Remontez par l'étroite rue du Grenier-à-sel.

Le quartier des commerçants

Sur la place des Pêcheurs, à droite de l'ancien portail de l'église, la maison de la Revenderie, du 13e s., était le lieu où l'abbaye vendait ses productions. On reconnaît au rez-de-chaussée, comme dans la maison du Sabotier (15e s.) à sa gauche, un linteau en demi-cercle typique : il abrite la porte, la fenêtre et le banc d'échoppe. Ces façades, fréquentes, manifestent l'activité du quartier au Moyen Âge.

Le quartier bourgeois

C'est l'élévation plus importante des immeubles, récents ou très transformés, qui signale le prestige de la Grande-Rue. Remarquez la porte de la Madeleine (16e s.) entre les nos 23 et 25. Prenez du recul devant l'hôtel de ville pour admirer de chaque côté deux styles opposés du 19e s., l'un bourgeois, l'autre commerçant. Redescendez par la rue des Ourbes et ses vestiges de maisons du 16e s.

Le quartier des guêtrots

C'est surtout l'uniformité de l'ensemble qui pousse à faire un tour, à pied ou en voiture, dans le quartier des rues Ste-Anne, St-Jacques et des Halles. Ces petites maisons des 18e et 19e s. sont celles des vignerons (qui portaient des guêtres). Jusqu'à l'arrivée, tardive ici, du phylloxéra, la ville était cernée de vignes, ce qui explique la quasi-absence de faubourgs.

Visiter

Musée

☏ 03 86 70 34 83 - possibilité de visite guidée sur RV (25mn) juil.-août : 10h-12h, 15h-18h ; avr.-juin et sept.-nov. : 15h-18h. ; mars et nov. : w.-end 15h-18h - fermé lun. et mar., déc.-fév., 1er Mai - 2 € (-12 ans gratuit).

Dans l'hôtel Adam (18e s.), une large place est faite aux objets découverts lors des fouilles réalisées entre 1975 et 1994 au chevet de l'église prieurale Notre-Dame : fragments lapidaires, carreaux de pavage, objets domestiques utilisés par les moines (12e-16e s.). Sont présentées par ailleurs des œuvres du sculpteur **Alfredo Pina** (1885-1966), proche de Rodin, des céramiques de la manufacture de Sèvres et une belle collection de vases Art nouveau et Art déco de Lalique, Daum et Gallé. La salle des Tailleurs de limes évoque cette activité, qui fut importante dans le canton de 1830 à 1960 environ.

Aux alentours

Pouilly-sur-Loire

13 km au nord de La Charité. Localité célèbre pour ses vignobles, qui produisent des vins blancs au goût de terroir très caractéristique.

Pavillon du milieu de Loire – ☏ 03 86 39 54 54 - www.pavillon-pouilly.com - ♿ - visite audioguidée juil.-août : 10h-19h ; avr.-juin et de déb. sept. à mi-oct. : 10h-12h30, 14h-18h ; de mi-nov. à fin déc. et fév.-mars : 14h-18h - fermé janv., 1er janv., 25 déc. - 4,50 € (6-18 ans 3 €).

À l'emplacement des anciens abattoirs, en bord de Loire, cet espace présente de façon moderne et ludique la faune et la flore du fleuve et de ses abords (bornes interactives très pédagogiques). Salle consacrée à la vigne.

Réserve naturelle du Val de Loire – *Visites guidées thématiques d'avr. à sept. - sentier accessible tte l'année - pour le bon déroulement de la visite, se procurer le dépliant (gratuit) au Pavillon du milieu de Loire à Pouilly-sur-Loire et dans les principaux offices de tourisme de la région.*

Couvrant un tronçon de Loire entre Pouilly et La Charité, elle abrite quelques familles de **castors** et de nombreux **oiseaux migrateurs**, tels que le petit gravelot ou la sterne naine (du printemps à l'automne) et diverses espèces de canards (l'hiver). Vous pouvez les observer en vous promenant en canoë ou à pied dans la réserve naturelle. Sur la rive gauche existe un chemin de randonnée de 10 km entre les lieux-dits Passy, au nord de La Charité, et La Vallée, en face de Pouilly, par la levée Napoléon. Des sentiers de découverte, de 3,5 à 6,5 km, sont proposés aux départs du camping de Pouilly, de La Charité et de la rive gauche, à la hauteur d'Herry.

Vins de pays des coteaux charitois

Ils sont produits sur les communes de Chasnay, Nannay, Murlin et La Celle-sur-Nièvre. Les cépages principaux sont le sauvignon et le chardonnay en blanc, le gamay noir, le pinot noir et le pinot gris pour les rouges.

Circuit de découverte

FORÊT DES BERTRANGES

Circuit de 45 km.

Distante de quelque 5 km à l'est de la Loire, cette vaste et belle forêt domaniale couvre environ 10 000 ha de ses belles futaies de chênes mêlées de hêtres, de sapins et de mélèzes. Avec de la chance, vous y croiserez peut-être des blaireaux, des martres ou des renards. Et vous pourrez remarquer, au cours de ce circuit, de nombreux vestiges d'ateliers. Comme l'indique le nom des villages de St-Aubin-les-Forges ou Beaumont-la-Ferrière, le massif fut, du 14e au 19e s., le lieu d'une intense activité métallurgique, grâce au charbon de bois, à la présence généreuse de minerai de fer et au port de La Charité, très animé du temps de la navigation sur la Loire *(voir Digoin)*.

Quittez La Charité vers le nord-est, par la N 151. Prenez ensuite à droite la D 179 jusqu'à Raveau, puis la D 138 vers Chaulgnes. Au lieu-dit La Vache, empruntez la route forestière du Rond-de-la-Réserve sur 1 km environ.

Vous arrivez à la « fontaine de la Vache », source limpide voisine d'un beau chêne isolé *(aire de pique-nique)*.

Faites demi-tour et prenez à droite une autre route forestière empierrée qui mène à celle de la Bertherie, où vous tournez à droite.

Vous atteignez alors le **rond de la Réserve**, carrefour forestier entouré de résineux et de jeunes peuplements de chênes. Du Rond, gagner au sud les Bois-de-Raveau, hameau précédé par la maison forestière dite « de l'Usage défendu », puis, par la D 179 tout en montées et descentes successives, le village de St-Aubin-les-Forges. Prenez à droite la D 117 jusqu'à **Bizy**, dont on remarque le château bordé d'un charmant étang ; si vous prenez à gauche, c'est celui de Sauvage qui apparaîtra non loin de Beaumont-la-Ferrière, tel le château de *La Belle au bois dormant*.

Empruntez à droite la D 8 et, encore à droite, la D 110 vers Chaulgnes.

Cette petite route s'élève en procurant d'agréables **vues** sur la forêt et les localités les plus proches ; la descente finale fait découvrir la cuvette où se tapit le bourg de **Chaulgnes**, dominé par son église.

Office de tourisme de la Charité-sur-Loire et du Pays Charitois

La forêt des Bertranges.

Continuez sur la D 110, au-delà de Chaulgnes, jusqu'à Champvoux.

L'**église de Champvoux** (13e s.), amputée de sa nef (dont il reste les murs à contreforts et les vestiges sculptés du portail), séduit par sa haute abside coiffée de toits coniques ; remarquez, dans le chœur, les chapiteaux naïfs des deux piliers et le blason (daté de 1668) de la chapelle axiale. *Visite sur demande au ☎ 03 86 37 85 59 (mairie).*

La D 110, puis la D 907, le long de la Loire, ramènent à La Charité-sur-Loire.

La Charité-sur-Loire pratique

Adresse utile

Office du tourisme de La Charité-sur-Loire – *5 pl. Ste-Croix - 58400 La Charité-sur-Loire - ✆ 03 86 70 15 06 - www.lacharitesurloire-tourisme.com - de Pâques à la Toussaint : 9h30-12h30, 14h30-18h30 ; reste de l'année : tlj sf dim., j. fériés et lun. 10h-12h, 14h30-17h30.*

Se loger

⊖⊖ **Hôtel Relais de Pouilly** – *58150 Pouilly-sur-Loire - 11 km au nord de La Charité-sur-Loire par N 151 puis D 907 - ✆ 03 86 39 03 00 - www.relaisdepouilly.com - P - 24 ch. 68/75 € - ☕ 9,50 € - rest. 18/34 €.* Cet hôtel proche de la cité viticole de Pouilly-sur-Loire borde la N 7 (accès piétonnier depuis l'aire de repos). Chambres confortables, bien insonorisées et agréablement tournées sur le jardin et la Loire. Restaurant rustique proposant plats régionaux, buffets, grillades et vins locaux.

Se restaurer

⊖ **Seyr** – *4 Grande-Rue - ✆ 03 86 70 03 51 - fermé 10-17 mars, 17 août-4 sept., dim. soir et lun. - 12/33 €.* Si le cadre du restaurant ne paie pas de mine, il n'en va pas de même pour sa cuisine traditionnelle simple mais soignée. On redécouvre ici avec plaisir le goût d'une bonne soupe de poisson, la saveur subtile d'un filet de bar sauce aux truffes ou l'arôme d'une belle tarte aux fruits, pour un prix très raisonnable.

Faire une pause

Confiserie du Prieuré – *11 pl. des Pêcheurs - ✆ 03 86 70 01 81 - lechocolat.charpentier@laposte.net - tlj sf lun. 9h30-13h, 14h30-19h (dim. 13h).* Cette magnifique maison d'époque en pierre abrite un petit salon de thé « cosy » doté d'un mobilier en rotin où l'on pourra déguster la dernière création « le doux frisson ». L'été, c'est la terrasse fleurie qui accueille les grignotages de l'après-midi. Dans la boutique, la confiserie et la chocolaterie sont les maîtres de séant.

Que rapporter

Librairies – Une association de libraires est à l'origine de la création de la « Charité, ville du livre » qui regroupe déjà une vingtaine de professionnels du livre ancien, de la calligraphie et de la reliure. Facilement identifiables à leurs enseignes, les boutiques sont regroupées autour du clocher Ste-Croix. Pour la plupart ouvertes toute l'année, elles apportent leur souffle à la restauration de cette petite ville.

Caves de Pouilly-sur-Loire – *39 av. de la Tuilerie, les Moulins à Vent - 58150 Pouilly-sur-Loire - ✆ 03 86 39 10 99 - caves.pouilly.loire@wanadoo.fr - 8h-12h, 13h30-18h, sam. 9h-12h30, 14h-18h, dim. (en sais.) 10h-12h30, 14h30-18h30 - fermé 1er janv. et 25 déc.* La cave, créée en 1948, compte aujourd'hui 100 adhérents et représente l'un des principaux producteurs de pouilly-fumé et de coteaux-du-giennois. Le caveau qui y est aménagé abrite un grand comptoir de dégustation où vous pourrez tester ces vins blancs, rouges ou rosés au goût de terroir si caractéristique.

Domaine Hervé-Seguin – *3 r. Joseph-Renaud, lieu-dit Le Bouchot - prendre la rte de Donzy sur 1 km. - 58150 Pouilly-sur-Loire - ✆ 03 86 39 10 75 - www.domaineseguin.com - tlj sf dim. apr.-midi 10h-12h, 14h-19h.* La famille Seguin, où l'on est vigneron depuis 6 générations, élève trois crus, véritables reflets des différents sols et terroirs de Pouilly : le pouilly-fumé issu du cépage sauvignon, une cuvée prestige et le pouilly-fumé « La Barboulotte » vieilli en fûts de chêne.

Sports & Loisirs

Canoë-Kayak – *Quai d'Aval - ✆ 03 86 70 35 88 - location située sur l'île face à la vieille ville.* Le canoë est un bon moyen de visiter la Réserve naturelle de la Loire (itinéraire d'environ 20 km).

Événements

Expositions – Chaque été sont organisées dans le prieuré des expositions se rapportant à son histoire ou aux travaux de rénovation.

Concerts – L'été, dans l'église, le prieuré ou le jardin des Bénédictins.

La Charité-sur-Loire, Ville du Livre – Le 3e dim. de chaque mois *(sf mai et sept.)*, foire aux livres anciens.

Charlieu★

3 727 CHARLIENDINS
CARTE GÉNÉRALE B4 – CARTE MICHELIN DÉPARTEMENTS 327 E3 – LOIRE (42)

Marché actif dès l'époque médiévale, sur la voie reliant la vallée de la Saône à celle de la Loire, Charlieu devint au 19e s. un grand centre de tissage de soierie, tant en usine qu'au sein d'ateliers familiaux. Mais c'est surtout à la qualité de ses trésors architecturaux que la cité doit sa renommée.

Société des Amis des Arts, Charlieu

Tympan du grand portail de l'ancienne abbaye de Charlieu.

- **Se repérer** – Charlieu se trouve au carrefour de routes du sud du Brionnais, avec Roanne à 19 km au sud, et Paray-le-Monial à 40 km au nord.
- **À ne pas manquer** – La façade de l'abbaye bénédictine et ses superbes détails sculptés; les somptueuses collections de tissus et de robes d'époque du musée de la Soierie; les chapiteaux du couvent des Cordeliers, figurant les vices et les vertus.
- **Organiser son temps** – Comptez environ 1h pour visiter l'abbaye, et au moins autant pour flâner dans la vieille ville et admirer ses maisons à pans de bois.
- **Avec les enfants** – Livrets de découverte en main, ils assisteront avec plaisir aux démonstrations des techniques de tissage du musée de la Soierie.
- **Pour poursuivre la visite** – Voir aussi le Brionnais, La Clayette.

Découvrir

Abbaye bénédictine★

Fondée vers 870 et rattachée à Cluny vers 930, l'abbaye fut transformée en prieuré un siècle plus tard. Au 12e s., elle bénéficia de la collaboration des architectes et artistes de Cluny (qui reconstruisirent l'église et ajoutèrent l'avant-nef et le nouveau portail, cette fois-ci latéral) ainsi que de l'aide de Philippe Auguste, son protecteur, qui la fit fortifier.

En entreprenant leurs recherches, les archéologues ont découvert sur le site de l'abbaye une succession de constructions. Les **fouilles** attestent ainsi la présence de deux églises, du 9e et du 10e s., ainsi que d'une abbatiale du 11e s, légèrement désaxée. À partir du 10e s, l'église est flanquée de collatéraux pour permettre la circulation des pèlerins autour des reliques des saints Fortuné et Étienne. La prieurale du 11e s. adopte le plan de la

Le saviez-vous ?

C'est la première communauté de moines bénédictins qui rebaptisa celle qui s'appelait jusqu'alors Sornin *carus locus*, « cher lieu ».

Qui, de Charlieu ou d'Anzy-le-Duc, a servi de modèle ? Qui a été précurseur ? Les avis des spécialistes divergent sur la question. Les plans et sculptures du 11e s. des deux églises sont extrêmement proches. Anzy-le-Duc, presque intacte, permet donc de « voir » ce que fut jadis St-Fortuné.

croix latine, avec un transept et un chœur à absidioles orientées typiquement bénédictin. Lorsque la tourmente révolutionnaire arrive, le prieuré bénédictin ne compte plus que six moines. Il est sécularisé en mars 1789, et les bâtiments – dont l'église St-Fortuné, « la plus parée des filles de Cluny » – sont en grande partie démolis. Le site entame alors une longue période de déclin qui se poursuivra jusque vers la fin du 19e s.

De St-Fortuné ne subsistent aujourd'hui que la dernière travée, dont les chapiteaux sont typiques du Brionnais, et l'avant-nef ajoutée au 12e s.

Façade★★★ – La façade nord de l'avant-nef s'ouvre par un **grand portail** du 12e s., véritable chef-d'œuvre de l'art roman. Bien que toutes les têtes aient été brisées ou martelées à la Révolution, il continue d'éblouir par la qualité de sa décoration sculptée.

Le **tympan** figure le Christ en majesté dans une mandorle, soutenue par deux anges et entourée des symboles des quatre Évangélistes ; sur le linteau sont représentés la Vierge assistée de deux anges et les douze apôtres. Notez la précision des vêtements. Quelques copies de têtes ont été placées, sans qu'on soit vraiment sûr de leur attribution (les originaux sont conservés au musée lapidaire de l'abbaye). Aux impostes des piédroits apparaissent, à gauche, mutilés, le roi David et, sans doute, Boson, roi de Bourgogne et de Provence, qui aurait été l'un des bienfaiteurs de l'abbaye, qu'il porte entre ses mains, et à droite, saint Jean-Baptiste et l'évêque Robert, fondateur de l'abbaye. Au-dessus de l'archivolte, on ne peut manquer l'agneau pascal. Le même travail de la toison se retrouve dans la peau de bête dont est vêtu Jean-Baptiste. Aux voussures et sur les colonnes, qui encadrent la porte, s'allient les motifs géométriques et floraux dont la luxuriante décoration, d'inspiration orientale, est un héritage des croisades.

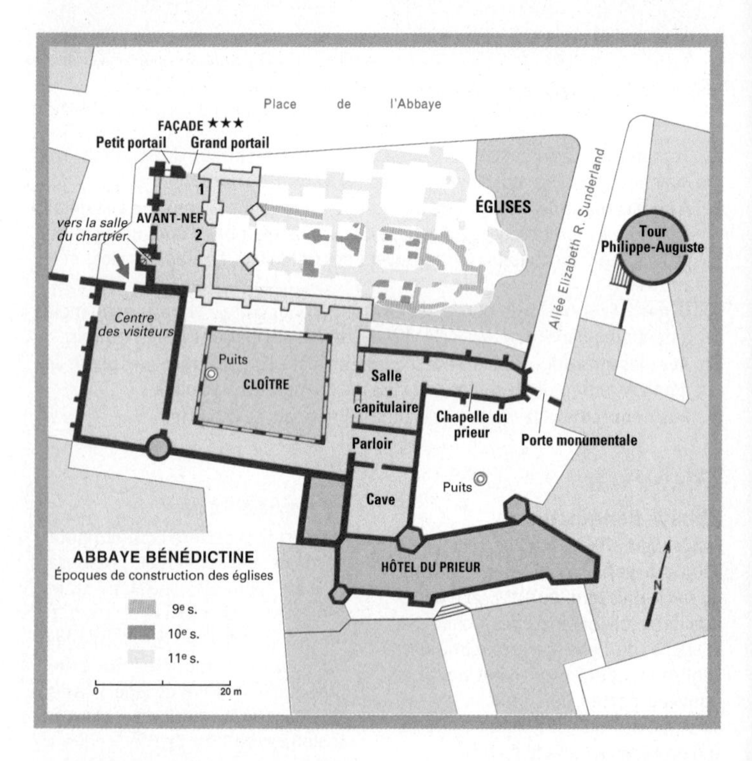

Le tympan du **petit portail,** à droite, est lui aussi intéressant. On reconnaît au linteau des animaux qui sont amenés vers un personnage assis pour être sacrifiés : la scène s'inspire des représentations antiques de sacrifices païens pour évoquer le temple de Jérusalem et les rites de l'ancienne Alliance. Elle est surmontée par les Noces de Cana, premier miracle du Christ. À l'archivolte, la Transfiguration du Christ est dominée par un nuage : des nuées sortaient le visage et le bras de Dieu (martelés) pour désigner son fils. Ce portail résume par ses scènes successives le passage de l'ancienne à la nouvelle Alliance.

Centre des visiteurs – *04 77 60 09 97 - juil.-août : 10h-12h, 13h-19h ; avr.-juin et sept.-oct. : tlj sf lun. 10h-12h30, 14h-18h30 ; fév.-mars et nov.-déc : tlj sf lun. 10h-12h30, 14h-17h30 - fermé janv. et 25 déc. - 4,30 € (-12 ans gratuit).*

Aménagé dans l'ancien dortoir des novices, à l'entrée de l'abbaye, le centre des visiteurs propose, en introduction à la visite, une présentation sur l'univers monastique. De là, vous pénétrez à proprement parler dans l'abbaye.

Avant-nef – Édifice rectangulaire de 17 m de longueur sur 10 m de largeur environ, il comprend deux salles superposées, voûtées d'arêtes, dont une abrite un **sarcophage gallo-romain (1)**, trouvé au cours des fouilles. À l'est, le mur est constitué par la façade occidentale de l'ancienne église St-Fortuné, consacrée en 1094, qui comporte : un portail **(2)**, dont le tympan, encadré de trois voussures à arêtes vives, figure le Christ en majesté ; deux baies géminées à voussures, séparées à l'extérieur par un pilier flanqué d'une colonnette cannelée à chapiteau corinthien (au-dessus, deux figures affrontées).

Salle du chartrier – On y accède par un escalier à vis. À l'est, la grande baie est flanquée de deux petites arcades aveugles et surmontée de belles voussures reposant sur les chapiteaux à feuillages des colonnes engagées.

Office du tourisme de Charlieu

Daniel dans la fosse aux lions.

Elle offre une vue d'ensemble sur les fondations des trois sanctuaires des 9e, 10e et 11e s. qui se sont succédé à cet emplacement, et que distinguent la couleur des joints et la verdure de la pelouse. La vue englobe également la tour Philippe-Auguste, l'hôtel du Prieur et les toits de la ville. Dans la 1re travée de l'ancienne église du 11e s., observez d'intéressants chapiteaux : une représentation de Daniel dans la fosse aux lions et une sirène bicaudée.

Cloître – Il a été édifié au 15e s., en remplacement du cloître roman. Un vieux puits subsiste, adossé à la galerie ouest. Dans la galerie est, six arcades massives reposent sur des colonnettes jumelées dont les chapiteaux présentent une simple ornementation de feuilles d'acanthe, d'oiseaux et de motifs géométriques.

Parloir – Cette belle salle voûtée du début du 16e s. abrite un **musée lapidaire** où, à côté d'anciens chapiteaux du prieuré, on remarque deux bas-reliefs : l'un, carolingien, du 10e s., représente à nouveau Daniel dans la fosse aux lions ; l'autre, du 12e s., figure l'Annonciation dans un ensemble de quatre arcades accolées.

Cave – Voûtée de deux berceaux en plein cintre, elle accueille un **musée d'Art religieux** comportant un bel ensemble de statues en bois polychrome du 15e s. au 18e s., dont une Vierge à l'oiseau provenant de l'église d'Aiguilly, près de Roanne, et une Vierge à l'Enfant, toutes deux gothiques (15e s). Remarquez aussi les visages expressifs des petits chantres (19e s.).

Salle capitulaire – Elle date du début du 16e s. Ses ogives reposent sur un pilier rond portant un lutrin sculpté dans la masse.

Chapelle du prieur – Édifiée à la fin du 15e s., elle est surmontée d'un clocheton couvert de lamelles de bois. Le carrelage de terre cuite a été reconstitué sur le modèle ancien.

Hôtel du prieur – Ce logis borde une élégante cour ornée en son centre d'un puits au couronnement en fer forgé. La construction (1510) comprend deux tours d'angle aux toitures couvertes de petites tuiles de Bourgogne. Sur la tour située à l'angle sud-est figure le blason des prieurs de la Madeleine.

À l'intérieur, meubles et objets évoquent le cadre de vie des prieurs au 18e s. En sortant, admirez la **porte monumentale** du 16e s., en anse de panier, surmontée de créneaux décoratifs et d'un blason de prieur.

Tour Philippe-Auguste

Cette imposante tour, de belle pierre ocrée, faisait partie du système défensif de l'abbaye construit sur ordre du roi vers 1180. Philippe Auguste estimait la place forte de Charlieu « très utile à la couronne ».

Se promener

VIEILLE VILLE

En flânant dans la vieille ville, vous découvrirez de nombreuses habitations du 13e au 18e s. À l'angle de la place St-Philibert et de la rue Grenette, l'office de tourisme est installé dans une maison en pierre du 13e s. Notez, à l'étage, les fenêtres géminées réunies par une colonnette.

Église Saint-Philibert

Commencée au 13e s., cette église a reçu son tympan au 20e s. Sans transept, elle possède une nef de cinq travées, flanquée de bas-côtés, et un chœur rectangulaire, caractéristique de l'art bourguignon.

Elle abrite de beaux objets d'art : chaire en pierre monolithe du 15e s., **stalles** des 15e et 16e s. Ces dernières sont accompagnées de panneaux peints : ceux de gauche représentent douze saints et saintes, ceux de droite, signés du maître huchier Colinet, font se succéder les apôtres portant chacun une phrase du Credo. Remarquez la statue de Notre-Dame-de-Septembre, patronne de la corporation des tisserands, portée chaque année lors de la procession qui a lieu le 2e dimanche de septembre. Dans la chapelle Ste-Anne, à droite du chœur, le retable peint sur pierre (15e s.) représente la Visitation et la Nativité. Dans la chapelle St-Crépin, à gauche du chœur, se dévoilent une Pietà du 17e s. et la statuette de saint Crépin, patron des cordonniers et des bourreliers, en pierre polychrome.

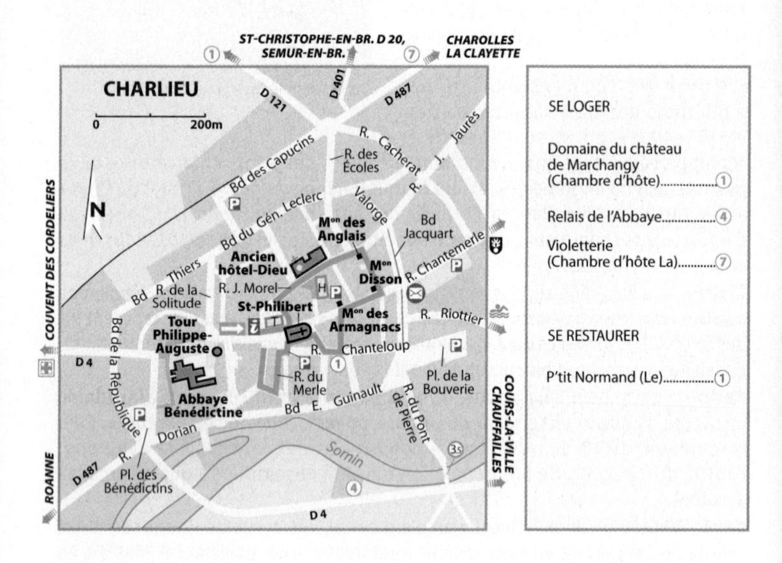

Ancien hôtel-Dieu

Ce bâtiment du 18e s., dont on peut apprécier la belle façade sur la rue Jean-Morel, regroupe deux musées.

Musée de la Soierie★ – *☏ 04 77 60 28 84 - www.amisdesartscharlieu.com - possibilité de visite guidée (1h) juil.-août : 10h-13h, 14h-19h ; fév.-juin et sept.-déc. : tlj sf lun. 14h-18h - fermé janv. et 25 déc. - 4,30 € (-12 ans gratuit).*

Ce musée témoigne des traditions du tissage de la soie à Charlieu. La ville est d'ailleurs le siège de la dernière corporation de tisserands en France. Le beau choix de soieries (luxueuses robes anciennes, créations personnalisées pour les grandes familles, échantillons de tissus de rêve...), accompagnant les imposants métiers à tisser, offre un reflet de l'évolution des techniques depuis le 18e s. Du métier « à bras » au métier sans navette... l'ensemble du matériel présenté fonctionne en **démonstrations★**.

À l'étage, vous trouverez une exposition de tissus et de créations de grands couturiers, et vous pourrez assister à une projection vidéo sur les techniques traditionnelles et actuelles du tissage de la soie.

Musée hospitalier – *☏ 04 77 60 28 84 - ♿ - mêmes conditions de visite que le musée de la Soierie.* L'hôtel-Dieu, où officièrent pendant trois siècles les religieuses de l'ordre de Ste-Marthe, a cessé son activité en 1981. Transformé en musée, il témoigne de l'atmosphère quotidienne d'un petit hôpital, de la fin du 19e s. aux années 1950. L'apothicairerie a conservé son aménagement du 18e s., et la lingerie ses belles armoires régionales.

L'une des grandes salles des malades a été reconstituée avec son double alignement de lits ceints de rideaux ; par la fenêtre qui permettait aux malades d'assister de leur lit à l'office, on contemple la chapelle qui abrite un bel **autel en bois doré** (1733), au devant paré de cuir repoussé.

Dans cette même rue Jean-Morel, on atteint le n° 32.

La **maison des Anglais** est la plus jolie de la vieille ville. Datant du début du 16e s., elle est dotée de fenêtres à meneaux séparées par une niche gothique, d'une galerie et de deux échauguettes qui flanquent la façade. Pour apercevoir sa tour du guetteur, empruntez la rue de la Fromagerie sur quelques mètres.

Tournez à droite dans la rue André-Farinet.

Observez les maisons à pans de bois au n° 31 et au n° 27, où vous verrez la **maison Disson**. Au n° 29, maison en pierre du 13e s. ; à l'angle en vis-à-vis, au n° 22, quelques vestiges d'un grenier à sel du 14e s.

Prenez à droite dans la rue Charles-de-Gaulle.

La **maison des Armagnacs** (13e et 14e s.), au n° 9, présente deux fenêtres géminées, surmontées d'arcs trilobés, décorés à gauche d'un motif floral, à droite d'une tête humaine ; l'étage à pans de bois surplombe le tout.

Prenez la rue Michon et la rue Chanteloup, commerçante. Obliquez à droite, à la hauteur de l'église, pour trouver la rue du Tour-de-l'Église, qui compte diverses maisons à pans de bois et bancs d'échoppe. Gagnez ensuite la rue du Merle.

Aux angles formés avec la rue des Moulins (n° 11), puis avec la rue des Moulins et la place St-Philibert, se dressent de vieilles maisons à pans de bois.

HORS LES MURS

Couvent des Cordeliers★

Sortez à l'ouest par la rue Ch.-M.-Rouiller. ✆ 04 77 60 07 42 - www.amisdesartscharlieu.com - ♿ - possibilité de visite guidée (1h) juil.-août : 10h-13h, 14h-19h ; avr.-juin et sept.-oct. : tlj sf lun. (si férié) 10h-12h30, 14h-18h. ; fév.-mars et nov. : tlj sf lun. 14h-17h - fermé déc.-janv. - 4 € (-12 ans gratuit).

C'est au 13e s. que les bourgeois de Charlieu firent appel aux franciscains, qui s'établirent à St-Nizier-sous-Charlieu. Situés hors des remparts de la ville, les bâtiments de leur couvent ont souffert de la guerre de Cent Ans.

Les galeries du **cloître** (fin 14e-15e s.) sont décorées de motifs végétaux très variés. Les **chapiteaux★** de la galerie nord *(à droite en entrant)* sont les plus intéressants. Ils représentent les vices et vertus. On reconnaîtra, dans l'ordre, à l'intérieur, l'hermine (la pureté), le félin (la prudence), le porc-épic (la justice), l'agneau (la douceur), le coq et l'écureuil (le travail), le chien (la fidélité) ; à l'extérieur, on trouve dans cette même portion un autre chien (la vigilance), une chouette (la sagesse), une tête de religieux (la sérénité), un animal casqué (le courage), deux dragons (le mal contrôlé), un visage voilé (la pudeur). Les vices occupent l'autre partie de la galerie : à l'extrémité opposée, on voit le singe (la lubricité), le serpent (l'hypocrisie), le perroquet (le bavardage), le vieillard (l'orgueil), un moine et une femme (la luxure) et, à l'intérieur, le soldat et la mort (la luxure), le chien (la paresse), les lions (la colère), le centaure (le vol) et de nouveau le singe.

L'**église** (14e s.) à nef unique, sans transept, avec trois chapelles latérales au sud (fin 15e s.-début 16e s.), a été en partie restaurée. Entièrement peinte à l'origine, elle conserve quelques fragments de son décor dans le chœur.

Aux alentours

Saint-Hilaire-sous-Charlieu

6 km au sud par la D 49.

Le Grand Couvert – *✆ 04 77 60 12 42 - toute la journée - diaporama 2 € (16mn).*

Cette grange aux pans très inclinés est typique de l'architecture rurale de la région. Ces témoins datent généralement du 18e ou du 19e s. Des panneaux et des écrans présentent l'ouvrage et le pays de Charlieu.

Charlieu pratique

Voir aussi les carnets pratiques du Brionnais et de La Clayette.

Adresse utile

Office du tourisme de Charlieu – *Pl. St-Philibert - 42190 Charlieu - ☎ 04 77 60 12 42 -www.leroannais.com - juil.-août : tlj sf lun. 9h30-12h30, 14h30-18h ; de Pâques à fin juin et du 1er au 3e dim. sept. : mar.-sam. 9h30-12h30, 14h30-18h, dim et j. fériés : 9h30-12h30 ; de fin sept. à Pâques : tlj sf dim., lun. et j. fériés 9h30-12h30, 14h30-17h30.*

Se loger

Hôtel Relais de l'Abbaye – *Le Pont de Pierre - ☎ 04 77 60 00 88 - www.hotel-relaisdelabbaye-charlieu.fr - fermé janv., 23-31 août, vend. soir et sam. midi hors sais., dim. soir et lun. midi - P - 27 ch. 68/69 € - 7,50 € - rest. 13/38 €.* Établissement rénové où vous séjournerez dans des chambres fonctionnelles, colorées et bien tenues. Vaste pelouse avec aire de jeux pour enfants. Cuisine classique enrichie de saveurs du terroir servie dans une salle à manger néo-rustique ou sur la paisible terrasse.

Chambre d'hôte La Violetterie – *71740 St-Maurice-lès-Châteauneuf - 10 km au nord-est de Charlieu par D 987 (dir. La Clayette) - ☎ 03 85 26 26 60 - madeleinechartier@yahoo.fr - fermé 11 Nov.-Pâques - - 3 ch. 60 € - repas 20 €.* Cette maison bourgeoise du 19e s. est charmante avec son perron et son portail à l'entrée de la cour. L'accueil de l'hôtesse l'est tout autant. Les chambres sont claires et ouvrent sur le jardin. Boiseries et cheminée dans le salon-salle à manger.

Chambre d'hôte Domaine du château de Marchangy – *42190 St-Pierre-la-Noaille - 5,5 km au nord-ouest de Charlieu par D 227 puis rte secondaire - ☎ 04 77 69 96 76 - www.marchangy.com - - 3 ch. 90/110 € - repas 15 €.* Au milieu de son parc, ce château du 18e s. en fera rêver plus d'un avec sa cour d'honneur, ses écuries et sa ferme. Les chambres, aménagées dans les dépendances, sont spacieuses, calmes, confortables et agrémentées par des ciels de lit. Terrasse et piscine.

Se restaurer

Le P'tit Normand – *8 r. Chanteloup - ☎ 04 77 60 38 29 - fermé 2 sem. en nov., dim. soir et lun. - 10,50 € déj. - 17,50/34 €.* On vous réservera un accueil des plus chaleureux dans ce charmant petit restaurant qui borde la rue semi piétonne de Charlieu. Au menu, plusieurs formules assez copieuses (pour des prix corrects), avec une mention particulière pour la terrine de lapin maison. Intérieur soigné et très intimiste.

Que rapporter

Alain Dumoulin – *28 r. Jean-Morel - ☎ 04 77 60 04 53 - www.dumoulin-traiteur.com - tlj sf lun. 8h-12h, 14h-19h, dim. 8h-12h - fermé 3 sem. en août.* Cet artisan forme, avec les neuf autres charcutiers de la ville, la confrérie des « faiseurs » de la fameuse andouille de Charlieu. Préparée dans le respect de la tradition, elle est mise ensuite au repos jusqu'à obtenir sa belle teinte ocre. Ici, rosettes, saucissons secs, mais aussi canettes, pintades et plats préparés sont également de qualité.

Sports & Loisirs

Cycles Farjas – *2 r. des Écoles - ☎ 04 77 60 11 30 - tlj sf dim. et lun. mat. 8h15-12h, 14h-19h.* Pour vos randonnées, ce marchand de cycles, scooters et motos pratique aussi la location de VTT.

Les Écuries de Nandax – *Aux Perraux - 10 km au sud par D 49 et D 57 - 42720 Nandax - ☎ 04 77 65 33 00 - www.ecuries-de-nandax.com - 9h-19h.* Ce centre équestre affilié à la FFE vous attend pour randonnées et stages.

Le Parc des Canaux – *Le Port - 42720 Briennon - ☎ 04 77 60 75 79 - lesmarinsdeaudouce@wanadoo.fr - avr.-oct. : merc. et w.-end 14h-18h ; vac. scol. : tlj 14h-18h.* En plus de la découverte du canal par la voie des eaux, les Marins d'eau douce (oui, c'est bien leur nom) proposent un large éventail d'activités ludiques ou instructives comme la visite de la péniche-musée ou le pilotage de modèles réduits dans un circuit avec écluses et ascenseurs à bateaux...

Charolles

2 864 CHAROLLAIS
CARTE GÉNÉRALE B4 – CARTE MICHELIN DÉPARTEMENTS 320 11 F – SAÔNE-ET-LOIRE (71)

L'Arconce, la Semence et les canaux qui y serpentent valent à l'ancienne cité de Charles le Téméraire le surnom de « Petite Venise du Charolais ». Avec ses quais, ses vieilles rues et ses placettes fleuries, elle constitue un excellent point de départ pour découvrir, dans un rayon de 30 km, Cluny, La Clayette, les églises romanes du Brionnais ou Mont-St-Vincent.

Se repérer – Charolles, soulagée par une déviation de la N 79, se trouve entre Paray-le-Monial (14 km à l'ouest) et Mâcon (54 km à l'est).

À ne pas manquer – Les collections de faïences de Charolles du musée du Prieuré ; les magnifiques paysages du Charolais et du Brionnais depuis la butte de Suin ou le mont des Carges.

Organiser son temps – Profitez de votre passage en ville pour déguster un bon morceau de charolais : grillé, poêlé ou rôti... à vous de choisir !

Avec les enfants – Pour une visite à la fois ludique et instructive, emmenez-les sur les sabots de la vache, à la maison du Charolais. Si la marche ne leur fait pas peur, suivez ensuite avec eux le chemin des fours à chaux jusqu'à Vendenesse-lès-Charolles.

Pour poursuivre la visite – Voir aussi le Brionnais, La Clayette.

Ph. Gajic / MICHELIN

Taureau charolais.

Comprendre

De main en main – Racheté par Philippe le Hardi en 1390, le comté se trouve dans l'héritage de Charles le Téméraire. À sa mort, Louis XI nomme un bailli royal à Charolles, qui passe à l'Autriche avec la dot de Marguerite de Bourgogne. Le statut particulier de la cité perdurera jusqu'en 1761, où elle sera rattachée à la couronne de France.

La race charolaise – La richesse des herbages en Charolais et en Brionnais, le savoir-faire des éleveurs sont à l'origine du succès de cette race bovine, mondialement reconnue pour son rendement et la qualité de sa viande.

À Charolles, plusieurs fois par an, des foires interdépartementales exposent à la vente vaches, veaux, broutards, génisses et taureaux. *Renseignements auprès de la Société d'agriculture - ✆ 03 85 24 17 54.*

Se promener

Du celte *Kadrigel*, « forteresse entourée d'eau », la ville devint *Quadrigillae*, puis *Carolliae* à l'époque gallo-romaine.

Du 14e s., la ville conserve les vestiges du **château** des comtes de Charolais, avec la fière tour du Téméraire et la tour des Diamants, aujourd'hui occupée par l'hôtel de ville. **Vue** agréable depuis les jardins en terrasse. En bas de la rue Baudinot, l'ancien couvent des Clarisses où vécut dans sa jeunesse **Marguerite-Marie Alacoque** *(voir Paray-le-Monial)* abrite l'office de tourisme.

Musée du Prieuré

☏ 03 85 24 24 74 - juin-sept. : tlj sf mar. 14h-18h (juil.-août : 10h-12h, 14h-18h) ; oct. -mai visite sur réservation - 3 €.

Logé dans un bâtiment du 15e s., le musée rassemble une belle collection de **faïences★** de Charolles. De nombreux objets signés HP témoignent du talent d'Hippolyte Prost (1844-1892), fondateur de la faïencerie. Remarquez le service à café japonisant aux bords crénelés, orné de branches de cerisier. En 1879, Élisabeth Parmentier, décoratrice ayant travaillé avec Majorelle, s'installa à Charolles et établit un style qui devint caractéristique : bouquets légers agrémentés d'insectes ou de papillons. Une autre époque glorieuse est illustrée par les pièces Art déco de Jules Molin, dont la famille reprit la faïencerie en 1892. Le musée présente des œuvres des peintres régionaux Jean Laronze (1852-1937) et Paul-Louis Nigaud (1895-1937). Dans la chapelle sont regroupées des sculptures de **René Davoine** (1888-1962), dont l'atelier est visible sur la promenade St-Nicolas.

Avant de partir, ne manquez pas la salle capitulaire (15e s.) aux poutres sculptées, décorées de masques. En été, une exposition temporaire de céramique design ou contemporaine est proposée.

Maison du Charolais

Rte de Mâcon - ☏ 03 85 88 04 00 - www.maisonducharolais.com - ♿ - juil.-août : visite guidée (1h30) tous les vend. à 10h30 - 10h-18h - animations estivales - fermé 24 déc.-2 janv. et 1er nov. - 4,60 € (enf. 2,50 €).

Ce parcours qui mène du pré aux champs de foires à bestiaux vous permettra de tout savoir sur la race charolaise et son terroir de production. Une dégustation de viande est proposée en fin de visite.

Depuis la maison du Charolais, vous pourrez vous rendre à pied à Vendenesse-lès-Charolles *(voir ci-après)* en suivant le **chemin des fours à chaux** *(6 km)*.

Aux alentours

Vendenesse-lès-Charolles

7 km au nord-est. Des travaux de restauration ont rendu aux **fours à chaux** du village, classés Monument historique en 1998, l'aspect qu'ils avaient au début du 20e s. Construites en 1870, ces curieuses installations produisirent, au plus fort de leur actvité, quelque 1 000 tonnes de chaux. Leurs imposantes cheminées de brique, témoignent d'une activité industrielle locale aujourd'hui disparue. *☏ 03 85 24 04 76 (mairie) - juin-oct. : 10h-19h - gratuit.*

Mont des Carges★

12 km à l'est. D'une esplanade où s'élèvent les monuments au maquis de Beaubery et au bataillon du Charolais, une **vue★** presque circulaire embrasse le pays de Loire à l'ouest, tout le Charolais et le Brionnais au sud, les monts du Beaujolais à l'est.

Butte de Suin★

17 km à l'est. À proximité de la D 17, à mi-chemin entre Charolles et Cluny, se dresse la butte de Suin (593 m), qui portait jadis un oppidum ainsi qu'un temple dédié à Mercure. Aujourd'hui, tels d'agiles papillons multicolores, les amateurs de deltaplane virevoltent à proximité de cette butte.

Laissez la voiture au parking derrière le monument aux morts et prenez le sentier qui passe à droite de l'église.

À hauteur de la statue de la Vierge, montez à droite les escaliers qui donnent accès à la table d'orientation *(15mn à pied AR)*. De là, on découvre un magnifique **panorama★★** circulaire sur la vallée de la Saône et le Charolais.

Charolles pratique

Voir aussi les carnets pratiques du Brionnais et de La Clayette.

Adresse utile

Office du tourisme de Charolles et de ses environs – *Ancien couvent des Clarisses - 24 r. Baudinot - 03 85 24 05 95 - www.charolles.fr - De Pâques à fin oct. : 9h-12h, 14h-18h ; déb. nov. à Pâques : 10h-12h, 14h-17h.*

Se loger

Hôtel Le Téméraire – *3 av. Joanny-Furtin - 03 85 24 06 66 - guinet.suzane.@ wanadoo.fr - fermé 23 juin-6 juil. - 10 ch. 50/59 € - 6,50 €.* Hôtel rajeuni : mobilier de série, literie valable, salles de bains modernes et insonorisation efficace dans la plupart des chambres. Plaisante salle des petits-déjeuners et petit salon d'accueil en velours noir décoré de faïences de Charolles.

Se restaurer

La Poste – *Av. de la Libération, près de l'église - 03 85 24 11 32 - www.la-poste-hotel.com - fermé 23-30 juin, 17-30 nov., 23 fév.-9 mars, dim. soir, jeu. soir et lun. - 25/70 € - 14 ch. 55/120 € - 10 €.* Au centre du bourg, maison régionale à façade rose fleurie à la belle saison. Cuisine actuelle bien tournée, servie dans deux salles élégantes ou sur la verdoyante terrasse d'été dressée dans la cour intérieure. Les chambres sont confortables, mansardées au deuxième étage, et quelques-unes occupent l'annexe.

Que rapporter

Bon à savoir – Magasin en face de l'église : jetez un œil sur la faïence de Charolles, la production moderne est intéressante.

Château-Chinon★

2 952 CHÂTEAU-CHINONAIS
CARTE GÉNÉRALE B3 – CARTE MICHELIN DÉPARTEMENTS 319 G9 – NIÈVRE (58)

La capitale du Morvan, sur la ligne de faîte séparant les bassins de la Loire et de la Seine, bénéficie d'un site privilégié. Du haut de sa colline, facile à défendre, la ville accueillit tour à tour un oppidum gaulois, un camp romain, un monastère, un château féodal et, des siècles plus tard, devint le fief d'un célèbre maire, futur président de la République. Combats, sièges en règle, hauts faits d'armes et soirées d'élections valent à la cité sa devise : « Petite ville, grand renom ».

- **Se repérer** – Château-Chinon se trouve sur la D 978, à 67 km à l'est de Nevers et 36 km au nord-ouest d'Autun.
- **À ne pas manquer** – Admirez les sommets du Morvan depuis le panorama du Calvaire ; suivez l'agréable promenade du château, à flanc de coteau ; faites un détour par le lac de Pannecière-Chaumard, niché au creux de hauteurs boisées.
- **Organiser son temps** – Découvrez Château-Chinon le week-end, lorsque l'animation bat son plein dans les ruelles médiévales de la vieille ville.
- **Avec les enfants** – Proposez-leur une visite au musée du Septennat ; parmi les cadeaux protocolaires offerts au président se cachent des trésors parfois insolites ! Les plus jeunes seront captivés par le ballet des abeilles des Ruchers du Morvan *(voir carnet pratique)*.
- **Pour poursuivre la visite** – Voir aussi Autun, le mont Beuvray, le Morvan, Moulins-Engilbert, St-Honoré-les-Bains.

Se promener

À l'époque des Éduens, le nom du site évoquait une « cime blanche ». Au 12e s., le château *Castro Canino* donna son nom à la ville.

Panorama du calvaire★★

Du square d'Aligre, montez à pied (15mn AR). Érigé à l'emplacement d'un oppidum gaulois, sur les vestiges d'un ancien château fort, le calvaire (alt. 609 m) se compose de trois croix de pierre. Il offre une admirable vue d'ensemble *(table d'orientation)* de Château-Chinon et ses toits d'ardoise, avec au loin les croupes boisées du Morvan. Vous distinguerez, au sud-est, le Haut-Folin (901 m) et le mont Préneley (855 m). Au pied de la colline, la vallée de l'Yonne s'ouvre à l'est, tandis qu'à l'ouest, dominant le bassin supérieur du Veynon, la vue se prolonge au-delà du Bazois jusqu'au Val de Loire.

Promenade du château★

Une route, à flanc de coteau, fait le tour de la butte. Partez du faubourg de Paris et revenez par la rue du Château.

Le vieux Château-Chinon

De la porte Notre-Dame, vestige d'un rempart édifié au 15e s., il est agréable d'arpenter les ruelles au cachet médiéval, notamment le week-end, lorsqu'elles sont très animées. Ceux qui préfèrent les réalisations modernes iront voir la **fontaine monumentale** *(face à la mairie)*, composée de sculptures articulées dues à Jean Tinguely et Niki de Saint-Phalle, ainsi que le **quartier des Gargouillats** *(autour du collège)*, aux bâtiments conçus avec des matériaux traditionnels, mais dans un style futuriste.

Office du tourisme de Château-Chinon

Calvaire.

Visiter

Musée du Septennat★

☎ 03 86 85 19 23 - www.cg58.fr - ♿ - juil.-août : 10h-13h, 14h-19h ; mai-juin et sept. : tlj sf mar. 10h-13h, 14h-18h ; du déb. vac. scol. fév. à fin avr. et oct.-déc. : tlj sf mar. 10h-12h, 14h-18h - fermé 25 déc. et de janv. au déb. vac. scol. fév. - 4 € (6-16 ans : 2 €). Billet groupé avec musée du Costume : 6,50 € (6-16 ans : 3,25 €).

Logé dans un ancien couvent de clarisses (18e s.) au sommet de la vieille ville, ce musée rassemble les cadeaux protocolaires reçus en sa qualité de chef d'État par **François Mitterrand** durant ses deux septennats. La variété des collections est étonnante. Ainsi, des vestiges antiques (hydrie à figures rouges offerte par Caramanlis) côtoient des objets portant la marque de maisons prestigieuses, ou les créations plus modestes d'artisans locaux. Notez, à titre indicatif, les pièces richement ouvragées provenant des pays du golfe (maquette d'un boutre avec voile en or et palmier d'or ciselé) ou encore les somptueux meubles et objets asiatiques finement travaillés (vases de laque du Vietnam).

Musée du Costume

☎ 03 86 85 18 55 - www.cg58.fr - ♿ - juil.-août : 10h-13h, 14h-19h ; mai-juin et sept. : tlj sf mar. 10h-13h, 14h-18h ; du déb. vac. scol. fév. à fin avr. et oct.-déc. : tlj sf. mar. 10h-12h, 14h-18h - fermé 25 déc. et de janv. au déb. vac. scol. fév. - 4 € (6-16 ans 2 €).

Installé dans l'ancien hôtel du 18e s. de la famille Buteau-Ravisy, le musée présente une importante collection de costumes français, essentiellement du 18e s. au 20e s., en particulier du second Empire. Il expose également des accessoires de mode et de toilette, dentelles, bourses, éventails, des gravures et revues de mode anciennes, des tissus d'ameublement. Chaque année est organisée une exposition sur le thème de la mode ou des arts textiles.

Circuits de découverte

LAC DE PANNECIÈRE-CHAUMARD★

Circuit de 34 km. Quittez Château-Chinon au nord. Empruntez sur la droite la D 37, puis la D 12. Suivez ensuite la route D 161 qui fait le tour du barrage.

Le plus grand des lacs morvandiaux se répand sur près de 7,5 km dans un joli **site**★ de collines boisées, plus sauvage que celui des Settons. Une route franchit la crête du barrage, d'où la **vue** s'étend sur les ramifications de la retenue, tandis qu'à l'horizon se profilent les sommets du haut Morvan.

Notez au passage que le grand peintre contemporain **Balthus** vécut entre 1954 et 1961 au château de Chassy, occupé par les comtes de Choiseul au 16e s. Les paysages du Morvan prennent dans ses toiles une allure à la fois élégante et mystérieuse.

Barrage de Pannecière-Chaumard – Construit en 1949, long de 340 m et haut de 50 m, il est constitué de multiples voûtes minces, prolongées sur chaque rive par des digues massives en béton ; 12 contreforts prennent appui sur le fond de la gorge. Par sa retenue de 82,5 millions de m³, il régularise le régime des eaux du bassin de la Seine. Une usine hydroélectrique, installée en aval, produit près de 18 millions de kWh par an.

Près de la D 944, en aval de l'ouvrage principal, a été édifié un barrage de compensation long de 220 m et composé de 33 voûtes minces. Il permet de restituer à l'Yonne, sous un débit constant, l'eau turbinée par l'usine au rythme de la demande en courant électrique, et il favorise l'alimentation en eau du canal du Nivernais.

Pour un beau **point de vue★** sur le plan d'eau, rendez-vous à **Ouroux-en-Morvan** par la D 301 en direction de Montsauche. De l'église et de la place centrale, deux rues conduisent au panorama.

Revenez sur le lac par Courgermain, puis prenez à gauche un chemin vicinal vers les Quatre-Vents.

Très sinueux, le chemin offre dans sa descente des vues sympathiques sur le site.

Poursuivez au sud pour revenir à Château-Chinon.

VALLON DU TOURON★

Circuit de 30 km – environ 1h30. Se rendre à Arleuf (9 km à l'est).

Arleuf

Ici, presque tous les pignons des maisons, tournés vers l'ouest, présentent cette particularité d'être revêtus d'ardoises qui les protègent des pluies.

Dirigez-vous vers le nord (D 500).

Tout près du village des Bardiaux, les ruines d'un **théâtre gallo-romain** de 700 places peuvent faire encore illusion. Après une descente, la route franchit le vallon du Touron. À hauteur des Brenots, on reconnaît au sud les croupes boisées du Haut-Folin.

La D 500 continue de courir à flanc de pente, dans le décor très vert d'un paysage vallonné où paissent de blancs troupeaux, et débouche finalement sur la D 37 qui, à gauche, ramène à Château-Chinon.

Château-Chinon pratique

Voir aussi les carnets pratiques du Morvan et du mont Beuvray.

Adresse utile

Office du tourisme du canton de Château-Chinon – *6 bd. de la République, 58120 Château-Chinon - ✆ 03 86 85 06 58 - www.ot-chateauchinon.com - juil.-août : 9h-12h30, 14h-18h30, sam. 10h-12h30, 14h-17h30, dim. 10h30-12h30 ; de mi-mars à fin juin et de déb. sept. à mi-oct. : mar.-vend. 9h-12h30, 14h-18h, lun. et sam. 10h-12h30, 14h-16h30 ; de mi-oct.- à mi-mars : lun.14h-17h30, mar.-vend. 9h-12h30, 14h-17h30, sam. 10h-12h30 - fermé 1 sem. en janv.*

Se loger

Chambre d'hôte Les Chaumottes – *58120 St-Hilaire-en-Morvan - 5,5 km à l'ouest de Château-Chinon par D 978 - ✆ 03 86 85 22 33 - http://chaumotte.free.fr - fermé déc.-fév. - 3 ch. 48 €.* Ce petit manoir du 14e s. entièrement restauré est en pleine campagne. Les chambres sont spacieuses et confortables, deux ont vue sur Château-Chinon. Prenez votre petit-déjeuner dans la salle à manger rustique et colorée. Bon rapport qualité/prix. Gîtes disponibles.

Camping municipal Les Soulins – *58120 Corancy - 10,5 km au nord de Château-Chinon par D 37, D 12 puis D 161 - ✆ 03 86 78 01 62 - www.corancy.com - ouv. Pâques-Toussaint - réserv. conseillée - 42 empl. 16,20 €.* Vous serez bien tranquille dans ce camping proche du lac avec les collines boisées en face comme décor. Jeux pour enfants.

Que rapporter

Gaudry – *25 pl. St-Romain - ✆ 03 86 85 13 87 - tlj sf dim. (sf du 1er juin au 1er nov.) 7h-19h.* Mme Gaudry mène seule ce commerce de grande qualité où tout est fabriqué sur place. La délicate odeur qui embaume la boutique est le gage de la fraîcheur des produits qu'elle élabore : petits fagots de Château-Chinon, pâtés de foie, terrines à l'ancienne, jambonnette, boudin noir, quiches et rosette du Morvan, la spécialité, ont fière allure derrière les vitrines.

Sports & Loisirs

Les Ruchers du Morvan – *Port-de-L'Homme, D 37 - ✆ 03 86 78 02 43 - pas de visite d'oct. à fin avr. ; boutique ouv. tte l'année 9h-12h, 13h-19h.* Propriétaire de 800 à 1 000 ruches suivant la saison, Madame Coppin vous fait partager sa passion : une ruche vitrée permet de voir les abeilles s'affairer et les visiteurs peuvent assister à l'extraction du miel, s'aventurer dans la miellerie et, bien sûr, goûter les miels de toutes sortes et le pain d'épice à 70 % de miel.

Centre équestre de Château-Chinon – *Chapelle du Chêne - ✆ 03 86 85 02 44 - http://cathyetjulien.cecc.free.fr.* Ce centre met à votre disposition chevaux et poneys pour des promenades accompagnées.

Gît Ânes – *58120 St-Léger-de-Fougeret - ✆ 03 86 85 11 85.* Randonnées à dos d'âne du 1er Mai au 30 sept.

Châtillon-Coligny

1 939 CHÂTILLONNAIS
CARTE GÉNÉRALE A2 – CARTE MICHELIN DÉPARTEMENTS 318 O5 – LOIRET (45)

Sur les bords du Loing et du canal de Briare, agrémentés de vieux lavoirs, Châtillon-Coligny, avec sa surprenante église, son temple et les vestiges de son château, porte encore les stigmates d'une histoire mouvementée. La « porte sud du Gâtinais » offre aux amateurs de chasse et de pêche des territoires appréciés.

- **Se repérer** – Ce gros bourg se trouve à 22 km au sud-est de Montargis par la D 93, et à 31 km au nord-ouest de St-Fargeau.
- **À ne pas manquer** – La riche collection d'arbres et arbustes de l'arboretum des Barres ; le tympan de l'église de Cortrat ; le charme de Rogny et de ses sept écluses bordées de sapins.
- **Organiser son temps** – Les rives du Loing sont particulièrement belles au printemps et à l'automne, et se prêtent alors à d'agréables promenades.
- **Avec les enfants** – Le musée de Châtillon-Coligny, où sont évoqués les travaux d'une brillante lignée de savants : les Becquerel. Puis balade à dos de cheval ou de poney à la découverte d'une nature préservée *(voir carnet pratique)*.
- **Pour poursuivre la visite** – Voir aussi Briare, Montargis, la Puisaye.

Comprendre

Un huguenot amiral de France – Né en 1519 à Châtillon, **Gaspard II de Coligny** avait les faveurs d'Henri II lorsqu'il passa à la Réforme. Après avoir mené des batailles auprès du connétable de Montmorency, il participa activement avec Condé aux guerres de Religion et fut victime des massacres de la Saint-Barthélemy. C'est lui qui fonda à Châtillon en 1562 le seul collège protestant pour tout le Berry et l'Orléanais. Celui-ci resta ouvert jusqu'à la révocation de l'édit de Nantes, en 1685, et marqua durablement l'histoire de la ville. En 1937, un monument fut érigé dans le parc du château, à l'emplacement de la chambre où Gaspard de Coligny était né ; ce monument fut financé par une souscription de la cour des Pays-Bas, afin de rappeler l'union de Louise de Coligny, fille de l'amiral, avec Guillaume d'Orange, gouverneur général des Provinces-Unies.

Le saviez-vous ?

Autrefois **Châtillon-sur-Loing**, la commune a adopté en 1896 le patronyme de son seigneur, Gaspard de Coligny.

Les **Becquerel** se distinguèrent grâce aux quatre savants de la famille, dont Henri, qui reçut en 1903 le prix Nobel de physique pour ses recherches sur la radioactivité. Autre célébrité, Sidonie **Colette** épousa H. Gauthier-Villars, alias Willy, à Châtillon-Coligny, où elle vivait chez ses parents et voyait quotidiennement son demi-frère, le docteur Robineau.

Visiter

Château

Au début du 16e s., le maréchal de Châtillon (Gaspard Ier de Coligny) se fit construire une somptueuse demeure près du château médiéval et du donjon roman polygonal, très original, édifié entre 1180 et 1190 par le comte de Sancerre. La Révolution n'a épargné que le donjon, haut à l'origine d'une cinquantaine de mètres (dont 26 en pierre), et les souterrains qui le desservaient. Du bel ensemble Renaissance subsistent les trois terrasses monumentales et un puits sculpté attribué à Jean Goujon.

En contrebas, l'**église** des 16e et 17e s. est flanquée d'un campanile édifié sur une tour des anciens remparts.

Musée

02 38 92 64 06 - avr.-oct. : tlj sf lun. 14h-17h30, w.-end et j. fériés 10h-12h, 14h-17h30 ; nov.-mars : w.-end et j. fériés 14h-17h - fermé 1er janv., 1er Mai, 25 déc. - 2,30 € (-12 ans 1,25 €). Installé dans l'ancien hôtel-Dieu fondé au 15e s., le musée présente des portraits et documents concernant les familles de Coligny et de Montmorency, propriétaires successifs du domaine de Châtillon, et l'histoire douloureuse du protestantisme en France. Remarquez le guéridon d'époque Louis-Philippe, orné de plaques de Sèvres représentant le maréchal de Luxembourg et les connétables de Montmorency. Une section du musée est consacrée à l'archéologie locale, tandis qu'à l'étage est retracé l'étonnant parcours de la famille Becquerel, qui vit quatre générations de savants poursuivre la même recherche et permettre la découverte de la radioactivité. Notez l'incroyable publicité de 1905 vantant la lotion au radium, cure miraculeuse contre la chute des cheveux…

Musée Hôtel-Dieu

Antoine Becquerel.

Aux alentours

Montbouy

6 km au nord-ouest par la D 93. Les vestiges d'un amphithéâtre gallo-romain du 1er s. sont visibles au nord du village.

Cortrat

12 km au nord-ouest, par Montbouy et Pressigny-les-Pins. La petite **église** rurale est entourée de son cimetière. Le **tympan★** sculpté (11e s.) est d'une facture primitive ; les personnages et les animaux représenteraient la création du monde.

Arboretum national des Barres

8 km au nord-ouest. ✆ 02 38 97 62 21 - www.arboretumdesbarres.com - possibilité de visite guidée (1h30) - juil.-août : 10h à la tombée de la nuit ; avr.-juin et sept.-oct. : tlj sf lun. 10h-18h - 6,50 € (6-12 ans 4 €). Au cœur d'un énorme complexe forestier (290 ha), cet arboretum de 35 ha, propriété du ministère de l'Agriculture, rassemble près de 3 000 espèces et variétés végétales réparties en trois collections : systématique, ornementale et géographique. L'arboretum englobe l'ancien domaine des Vilmorin, dont le château héberge le siège de l'Inventaire forestier national (IFN).

Rogny-les-Sept-Écluses★

10 km au sud.

La construction des écluses de Rogny, entreprise sur ordre d'Henri IV en 1605 pour faire passer les eaux du canal de Briare sur un dénivelé de 34 m du vallon de la Trézée à la vallée du Loing, s'inscrivait dans le vaste projet d'unir la Méditerranée à l'Atlantique et à la Manche. La réalisation de cet ouvrage d'art, considérable pour l'époque, mobilisa 12 000 ouvriers, sous la direction de l'architecte Hugues Cosnier. Livré à la navigation en 1642, il est désaffecté depuis 1887. Actuellement, six autres écluses plus espacées et contournant la colline assurent le trafic du canal de Briare. Des sapins bordent, comme autrefois, les sept écluses disposées en marches d'escalier. La rigole ne les alimente plus que rarement, mais le site a conservé un charme certain.

Châtillon-Coligny pratique

Voir aussi le carnet pratique de Montargis.

Adresse utile

Office du tourisme de Châtillon-Coligny – *2 pl. Coligny - 45230 Châtillon-Coligny - ✆ 02 38 96 02 33 - 9h30-12h30, 15h-17h30, sam. 10h-12h30 - fermé dim. et j. fériés.*

Se loger et se restaurer

Auberge du Cheval Rouge – *6 pl. de la Croix-Blanche - ✆ 02 38 92 55 90 - martine.buchet@wanadoo.fr - fermé 3e et 4e sem. d'août, 1 sem. fin déc., dim. soir et vend. - 12 € déj. - 18,50/26,50 € - 6 ch. 30/46 € - 5,50 €.* Même si ce restaurant revendique son attachement à la cuisine traditionnelle, ne passez pas à côté des spécialités du chef, un peu plus actuelles telles que la salade au magret de canard fumé et perles de melon, ou le dos de sandre rôti, compotée de choux rouge et sauce whisky. Service correct et cadre très classique.

Sports & Loisirs

Le Galop Vert – *Les Guénichauds - 45230 La Chapelle-sur-Aveyron - ✆ 02 38 97 58 95 - http://galopvert.free.fr.* Cette association propose tout au long de l'année des promenades à travers la région, à dos de cheval, de poney ou à dos d'ânes (pour les enfants à partir de 18 mois). Une cavalerie de 30 animaux pour découvrir l'équitation de nature dans le département du Loiret. Une journée agréable à passer en famille.

Châtillon-sur-Seine★

5 837 CHÂTILLONNAIS
CARTE GÉNÉRALE B1 – CARTE MICHELIN DÉPARTEMENTS 320 H2 – CÔTE-D'OR (21)

Baignée par une Seine encore chétive, Châtillon reçoit les eaux abondantes de la Douix, source de type vauclusien émergeant au cœur de la cité dans un joli cadre verdoyant. Rien ne laisserait présager, en flânant dans les vieux quartiers de cette coquette ville, qu'elle recèle en ses murs les fruits d'une extraordinaire découverte archéologique : des objets issus d'une tombe princière celte, découverts non loin de Châtillon, sur la butte du mont Lassois…

G. Corbic / MICHELIN

Source de la Douix.

Se repérer – Desservie par la D 971 (Dijon à 85 km au sud-est), la D 965 (Tonnerre à 50 km à l'ouest) et la D 980 (Montbard à 36 km au sud), Châtillon est également alimentée par la Seine, qui fait ici une double boucle.

À ne pas manquer – Le trésor de Vix et son gigantesque vase en bronze, exposé au musée du Châtillonnais ; la touchante Mise au tombeau Renaissance de l'église St-Vorles ; la forêt de Châtillon et les curieux marais du Cônois.

Organiser son temps – En hiver, la source de la Douix, au débit particulièrement fort, offre un spectacle impressionnant.

Avec les enfants – Ils pourront découvrir les plaisirs d'un randonnée à dos d'âne, tester le parcours accrobranche de la Maison de la forêt *(voir carnet pratique)*, piquer une tête dans le lac de Marcenay ou encore assister, à l'abbaye du Val-des-Choues, au repas de la meute de chiens de chasse.

Pour poursuivre la visite – Voir aussi le château d'Ancy-le-Franc, l'abbaye de Fontenay, Montbard.

Comprendre

Un peu d'histoire – À un siècle d'intervalle, Châtillon a vécu des heures historiques. En février 1814, alors que **Napoléon Ier** défend pied à pied les approches de la capitale, a lieu à Châtillon un congrès entre la France et les puissances alliées – Autriche, Russie, Angleterre, Prusse. Napoléon repousse les propositions qui lui sont faites (les coalisés demandent le retour aux frontières antérieures de 1792) ; la lutte reprend et se termine par la chute de l'Empire.

En septembre 1914, les troupes françaises battent en retraite devant la violente poussée des Allemands. Le **général Joffre**, commandant en chef des armées françaises, a installé son quartier général à Châtillon-sur-Seine ; c'est de là qu'il lance son fameux ordre du jour du 6 septembre : « Au moment où s'engage une bataille dont dépend le salut du pays, il importe de rappeler à tous que le moment n'est plus de regarder en arrière… » L'avance allemande est stoppée et la contre-attaque française sur la Marne prend l'ampleur d'une grande victoire.

Se promener

LA VIEILLE VILLE

Elle s'est développée au 9e s. autour d'une forteresse, qui servira plus tard de place avancée au duché de Bourgogne.

Parking près de l'église St-Nicolas. Prenez la rue du Bourg en laissant l'église derrière vous.

Vous remarquerez quelques jolies façades du 18e s., et à l'angle de la rue du Recept, une maison à pans de bois (16e s.) et médaillons sculptés.

Si vous préférez tout voir à pied, allez tout droit vers l'église St-Vorles *(escaliers)* et la source de la Douix *(indiquée à gauche)*. Sinon, prenez à droite la rue du Bourg-à-Mont : au n° 46, la **maison des Barrodeau** (13e s.) est la plus ancienne du bourg et garde une tête sculptée en angle et des fenêtres géminées à arcades trilobées.

Continuez jusqu'au n° 24 pour admirer la grille de l'ancien couvent des Carmélites, puis revenez sur vos pas. Prenez à gauche, à la hauteur de l'ancienne chapelle des Carmélites (17e s.), successivement transformée en lieu de culte de l'Être suprême et tribunal civil, et parcourez la rue des Avocats, qui compte de belles demeures du 18e s. La bibliothèque municipale a hérité à la Révolution d'un fonds exceptionnel : 18 000 volumes, récupérés des abbayes et couvents voisins.

Tournez à droite dans la rue St-Nicolas jusqu'à l'église ; admirez les vitraux Renaissance de l'arbre de Jessé et du miracle du pèlerin de St-Jacques pendu et dépendu.

Église Saint-Vorles

☏ 03 80 91 24 67 - de mi-juin à mi-sept. : 10h30-12h, 14h30-17h30 ; de déb. avr. à mi-juin : merc., w.-end et j. fériés 10h30-12h, 14h30-17h30 ; de mi-sept. à mi-nov. : w.-end et j. fériés 14h30-16h30.

L'église domine le quartier du Bourg. De la terrasse ombragée, la vue s'étend sur la ville basse et la vallée. À proximité se dressent les ruines du château et la tour de Gissey. L'édifice a plus de 1 000 ans. Modifié au début du 11e s. par l'évêque de Langres (le chœur est roman), il conserve des éléments de l'art préroman carolingien : double clocher, double transept, chapelle haute et arcatures lombardes.

La chapelle basse St-Bernard garde le souvenir de saint Bernard, qui y vécut le « miracle de la lactation » devant une représentation de Notre-Dame-de-Toutes-Grâces. Voici comment une biographie du 17e s. raconte ce miracle que le jeune homme en prière vécut dans l'église : « Quand il vint à ces paroles "Montrez que vous êtes notre Mère", l'image détacha miraculeusement une de ses mains et, la portant à sa mamelle, elle en fit distiller trois gouttes de lait dans la bouche et sur la langue du saint, qui produisirent en son âme une douceur et un ravissement d'esprit extraordinaires. » Le bras nord du transept renferme une **Mise au tombeau** Renaissance, sculptée vers 1530 par un artiste de l'école champenoise.

Source de la Douix★

Elle jaillit dans un site ravissant, au pied d'un escarpement rocheux haut de plus de 30 m, environné de verdure. Cette source est dite de type vauclusien parce qu'elle collecte les eaux des infiltrations du plateau calcaire pour ressurgir à la verticale. Le débit normal est de 600 l par seconde, mais peut atteindre 3 000 l en période de crue, l'hiver. L'eau jaillit alors à gros bouillons.

La source coule à l'ombre de magnifiques marronniers. De la promenade aménagée sur la plate-forme rocheuse, on découvre une jolie **vue** sur la ville et la vallée.

Visiter

Musée du Châtillonnais★

Abbaye Notre-Dame - Av. de la Libération - ☏ 03 80 91 24 67 - juil.-août : 10h-18h ; sept.-juin : tlj sf mar. 9h30-12h, 14h-17h - fermé 1er janv., 1er Mai, 25 déc. - 4,50 € (enf. 2,50 €) - réouverture courant 2009 après déménagement : anciennement situé dans

Le saviez-vous ?

Une place porte ici le nom d'**Auguste de Marmont**, né à Châtillon en 1774. Fidèle de Napoléon (aide de camp en Italie, fait duc de Raguse en 1808 et maréchal d'Empire l'année suivante). Il conclut, fin mars 1814, un cessez-le-feu pour les troupes qu'il commandait avant de rejoindre Talleyrand. Sa tombe se trouve au cimetière St-Vorles.

L'élevage du mouton fut la grande ressource des plateaux du Châtillonnais. C'est pourquoi le commerce de la **laine** connut à Châtillon une activité très florissante jusqu'au 18e s.

la maison Philandrier, le musée a investi des locaux plus grands : la présentation des curiosités décrites ci-dessous est susceptible d'être modifiée.

Des fouilles, pratiquées depuis plus de cent ans dans la région, notamment à Vertault (20 km à l'ouest de Châtillon), avaient déjà mis au jour les vestiges d'une agglomération gallo-romaine – poteries, vases, statuettes –, exposés dans ce musée, lorsque, en janvier 1953, eut lieu près de Vix une extraordinaire découverte archéologique.

Trésor de Vix★★ – *L'ensemble de la sépulture a été reconstitué dans une vaste vitrine.* C'est au pied de l'oppidum du mont Lassois que MM. Moisson et Joffroy découvrirent, sous un tumulus, une tombe princière du premier âge du fer (vers 500 av. J.-C.). Près de la dépouille d'une femme celte d'environ 40 ans ont été exhumés un char d'apparat, des éléments de vaisselle en bronze, en céramique et en argent, un splendide **torque** (collier) de 480 g en or, et un gigantesque **cratère à volutes** en bronze, trouvaille exceptionnelle prouvant la vitalité des échanges avec le monde méditerranéen.

Les autres salles du musée présentent les découvertes des sites protohistoriques et antiques de la région. L'agglomération de Vertault a livré de nombreux objets qui illustrent la vie quotidienne et l'artisanat à l'époque gallo-romaine. Cette période est illustrée par une remarquable collection d'**ex-voto** anatomiques en pierre provenant des sanctuaires du Tremblois et d'Essarois, et par les monuments funéraires de Nod-sur-Seine *(voir Aux alentours)*.

Le vase de Vix

Ses dimensions en font le plus grand vase métallique de l'Antiquité qui soit parvenu jusqu'à nous. Vous n'en verrez pas de plus grand, même en Grèce : haut de 1,64 m, large de 1,27 m, d'un poids de 208 kg, il pouvait contenir 1 100 l de vin. Mesurez-vous à lui ! Le couvercle original du cratère est disposé dans une autre vitrine. La richesse de sa décoration – frise formée de motifs d'appliques en haut relief figurant une suite de guerriers et de chars, têtes de Gorgones sur les anses – permet de le rattacher aux œuvres les plus abouties des bronziers du sud de l'Italie (la Grande Grèce) au 6e s.

Musée du Châtillonnais

Détail du vase de Vix.

Aux alentours

Mont Lassois

7 km au nord-ouest. La butte du mont Lassois (ou mont St-Marcel) domine d'une centaine de mètres la plaine environnante. Au sommet s'élève la petite église romane (12e s.) de St-Marcel, couverte de « laves » (pierres plates). C'est au pied de la butte, à proximité de la Seine, que fut découvert le fameux « trésor de Vix » exposé au musée de Châtillon-sur-Seine.

Lac de Marcenay

14 km à l'ouest.

Ce lac dispose d'une plage de sable idéale pour la baignade des enfants.

Château de Montigny-sur-Aube

22 km au nord-est. ✆ 03 80 93 55 23 - www.chateaudemontigny.com - visite libre de la chapelle Renaissance, des extérieurs du château et du parc juil.-août : tlj sf lun. 10h-12h, 14h-16h30 ; reste de l'année : tlj sf w.-end et j. fériés 10h-12h, 14h-16h30 - 3 € (gratuit -6 ans).

Construit à la place d'une forteresse féodale dont subsiste une tour du 12e s., le château ne conserve de ses quatre corps de logis du 16e s. que l'aile méridionale. Côté village, l'élégante façade de l'édifice présente une ordonnance classique où se superposent les ordres dorique, ionique et corinthien.

La **chapelle**, isolée aujourd'hui du château, offre un excellent exemple du style Renaissance classique : à la sobriété de l'architecture s'oppose la richesse de la décoration et des ornements intérieurs.

Forêt de Châtillon

Au sud-est de Châtillon-sur-Seine s'étend une vaste forêt domaniale de 9 000 ha – la plus grande forêt de feuillus de Bourgogne – qui offre aux promeneurs le dépaysement et les richesses d'une nature préservée. Les découvertes archéologiques, à Essarois notamment, ont révélé un fort développement de la région à l'époque gallo-romaine. Haut lieu de la Résistance pendant la dernière guerre, elle est jalonnée de stèles commémoratives. Le grand **Monument de la forêt** rappelle la mort de 37 maquisards, fusillés en juin 1944.

Leuglay

20 km à l'est par la D 928.

Maison de la forêt★ – *✆ 03 80 81 86 11 - www.maison-foret.com - de mi-avr. à mi à fin oct. : mar.-vend. 9h-12h, 14h-18h, w.-end 14h-18h ; le reste de l'année sur demande - 5 € (6-15 ans 3 €).*

Si l'extérieur ne paie pas de mine, l'intérieur, malgré sa petite taille, apporte une foule d'informations passionnantes : identification de traces d'animaux, de chants d'oiseaux, d'écorces, de feuilles et de bois, histoire de la forêt à travers les millénaires, objets et produits issus du bois, mini-interviews hautes en couleur de professionnels du bois. Les bornes interactives sont bien conçues, si bien que les questions trouvent ici leur réponse, et certains préjugés la fin de leur carrière…

Abbaye du Val-des-Choues

Quittez Châtillon-sur-Seine à l'est par la D 928 et prenez la D 16 sur la droite. Après le Monument de la forêt, continuez en direction d'Essarois jusqu'à la première route à gauche, qui conduit à un monument plus petit. Prenez à droite la route qui mène à l'abbaye.

✆ 03 80 81 01 09 - www.abbayeduvaldeschoues.com - juil.-août : 11h-17h ; de déb. avr. à la Toussaint : tlj sf mar. 13h-17h - 5 € (enf. 2 €). Repas de la meute à 16h en été.

L'origine de cette abbaye, isolée au cœur de la forêt, est incertaine. La tradition attribue l'origine de l'abbaye du Val-des-Choues au frère Viard, chartreux de Lugny *(on peut encore voir, sur rendez-vous, le portail de cette chartreuse près de Recey-sur-Ource)*. Reconnue par Rome en 1203, elle essaima vers 20 monastères. Rattachée en 1761 à l'ordre cistercien, elle devint l'abbaye du Val-St-Lieu.

Les parties conventuelles, dont l'abbatiale, ont été détruites par des vendeurs de biens. Dans les vastes bâtiments du 17e s. qui subsistent sont rassemblées des collections sur la forêt, la chasse et le gypse.

Le parc, doté d'un grand bassin, accueille une oisellerie et quelques cervidés. C'est le théâtre, chaque année, au premier dimanche d'août, d'une grande fête de chasse. L'abbaye abrite d'ailleurs une meute de 150 chiens que vous pourrez découvrir à la saison estivale.

Nod-sur-Seine

13,5 km au sud de Châtillon-sur-Seine sur la D 971. C'est dans ce petit village qu'eut lieu, le 12 septembre 1944, la jonction entre les premiers éléments de l'armée de De Lattre de Tassigny débarquée en Provence et la 2e division blindée du général Leclerc. Une stèle a été élevée en souvenir de l'événement.

Abbaye de Molesme

23 km à l'ouest. ✆ 03 80 81 44 47 - ♿ - visite guidée (1h) juil.-août : 14h30, 16h, 17h30 ; juin, sept. et 1er-2 oct. : w.-end 15h ; reste de l'année : sur demande - fermé mar., 1er nov.-1er avr., 4-12 août - 5 €.

Les vicissitudes de la Révolution ont laissé peu de choses de ce qui était devenu une riche et importante abbaye : la salle à manger et les salons des moines (18e s), leur cellier (13e s) et l'hôtellerie (18e s). La restauration des propriétaires a permis de rendre aux bâtiments leurs

Juste avant Cîteaux

Robert de Molesme installe ici sa première fondation en 1075. Il y arrive avec une douzaine de moines, parmi lesquels les fervents Étienne Harding et Albéric. Désireux de réformer la règle bénédictine, il se heurte à l'opposition de la plupart des moines ; il fondera donc, 23 ans après Molesme… Cîteaux. Bruno, le premier des Chartreux, passa lui aussi deux ans à Molesme, mais préféra chercher un lieu plus désert pour une règle plus exigeante. Tous (Robert, Étienne Harding, Albéric, Bruno) furent canonisés.

ouvertures, leur toit et leur sol de dalles, et les belles **voûtes★** ont perdu leur enduit d'origine pour révéler leur variété. La visite commentée permet de retrouver le dessin du cloître et ses diverses évolutions dans le jardin et sur les façades.

Marais du Cônois

37 km au sud-est de Châtillon-sur-Seine par la D 959, puis la D 102 à gauche dans Bure-les-Templiers. Le dépliant, indispensable au bon déroulement de la visite, est téléchargeable sur www.sitesnaturelsbourgogne.asso.fr, et disponible sur place à l'entrée du site. L'hiver ou après la pluie, prévoyez des bottes.

Vous verrez ici une rareté, une « bizarrerie » de la nature : des marais à flanc de coteaux. Les eaux de pluie filtrent à travers la roche calcaire du plateau, puis rencontrent une couche imperméable de marnes. C'est à la hauteur de ces marnes que jaillissent une multitude de petites **sources** sur plusieurs hectares.

Après la courte traversée d'une coupe forestière et de bois de hêtres et d'érables par une large allée, faites un petit détour par la ferme du Cônois, typique, mais en piteux état. L'arrivée dans la zone de marais est signalée par des passerelles de bois (pilotis) sous lesquelles suintent les sources (audibles, bien que difficiles à voir), mais aussi par le changement d'essences : frênes, peupliers trembles et saules cendrés font leur apparition. Grâce à un microclimat particulièrement froid, la zone humide est colonisée par une flore spécifique *(bonne signalisation sur place)*, dont la rare *epipactis* des marais, orchidée qui fleurit en juin et en juillet.

Longez ensuite un petit ruisseau ; l'eau étant très chargée en calcaire, elle en recouvre tout ce qui y trempe : branches et feuilles sont « transformées en pierre », le marais est dit « tufeux ». On quitte ensuite le marais en remontant dans le bois.

Châtillon-sur-Seine pratique

Adresse utile

Office du tourisme de Châtillon-sur-Seine – *4 pl. Marmont - 21400 Châtillon-sur-Seine - ✆ 03 80 91 13 19 - www.mairie-chatillon-sur-seine.fr - lun.-sam. 9h-12h, 14h-18h et dim. 10h-12h (de mi-mai à mi-sept.).*

Se loger

Hôtel du centre – *Pl. de la Résistance - ✆ 03 80 91 48 71 - maurice4fr@yahoo.fr - fermé fêtes de fin d'année - 21 ch. 44/52 € - 12 € - rest. 8/15 €.* Impossible de passer à côté de cet hôtel rénové qui trône sur la place principale de Châtillon. L'entrée se fait par l'immense bar-brasserie, mais les chambres bénéficient d'un calme vraiment appréciable auquel vient s'ajouter un mobilier fonctionnel (mezzanines au 3e étage).

Hôtel Le Magiot – *R. Magiot - 21400 Montliot-et-Courcelles - ✆ 03 80 91 20 51 - lemagiot.free.fr - P - 22 ch. 48 € - 6 €.* Établissement récent de type motel. Chambres avant tout pratiques, réparties dans les deux ailes encadrant la terrasse-solarium. Véranda aménagée en salon.

Se restaurer

Ô Chapo Ron – *21 r. de la Libération - Rte de troyes, près de la Seine - ✆ 03 80 91 32 41 - fermé dim. midi, lun. soir et mar., lun. en sais. - 11 € déj. - 15/25 €.* Ce petit restaurant situé aux portes du bourg revendique l'art de faire simple et bon à la fois. On prend place face à la cheminée ou dans l'agréable cour fermée si le temps le permet. Accueil et service très corrects pour un rapport qualité-prix plutôt convaincant.

Sports & Loisirs

À Pied en pays Châtillonnais – *✆ 03 80 91 13 19 - tourisme-chatillon-sur-seine@wanadoo.fr.* Pas moins de 21 trajets balisés (le circuit du chevreuil, le sentier des vignes, les circuits des Marots et du Val-des-Choues…) vous invitent à découvrir les environs au détour de jolies promenades de 3 à 21 km.

Centre Équestre Poney Club de la Barotte – *Rte de Langres - ✆ 03 80 91 23 41.* Une vingtaine de chevaux et quatorze poneys vous attendent pour d'agréables promenades accompagnées, randonnées et stages.

Âniers en pays châtillonnais – *Au village - 21400 Chemin-d'Aisey - ✆ 03 80 93 29 25 - www.aniers-en-chatillonnais.org - fermé Toussaint-28 fév - 40 €/j.* Si vous souhaitez randonner léger sans renoncer à l'essentiel, confiez votre fardeau à un âne bâté. Plusieurs formules, de 1 à 6 jours, pour découvrir forêts et rivières du châtillonnais au rythme d'un animal doux et attachant. En plus, les enfants adorent !

Maison de la forêt – *Ruelle de la Ferme - 21290 Leuglay - ✆ 03 80 81 86 11 - www.maison-foret.com - 15 avr.-31 oct. et vac. scol. : tlj sf lun. 9h-12h, 14h-18h, w.-end : 14h-18h.* Grâce au parcours accrobranche, grimpez jusqu'aux cimes des arbres en sécurité. Lors des sorties nature, vous découvrirez les traces des animaux et apprendrez à identifier la flore de la région.

Abbaye de Cîteaux

CARTE GÉNÉRALE C3 – CARTE MICHELIN DÉPARTEMENTS 320 K7 – CÔTE-D'OR (21)

Haut lieu de la chrétienté en Occident, tout comme Cluny, l'abbaye de Cîteaux connut des débuts difficiles, avant de prendre son essor sous la prodigieuse impulsion du futur saint Bernard, et de devenir une école de spiritualité. Ce rameau détaché de Cluny rayonna alors à travers le monde. Il offre aujourd'hui une occasion unique de découvrir la vie cistercienne et son histoire.

- **Se repérer** – L'abbaye de Cîteaux se trouve à 23 km au sud de Dijon et 14 km à l'est de Nuits-St-Georges (par la D 8).
- **À ne pas manquer** – Le cloître des copistes et son exposition sur les techniques médiévales de reliure ; la salle de lecture, qui abritait jadis plusieurs milliers de manuscrits enluminés ; les peintures murales de l'église romane de Bagnot.
- **Organiser son temps** – La visite accompagnée de l'abbaye vous permettra de découvrir les bâtiments anciens. Renseignez-vous à l'avance, le lundi étant généralement le jour de fermeture hebdomadaire du site.
- **Pour poursuivre la visite** – Voir aussi Beaune, la Côte, Dijon, la vallée de la Saône.

Comprendre

Un peu d'histoire – C'est ici que **Robert de Molesme**, recherchant avec ses compagnons l'esprit de la règle de saint Benoît (silence, pauvreté, éloignement du monde), fonda parmi les roseaux (« cistels » en vieux français) l'**ordre des Cisterciens** en 1098. En 1113, trois ans avant de devenir abbé de Clairvaux, **Bernard de Fontaine** vint à Cîteaux donner un élan au « nouveau monastère ». Pendant l'abbatiat de l'anglais **Étienne Harding** (1109-1134), organisateur de l'unité de l'Ordre, Cîteaux donna naissance à quatre « filles » : La Ferté, Pontigny, Clairvaux et Morimond. Au Moyen Âge, plus de 3 000 couvents avaient adopté l'observance rigoureuse de la règle de saint Benoît. L'abbaye de la Trappe, rattachée à l'Ordre en 1147 et réformée en 1664, laissa elle aussi son nom à nombre de ces monastères. En 1892, une scission s'opéra officiellement pour donner deux observances : l'**ordre de Cîteaux**, dont les membres pouvaient s'adonner à un ministère pastoral, intellectuel (enseignement) ou charitable (missions dans les pays en voie de développement), et l'**ordre des Trappistes**, à vocation contemplative (stricte observance). Expulsés pendant la période révolutionnaire, qui faillit être fatale à l'abbaye (l'Ordre ayant alors été supprimé par l'Assemblée nationale), les moines ne revinrent qu'en 1898. Cîteaux fut de nouveau proclamée la première de l'Ordre, titre reconnu par les trappistes.

© D.R.

Saint Bernard de Clairvaux.

L'abbaye est toujours le lieu de vie d'une communauté monastique dont les visiteurs respecteront le climat de silence et de recueillement.

Découvrir

Abbaye Notre-Dame de Cîteaux

03 80 61 32 58 - www.citeaux-abbaye.com - visite guidée (1h15) en juil.-août. : 10h30, 11h30, et ttes les heures de 14h à 17h, dim. 12h15-17h ; mai-juin et sept. : tlj sf mar. 10h30, 11h30, 14h30-16h45, dim. 12h15-17h - fermé lun., 15 août matin - 7 € (enf. 3,50 €).

Très durement malmenée après sa vente en 1791 à des spéculateurs qui la pillèrent et la démantelèrent, Cîteaux a tout de même conservé, à l'intérieur de la clôture monastique, des bâtiments intéressants. Achevée en 1509, la **bibliothèque** se dis-

Le canal de la Cent-Fons

Comme c'était l'usage, le site de Cîteaux fut choisi par les moines parce qu'il y avait de l'eau à proximité. Mais, au 12e s., cet apport d'eau devint insuffisant. La communauté opta pour une solution de taille : la construction d'un canal d'amenée d'eau de 10 km de long, qui déviait la rivière Cent-Fons (de « cent fonts », cent sources, souvent orthographiée à tort Sansfond). Cette déviation apporta à l'abbaye l'eau et la pente dont elle avait besoin pour faire fonctionner des moulins. Compte tenu de la pente naturelle très faible (1 %), qui demandait de suivre la courbe de niveau au plus près, c'est un exploit technique.

Un **sentier de randonnée**, au départ des sources à Fenay *(chemin à la hauteur de la fourche des D 108K et D 996)*, longe la Cent-Fons, puis le canal de dérivation, à partir de l'étang de Saulon-la-Chapelle, en passant par le pont-canal des Arvaux (conçu lui aussi au 12e s.), qui enjambe la Varaude à Noiron-sous-Gevrey. Remarquez au passage la **forêt du Millénaire**, plantée en 1998 par les villes de Noiron et de Mayence (Allemagne) en l'honneur de l'abbaye.

tingue par sa façade de briques émaillées et se compose de deux niveaux superposés aux fonctions bien distinctes. Au rez-de-chaussée, les cellules du **cloître des copistes** (1260), rénové en 2001, accueillirent jusque vers le milieu du 14e s. le travail des moines copistes, enlumineurs et relieurs. L'immense salle voûtée de l'étage servait, quant à elle, de **salle de lecture**. Son fonds de quelque 10 000 manuscrits fut saisi à la Révolution ; vous pourrez en admirer de superbes exemplaires (notamment la Bible d'Étienne Harding) à la bibliothèque municipale de Dijon *(voir ce nom)*.

Remarquez aussi, parallèle à la rivière, un long bâtiment de 80 m appelé le **définitoire** (1699), où se réunissait l'exécutif du chapitre général, et de facture plus récente (1722), un bel édifice dû à Nicolas Lenoir, où résident actuellement les moines.

Si l'**église,** qui renfermait les tombeaux des premiers ducs de Bourgogne (dont celui de Philippe Pot, conservé au Louvre), a totalement disparu, un nouveau lieu de culte a été construit et inauguré en mars 1998, à l'occasion des 900 ans de la fondation de l'abbaye.

Aux alentours

Bagnot

9 km au sud. À proximité de la forêt de Cîteaux (Haute Forêt), le village de Bagnot possède une petite **église** d'origine romane dont le chœur est orné de **peintures murales★**, datant de la fin du 15e s., surnommées « les Diables de Bagnot ». Le Jugement dernier, thème central du cycle, témoigne d'une imagination populaire dont les détails amusants ou touchants font oublier la maladresse de l'exécution. Observez aussi le calendrier des mois qui court sur l'arc doubleau de la voûte. *Avr.-oct.*

Abbaye de Cîteaux pratique

Voir aussi les carnets pratiques d'Auxonne, de la Côte, Dijon, Nuits-St-Georges et la vallée de la Saône.

Se loger

Chambre d'hôte La Closerie de Gilly – *16 r. Bouchard - 21640 Gilly-lès-Cîteaux - 11 km au nord-est par D 116 et D 109 - 03 80 62 87 74 - www.closerie-gilly.com - fermé 1 sem. à Noël et 1 sem. en fév. - - 4 ch. et 1 gîte 75/85 €* . Blottie au cœur d'un parc aux arbres centenaires, cette belle demeure de style Directoire vous ouvre ses chambres personnalisées et « cosy » (mobilier ancien, couleurs et tissus savamment mélangés). Au programme, farniente dans la piscine, initiation à l'œnologie, dégustation « découverte des terroirs » - région oblige - et jolies promenades aux alentours.

Chambre d'hôte Le Petit Paris – *R. du Petit-Paris - 21640 Flagey-Echézeaux - 12 km au nord-est par D 116 et D 109 c - 03 80 62 84 09 - petitparis.bourgogne.free.fr - - 4 ch. 85 €* . Nichée dans un parc, cette demeure du 17e s. décorée de tableaux réalisés par la maîtresse de maison abrite 4 chambres aménagées autour de l'atelier de peinture et dotées d'un confort douillet. Côté détente, initiation au dessin ou promenades près du bassin de pisciculture ou dans le vignoble de la côte de Nuit (entre Beaune et Dijon).

Hôtel Château de Saulon – *Rte de Seurre - 21910 Saulon-la-Rue -*

℘ 03 80 79 25 25 - www.chateau-saulon.com - fermé 8-29 fév. - P - 30 ch. 87/135 € - ☕ 13 € - rest. 20/57 €. Joli petit château du 17e s. entouré d'un parc arboré agrémenté d'une belle piscine et d'un étang privé. Les chambres sont toutes rénovées. Dans une dépendance, plaisante salle à manger où l'on sert une cuisine au goût du jour. Boutique de vin ; dégustation.

Se restaurer

Auberge de l'Abbaye – *D 996 - 21250 Auvillars-sur-Saône - 1 km au sud par D 996 - ℘ 03 80 26 97 37 - monsite.wanadoo.fr/auberge-abbaye - fermé lun. soir sf juil.-août, mar. soir, merc. soir et dim. soir - 12/31 €.* Discrète auberge de bord de route. Deux salles à manger rustiques : la grande de style bistrot pour les plats du jour, et la petite plus intime pour les repas traditionnels.

Que rapporter

Abbaye de Cîteaux – *21700 St-Nicolas-les-Cîteaux - ℘ 03 80 61 34 28 - www.citeaux-abbaye.com - tlj sf lun. 10h-12h, 14h-18h30, dim. 14h-18h30.* Dans la sobre boutique sise dans un bâtiment refait, vous trouverez, outre le fameux fromage façonné et affiné sur place par les moines, des bonbons au miel, des caramels et quelques produits d'autres monastères.

Clamecy

4 570 CLAMECYCOIS
CARTE GÉNÉRALE A2 – CARTE MICHELIN DÉPARTEMENTS 319 E7 – NIÈVRE (58)

Perchée sur un éperon dominant le confluent de l'Yonne et du Beuvron, cette petite ville aux rues étroites et sineuses et aux toits de tuiles rouge-brun se situe au cœur du joli pays des Vaux d'Yonne, véritable charnière entre le Morvan, le Nivernais et la basse Bourgogne. Ancienne plaque tournante du flottage du bois, elle offre aux visiteurs d'agréables environs boisés se prêtant aux activités de plein air.

- **Se repérer** – Clamecy se trouve à 23 km à l'ouest de Vézelay, 16 km au nord-est de Varzy et 43 km au sud d'Auxerre.
- **À ne pas manquer** – Le musée d'Art et d'Histoire Romain Rolland, pour son évocation de l'œuvre de l'écrivain et ses expositions sur le flottage du bois ; la façade gothique flamboyante de l'église St-Martin ; et sur un tout autre registre, la curieuse église Notre-Dame-de-Bethléem, construite en ciment armé dans le style des églises de Palestine.
- **Organiser son temps** – Tous les 14 Juillet ont lieu sur l'Yonne, au pont de Bethléem, des joutes traditionnelles en l'honneur des flotteurs de bois. Belle occasion pour découvrir cette cité aux bords de l'eau !
- **Avec les enfants** – En complément de la visite du chantier médiéval de Guédelon *(voir ce nom)*, pourquoi ne pas leur proposer une mystérieuse descente au cœur de la pierre, à la carrière souterraine d'Aubigny ? Ils y apprendront tout sur les techniques de taille et d'extraction, et vous aussi !
- **Pour poursuivre la visite** – Voir aussi la vallée de la Cure, Varzy, Vézelay, la vallée de l'Yonne.

Comprendre

Les évêques de Bethléem – On comprend mal aujourd'hui l'existence d'un évêché à Clamecy, compte tenu de l'importance des évêchés voisins, Auxerre, Nevers et Autun. Il faut donc remonter aux croisades pour en avoir l'explication. Parti pour la Palestine en 1167, Guillaume IV de Nevers y contracta la peste et mourut à St-Jean-d'Acre en 1168. Dans son testament, il demandait à être enterré à Bethléem et léguait à l'évêché de ce lieu l'un de ses biens de Clamecy : l'**hôpital de Pantenor** (fondé afin d'héberger les pèlerins malades revenus de Terre sainte), à condition que celui-ci serve de refuge aux évêques de Bethléem, au cas où la Palestine tomberait aux mains des infidèles. Lorsque s'effondra le royaume latin de Jérusalem et qu'il fut chassé par les Ottomans, l'évêque de Bethléem vint se réfugier à Clamecy dans le domaine légué par le comte. De 1225 à la Révolution, cinquante évêques *in partibus* se succédèrent ainsi, ce qui valut au quartier son nom de Bethléem. Aujourd'hui, seules **Notre-Dame-de-Bethléem**, curieux édifice de style oriental en ciment armé (1927), et quelques ruines de l'église primitive des évêques de Bethléem (12e s.) viennent rappeler ce passé.

Statue-souvenir des « flotteurs » de l'Yonne, sur le pont de Bethléem.

Le flottage à bûches perdues – Ce mode de transport du bois, qui remonte au 16e s., fit pendant près de trois siècles la fortune du port de Clamecy. Les bûches, coupées dans les forêts du haut Morvan, étaient empilées sur le bord des rivières et marquées suivant les propriétaires. Au jour dit, on ouvrait les barrages retenant l'eau des rivières et on jetait les bûches dans « le flot », qui les emportait en vrac vers Clamecy. C'était le flottage à « bûches perdues ». Le long des rives, des manœuvres régularisaient la descente et, à l'arrivée, des barrages arrêtaient le bois, c'était le « tricage ». À l'époque des hautes eaux, les bûches étaient assemblées et formaient d'immenses radeaux appelés « trains » qui descendaient par l'Yonne et la Seine jusqu'à Paris, afin d'être utilisés pour le chauffage.
Dès la création du canal du Nivernais, on préféra à ce mode de transport celui par péniches. Le dernier flot à bûches perdues eut lieu en 1923.

Se promener

Maisons anciennes

Partez de la place du 19-Août *(parking)*, sur le parvis de la collégiale, suivez la rue de la Tour, la rue Bourgeoise ; prenez à droite la rue Romain-Rolland, puis la rue de la Monnaie (**maison du Tisserand** et maison du Saint accroupi). Par la rue du Grand-Marché, puis la place du Général-Sanglé-Ferrière, rejoignez la place du 19-Août.

Vues sur la ville

Du quai des Moulins-de-la-Ville se découvre une jolie **vue** sur les maisons qui dominent le bief. Du quai du Beuvron, vous apercevrez le pittoresque quai des Îles, et du pont de Bethléem, qui porte une **statue** élevée en souvenir des « flotteurs », vous aurez une **vue** d'ensemble sur la ville et les quais. En amont, à la pointe de la chaussée séparant la rivière d'un canal, s'élève, telle une figure de proue, le buste en bronze de **Jean Rouvet**, marchand de bois à Paris, l'inventeur du « flottage ».

Le saviez-vous ?

Les quais de Clamecy ont vu naître en 1943 un marin de premier ordre, cas rare en dehors des côtes : **Alain Colas**. Disciple de Tabarly, adepte du *Pen-Duick* et acteur central de la promotion de la voile en France, il bat le record du tour du monde en solitaire en 1974 à bord de *Manureva*. Quatre ans après, sur la route du Rhum, il disparaît avec ce même bateau.

Autre natif de Clamecy, le pamphlétaire **Claude Tillier** publia des articles d'opposition au régime de Louis-Philippe dans le journal local. La description savoureuse qu'il fait des mœurs de province dans *Mon oncle Benjamin* (1843) a été adaptée au cinéma par Molinaro en 1969. Le tournage du film, avec Jacques Brel, eut lieu dans la région.

« L'Homme du futur »

La grande statue en bronze de **César** (1921-1998), érigée en 1987, est visible à l'extrémité du boulevard Misset, près de la salle polyvalente.

Visiter

Église Saint-Martin★

Édifiée de la fin du 12e s. au début du 16e s. (pour la tour), elle offre une façade richement décorée de style gothique flamboyant. Sur les voussures du portail (mutilées à la Révolution) sont représentés des épisodes de la vie de saint Martin. À l'intérieur, remarquez le plan rectangulaire et le déambulatoire carré, typiquement bourguignon. Un faux jubé a été construit par Jean-Jacques Huvé (vers 1840) afin de contenir le fléchissement d'un pilier gauche du chœur.

La chapelle de la Croix, au bas-côté droit, renferme un triptyque peint sur bois du début du 16e s. (le Crucifiement) et deux bas-reliefs provenant de l'ancien jubé du 16e s. (détruit en 1773), représentant la Cène et la Mise au tombeau, l'ensemble étant éclairé à travers de beaux vitraux. Grand orgue de Cavaillé-Coll (1864).

Musée d'Art et d'Histoire Romain Rolland

℘ 03 86 27 17 99 - ♿ - juin-sept. : tlj sf mar. 10h-12h, 14h-18h, dim. 14h-18h ; oct.-mai : tlj sf lun. et mar. 10h-12h, 14h-18h, dim. 14h-18h - fermé janv., 1er Mai, 1er et 11 Nov., 25 déc. - 3 € (-16 ans gratuit). Situé dans l'ancien hôtel du duc de Bellegarde, ce musée, vaste et moderne, abrite au rez-de-chaussée la donation François Mitterrand, de nombreux tableaux reçus par l'ancien président de la République et offerts au musée, ainsi qu'un espace consacré à l'archéologie gallo-romaine et mérovingienne, autour de la reconstitution de tombes et de leur mobilier.

Au premier étage, des peintures des écoles française, italienne et hollandaise jouxtent la section réservée à **Charles Loupot** (1892-1962), célèbre affichiste de l'entre-deux-guerres qui vécut à Chevroches.

Au dernier étage, des vitrines renferment des faïences de Nevers et Clamecy (dont des assiettes révolutionnaires). L'œuvre de l'écrivain **Romain Rolland** est présentée à travers des éditions originales et des objets personnels. Une salle est également consacrée à l'**histoire du flottage des bois**, à l'impact qu'eurent sur la ville ces aventuriers des rivières qui arrivaient à Paris en chevauchant leur train de bois après 11 jours de dérive, et rentraient à pied avec, dit-on, des idées révolutionnaires…

Dans les caves de l'**hôtel More de Tannerre** (1601) sont présentées des expositions temporaires d'art contemporain.

De l'Yonne au Nobel

Clamecy, où il vécut son enfance, est toujours la « ville des beaux reflets et des souples collines » qu'évoque dans ses écrits **Romain Rolland** (1866-1944). Il l'a dépeinte avec verve dans son roman « folklorique » *Colas Breugnon*. Pendant l'Occupation, l'auteur de *Jean-Christophe* se retira à Vézelay. Il repose en terre nivernaise, non loin de sa ville natale.

Aux alentours

Druyes-les-Belles-Fontaines

15 km au nord-ouest. Le **château féodal** de Druyes (12e s.) dresse encore au sommet d'une colline des ruines imposantes. Pour les découvrir sous un jour favorable, arrivez en fin d'après-midi par le sud, soit par la D 148, accidentée et agréable, soit par la D 104, qui offre une excellente vue d'ensemble sur le village avec, en premier plan, le viaduc de l'ancienne voie ferrée.

De la route de Courson-les-Carrières, en passant sous une porte fortifiée du 14e s., accédez au rocher qu'occupent le vieux Druyes et le château. Seuls les murs extérieurs de ce monument ainsi que la tour-porche appelée improprement donjon se dressent à peu près intacts. *℘ 03 86 41 51 71 - www.chateau-de-druyes.com - ♿ - juil.-août : tlj 15h-18h ; de Pâques à fin sept. : w.-end seult 15h-18h - 4 € (enf. 2,50 €).*

Dans le bas du village, l'**église romane St-Romain** (12e s.) présente un beau portail. Près de l'église, dans un site pittoresque, jaillissent les sources de la Druyes.

Carrière souterraine d'Aubigny

Sur la commune de Taingy, à 6 km au nord de Druyes par la D 148. ℘ 03 86 52 38 79 - www.carriereaubigny.org - ♿ - juil.-août : 10h-18h30, dim. et j. fériés 14h30-18h30 ; avr.-juin et sept.-oct. : tlj sf lun. 10h-12h, 14h30-18h30, dim. et j. fériés 14h30-18h30 - 5,50 € (enf. 3 €).

Cette vaste carrière (16 000 m^2) fait partie d'une entité naturelle de plusieurs milliers d'hectares appelée **La Forterre**, célèbre pour son gisement de calcaire oolithique dont les pierres servirent notamment à la construction du Louvre, des pieds de soutènement de la tour Eiffel et de la cathédrale de Sens. À l'époque gallo-romaine, la carrière d'Aubigny était déjà exploitée, à des fins essentiellement religieuses (fabrication de sarcophages et sculpture sacrée). Son exploitation se poursuivit au Moyen Âge et à la Renaissance, mais connut sa véritable apogée au second Empire, lors du réaménagement de Paris par le baron Haussmann. Au cours de la visite insolite de ce chantier, à 60 m de profondeur, la pierre brute vous livre peu à peu tous ses secrets, des techniques d'extraction aux outils de taille du carrier, en passant par les origines géologiques des différentes roches de la région. Vous découvrirez, au fil des salles baignées d'ombre et de lumière, des œuvres d'inspiration tantôt classique, tantôt moderne, taillées et sculptées par les Compagnons. Car le savoir-faire de ces artisans de talent a trouvé ici un lieu d'exposition privilégié. Ne manquez ni l'élégante **Arche des œuvres**, ni le monumental *Escalier de l'Ascension (en cours de réalisation)*. Et, en vous enfonçant au cœur de la carrière, prenez le temps d'admirer les pans de calcaire qui vous entourent, dont le gigantisme rappelle étrangement celui… des temples de l'Égypte ancienne.

Le travail de la pierre

Tendre et très compact, le calcaire est facile à exploiter et à travailler. Dans la forte humidité naturelle de la carrière (70 à 80 %), la pierre se gorge d'eau ; sous l'effet de la température, celle-ci s'évapore, faisant ressortir la **calcite**. Elle forme en surface une pellicule protectrice extrêmement dure, qui permet l'emploi du calcaire en construction.

Vous découvrirez ici les méthodes d'extraction des blocs ou **blots,** et bien sûr, les outils de taille de la pierre, parmi lesquels le **pic**, le **marteau têtu**, le **peigne**, le **marteau taillant**, la **polka**, le **marteau grain d'orge**, la **bretture**, les **chemins de fer**… *Possibilités d'ateliers de taille et de cours de trait - renseignements au ✆ 03 86 52 38 79.*

Clamecy pratique

Voir aussi les carnets pratiques de Varzy et de Vézelay.

Adresse utile

Office du tourisme de Clamecy – *9 r. du Grand-Marché - 58500 Clamecy - ✆ 03 86 27 02 51 - www.vaux-yonne.com - juin-août : 9h30-12h30, 14h-19h, dim. et j. fériés 10h-13h, lun. 14h-18 ; sept.-mai : tlj sf lun. 9h30-12h30, 14h-18h, dim. et j. fériés 10h-13h.*

Se loger

Hostellerie de la Poste – *9 pl. Émile-Zola - ✆ 03 86 27 01 55 - www.hostelleriedelaposte.fr - 17 ch. 56/74 € - 10 € - rest. 24/35 €.* Ancien relais de poste de la petite cité où l'on pratiquait le spectaculaire flottage du bois. Chambres fraîches et sobres, plus calmes sur l'arrière. Confortable salle à manger mi-classique, mi-actuelle. Cartes et menus traditionnels.

Se restaurer

L'Angélus – *11 pl. St-Jean - ✆ 03 86 27 33 98 - www.restaurantlangelus.com - fermé vac. de fév., 25 déc.-1er janv., dim. soir, mar. soir sf en juil.-août et merc. - 19/32 €.* Cette jolie bâtisse typiquement nivernaise, avec ses colombages et ses petites fenêtres, abrite un restaurant traditionnel, qui propose quelques recettes bourguignonnes. Si l'intérieur égaye les repas de son style rustique, la terrasse au pied de l'église offre un cadre unique aux beaux jours. Service simple et soigné.

Que rapporter

Charcuterie Guillien – *30 r. Marie-Davy - ✆ 03 86 27 19 18 - tlj sf lun. 8h-13h45, 15h-19h30, dim. 9h-12h30 - fermé vac. de fév.* C'est là qu'il faut aller pour découvrir la vraie andouillette de Clamecy, celle qui est faite de chaudin de porc, de panse et de gorge de porc et qui cuit trois bonnes heures, qui n'est jamais nouée mais toujours renfourrée, et qui ne dépasse jamais 10 centimètres. Monsieur Guillien la prépare comme personne et les Clamecycois le savent bien.

Événement

Joutes nautiques – *Au pont de Bethléem chaque 14 Juil.* Ces tournois, organisés dans leur quartier historique, étaient le divertissement favori des flotteurs de bois au 19e s.

La Clayette

2 070 CLAYETTOIS
CARTE GÉNÉRALE B4 – CARTE MICHELIN DÉPARTEMENTS 320 12 F – SAÔNE-ET-LOIRE (71)

Réputée pour ses courses et concours hippiques, cette « ville du cheval » bénéficie de surcroît d'un riche patrimoine architectural. Elle s'étage au-dessus de la vallée de la Genette, petite rivière qui alimente un lac ombragé de platanes. À l'extrémité de ce plan d'eau tranquille se dresse un imposant château fortifié et, non loin de là, un autre château, celui de Drée, doté d'un somptueux intérieur et d'agréables jardins à la française.

Château de Drée, Curbigny

Château de Drée, aux environs de La Clayette.

Se repérer – La Clayette se trouve sur la D 985, entre Charolles au nord et Charlieu au sud.

À ne pas manquer – Le château de Drée, son superbe mobilier et ses jardins à la française ; le jardin du Zéphyr, à Anglure-sur-Dun ; la montée au sommet de la montagne de Dun, pour la jolie vue d'ensemble sur la région ; les délicieuses spécialités de Bernard Dufoux, l'un des meilleurs chocolatiers de France.

Organiser son temps – Privilégiez les mois de juin et de juillet pour profiter de la pleine floraison des roseraies du château de Drée et du jardin du Zéphyr.

Avec les enfants – Montrez aux plus grands les belles mécaniques automobiles des musées de La Clayette et de Chauffailles. Vous pourrez emmener les plus petits à la moutonthèque de la Filature Plassard de Varennes-sous-Dun, ou, à Pâques, leur proposer une chasse aux œufs dans le parc du château de Drée.

Pour poursuivre la visite – Voir aussi le Brionnais, Charlieu, Charolles, Matour.

Visiter

Château

Entouré de douves peuplées d'énormes carpes, ce château du 14e s. subit d'importantes transformations aux 18e et 19e s. Ses vastes communs à tourelles du 14e s. et son orangerie du 18e s. ne manquent pas de caractère.

Aux alentours

Château de Drée★

4 km au nord, à Curbigny. ☏ 03 85 26 84 80 - www.chateau-de-dree.com - visite guidée de l'intérieur du château (1h) juin-

Le saviez-vous ?

Prononcez **La Claite**, car au Moyen Âge, La Clayette s'écrivait « La Claète », marquant une sorte de frontière entre les terres royales du Mâconnais et… le duché de Bourgogne.

Les armes de la ville portent un cheval, témoin d'une très ancienne tradition, puisqu'on dit que le cheval blanc d'**Henri IV** aurait été élevé ici !

août : 10h-17h30 (dernier départ de visite guidée) ; avril-mai et sept.-oct. : 14h-17h (dernier départ de visite guidée), fermé mar. - 10 € (7-18 ans 8 €).

Ce château du 17e s. multiplie les trompe-l'œil, en façade comme à l'intérieur. Il se compose d'un corps de logis et de deux ailes en équerre. De la grille d'entrée, on a une **vue** grandiose sur la façade. Des colonnes ioniques, formant portique, soutiennent un balcon et, au premier étage, un blason sculpté.

À l'intérieur, les pièces de réception et les chambres sont ornées d'un beau **mobilier**★★ d'époques Louis XIV, Louis XV et Louis XVI, de tapis de la Savonnerie et de superbes tentures (les propriétaires appartiennent à une famille de filateurs du Nord). Remarquez la salle à manger Directoire et le ravissant salon d'angle, d'époque Louis XV.

Vous découvrirez aussi, à Drée, des lieux plus inattendus comme la salle de bains, l'écurie et la sellerie, le chenil, la glacière, la lampisterie, le pigeonnier, la prison.

Entièrement restauré, un parc de 10 ha entoure le château *(à Pâques y sont organisées des chasses à l'œuf)*. Visitez les magnifiques jardins à la française, plantés de plus de 40 000 buis, la fraîche roseraie agrémentée d'un bassin orné de jets d'eau, le jardin des topiaires, les élégantes terrasses.

Bois-Sainte-Marie

Sur la même route, à 2 km à l'est du château.

Bâtie au 12e s., l'**église**, au clocher ajouré et à l'imposant chevet, fut restaurée au 19e s. Sur le côté droit, une porte au tympan sculpté représente la Fuite en Égypte. À l'intérieur, égayée par la coloration rouge et blanc alternée des arcs doubleaux de la voûte, l'abside voûtée en cul-de-four est entourée d'un déambulatoire très bas avec colonnes jumelées dont la disposition est originale ; remarquez les chapiteaux ornés de scènes amusantes ou de feuillages.

Varennes-sous-Dun

2 km à l'est. Dans cette petite commune agricole du Brionnais, spécialisée dans l'élevage, laissez-vous conter l'histoire d'un fil de laine… « du mouton à la pelote ».

Filature Plassard – *03 85 28 28 24 - http://filature.free.fr - visite guidée de la filature (1h) avr.-juin et 1er sept.-5 nov. : merc. et sam. 15h30 ; juil.-août : tlj sf dim. et j. fériés 15h30 et 16h45 (visite suppl. 11h du 14 Juil. au 15 août). Visite de la moutonthèque 1er avr.-5 nov. : tlj sf dim. et j. fériés 9h-12h, 14h-18h. 5,80 € (-12 ans 4,80 €).*

Vous découvrirez les métiers de la laine dans le moulin, qui remonte au 17e s., et vous ferez connaissance, en vous promenant le long du sentier, avec 25 races de moutons, répartis dans la **moutonthèque**. Les enfants peuvent nourrir les animaux de granules vendues à l'entrée. Ne manquez pas les mérinos, ni le tout petit ouessant ou encore l'élégant wensleydale.

Montagne de Dun

8 km au sud-est par St-Racho. On en atteint le sommet (altitude 721 m) par la route en direction de Chauffailles. Le nom de Dun provient du celte *dun* qui a donné *dunum* à l'époque gallo-romaine, « lieu fortifié et élevé », comme *Augustodunum* (Autun).

De l'esplanade, près de la chapelle, vestige d'une place forte détruite par Philippe Auguste lors des luttes féodales (1180), on découvre une **vue**★ circulaire : vers le nord-est, la montagne de St-Cyr et la Grande-Roche ; plus à l'est, la dépression de la Grosne et le col du Champ-Juin ; vers le nord, le Charolais et la vallée de l'Arconce ; vers le nord-ouest, la région de La Clayette ; plus à l'ouest, le Brionnais, la vallée de la Loire, et vers le sud-ouest, les monts de la Madeleine.

Mussy-sous-Dun

4,5 km au sud de la montagne de Dun (D 316).

Un important viaduc ferroviaire (561 m), réalisé à la fin du 19e s., traverse la vallée. Certaines de ses piles sont hautes de 60 m.

Jardin du Zéphyr★

4 km à l'est de Mussy, à Anglure-sous-Dun. 03 85 26 06 47 - possibilité de visite guidée (1h) - juil.-sept. : w.-end 14h30-18h30 ; du 20 mai à fin juin : 14h30-18h30 - 4 € (enf. gratuit).

Le parfum des roses embaume dès la montée par un chemin rocailleux. De l'autre côté de la grille et de la haie, avec vue sur les monts environnants, s'offre à la vue et à l'odorat un foisonnement de roses, de vivaces et d'arbustes choisis et cultivés avec goût.

Chauffailles

13 km au sud de La Clayette par la D 985, ou 3 km au sud de Mussy par la D 316. Chef-lieu d'un canton très verdoyant, Chauffailles a longtemps profité de la prospérité de son industrie textile, comme en témoigne encore son **musée de Tissage**, où l'on découvre toutes les étapes de la fabrication, « du fil à l'étoffe ». *03 85 26 08 91 - - visite guidée (1h) juil.-août : 14h30-18h ; avr.-juin et sept.-nov. : merc. et w.-end 14h30-18h - 3 € (enf. 2,50 €).*

Automusée du Beaujolais – *03 85 84 60 30 - www.automusee.fr - - mar.-dim. : 10h-12h, 14h-18h - 6 € (6-18 ans 4 €).*

Il accueille en permanence une centaine de voitures de collection de 1900 à 1975. La plupart des modèles exposés sont en vente, et le fonds est donc régulièrement renouvelé.

La Clayette pratique

Voir aussi les carnets pratiques du Brionnais et de Charlieu.

Adresse utile

Office du tourisme du canton de La Clayette – *3 rte de Charolles - 71800 La Clayette - 03 85 28 16 35 - www.laclayette.fr - juil.-août : 9h-12h30, 14h-18h30, dim. et j. fériés 14h30-17h30 ; mai-juin et sept. : 9h-12h, 14h-18h, dim. et j. fériés 14h30-17h30 ; mars-avr. et oct. : tlj sf dim. 9h-12h, 14h-17h30 ; nov.-déc. : tlj sf dim. 9h-12h, 14h-16h30 ; janv.-fév. : mar.-vend. 9h-12h, 14h-16h30.*

Se loger

Chambre d'hôte Michèle Desmurs-Morin – *La Saigne - 71800 Varennes-sous-Dun - 4 km à l'est de La Clayette par D 987 puis rte secondaire - 03 85 28 12 79 ou 06 84 67 14 81 - htpp://pagesperso-orange.fr/michele.desmurs - - 4 ch. 49 €.* Cette ancienne ferme rénovée est en pleine campagne. Deux chambres sont un peu rétro avec une suite sous les toits. Choisissez la troisième, plus sympathique avec ses murs de pierre et ses tomettes. Ambiance décontractée chez ces éleveurs de charolais.

Camping municipal les Bruyères – *03 85 28 09 15 - www.aquadis-loisirs.com - réserv. conseillée - 100 empl. 16 €.* Un peu bruyant de par la proximité de la piscine et du collège, ce camping dispose néanmoins d'emplacements agréables, ombragés et délimités, sur un terrain herbeux et plat. Une partie locative, un peu à l'écart, avec des chalets d'architecture originale, entièrement équipés. Bloc sanitaire de bonne tenue.

Se restaurer

Ferme-auberge de Lavaux – *71800 Châtenay - 8,5 km à l'est de La Clayette par D 987 puis D 300 - 03 85 28 08 48 - ferme-auberge-lavaux@wanadoo.fr - fermé troisième dim. de nov. à Pâques et mar. - réserv. obligatoire - 15/26 € - 5 ch. 50/61 €.* Cette ferme du 19e s. a été joliment restaurée avec ses tours carrées, sa salle à manger sous les toits et sa terrasse couverte. Et la petite chambre meublée à l'ancienne dans la tour carrée, comme elle est charmante, agrémentée de son balcon sur la cour !

Ferme-auberge des Collines – *Au bourg d'Amanzé - 9 km au nord-ouest de La Clayette par D 989 puis D 279 - 03 85 70 66 34 - www.fermeaubergedescollines.com - fermé nov.-Pâques - - réserv. obligatoire - 20/26 € - 4 ch. 53 €.* La jolie tour carrée de cette ferme témoigne de son passé lointain. Le décor est campagnard avec ses poutres, ses murs de pierre et ses tomettes. Charolais et cochons élevés sur place et légumes du potager. Quelques chambres calmes sur les champs ou le jardin fleuri.

Que rapporter

Les Chocolats Bernard-Dufoux – *32 r. Centrale - 03 85 28 08 10 - www.chocolatsdufoux.com - 8h-20h.* Le Club des Croqueurs de chocolat désigne B. Dufoux comme l'un des meilleurs chocolatiers de France depuis 1998. Le choix de la matière première et un savoir-faire acquis durant 40 ans de travail expliquent un tel succès. Le foie gras de chocolat, le palet d'or et les chocolats aux épices pour l'apéritif comptent parmi les spécialités de cet artisan qui donne aussi des cours de chocolat, le 1er mercredi de chaque mois.

Cluny★★

4 543 CLUNISOIS

CARTE GÉNÉRALE C4 – CARTE MICHELIN DÉPARTEMENTS 320 H11 – SAÔNE-ET-LOIRE (71)

Saccagée à la Révolution, puis démontée et vendue pierre par pierre, celle qui fut longtemps la plus grande église de la chrétienté ne nous est parvenue qu'à l'état de maigres fragments. Ces vestiges donnent pourtant une idée de l'étendue et de la richesse de ce haut lieu du christianisme, qui exerça une influence considérable sur la vie religieuse, intellectuelle, politique et artistique de l'Occident tout entier.

- **Se repérer** – Cluny se trouve à 24 km au nord-ouest de Mâcon par la D 17, puis la D 980.
- **Se garer** – Vous trouverez des parkings places de l'Abbaye et du Marché.
- **À ne pas manquer** – La reconstitution en 3D de l'ancienne abbaye, qui vous donne une idée de son apparence au temps de sa splendeur ; le superbe clocher octogonal de l'Eau-Bénite ; le circuit de découverte des églises du Clunisois.
- **Avec les enfants** – Autour de la grande maquette de Cluny, exposée au musée d'Art et d'Archéologie de la ville, demandez-leur en quoi la ville actuelle a gardé son organisation médiévale. Emmenez-les ensuite voir les chevaux du haras. Vos petits aventuriers apprécieront également les grottes de Blanot et leur joli décor de stalactites et de stalagmites. Chaussez-les bien, car les escaliers sont pentus, et attention aux passages bas…
- **Pour poursuivre la visite** – Voir aussi Brancion, Chapaize, Charolles, Cormatin, Mâcon, le Mâconnais, la roche de Solutré, la Voie verte.

L'abbaye de Cluny à la fin du 18e s.

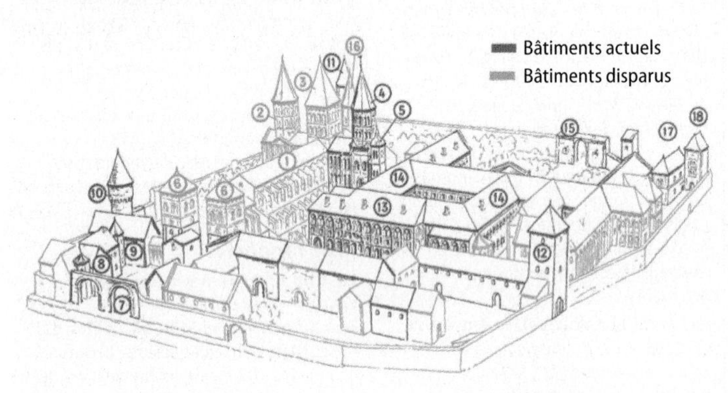

1) Abbatiale Saint-Pierre-et-Saint-Paul - **2**) Clocher des Bisans - **3**) Clocher du Chœur - **4**) Clocher de l'Eau-Bénite - **5**) Clocher de l'Horloge - **6**) Les Barabans - **7**) Portes d'Honneur - **8**) Palais de Jean de Bourbon - **9**) Palais de Jacques d'Amboise - **10**) Tour Fabry - **11**) Tour Ronde - **12**) Tour des Fromages - **13**) Façade du pape Gélase - **14**) Bâtiments claustraux - **15**) Porte des Jardins - **16**) Clocher des Lampes - **17**) Farinier - **18**) Tour du Moulin

Comprendre

LUMIÈRE DU MONDE

L'ascension – L'abbaye bénédictine connaît, peu après sa fondation en 910 par Guillaume d'Aquitaine, un développement très rapide. « Partout où le vent vente, l'abbaye de Cluny a rente », a-t-on coutume de dire dans la région. L'ordre voit quelques-uns de ses fils élus papes : **Sylvestre II**, dont la papauté dure de 999 à 1003, et **Urbain II** qui, reconnaissant lui-même le pouvoir de Cluny, lance en 1098 à l'attention de l'abbé Hugues la fameuse phrase : « Vous êtes la lumière du monde. » Lorsque **saint Hugues** meurt, après soixante ans de « règne », il a légué au monastère une prospérité inouïe. La construction de la gigantesque église abbatiale qu'il avait lancée s'achève sous **Pierre le Vénérable**, abbé de 1122 à 1156. L'abbaye compte alors 460 moines.

La décadence – Le train de vie des moines, qui dirigent alors un véritable empire monastique, les expose très vite aux stigmatisations de saint Bernard. Celui-ci dénonce ces évêques qui « ne peuvent s'éloigner à quatre lieues de leur maison sans traîner à leur suite soixante chevaux », et pour qui « la lumière ne brille que dans un candélabre d'or ou d'argent ».

La guerre de Cent Ans correspond, pour Cluny, à une ère de moindre rayonnement. Les abbés se partagent entre la Bourgogne et Paris où, à la fin du 15e s., Jacques d'Amboise fait rebâtir l'hôtel élevé après 1330 par un de ses prédécesseurs, Pierre de Châlus. Ce simple pied-à-terre, mis à la disposition des rois de France qui souvent en usèrent, donne une idée du luxe princier dont s'entouraient les abbés clunisiens.

Tombée en commende au 16e s. (c'est-à-dire que l'abbé est nommé par le roi), la riche abbaye, qui n'est plus qu'une proie, est dévastée durant les guerres de Religion. Pillée, elle perd alors ses plus précieux ouvrages.

La destruction – En 1791, l'abbaye ferme. Commencent alors les profanations. En septembre 1793, la municipalité donne l'ordre de démolir les tombeaux et d'en vendre les matériaux. Les bâtiments sont vendus comme biens nationaux en 1798 à un marchand de biens de Mâcon, qui entreprend consciencieusement la démolition de la nef. L'abbatiale est peu à peu mutilée. En 1823, ne restent debout que les parties encore visibles de nos jours.

Trois grandes étapes

Cluny I – première église, de taille modeste, construite dans la tradition carolingienne (date de construction inconnue).

Cluny II – seconde église, exemple précoce du premier art roman (fin 10e s.). Elle reçoit, dès sa consécration, des reliques de saint Pierre et saint Paul.

Cluny III – basilique St-Pierre-et-S-Paul, dont le chantier débute vers 1085. Elle est environ 6 fois plus étendue que Cluny II !

Se promener

Maisons romanes

Beaux logis romans, en particulier aux nos 17, 25 et 27 de la rue de la République, aux nos 6 (l'hôtel des Monnaies, du 12e s.), 12 et 15 de la rue d'Avril, et au no 17 de la rue Lamartine.

Tour des Fromages

✆ 03 85 59 05 34 - juil.-août : 10h-18h45 ; avr.-juin et sept. : 10h-12h30, 14h30-18h45 ; oct. : 10h-12h30, 14h30-18h ; nov.-mars : 10h-12h30, 14h30-17h - fermé dim. (sf mai-août), lun. (nov.-mars), 1er Mai, 1er et 11 Nov. - 1,25 € (enf. 0,80 €). Du haut de la tour du 11e s. *(120 marches)*, vous avez une **vue** sur l'abbaye et le clocher de l'Eau-Bénite, le Farinier et la tour du Moulin, le clocher de St-Marcel, la place et l'église Notre-Dame.

Un site en pleine métamorphose

Un grand programme de restauration est en œuvre à l'abbaye de Cluny. À l'horizon 2010, un circuit de visite remodelé, enrichi d'écrans supplémentaires, permettra de mieux imaginer ce qu'était le site à son apogée.

La **Maior Ecclesia** est au cœur de cette revalorisation. Le grand transept va retrouver son dernier aspect connu avant la Révolution : murs, arcs et colonnes seront restaurés dans les teintes utilisées à l'époque. Dans le petit transept, le mur du chevet de la chapelle St-Denis devrait être en partie restitué.

Par ailleurs, l'**espace d'accueil du public,** actuellement dans le musée d'Art et d'Archéologie, sera transféré dans le Palais du pape Gélase. L'histoire de l'abbaye y sera présentée, avec les grandes étapes de son développement, donnant ainsi aux visiteurs des « clés de lecture » pour la découverte du site. Dans une salle d'immersion virtuelle, le public pourra également voir un film 3D *Maior Ecclesia*.

Église Notre-Dame

Le parvis, avec sa fontaine du 18e s. et ses vieilles maisons, a beaucoup de cachet. L'église, au clocher quadrangulaire, bâtie peu après 1100, fut l'une des premières à être transformée et agrandie à l'époque gothique. Il ne reste de l'avant-nef que le dallage. Le portail du 13e s. est délabré, mais il ouvre sur un vaisseau d'une belle ordonnance, qui révèle sous ses hautes voûtes une tour lanterne aux consoles sculptées. Les stalles et les boiseries datent de 1644.

Église Saint-Marcel

03 85 59 07 18 - visite sur demande. Elle possède un **clocher★** roman octogonal à trois étages, surmonté d'une élégante flèche polygonale en brique, haute de 42 m, du 16e s. De la D 980, on a une belle vue sur le clocher et l'abside de l'église

Hôtel de ville

Il est installé dans le logis construit par les abbés Jacques et Geoffroy d'Amboise à la fin du 15e s. et au début du 16e s. La façade sur jardin a une décoration originale, dans le goût de la Renaissance italienne.

Tour Fabry et tour Ronde

Du jardin proche de l'hôtel de ville, on voit la tour Fabry (1347), au toit en poivrière, et la tour Ronde (1260), à l'est, plus ancienne, qui ponctuaient l'enceinte médiévale.

Découvrir

ANCIENNE ABBAYE★★

Le billet d'entrée se prend au musée d'Art et d'Archéologie.

03 85 59 15 93 - possibilité de visite guidée (1h15) sur demande (15 j. av.) - mai-août : 9h30-18h30 ; sept.-avr. : 9h30-12h, 13h30-17h - fermé 1er janv., 1er Mai, 1er et 11 Nov., 25 déc. - 6,50 € (-18 ans gratuit) billet combiné avec le musée d'Art et d'Archéologie.

Élevée en grande partie de 1088 à 1130, l'église St-Pierre-et-St-Paul fait suite à celle de Cluny II, dont on a retrouvé les fondations au sud, à la place du cloître actuel. Symbole de la primauté de l'ordre clunisien à son apogée, Cluny III fut la plus vaste église de la chrétienté (longueur intérieure de 177 m) jusqu'à la reconstruction de St-Pierre de Rome au 16e s. (186 m) ; l'église comportait une avant-nef, une nef de cinq vaisseaux et de onze travées, deux transepts, cinq clochers et près de 300 fenêtres ; elle était meublée de 225 stalles ; la voûte de l'abside peinte était soutenue par une colonnade de marbre. De cette merveille ne restent que les bras droits des deux transepts.

C'est un archéologue américain, le **Professeur Conant**, qui fut responsable des fouilles de 1928 à 1960. Les deux maquettes du Farinier, celle du grand portail et

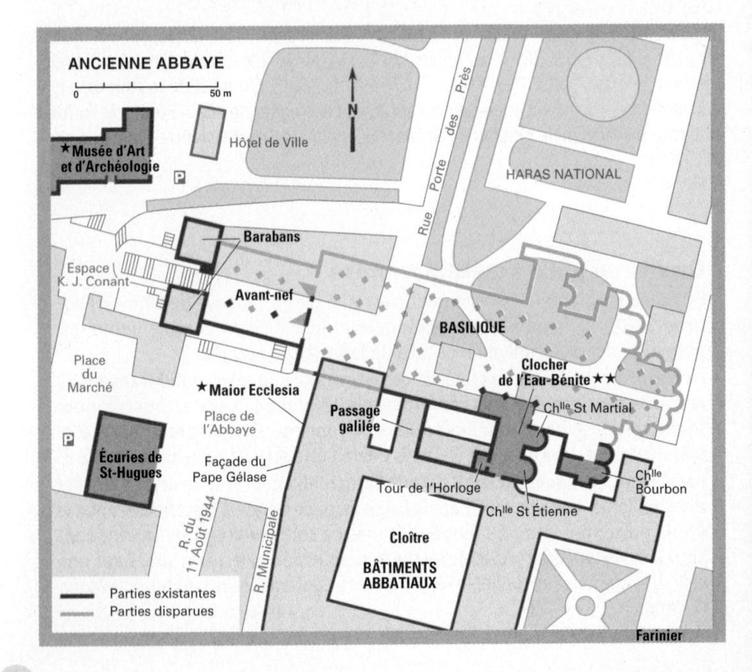

celle de l'abside de la basilique, ont été réalisées selon ses plans.

Avant-nef – Les fouilles archéologiques ont permis de dégager ce vaste espace et de mettre au jour les bases des piliers et du portail de la nef. À l'avant, deux tours carrées appelées les **Barabans** encadraient le portail gothique. Dans les églises clunisiennes, l'avant-nef est également appelée « Galilée », en référence aux processions pascales qui célébraient l'apparition du Christ en terre de Galilée après sa mort.

Sur la place de l'Abbaye se dresse une longue façade gothique, restaurée, dite « du pape Gélase », mort à Cluny en 1119. En prenant beaucoup de recul, on voit le clocher et le haut de la tour de l'Horloge. À l'opposé, **anciennes écuries de saint Hugues** *(expositions)* et hôtellerie (1095).

Le saviez-vous ?

Hormis les abbés et les papes, le personnage célèbre du pays est le peintre **Prud'hon** (1758-1823) qui, adhérant aux idées révolutionnaires, partit de Cluny en 1789. Ses portraits de la famille impériale, à la fois intenses et mélancoliques, annoncent le romantisme.

C'est à Cluny qu'eurent lieu…
sous Odilon, la première commémoration des défunts le lendemain de la Toussaint;
la traduction du Coran en latin;
le premier vote à bulletin secret pour élire l'abbé;
l'apparition du fameux chapeau rouge sur la tête des cardinaux.

Maior Ecclesia★ – Dans le bâtiment du pape Gélase, grâce à la magie du virtuel, l'église Cluny III apparaît au temps de sa splendeur. Le film *(9mn)* restitue sur grand écran et en 3D les immenses volumes de l'abbatiale.

Cloître et bâtiments abbatiaux – Abritant l'École des arts et métiers, les bâtiments abbatiaux construits au 18e s. autour d'un immense cloître forment un ensemble harmonieux; deux grands escaliers de pierre avec rampe en fer forgé marquent deux des angles. Dans la cour, beau cadran solaire.

Passage Galilée – Cet ancien passage du 12e s., permettant de relier la Galilée (ou avant-nef) de Cluny II au collatéral sud de la grande église de Cluny III, était emprunté par les grandes processions des bénédictins. Une installation permet d'y découvrir la perspective vers l'intérieur de l'église Cluny III que les moines avaient sous les yeux lorsqu'ils pénétraient dans ce passage.

Vestiges de la basilique St-Pierre-et-St-Paul – Les dimensions du **bras sud** du grand transept, aussi long à lui seul que la cathédrale d'Autun (80 m), permettent d'imaginer les proportions audacieuses de l'abbatiale. Son élévation (32 m sous la coupole) est unique dans l'art roman, dont il est un pur spécimen. Il compte trois travées, dont la centrale, couverte d'une coupole octogonale sur trompes, porte le beau **clocher octogonal de l'Eau-Bénite★★**. La chapelle St-Étienne est romane, celle de St-Martial date du 14e s. Le bras sud du petit transept renferme la chapelle Bourbon, de la fin du 15e s. (consoles sculptées), et une abside romane.

Farinier – Construit à la fin du 13e s. contre la **tour du Moulin** (début du 13e s.), et long de 54 m, il fut amputé de près de 20 m au 18e s., pour dégager la partie sud de la façade de l'édifice claustral donnant sur les jardins.

La salle basse, ancien **cellier**, comprend deux nefs voûtées d'ogives. La **salle haute**, couverte d'une forte charpente en chêne du 13e s, forme un cadre de secours admirable aux sculptures provenant de l'abbaye : le sanctuaire de l'abbatiale est restitué à une échelle réduite, pour présenter les très beaux **chapiteaux★** du chœur et les fûts de colonnes, disposés en hémicycle autour de l'autel en marbre des Pyrénées (consacré par Urbain II en 1095). Ces pièces soustraites à la ruine sont les premiers témoins de la sculpture romane bourguignonne qui allait s'épanouir à Vézelay, Autun, Saulieu.

Musée d'Art et d'Archéologie★

Mêmes conditions de visite que l'ancienne abbaye.

Le gracieux logis qui abrite le musée, construit au 15e s. par Jean de Bourbon, était le palais abbatial. À côté d'œuvres marquantes de la sculpture civile, y sont conservées les vestiges de l'abbaye découverts lors des fouilles.

Dans l'entrée, une grande **maquette** de la ville de Cluny au 13e s. permet de mieux appréhender les dimensions de l'abbaye et de voir que la ville actuelle a gardé son organisation médiévale : la rue principale est toujours la même, les jardins se cachent toujours derrière les façades. De l'autre côté de la salle d'entrée ont été mis au jour deux pavements superposés, représentatifs des techniques employées à la fin du Moyen Âge. Le rez-de-chaussée accueille des expositions temporaires.

Au sous-sol, deux salles rassemblent des éléments lapidaires du monument : fragments de la frise de l'avant-nef, têtes de vieillards, arcades de clôture du chœur. À l'étage, des sculptures et des éléments architecturaux provenant des façades de maisons donnent un aperçu de la décoration de la ville au Moyen Âge (grande frise des vendanges avec claire-voie restituée, enseigne de commerce, linteau de fenêtre portant une scène de tournoi). La bibliothèque contient plus de 4500 ouvrages, dont la moitié est issue de celle de l'abbaye (quelques incunables).

G. Corbic / MICHELIN

Vue de la ville.

Haras national

✆ 06 22 94 52 69 - www.haras-nationaux.fr - ♿ - visite guidée - déb. avr. à fin sept. : tlj sf lun. 14h, 15h30 et 17h ; oct. : merc., vend., sam. 14h ; déb. mars à déb. avr. : mar.-vend. 14h ; mi fév. à déb. mars : tlj sf lun. 14h ; 7 janv. à mi-fév. : merc. et vend. 14h - 5 € (12-17 ans 3 €, 7-11 ans 2 €).

Napoléon Ier décida sa création en 1806. Les écuries, construites en 1807 et 1880 avec les pierres de la basilique, abritent des étalons et des juments, suitées ou non de poulains, confiées au haras pour la « monte ». Pendant la période de monte, de mai à juillet, les étalons sont répartis sur les divers haras de Bourgogne. En dehors de cette période, il est possible de les voir travailler à l'extérieur. Le haras de Cluny compte des étalons de trait (dont l'auxois, race bourguignonne) et des pur-sang (dont d'anciens champions), pour la reproduction des chevaux de course.

Aux alentours

Blanot

11 km au nord-est de Cluny, prenez la D 15 puis la D 146.

Ce village aux vieilles maisons clôturées par de jolis murs de pierres sèches occupe un site charmant au pied du mont St-Romain. L'église, couverte de lauzes, forme avec l'ancien prieuré voisin un ensemble plein de cachet.

Ancien prieuré★ – Le logis principal, fortifié, de ce prieuré clunisien du 14e s. présente une harmonieuse façade en pierre sèche. Celle-ci est percée à gauche d'un passage sous voûte, renflée au centre par une tour à pans, et flanquée à droite par une tour ronde du 15e s. devant laquelle trois tombes mérovingiennes ont été découvertes.

Église – De la fin du 11e s., elle a conservé une abside à frise ajourée et un curieux clocher roman à toiture débordante, orné d'arcatures lombardes. À l'intérieur, le chœur est voûté d'une coupole sur trompes.

Grottes – *Au nord de Blanot, prenez la D 446 en direction de Fougnières. 500 m après ce hameau, à hauteur d'un virage, tournez à gauche. ✆ 03 85 50 03 59 - visite guidée (1h) du 30 mars au 26 oct. : 9h30-12h, 13h30-19h - 4 € (enf. 2 €).*

Les grottes s'enfoncent à plus de 80 m de profondeur. Au cours des temps géologiques, la voûte s'est effondrée, créant un chaos de pierres gigantesques. Entre le hameau du Vivier et le mont St-Romain *(1 km de circuit avec escaliers en forte pente et passages bas)*, on visite 21 salles. En fin de circuit, une vitrine présente un échantillonnage de silex taillés et d'ossements d'animaux retrouvés sur place depuis 1988 et datés de l'époque moustérienne (100000 à 40000 ans avant notre ère).

Circuit de découverte

ÉGLISES DU CLUNISOIS

Quittez Cluny au nord par la D 981.

Taizé

Ce village perché sur les collines de la Grosne accueille en été des dizaines de milliers de jeunes du monde entier, venus prier dans un esprit fraternel. La communauté, à laquelle le pape Jean-Paul II rendit visite en 1986, comprend aujourd'hui une centaine de frères issus des diverses Églises chrétiennes et originaires d'une vingtaine de pays, qui ont pour but la réconciliation des peuples séparés et des chrétiens divisés. Certains frères vivent dans les quartiers déshérités des grandes villes du globe pour soutenir les plus défavorisés.

Sur place, un village de toile et de nombreux bungalows d'hébergement, des ateliers d'artisanat et une salle d'exposition-vente témoignent de la vitalité de la communauté.

Frère Roger

Né en Suisse en 1915, il vient s'installer à Taizé en 1940 et y crée une communauté. En 1949, ils sont sept à s'engager pour la vie par les vœux monastiques. Frère Roger devient prieur et, en 1952, il rédige la règle de Taizé. Cet apôtre de l'œcuménisme est assassiné le 16 août 2005 par une déséquilibrée. Il avait déjà choisi son successeur, **frère Aloïs**.

Église de la Réconciliation – Inaugurée en 1962, c'est le lieu de la prière commune, trois fois par jour. Elle a été agrandie en 1990. Sa façade de béton brut, percée d'un grand portail et d'étroites verrières, sert aux trois prières quotidiennes ; sa nef est bordée, à droite, par un passage donnant accès aux cryptes et éclairé de petits vitraux carrés représentant les grandes fêtes liturgiques. Son **carillon** (de cinq cloches) est disposé à l'extérieur. La première crypte s'ordonne autour d'un pilier central soutenant le chœur ; la seconde est une chapelle orthodoxe.

Église paroissiale – Cette église romane du 12e s., éclairée de petits vitraux, a été aménagée dans un style dépouillé. Utilisée également pour la prière œcuménique de la communauté, elle est surtout consacrée à la prière personnelle et silencieuse.

Poursuivez au nord sur la D 981.

Ameugny

Construite en beau calcaire rouge de la région, l'**église**, d'aspect massif, est du 12e s. La nef de trois travées est voûtée en berceau brisé. À la croisée du transept, une coupole sur trompes supporte le lourd clocher carré, au beffroi ajouré.

Continuez sur la même route jusqu'à Malay, en passant par Cormatin.

Malay

L'**église** romane de ce doyenné de Cluny (12e s.), dans le cimetière, présente une partie chœur-transept-abside de fière allure avec son solide clocher carré à baies géminées et les hauts pignons des bras du transept. À l'intérieur, remarquez la nef voûtée en berceau, le chœur sous coupole, les absides en cul-de-four.

Par la D 207 (vers l'ouest) et la D 127, rejoignez St-Hippolyte.

Saint-Hippolyte

Au sommet de l'éminence portant le hameau s'élève l'ancienne **église** priorale, à demi ruinée. Contigu à l'ancien couvent (transformé en ferme), cet édifice roman (11e s.) a gardé son beau chevet à triple abside et surtout son singulier et puissant **clocher**, visible de loin. Ce clocher, en forme de domino percé au centre de deux étages de baies en plein cintre (géminées au 2e étage) sous arcatures, a été élargi et fortifié sur les côtés (meurtrières) à l'époque des guerres de Religion. De l'ensemble, construit en petit appareil de pierre blonde, subsistent aussi le chœur, à coupole sur trompes, et les murs de la nef. Du chevet, on a une vue étendue sur la vallée de la Guye.

Tout près de là, voyez le curieux village de **Besanceuil**, tout en pierre blonde, avec ses maisons groupées au pied d'une échine boisée dominant la vallée, son château (habité) du 14e s. aux tours carrées, et sa belle chapelle romane du 11e s. au porche en charpente.

Rejoignez la D 14 au sud vers Salornay-sur-Guye et suivez-la jusqu'à Bezornay.

Bezornay

Le joli hameau de Bezornay, juché sur une crête, fut au Moyen Âge une dépendance de Cluny, comme en témoignent les restes de son enceinte, sa tour de défense et son ancienne chapelle (aujourd'hui habitation privée) à la curieuse abside en forme de cône renversé.

Prenez à gauche la D 41.

Saint-Vincent-des-Prés

Sa petite église romane (11e s.) présente un clocher à arcatures aveugles élevé sur le chœur au-dessus d'une abside, elle aussi ornée d'arcatures et de colonnes engagées. À l'intérieur, la voûte en berceau coiffant la triple nef est soutenue par quatre énormes piles rondes et deux piliers plus minces avec chapiteaux sculptés, l'un de volutes, l'autre de fleurs de lys. Le chœur est à coupole sur trompes, l'abside à cul-de-four.

Continuez sur la D 41 jusqu'à Donzy-le-National, puis prenez à gauche la D 7 vers Cluny.

Cluny pratique

Voir aussi les carnets pratiques de Chapaize, du château de Cormatin, du Mâconnais et de la Voie verte.

Adresse utile

Office du tourisme de Cluny – *6 r. Mercière - 71250 Cluny - 03 85 59 05 34 - www.cluny-tourisme.com - juil.-août : tlj 10h-18h45 ; ouvert pratiquement tte l'année mais horaires variables selon les mois, se renseigner ; fermé le dim. hors saison et parfois le lun.*

Visites

Le Centre des monuments nationaux propose des visites guidées de l'abbaye, du musée d'Art et d'Archéologie et de la cité médiévale. *Renseignements à l'office de tourisme ou à l'abbaye.*

Se loger

Chambre d'hôte La Courtine – *Pont de la Levée - sortie à l'est de Cluny par D 15 rte d'Azé tout de suite après le pont - 03 85 59 05 10 - www.lacourtine.net - - 5 ch. 59 €* . La vigne vierge et la glycine ont peu à peu conquis la façade de cette ancienne ferme bordée par la Grosne. La décoration intérieure, de style scandinave, est très réussie. Les chambres, douillettes, donnent parfois sur la rivière. Confitures maison au petit-déjeuner.

Chambre d'hôte La Maison des Gardes – *18 av. Charles-de-Gaulle - 03 85 59 19 46 - www.lamaisondesgardes.com - - 5 ch. + 1 gîte 7 pers. 60 €* . Cette ancienne maison de garde, à deux pas de l'abbaye, compte 3 chambres dans le bâtiment principal et 2 autres, dont une suite, dans l'annexe. On appréciera la grande simplicité des lieux, mis en valeur par quelques meubles anciens. Petits-déjeuners servis dans le jardin ou devant la cheminée du salon.

Chambre d'hôte Le Moulin des Arbillons – *71520 Bourgvilain - 8 km au sud de Cluny par D 980 puis D 22 - 03 85 50 82 83 - www.arbillon.fr - fermé 16 nov.-mars - 5 ch. 60/82 €* . Ce moulin du 18e s. est flanqué d'une belle demeure du 19e s. au milieu d'un parc, un peu en surplomb du village. Les chambres sont agréables avec leurs meubles de famille. Petits-déjeuners servis dans l'orangerie ; dégustations et vente de vins.

Hôtel Bourgogne – *Pl. de l'Abbaye - 03 85 59 00 58 - www.hotel-cluny.com - fermé 1er déc.-31 janv. - 14 ch. 95 € - 10,50 € - rest. 25/42 €.* Lamartine appréciait cet hôtel de caractère situé devant l'ancienne abbaye. Les chambres, sobres mais confortables et bien tenues, sont diversement aménagées. Repas traditionnel dans une salle avec carrelage en damier, cheminée en pierre et meubles de style. Joli salon et terrasse d'été dressée dans une cour fleurie.

Hôtel Château d'Igé – *71960 Igé - 13 km à l'est de Cluny par D 134 - 03 85 33 33 99 - www.chateaudige.com - ouv. 27 fév.-30 nov. et fermé dim. soir, lun. et mar. sf du 22 mars au 11 Nov. - P - 9 ch. 90/160 € - 14 € - rest. 36/76 €.* Retour au Moyen Âge en ce fier château fort (13e s.) du Mâconnais niché dans son jardin paisible agrémenté d'une roseraie. Chambres cossues personnalisées par du mobilier de style. Repas au goût du jour dans trois salles intimes au décor d'esprit médiéval ou sur la jolie terrasse bercée par le murmure d'un ruisseau.

Se restaurer

Le Cloître – *16 r. Municipal - 03 85 59 00 17 - lecloitre71@wanadoo.fr - 13 € déj. - 15/25 €.* Restaurant simple, qui propose un menu de base copieux et sans défaut, avec pâtisserie maison et café compris. Mais on pourra tout aussi bien se laisser tenter par une grillade ou une crêpe, à savourer sur l'une des deux terrasses, bien agréables aux beaux jours. Une étape conviviale et réputée.

La Brasserie du Nord – *Pl. du Marché - 03 85 59 09 96 - fermé 15 déc.-15 janv. - - formule déj. 12,50 € - 18/24 €.* Ce restaurant entièrement rénové mise sur le style brasserie cossue. Séduits par sa charmante terrasse sur la place de l'Abbaye, vous apprécierez ensuite ses véritables points forts : des prix abordables, même en week-end, et l'ouverture jusque tard le soir, chose rare à Cluny.

Auberge du Cheval Blanc – *1 r. de la Porte-de-Mâcon - 03 85 59 01 13 - chevalblanc.auberge@orange.fr - fermé 1er-13 juil., de nov. à mi-mars, vend. soir et sam. - 17/40 €.* Auberge d'aspect régional officiant à l'entrée de la ville. Repas traditionnel sous les poutres d'un haut plafond turquoise ; peinture murale à thématique agreste et festive en salle.

L'Embellie – *Au bourg - 71250 Ste-Cécile - 03 85 50 81 81 - www.lembellie.com - fermé 23 juin-11 juil., 27 oct.-21 nov., dim. soir sf juil.-août, mar. sf le midi de sept. à juin et merc. - 24/47 €.* Restaurant installé dans une ancienne étable en pierre conservant son cachet rustique : poutres, meubles en frêne et cheminée où crépitent de bonnes flambées hivernales.

Agréable terrasse d'été ombragée d'où l'on aperçoit le carmel. Repas classique.

Faire une pause

Au Péché Mignon – *23-25 r. Lamartine - ☏ 03 85 59 11 21 - www.chocolaterie-germain.fr - 7h30-20h - fermé 2 sem. en janv.* Cette entreprise familiale régale les Clunisois depuis 1978 avec ses nombreuses spécialités : la coupe tropicale (crème caramel au Muscovado, à l'ananas et aux litchis), l'épices et griottes (pain d'épice et sa crème aux cerises), la perle bourguignonne, le palet or ou le blanc-cassis. La maison propose de savourer ces douceurs dans le joli salon de thé, situé juste à côté de la pâtisserie.

Que rapporter

Le Cellier de l'Abbaye – *13 r. Municipale et r. du 11-Août-1944 - ☏ 03 85 59 04 00 - www.cellier-abbaye.com - tlj sf lun. (sf 14 Juil.-15 août) 9h30-12h30, 14h30-19h ; dim. (sf de janv. à fin mars) 10h-12h, j. fériés 10h-12h.* Préférez l'entrée située rue du 11-Août-1944 pour pénétrer dans cette cave à la fois historique et prestigieuse. Un superbe couloir voûté en pierre conduit à la boutique où des casiers en bois, des étagères couvertes de bouteilles et quelques fûts composent le mobilier. On trouve ici plus de 300 références de vins locaux vendus au prix du domaine, mais aussi des whiskies, cognacs et liqueurs.

Événement

« Les Grandes Heures de Cluny » – *De mi-juil. à fin août* - Les concerts de musique classique sont donnés au Farinier des moines et dans les églises de Cluny. Après le concert, dégustation de vins de Bourgogne.

Château de Cormatin★★

CARTE GÉNÉRALE C4 – CARTE MICHELIN DÉPARTEMENTS 320 I10 – SAÔNE-ET-LOIRE (71)

Voici un château que l'on peut qualifier de royal : il fut conçu par un architecte des bâtiments du bon roi Henri IV, et l'on y rend hommage à Louis XIII. Tandis qu'à Paris, la plupart des décors du 17e s. ont disparu, ceux de Cormatin vous plongeront dans l'univers raffiné des Précieuses, alors très en vogue. L'entretien des lieux, diligemment mené, a fait du château de Cormatin une attraction « souveraine » qui connaît aujourd'hui un grand succès.

- **Se repérer** – Le château de Cormatin se trouve à 13 km au nord de Cluny par la D 981. Tout près « coulent » la Grosne… et la Voie verte.
- **À ne pas manquer** – Programme chargé en perspective, car tout est beau à Cormatin ! Voyez sans faute les jardins merveilleusement recréés, et leurs perspectives sur le château. Puis, à l'intérieur, ne manquez pas les décors polychromes du cabinet de Sainte-Cécile et de la chambre de la Marquise, ni le plafond à ciel du cabinet des Curiosités et l'imposant escalier monumental.
- **Organiser son temps** – Les jardins de Cormatin invitent à la flânerie, peut-être encore plus à la période estivale et à l'automne, lorsque cette grande composition végétale savamment orchestrée bourgeonne de couleurs et de délicieuses senteurs…
- **Avec les enfants** – Pourquoi ne pas emprunter avec eux, à vélo, à pied ou en rollers, la Voie verte *(voir ce nom)* qui longe le château ? Vous pourrez aussi, après la visite du château de Cormatin, vous perdre dans le labyrinthe végétal...
- **Pour poursuivre la visite** – Voir aussi Brancion, Chapaize, Tournus, la Voie verte.

Découvrir

Extérieur

En 1598, sous Henri IV, l'édit de Nantes met fin aux luttes entre catholiques et protestants. Édifié de 1605 à 1616, au lendemain des guerres de Religion, par le gouverneur de Chalon, **Antoine Du Blé d'Huxelles**, Cormatin revêt une architecture sobre aux lignes rigoureuses, caractéristiques de l'époque. Dessiné vraisemblablement par **Jacques II Androuet Du Cerceau**, le château présentait à l'origine trois ailes en équerre ; l'aile sud s'écroula en 1815, lorsqu'on tenta d'y installer une fabrique de tissu. Les façades illustrent le style « rustique français » prôné par Du Cerceau : refus des ordres antiques (sauf pour les deux portes monumentales de la cour), haut soubassement de pierre, chaînages des angles et des encadrements de fenêtres… Les larges fossés en eau et les imposants pavillons d'angle à échauguettes et canonnières lui

G.Corbic / MICHELIN

Vue du château et des jardins.

donnent une apparence défensive, confirmée par les traces d'un mur-rempart (détruit à la fin du 17e s.) qui fermait la cour d'honneur. D'importants travaux de restauration ont déjà été accomplis. L'aile sud attend son tour : le premier étage devrait être reconstruit, afin de restituer la sensation de cour en U.

Intérieur

℘ 03 85 50 16 55 - ♿ - visite guidée (1h) de déb. avr. à début nov. : 10h-12h, 14h-17h30 (départ de la dernière visite) ; 15 juin-13 juil. et 16 août-15 sept. : 10h-12h, 14h-18h ; 14 Juil.-15 août : 10h-18h30 - visite libre parc et salles 1900 - 8,50 € (enf. 4 €).

La somptueuse décoration Louis XIII de l'aile nord est l'œuvre du marquis **Jacques Du Blé** (fils d'Antoine) et surtout de son épouse **Claude Phélipeaux**, qui y vécut plus longtemps. Intimes de Marie de Médicis, habitués du salon littéraire des **Précieuses**, ils voulurent recréer dans leur résidence d'été la sophistication de la mode parisienne. Les ors, peintures et sculptures qui couvrent murs et plafonds témoignent d'un maniérisme érudit où tableaux, décors et couleurs sont chargés d'un sens allégorique.

L'aile nord possède un rare **escalier★★** monumental à cage unique (1610) dont les trois volées droites, flanquées de vigoureux balustres, tournent autour d'un vide central. C'est le plus ancien et le plus vaste spécimen de ce type (23 m de haut), succédant aux escaliers Renaissance à deux volées séparées par un mur médian.

Réalisée en pleine révolte protestante (1627-1628, siège de La Rochelle), l'**antichambre de la Marquise★** (fille et sœur de ministres) est un hommage au roi Louis XIII représenté en jeune cavalier au-dessus de la cheminée : les lambris rouge cramoisi (couleur d'autorité) célèbrent les activités et les vertus du monarque. La **chambre de la Marquise★★** possède un magnifique plafond à la française or et bleu, symbole de fidélité ; le grand tableau de Vénus et Vulcain, œuvre de la seconde école de Fontainebleau, illustre les feux de l'amour, et les corbeilles de fleurs et de fruits des boiseries la fécondité.

Le saviez-vous ?

Petit-fils d'Henri de Lacretelle, confident de Lamartine, le romancier **Jacques de Lacretelle** (1888-1985) est né au château de Cormatin, alors propriété de son père diplomate. Sa jeunesse dans un milieu traditionaliste lui inspira notamment *La Vie inquiète de Jean Hermelin* (1920).

Au boudoir et à la garde-robe succède le **cabinet des Curiosités★★** (dit aussi « des Miroirs »), qui abrite un des plus anciens plafonds « à ciels », mis à la mode par Marie de Médicis.

Dans le *studiolo* de Jacques Du Blé, dit **cabinet de Ste-Cécile★★★**, la patronne des musiciens (reconnaissable à sa partition dans les mains) représente ici l'harmonie morale : pas de musique, sinon celle du silence, dans cette pièce réservée à la lecture et à la méditation. Les vertus cardinales qui l'accompagnent appartiennent aux hommes bien nés (le cabinet est dédié à la gloire de la famille) et capables de recueillement. L'opulente décoration baroque est dominée par un intense bleu de lapis-lazuli (d'origine) et de riches dorures, dont l'éclat permettait de refléter la lumière des bougies, si nécessaire à l'étude.

Vous verrez aussi, au cours de la visite, la **chambre du Marquis** et ses dix grands tableaux de Stradanus (fin 16e s.) représentant des empereurs romains à cheval ; les **cuisines** ; et dans l'aile ouest, aménagée à la fin du 19e s. et au début du 20e s., la chambre au lit napolitain de l'actrice **Cécile Sorel**.

Jardins★★ – Redessinés et plantés en 1992, ils sont arrivés aujourd'hui à maturité, et font se succéder plusieurs espaces distincts, très ordonnés, réalisés dans l'esprit bien compris des jardins à la française.

Une allée bordée de haies de charmes, conduit au château, introduit par un premier espace engazonné ponctué d'ifs taillés, aux formes géométriques multiples. Plutôt que de passer tout de suite le pont des douves, prenez à droite vers les jardins réguliers. Ils offrent, outre un joli assortiment de vivaces ourlé de haies de buis, de belles perspectives sur les façades extérieures du château.

Du haut de la volière, la vue d'ensemble permet de comprendre la parabole, très typique du 17e s., qu'exprime le plan du parc : le parterre est un aperçu du paradis, avec au centre la fontaine de vie. Dans un triangle, un pommier évoque le fruit défendu et le paradis perdu (le thème étant repris par la sculpture de la fontaine).

Le **labyrinthe** représente l'errance et les difficultés. De l'extérieur à l'intérieur, les sept allées figurent les sept ciels et donc l'idée d'élévation pour parvenir au septième. Des alignements de liquidambars, très colorés à l'automne, et un passage dans l'agréable potager complètent cette luxuriante flânerie.

Château de Cormatin pratique

Voir aussi les carnets pratiques de Brancion, Chapaize, Tournus et la Voie verte.

Se loger et se restaurer

Hôtel Les Blés d'Or – *Au bourg - 71460 Cormatin - face au château et l'église - 03 85 50 10 94 - www.hotel-cormatin.com - fermé dernière sem. de déc. - 15 ch. 68/125 € - 10 € - rest. 16/34 €.* Au centre du bourg, donnant à la fois sur le château et sur l'église, cet établissement offre un intérieur rustique, un peu bistrot. La carte, variée, satisfera les gourmets comme les amateurs de formules plus simples. Côté hébergement, on a le choix entre chambre simple et suite familiale ou duplex.

Chambre d'hôte La Filaterie – *Au Bourg - 71460 Cormatin - 03 85 50 15 69 - la-filaterie@wanadoo.fr - fermé 13 nov.-fév. – 5 ch. 58/65 €* . Aménagées dans un ancien moulin, les chambres sont vastes, au calme et fraîchement décorées. Abondant petit-déjeuner servi sous forme de buffet.

Faire une pause

Bon à savoir – L'été, un salon de thé avec terrasse est ouvert dans les communs du château.

Événement

Les Rendez-vous de Cormatin – *Du 20 juil. au 15 août.* Quarante représentations dans le théâtre du château et dans le parc.

Cosne-Cours-sur-Loire

11 300 COSNOIS
CARTE GÉNÉRALE A2 – CARTE MICHELIN DÉPARTEMENTS 319 A7 – NIÈVRE (58)

Situé au débouché de la vallée du Nohain, sur la rive droite de la Loire, ce petit centre artisanal et industriel actif est relié par un pont suspendu à une île boisée. Les méandres sauvages de la Loire et les vignobles du coteau du Giennois offriront aux amateurs de plein air d'agréables lieux de promenade.

Se repérer – Cosne-Cours-sur-Loire se trouve à 19 km au sud-ouest de St-Amand-en-Puisaye et à 17 km à l'ouest de Donzy.

À ne pas manquer – Le musée de la Loire et ses expositions sur la pêche et la batellerie ; les reconstitutions d'intérieurs ruraux au Musée paysan de Cadoux, à La Celle-sur-Loire ; et pour une expérience gourmande, un délicieux saumon accompagné de vins des coteaux du Giennois.

Avec les enfants – Pour d'agréables moments en famille, tentez une balade en cyclo-rail de Cosne à Sancerre, ou partez à la découverte du Val de Loire à bord d'un grand canot *(voir carnet pratique)*.

Pour poursuivre la visite – Voir aussi Briare, La Charité-sur-Loire, le chantier médiéval de Guédelon, la Puisaye.

Comprendre

Un arsenal convoité – Au 18e s., Cosne était célèbre pour ses **forges** (en fonction dès 1666 ; *voir Decize*) et ses manufactures de canons, mousquets, ancres de marine. Sa situation lui permettait de profiter pleinement des ressources houillères et forestières toutes proches du Nivernais, de la force motrice du Nohain, et de la Loire, pour expédier ses produits vers les ports de l'Atlantique. **Jacques Masson**, déjà propriétaire des forges de **Guérigny** *(voir Nevers)*, acquit celles de Cosne en 1738, et **Babaud de La Chaussade** racheta l'ensemble 7 ans plus tard. Elles prirent sous son nom un essor prodigieux, si bien que Louis XVI les acheta en 1781 pour la somme astronomique de 2 500 000 livres. La quasi-banqueroute de l'État, puis la Révolution privèrent de son indemnité le baron, qui mourut presque dans la gêne. Transférée à Guérigny en 1872, l'activité des forges « nationalisées » s'est maintenue au service de la Marine jusqu'en 1971. Aujourd'hui, le site des **forges de la Chaussade** *(quai Mar.-Joffre - ✆ 03 86 28 11 85 - visite libre)* révèle d'intéressants vestiges industriels, notamment des chemins d'eau et des bâtiments orientés vers la Loire, comportant de beaux ouvrages de ferronnerie.

Visiter

Église Saint-Agnan

Visite sur demande au ✆ 03 86 26 60 81. Cette église d'un prieuré clunisien a conservé de sa construction primitive un portail roman et une abside romane épaulée par des contreforts montant jusque sous la corniche. Ses deux absidioles sont fort en retrait sur l'abside principale. Ne manquez pas la décoration des chapiteaux. Derrière l'église, sur la promenade des Marronniers bordant la Loire, le souvenir des forges royales est évoqué par la **grille d'entrée** (fin 17e s.) et l'**ancre** (de 1861), pesant 2 580 kg.

Musée de la Loire

✆ 03 86 26 71 02 - possibilité de visite guidée (1h) - 10h-12h, 14h-18h30, dim. (avr.-sept.) 14h-18h30 - fermé mar., du 24 déc. à fin janv., 1er Mai, 1er nov. - 3,50 € (enf. gratuit). Il est installé le long du Nohain, dans un ancien bâtiment conventuel et la maison attenante, dite « du Corps de garde », dont une pièce conserve une grande **cheminée★** Renaissance. Le rez-de-chaussée est consacré à la Loire moyenne, ses activités et sa marine : pêche, batellerie, commerce. Des peintures

Le saviez-vous ?

Cosne s'est développé sur le site de la ville gallo-romaine de **Condate** (terme celte signifiant « confluent »), dont des vestiges sont exposés à la **Maison des Chapelains** *(visite réservée aux groupes)*. Elle doit son nom actuel à la fusion, en 1973, de Cosne-sur-Loire et de Cours.

La Loire est sujette à de fortes **crues**. Celle du 6 décembre **2003** atteignit un pic de 4,60 m, inégalé depuis octobre **1907**, où la montée catastrophique des eaux avait déjà causé d'importants dommages.

de paysages du fleuve, des maquettes de bateaux, des objets quotidiens de mariniers et des photographies anciennes illustrent la navigation fluviale.
À l'étage, un riche fonds de **peintures et dessins** des années 1910-1920 présente des œuvres de Vlaminck, Chagall, Utrillo, Dufy, Derain, Zingg et bien d'autres modernistes. On peut voir également des faïences de Delft ou du Nivernais, ainsi qu'une collection d'étains allemands et anglais du 18e s.
Vous pourrez compléter cette visite par une promenade **place de la Pêcherie**, dont les maisons de mariniers rappellent l'intense activité de la batellerie ligérienne d'autrefois.

Office du tourisme de Cosne sur Loire

Cosne-Cours-sur-Loire.

Aux alentours

Musée paysan de Cadoux

À La Celle-sur-Loire, 10 km au nord, par la N 7. ☏ 03 86 39 22 84 - 14h-19h en saison (sur réservation pour les autres périodes) - 5 €.
Dans une vieille grange du 15e s., un musée des traditions paysannes expose divers outils agricoles et artisanaux du 19e s. (avant la mécanisation), ainsi que du mobilier présenté dans des intérieurs reconstitués.

Donzy

17 km à l'est par la D 33. Cette ancienne baronnie du Moyen Âge, dont les puissants seigneurs devinrent par alliance comtes de Nevers, se trouve au confluent du Nohain et de la Talvanne. Son patrimoine tient surtout dans un bel ensemble de maisons. Autour de l'église St-Caradeuc, refaite au 19e s., se concentrent des demeures à pans de bois et des façades Renaissance. La spécialité de Donzy est une douceur : le croquet aux amandes. Avis aux amateurs !

Moulin de Maupertuis – Situé en plein centre de la localité, c'est l'un des 57 moulins qui jalonnaient le Nohain et ses affluents. Il cessa de fonctionner en 1961. Les mécanismes qui permettaient de moudre les grains sont encore en place : broyeurs à cylindres, élévateurs à godets, rouet de fosse...
Donzy-le-Pré – *1 km à l'ouest du bourg de Donzy ; n'hésitez pas à y aller à pied.*
Les ruines d'un prieuré clunisien (début du 12e s.) sont intéressantes, en particulier un **tympan** du 12e s., chef-d'œuvre de la sculpture romane bourguignonne, qui représente la Vierge et l'Enfant, entre le prophète Isaïe et l'ange de la Visitation. Les voussures sont ornées d'alvéoles carrées et de fleurs.

Château des Granges

À Suilly-la-Tour, 8 km au sud-ouest de Donzy par Donzy-le-Pré. ☏ 03 86 26 30 71 - seuls le parc et le manoir se visitent - juil.-août : 10h-12h, 14h-18h ; reste de l'année sur réservation -3 € (enf. gratuit).
Cet élégant château classique date de 1605. Entouré de douves, il abrite d'importants communs et une chapelle dans son enceinte cantonnée de tours rondes.

Cosne-Cours-sur-Loire pratique

Adresses utiles

Office du tourisme de Cosne-Cours-sur-Loire – *Pl. de l'Hôtel-de-Ville - BP 11 - 58205 Cosne-Cours-sur-Loire - ✆ 03 86 28 11 85 - www.ot-cosnesurloire.fr - juil.-août : lun.-sam.9h-12h, 14h-18h30, dim. 10h-12h30. Horaires variables les autres mois, se renseigner.*

Office du tourisme du Donziais – *18 r. du Général-Leclerc - 58220 Donzy - ✆ 03 86 39 45 29 - www.offficetourismedonziais.com - lun. 14h-18h (avr.-oct.), mar.-vend. 9h-12h, 14h-18h, sam. 9h-12h (juil.-sept. sam. 9h-12h, 14h-18h).*

Se loger

Hôtel Le Vieux Relais – *11 r. St-Agnan - 58200 Cosne-sur-Loire - ✆ 03 86 28 20 21 - contacts@le-vieux-relais.fr - fermé 23 déc.-13 janv., vend. soir et dim. soir du 15 sept. au 30 avr. et sam. midi - 10 ch. 80/91 € - 10,50 € - rest. 21/41 €.* Entre Loire et Nohain, un relais de poste multi-centenaire mais rénové. Les chambres, distribuées autour d'une jolie cour intérieure fleurie, portent des noms d'oiseaux. Belles poutres, dallage d'origine et tons lumineux décorent la salle à manger.

Chambre d'hôte Croquant – *L'Orée des Vignes Croquant - 58200 St-Père - 3,2 km à l'est de Cosne-Cours-sur-Loire par D 33 et D 168 - ✆ 03 86 28 12 50 - www.loreedesvignes.com - réserv. - 5 ch. 60 € - repas 28 €.* Cette jolie fermette recèle de vastes chambres mansardées, une belle salle à manger où se mêlent meubles bourguignons et mobilier de style Renaissance espagnole et un agréable salon agrémenté d'un vieux four à pain. La terrasse s'ouvre sur un délicieux jardin.

Se restaurer

Le Grand Monarque – *10 r. de l'Étape, près de l'église - 58220 Donzy - ✆ 03 86 39 35 44 - monarque.jacquet@laposte.net - fermé 2 janv.-14 fév., dim. soir et lun. d'oct. à Pâques - 14/38 €.* Façade en pierre d'un ancien relais de diligences. Un bel escalier à vis du 16e s. dessert les chambres simples ; préférez celles qui sont rénovées. Salle de restaurant colorée et champêtre avec jolie cuisine du 19e s. pieusement préservée.

Les Forges – *21 r. St-Agnan - 58200 Cosne-sur-Loire - ✆ 03 86 28 23 50 - www.lesforges58.com - fermé 22-28 déc., dim. soir et lun. - 26/60 € - 7 ch. 59/68 € - 8 €.* Cette avenante maison abrite une salle à manger confortable et chaleureuse où l'on sert une cuisine au goût du jour. Chambres joliment décorées et tenues avec soin.

Sports & Loisirs

Canoë Évasion – *58200 Cosne-sur-Loire - location au camping de l'Ile de Cosne situé à Bannay, 11 km au sud de Cosne-Cours-sur-Loire - ✆ 06 84 69 06 70.* En route pour l'aventure à bord d'un grand canot ! Accessibles même aux plus jeunes, ces balades au fil de l'eau vous feront découvrir la beauté du Val de Loire et de son patrimoine naturel. Comme on dit ici : « l'évasion est au bout de la pagaie ».

Cyclo-rail du Sancerrois – *Port-Aubry - 58200 Cosne-Cours-sur-Loire - ✆ 03 86 45 70 05 - www.cyclorail.com - tte l'année sur réserv.* Ce parcours parmi les vignes de Cosne à Sancerre (*16 km AR*) vous offrira de jolies vues des bords de Loire.

Camargue Équitation Loisirs Nièvre – *La Terre rouge Villechaud - 58200 Cosne-sur-Loire - ✆ 03 86 26 60 34 - www.camargue-equitation-loisirs-nievre.com - sur RV : mar. et vend. apr.-midi, lun. et jeu. en sais. et tous les w.-ends.* Plus qu'une simple promenade sur les bords de Loire, ce centre propose une initiation à l'équitation Camargue, sorte d'histoire de couple entre le cavalier et le cheval. Possibilités d'hébergement pour les randonnées de plusieurs jours et organisation de spectacles autour de cette discipline.

La Côte★★

CARTE GÉNÉRALE C2/3 – CARTE MICHELIN DÉPARTEMENTS 320 I/J-6/8 – CÔTE-D'OR (21)

Pour les amateurs de vin, ce nom est mythique. De Dijon à Santenay, sur 65 km, se déploie l'un des plus célèbres vignobles du monde. À chaque étape de cette voie triomphale s'inscrit un nom prestigieux; chaque village, chaque coteau possède un titre de gloire. C'est, pour dire les choses simplement, la région des grands crus de Bourgogne…

- **Se repérer** – Suivant un axe nord-sud parallèle à l'A 6, la route des Grands Crus permet de mieux comprendre la géographie viticole de la Bourgogne.
- **À ne pas manquer** – Avis aux gourmands : les circuits de découverte des vignobles de la côte de Nuits et de la côte de Beaune vous proposent non seulement de pittoresques étapes (Beaune, le château du Clos de Vougeot, La Rochepot et bien d'autres encore), mais aussi des restaurants aux délicieuses spécialités régionales. Alors, profitez-en : c'est le moment ou jamais de savourer gougères, escargots ou œufs en meurette…
- **Organiser son temps** – Réservez à l'avance vos dégustations auprès des vignerons.
- **Avec les enfants** – Le parc Noisot, à Fixin.
- **Pour poursuivre la visite** – Voir aussi Beaune, Chalon-sur-Saône, l'abbaye de Cîteaux, Dijon, la vallée de l'Ouche.

Comprendre

Les conditions naturelles – La Côte est constituée par le rebord oriental de la « Montagne », dont le tracé rectiligne est morcelé par des combes transversales analogues aux « reculées » du vignoble jurassien.

Dans les combes, seuls les versants est et sud sont plantés de vignes (8 000 ha en cépages fins) ; le versant nord est souvent couvert de bois. Il s'étage au-dessus de la plaine de la Saône, à une altitude variant de 200 m à 300 m.

Tandis que le sommet des coteaux est couvert de buis ou couronné parfois de boqueteaux, le vignoble occupe les pentes calcaires, bien exposées à l'insolation matinale – la meilleure – et bien abritées des vents froids.

De cette exposition dépendent la production du sucre et, partant, le degré d'alcool. La pente facilite en outre l'écoulement des pluies, assurant à la vigne un sol sec, facteur de la qualité des crus.

Les grands crus – La D 974 sépare sur une grande partie de son parcours les cépages de vins nobles des autres, les grands crus s'étalant en général à mi-pente. Pour les vins rouges, le cépage est le pinot noir fin, roi des ceps bourguignons. Les grands vins blancs sont produits à partir du chardonnay. Après la **crise du phylloxéra**, à la fin du 19e s., le vignoble fut entièrement reconstitué sur des porte-greffes américains. À quelque chose, malheur est bon, dit-on. Le maudit parasite a eu des effets paradoxalement bénéfiques : les petits vignerons ont retrouvé leurs droits en rachetant

Château du Clos-de-Vougeot, Chef d'ordre de la Confrérie des chevaliers du Tastevin.

Vue aérienne du château du Clos de Vougeot et de son vignoble.

des parcelles de grandes propriétés et la réduction des quantités s'est accompagnée d'une amélioration de la qualité.

Les deux grandes côtes, de Nuits et de Beaune, se partagent la célébrité : celle de Nuits, pour le feu de ses crus ; celle de Beaune, pour leur délicatesse. Chacune d'elle possède son arrière-côte, dont les crus peuvent, sans prétendre à la renommée des côtes, satisfaire l'amateur le plus averti. Ils sont en outre nettement plus accessibles.

La **côte de Nuits** s'étend de Fixin à Corgoloin. Elle produit presque uniquement de très grands vins rouges. Ses crus les plus fameux sont, du nord au sud : le chambertin, le musigny, le clos-vougeot et la romanée-conti. Très riches et corsés, ses vins demandent huit à dix ans pour acquérir leurs incomparables qualités de corps et de bouquet.

La **côte de Beaune** s'étend du nord au sud, d'Aloxe-Corton à Santenay, et produit d'abord de grands vins blancs, mais aussi d'excellents vins rouges. Ses principaux crus sont, en rouge, le corton, le volnay, le pommard et le beaune, et, en blanc, le meursault et le montrachet.

Le saviez-vous ?

Ce sont les collines de « la Côte », au versant oriental planté de vignes, qui auraient donné leur nom au département **Côte d'Orient**.

On compterait plus de 20 000 personnes travaillant le vignoble dans cette partie de la Côte d'Or, qui couvre 9 000 ha sur le département !

Circuits de découverte

LE VIGNOBLE★★

Côte de Nuits 1

La route passe au pied de collines couvertes de vignes et traverse villages ou villes aux noms évocateurs. Une impression d'opulence se dégage de ces gros bourgs viticoles.

Quittez Dijon par la « Route des grands crus » (D 122).

Chenôve

Le Clos du Roi et le Clos du Chapitre rappellent qui étaient les anciens propriétaires de ce vignoble, les ducs de Bourgogne et les chanoines d'Autun.

Dans le vieux village fleuri, la **cuverie des ducs de Bourgogne** abrite deux magnifiques pressoirs du 13e s. – ou leurs répliques, exécutées au début du 15e s., selon certains historiens – qui pouvaient presser en une fois la vendange de 100 pièces de vin. En souvenir de la duchesse Marguerite, les villageois ont baptisé le pressoir du duc la « Grosse Margot », car il est considéré comme le plus imposant du monde. *Possibilité de visite guidée (45mn) - juil.-sept. : 10h-12h, 14h-18h ; reste de l'année : sur demande à M. le maire (10 j. av.) au ✆ 03 80 51 55 00 - gratuit.*

À proximité *(sortez de la cuverie à gauche et prenez tout de suite à droite)*, la **rue Jules-Blaizet** égrène ses maisons vigneronnes, dont les plus anciennes remonteraient au 13e s.

Marsannay-la-Côte

Ce village produit des vins rosés (AOC) appréciés, obtenus par fermentation rapide des raisins noirs du pinot.

Musée de la Société viticole traditionnelle – *✆ 03 80 52 27 73 - juin-sept. : 9h-12h30, 14h-18h30, dim. 9h-13h. ; nov.-fév. : tlj sf dim. 9h-12h30, 14h-18h, sam. 9h-12h30, 14h-17h30 ; mars-mai et oct. : tlj sf dim. 9h30-12h30, 14h-18h, sam. 9h-12h30, 14h-17h30.* La maison du patrimoine et du tourisme abrite ce musée consacré à la vie des vignerons et l'économie liée à la vigne.

Fixin

Producteur de vins au bouquet profond – certains se classent parmi les meilleurs de la côte de Nuits –, le village de Fixin *(prononcez « fissin »)* perpétue le souvenir d'un touchant témoignage de fidélité. Dans le parc de sa propriété, **Noisot**, ancien capitaine de la Garde impériale, fit élever, en 1847, un monument à la gloire de Napoléon par son ami le sculpteur **Rude**. Dévoué jusqu'à la mort, le vieux soldat a voulu être enterré face à son empereur, qu'il avait accompagné sur l'île d'Elbe. La tombe du fidèle Noisot est dominée par le mausolée mais aussi par une esplanade, d'où l'on découvre une vue étendue sur le val de Saône, le Jura et les Alpes.

Parc Noisot – *Au milieu du village, prenez la rue Noisot, montant jusqu'à un parking situé à 500 m, puis suivez l'allée des Pins (panneaux fléchés). ✆ 03 80 52 45 52 - de mi-avr.*

à mi-oct. : w.-end 14h-18h - 4,50 € (-18 ans gratuit).

Un musée contenant des souvenirs des campagnes impériales est installé au 1er étage de la maison du gardien, réplique de celle de l'empereur sur l'île d'Elbe. Un escalier conduit à un monument, *Napoléon s'éveillant à l'immortalité*, puis au tombeau de Noisot.

Du musée part un sentier menant aux fontaines et aux cent marches que l'adorateur fit tailler en mémoire des Cent-Jours : elles donnent accès au plateau de l'arrière-côte.

L'église du hameau voisin, **Fixey**, serait la plus ancienne (10e s.) de la Côte.

Le chambertin

Parmi les vins de la côte de Nuits, vins très corsés qui acquièrent en vieillissant tout leur corps et tout leur bouquet, le chambertin, qui se compose des deux « climats », chambertin-clos-de-bèze et chambertin, est le plus fameux. Le bourg est mentionné dès l'an 640, lors de la fondation de l'abbaye de Bèze, devenue propriétaire du clos. C'est ainsi que l'un des plus célèbres crus de toute la Bourgogne est aussi le plus ancien. Le « champ de Bertin », devenu « chambertin », était le vin préféré de Napoléon Ier. Le territoire de ce cru hors norme se limite à 28 ha, tandis que celui du gevrey-chambertin en couvre près de 500.

Brochon

À la limite de la côte de Nuits, Brochon produit des vins estimés. Le **château** fut construit en 1900 par le poète Stephen Liégeard. Le titre de l'un de ses ouvrages, couronné en 1887 par l'Académie française, est passé à la postérité : *Côte d'Azur.* Il avait inventé l'appellation. *03 80 52 93 01 - 19 juil.-23 août : jeu.-dim. visite guidée à 14h30 et 16h (90mn) - 4 €.*

Gevrey-Chambertin

C'est ici le type même de l'agglomération viticole immortalisée par l'écrivain régionaliste **Gaston Roupnel** (1872-1946). La ville s'échelonne au débouché de la combe de Lavaux, entre les coteaux du vignoble, où se situe le vieux centre assoupi autour de l'église et du château, et le quartier des Baraques.

Château – *03 80 34 36 77 - www.chateau-de-gevrey-chambertin.com - visite guidée (1h) - mars-oct. : 10h-12h, 14h-18h ; reste de l'année : sur RV - 5 € (enf. 2,50 €).*

Dans la partie haute du village, cette forteresse à tours carrées fut édifiée au 10e s. par les sires de Vergy et donnée aux moines de Cluny au 11e s. Ceux-ci ouvrirent de larges fenêtres et construisirent un bel escalier à vis plus commode que les simples échelles utilisées jusqu'alors. Au 1er étage, découvrez une grande salle meublée à poutres apparentes (belle crédence de la fin du 14e s.). Dans la grosse tour, la salle de guet et celle des archers sont restées intactes. Les caves voûtées en anse de panier renferment sur deux niveaux les récoltes de vin.

Église – Des 13e, 14e et 15e s., elle a conservé un portail roman.

À Morey-St-Denis, rejoignez la D 974.

Office de tourisme de Dijon - Atelier Démoulin.

Château de Gevrey-Chambertin.

Les chevaliers du Tastevin

En 1934, un petit groupe de Bourguignons, réunis dans une cave de Nuits-St-Georges, décidait, pour lutter contre la mévente des vins, de fonder une société destinée à mieux faire connaître les « vins de France en général et ceux de Bourgogne en particulier ». Ainsi fut fondée cette célèbre confrérie, propriétaire du château du Clos de Vougeot depuis 1944, et dont la renommée allait bientôt gagner l'Europe et l'Amérique.

Chaque année se tiennent dans le grand cellier du château plusieurs chapitres de l'ordre. Cinq cents convives participent à ces **disnées**, à l'issue desquelles le grand maître, entouré du grand conseil de la confrérie, intronise de nouveaux chevaliers selon un rite scrupuleusement établi en pseudo latin, inspiré du *Malade imaginaire* de Molière.

Vougeot

Ses vins très appréciés sont placés sous l'autorité d'un seigneur : le Clos de Vougeot. Propriété de l'abbaye de Cîteaux du 12e s. à la Révolution, le Clos de Vougeot (50 ha) est toujours un vignoble célébrissime. Prononcer son nom est déjà une fête.

Château du Clos de Vougeot★ – *✆ 03 80 62 86 09 - www.tastevin-bourgogne.com - visite guidée (45mn - dernier départ 1h avant fermeture) avr.-sept. : 9h-18h30, sam. 9h-17h ; oct.-mars : 9h-11h30, 14h-17h30, sam. 9h-11h30, 14h-17h - fermé 1er janv., 24-25 et 31 déc. - 3,80 € (enf. 2,80 €).*

Planté au milieu des vignes, il est visible de loin. Achevé à la Renaissance par l'abbé Loisier, il a été restauré au 19e s. On y voit le grand cellier (12e s.), où ont lieu les cérémonies de l'ordre du Tastevin *(diaporama de 15mn se rapportant à la Confrérie des chevaliers du Tastevin)*, la cuverie (12e s.) aux quatre **pressoirs** gigantesques, la cuisine (16e s.) avec son immense cheminée et sa voûte nervurée soutenue par une unique colonne centrale, et enfin le dortoir des frères convers qui présente une spectaculaire charpente du 14e s. **Stendhal** conte que le colonel Bisson, revenant de la campagne d'Italie, fit présenter les armes au célèbre clos par son régiment rangé devant le château. N'oublions pas pour autant que ce temple du bourgogne doit tout à l'ardeur pacifique et à la science des cisterciens.

Chambolle-Musigny

Gaston Roupnel disait du très élégant chambolle-musigny qu'il est « de soie et de dentelle »... Les grands crus sont le **musigny** et **les-bonnes-mares**.

En prenant, au nord-ouest du village, la route de Curley par la combe Ambin, on atteint un site charmant : au pied d'un promontoire rocheux dominant le confluent de deux ravins boisés est bâtie une petite **chapelle**. Dans l'abside de l'église, remarquez des fresques flamandes du 16e s.

Continuez à l'ouest sur la D 122H, puis tournez à gauche dans la D 116.

Reulle-Vergy

Ce village possède une église du 12e s. et une curieuse petite mairie élevée sur un lavoir.

Musée des Arts et Traditions des hautes-côtes – *horaires et tarifs non communiqués.*

Face à la mairie, une grange abrite ce musée consacré à l'histoire et aux traditions de la région : archéologie (objets de l'âge du bronze, gallo-romains et médiévaux), travail de la vigne, costumes et objets usuels du 19e s., souvenirs de Lamartine.

En passant par Curtil-Vergy et Villars-Fontaine, rejoignez Vosne-Romanée par une route tranquille longeant la forêt de Nantua.

Vosne-Romanée

Son vignoble ne produit que des vins rouges riches, fins et délicats. Parmi les « climats » qui le constituent, ceux de romanée-conti (le prince de Conti en fut propriétaire en 1760), de la tâche et de richebourg sont de réputation mondiale.

Nuits-Saint-Georges

La coquette petite ville de Nuits, capitale de la Côte à laquelle elle a donné son nom, a ajouté au sien en 1892 celui de son cru le plus coté, le saint-georges, constitué en vignoble dès l'an mille. Cependant, la célébrité des vins de Nuits remonte à Louis XIV. Son médecin Fagon ayant conseillé au Roi-Soleil de prendre à chaque repas quelques verres de nuits et de romanée, à titre de remède, toute la cour voulut en goûter.

Bien qu'aucun de ses vins ne soit classé « grand cru », ils sont mondialement connus. Ils sont plus corsés que les autres bourgognes. Diversifié, Nuits produit aussi du **cassis** et du **crémant** *(voir carnet pratique)*, du **marc de Bourgogne** et du **jus de raisin**.

Église St-Symphorien – Ce vaste édifice, bâti au début du 13e s. dans un style roman de transition, se distingue par un chevet plat orné de trois baies à colonnettes et de sculptures sous une grande rosace, et par un clocher massif assis sur la croisée du transept. À l'intérieur, la nef principale, très haute et voûtée d'arêtes, abrite un buffet d'orgue sculpté (18e s.) et surtout une rare cage d'escalier tournant, curieux cylindre de bois ajouré de la fin du 16e s. Des vestiges de fresques (dont un martyre de saint Sébastien) et d'inscriptions du 15e s. sont visibles dans les bas-côtés.

Vous remarquerez encore à Nuits deux édifices du 17e s. : le **beffroi** de l'ancien hôtel de ville et l'hôpital St-Laurent ; l'actuel hôtel de ville, construit au 18e s. ; la moderne église Notre-Dame, aux vitraux colorés dus à J.-J. Borghetto (1957).

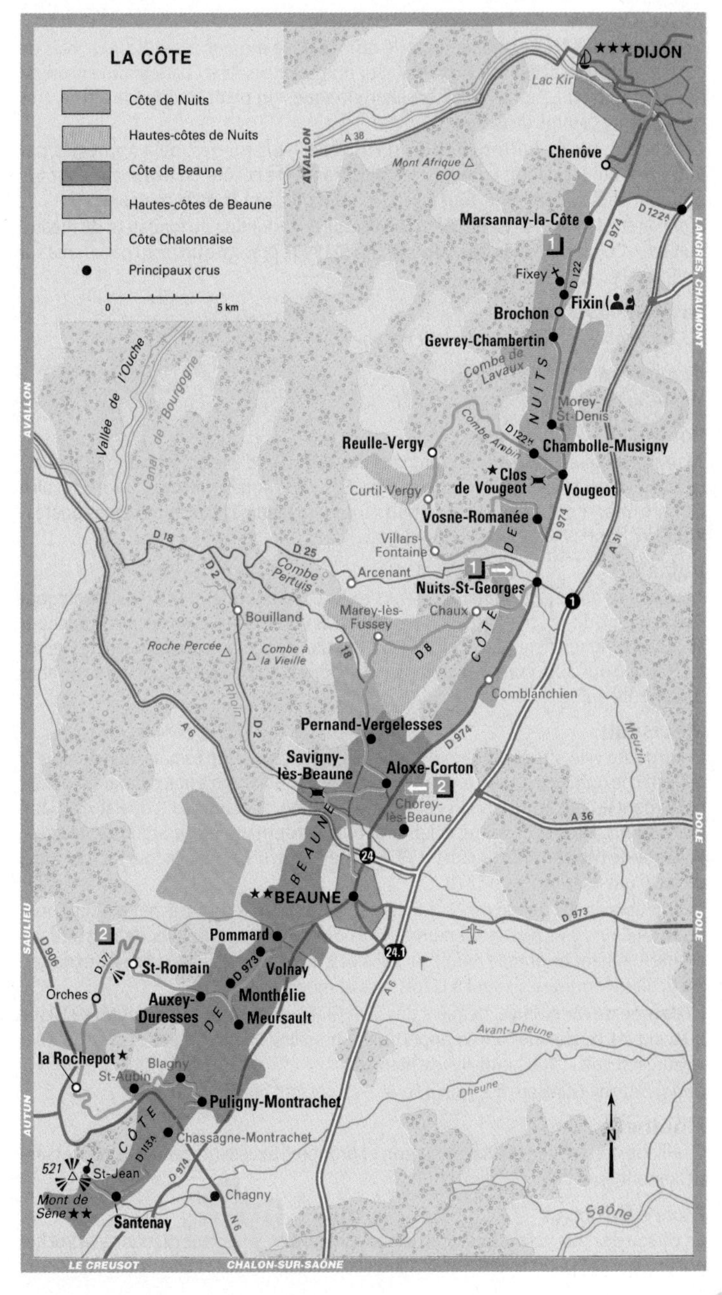

Musée – *℘ 03 80 62 01 37 - mai-oct. : tlj sf mar. 10h-12h, 14h-18h - 2,10 € (-12 ans gratuit).*
Il est installé dans une ancienne maison de vins. Dans les caves voûtées, la vie quotidienne des Gallo-Romains est évoquée à travers une collection d'objets découverts sur le site des Bolards, près de Nuits-St-Georges, tandis qu'une reconstitution de sépultures vient illustrer l'époque mérovingienne.
Une exposition annuelle présente un aspect du patrimoine nuiton illustré par des collections du musée.
Après Nuits-St-Georges, l'itinéraire emprunte la D 8 et passe par Chaux et Marey-lès-Fussey, dans le vignoble des hautes-côtes-de-nuits.
Gagnez Pernand-Vergelesses à 5 km au sud par la D 18.

Côte de Beaune 2

La côte de Beaune se différencie de celle de Nuits par ses grands terroirs à vin blanc. De Pernand-Vergelesses (vins rouges et blancs), charmant village, gagnez Aloxe-Corton.

Aloxe-Corton

Les plus grands crus ne portent pas le nom d'aloxe *(prononcez « alosse »)*, mais de corton seul ou suivi du nom du climat. Sur une colline isolée, Charlemagne posséda des vignes, d'où le nom de corton-charlemagne, vin blanc de grande allure, très corsé, ferme comme de l'acier.
Cependant, Aloxe-Corton produit surtout des vins rouges, déjà appréciés par Voltaire – qui les définit comme « les plus francs de la côte de Beaune » – dont le bouquet s'affine avec l'âge, tout en conservant du corps et de la chaleur.
À proximité d'Aloxe, **Pernand-Vergelesses**, pays d'adoption du fondateur du théâtre du Vieux-Colombier, **Jacques Copeau** (1879-1949), présente un beau panorama sur le vignoble.

Savigny-lès-Beaune

À 3 km à l'ouest d'Aloxe-Corton. Voir Beaune.

Beaune★★

Voir ce nom.

Pommard

3 km au sud-ouest de Beaune. Pommard tire son nom d'un temple antique dédié à Pomone, divinité des fruits et des jardins. Ses vins rouges « fermes, colorés, pleins de franchise, et de bonne conservation » furent recherchés par les rois et les poètes : Ronsard, Henri IV, Louis XV, Victor Hugo…

Volnay

1 km au sud-ouest de Pommard. Ses vins rouges, au bouquet très délicat et au goût suave, furent, dit-on, très appréciés de Louis XI. En 1477, ce roi, ayant acquis le duché et avec lui les vignes, fit apporter toute la production de volnay à son château de Plessis-lès-Tours. Vous aurez une belle **vue** sur les vignobles, de l'esplanade en contrebas de la petite église du 14ᵉ s.

Meursault

Cette petite ville, située sur l'emplacement d'un ancien camp romain, que domine la belle flèche gothique en pierre de son église, devrait son nom à une coupure séparant nettement la côte de Meursault et la côte de Beaune, appelée « saut du Rat », en latin *muris saltus*. Elle est devenue célèbre depuis le tournage de *La Grande Vadrouille*. Vestiges de l'ancien château fort (1337), les tuiles vernissées de la tour (actuel hôtel de ville) ont été posées en 1870.
Les meursault, les puligny-montrachet et les chassagne-montrachet passent pour les « meilleurs vins blancs du monde » : ils ont un goût particulier de noisette, un arôme luxuriant de grappe mûre, qui s'allient à une franchise et une finesse exquises. Particularité fort rare, ils sont à la fois secs et moelleux.
La **Paulée de Meursault**, dernière des Trois Glorieuses, est une fête réputée : à l'issue du banquet, où chaque convive apporte ses bouteilles, un prix littéraire est attribué, et le lauréat reçoit… 100 bouteilles de meursault.
Gagnez Auxey-Duresses, à 2,5 km à l'ouest, en passant par Monthélie.

Monthélie

Ce village occupe une station de balcon et produit d'excellents premiers crus, essentiellement en rouge.

Auxey-Duresses

Ce village de deux hameaux est niché dans une combe profonde menant à La Rochepot et à son château. Le vignoble produit des vins fins rouges et blancs qui, avant la loi sur les appellations d'origine, étaient vendus sous le nom de volnay et de pommard. L'église mérite une visite pour son beau triptyque du 16e s.

Saint-Romain

La localité se compose en fait de deux villages distincts. St-Romain-le-Haut est situé sur un éperon calcaire au milieu d'un bel hémicycle de falaises, avec, sur le bord sud de l'éperon, les vestiges de son château des 12e et 13e s. *(site archéologique; circuit de visite aménagé sur 200 m).*

Joliment restaurée, son église du 15e s. présente trois caractéristiques : une construction en gradins descendant vers le chœur, une cuve baptismale du 2e s. et une chaire réalisée en 1619 *(prévoir de la monnaie pour l'éclairage automatique de l'église).*

En contrebas s'étend St-Romain-le-Bas, où se trouve la mairie, dont trois petites salles du grenier présentent une **exposition** permanente sur l'archéologie et l'ethnologie locales. *✆ 03 80 21 28 50 - visite guidée (durée variable - visite possible du vieux château et de l'église) juil.-août et journées du Patrimoine : 14h-18h; reste de l'année : sur demande 48h av. - gratuit.*

La D 171 offre avant **Orches**, bâti dans le rocher, une belle **vue★** sur St-Romain, Auxey, Meursault et le val de Saône (source entourée de stèles gallo-romaines).

Après Orches, poursuivez 4 km au sud.

La Rochepot★ *(voir Nolay)*

Quittez La Rochepot vers le nord-est: la route (D 973) contourne le château. Prenez ensuite la D 33 vers St-Aubin, puis la petite route qui passe par Blagny pour gagner Puligny-Montrachet.

D. Delacroix / MICHELIN

Cabote de vigneron.

Puligny-Montrachet

Ses vins blancs sont sublimes. Il semble que leur puissance provienne de vignes qui absorberaient mieux le soleil qu'ailleurs en Bourgogne. Moins onctueux que le meursault, leur vigoureux bouquet est très riche, leur robe presque verte. Les vins rouges ont beaucoup de corps et de finesse.

Santenay

6 km au sud-ouest de Puligny. Des bords de la Dheune au **mont de Sène★★** *(voir Nolay, « Aux alentours »)*, dans un cirque de falaises, Santenay étend ses trois agglomérations entre de vastes vignobles qui, avec les eaux minérales lithinées, fortement salines, font sa renommée *(thermes fermés).*

Isolée au pied des falaises, la petite **église St-Jean** possède une nef du 13e s.; le portail en plein cintre est abrité par l'avancée d'un porche de bois; le chœur, du 15e s., est surmonté d'une curieuse voûte aux multiples ogives. Elle contient deux charmantes statues de saint Martin et de saint Roch en bois polychrome du 15e s., et une Vierge au dragon, du 17e s., due au sculpteur santenois J. Bésullier. *✆ 03 80 20 63 15 (office de tourisme) - visite pour les groupes seulement.*

La Côte pratique

Voir aussi les carnets pratiques de Dijon et de Beaune.

Adresses utiles

Office du tourisme de Marsannay-la-Côte – *41 r. de Mazy - 21160 Marsannay-la-Côte - 03 80 52 27 73 - www.ot-marsannay.com - juin-sept. : 9h-12h30, 14h-18h30, dim. 9h-13h ; oct.-mai : tlj sf dim. 9h-12h30, 14h-18h, sam. 9h-12h30, 14h-17h30 - fermé j. fériés.*

Office du tourisme du canton de Nuits-St-Georges – *3 r. Sonoys - 21700 Nuits-St-Georges - 03 80 62 11 17 - www.ot-nuits-st-georges.fr - juil.-sept. : 9h-12h30, 14h-18h30, dim. 10h-12h30, 14h30-17h30 ; avr.-juin et oct. : tlj sf dim. 9h-12h30, 14h-18h ; reste de l'année : tlj sf dim. 9h-12h30 et 14h-17h30.*

Office du tourisme de Santenay – *Gare - 21590 Santenay - 03 80 20 63 15 - www.ville-de-santenay.fr - juil.-août : 10h-12h30, 14h-18h30 ; avr.-juin et sept. : 14h-18h.*

Se loger

Chambre d'hôte Les Sarguenotes – *R. du Sus-Amont - 21220 Chambœuf - 6 km à l'ouest de Gevrey-Chambertin par D 31 - 03 80 51 84 65 - http://les.sarguenotes.free.fr/ - - 5 ch. 62 € - repas 20/25 €.* Évadez-vous au calme dans cette maison neuve qui domine la campagne environnante. Les chambres manquent un peu de caractère mais vous apprécierez leur bon confort récent, leurs prix sages et leur terrasse.

Chambre d'hôte Les Brugères – *7 r. Jean-Jaurès - 21160 Couchey - 2 km au sud de Marsannay par D 122 - 03 80 52 13 05 - www.francoisbrugere.net - fermé déc.-mars - 3 ch. 63/66 € .* Étape parfaite pour parler vin et le goûter que cette charmante habitation du 17e s., propriété d'un viticulteur. Les chambres, joliment aménagées, s'agrémentent de poutres apparentes et de meubles chinés chez les antiquaires. Gracieuse salle des petits-déjeuners. Cave ouverte aux visites et aux dégustations.

Hôtel Les Charmes – *10 pl. Murger - 21190 Meursault - 03 80 21 63 53 - www.hotellescharmes.com - P - 14 ch. 95/115 € - 10 €.* Ex-propriété de viticulteur du 18e s. abritant des chambres spacieuses et garnies de meubles anciens, ou plus contemporaines et colorées. Joli jardin arboré.

hôtel Le Hameau de Barboron – *21420 Savigny-lès-Beaune - 2 km au nord de Savigny par rte communale - 03 80 21 58 35 - www.hameaudebarboron.com - P - 12 ch. 100/200 € - 15 €.* Entourée de 350 ha de champs et de forêts privés, cette vieille ferme a été admirablement restaurée. Luxe et raffinement des matériaux et de la décoration dans les chambres meublées à l'ancienne. Et dans la cave voûtée reposent les fûts de vins du domaine, pour les amateurs.

Se restaurer

Le Bouchon – *Pl. de l'Hôtel-de-Ville - 21190 Meursault - 8 km au sud-ouest de Beaune par D 974 - 03 80 21 29 56 - fermé 20 nov.-27 déc., dim. soir et lun. - 12/35 €.* Un bistrot tout simple bien connu des habitués, en centre-ville. L'intérieur est sobre avec ses petites tables carrées nappées. Cuisine classique régionale avec un bon choix de menus.

Le Cellier Volnaysien – *2 pl. de l'Église - 21190 Volnay - 03 80 21 61 04 - www.le-cellier-volnaysien.com - fermé 22-31 déc., merc. et le soir sf sam. - 14,50/28,50 €.* Traversez le petit jardin fleuri, planté d'arbres rares et découvrez cette belle maison du 18e s. avec son perron et ses caves voûtées. Une des trois salles à manger dans l'ancienne cuverie. Cuisine locale simple et vins du Château de Savigny à prix très sages.

Rôtisserie du Chambertin – *21220 Gevrey-Chambertin - 03 80 34 33 20 - www.rotissserie-bonbistrot.com - fermé vac. de fév., 27 juil.-12 août, dim. soir, mar. midi et lun. - 34/72 €.* Les viandes rôtissent dans la cheminée pendant que des mannequins de cire miment le métier de tonnelier dans un petit musée. Dégustez les spécialités régionales dans une salle à manger voûtée ou prenez un repas plus simple au Bonbistrot. Terrasse d'été.

La Table d'Olivier Leflaive – *5 pl. du Monument - 21190 Puligny-Montrachet - D 974 - 03 80 21 37 65 - www.maison-olivierleflaive.com - fermé janv. et dim. - 40/50 €.* Ce viticulteur a la bonne idée de faire déguster ses vins autour d'un repas à l'accent régional volontairement simple, l'important ici étant le breuvage. Toutes les appellations proposées vous seront commentées par un sommelier… Une expérience mémorable dans cette charmante petite maison de village (salle climatisée).

Que rapporter

Cassissium – *R. des Frères-Montgolfier - 21700 Nuits-St-Georges - 03 80 62 49 70 - www.cassissium.com - visite (1h30) avr.-nov. : 10h-13h, 14h-19h ; déc.-mars : tlj sf dim. et lun. 10h30-13h, 14h-17h30 - 6 €.* La célèbre maison Védrenne, fondée en 1919, vous convie dans son espace de 1 000 m² entièrement dédié au cassis. Vous pourrez voir les différentes étapes de la fabrication, la cave de vieillissement, participer à une dégustation et faire vos emplettes à la boutique (crèmes de fruits, eaux-de-vie, marcs et fines de Bourgogne, etc.). Projections audiovisuelles.

Imaginarium – *Av. du Jura - 21700 Nuits-St-Georges (A 31 - sortie Nuits-St-Georges, à gauche du péage) - 03 80 62 61 40 -*

www.imaginarium-bourgogne.com - avr.-oct. 10h-13h, 14h-19h - fermé lun. de nov. à mars - 7 € (ateliers de l'Espace sensoriel 15 € sur réserv.). À proximité de son site de production des crémants de Bourgogne, la maison Louis Bouillot propose un parcours interactif dédié aux vins effervescents. Les enfants peuvent s'essayer au remuage des bouteilles, découvrir la vie d'une bulle au travers d'un petit film ou tester différents arômes. Pour les plus grands, ce voyage ludique s'accompagne d'une séance de dégustation. Vins effervescents, apéritifs et crèmes de fruits en vente à la boutique.

La Ferme Fruirouge – *Hameau de Concœur - 21700 Nuits-St-Georges - ✆ 03 80 62 36 25 - www.fruirouge.fr - tlj sf mar. 9h-12h, 14h-19h, merc. 14h-19h - fermé 1er janv. et 25 déc.* Le cassis est entré dans la vie des Olivier à la fin du 19e s. et n'en est jamais ressorti. Les propriétaires, installés dans la ferme familiale, cultivent framboises, fraises, groseilles, cassis, cerises et pêches de vigne qu'ils transforment artisanalement en confitures, boissons et condiments et de la traditionnelle crème de cassis en passant par le ketchup de cassis. Dégustation des produits de la ferme.

Château André-Ziltener – *R. Fontaine - 21220 Chambolle-Musigny - ✆ 03 80 62 81 37 - www.chateau-ziltener.com - 9h30-18h30 - fermé de mi-déc. à fin fév.* Château édifié en 1709 sur les fondations d'une abbaye cistercienne. Une visite commentée permet la découverte d'un musée original aménagé dans les caves du domaine. Dégustation accompagnée de gougères ou de pains surprise.

Château de Corton-Pierre-André – *Grande-Rue - D 974 entre Beaune et Nuits-St-Georges - 21420 Aloxe-Corton - ✆ 03 80 26 44 25 - www.pierre-andre.com - avr.-oct. : 10h-13h, 14h-18h ; nov.-mars : jeu.-lun. 10h-13h, 14h-18h - fermé mar., merc. en déc., janv., fév., 1er janv. et 25 déc.* Ce château, le seul situé sur l'aire d'appellation grand cru de la côte de Beaune, au magnifique toit de tuiles vernissées, est idéalement situé dans un écrin de verdure. Visite du caveau et dégustation des vins du domaine. Achats possibles.

Domaine d'Ardhuy – *Clos des Langres - D 974 - à la sortie de Corgoloin, faire 500 m puis prendre dir. Beaune. Entre Corgoloin et Ladoix - 21700 Corgoloin - ✆ 03 80 62 98 73 - domaine@ardhuy.com - 8h-12h, 14h-18h, w.-end sur RV - fermé j. fériés.* Le Clos des Langres possède un manoir du 18e s., construit autour d'un pressoir du 17e s. inscrit aux Monuments historiques. Visite des caves et dégustation.

Cartron Joseph – *25 r. du Dr-Louis-Legrand - 21700 Nuits-St-Georges - ✆ 03 80 62 00 90 - www.cartron.fr - tlj sf le w.-end, 8h-12h, 13h30-17h30 (vend. 16h30) - fermé 1 sem. en fév. et j. fériés.* La maison Joseph Cartron élabore eaux-de-vie et liqueurs selon des méthodes artisanales privilégiant un grand respect du fruit et utilise, pour ce faire, bonbonnes d'osier, foudres, demi-muids et alambics de cuivre hérités des ancêtres. Les locaux abritent une petite boutique où vous trouverez entre autres la double crème de cassis 19 %, le marc de Bourgogne et diverses eaux-de-vie de fruits.

Château de Marsannay – *Rte des Grands-Crus - 21160 Marsannay-la-Côte - ✆ 03 80 51 71 11 - www.chateau-marsannay.com - tlj sf dim. de nov. à mars 10h-12h, 14h-18h30 - fermé 23 déc.-14 janv.* Le domaine du château de Marsannay compte 38 ha plantés de vignes. La visite de l'ancienne cuverie et des caves à fûts et à bouteilles (environ 300 000) s'achève par une dégustation des vins de la propriété. Une salle d'exposition retrace l'histoire du tournoi de Marsannay (1443).

Sports & Loisirs

Air Escargot – *Au bourg - 71150 Remigny - ✆ 03 85 87 12 30 - www.air-escargot.com - tôt le mat. et fin d'apr.-midi - fermé nov.-mars.* Découverte du vignoble en montgolfière.

Randonnée des Grands Crus – Depuis mai 2004, la route des Grands Crus est longée par un sentier pédestre et VTT sur une soixantaine de kilomètres.

Falaises d'escalade – Entre Dijon et Nuits-St-Georges, les falaises et les rochers des combes font la joie des varappeurs dijonnais.

Événements

St-Vincent tournante – Fin janv. ont lieu chaque année, dans une des villes ou villages de la Côte, les cérémonies de la fameuse fête vigneronne.

Paulée de Meursault – Le 3e lundi de nov. (3e journée des Trois Glorieuses) est consacré à un banquet à la fin duquel est remis un prix littéraire.

Le Creusot-Montceau

23 600 CREUSOTINS ET 19 400 MONTCELLIENS – COMMUNAUTÉ URBAINE : 92 000 HAB.
CARTE GÉNÉRALE B3 – CARTE MICHELIN DÉPARTEMENTS 320 G9 – SAÔNE-ET-LOIRE (71)

Liés par une histoire industrielle et minière hors du commun, les deux pôles de la communauté urbaine du Creusot-Montceau, constituée en 1970, ont fusionné sans pour autant perdre leurs particularités respectives. Dans cette région fortement marquée par la métallurgie et l'extraction du charbon, écomusées et sentiers de randonnée vous proposent un détour insolite à la découverte d'une vallée au patrimoine unique en son genre.

Se repérer – En bordure nord-est du Massif central, Le Creusot a développé ses activités industrielles dans un cadre rural. Il se trouve à 15 km au nord-est de Montceau-les-Mines. Les deux cités sont elles-mêmes à une quarantaine de kilomètres à l'ouest de Chalon-sur-Saône.

À ne pas manquer – La visite du carreau du puits St-Claude, à Blanzy ; le parc des Combes, véritable poumon vert de la ville du Creusot ; le panorama du mont St-Vincent sur le Charolais, les monts du Chalonnais et ceux du Morvan.

Avec les enfants – À la gare creusotine des Combes, montez à bord du train des Deux-Vallées pour une pittoresque balade. Au musée des Fossiles de Montceau-les-Mines, présentez-leur… la plus vieille araignée du monde ! Et à Écuisses, proposez-leur une promenade en bateau jusqu'au bief du partage des eaux.

Pour poursuivre la visite – Voir aussi Autun, Chalon-sur-Saône, le château de Cormatin, Paray-le-Monial.

Comprendre

LES TROIS ÂGES D'UNE INDUSTRIE

Les débuts – Le minerai de fer fut exploité dès le Moyen Âge dans la région de Couches, et les Creusotins en feront commerce à partir du 16e s. Les importants gisements houillers d'Épinac et de Blanzy, découverts au 17e s., ne seront exploités industriellement qu'après 1769. En 1782, l'industriel de Wendel s'associe à un Anglais pour créer une fonderie de canons. Trois ans plus tard a lieu la première fonte au coke, donnant le signal du développement de la région.

L'âge d'or – En 1836, **Joseph-Eugène Schneider**, maître de forges à Bazeilles, et son frère Adolphe s'installent au Creusot, alors peuplé de 3 000 habitants. L'année suivante commence la construction des locomotives à vapeur et des appareils moteurs de grands navires. En 1843, l'invention du marteau-pilon, due à l'un des ingénieurs de l'usine, **François Bourdon** (1797-1865), permet la forge des grosses pièces : matériel de chemin de fer, pièces pour l'équipement des centrales électriques, des ports, des usines, etc. Sous le Second Empire se développe l'usage de l'acier pour les plaques de blindage et les pièces d'artillerie. Depuis l'extension des usines Schneider, Le Creusot a – fait exceptionnel en France – décuplé sa population. Montceau s'est aussi beaucoup développé, avec l'exploitation intensive du bassin houiller de Blanzy à partir de 1856. Au vieux marteau-pilon succède, en 1924, la grande forge équipée de presses hydrauliques qui pèsent jusqu'à 11 300 tonnes. Après la guerre est créée la Société des forges et ateliers du Creusot (usines Schneider), qui fusionne en 1970 avec la Cie des ateliers et forges de la Loire, donnant naissance à **Creusot-Loire**.

Dynamique de reconversion – La grave crise économique des années 1980, qui affecta les industries minières et sidérurgiques, et qui entraîna le dépôt de bilan de Creusot-Loire en 1984, accéléra la reconversion économique et les efforts de diversification industrielle du Creusot-Montceau. Aujourd'hui, la région accueille notamment des entreprises au service de l'électronique et de la mécanique pour l'aéronautique et les télécommunications. Parmi les acteurs de l'économie régionale, notons à titre d'exemple Industeel, le groupe Safran (ex-Snecma), BSE, Siag, Haulotte Group, Michelin, la centrale thermique Lucy III (dont le remplacement par une centrale à gaz est prévu pour 2011), les entreprises du village industriel Harfleur et de la zone Chanliau, et celles faisant partie du Pôle nucléaire bourguignon.

Perspectives touristiques – L'impressionnant paysage industriel et minier, l'intérêt historique ou technique que présentent certaines mines, usines ou cités ouvrières (comme la **Combe des mineurs**, plus ancienne cité creusotine, datant de 1826, et dont les petites maisons agrémentées de jardinets rappellent le pays de Galles) ont inspiré l'idée d'utiliser ces atouts patrimoniaux dans l'élaboration d'un programme

Le marteau-pilon

Ph. Gajic / MICHELIN

Installé place du 8-Mai-1945, au carrefour sud de la ville, ce mastodonte de 100 tonnes (1875) est devenu l'emblème de la ville du Creusot. À l'époque de sa mise en service, en 1877, il trônait du haut de ses 21 m sur les ateliers de l'usine du Creusot, et il fut pendant plusieurs années l'outil de forgeage le plus puissant du monde. On entendait alors les coups de pilon de cette machine révolutionnaire, capable d'une frappe très précise, jusqu'à 10 km à la ronde... Imité par de grandes forges comme celle de St-Chamond, ou même de Bethlehem, aux États-Unis, cette machine-outil finit par être démontée en 1931, puis offerte à la ville du Creusot en 1969. Elle témoigne aujourd'hui d'une ingénieuse invention qui fit faire un bond à l'industrie métallurgique.

touristique. L'Association de développement du tourisme industriel dans la CUCM (communauté urbaine Creusot-Montceau), créée en 1983, prévoit ainsi l'organisation de visites sous la conduite d'anciens employés de Creusot-Loire ou des mines de Blanzy. Initiative originale, le **train des Deux-Vallées** *(ou « tacot des Crouillottes » ; voir carnet pratique)*, qui servait à acheminer les déblais des usines Schneider, effectue au départ de la gare creusotine des Combes, un circuit au pied de la colline du Gros Chaillot, procurant des vues sur le mont Beuvray, la vallée du Mesvrin et, plus au sud, sur Le Creusot. De la même façon, le **canal du Centre**, artère vitale dans cette région de collines, qui eut pour fonction de desservir les centres industriels dès 1794, joue aujourd'hui un nouveau rôle économique, celui de la navigation de plaisance. De Chalon où il quitte la Saône, à Digoin où il atteint la Loire, il remonte la vallée de la Dheune et descend le cours de la Bourbince.

Le Creusot

Château de la Verrerie★

Construite en 1787 par Barthélémy Jeanson, l'ancienne cristallerie de la reine Marie-Antoinette fut longtemps prospère, mais la concurrence de Baccarat ainsi que des querelles internes menèrent à sa fermeture en 1832. Cinq ans plus tard, les frères Schneider rachetèrent les terrains et bâtiments de la Verrerie, et le site devint ainsi la résidence des maîtres de forges du Creusot, si puissants que la ville faillit prendre en 1856 le nom de « Schneiderville »... Au début du 20e s., **Henri Schneider** confia les travaux d'embellissement du château à l'architecte Sanson et au peintre Felz, afin que l'édifice reflète la puissance de cette dynastie industrielle.

Racheté par la ville en 1971, le château de la Verrerie accueille aujourd'hui, l'office du tourisme du Creusot, un écomusée, les services de la communauté urbaine Creusot-Montceau ainsi que des expositions illustrant l'épopée industrielle du Creusot, le tout dans un parc de 28 ha.

En pénétrant dans la cour du château, on est tout de suite frappé par la silhouette singulière de deux tours coniques dont la couleur sombre contraste étrangement avec l'éclatante blancheur des ailes du château : il s'agit des anciens fours de la cristallerie. Le four ouest, qui servit tour à tour de temple protestant, puis de chapelle, abrite désormais les expositions temporaires de la **galerie d'art municipale**. Quant au four est *(voir plus bas)*, nul ne se douterait qu'il renferme une étonnante salle de spectacle.

Écomusée du Creusot-Montceau

✆ 03 85 73 92 00 - www.ecomusee-creusot-montceau.fr - de mi-mai à mi-sept. : 10h-12h, 13h-18h, w.-end et j. fériés 15h-19h ; de mi-sept. à mi-mai : 10h-12h, 14h-18h, w.-end et j. fériés 14h-18h - fermé 25 déc., 1er janv. et 1er Mai - 6 € (10-18 ans 3,80 €).

Musée de l'Homme et de l'Industrie – Installé dans le corps principal du château de la Verrerie, il en retrace l'histoire, et évoque aussi celle du Creusot et de sa région à travers une collection de gravures, photos, tableaux et maquettes, dont celle, animée, d'une **usine miniature** (fin 19e s.). La dynastie industrielle des Schneider est bien sûr au rendez-vous, avec une série de portraits de divers membres de la famille.

Petit Théâtre – Au début du 20e s., l'ancien four à verre de la cristallerie (four est) fut transformé en un ravissant théâtre à l'italienne, au décor inspiré du Petit Trianon à Versailles. Prenez le temps d'admirer sa coupole en trompe-l'œil, et découvrez la loge qui accueillit Sarah Bernhardt. *Visite guidée (15mn) à 11h45 et ttes les h. de 14h45 à 17h45, w.-end et j. fériés 14h45-17h45.*

Académie François-Bourdon

✆ 03 85 80 81 51 - www.afbourdon.com. Logée dans la **salle du jeu de paume**, l'Académie François-Bourdon doit son nom au concepteur du marteau-pilon à vapeur *(voir p. 245)*. Fondée en 1985, cette institution possède un extraordinaire fonds documentaire *(consultable)* consacré à l'histoire industrielle du Creusot de 1782 à 1985, soit quelque 40 000 livres, 240 000 photographies et 150 000 plans, sans parler de plus d'un millier d'objets. Son exposition permanente, **Le métal, la machine et les hommes**, présente les évolutions de la sidérurgie et de la mécanique au Creusot, à grands renforts de pièces ou maquettes et de panneaux didactiques.

Parc de la Verrerie

Cet espace de détente et de loisirs est agrémenté, à l'est du château, de jardins à la française en terrasse, dessinés au début du 20e s. Le reste du parc, aménagé à l'anglaise, descend vers un étang et une île peuplés de canards et de cygnes. Vous trouverez aussi, dans le parc, des serres et un arboretum, des espaces de jeux, une piscine et un petit parc animalier. Aux abords du parc, remarquez la **tour des Bandages** (19e s.) qui cachait, sous sa façade d'allure médiévale, une machine industrielle disgracieuse.

Aux alentours du Creusot

Promenade des Crêtes

Par la rue Jean-Jaurès, la rue de Longwy, la D 28 (direction Marmagne) et un virage à droite à angle aigu, rejoignez la route des Crêtes. Cette route en lacets domine le bassin du Creusot. Dans sa partie boisée, un espace aménagé avec table d'orientation offre une **vue** générale sur l'agglomération et ses environs. En poursuivant, une seconde échappée permet de constater l'étendue des anciennes usines Schneider et la place centrale que tenait dans ce cadre le château de la Verrerie.

Écuisses

10 km au sud-est du Creusot.

Musée du Canal – *Au lieu-dit La 9e Écluse. ✆ 03 85 78 97 04 - ♿ - possibilité de visite guidée (1h) avr.-oct. : 14h-18h - 3 € (enf. 1,30 €).* Antenne de l'écomusée du Creusot-Montceau, cette maison éclusière de la fin du 18e s. évoque l'importance du canal du Centre dans le développement industriel de la région. À l'extérieur, remarquez les vestiges de l'ancienne écluse n° 9 (fin 18e s.). Découvrez aussi, dans la cale de la péniche *L'Armançon*, une exposition sur la batellerie et les mariniers. *En saison, possibilité de visite en bateau-promenade jusqu'au bief de partage des eaux.*

Après le lieu-dit « Les 7 Écluses », la route emprunte une levée de terrain entre le canal en tranchée et l'étang de Longpendu, qui se déverse vers la Saône par la Dheune ou vers la Loire par la Bourbince.

Uchon★

20 km à l'ouest du Creusot par la D 228. À flanc de pente, dans un décor assez rude de blocs granitiques épars, ce petit village occupe un **site★** remarquable. On peut y voir un pan de tour en ruine, une vieille église et un oratoire abritant une colonne surmontée d'une Vierge, où se réunissaient au 16e s. les fidèles venus prier pour éloigner les épidémies de peste. Depuis 1989, un petit **centre monastique orthodoxe,** affilié à l'Église orthodoxe française, s'est installé dans l'ancienne cure. Le père abbé (igoumène), qui enseignait l'art des icônes à Paris, a entrepris de décorer la chapelle et le réfectoire de belles **fresques byzantines★**, riches de significations. *✆ 03 85 54 47 75 - de mi-juil. à mi-sept. : mar., jeu. et w.-end 15h-18h ; de mi-mars à mi-juil. et de mi-sept. à mi-nov. : dim. 15h-18h - 4,50 €.*

Signal d'Uchon★ – *1,4 km au sud par la D 275. Au sommet de la montée, 100 m environ après l'hôtel Bernard, prenez à droite un chemin goudronné. Laissez la voiture sur le parking aménagé. De là, gagnez à pied le rocher sur lequel se trouve la table d'orientation,* *à 650 m d'altitude.* Le **panorama** semi-circulaire englobe le village d'Uchon et s'étend sur la dépression de l'Arroux, jusqu'aux monts de la Madeleine et aux monts Dôme. Plus près se dressent les sommets du Morvan : le mont Beuvray à la masse trapue, le mont Préneley et le Haut-Folin.

Saint-Sernin-du-Bois

7 km au nord du Creusot. Le château, un gros donjon carré du 14e s., et un ancien prieuré forment un ensemble pittoresque, à proximité d'un étang servant de réserve d'eau.

Château de Brandon

10 km au nord-est du Creusot par la D 43, puis à droite après Bouvier, à St-Pierre-de-Varennes. 03 85 55 45 16 - www.chateau-de-brandon.com - visite guidée (50mn) de déb. avr. à mi-oct. : 12h15-17h30 - 6 € (enf. 3,20 €). Bâtie à l'emplacement d'un camp romain, cette forteresse médiévale subit des modifications sous Louis XIII, dont l'aménagement du corps de logis sur la cour haute. La cour basse conserve des écuries du 12e s. et une poterne du 14e s. Autour du château, on contemple un joli panorama sur la campagne environnante, le mont St-Vincent et les monts du Charolais.

Montceau-les-Mines

Musée des Fossiles

03 85 69 00 00 - possibilité de visite guidée (1h) de mi-juin à mi-sept. : tlj sf lun. 14h-18h ; de mi-sept. à mi-juin : merc. et sam. 14h-18h, 1er dim. du mois 15h-18h - fermé j. fériés - 2,30 € (enf. 1,20 €). Dans cette antenne de l'écomusée du Creusot-Montceau, vous découvrirez une collection de fossiles de l'ère primaire, merveilleusement préservés par le sable ou la vase. Ces témoins de la vie animale et végétale dans le bassin houiller, il y a quelque 300 millions d'années, comprennent des fougères arborescentes et des plantes primitives, des empreintes d'amphibiens, poissons et crustacés, de délicates ailes d'insectes et… la plus vieille araignée du monde ! Notez aussi les explications sur les mécanismes de fossilisation, la reconstitution d'une forêt houillère et l'immense **plan sur verre** permettant de visualiser en trois dimensions les différentes veines de charbon du bassin de Blanzy-Montceau.

La « Maison d'école »

03 85 57 29 36 - possibilité de visite guidée (1h) - mi-juin à mi-sept. : tlj sf lun. 14h-18h ; reste de l'année : 2e dim. du mois 14h-18h - 5 € (12-18 ans 1,30 €).
Autre antenne de l'écomusée du Creusot-Montceau, cette école (1880) abrite sur deux niveaux cinq salles de classe dont deux, soigneusement reconstituées, recréent l'ambiance d'une école publique de Montceau à la fin du 19e s. et vers 1960.

Aux alentours de Montceau-les-Mines

Blanzy

3 km au nord-est de Montceau-les-Mines. Située au bord du canal du Centre, la cité est devenue prospère à partir de 1860 grâce à ses houillères. Nombre d'industries sont venues renforcer celle de la fonderie : plastiques, robinetterie, tuyauterie, matériaux de construction et pneumatiques avec Michelin.

Musée de la Mine – *03 85 68 22 85 - visite guidée (1h30) juil.-août : tlj sf mar. 14h-17h ; de mi-mars à fin juin et de déb. sept. à mi-nov. : w.-end et j fériés 14h-17h - 5 € (10-18 ans 2,50 €).* Un chevalement de 22 m de haut signale le carreau du puits St-Claude, aujourd'hui transformé en antenne de l'écomusée du Creusot-Montceau. Ce puits de 30 m de profondeur, exploité de 1857 à 1881, vous propose une découverte originale de l'activité minière dans la région. Après vous être familiarisé avec les méthodes de travail des mineurs et avoir vu l'exposition permanente consacrée à la vie dans le bassin de Blanzy, vous découvrirez une lampisterie, une salle des

Ph. Gajic / MICHELIN

Signal d'Uchon.

machines en parfait état de fonctionnement, avec ses pompes d'épuisement et sa machine d'extraction à vapeur, et vous cheminerez sur quelque 200 m de galeries présentant l'évolution de l'abattage et du roulage du charbon ainsi que des techniques de soutènement.

Gourdon

9 km au sud-est de Montceau-les-Mines. Une route étroite et en forte montée conduit à Gourdon, d'où l'on découvre un vaste **panorama★** sur la ville, le bassin de Blanzy, Montcenis, Le Creusot et, plus loin, les monts du Morvan. Ce petit village perché possède une **église** romane du 11e s., avec triforium aveugle et fenêtres hautes, et un intéressant ensemble de chapiteaux. Des travaux ont mis au jour des fresques du 12e s. ayant pour thème principal la vision de l'Apocalypse.

Mont-Saint-Vincent★

4 km plus au sud. Bâti à la proue d'une colline, sur la ligne de partage des eaux entre la Loire et la Saône, ce village du Charolais occupe un des points culminants de Saône-et-Loire (603 m). C'est du village que part chaque année le signal des Feux celtiques de la St-Jean, allumés pour célébrer le retour de la belle saison.

À l'entrée du bourg, une rue monte à droite à angle aigu jusqu'à une station de télévision et de météorologie. À proximité, du sommet d'une tour belvédère *(longue-vue, table d'orientation)*, socle d'un ancien moulin disparu, on découvre un immense **panorama★★** sur les monts du Morvan, les dépressions du Creusot et d'Autun, les monts du Mâconnais et du Charolais.

Église – Bâtie à la fin du 11e s., l'église était celle d'un prieuré clunisien. Le porche carré, surmonté d'une tribune, abrite un portail dont le tympan sculpté, très dégradé, représente un Christ en majesté entre saint Pierre et saint Paul. La nef est voûtée de berceaux transversaux comme celle de St-Philibert de Tournus, tandis que les bas-côtés sont voûtés d'arêtes. La croisée du transept est surmontée d'une coupole sur trompes. Du terre-plein bordant le cimetière, on a une jolie **vue** sur le chevauchement des vallons du nord.

Musée Jean Régnier – *✆ 03 85 69 00 00 - de Pâques au 20 sept. : dim. et j. fériés 14h-18h - gratuit.* Installé dans le bâtiment restauré d'un grenier à sel (15e s.), ce musée rassemble les découvertes archéologiques (du néolithique au haut Moyen Âge) faites dans la région.

Perrecy-les-Forges

15 km au sud-ouest de Montceau. Ce bourg industriel possède une **église** romane, vestige d'un ancien prieuré bénédictin, précédée d'un **porche-narthex★** de grande ampleur et de belle facture (musée du prieuré à l'étage). Au tympan du portail trône le Christ dans une gloire soutenue par deux séraphins aux six ailes accolées. En contraste avec l'austérité de cette évocation aux lignes aiguës, les sculptures du linteau (Passion du Christ) et des chapiteaux offrent plus de souplesse et de vie. La croisée du transept, éclairée par des baies géminées, est surmontée d'une coupole sur trompes. L'édifice est mis en valeur, côté sud, par l'ingénieuse matérialisation au sol des plans de l'ancien cloître, grâce à des arbustes et des talus gazonnés.

Le Creusot-Montceau pratique

Adresse utile

Office du tourisme du Creusot – *Château de la Verrerie - 71200 Le Creusot - ✆ 03 85 55 02 46 - www.le-creusot.fr - de déb. mai au 20 sept. : 9h30-12h30, 14h-18h, w.-end 14h-18h ; du 21 sept. à fin avr. : lun.-vend. 10h-12h, 14h-17h30, sam 14h-18h.*

Se loger

⊖⊖ **Hôtel Le Nota Bene** – *70 quai Jules-Chagot - 71300 Montceau-les-Mines - au centre-ville - ✆ 03 85 69 10 15 - www.notabene.fr - 46 ch. 62/72 € - ☕ 6,90 € - rest. 9/26,90 €.* Face au pont levant du canal, cet hôtel rénové se signale par sa devanture habillée de bois blond. Chambres simples et fonctionnelles. Salle à manger ornée d'une fresque évoquant l'Italie ; la spécialité maison est la tavola (tartine garnie et passée au four).

⊖⊖ **Hôtel Le Moulin Rouge** – *41 rte de Montcoy - 71670 Le Breuil - 3 km à l'est du Creusot par D 290 - ✆ 03 85 55 14 11 - www.le-moulin-rouge.com - fermé vac. de Noël - 31 ch. 64 € - ☕ 9 € - rest. 18/40 €.* Vos nuits seront tranquilles dans cet hôtel proche d'une ferme. Les chambres classiques sont assez spacieuses et confortables. Deux salles à manger dont une avec une belle cheminée. Belle carte des vins qui met en valeur la richesse bourguignonne. Et pour la détente, jardin avec piscine.

⊖⊖ **Chambre d'hôte Le Domaine de Montvaltin** – *71670 Le Breuil - ✆ 03 85 55 87 12 - www.domainedemontvaltin.com -*

fermé fév. - 🅿 *- 4 ch. 70/90 €* ☕. À 5 minutes du Creusot, dans un site agreste, ancienne ferme (20e s.) réaménagée mettant à votre disposition trois types de chambres aux décors personnalisés avec fraîcheur et féminité. Court de tennis, piscine couverte, jardin soigné et étang peuplé de carpes.

Se restaurer

Auberge la Croix Messire Jean – *71190 Uchon - ✆ 03 85 54 42 06 - monsite.orange.fr/lacroixmessirejean - fermé 25 déc.-1er janv., mar. soir et merc. Ouv. tlj juil.-août - 12/24,50 € - 6 ch. 35/45 € - ☕ 7 €.* Au sommet du « chaos granitique » d'Uchon (680 m d'altitude), une gentille auberge au cadre rustique accueille tous styles de randonneurs (vtt, randonnée pédestre et équestre). Point de départ idéal de belles balades dans un cadre de pleine nature. Possibilité d'hébergement sur place.

Moulin de Galuzot – *À Galuzot - 71230 St-Vallier - 5 km au sud-ouest de Montceau-les-Mines par N 70 et D 974 - ✆ 03 85 57 18 85 - thierry.et.emilie@wanadoo.fr - fermé 20 fév.-5 mars, 20 août-11 sept., mar. soir, dim. soir et merc. - 19/28 €.* Au bord du canal de la Bourbince, une auberge régionale toute simple bien connue des habitués. Deux salles à manger en rez-de-chaussée surélevé, l'une contemporaine colorée avec chaises rétro et l'autre plus rustique. Cuisine traditionnelle.

Le France – *7 pl. Beaubernard - 71300 Montceau-les-Mines - ✆ 03 85 67 95 30 - www.jeromebrochot.com - fermé 3-17 mars, 28 juil.-18 août, sam. midi, dim. soir et lun. - 38/80 € - 9 ch. 58 € - ☕ 8 €.* Voilà un restaurant un peu en retrait du centre-ville où l'on se sent bien. Vous serez accueilli par un jeune couple dans une salle à manger élégante avec cheminée autour d'une table soignée. Quelques chambres peu spacieuses mais claires et bien insonorisées.

Sports & Loisirs

Parc Touristique des Combes – 👪 - *R. des Pyrénées - 71200 Le Creusot - ✆ 03 85 55 26 23 - www.parcdescombes.com - départ de la gare du Creusot ou de la gare des Combes - ouv. 5 mars-5 nov., w.-end, j. fériés et vac. scol - 16 € (junior 13 €, enf. 8,50 €).* Outre une vaste gamme d'activités ludiques et sportives (luge d'été, Nautic Jet, Déval'train, Vertingo, Fossiloscope...), ce parc de loisirs de 70 ha propose un voyage en « Tacot des Crouillottes ». Ce train du début des années 1900 vous fera découvrir, au long d'un itinéraire ponctué de tunnels, gorges, cascades, de magnifiques points de vue sur les monts de Beaujolais et le Morvan. Circuit de 10 km ou 5,5 km.

Golf du Château d'Avoise – *9 r. de Mâcon - 71210 Montchanin - ✆ 03 85 78 19 19 - www.golf-avoise.net - 8h-19h.* Vaste domaine de 120 ha et parcours technique de grande qualité. Club house avec restauration rapide et gastronomique. Salle de séminaire.

Plans d'eau – Nombreux dans la région, ils se prêtent aux activités les plus diverses. Les pêcheurs apprécieront particulièrement l'étang de Longpendu (poissonneux), les véliplanchistes les lacs de la Sorme et de Torcy (venteux), et les canoéistes le lac du Plessis (calme).

Vallée de la Cure★

CARTE GÉNÉRALE B2 – CARTE MICHELIN DÉPARTEMENTS 319 F 6/7 – YONNE (89)

Cette rivière morvandelle par excellence est un affluent de l'Yonne, bien que son bassin soit plus étendu. Dans la partie vallonnée du Parc naturel régional du Morvan, la Cure est un cours d'eau « sportif », très apprécié des canoéistes. Il s'assagit en aval, au long du circuit proposé, mais conserve du tempérament jusqu'à Cravant, bondissant sur les rochers, comme une vraie rivière à truites.

Se repérer – Longue de 109 km, la Cure rejoint l'Yonne près de Cravant. Le circuit de découverte proposé part d'Auxerre pour vous amener jusqu'à Vézelay : une agréable manière d'aller d'une belle ville à une autre…

À ne pas manquer – Découvrez le manoir alchimique de Chastenay et ses mystérieux symboles ésotériques. Puis remontez tranquillement à pied la rive gauche de la Cure en empruntant, au départ de la Grande Grotte, un joli chemin ombragé ; vous passerez au pied d'escarpements calcaires creusés de grottes habitées durant la préhistoire.

Organiser son temps – Passionnés de peintures préhistoriques, réservez votre place, le dimanche, pour la visite (3h) des grottes d'Arcy-sur-Cure. Vous apprécierez tout particulièrement la richesse du bestiaire.

Avec les enfants – Bien couverts et bien chaussés, descendez avec eux dans la Grande Grotte, pour vous émerveiller devant les lacs souterrains et les multiples stalagmites et stalactites formant les figures les plus étranges. Vous pourrez également faire en famille la descente de la Cure en canoë-kayak *(voir carnet pratique).*

Pour poursuivre la visite – Voir aussi Avallon, Auxerre, Chablis, Noyers, Vézelay, la vallée de l'Yonne.

S. Sauvignier / MICHELIN

La Cure à Bessy-sur-Cure.

Comprendre

Une rivière énergétique – C'est sur la Cure, au milieu du 16e s., que fut réalisé le premier essai de flottage à bûches perdues *(voir Clamecy).* Au 19e s., la création du lac réservoir des Settons *(voir Morvan),* à quelques kilomètres de sa source, avait pour but d'aider à ce mode de transport original du bois de chauffage.

Depuis la disparition du flottage, le lac n'est utilisé que pour régulariser le débit de la rivière et alimenter, pendant l'été, le canal du Nivernais.

Dans les années 1930, plusieurs barrages hydroélectriques ont été aménagés dans le bassin amont de la Cure : barrage du Crescent (1930-1933) avant Chastellux ; barrage de Malassis (1929-1930) près de Domecy-sur-Cure ; barrage de Chaumeçon (1933-1935) sur le Chalaux, un affluent de la Cure. On est ainsi passé du « charbon de bois » à la « houille blanche ».

Circuit de découverte

D'AUXERRE À VÉZELAY

60 km – environ 4h30, visites d'Auxerre et de Vézelay non comprises. Jusqu'à Coulanges-la-Vineuse, vous pouvez suivre l'itinéraire du circuit décrit à Auxerre. Pour rejoindre Cravant depuis Coulanges-la-Vineuse, prendre la D 85 puis, à droite, la D 606. Les sites présentés ci-dessous se trouvent le long de cette départementale.

Cravant

Cette petite localité, autrefois fortifiée (comme l'attestent les vestiges d'un donjon), est bâtie au confluent de la Cure et de l'Yonne. Des promenades ont été aménagées à l'emplacement des anciens fossés. L'**église**, du 13e s., possède un chœur ainsi qu'une tour de la Renaissance, et le bourg des maisons à pans de bois. La route suit la rive de la Cure parmi des paysages de collines boisées ou plantées de vignes.

Le village d'**Accolay**, proche de Vermenton, est réputé pour ses poteries vernissées.

Vermenton

Cet ancien port occupe un site agréable sur les rives de la Cure. Son **église** possède une belle tour du 12e s. ; le portail conserve des statues-colonnes très mutilées. Voir aussi les vestiges des remparts. *✆ 03 86 81 62 93 (M. Verrier) - 10h-18h.*

Abbaye de Reigny

✆ 03 86 81 59 30 - tlj en juil.-août sf dim. matin et lundi : visites guidées à 10h15, 11h15, 15h00, 16h00, 17h00 (18h de mi-juil. à fin août) - mi-avr.-mi-oct : ouvert les dim. apr.-midi - 6 € (4 € -18 ans).

Située à la sortie de Vermenton, dans un cadre verdoyant au bord de la Cure, cette abbaye a été fondée en 1128 et classée Monument historique en 1921. Durant son âge d'or, au Moyen Âge, elle a accueilli jusqu'à 300 moines. En partie détruite durant la guerre de Cent ans et la Révolution, elle a néanmoins conservé un très beau réfectoire cistercien du 14e s *(voir photo p. 65)* et un impressionnant réseau hydraulique de la même époque. La visite permet également de découvrir un cellier du 18e s. Dans ce lieu, 40 panneaux illustrés relatent, au travers de l'exemple de Reigny, toute l'histoire du mouvement cistercien. Mais l'abbaye a également connu un passé mondain : dans les années 1920, elle appartenait au sculpteur Max Blondat, qui y invita souvent Coco Chanel. De Pâques à septembre, le lieu accueille plusieurs manifestations culturelles *(voir carnet pratique, rubriques Événements et Se loger)*.

Arcy-sur-Cure

La Cure divise le bourg en deux parties reliées par un grand pont en dos d'âne, d'où s'offrent de jolies **vues** sur la rivière et le manoir de Chastenay.

Après avoir traversé la Cure, on aperçoit la ravissante façade classique du **château d'Arcy** (18e s.), que précède une allée d'arbres.

Poursuivez en prenant à gauche l'étroit chemin de Vault (V8), qui traverse le hameau de **Val-Ste-Marie** ; vous pourrez voir les ruines désolées d'une maison forte du 14e s., habitée par les seigneurs du domaine d'Arcy jusqu'à la construction du château.

Manoir de Chastenay – *✆ 03 86 81 90 63 ou 03 86 81 93 41- horaires et tarifs non communiqués.*

Cet élégant édifice de la seconde moitié du 14e s. fut érigé sur l'emplacement d'une demeure fortifiée du 11e s. dont subsiste une partie de l'enceinte. Il est percé de fenêtres à meneaux et présente, sur sa façade nord, une jolie tour d'escalier hexagonale, élevée hors œuvre, ainsi qu'une échauguette en encorbellement. Notez tout particulièrement la **porte des Sages**, ornée d'une frise sculptée de trois personnages aux figures d'alchimistes ; au-dessus, remarquez la tiare représentant l'or philosophal, le pape et le seigneur. À l'intérieur du château, un polyptyque du 14e s. représente des scènes de l'histoire de Joseph. La visite met l'accent sur la symbolique alchimiste qui « habite » le manoir et sur les travaux des compagnons.

Grottes

En amont du village d'Arcy, la rive gauche de la Cure est dominée par de hautes falaises calcaires percées de nombreuses grottes, dont une seule est ouverte à la visite. Depuis 1990, les archéologues ont

Le saviez-vous ?

Le prolixe et aventureux **Nicolas Restif de La Bretonne** est né dans une ferme de Sacy (près de Vermenton). Écrivain typographe doté d'un sens aigu de la psychologie, il considérait son œuvre de dissection sociale, depuis *Le Paysan perverti* jusqu'aux *Nuits de Paris*, comme un utile complément à *l'Histoire naturelle* de son illustre compatriote Buffon.

mis au jour des peintures pariétales vieilles de 33 000 ans, selon les dernières datations, ce qui fait de la Grande Grotte la plus ancienne grotte ornée du monde après celle de Chauvet, en Ardèche.

Les peintures d'Arcy, aux dominantes de rouges, représentent une soixantaine d'animaux différents (mammouths, ours et félins, rhinocéros, chevaux, bouquetins, oiseaux, poissons, etc.), mais on note aussi la présence d'empreintes de mains et de signes divers.

La Grande Grotte★ – *03 86 81 90 63 - www.grottes-arcy.net - - visite guidée (1h, dernière visite 30mn av. fermeture) : juil.-août : 9h30-18h ; reste de l'année 10h-12h, 14h-17h30 - fermé de mi-nov. à fin mars - 8 € (enf. 4,50 €).*

Surtout, n'oubliez pas de vous couvrir : il fait 12 °C dans la grotte. Cette caverne, que Buffon visita en 1740 et 1757, se ramifie sur 2,5 km en une succession de salles et de galeries décorées de draperies, stalactites et stalagmites, que l'on visite sur 900 m. Les plafonds plats alternent avec les concrétions d'aspect fantastique se transformant au gré de l'imagination en bêtes ou en fleurs vénéneuses. Au retour, on peut voir deux petits lacs alimentés par la Cure, dont le premier est figé sous une fine couche calcaire (le « lavoir des Fées »).

La grotte d'Arcy.

www.grottes-arcy.net

Les bords de la Cure – *30mn à pied AR.* Suivez, au départ de la Grande Grotte, un agréable chemin ombragé remontant la rive gauche de la Cure au pied d'escarpements calcaires creusés d'une quinzaine de grottes, en cours de fouilles, parmi lesquelles les grottes du Loup, du Bison, du Renne, des Ours, du Trilobite, de l'Hyène, du Cheval, des Fées… Remarquez le Grand Abri, imposante masse rocheuse qui surplombe le terrain sur plus de 20 m de longueur et 10 m de profondeur. Pénétrez dans une zone boisée *(protégée)* où vous découvrirez une **carrière mérovingienne** de sarcophages et la **fontaine de St-Moré**, source qui fit l'objet d'un culte jusqu'au 19e s. Au sommet des rochers de St-Moré, **vue** sur la vallée.

Voutenay-sur-Cure

Ce village bénéficie d'une agréable situation au pied de collines boisées.

Notre-Dame-d'Orient

Au départ de Sermizelles, à l'est. Un chemin de terre balisé conduit, sous bois, au sommet de la colline où s'élève une chapelle octogonale (19e s.) surmontée d'une Vierge en pierre. Du pied de la statue *(accessible par 39 marches)*, vue intéressante sur la vallée de la Cure. En retrait, vous verrez une chapelle moderne de pèlerinage à Notre-Dame-d'Orient (invoquée depuis la guerre de Crimée, en 1854).

Prendre la D 951.

Asquins

Point de départ de la « voie de Vézelay » (l'un des quatre grands chemins de St-Jacques-de-Compostelle), l'église **St-Jacques-le-Majeur** (12e-13e s.) abrite notamment un reliquaire du 16e s. figurant saint Jacques. Un charmant **lavoir** du 18e s. est également à remarquer au nord du village.

Poursuivre sur la D 951 pour rejoindre Vézelay.

Vallée de la Cure pratique

Voir aussi les carnets pratiques d'Auxerre, de Vézelay et de la vallée de l'Yonne.

Se loger

Chambre d'hôte Le Clos du Merry – *4 r. Crété - 89440 Joux-la-Ville - 9 km au nord-est de Voutenay-sur-Cure par D 32 - 03 86 33 65 54 - closmerry@free.fr - - 5 ch. 45 €.* Cette vieille ferme céréalière est encore en activité. Les chambres, toutes réservées aux non-fumeurs, s'articulent autour de la vaste salle des petits-déjeuners ; certaines offrent un aménagement adapté aux familles. Grand jardin doté de jeux pour les enfants. Organisation de randonnées sur place.

Chambre d'hôte Les Vieilles Fontaines – *89270 Sacy - 6 km à l'est de Vermenton par D 11 - 03 86 81 51 62 - http://lesvieillesfontaines.free.fr - fermé nov.-mars - - 3 ch. et 1 gîte (4 pers.) 60 € - repas 28 €.* Trois chambres simples mais de bon confort ont été aménagées dans cette maison en pierre, jadis propriété d'un vigneron. Un salon installé dans l'ancienne cave à vins voûtée vaut le coup d'œil. Si le temps le permet, repas servis sur la terrasse couverte.

Chambre d'hôte Place Voltaire – *15 pl. Voltaire - 89270 Vermenton - 03 86 81 59 63 - www.15placevoltaire.com - fermé nov.-mars - - 4 ch. 65/90 € - repas 15 €.* Dans le bourg, maison de pierre abritant 4 chambres ornées de meubles anciens. La chambre du Roi fut ainsi baptisée en l'honneur de Louis-Philippe, qui dit-on s'y arrêta lors de l'inauguration du canal. Petits-déjeuners anglais servis dans la grande salle à manger. Jolie véranda donnant sur un charmant jardinet.

Chambre d'hôte Le Moulinot – *D 606 - 89270 Vermenton - 03 86 81 60 42 - www.moulinot.com - fermé 25 déc.-2 janv. - - 6 ch. 90 €.* Franchissez l'étroit pont sur la Cure pour accéder à ce moulin du 18e s. posté entre la rivière et l'étang. Bucolique à souhait, le cadre est charmant et rafraîchissant. Chambres spacieuses et coquettes desservies par un escalier central en bois. Salon-salle à manger au bord de l'eau. Piscine.

Chambre d'hôte abbaye de Reigny – *89270 Vermenton - 03 86 81 59 30 - www.abbayedereigny.com - 5 ch. et 1 gîte - 75/160 €.* Calme et repos assurés dans le bel écrin de verdure de l'ancienne abbaye, à l'ombre de ses tilleuls. Les chambres ont été refaites. Elles sont confortables et charmantes, dans leur style désuet. Celle de Coco Chanel a beaucoup de succès : le papier peint, aux tons gris et bleu, est d'époque.

Se restaurer

Auberge Le Voutenay – *8 rte Nationale-6 - 89270 Voutenay-sur-Cure - 03 86 33 51 92 - monsite.wanadoo.fr/auberge.voutenay - fermé 1er-21 janv., 16-24 juin, dim. soir, lun. et mar. - 25/55 € - 7 ch. 55/65 € - 8 €.* Au bord de la N 6, demeure du 18e s. tournée vers son agréable parc arboré. Salle à manger rustico- bourgeoise dotée d'une belle cheminée en bois sculpté.

Sports & Loisirs

A.B. Loisirs Canoë-Kayak – *Rte du Camping - 89450 St-Père - 03 86 33 38 38 - www.abloisirs.com - 9h30-18h30 sur réserv. - fermé 20 déc.-5 janv. - à partir de 5 €.* Au bord de la Cure, rivière naturelle et sauvage, cette base de loisirs propose aux petits comme aux grands près de 48 km de descente de Malassis à Cravant. Parcours canoë d'une heure à une journée. Un choix complet d'embarcations disponibles (canoë, kayak, raft ou luge en mousse). Matériel fourni et émerveillement garanti.

France Montgolfières – *6 pl. de la Gare - 89270 Vermenton - 0 810 600 153 - www.franceballoons.com - de 185 à 225 €/pers.* Survol de la région en montgolfière.

Événements

Fêtes de Pâques à Reigny – Durant le long w.-end de Pâques, ont lieu plusieurs manifestations : marché des artistes, artisans et producteurs de la région ; chasse aux œufs dans le parc ; concert de Pâques.

Festival paroles et musiques – En juil. et août, à l'abbaye de Reigny. Lectures de textes (souvent par des personnalités très connues) et concerts de style varié. Plus d'infos sur www.abbayedereigny.com.

Decize

6 456 DECIZOIS
CARTE GÉNÉRALE A3 – CARTE MICHELIN DÉPARTEMENTS 319 D11 – NIÈVRE (58)

Occupant une île rocheuse de la Loire, Decize tend à devenir un pôle d'attraction du Sud-Nivernais. Le bourg s'étale au pied d'une butte où se dressait jadis le château des comtes de Nevers. Il fait bon se promener sous son allée de platanes ou y embarquer, comme les mariniers autrefois, sur une gabare.

Se repérer – La ville se trouve au confluent de l'Aron et de la Loire et au débouché du canal du Nivernais, qu'un barrage fait communiquer avec le canal latéral à la Loire. Nevers est à 30 km au nord-ouest par la D 981. Pour apprécier le site, gagnez le sommet de la côte de Vauzelles *(table d'orientation)*.

À ne pas manquer – Amateurs de tourisme industriel, la galerie-type du puits des Glénons, à La Machine, vous présente l'évolution des techniques minières.

Organiser son temps – Prévoyez suffisamment de temps pour découvrir tranquillement la Loire au rythme d'une gabare.

Avec les enfants – Pour leur faire découvrir le patrimoine minier de la région, descendez avec eux au fond de la Mine-image. Faites ensuite un tour à la base de loisirs du stade nautique de Decize *(voir carnet pratique)* : plage de sable, pédalos, aires de jeux et autres activités vous y attendent.

Pour poursuivre la visite – Voir aussi Nevers.

Decize, petite ville du Sud-Nivernais.

Comprendre

Les hérauts du pays – Le jurisconsulte **Guy Coquille** (1523-1603) est l'auteur d'un *Commentaire de la coutume du Nivernais*. Henri IV tenta sans succès de s'attacher les services de ce député, opposé aux Ligueurs mais attaché à son Nivernais natal, qui rédigea le cahier du Tiers État.

Pour avoir quitté le foyer familial sans autorisation, **Saint-Just** (1767-1794) fut emprisonné à Picpus avant d'avoir vingt ans. Membre du Comité de salut public en 1793 (il compose, avec son fidèle ami Robespierre et Couthon, un triumvirat qui gouverne alors le pays), nommé commissaire de l'armée du nord, il contribua à la victoire décisive de Fleurus, qui mit fin aux craintes d'invasion. Les paroles prononcées par Saint-Just à la tribune ont souvent été d'une violence inouïe, d'autant plus qu'il y joignait les actes. Son intransigeance, mais aussi sa soif de pureté, ont fait de lui l'incarnation d'un certain idéal révolutionnaire.

Celui qu'on appelait « l'archange de la Terreur » est l'auteur du fameux : *« On ne peut point régner innocemment »* lors du jugement de Louis XVI, et du prémonitoire : « *Le bonheur est une idée neuve en Europe.* » Mis hors la loi par la Convention le 9 thermidor an II, Saint-Just monta à l'échafaud le lendemain.

Maurice Genevoix (1890-1980) dépeignit avec lucidité les ravages de la guerre dans *Ceux de 14* avant de recevoir le prix Goncourt en 1925 pour son roman *Raboliot*. La suite de son œuvre célèbre la plénitude de la nature et la force animale (ce qui le rapproche de Colette),

Patrimoine industriel en France

Accessible sur le site **www.cilac.com**, la base de données du Comité d'information et de liaison pour l'archéologie, l'étude et la mise en valeur du patrimoine industriel en présente l'actualité : expositions, colloques, etc. Les passionnés de tourisme technique y découvriront des suggestions de lecture et toutes sortes de liens vers des sites Internet autour du patrimoine minier, métallurgique, agricole, textile ou autre.

qui lui semblent proposer à l'homme une réflexion sur la vie pouvant conduire à la sagesse. Il fut élu à l'Académie française en 1946.

Marguerite Monnot (1903-1961), pianiste et violoniste précoce, composait déjà à l'âge de cinq ans. Elle s'orienta vers la variété, la chanson, les musiques de films, les comédies musicales ; elle écrivit pour Édith Piaf une cinquantaine de chansons, dont *Milord*, *L'Hymne à l'amour*, *Mon Légionnaire*.

Le saviez-vous ?

César trancha un différend entre deux chefs éduens *(voir mont Beuvray)* dans la cité antique de *Decetia*. Il s'agirait du nom d'une divinité gauloise, sûrement liée à l'eau.

Les Decizois habitent de part et d'autre de la Loire, ou encore sur l'île dessinée par les deux bras du fleuve. Le plus ancien, la **Vieille Loire**, est un bras mort qui offre la vision surprenante d'un pont chevauchant une prairie.

Visiter

Flâner dans le centre-ville les jours de marché est fort agréable *(vend. matin et 3e mardi du mois, lors du marché aux moutons)*. Au pied de la butte, les anciens remparts montrent les vestiges de tours, portes et ravelins.

Église Saint-Aré

03 86 25 27 23. Le chœur du 11e s. recouvre une **crypte double** du 7e s., qui renfermait avant la Révolution le tombeau de saint Aré, évêque de Nevers. C'est l'une des très rares cryptes mérovingiennes conservées en France *(juil.-août : jeu. 16h)*. On y trouve une Vierge du 16e s., « Notre-Dame-de-Sous-Terre ». La légende raconte qu'à sa mort son corps fut, selon son vœu, placé sur une barque qui remonta seule la Loire et vint s'échouer à Decize. Dans l'église même, remarquez les bénitiers en bronze datant du 15e s. et le reliquaire de saint Aré.

Redescendez vers la Vieille Loire en passant devant l'ancien couvent des Minimes. Longez le bras de rivière.

Promenade des Halles

Cette superbe allée longue de plus de 900 m est ombragée de platanes dont certains atteignent 55 m de hauteur ; les premiers ont été plantés en 1771. Des constructions récentes gâtent un peu l'entrée de la promenade.

Aux alentours

La Machine

8 km au nord par la D 34. Connu depuis la haute Antiquité pour ses affleurements de charbon, le gisement houiller de la région fut exploité industriellement sous l'impulsion de Colbert, qui vanta auprès du roi l'excellente qualité du charbon nivernais pour fournir les forges des arsenaux militaires. En 1670, une machine d'extraction d'origine liégeoise, un manège en bois tiré par un cheval, fut installée sur le site, donnant son nom à la ville. La mine fut achetée par la compagnie Schneider du Creusot en 1864 et nationalisée en 1946. La concurrence de l'étranger et des autres sources d'énergie conduisirent à la fermer en 1974.

Musée de la Mine

03 86 50 91 08 - visite guidée (2h30, dép. puits des Glénons) de mi-juin à mi-sept. : 14h-18h ; de mi-sept. à fin oct. et de déb. mars à mi-juin : dim. et j. fériés sf le 1er Mai 14h-18h - 6 € (enf. 3 €).

Installé dans les bâtiments de l'ancienne direction des houillères depuis 1983, ce musée évoque l'histoire du site, le travail et la vie quotidienne au fond de la mine, ainsi que les aspects sociaux liés au quotidien d'une ville minière. Le musée organise par ailleurs chaque année une exposition liée au patrimoine industriel.

Mine-image – *Suivez, face au musée, la direction du puits des Glénons.*

Autrefois, les futurs mineurs faisaient leur apprentissage dans ce puits. Aujourd'hui, en complément à la visite du musée, cette reconstitution réaliste d'une galerie-type permet de découvrir l'évolution des techniques de soutènement de bois et évoque le travail d'extraction : dynamitage, abattage, évacuation de la houille.

Teinte

En aval de Decize au bout de la D 262, à 8 km.

Sur les bords de Loire, près du hameau, d'anciens quais datant de l'époque du transport fluvial de la chaux ont été aménagés pour la promenade.

Béard

13 km à l'ouest sur la D 981.

Son église romane du 12e s. possède à la croisée du transept un **clocher**, dont les deux étages sont percés, sur chaque face, de deux baies géminées en plein cintre.

Decize pratique

Adresse utile

Office du tourisme de Decize et sa région – *Pl. du Champ-de-Foire - 58300 Decize - ☏ 03 86 25 27 23 - juil.-août : 9h30-12h, 14h-18h30, dim. 10h-12h ; mai-juin et sept. : mar.-sam. 9h30-12h, 14h-17h30 ; oct.-avr. : mar.-vend. 9h30-12h, 14h-16h30 - fermé j. fériés.*

Se restaurer

⊖⊖ **Le Charolais** – *33 bis rte de Moulins - ☏ 03 86 25 22 27 - frank.rapiau@wanadoo.fr – fermé 1er-7 janv., vac. de fév., mar. du 15 nov. au 15 avr., dim. soir et lun. - 17/55 €.* La ville natale de Maurice Genevoix abrite ce restaurant au cadre contemporain assidûment fréquenté par les plaisanciers du canal nivernais. Cuisine au goût du jour.

Sports & Loisirs

Plaisirs d'eau – Réalisé en plusieurs temps, de 1784 à 1842, le canal du Nivernais, qui s'étire sur 174 km d'Auxerre à St-Léger-des-Vignes, est le plus sinueux de France *(voir p. 122)*. Déserté par les péniches, il se prête bien – dans le secteur sud – aux **sports nautiques** et à la **navigation de plaisance** *(promenades en gabares : renseignements auprès de l'office de tourisme)*. Les poissons ayant adopté le lieu, ses 70 km de rives sont un vrai paradis pour les pêcheurs.

Aménagé près de la Loire, au bord d'une retenue du barrage de St-Léger-des-Vignes, le **stade nautique** de Decize *(entrée gratuite)* offre toute une variété d'activités de loisirs *(certaines payantes)* : pédalos, bateaux électriques, golf miniature, toboggan aquatique, aires de jeux, etc. Compétitions internationales de canoë-kayak fin juin.

Crown Blue Line – *Port de la Jonction - ☏ 03 86 25 46 64 - www.crownblueline.com - avr.-oct. : tlj sf dim. 8h30-12h30, 14h-18h ; nov.-mars : tlj sf w.-end 8h30-12h30, 13h45-16h45 - fermé de déc. à déb. janv., vac. de Noël et j. fériés (nov.-mars).* Rien de tel que le rythme d'un bateau pour découvrir les charmes secrets de la région. Location au week-end ou à la semaine.

Digoin

8 527 DIGOINAIS

CARTE GÉNÉRALE B4 – CARTE MICHELIN DÉPARTEMENTS 320 D11 – SAÔNE-ET-LOIRE (71)

Digoin se trouve au point de rencontre des vallées de la Loire, de l'Arroux, de l'Arconce, de la Vouzance et de la Bourbince. Leurs canaux tranquilles, leurs eaux poissonneuses et leurs rives parcourues de sentiers attirent amateurs de tourisme fluvial, pêcheurs et randonneurs venus apprécier le charme des lieux.

- **Se repérer** – Digoin est l'une des portes du Charolais. La ville se trouve à 14 km à l'ouest de Paray-le-Monial et à 31 km au sud-est de Bourbon-Lancy.
- **À ne pas manquer** – Les collections du musée de la Céramique, de l'époque gallo-romaine à nos jours ; la vue sur le pont-canal et la Loire depuis l'ObservaLoire.
- **Organiser son temps** – Une promenade en bateau sur les canaux vous procurera un agréable moment de détente.
- **Avec les enfants** – Rendez-vous à l'ObservaLoire pour découvrir la faune et la flore des milieux ligériens et tout apprendre sur la vie des mariniers et le fonctionnement des écluses.
- **Pour poursuivre la visite** – Voir aussi Bourbon-Lancy, le Brionnais, Paray-le-Monial.

Comprendre

Briare uni à Chalon-sur-Saône – Achevé en 1836, un **pont-canal** de onze arches, franchissant la Loire, permet au canal latéral à la Loire de rejoindre le canal du Centre (qui relie la Loire à la Saône). Lors de l'attribution de l'Alsace-Lorraine à la Prusse en 1870, la faïencerie de Sarreguemines décida de rapatrier ses activités sur Digoin. L'argile qui abonde en ces terres lui a permis d'y devenir l'une des plus grandes faïenceries de France.

La Loire nivernaise – À l'époque de Jules César, la Loire s'appelait *Liger*. Son nom viendrait de la racine gauloise *lig* signifiant « boue ». De Digoin à Briare, elle coule vers le nord-ouest sur 150 km, dans des plaines rattachées au Bassin parisien. Elle n'y a pas l'ampleur et la majesté qu'on lui connaît en aval d'Orléans ; pourtant, tantôt nonchalante et tantôt fougueuse, elle est déjà très attachante par sa physionomie, son tracé, ses îles boisées et les paysages qu'elle traverse. Son débit varie de 30 à 40 m³/seconde en été à 7 000 et même 8 000 m³ en période de grandes **crues**. Les caprices du fleuve ne datent pas d'hier. Dans des temps reculés, il aurait peut-être

S. Sauvignier / MICHELIN

Pont-canal sur la Loire.

coulé jusqu'à la Seine, dans la dépression qu'occupe aujourd'hui le canal de Briare. En été, la Loire n'est qu'un maigre cours d'eau qui se fraie péniblement un chemin entre d'immenses bancs de sable d'un blond doré sur lesquels des buissons de saules font, çà et là, une tache verte. Mais d'octobre à juin, elle recouvre complètement son lit, charriant une nappe d'eau grisâtre, offrant ainsi le contraste le plus accentué avec les mois d'été.

Quelques chapelles dédiées à **saint Nicolas**, le patron des mariniers, existent encore (à Nevers), parfois en partie démolies (à La Charité-sur-Loire). Certaines églises des bords de Loire conservent, suspendus à la voûte, de beaux vaisseaux de bois, fidèles reproductions des navires à voiles du 17e s. ; ces bateaux étaient portés solennellement au cours des processions en l'honneur de saint Nicolas.

La navigation sur la Loire – Le plus irrégulier des fleuves de France a connu, autrefois, une intense activité de **batellerie**. Au temps où les routes étaient rares et mauvaises, la voie d'eau était un chemin très fréquenté. Au Moyen Âge, une puissante confrérie levait des droits sur toutes les marchandises transportées sur la Loire et ses affluents et imposait de nombreux péages.

De Roanne à Orléans vivait tout un peuple de mariniers, transportant sur des chalands, des allèges, des sentines – dont quelques-unes étaient « vergées », c'est-à-dire dotées d'un mât supportant voilure –, les marchandises les plus diverses : produits agricoles du Charolais et du Morvan, faïences de Nevers, bois et charbons du Forez. La circulation était surtout intense à la descente, où l'on parcourait une trentaine de kilomètres par jour. La remontée étant très pénible à cause du courant, les mariniers préféraient le plus souvent démolir leurs bateaux, en vendre les planches, et revenir à pied à leur point de départ !

Les voyageurs empruntaient volontiers ce mode de locomotion. La conversation

Le saviez-vous ?

Comme dans « Dijon », la racine gauloise *diwo* évoque une idée de sacré. Le *Diwontio* (lieu aux eaux sacrées) des Celtes devint *Deguntium* après Charlemagne.

Véritable référence pour la porcelaine hôtelière, la manufacture de Digoin puise l'un des kaolins les plus blancs d'Europe dans une carrière toute proche.

des mariniers, gens rudes et parfois violents, était cependant réputée pour ne pas convenir aux oreilles chastes *(voir le poème badin du perroquet Ver-Vert p. 332).*

À la veille de la Révolution, un service pour passagers était organisé sur les trois sections Roanne-Nevers, Nevers-Orléans, Orléans-Nantes. Au 19e s., la navigation à vapeur donna un nouvel essor au trafic fluvial. Des services réguliers entre Roanne, Nevers et Orléans étaient assurés par plusieurs compagnies. Mais, très vite, l'extension du chemin de fer allait porter un coup fatal à la batellerie. En 1862, la dernière compagnie cessait son trafic *(pour plus de détails, voir Le Guide Vert Châteaux de la Loire).*

Visiter

Église Notre-Dame-de-la-Providence

Ce bel édifice de style à la fois roman et byzantin fut érigé au 19e s. Les sculptures des tympans de la façade ont été réalisées de 1976 à 1978. L'intérieur, très vaste, est éclairé par des vitraux d'une belle facture, notamment ceux imitant des mosaïques, du revers de la façade.

Musée de la Céramique

✆ 03 85 53 00 81 - visite guidée (1h30) juin-août : à 10h30 et 14h30-17h, dim. et j. fériés 15h-17h ; avr.-mai et sept.-oct. : tlj sf dim. à 10h30, 15h et 16h30 ; nov.-mars : tlj sf dim. à 10h30 et 14h30 - 4 € (enf. 2,50 €).

Aménagé dans une hôtellerie du 18e s., il présente l'histoire de la céramique de l'époque gallo-romaine à nos jours (10 000 pièces) ainsi que les différents procédés de fabrication : moulage, coulage, tournage, décoration, émaillage et cuisson. Remarquez la fontaine filtrante (1900) et les pièces de barbotine.

ObservaLoire

✆ 03 85 53 75 71 - www.observaloire.com - ♿ - juil.-août : 10h-18h, merc. 10h-19h30 ; de déb. sept. à mi-nov. et de fin mars à fin juin : tlj sf mar. 14h-18h - possibilité de visite guidée (1h30) juil.-août : 14h30 et 16h30 - 4 € (enf. 2,30 €).

Dans cet espace consacré au patrimoine historique et naturel de Digoin, véritable carrefour d'eaux, vous découvrirez notamment une **salle sous l'eau** présentant les différentes espèces locales de poissons (aloses, brêmes, brochets, etc.). Le phénomène des crues, la vie des mariniers d'antan, le trafic fluvial à Digoin sont également évoqués au moyen de maquettes, d'outils et documents d'époque, de vidéos et de documents sonores. De l'obervatoire, jolie **vue** sur le pont-canal et la Loire *(longues vues et jumelles disponibles).*

Digoin pratique

Voir aussi les carnets pratiques du Brionnais et de Paray-le-Monial.

Adresse utile

Office du tourisme de Digoin – *8 r. Guilleminot - 71160 Digoin - ✆ 03 85 53 00 81 - juin-août : 10h-12h, 14h30-18h30, dim. 15h-18h30 ; avr.-mai et sept.-oct. : 10h-12h, 14h-18h ; nov.-mars : lun.-sam. 10h-12h, 13h30-16h30.*

Se loger

Hôtel Le Merle Blanc – *36 rte de Gueugnon - 71160 Neuzy - ✆ 03 85 53 17 13 - www.lemerleblanc.com - fermé dim. soir et lun. midi - P - 15 ch. 43/48 € - 6 € - rest. 15/41 €.* Cet établissement familial du centre de Neuzy possède un peu l'apparence d'un motel. Galerie à colonnades en façade ; mobilier de série dans les chambres. Vaste salle des repas compartimentée par des claustras, où l'on propose une carte traditionnelle étoffée.

Se restaurer

La Gare – *79 av. du Gén.-de-Gaulle - ✆ 03 85 53 03 04 - www.hoteldelagare.fr - fermé 5 janv.-6 fév., 1 sem. en juin, dim. soir et merc. sf juil.-août - 18/62 € - 13 ch. 46/60 € - 10 €.* Une maison bien dans la tradition des accueillantes auberges de province. Soigneuse cuisine classique-traditionnelle teintée de régionalisme et décor intérieur composite immuable, mariant les styles Louis XIII et « seventies ». Éclectique mobilier d'antiquaire dans les chambres.

Sports & Loisirs

Le Relais du Canalou – *76 av. du Gén.-de-Gaulle - ✆ 03 85 53 25 28 - www.canalous-plaisance.fr.* Une promenade en bateau sur les canaux est possible de mars à mi-nov. La base nautique accueille un port de plaisance avec 120 emplacements et une capitainerie, ✆ 03 85 53 76 74. www.tourisme-fluvial.fr.

Dijon★★★

150 800 DIJONNAIS – AGGLO : 236 953 HABITANTS
CARTE GÉNÉRALE C2 – CARTE MICHELIN DÉPARTEMENTS 320 K6 – CÔTE-D'OR (21)

Qui, de la ville de Dijon ou de sa moutarde, est la plus célèbre ? Trop souvent réduite à quelques clichés culinaires, vinicoles ou provinciaux, la capitale de la Bourgogne se bat aujourd'hui sur tous les fronts pour renouveler son image. Transports, économie, emplois, infrastructures urbaines… tout bouge. Le musée des Beaux-Arts, l'un des sites phares de la cité, s'est lancé dans une gigantesque métamorphose qui ne devrait s'achever qu'en 2017. Dijon a bien des atouts à faire valoir : labellisée « Ville d'art et d'histoire » en 2008, la cité des grands-ducs d'Occident a su préserver son élégant centre historique et sa grande richesse patrimoniale. Certes, sa réputation de ville tranquille se vérifie dans la plupart de ses quartiers. Mais l'image fait sourire ses 30 000 étudiants : à deux pas du palais des ducs, les soirs de fin de semaine, les bars animés de la rue Berbisey n'ont rien à envier à l'agitation parisienne.

Office du tourisme de Dijon - Atelier Démoulin.

La place de la Libération.

Se repérer – La capitale de la Bourgogne est desservie par les autoroutes A 31, A 36, A 38 et A 39. Elle se trouve à 40 km au nord de Beaune.

Se garer – Laissez votre voiture dans un parking et prenez les navettes gratuites *Diviaciti* qui circulent dans la ville de 7h à 20h du lundi au samedi.

À ne pas manquer – La « merveille de Dijon », selon Michelet : les tombeaux des ducs (au musée des Beaux-Arts) et leur émouvant cortège de pleurants ; l'un des grands classiques de l'art gothique, dû à Claus Sluter : le Puits de Moïse (à la chartreuse de Champmol) ; tout autour du palais des Ducs et du palais de justice, les hôtels particuliers du 17e et 18e s.

Organiser son temps – Pour admirer le Puits de Moïse, pensez à réserver vos billets auprès de l'office de tourisme. Et notez que beaucoup de musées dijonnais sont fermés le mardi, exception faite du musée Magnin (fermé le lundi).

Avec les enfants – Ne les privez pas d'une visite au musée des Beaux-Arts, car les trésors qu'il recèle, notamment dans la fameuse salle des Gardes, leur feront grande impression ! Découvrez avec eux, au jardin des Sciences de l'Arquebuse, le Muséum de la ville de Dijon et le planétarium Hubert Curien. Pour un moment de détente, faites un saut au lac Kir. Et pour les petites faims… dégustez de délicieuses nonnettes ou du pain d'épices.

Pour poursuivre la visite – Voir aussi l'abbaye de Cîteaux, la Côte, Fontaine-Française, la vallée de l'Ouche, Til-Châtel, la vallée de la Saône.

Comprendre

À la croisée des routes commerciales – Dijon doit sa naissance à sa position géographique. À l'origine, la petite cité se trouvait en effet à la jonction de deux grandes voies commerçantes allant jusqu'à la Méditerranée : celle de l'étain qui remontait vers les îles britanniques par le sillon Rhône-Saône, et celle de l'ambre qui arrivait de la Baltique.

Ravagée par les invasions barbares, elle se retranche au 3e s à l'abri d'un solide castrum (camp fortifié) gallo-romain. Le nom de *Divio*, ruisseau sur lequel a été construit ce castrum, n'apparaît qu'au 6e s. Ce nom a suscité diverses interprétations. Selon l'une d'elles, il viendrait de « due vie », la ville située à la jonction de deux voies…

Info pratique

Bon à savoir – S'il vous manquait une bonne raison pour partir à la découverte de Dijon : les musées y sont gratuits !

À cette époque, la ville, florissante, a pour seigneur l'évêque de Langres. En 1016, le roi de France, **Robert le Pieux** s'empare du duché de Bourgogne et contraint l'évêque à lui céder Dijon. Pratiquement détruite en 1137 par un terrible incendie, la ville est rebâtie par le duc **Hugues II**, qui la dote d'une large enceinte englobant l'abbaye St-Bénigne – une enceinte, qui, jusqu'au début du 20e s, parviendra à englober le développement de l'agglomération.

En 1187, soit cinquante ans plus tard, le successeur de Hugues II érige Dijon en commune. Sous le règne des ducs capétiens, la ville est prospère, mais n'acquiert tous les attributs d'une capitale et ne connaît son véritable âge d'or qu'avec l'avènement des grands ducs d'Occident, Philippe le Hardi, Jean sans Peur, Philippe le Bon et Charles le Téméraire.

Le berceau des grands ducs d'Occident – Lorsque **Philippe le Hardi** reçoit le duché de Bourgogne en apanage des mains du roi Jean le Bon, inaugurant la lignée des quatre ducs de la maison de Valois, il peut s'appuyer sur un domaine déjà fortement organisé. Mais le parlement est à Beaune ; Dijon n'accueille que la chambre des comptes. La puissance économique se concentre dans les villes du Brabant, de Flandre et d'Artois, que le duc pacifie après son mariage avec **Marguerite de Flandre**. Dijon est en quelque sorte une capitale « dynastique » où l'on naît et où l'on meurt (on est inhumé à la chartreuse de Champmol) : Charles le Téméraire n'y passera qu'une semaine au cours de sa vie. En un siècle, les ducs, qui comptent parmi les princes les plus puissants de la chrétienté et les mécènes les plus riches, font de Dijon, à l'écart des guerres (souvent lancées pour rétablir l'ordre dans les villes insoumises), une ville d'art au rayonnement incontestable : le palais sert de cadre prestigieux à des réceptions fastueuses ; la Sainte-Chapelle qui le jouxte est le siège de l'ordre de la Toison d'or. L'activité manufacturière de la ville n'est pas négligeable. Le négoce prospère permet aux grands bourgeois de construire d'opulentes demeures que l'on peut voir encore rue des Forges, rue Vauban, rue Verrerie…

La capitale de la province de Bourgogne – Tout change avec le rattachement du duché à la couronne de France. L'annexion par **Louis XI** provoque un soulèvement général, la **mutemaque**, que les troupes royales répriment. Les Dijonnais en profitent pour négocier un certain nombre de concessions dont le maintien des états de Bourgogne (assemblée régionale des députés du clergé, de la noblesse et du tiers état) et, surtout, le transfert du parlement de Beaune à Dijon. En 1479, le roi en visite jure solennellement à St-Bénigne de « garder les franchises, libertés, immunités, droits et privilèges » dont jouissait jusqu'ici le duché. Puisque Dijon est une ville frontière face à la Comté, il fait néanmoins construire une forteresse (connue au 19e s. sous le nom de « château des Gendarmes »), réparer les fortifications et représenter le pouvoir royal dans le duché par un gouverneur.

Essor de la cité provinciale – Capitale administrative sous les **princes de Condé**, Dijon connaît, au 17e s., un développement urbanistique important, en dépit de la Fronde où l'entraîne le Grand Condé. L'essor se poursuit au siècle des Lumières

Dijon, ville gourmande

Dans cette cité de la douceur de vivre, dotée d'un patrimoine incomparable, la gastronomie tient manifestement une place de choix, notamment à l'occasion d'un rendez-vous annuel où les arts de la table, les vins, les produits du terroir et les spécialités régionales et étrangères sont à l'honneur : la **Foire internationale et gastronomique de Dijon**. De nombreuses activités locales sont liées aux sciences alimentaires et culinaires, et c'est d'ailleurs sur le campus de Dijon que le **Centre européen des sciences du goût** a élu domicile. Ce véritable « laboratoire de recherches pluridisciplinaires sur le goût, l'olfaction et les échanges chimiosensoriels » a été fondé par le CNRS en 1997.

après l'établissement de l'université (1723), la fondation de l'Académie en 1725, de l'École de dessin en 1766, dont les élèves les plus connus sont Rude et Prud'hon, et la création d'un diocèse en 1731. **Jules Hardouin-Mansart** transforme le palais des ducs pour y loger les états de Bourgogne. Ses membres et les parlementaires donnent à la ville sa parure d'hôtels cossus. La chartreuse de Champmol est détruite pendant la Révolution. Sous l'Empire et la Restauration, la ville subit peu de changements. À partir de 1851, elle connaît un nouvel élan avec la construction de la ligne de chemin de fer Paris-Lyon-Méditerranée (PLM), au point de voir sa population doubler entre 1850 et 1892.

Perspectives actuelles – Dijon figure au palmarès des 25 plus grandes villes de France. Elle concentre environ 20 % des emplois de Bourgogne, plus des deux tiers de son activité étant consacrée aux services. Siège de cour d'appel et de préfecture, pôle universitaire (avec quelque 32 000 étudiants), dotée d'un grand centre commercial (la Toison d'or), Dijon fait preuve de dynamisme, avec plusieurs projets urbains d'envergure, en cours ou à venir, tels la salle de spectacles du Zénith (7 000 places), une médiathèque au cœur des Grésilles, une future piscine olympique, la rénovation de la place Grandville, l'élaboration du quartier Junot, etc.

Par ailleurs, le label « Ville d'art et d'histoire » obtenu par la ville en 2008 n'est qu'une étape. En effet, la capitale de la Bourgogne n'entend pas s'arrêter en si bon chemin : avec Beaune et la Côte des vins, qui fait le lien entre les deux villes, elle espère entrer dans quelques années au Patrimoine mondial de l'Unesco.

Autour du palais des Ducs (Plan I)

Promenade : 3h (visite du musée des Beaux-Arts non comprise). Signalé par un fléchage au sol, le parcours de la Chouette permet de découvrir les plus belles rues de Dijon.

Le quartier ancien qui entoure le palais des Ducs et des États de Bourgogne a gardé beaucoup de cachet. En flânant dans ses rues, souvent piétonnes, on découvre de nobles hôtels en pierre de taille et de nombreuses maisons à pans de bois des 15e et 16e s. Ce qui subsiste du palais ducal est intégré dans des bâtiments de style classique du palais des États.

Place de la Libération

Au 17e s., à l'apogée de sa puissance parlementaire, la commune se sent l'âme d'une capitale et souhaite transformer le palais ducal abandonné depuis Charles le Téméraire et aménager ses abords en « place Royale ». Les plans en hémicycle sont dessinés par l'architecte de Versailles, Jules Hardouin-Mansart, et exécutés par l'un de ses élèves, Robert de Cotte, de 1686 à 1701 : les arcades de cette jolie place, occupées par des boutiques et couronnées d'une balustrade de pierre, servent de contrepoint à la cour d'honneur du palais. En 2006, l'architecte **Jean-Michel Wilmotte** a réaménagé le lieu, en lui donnant un aspect très contemporain. La sensation d'espace est renforcée par le traitement du sol en un seul plan. Ce dernier a été recouvert de dalles en pierre de Bourgogne. La voie réservée à la circulation a été restreinte, la majeure partie de la place est réservée aux piétons. Par beau temps, des jeux d'eau viennent animer l'ensemble.

Prenez la rue de la Liberté (ancienne rue Condé) en sortant du palais : c'est une artère commerçante d'allure classique.

C'est au n° 85 de la rue de la Liberté qu'est né le créateur des guides de voyage, **Adolphe Joanne** (1813-1881). Il fut aussi le fondateur du journal *L'Illustration* et du Club alpin français.

Place François-Rude (ou place du Bareuzai)

Au centre de la zone piétonne, cette place irrégulière et animée est bordée par une belle maison à pans de bois. Le **Bareuzai**, vigneron vêtu seulement de vert-de-gris, est considéré comme le bon génie du lieu. Il foule diligemment le raisin, mais le produit de son travail ne s'écoule que lors des fêtes de la vigne. Quant à l'eau du Suzon, elle coule au-dessous de la place.

Dijon et le 11 septembre

Le 11 septembre 1513, Dijon, assiégé par les Suisses, fit appel en désespoir de cause à la Vierge, par la procession de la statue de Notre-Dame de Bon-Espoir. Le surlendemain, le siège fut levé *(la tapisserie offerte alors comme ex-voto se trouve au musée des Beaux-Arts)*. Quelque 400 ans plus tard, le 11 septembre 1944, Dijon fut libéré sans dommage de l'occupation allemande. Une seconde tapisserie, exécutée aux Gobelins et évoquant les deux libérations de la ville, fut offerte en ex-voto. Elle est suspendue dans l'église Notre-Dame, sous l'orgue. Le 11 septembre reste un jour de commémoration à Dijon.

Un peu plus loin, au carrefour avec la rue des Godrans et la rue Bossuet, un grand magasin a pris la place de la vieille maison du Miroir : si un Dijonnais vous donne rendez-vous « au coin du Miroir », sachez que c'est là.

Rue des Forges★

C'est l'une des rues les plus caractéristiques et les plus fréquentées de la ville.

Hôtel Morel-Sauvegrain – *Aux nos 52, 54, 56.* Façade du 15e s. pour cette maison de la nourrice de Charles le Téméraire.

Ancien hôtel Aubriot – *Au no 40.* Un portail classique contraste avec l'élégante façade à arcatures du 13e s. de l'hôtel, bâti par l'un des premiers banquiers de Dijon. Notez les ouvertures triangulaires aménagées pour le change (le sol de la rue a été haussé), puis reculez pour admirer le toit de tuiles vernissées. C'est dans cet hôtel que naquit **Hugues Aubriot**, gouverneur de Dijon en 1364 et prévôt de Paris sous Charles V ; il fit construire la Bastille, des ponts sur la Seine (notamment le pont St-Michel), et voûter les premiers égouts.

En face, au no 8 de la rue Stéphen-Liégeard, maison Chisseret à façade Renaissance.

Maison Milsand – *Au no 38.* Demeure édifiée en 1561 pour le vicomte-maïeur, dont la décoration de la façade Renaissance a été attribuée à l'architecte-sculpteur et maître menuisier Hugues Sambin, formé à Fontainebleau.

Hôtel Chambellan – *Au no 34, sur cour intérieure.* Bâti par une riche famille de drapiers, cet édifice du 15e s. possède, dans une tour, un très bel escalier à révolution. Notez en bas l'escargot sculpté. Sa colonne centrale se termine par une voûte flamboyante en palmier que soutient la statue d'un jardinier portant son panier.

Église Notre-Dame★

Bel exemple de l'architecture gothique en Bourgogne (1230-1250), pour lequel le maître d'œuvre, ne disposant que d'un espace restreint, s'est livré à des prouesses techniques.

Horloge au jacquemart de Notre-Dame.

Ph. Gajic / MICHELIN

Extérieur – En façade, au-dessus du porche monumental à trois baies, courent deux galeries d'arcatures, soulignées de trois rangées de fausses **gargouilles.** L'une d'elles ayant tué un passant en dégringolant, elles furent retirées de la façade peu après la construction et rétablies au 19e s. Deux élégantes tourelles desservent les tours masquées par la façade : celle de droite porte le **jacquemart** rapporté par Philippe le Hardi. Cette horloge a une histoire curieuse. Elle est d'abord une prise de guerre de Philippe le Hardi en 1382, à Courtrai, après sa victoire sur les Flamands révoltés contre Charles VI. Son nom de jacquemart, qui désigne « lome qui fiert du martel la cloiche de lorreloige », n'apparaît qu'en 1458. Les Dijonnais s'avisent alors que le célibat doit peser à ce pauvre homme : en 1651, on lui adjoint une compagne. En 1714, le spirituel poète Aimé Piron *(voir Beaune)* s'apitoie sur ces braves époux qui semblent avoir fait vœu de chasteté ; naissent un fils, Jacquelinet, « dont le marteau frappe la dindelle », puis, en 1884, une fille, Jacquelinette, qui sonne aussi les quarts d'heure.

Intérieur – L'ensemble est très harmonieux : remarquez le triforium aux délicates colonnettes fuselées, la hauteur de la tour-lanterne à la croisée du transept, la hardiesse du chœur terminé par un chevet polygonal. Au croisillon gauche, le registre horizontal a conservé les beaux vitraux du 13e s. Une fresque du 15e s. se remarque à ses côtés. La chapelle à droite du chœur abrite la **statue de Notre-Dame de Bon-Espoir**. Cette Vierge du 11e s. est l'objet d'une vénération particulière. C'est surtout l'une des plus anciennes statues de Vierge en bois connue en France.

Quartier Notre-Dame

La **rue Musette** donne un peu de recul sur la façade de l'église et conduit au marché. Depuis le Moyen Âge, les marchands se regroupaient dans ce quartier, mais ce n'est

qu'à la Révolution que fut bâti un marché couvert. Il fut installé dans l'ancienne église des Jacobins. La municipalité décida la construction de nouvelles **halles** en 1868, mais les travaux ne commencèrent qu'en 1873 pour être achevés en 1875. Inspirée des Halles de Paris, leur architecture métallique abrite aujourd'hui encore, plusieurs fois par semaine, un marché animé.
La **rue de la Chouette**, quant à elle, dégage une vue d'ensemble sur la belle ordonnance du chevet. Observez la maison à pans de bois au n° 10. Sur un contrefort de la chapelle Chambellan (15e s.), on aperçoit l'oiseau sculpté, et usé, qui a donné son nom à la rue. Selon la tradition locale, il exauce un vœu si on le caresse de la main gauche.

Hôtel de Vogüé

C'est l'un des premiers hôtels parlementaires de Dijon. Il fut édifié au tout début du 17e s. Sa jolie toiture en tuiles vernissées le signale de loin. Un portique à riche décoration Renaissance, dans le style Hugues Sambin, s'ouvre sur la cour intérieure. Dans la cour d'honneur a lieu l'Estivade, festival de danse, théâtre et chant, en juillet.

Rue Verrerie

Parmi de nombreuses maisons à pans de bois, les nos 8, 10 et 12 constituent un bel ensemble où l'on voit des sablières sculptées. Des antiquaires y ont élu domicile.
Vous pouvez prolonger la promenade par la rue Chaudronnerie.
Au n° 28, douze statues décorent la façade de la **maison des Cariatides**, édifiée en 1603. Dans la rue Vannerie, au n° 66, se trouve un hôtel Renaissance avec trois fenêtres ornées de sculptures près d'une échauguette à l'exubérant décor dû à Hugues Sambin.

Place des Ducs-de-Bourgogne

De cette petite place, on reconstitue par la pensée le palais tel qu'il se présentait à l'époque ducale. La belle façade gothique est celle de la salle des Gardes que domine la tour Philippe-le-Bon.
Par la place des Ducs, revenez dans la cour d'honneur du palais par le passage voûté.

PALAIS DES DUCS ET DES ÉTATS DE BOURGOGNE★★

Tour Philippe-le-Bon

℘ 03 80 74 52 71 - de Pâques au 3e dim. nov. : 9h-12h (dernière montée), 13h45-17h30 (dernière montée) ; reste de l'année : merc. 13h30, 14h30 et 15h30, w.-end 9h-11h (dernière montée), 13h30-15h30 (dernière montée) - fermé 1er janv., 25 déc. - 2,30 € (-12 ans gratuit).
Achevée au 15e s. par Philippe III, cette tour haute de 46 m a fière allure. De la terrasse (316 marches), on découvre une belle **vue★** sur la ville, les vallées de l'Ouche et de la Saône et les premiers contreforts du Jura.
Pénétrez dans la cour d'honneur et approchez-vous des grilles.

Cour d'honneur

Au fond, le logis du roi, bel ensemble aux grandes lignes horizontales limité par les deux ailes en équerre, est dominé par la tour Phillipe-le-Bon.
Le palais des Ducs et des États abrite à gauche, l'ensemble des services de l'hôtel de ville, et à droite, le musée des Beaux-Arts *(voir plus loin)*.
Par le passage couvert à gauche, gagnez la cour de Flore.

Cour de Flore

Les bâtiments qui l'entourent furent terminés peu avant la Révolution. À l'angle nord-est, se situe la **chapelle des Élus**. On y accède par l'office de tourisme (*11 rue des Forges*). La décoration intérieure de la chapelle et les portes datent de l'époque de Louis XV. La messe y était célébrée durant les sessions des États de Bourgogne.
Sous le porche donnant accès à la rue de la Liberté, un magnifique escalier dessiné en 1735 par Jacques V Gabriel, conduit à la **salle des États** *(pour visiter, s'adresser à l'office de tourisme)*.

Philippe le Bon par Rogier van der Weyden.

Regagnez la cour d'honneur pour franchir le passage voûté, en face de vous, qui donne accès à la cour de Bar.

Cour de Bar

Elle est dominée par la tour de Bar, qui prit le nom d'un prisonnier enfermé là par Philippe le Bon en 1431 : René d'Anjou, duc de Bar et de Lorraine, comte de Provence, futur « roi René ». Construite par Philippe le Hardi au 14e s., appelée alors tour Neuve, la tour demeure la partie la plus ancienne du palais. L'**escalier de Bellegarde**, du 17e s., dessert la galerie nord, elle aussi du 17e s. Remarquez, à côté, la statue de Claus Sluter par Bouchard et, en face, le vieux **puits** adossé aux **cuisines ducales** *(ouverture en fonction des activités municipales ; se renseigner au musée)*. Édifiées vers 1435, elles sont remarquables : six vastes cheminées suffisaient à peine à la préparation des festins dignes de la cour bourguignonne ; les ogives convergent vers le conduit central.

MUSÉE DES BEAUX-ARTS★★

✆ 03 80 74 52 70 - www.dijon.fr - tlj sf mar. : 1er Mai-31 oct. : 9h30-18h ; 1er nov.-30 avr. : 10h-17h - fermé les 1er janv., 1er et 8 Mai, 14 Juillet, 1er et 11 Nov., 25 déc. - gratuit - la rénovation en cours est susceptible de changer la présentation des collections (voir encadré Info pratique) - audioguides.

Créé en 1799, cet immense musée, l'un des plus grands de France, est installé dans l'ancien logis des ducs de Bourgogne et dans l'aile orientale du palais des États. Au rez-de-chaussée de la cour de Bar, la **salle du Chapitre** (14e s.) de l'ancienne Sainte-Chapelle ducale (disparue avec l'essentiel de son trésor) montre l'évolution de la sculpture religieuse du 14e au 17e s. Cette salle abrite de précieux objets d'art : fragments de vitraux du 15e s. au motif de la Toison d'or, reliquaires, retable en argent repoussé et doré du 16e s., crosse dite « de Robert de Molesme » (12e s.), et une tasse qui aurait appartenu à saint Bernard. Au pied de l'escalier, de belles collections médiévales et Renaissance d'orfèvrerie religieuse et d'ivoires sculptés sont exposées dans les vitrines.

Dans l'**escalier d'honneur** se dresse une statue du maréchal de Saxe, œuvre de François Rude. Le palier présente l'ancienne porte du palais de justice de Dijon, sculptée par Hugues Sambin (16e s.). Au centre, trône *Louis XIII enfant*, un grand bronze de François Rude.

On découvre, au **1er étage** (salle **1**), la peinture italienne, avec en particulier des œuvres de primitifs toscans (Taddeo Gaddi) et siennois (Pietro Lorenzetti). Puis c'est au tour des **primitifs allemands et suisses** (Konrad Witz) dans les salles suivantes (**2** et **3**), pour la plus importante collection en France. Regardez plus particulièrement l'*Empereur Auguste et la Sibylle* de Tibur de Witz, ainsi que le retable de sainte Marguerite, avec tous les épisodes de son martyre (Maître des Études de draperies, Strasbourg, vers 1485) et la Mise au tombeau (16e s.) à la composition mouvementée.

La grande pièce d'angle (**7**) est surtout consacrée aux peintres du règne de Louis XIV : Philippe de Champaigne *(Présentation au Temple*, en restauration en 2009), Le Brun, François Perrier, dit « le Bourguignon ». Les salles suivantes (**8, 9**) sont également réservées à l'art français,

Un musée en pleine révolution

Le musée des Beaux-Arts de Dijon est en pleine métamorphose. De grands travaux sont prévus jusqu'en 2017. Au fur et à mesure de cette rénovation, dirigée par les Ateliers Lion, trois nouveaux parcours de visite verront progressivement le jour : le parcours Moyen Âge et Renaissance dans l'ancien hôtel ducal, le parcours 17e et 18e s. dans l'aile de l'École de dessin et le parcours 19e et 20e s dans l'aile qui se trouve sur la place de la Sainte-Chapelle. Au final, l'espace global du musée s'en trouvera nettement agrandi, et par conséquent, le nombre d'œuvres exposées aussi.

La nouvelle muséographie privilégie la présentation des collections dans des salles qui ont été construites à leur époque, l'utilisation de la couleur, de matériaux et d'éclairages variés pour différencier les ambiances, ainsi que la découverte de points de vue inédits sur Dijon, avec la réouverture de fenêtres qui étaient occultées.

Au sein du musée, une exposition permanente baptisée « Musée rêvé, musée en chantier », constamment réactualisée, informe les visiteurs sur les objectifs et l'évolution des travaux.

Ph. Gajic / MICHELIN

Pleurants du tombeau de Jean sans Peur.

avec du mobilier et un beau portrait de Girardon par Rigaud, le *Portrait d'un peintre* de P. Mignard et la *Chute des anges rebelles* de Le Brun. Ne manquez pas, dans la salle **10**, les boiseries de l'hôtel Gaulin (18e s.). De la salle **11**, on peut isoler le *Bacchus et Ariane* de La Fosse et le *Saint Georges terrassant le dragon* de Carle Van Loo.

À l'angle de l'aile ouest, la **salle des Statues** (**12**) – présentant un ensemble de copies d'antiques et d'œuvres du 19e s. dont *Hébé et l'Aigle de Jupiter* par Rude – offre une belle **vue** sur la place de la Libération. Le plafond est décoré d'une peinture à la gloire de la Bourgogne et du prince de Condé par Pierre-Paul Prud'hon, d'après un plafond romain de Pierre de Cortone.

Le **salon Condé** (**13**), qui lui fait suite, est orné de boiseries et de stucs Louis XVI et présente des meubles, tableaux (Nattier), sculptures de Coysevox (buste de Louis XIV) et Caffieri (bustes de Rameau et Piron).

L'**escalier du Prince** (**15**), qui s'appuie sur la façade gothique du palais des Ducs, permet de descendre à la **salle d'Armes,** au rez-de-chaussée (**16**). Avec sa célèbre **Nativité★★** (1420), œuvre déterminante dans l'évolution de la peinture flamande, la salle du **Maître de Flémalle** (**17**), qui contient plusieurs pièces issues de la chartreuse de Champmol, constitue une excellente introduction à la salle des Gardes.

Salle des Gardes★★★ – L'ancienne **salle des Festins** (**18**), qui donne sur la place des Ducs, est la pièce la plus renommée du musée. Construite par Philippe le Bon, elle servit de cadre aux ripailles de la « Joyeuse entrée de Charles le Téméraire, en 1474 » et fut restaurée, après un incendie, au tout début du 16e s., où elle fut ornée d'une cheminée « flamboyante ». Elle abrite les trésors d'art provenant de la chartreuse de Champmol *(voir p. 271)*, nécropole des ducs Valois, notamment les tombeaux magnifiquement restaurés.

Au fond de la salle se trouve le **tombeau de Philippe le Hardi★★★**, auquel travaillèrent successivement, de 1385 à 1410, les Flamands Jean de Marville (conception générale), **Claus Sluter** et Claus de Werve, son neveu. Le gisant repose sur une dalle de marbre noir soutenue par des arcatures d'albâtre formant « cloître » sous lesquelles veille une assemblée de « pleurants » ou « deuillants », composé de 41 statuettes prodigieuses de réalisme : membres du clergé, chartreux, parents, amis et officiers du prince, tous en costume de deuil et la tête recouverte du chaperon, composent le cortège funèbre. En 1830, Michelet constate dans son *Journal* que les tombeaux, « avec toute une population de chartreux en marbre », sont bien « la merveille de Dijon ».

Le **tombeau de Jean sans Peur et de Marguerite de Bavière★★★**, exécuté de 1443 à 1470 par Jean de la Huerta puis Le Moiturier, reproduit l'ordonnance du tombeau précédent avec une touche moins austère, plus flamboyante.

Info pratique

Durant les travaux, aucune fermeture complète du musée n'est prévue, mais la présentation des œuvres et le sens de la visite seront forcément modifiés. Fermées depuis 2008, la **salle d'Armes** et la **galerie de Bellegarde** devraient réouvrir en 2012. De fin 2009 à fin 2012, les tombeaux des ducs seront inaccessibles mais les pleurants seront exposés dans les salles médiévales du musée.

Un ordre prestigieux : la Toison d'or

Le siège de l'ordre de la Toison d'or était jadis la chapelle du palais ducal de Dijon, où le jeune comte de Charolais, futur Charles le Téméraire, fut fait chevalier en 1433. Dès 1404, un ordre dit de l'Arbre d'or avait été créé par le duc Philippe le Hardi, dont Jean sans Peur et Philippe le Bon reprirent l'idée.

Né lors des cérémonies de mariage de Philippe le Bon avec Isabelle de Portugal, à Bruges, le 10 janvier 1430, l'ordre de la Toison d'or a pour insigne un collier auquel est suspendue l'effigie d'une dépouille de bélier. Cette toison rappelle celle rapportée par Jason dans la mythologie grecque ou celle de Gédéon dans l'Ancien Testament.

Deux motivations sont à l'origine de la création de l'ordre : rapprocher la Bourgogne de l'Église en maintenant vivant l'esprit de croisade attaché à la chevalerie, et conforter la position du duché par rapport à la couronne anglaise, au Saint-Empire romain germanique et au royaume de France. Par le mariage de la fille unique de Charles le Téméraire, Marie de Bourgogne, en 1477, avec l'archiduc Maximilien d'Autriche, l'ordre entra dans la famille des Habsbourg.

Les chevaliers de l'ordre de la Toison d'or étaient tenus à une véritable discipline de vie. Appartenir à cet ordre est, aujourd'hui encore, une distinction prestigieuse. Étant non héréditaire, les insignes sont rendus lors du décès du chevalier.

Deux retables en bois, commandés par Philippe le Hardi pour la chartreuse, éblouissent par la richesse de leur décoration sculptée, réalisée à la fin du 14e s. par Jacques de Baerze, peints et dorés par Melchior Broederlam (né à Ypres en 1338). Seul le **retable de la Crucifixion★★★** a conservé au revers de ses volets les fameuses peintures de Broederlam : l'*Annonciation*, la *Visitation*, la *Présentation au Temple* et la *Fuite en Égypte* ; à l'extrémité opposée se trouve le **retable des saints et martyrs★★★**.

Entre ces retables, on remarque le **retable de la Passion★★**, d'un atelier anversois du début du 16e s. Parmi les portraits des ducs, voyez celui de Philippe le Bon portant le collier de l'ordre de la Toison d'or par l'atelier de Rogier van der Weyden (vers 1445).

Dans le prolongement de la salle des Gardes, la **galerie de Bellegarde** (**19**) présente quelques beaux exemples de peinture italienne et flamande des 17e et 18e s. (Véronèse, Guido Reni, Brueghel de Velours), et une œuvre de Rubens : *La Vierge à l'Enfant Jésus avec saint François d'Assise.*

Les amateurs de sculpture française du 19e s. apprécieront, dans la salle **22,** les œuvres de Rude et de Barrias et, parmi les peintures, celle de Gustave Moreau.

La section d'**art moderne et contemporain** se répartit entre les **2e et 3e étages**.

Les sculptures animalières de **François Pompon** (1855-1933, *voir Saulieu*) ont été regroupées dans une salle ancienne de la tour de Bar (*accès fléché*). Le reste du 2e étage présente l'ensemble de peintures, dessins, estampes et sculptures du 16e s. à nos jours de la **donation Granville**, avec un clair-obscur de Georges de La Tour *(Le Souffleur à la lampe)*, des études romantiques (Géricault, Delacroix, Victor Hugo – paysages fantastiques au lavis), des œuvres réalistes par Daumier et Courbet ou symbolistes par Gustave Moreau et Odilon Redon. Le 19e s. se termine par les travaux de l'**école de Barbizon** (Daubigny, Th. Rousseau, J.-F. Millet) et les impressionnistes au sens large (Monet, Boudin, Sisley, Vuillard et Vallotton). Ne manquez pas l'extrême délicatesse du *Portrait de Méry Laurent* au pastel, par Manet. C'est d'ailleurs à un ami dijonnais de Manet, le docteur Robin, que le musée des Beaux-Arts doit ses tableaux impressionnistes.

On passe ensuite à la sculpture du 20e s. avec Rodin, Maillol, Bourdelle… Sur un tout autre registre, la remarquable collection de sculptures et de **masques africains** permet de découvrir une forme d'art qui avait passionné les cubistes Juan Gris, Braque, Picasso.

De l'**art contemporain**, on relève, autour de l'école de Paris et du paysagisme abstrait des années 1950 à 1970, les noms de Arpad Szenes et son épouse Vieira da Silva, ou Nicolas de Staël *(Série des Footballeurs)*. Après avoir vu le match France-Suède (1952), Nicolas de Staël écrivit à son ami René Char : « Entre ciel et terre, sur l'herbe rouge ou bleue, une tonne de muscles voltige en plein oubli de soi. » Remarquez également un ensemble de sculptures d'Étienne Hajdu magnifié par une *Mademoiselle la plume* si légère et transparente qu'on en oublie sa constitution

de métal. Vous pouvez compléter cette approche par la visite du **Musée en plein air** de l'université : sculptures de Karel Appel, Arman, Gottfried Honegger.
Le Dijonnais Jean Bertholle, Manessier *(Près d'Harlem)*, Messagier (plusieurs portraits d'hommes célèbres), Mathieu et Wols terminent l'exposition.

Autour du palais de justice (Plan I)

Promenade : 1h. Secteur centré autour de l'ancien parlement (actuelle cour d'appel) : c'est ici le périmètre des « gens de robe ».
Partez de la place de la Libération et prenez, au sud, la rue Vauban.
Au n° 12, remarquez l'**hôtel Bouhier**, une demeure classique avec, derrière un portail monumental, une cour intérieure et une façade ornée de pilastres et de frontons. En face, la place St-Fiacre tire son nom d'un hôpital dédié au saint guérisseur accueillant les pèlerins (emplacement au n° 13, rue Vauban).

Hôtel Legouz de Gerland

De la ruelle Jean-Baptiste-Liégeard, à gauche, vous apercevez la façade Renaissance parée de 4 échauguettes ; la cour intérieure, qui s'ouvre 21 rue Vauban, est de style classique. Legouz de Gerland était maître de garde-robe de la dauphine en 1690.
À l'angle de la rue Vauban et de la rue Amiral-Roussin s'élève, au n° 16, la charmante maison à pans de bois d'un huchier. Celle-ci est originale par les sculptures en plis couchés de ses volets, ses deux poutres cornières ornées chacune d'une tête et sa fenêtre à droite surmontée d'une frise historiée.

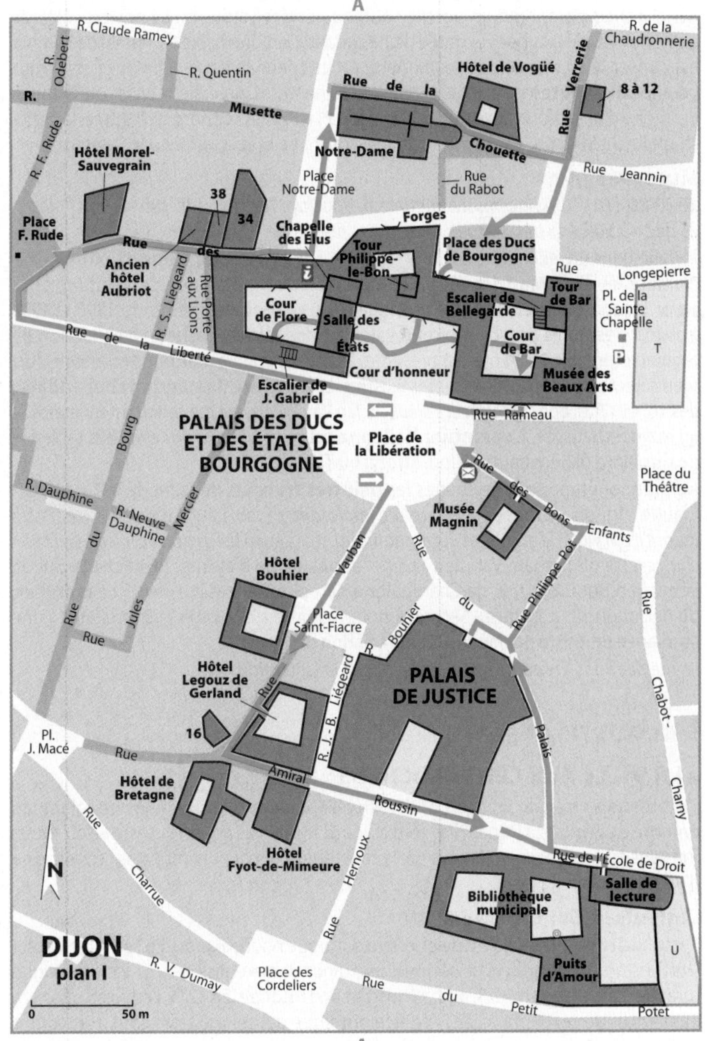

Presque en face, au n° 29, l'hôtel de Bretagne présente une élégante cour qu'enjambe une balustrade incurvée. Belle porte au n° 27.

Hôtel Fyot-de-Mimeure

23 rue Amiral-Roussin. Remarquez la façade, raffinée pour les uns, chargée pour les autres, de style Sambin, dans une jolie cour intérieure (milieu du 16e s.).

Bibliothèque municipale

3 rue de l'École-de-Droit. ✆ 03 80 48 82 30 - juil.-août : merc.-vend. 10h-12h, 14h30-18h30, sam. 10h-12h, 14h30-17h30 ; reste de l'année : 9h30-12h30, 13h30-18h30, merc. et sam. 9h30-18h30 - fermé dim., lun. et j. fériés - gratuit.

La chapelle (17e s.) de l'ancien collège des Godrans, fondé au 16e s. par la riche famille dijonnaise de ce nom et dirigé par les jésuites, a été transformée en salle de lecture. La bibliothèque possède plus de 300 000 volumes ; elle conserve de précieux manuscrits enluminés, en particulier ceux qui furent exécutés à Cîteaux dans le premier tiers du 12e s. (Bible d'Étienne Harding) et saisis à la Révolution. La **salle de lecture** est l'une des plus belles de France.

Dans la cour *(entrée au n° 5 de la même rue)*, remarquez un joli **puits d'Amour** (16e s.) provenant d'une maison qui avait été détruite pour permettre l'agrandissement du palais de justice.

Par la rue du Palais, gagnez le palais de justice.

Palais de justice

Dans ce bâtiment siégeait le parlement de Bourgogne. La façade à pignon, de style Renaissance, comprend un porche soutenu par des colonnes. La porte ciselée de guirlandes et de trophées et dotée d'une cariatide est une copie (l'original de Sambin est conservé au musée des Beaux-Arts). À l'intérieur, la vaste salle des Pas-Perdus possède une **voûte★** en carène de bateau. La chambre Dorée, siège de la cour d'appel, est ornée d'un plafond aux armes de François Ier (1522). À l'opposé de l'entrée, la petite chapelle du St-Esprit est fermée par une clôture de bois sculptée par Sambin.

Musée Magnin★

✆ 03 80 67 11 10 - www.musee-magnin.fr - tlj sf lun. 10h-12h, 14h-18h - fermé 1er janv., 25 déc. - 3,50 € (-18 ans gratuit).

Installé dans un élégant hôtel du 17e s., ce musée garde le caractère d'une demeure d'amateurs d'art. **Maurice Magnin**, haut magistrat passionné de peinture, et sa sœur Jeanne, peintre amateur et critique d'art, se sont attachés entre 1890 et 1938 à réunir des noms peu connus et à valoriser des talents cachés. La collection de tableaux (près de 1 500 pièces) présente, à côté de grands maîtres, des œuvres fort bien sélectionnées d'artistes moins illustres. La **peinture flamande et hollandaise** des 16e et 17e s., dont le *Festin des dieux* de Jan Van Bijlert, est majoritairement exposée au rez-de-chaussée. La **peinture italienne** est mise à l'honneur avec des tableaux de Girolamo di Benvenuto, Allori, Strozzi ou Tiepolo.

Au premier étage sont regroupés les **peintres français** de la fin du 16e au 19e s. : Claude Vignon *(Jeune Femme enceinte implorant un roi)*, Laurent de La Hyre *(Putto jouant de la viole de gambe* et *Putto chantant)*, mais aussi le *Portrait de fillette en Diane chasseresse* d'Abraham Van den Tempel et beaucoup d'autres : Eustache Le Sueur, Sébastien Bourdon, J.-B. de Champaigne, Girodet, Géricault, Gros… Le **mobilier**, du début du 18e s. jusqu'au Second Empire, confère à ce « cabinet d'amateurs » une ambiance intimiste qui favorise l'appréciation des œuvres.

La rue des Bons-Enfants ramène à la place de la Libération.

Découvrir (Plan II)

« LA VILLE AUX CENT CLOCHERS »

L'expression serait de François Ier s'émerveillant, depuis les hauteurs de Talant, du nombre des églises à Dijon. Elles sont aujourd'hui moins nombreuses, parfois transformées en musée ou en théâtre, mais constituent encore un important patrimoine d'architecture religieuse.

Cathédrale Saint-Bénigne (B2)

Cette ancienne abbatiale est de pur style gothique bourguignon. En l'an 1001, l'abbé **Guillaume de Volpiano** fit bâtir sur les ruines d'une église une grande basilique romane, consacrée en 1018, que complétait une rotonde. En 1271, l'édifice s'effondra et sa rotonde resta obstruée ; l'édifice gothique actuel fut alors construit contre la rotonde. Malheureusement, cette dernière ne survécut que partiellement à la

Tuiles vernissées

De superbes toits de tuiles polychromes parent la ville de Dijon. Symbole de prestige, ils apparurent au 13e s. sur les cathédrales, puis sur les résidences princières. La mode passa et revint aux 16e et 17e s., lorsque les parlementaires couvrirent le toit de leurs hôtels de riches parures. Ils furent encore appréciés à l'époque de l'Art nouveau : voyez les villas bâties cours du Parc, rue Devosge, rue Lecoulteux et rue de Rouen.
En dehors de la cathédrale St-Bénigne, vous pourrez admirer ces toits dans le centre-ville, en vous promenant dans les rues d'Assas, des Forges, de la Chouette, des Cordeliers, de la Préfecture et Jeannin. *Pour en avoir une liste exhaustive, demandez le dépliant sur les toits vernissés à l'office de tourisme.*

Révolution. Remis au jour à partir de 1843, l'étage inférieur de la rotonde demeure l'un des témoins du sanctuaire roman. Il est surmonté d'une sacristie datant des années 1860.
L'église gothique possède une **façade** occidentale à contreforts massifs et saillants, que bornent deux grosses tours couronnées de deux étages octogonaux aux toits à pans coupés couverts de tuiles polychromes. Sous le porche, surmonté d'une petite galerie délicatement ajourée, l'encadrement du vieux portail roman du 12e s. subsiste au milieu de la façade gothique. Il est orné d'un tympan des frères Bouchardon (18e s.) provenant de l'ancienne église St-Étienne. La croisée du transept est dominée par une flèche haute de 93 m, refaite en 1896, dans le style flamboyant.
L'**intérieur** présente des lignes très sobres : chapiteaux non sculptés, arcades du triforium simplement moulurées, colonnettes continues de la voûte jusqu'au sol dans la croisée du transept et jusqu'au sommet des massifs piliers ronds dans la nef principale. Dépouillée de ses œuvres d'art à la Révolution, St-Bénigne a accueilli des sculptures, des pierres tombales provenant d'autres églises de Dijon et les restes des ducs de Bourgogne. Voyez aussi les orgues (1743) de Charles et Robert Riepp (facteurs allemands installés à Dijon en 1735) et le beau maître-autel néoclassique.
Rotonde★★ – *✆ 06 99 77 09 46 - de déb. avr. au 1er nov : lun. 10h-18h, mar.-vend. 9h-18h, sam. 9h-16h, dim. 14h-18h ; reste de l'année se renseigner - 2 € (enf. gratuit).*
Les vestiges de la rotonde romane se limitent à une partie de transept hérissé à l'est de quatre absidioles et creusé au centre d'une fosse contenant les restes du sarcophage de saint Bénigne. Mort au 3e s., il est le premier martyr bourguignon et son tombeau est un but de pèlerinage le 20 novembre.
Cette sépulture fait face à une large ouverture sur l'étage inférieur de la rotonde, dont l'architecture hautement symbolique reprend celle conçue au 4e s. pour le tombeau du Christ à Jérusalem (seules huit rotondes de ce type sont connues au monde). Trois cercles de colonnes rayonnent depuis le centre (8-16-24), quelques-unes ayant conservé leurs chapiteaux primitifs, ornés de palmettes, d'entrelacs, d'animaux monstrueux ou d'orants, rares témoignages de la sculpture préromane. L'extrémité est de la rotonde donne accès à une chapelle du 6e s. qui pourrait être une *cella* (sanctuaire).

Musée archéologique★ (B2)

✆ 03 80 30 88 54 - de mi-mai à fin sept. : tlj sf mar. 9h-12h30, 13h30-18h ; de déb. oct. à mi-mai : tlj sf lun. et mar. 9h-12h30, 13h30-18h - fermé 1er janv., 1er et 8 Mai, 14 Juil., 1er et 11 Nov., 25 déc. - gratuit. Occupant l'aile orientale du cloître disparu de l'ancienne abbaye de St-Bénigne, ce musée peut, par l'essentiel de ses collections, être rattaché à l'art sacré.
La visite commence au niveau 2. Des vestiges mobiliers de différentes périodes, depuis le paléolithique jusqu'à l'époque mérovingienne, sont présentés dans les cellules du 17e s. Parmi ceux-ci figurent des poteries de la culture chasséenne (néolithique bourguignon), une tombe à incinération, un **bracelet en or** massif trouvé à **La Rochepot** (9e s. av. J.-C.) et le **trésor de Blanot★**, composé d'objets de l'âge du bronze final (ceinture, jambières, collier, bracelet).
Remarquez, dans la dernière salle, des sculptures régionales de dieux gallo-romains, une très jolie petite frise représentant les **déesses-mères d'Alésia** ainsi qu'un ex-voto en tôle de bronze mentionnant un culte au dieu Videtillus, vénéré à Dijon (Divio) sous le Haut Empire. Une évocation de la vie quotidienne à l'époque gallo-romaine

(fouilles du site de Mâlain) et des rites funéraires à l'époque mérovingienne permet d'imaginer les coutumes des civilisations qui ont précédé la nôtre. La salle présentant les collections gallo-romaines et mérovingiennes a été restaurée en 2005, à l'occasion des 50 ans de statut municipal du musée.

La visite se poursuit au niveau 1. L'ancien dortoir des moines, de style gothique (13e s.), est consacré à la sculpture médiévale de la région : le buste du Christ, réalisé par Claus Sluter pour le calvaire de la chartreuse de Champmol *(voir plus loin)*, voisine avec des fragments architecturaux ; au fond de la travée, le **Christ en croix★★** (vers 1410), attribué à Claus de Werve, et les deux tympans romans proviennent de St-Bénigne.

Pour terminer votre visite, ne manquez pas de vous rendre au sous-sol. De superbes salles romanes du début du 11e s. (époque de Guillaume de Volpiano) y abritent des sculptures gallo-romaines.

Dans la première, ancienne salle capitulaire de l'abbaye, trône en majesté sur sa barque la **déesse Sequana★**, statuette en bronze trouvée avec le Faune dans les fouilles du sanctuaire des sources de la Seine (Sequana est le nom gaulois de la Seine). Ce sanctuaire était fréquenté à l'époque gallo-romaine (1er s. av. J.-C. - fin 4e s. apr. J.-C.).

Dans la deuxième salle, on trouve une remarquable **série d'ex-voto★** en bois miraculeusement préservés, qui illustrent les croyances populaires gallo-romaines en Bourgogne au début de l'ère chrétienne *(voir Sources de la Seine)*. Ces figures sculptées, qui datent du 1er siècle av. J.-C, représentent des parties du corps humain. Elles étaient déposées par les pélerins venus demander la guérison à la source sacrée.

Dans la troisième salle, un scriptorium du début du 11e s., contient des ex-voto en pierre et des fragments de monuments funéraires.

Église Saint-Philibert (B2)

✆ 03 80 74 52 26 - fermé au public sf pour les Journées du patrimoine. Édifiée au 12e s. et remaniée au 15e s., elle est actuellement désaffectée. On peut encore apprécier le travail en « roman fleuri » du portail occidental.

Église Saint-Michel★ (C2)

De style gothique flamboyant, cette église consacrée en décembre 1529 a vu sa façade décorée en pleine Renaissance et ses deux tours achevées au 17e s., en respectant des plans antérieurs.

Les quatre étages aux fenêtres ornées de colonnes des tours se terminent par une balustrade surmontée d'une lanterne coiffée d'une boule de bronze. La façade, où se superposent les trois ordres classiques, est majestueuse.

Le porche, en forte saillie, s'ouvre par trois portails : une frise de rinceaux et de grotesques se développe à la partie supérieure du porche sur toute sa longueur. Au-dessous, dans les médaillons, se détachent les bustes des prophètes Daniel, Isaïe, Ézéchiel, ceux de Baruch (secrétaire de Jérémie), de David, avec sa harpe, et de Moïse portant les tables de la Loi.

Le portail de droite, de 1537, est le plus ancien des trois. Le Jugement dernier, représenté sur le tympan du portail central, est l'œuvre du Flamand Nicolas de la Cour. La statue de saint Michel, adossée au trumeau, est une œuvre du 16e s., qui remplaça la statue primitive détruite à la Révolution. Elle repose sur une console dont les sculptures s'inspirent de coutumes païennes et de textes sacrés ; dans un singulier « melting-pot », on peut identifier : David, Lucrèce, Léda et le cygne, Hercule, Apollon, Vénus, Judith, le jugement de Salomon, saint Jean-Baptiste, le Christ apparaissant à Marie-Madeleine.

À l'intérieur, admirez la hauteur du chœur dépourvu de déambulatoire (comme à St-Bénigne) et ses boiseries du 18e s. Remarquez quatre toiles de **Franz Kraus**, peintre allemand du 18e s. : dans le transept nord, *L'Adoration des bergers* et *La Fuite en Égypte* ; dans la chapelle du Saint-Sacrement (qui abrite un bel autel flamboyant) : *L'Adoration des Mages* et *La Présentation au Temple*. Le reste de la série, qui provient de la chartreuse de Champmol, *L'Annonciation* et *La Visitation*, se trouve au musée d'Art sacré. Dans la dernière chapelle à gauche en sortant, remarquez le fragment d'une Mise au tombeau du 15e s. Une chapelle votive accueille les reliques d'Élisabeth de la Trinité, jeune carmélite de la paroisse béatifiée en 1984.

Musée d'Art sacré (C3)

✆ 03 80 48 80 90 - mai-sept. : 9h-12h30, 13h30-18h ; oct.-avr. : 9h-12h, 14h-18h - possibilité de visite guidée (1h) sur demande - fermé mar. et j. fériés - gratuit.

Édifice de plan circulaire à dôme, l'ancienne église Ste-Anne (fin 17e s.) abrite, à côté du musée de la Vie Bourguignonne, du mobilier recueilli dans la Côte-d'Or depuis vingt ans : objets de culte du 13e au 19e s. (crucifix finement décorés d'émaux de Limoges, calices), des ornements sacerdotaux, des statues de bois, dont une Vierge en majesté (fin 12e s.), et un élégant autel baroque de 1769. Pièce maîtresse : le maître-autel en marbre et stuc, exécuté par le sculpteur dijonnais Jean Dubois en 1672 sur le thème de la Visitation de la Vierge à sainte Élisabeth. Les deux statues de bronze sont placées sous un baldaquin en porphyre de Bourgogne.

Chartreuse de Champmol★ (B2)

Entrée : 1 bd Chanoine-Kir. Parking visiteurs à l'intérieur du centre hospitalier spécialisé ; bien suivre les panneaux « Puits de Moïse ». Sur réservation à l'office de tourisme - ✆ 0892 700 558.

Alors que les premiers ducs de Bourgogne étaient inhumés à Cîteaux, Philippe le Hardi, désirant pour sa dynastie une nécropole d'envergure royale, fonda en 1383 la chartreuse de Champmol. Ce fastueux ensemble, réalisé par les meilleurs artistes de l'époque, fut malheureusement détruit en 1793, et avec lui disparurent la plupart des trésors d'art qu'il contenait.

Hormis les tombeaux et retables exposés dans la salle des Gardes du musée des Beaux-Arts *(p. 265)*, et le buste du Christ conservé au Musée archéologique *(p. 269)*, seules deux œuvres du célèbre sculpteur **Claus Sluter**, chef de file de l'école burgondo-flamande, ont échappé au désastre. Vous les verrez ici-même, dans le parc de cet établissement psychiatrique qui occupe, depuis 1843, le site du monastère médiéval.

Puits de Moïse★★★ – Un édifice hexagonal en briques et pierres du 17e s., situé au milieu d'un vaste parterre gazonné correspondant à l'ancien grand cloître de la chartreuse, abrite ce chef-d'œuvre de la sculpture médiévale. Symbole de la source de vie, le puits de Moïse servait de piédestal à un monumental calvaire, exécuté de 1395 à 1405, dont la partie supérieure disparut au 17e s. Vous pourrez donc admirer la partie basse du calvaire : une colonne hexagonale de 7 m de haut baignant dans un bassin alimenté par une source. Six grandes statues de Moïse et des prophètes David, Jérémie, Zacharie, Daniel et Isaïe sont adossées à la colonne.

Détail polychrome du Puits de Moïse.

F. Klingen / MICHELIN

Un minutieux travail de restauration leur a rendu quelques traces bien visibles de polychromie. Ce sont des portraits d'un réalisme saisissant ; la figure de **Moïse**, la plus impressionnante peut-être, a donné son nom au monument. Chacun, dans une attitude différente, exprime son affliction devant la Passion du Christ avec une touchante vérité. L'ampleur et le mouvement des drapés préfigurent la sculpture baroque. Comme la plupart des pleurants du cénotaphe de Philippe le Hardi, les anges qui s'abritent sous la corniche sont l'œuvre de Claus de Werve, le neveu de Sluter.

Portail de la chapelle★ – Il orne actuellement la porte intérieure de la chapelle, et compte cinq statues réalisées par Claus Sluter entre 1389 et 1394. De chaque côté de la Vierge à l'Enfant, placée sur le trumeau, le duc Philippe le Hardi et la duchesse Marguerite de Flandre, aux traits énergiques, sont représentés agenouillés, assistés de leurs saints protecteurs (saint Jean-Baptiste et sainte Catherine).

L'ART DOMESTIQUE

Musée de la Vie bourguignonne★ (C3)

✆ 03 80 48 80 90 - ♿ - mai-sept. : 9h-12h30, 13h30-18h ; oct.-avr. : 9h-12h, 14h-18h - possibilité de visite guidée (1h) : dim. 15h et 16h - fermé mar. et j. fériés - gratuit.

Jouxtant le musée d'Art sacré, dans les bâtiments du cloître du monastère des Bernardines, édifié vers 1680, ce musée retrace l'histoire locale grâce à des pièces d'ethnographie régionale et urbaine rassemblées par le collectionneur Perrin de Puycousin (1856-1949). Mobilier, équipement domestique, costumes, souvenirs divers évoquent, dans une mise en scène très vivante, grâce aux mannequins de cire, la vie quotidienne, les cérémonies et les traditions bourguignonnes à la fin du 19e s.

À l'étage, le spectacle de la rue est superbement évoqué par la reconstitution fidèle et authentique de commerces dijonnais de l'époque, tels le salon de coiffure dont l'équipement semble aujourd'hui aussi effrayant que celui d'une salle de torture… ou bien encore l'épicerie modèle qui ranime chez certains des souvenirs d'enfance. Une intéressante maquette d'une fabrique du 19e s. symbolise l'aventure industrielle de Dijon, tandis que la galerie des bustes des personnalités marquantes de la Bourgogne témoigne de son importance intellectuelle. Au dernier étage, un train électrique circule sous les affiches du PLM. Différents métiers sont évoqués grâce aux outils : travail de la pierre, de la terre et du bois.

LES ESPACES VERTS – LA NATURE

Avec quelque 700 ha de parcs et jardins publics, appréciés des Dijonnais comme des visiteurs de passage, Dijon fait véritablement figure de ville verte.

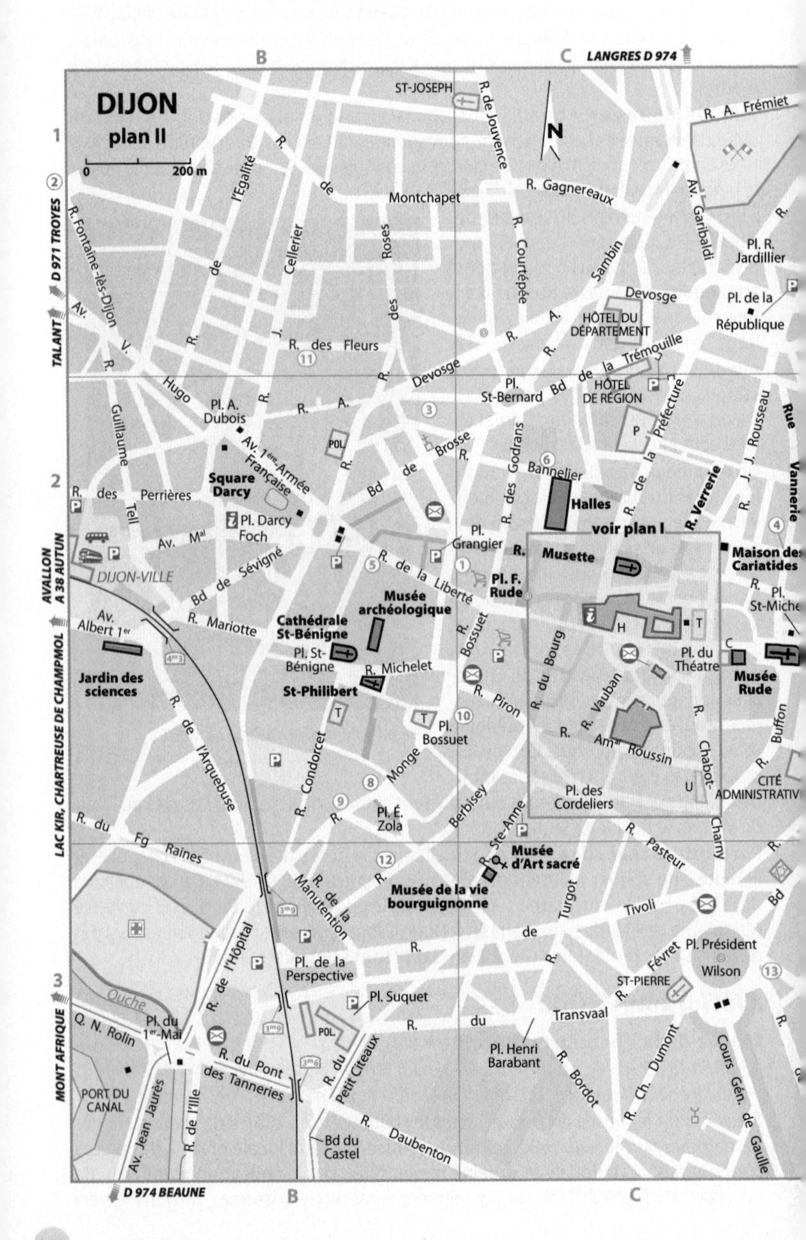

Square Darcy (B2)

Il doit son nom à l'ingénieur qui, en 1839, dota Dijon d'eau potable et fut à l'initiative du passage de la ligne ferroviaire PLM. Vous êtes accueilli, dès l'entrée, par une réplique due à Henri Martinet du célèbre **Ours blanc** du sculpteur bourguignon Pompon *(voir aussi Saulieu)*. Bassins et jeux de cascades, vasques, terrasses à balustrades s'étagent dans un joli décor de verdure composé de massifs floraux et de nombreuses essences végétales.

Jardin des Sciences★ (B2)

☏ 03 80 48 82 00 - www.dijon.fr - ♿ - 9h-12h, 14h-18h, mar. et w.-end 14h-18h - fermé 1er janv., 1er et 8 mai, 14 Juil., 11 Nov., 25 déc. - gratuit.

Situé à deux pas de la gare, le vaste parc de l'Arquebuse – dédié aux sciences de la nature, de la terre et de l'univers – comporte plusieurs pôles d'intérêt.

Muséum de la ville de Dijon★ – 👪 Fondé en 1836 par un Dijonnais passionné de nature, Léonard Nodot, le muséum occupe le pavillon de l'Arquebuse, ancienne caserne des arquebusiers dijonnais construite en 1608. Au rez-de-chaussée, l'histoire

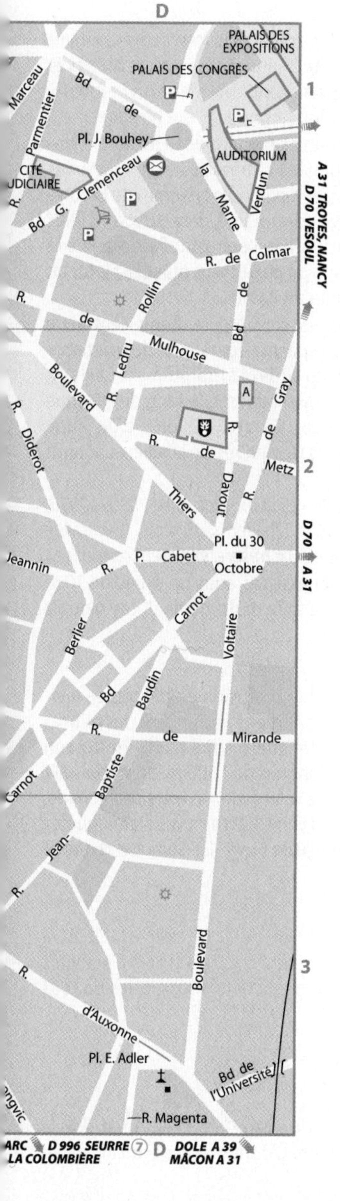

SE LOGER

B & B Hôtels 1
Montigny (Hôtel) 3
Nord (Hôtel du) 5
Relais de la Sans Fond (Hôtel Le) 7
Sauvage (Hostellerie Le) 9
Victor-Hugo (Hôtel) 11
Wilson (Hôtel) 13

SE RESTAURER

Auberge de la Charme (L') 2
Bento 4
Bistrot des Halles (Le) 6
Chabrot (Le) 8
Dame d'Aquitaine (La) 10
Mère Folle (La) 12

Le port de Dijon

À l'entrée du port, côté ville, un obélisque datant de 1780 rappelle sa création ainsi que celle d'un réseau de **1 000 km de canaux** à travers la Bourgogne. Dans l'esprit du prince de Condé, gouverneur de la province, ce réseau devait permettre de relier par voie d'eau Dijon à Paris, vers le nord, et au Bassin méditerranéen, vers le sud, et, au moyen d'une dérivation de la Saône, rejoindre la Loire par le canal du Centre, faisant ainsi le lien avec l'océan Atlantique.

Cet ensemble devait s'appeler le canal des Deux-Mers, mais la Révolution limita les ambitions initiales. Le premier bateau atteignant Dijon par le sud arriva sous Napoléon Ier, le premier bateau venu de Paris joignit la ville vers 1820 seulement, et la liaison avec l'océan avorta. Sur la route de Corcelles, Gustave Eiffel, né à Dijon en 1832, en spécialiste de l'architecture métallique, avait réalisé un pont levant qui enjambait le canal.

Actuellement, ces 1 000 km de canaux, ayant pour centre historique le port du Canal, aux portes de la ville ancienne de Dijon, sont utilisés uniquement pour la plaisance.

géologique bourguignonne est à l'honneur, avec une maquette interactive donnant des repères sur quelque 300 millions d'années et de beaux spécimens de roches et de fossiles ; certains, d'origine exotique, vous surprendront, comme ce glyptodonte, sorte de tatou géant sud-américain dont l'apparition remonte à l'ère tertiaire...

Le 1er étage vous dévoile l'incroyable diversité du monde animal grâce à un bel ensemble de **dioramas★** plus vrais que nature : des animaux naturalisés, posés dans des décors soigneusement reconstitués, illustrent les principaux écosystèmes de la Côte-d'Or, mais aussi ceux d'autres parties du monde (toundra, prairie, désert, savane, forêt tropicale, etc.). Avant de partir, prenez le temps d'admirer l'époustouflante diversité d'insectes de la salle d'entomologie et sa collection de **papillons**, puis allez jeter un coup d'œil aux expositions temporaires du pavillon du Raines.

Jardin botanique★ – La flore de Bourgogne est devenue le thème central de ce jardin, fondé en 1773, qui réunit quelque 4 000 espèces végétales et des parterres de fleurs parcourus d'allées ombragées. À l'ouest du jardin, l'arboretum accueille de remarquables essences exotiques. Vous pourrez aussi admirer, le long de l'avenue Albert-Ier, la **roseraie**. Sachez à ce sujet que la rose « Gloire de Dijon », d'un jaune très pâle nuancé d'abricot, est née en 1853 dans les pépinières de la ville, et connut un grand succès à l'ère victorienne.

Planétarium Hubert Curien – *03 80 48 82 00 - tlj sf mar. et sam. 9h30, 10h30, 14h30 et 15h30, merc. 10h, 15h, 16h et 17h, dim. 15, 16 et 17h - fermé 1er janv., 1er et 8 Mai, 14 Juil., 11 Nov., 25 déc. - exposition gratuite, spectacle 3 € (réserv. vivement conseillée).*
Venez découvrir ici l'histoire de notre Terre, et assistez, sous un dôme de 10 m de diamètre, au spectacle infini du ciel étoilé. Une salle multimédia dotée d'outils pédagogiques initie à la démarche scientifique.

Parc de la Colombière (D3)

Avec ses parterres bordés d'ifs, sa vaste pelouse et sa profusion de tilleuls, de marronniers et de chênes, de charmes, de frênes et de conifères, l'ancien parc des princes de Condé constitue un bien agréable but de promenade. Inspiré par Le Nôtre, son agencement à la française offre 16 allées en étoile, longues de 1 500 m, dont Louis XIV a dit qu'elles étaient « les plus belles de son royaume ». Au cours de votre promenade, vous verrez des vestiges de la voie Agrippa, qui reliait Lyon à Trèves, et vous remarquerez aussi un temple d'Amour (17e s.), provenant du château de Bierre-lès-Semur et remonté dans le parc en 1965.

Lac Kir (B2)

Les rives de ce plan d'eau artificiel d'une superficie de 37 ha, créé à l'initiative du célèbre chanoine *(voir Fontaine-Française)*, se prêtent à toutes sortes d'activités de détente : promenade, cyclisme, pêche, baignade, activités nautiques en tout genre.

Aux alentours

Talant

À l'ouest de Dijon, par la rue de Talant. Gagnez le haut du village (alt. 355 m) où se dresse l'église. L'esplanade était jadis occupée par un château dont il ne reste qu'un cellier enfoui dans le sol. De la table d'orientation, près de l'église, on a une belle **vue★** sur Dijon et la vallée de l'Ouche. L'**église** (13e s.) renferme d'intéressantes **statues :** Vierge à l'Enfant (14e s.), deux pietà (15e s.), saints, Christ aux liens, deux Mises au tombeau (16e s.), Christ médiéval suspendu dans le chœur, vie de saint Hubert en bas-relief polychrome au revers de la façade. Elle possède aussi un important ensemble de **vitraux★**, réalisés par le peintre Gérard Garouste et le maître verrier Pierre-Alain Parot en 1997.

Mont Afrique

12 km à l'ouest – environ 1h. Un chemin de ronde *(accessible aux piétons)* suivant le rebord du plateau offre de belles **vues** sur les environs immédiats de Dijon.

Château d'Arcelot

13 km au nord-est. ✆ 03 80 37 18 97 - www.arcelot.com - ♿ - visite guidée (45mn, dernière entrée 30mn av. fermeture) juil.-sept. : tlj sf lun. et mar. 10h-12h, 14h-18h, dim. 14h-18h - visite libre du parc 13h-19h - château + parc 6 € (10-17 ans 4 €).

Cette belle construction néoclassique fut dessinée au 18e s. par l'architecte régional Thomas Dumorey. Les deux pavillons ont été réunis par un corps central ajouté vers 1761. À cette époque, le château se pare de décors prestigieux : l'escalier monumental est orné d'une tapisserie des Flandres (fin 16e s.), la chapelle (encore desservie aujourd'hui) et le grand salon ont conservé leurs précieux et rares **décors★** en stuc coloré réalisés en 1765 par un artiste allemand, Reuscher. À l'étage, les meubles de la chambre du roi, pour la plupart réalisés à Dijon, témoignent de la vitalité de l'ébénisterie locale au 18e s. Remarquez le beau décor 19e s. du salon de chasse.

La visite se prolonge agréablement dans le grand **parc** à l'anglaise de 45 ha dessiné en 1805 par Jean-Marie Morel, l'auteur des jardins de Malmaison, près de Paris. Un chemin, bordé d'un arboretum, où vous remarquerez des arbres bicentenaires, mène au pavillon chinois qu'il fit construire sur l'étang. Vous y verrez des faisans, des ânes... Et vous pourrez terminer par le jardin de l'orangerie.

Circuit de découverte

LE VAL SUZON

Circuit de 40 km au nord-ouest – environ 1h30.

Messigny-et-Vantoux

10 km au nord. Château de la fin du 17e s., dû à l'architecte du palais des États, Jules Hardouin-Mansart.

À la sortie du village, prenez à gauche la D 7.

Le Suzon, affluent de l'Ouche, coule entre des pentes boisées. Sa vallée, étroite, s'élargit dans le joli bassin de **Ste-Foy** ; les versants se hérissent parfois de rochers avant Val-Suzon.

À Val-Suzon-Haut, prenez à gauche la D 971, en forte montée.

De la route, on découvre une jolie **vue** sur Val-Suzon-Bas et le vallon.

Revenez à Dijon.

Dijon pratique

Voir aussi les carnets pratiques de la Côte, la vallée de l'Ouche et la vallée de la Saône.

Adresse utile

Office du tourisme de Dijon – *11 r. des Forges - 21000 Dijon - 0 892 700 558 - www.dijon-tourism.com - avr.-oct : lun.-sam. 9h-19h, 14h30-18h, dim. et j. fériés 9h-12h30, 14h30-17h ; nov.-mars : lun.-sam.10h-12h, 14h-18h, dim. et j.fériés 14h30-17h30.*

Une autre antenne de l'office de tourisme se trouve **place Darcy** *(avr.-oct. : lun.-sam. 9h-12h30, 14h30-18h, dim. et j. fériés 14h-18h ; nov.-mars : lun.-sam. 10h-12h30, 14h30-18h).*

Visites

Dijon propose des visites-découvertes *(1h45)* sous la conduite de guides-conférenciers. *Renseignements à l'office de tourisme.*

Parcours de la Chouette – Découvrez Dijon en 22 étapes *(soit environ 1h de marche)*. Départ du square Darcy. Un parcours identique a été spécialement conçu pour les enfants (parcours de la Chouette Junior). *Livrets disponibles à l'office de tourisme.*

Balades en Segway – Cette trottinette sophistiquée est une façon originale de parcourir la ville, sous la conduite d'un accompagnateur. *Renseignements auprès de l'office de tourisme.*

Location de vélos – 18 € par personne pour une journée (12 € pour la demi-journée). *Renseignements auprès de l'office de tourisme.*

Par ailleurs, Dijon a mis en place en 2008 un système de vélos en libre service (Velodi), mais il n'est accessible que sur inscription (www.velodi.net).

Se loger

Hostellerie le Sauvage – *64 r. Monge - 03 80 41 31 21 - www.hotellesauvage.com - 22 ch. 44/80 € - 6,50 €.* Cet hôtel, un ancien relais de poste du 15e s., est idéalement situé, au cœur d'un quartier vivant où foisonnent restaurants et cafés et à 10mn à pied du palais des Ducs. Calme assuré : l'établissement se trouve au fond d'une jolie cour pavée. Il a été entièrement restauré en 2008/09. Les chambres sont agréables et mettent en valeur le cadre historique de l'ancien bâtiment (poutres apparentes, vieilles pierres, etc.)

B & B Hôtels – *5 r. du Château - face aux Galeries Lafayette - 08 92 70 75 06 - www.hotel-bb.com - 55 ch. 48/53 € - 5,90 €.* Si l'on s'accommode du caractère quelque peu formaté des hôtels de chaîne, on trouvera son bonheur dans l'une des 55 chambres de cet établissement idéalement situé en centre-ville. On appréciera notamment d'y trouver la climatisation et un mobilier fonctionnel récent, le tout à des tarifs très abordables.

Hôtel Victor Hugo – *23 r. des Fleurs - 03 80 43 63 45 - hotel.victor.hugo@wanadoo.fr - 23 ch. 49 € - 6,50 €.* Dans ce petit hôtel traditionnel, vous serez accueilli par un personnel attentionné. Les chambres aux murs de crépi blanc sont simples et calmes. À apprécier d'autant plus que le centre-ville est tout proche.

Hôtel Montigny – *8 r. Montigny - 03 80 30 96 86 - www.hotelmontigny.com - fermé 21 déc.-4 janv. - P - 28 ch. 55/57 € - 7,50 €.* Établissement pratique car proche du centre-ville et disposant d'un parking fermé. Chambres fonctionnelles, bien insonorisées et parfaitement tenues. Accueil courtois.

Hôtel Wilson – *Pl. Wilson - 03 80 66 82 50 - www.wilson-hotel.com - 27 ch. 76/96 € - 11 €.* Dans cet ancien relais de poste où le caractère traditionnel a été conservé, vous serez charmé par les chambres sobrement meublées en bois clair. Partout, belles poutres et jolie lumière forment un cadre intime et douillet.

Hôtel Le Relais de la Sans Fond – *33 rte de Dijon - 21600 Chevigny - 03 80 36 61 35 - sansfond@aol.com - fermé 22 déc.-1er janv. - P - 17 ch. - 62/67 € - 8 € - rest. 16/49 €.* Petite auberge familiale aux aménagements simples et soignés. Chambres claires, équipées d'un mobilier en bois stratifié et fort bien tenues. Salle à manger actuelle dotée d'une cheminée et agréable terrasse installée face au jardin. Cuisine traditionnelle.

Hôtel du Nord – *Pl. Darcy - 03 80 50 80 50 - www.hotel-nord.fr - fermé 19 déc.-5 janv. - 26 ch. 90/100 € - 11 €.* Place Darcy, rue de la Liberté : le cœur animé et commerçant de Dijon bat aux portes de l'hôtel. Chambres contemporaines. Cuisine traditionnelle servie dans une salle à manger aux cadre rustique actualisé. Caveau-bar à vins logé sous une belle voûte en pierre.

Se restaurer

Bon à savoir – La visite de la ville vous mènera sûrement du côté de la jolie place Émile-Zola, semi-piétonne, où murmure une petite fontaine. Les nombreux restaurants des alentours vous rappelleront de façon plaisante que l'heure du déjeuner n'est plus bien loin. Terrasses accueillantes et spécialités variées.

La Mère Folle – *102 r. Berbisey - 03 80 50 19 76 - mokador25@aol.com - fermé mar. - 9,50/23 €.* Ce petit restaurant du centre-ville vous propose uniquement des spécialités bourguignonnes : escargots, œufs en meurette, sandre au Chablis, etc. Décor d'inspiration 1930, service sympathique et ambiance très conviviale.

Le Chabrot – *36 r. Monge - ✆ 03 80 30 69 61 - 13,50 € déj. - 18/27 €.* Ce bistrot séduira ceux qui recherchent saveurs traditionnelles et ambiance décontractée. Pour le vin, on fait son choix parmi les casiers à bouteilles alignés sur les murs. Service dynamique, bons petits plats bourguignons, crus de propriétaires, le tout saupoudré de quelques notes de musique : un mélange réussi.

Le Bento – *29 r. Chaudronnerie - ✆ 03 80 67 11 50 - 16 €, menu découverte à 18 €.* Si vous aimez les restaurants japonais, n'hésitez pas une seule seconde : venez essayer celui-ci. Tout y est fin, original, bien présenté. Le chef invente de nouveaux sushis, sashimis ou makis tous les jours. Ne manquez pas (entre autres…) les makis de crêpe au nutella. Cadre à la fois très design et accueillant. Brunch le dimanche de 12h à 18h.

Le Bistrot des Halles – *10 r. Bannelier - ✆ 03 80 49 94 15 - fermé 25 déc.-2 janv., dim. et lun. - 17 €.* Ce bistrot au décor 1900 est aménagé face aux halles. Tentez, parmi ses incontournables spécialités, le pâté en croûte, les escargots ou ce surprenant cabillaud « dijonnisé » avec sa crème de moutarde. À moins que l'originalité de certains intitulés ne titille votre curiosité : canard rôti aux ananas et pain d'épice, etc.

La Dame d'Aquitaine – *23 pl. Bossuet - ✆ 03 80 30 45 65 - www.bourgogne-restaurants.com/ladamedaquitaine - fermé lun. midi et dim. - 22/45 €.* Au cœur de la ville, un porche, une cour pavée et de longs escaliers qui descendent dans une superbe salle voûtée du 13e s. Ici, le Moyen Âge vous accueille avec colonnes à chapiteaux, tapisseries, vitrail coloré et chandeliers imposants. Cuisine régionale puisant son inspiration dans les terroirs bourguignon et gascon.

L'Auberge de la Charme – *12 r. de la Charme - 21121 Prenois - 13 km au nord-ouest de Dijon par D 971 puis D 104 dir. Circuit automobile - ✆ 03 80 35 32 84 - davidlacharme@aol.com - fermé 23 fév.-5 mars, 4-14 août, mar. midi, jeu. midi, dim. soir et lun. - réserv. obligatoire - 25/80 €.* Dans le village, une ancienne forge joliment restaurée. Décor rustique préservé (sols et murs en pierre, poutres apparentes) et tables dressées dans un esprit design soigné. L'accueil est attentionné, l'ambiance décontractée et la cuisine, de saison, aussi inventive que goûteuse.

Faire une pause

Comptoir des Colonies – *12 pl. François-Rude - ✆ 03 80 30 28 22 - 8h-19h30, dim. 15h-19h30.* Grande terrasse en été, petit salon « cosy » de l'étage en hiver et espace mi-colonial, mi-vieilles pierres (murs et poutres datent du 17e s.) au rez-de-chaussée : ce « comptoir » constitue un refuge idéal en toutes saisons. Les sacs de cafés verts acheminés via La Havre sont torréfiés régulièrement pour une fraîcheur optimale. Également sur la carte : 140 thés Mariages Frères, et chocolats chauds natures ou aromatisés.

La Causerie des Mondes – *16 r. Vauban - ✆ 03 80 49 96 59 - la.causerie.des.mondes@wanadoo.fr - tlj sf dim. et lun. 10h30-19h (sam. 10h).* Cette petite adresse – murs tapissés de toile de jute, poutres apparentes et objets asiatiques, douce musique d'ambiance – a de quoi séduire. La carte référencie quelque 120 thés importés d'une douzaine de pays différents, 15 à 20 cafés torréfiés par le patron lui-même et 5 sortes de chocolats. Quelques douceurs (cake, pain d'épice, tarte du jour) accompagnent les breuvages.

Maison Millière – *10-12-14 r. de la Chouette - ✆ 03 80 30 99 99 - www.maison-milliere.com - tlj sf lun. 10h-19h - fermé 1er Mai.* Guillaume Millière, marchand drapier, fit édifier cette maison en 1483 derrière l'église Notre-Dame. La demeure, classée Monument historique, a été reprise en 1998 par le couple Lieutet, qui l'a transformée en un restaurant-salon de thé. Artisans d'art, ils exposent aussi leurs créations (marqueterie de bois précieux, fleurs naturelles), en vente à la boutique. Idées cadeaux, boîtes, bijoux… et produits régionaux.

En soirée

Bon à savoir – Les planches du théâtre du Sablier (rue Berbisey), du théâtre du Parvis St-Jean (place Bossuet), du Bistrot de la scène (rue d'Auxonne) sont régulièrement foulées par les comédiens. En mai ont lieu les Rencontres internationales du théâtre qui privilègient les créations. Théâtre national Dijon-Bourgogne dirigé par Robert Cantarella. La musique classique instrumentale, l'art lyrique et la danse se partagent la scène de l'Auditorium et de l'Opéra de Dijon (place du Théâtre). Notons à ce propos que l'auteur des *Indes Galantes*, Jean-Philippe Rameau, est né à Dijon en 1863.

L'Agora Café – *10 pl. de la Libération - ✆ 03 80 30 99 42 - 15 mars-14 sept. : 11h30-1h ; 15 sept.-14 mars : tlj sf lun. soir, merc. midi, dim. et j. fériés 11h30-14h, 18h-2h - fermé 24 déc.-22 janv.* Piano-bar situé dans l'ancienne chapelle d'un couvent du 16e s. Vous y dégusterez whiskies, cocktails et bières dans une ambiance paisible et conviviale agrémentée de concerts de piano le samedi soir. Terrasse en été.

Que rapporter

Bon à savoir – Parmi le respectable choix de marques de crème de cassis, Boudier, Lejay-Lagoute, L'Héritier-Guyot ou Briottet feront avec l'aligoté d'excellents kirs. Védrenne (de Nuits-St-Georges), au début de la rue Bossuet est également un distillateur-liquoriste réputé.

Marché des Halles – Mar., vend. et sam. 7h30-12h30, au centre-ville

Fremont Patrick – *23 r. Verrerie, quartier des Antiquaires - ✆ 03 80 50 19 80 - tlj sf lun. 6h30-19h30.* Cette boulangerie centenaire du vieux Dijon revit depuis 1998 sous l'impulsion de Patrick Fremont, qui propose désormais 25 variétés de pains (à la figue, à la châtaigne, à la citrouille…) La carte des pâtisseries recense 40 douceurs parmi lesquelles l'irrésistible sablé florentin aux fruits secs, miel et chocolat.

Mulot et Petitjean – *13 pl. Bossuet - ✆ 03 80 30 07 10 - mulotpetitjean@mulotpetitjean.fr - tlj sf dim. 9h-12h, 14h-19h, lun. 14h-19h - fermé j. fériés.* Installé dans une maison à colombages, cet établissement (dont l'origine remonte à 1796) est spécialisé dans le pain d'épice décliné de multiples manières : tendres mignonnettes, croquantes gimblettes, en forme d'escargot ou de poisson… À l'intérieur, le décor et le somptueux mobilier de marbre et de bois sculpté datent de 1901.

UF Boutique Maille – *32 r. de la Liberté - ✆ 03 80 30 41 02 - www.maille.com - tlj sf dim. 9h-19h - fermé j. fériés.* Cette maison fondée en 1777 est spécialisée dans les moutardes et les vinaigres de Dijon. Ne manquez pas de jeter un coup d'œil à la belle enseigne « Maille » située au-dessus de l'entrée.

Nicot Yves – *48 r. Jean-Jacques-Rousseau - ✆ 03 80 73 29 88 - nicotvins@infonie.fr - 8h-12h30 et 15h-20h, sam. 8h-20h, dim. 8h-12h30.* Monsieur Nicot voue une véritable passion au vin. La preuve en est cette maison qu'il a ouverte en 1985. 4 ans plus tard, il fonde une école du vin où il dispense des cours de dégustation et d'œnologie, puis, en l'an 2000, il crée une structure spécialisée dans l'expertise organoleptique de cave. Belle sélection de vin de Bourgogne.

Bourgogne Street – *61 r. de la Liberté - ✆ 03 80 30 26 28 - tlj sf lun. 10h-12h, 14h-19h, merc.-sam. 9h-19h - fermé 1er janv. et 25 déc. et dim. du 1er janv. aux Rameaux.* La maison Auger est l'une des dernières à perpétuer la tradition du pain d'épice à Dijon. Des textes mentionnent, dès le 14e s., la présence d'une pâtisserie à base de farine et de miel, et, en 1940, la ville compte près d'une quinzaine de fabriques. Outre les pains d'épice, vous trouverez à la boutique de nombreux produits régionaux.

Sports & Loisirs

Circuit Indoor karting – *12 r. Antoine-Becquerel - 21300 Chenove - ✆ 03 80 52 88 77 - www.kartmania.com - mar. 18h-0h, merc. 15h-0h, jeu. 18h-0h, vend. - sam. 15h-1h, dim. 15h-20h - 15 €/10mn (enf. 10 €/8mn).* Venez tester vos talents de pilotage dans ce grand espace couvert installé aux portes de la ville. Deux circuits en salle et en extérieur. Même si la prise en main des petits bolides se fait assez naturellement, les sensations de vitesse au ras du sol demeurent impressionnantes. Pour faire le plein d'adrénaline en toute sécurité. Bar-restaurant panoramique.

Événements

Dijon-Plage – Durant l'été. Animations diverses sur les rives du lac Kir : tournois sportifs, concerts, stages multi-activités… *✆ 03 80 74 51 51.*

Festivals de l'été et Estivade – Durant l'été. Chants, concerts et théâtre dans les cours et jardins de la ville.

Foire internationale et gastronomique de Dijon – Automne. Plus de 500 exposants, 200 000 visiteurs chaque année… Au parc des expositions de Dijon, entrée payante. www.dijon-expocongres.com.

Festival Art Danse – Mars-avril. Pour plus de détails : www.art-danse.com.

Fêtes de la vigne – Dernier w.-end d'août. Animations musicales et folkloriques dans les rues de Dijon. www.fetesdelavigne.fr.

Marché de Noël – Décembre. Place de la Libération.

Flavigny-sur-Ozerain★

341 FLAVIGNIENS
CARTE GÉNÉRALE B2 – CARTE MICHELIN DÉPARTEMENTS 320 H4 – CÔTE-D'OR (21)

Accroché à son rocher isolé par trois cours d'eau, le village se niche dans un site plein de charme et qui fleure bon l'anis... Siège d'une abbaye dès le 8e s., ville forte au Moyen Âge, Flavigny révèle sa grandeur passée dans ses rues étroites bordées de vieux hôtels, ses portes fortifiées et les vestiges de ses remparts.

Se repérer – Flavigny est perché sur une colline à 23 km au sud-est de Montbard et à 16 km à l'est de Semur-en-Auxois.

Se garer – Laissez votre voiture sur l'esplanade des Fossés, car la circulation est interdite au-delà.

À ne pas manquer – Le patrimoine bâti de Flavigny, avec ses maisons médiévales et Renaissance ; la crypte carolingienne de l'ancienne abbaye ; et bien sûr, la célèbre fabrique artisanale d'anis, dont les bassines de dragéification produisent un bonbon blanc connu dans le monde entier.

Pour poursuivre la visite – Voir aussi Alise-Ste-Reine, le château de Bussy-Rabutin, l'abbaye de Fontenay, Montbard, les sources de la Seine, Semur-en-Auxois.

Se promener

Maisons anciennes★

De nombreuses maisons restaurées, datant de la fin du Moyen Âge et de la Renaissance, présentent de charmantes tourelles, un escalier à vis ou de délicates sculptures. Remarquez, dans la rue de l'église, la **maison au Donataire** (15e et 16e s.), qui accueille la Société des amis de la cité de Flavigny.

Ancienne abbaye

Cette ancienne abbaye bénédictine, fondée dès le 8e s., comprenait une grande église abbatiale, la basilique St-Pierre, et des bâtiments claustraux. Ces derniers, reconstruits au 18e s., abritent actuellement la **fabrique d'anis** qui, pour pouvoir répondre à la demande du marché, devrait prochainement s'installer dans de nouveaux locaux. *03 80 96 20 88 - www.anis-deflavigny.com - visite guidée (10mn) sur demande tlj sf w.-end 8h30-11h - fermé 25 déc.-1er janv., j. fériés, août - gratuit.*

Crypte Ste-Reine – *03 80 96 20 88 - visite audioguidée (10mn) mai-août : 9h-12h, 14h-18h ; sept.-avr. : lun., mar. et jeu. 8h30-11h30, 14h-17h, merc. 8h30-11h30, 14h-16h, vend. 8h30-11h30 - fermé 1er janv. - 1 € (-12 ans gratuit).* De la basilique St-Pierre subsistent d'intéressants vestiges d'époque carolingienne, dont la partie inférieure de l'abside à deux étages, construite vers 758. L'étage supérieur, auquel on accédait de la nef par deux escaliers, portait le maître-autel. La partie inférieure en contrebas abritait les reliques ; on y plaça vers 866 les restes de sainte Reine, martyrisée à Alise *(voir Alise-Ste-Reine)*. Un des piliers, élégamment sculpté, est un bel exemple de décoration carolingienne.

Chapelle Notre-Dame-des-Piliers – Des fouilles ont mis au jour une chapelle hexagonale avec déambulatoire dans le prolongement de la crypte : le style rappelle les rotondes préromanes de St-Bénigne de Dijon et de Saulieu.

Église Saint-Genest

Se renseigner pour visite guidée au 03 80 96 22 77 ou 03 80 96 00 29. Datant du 13e s., elle est élevée sur l'emplacement d'une église plus ancienne et a été remaniée aux 15e et 16e s. L'édifice renferme une tribune centrale en pierre du début du 16e s. Disposition très rare à l'époque gothique, des tribunes surmontent les bas-côtés et les deux premières travées de la nef. Elles sont fermées de clôtures de bois du 15e s.

Boîte d'anis de Flavigny.

Parmi de nombreuses statues intéressantes, remarquez, dans la dernière chapelle à droite, un **Ange de l'Annonciation**, chef-d'œuvre de l'école gothique bourguignonne et, dans le transept sud, une Vierge allaitant du 12e s. Prenez aussi le temps de détailler les figurines des stalles (16e s.) : vous ne le regretterez pas.

Promenade des remparts

Partez de la porte du Bourg (15e s.), aux puissants mâchicoulis. Par les chemins des Fossés et des Perrières, gagnez la porte du Val, dédoublée et flanquée de tours rondes. À côté se trouve la Maison Lacordaire, ancien couvent de dominicains fondé par le père **Lacordaire**.

Le saviez-vous ?

Depuis le 16e s., on procède, dans l'abbaye de Flavigny, à la fabrication de ces délicieuses petites billes rondes avec un cœur en graine d'anis dont la recette est jalousement tenue secrète. Ces bonbons sont déclinés en six parfums différents, allant de la rose à l'oranger, de la réglisse à la menthe et de la violette à l'anis, bien sûr !

Le film *Chocolat*, avec Juliette Binoche et Johnny Depp, a été tourné en partie à Flavigny.

Aux alentours

Château de Frôlois

17 km au nord-est. ✆ 03 80 96 22 92 - www.routedesducs.com - visite guidée (30mn) juil.-août : 14h30-18h30 - 4,50 € (10-15 ans 3 €). La famille de Frôlois habitait déjà sur ce site – une haute falaise – au 10e s. ; du château fort médiéval, plusieurs fois remanié, il ne reste cependant que le corps de logis datant des 14e et 15e s. Au premier étage, la chambre d'Antoine de Vergy (héritier des Frôlois) conserve un plafond à la française orné de ses armes et chiffres. Le rez-de-chaussée a été modifié et aménagé au 18e s. On y remarque de belles tapisseries de Bergame (fin 17e s.).

Flavigny-sur-Ozerain pratique

Voir aussi les carnets pratiques d'Alise-Ste-Reine, de Bussy-Rabutin, de Montbard, des sources de la Seine et de Semur-en-Auxois.

Adresse utile

Office du tourisme du pays d'Alésia et de la Seine – *Pl. Bingerbrück - 21150 Venarey-les-Laumes - ✆ 03 80 96 89 13 - www.alesia-tourisme.net - avr.-sept. : 9h30-12h30, 14h-19h, dim. 10h-12h (juil.-août) ; oct.-mars : tlj sf dim 10h-12h, 15h-18h.*

Se loger

Hôtel Le Macarena – *Pl. Pion - 21150 Pouillenay - 5 km à l'est de Flavigny-sur-Ozerain par D 9 - ✆ 03 80 96 93 22 - www.hotelrestaurantmacarena.com - P - 7 ch. 55 € - ☕ 6 € - rest. 13,50/28 €.* L'enseigne se veut un tantinet exotique, mais la décoration générale de cette ferme convertie en hôtel se révèle beaucoup plus sobre. Les chambres, fonctionnelles et bien tenues, disposent d'équipements récents… Accueil plutôt sympathique.

Se restaurer

La Grange – *Pl. de l'Église - ✆ 03 80 96 20 62 - mars-juin et 16 sept.-1er déc. : ouv. dim. et j. fériés ; sais. : tlj le midi sf lun. - 15/22 €.* Si la visite du village médiéval vous a ouvert l'appétit, laissez-vous tenter par l'une des recettes figurant sur la carte de cet établissement : lapin à la moutarde, tarte dijonnaise, etc. Toutes sont exclusivement préparées avec des produits de qualité issus des fermes alentour. Également, vente à emporter.

Que rapporter

Anis de Flavigny – *R. de l'Abbaye - ✆ 03 80 96 20 88 - www.anisdeflavigny.com - avr.-11 nov. 9h-19h (w.-end 10h-19h) ; visite de la fabrique : tlj sf w.-end 8h30-11h.* Aménagée dans l'enceinte même de l'abbaye, cette confiserie se fait gardienne de la tradition locale : le bonbon à l'anis de Flavigny… Un « bien bon bonbon » nature ou parfumé (menthe, violette, rose, fleur d'oranger, etc.) à découvrir absolument !

Loisirs

Parc de l'Auxois – *D 905 - 11 km au nord de Flavigny-sur-Ozerain - 21350 Arnay-sous-Vitteaux - ✆ 03 80 49 64 01 - www.parc-auxois.com - de mars à mi-nov. : 10h-19h - 11 € (3-14 ans 8 €).* Ce parc animalier (environ 30 ha) vous propose de rencontrer différentes espèces venues d'ailleurs comme les watussis, les capybaras ou encore les maras. Le site abrite également de nombreuses attractions pour s'amuser en famille : piscines avec « aqua-toboggans », ponts de lianes, manèges, etc.

Fontaine-Française

931 FONTENOIS
CARTE GÉNÉRALE C2 – CARTE MICHELIN DÉPARTEMENTS 320 M4 – CÔTE-D'OR (21)

Proche de la Franche-Comté, Fontaine-Française était autrefois une puissante seigneurie qui formait, en Bourgogne, une enclave relevant de la couronne de France. Cette paisible localité s'enorgueillit de posséder un beau château du 18e s., qui se mire dans une pièce d'eau.

Se repérer – La ville se trouve sur la D 960, à 35 km de Dijon et à quelques kilomètres du canal de la Marne à la Saône.

À ne pas manquer – Suivez la visite guidée du château, puis partez à la découverte des pittoresques villages du circuit.

Avec les enfants – Parcourez en barque les mystérieuses eaux souterraines des grottes de Bèze.

Pour poursuivre la visite – Voir aussi Dijon, la vallée de la Saône, Til-Châtel.

Le saviez-vous ?

Alors en guerre contre Philippe II d'Espagne, c'est à Fontaine-Française qu'**Henri IV**, à la tête de 510 cavaliers, triompha le 5 juin 1595 des armées espagnoles et de la Ligue, plus fortes en nombre, commandées par Velasco, connétable de Castille, et par le duc de Mayenne, chef des Guise. Un monument (1804) rappelle cette victoire qui eut une grande part dans la pacification générale du royaume.

Félix Kir, né en 1876, était curé de la paroisse de Bèze quand il partit pour la guerre de 1914. À son retour, il commença à s'intéresser à la politique, avant de devenir curé de Nolay en 1924. Élu maire de Dijon en 1945, il conservera toujours son air de curé de campagne.

Visiter

Château

/fax 03 80 75 80 40 - visite guidée (40mn) déb. juil.-mi-sept. : tlj sf mar. 10h-12h, 14h-18h - 5 € (enf. 3 €).

Bâtie au 18e s. sur les ruines d'un ancien château féodal du 11e s., cette grande demeure d'une élégance toute classique accueillit de célèbres écrivains, comme Voltaire et Madame de Staël. Les salons et les chambres comptent de belles pièces de mobilier, notamment un ensemble de fauteuils au point de Saint-Cyr, figurant les fables d'Ésope, et des tapisseries des Gobelins.

Un **parc** à la française, agrémenté de beaux tilleuls, contient le charmant étang de Pagosse, gigantesque miroir qui reflète le château et le met en valeur.

Circuit de découverte

36 km – environ 3h. 5 km à l'est par la D 960.

Saint-Seine-sur-Vingeanne

Le village a conservé un joli **château** du 17e s, annoncé par un portail gardé de deux tours rondes. Surmontée d'un clocher à trois étages, l'**église**, de style roman bourguignon, commande la vue sur le château et les communs. Dans le chœur, remarquez un beau vitrail du 19e s. En haut de la grande nef, à droite en regardant l'autel, vous pourrez admirer un Christ de pitié en pierre polychrome du 16e s.

Par la D 30, 2 km au sud.

La route, tortueuse, passe entre bosquets et cultures vivrières.

Château de Rosières

03 80 75 96 24 - www.chateauderosieres.com - 9h-19h - 4 € (-18 ans gratuit).

Le donjon massif et l'une des tours datent du 15e s. L'escalier du pavillon (ajout du 17e s.) est typiquement Louis XIII. La porte et une petite tour d'enceinte complètent l'ensemble.

Franchissez ensuite la Vingeanne, puis le canal de la Marne à la Saône. Dans Beaumont, prenez à droite vers Champagne, puis tout de suite à droite pour trouver le château.

Château de Beaumont-sur-Vingeanne

03 80 47 70 04 - visite guidée (20mn) juil. et sept. : tlj sf dim. 14h30-18h30 - 4 €.

De dimensions réduites, mais de proportions parfaites, ce château aurait été construit aux environs de 1724 par l'abbé Claude Jolyot, chapelain du roi qui venait fréquemment y goûter le repos, loin de Versailles et de la Cour. C'est un charmant édifice dont la façade sur deux niveaux est ornée de fenêtres cintrées couronnées de masques. Ce très rare exemple en France de ce que l'on appelait alors une architecture « de folie », combine trois étages côté cour et deux côté jardin, avec des escaliers dérobés et un palier qui passe discrètement en travers des fenêtres. Ce paisible décor, dans un parc de 6 ha, évoque la douceur de vivre telle qu'on l'entendait au siècle des Lumières. À l'intérieur, on visite deux salles lambrissées du rez-de-chaussée et la galerie voûtée en sous-sol supportant la terrasse de la façade arrière.

Rejoignez Bèze par Noiron.

Bèze

Riche d'un patrimoine naturel hors du commun, ce petit bourg a également conservé d'intéressants monuments du passé. Du 9e s., vous remarquerez par exemple les vestiges d'une ancienne tour de gué : la tour des Francs, autrefois intégrée à l'enceinte médiévale ; du 13e s., l'ancienne école monastique dont la façade, maintes fois remaniée, est reconnaissable à ses arcades gothiques, ses trèfles au-dessus des fenêtres et ses têtes sculptées. Notez aussi l'église St-Rémi, partiellement reconstruite au 18e s., et dont le clocher fortifié remonte au 13e s. Quant à la cure, un bâtiment carré du 20e s., il fut la demeure du célèbre chanoine Kir *(voir encadré p.281)*.

Source de la Bèze – La résurgence des eaux de la Venelle et d'autres « pertes » jaillit dans une magnifique source de type vauclusien qui peut débiter, en période de crue, 18 000 litres par seconde. L'eau est potable, on y aperçoit des truites. Promenade aménagée sur les rives.

Grottes de Bèze – *03 80 75 31 33 - visite guidée (30mn) mai-sept. : 10h-12h, 13h30-18h ; avr. et oct. : w.-end et j. fériés 13h30-18h - 4,50 € (enf. 2,15 €).*

Deux résurgences de la Tille, dont on peut voir les siphons profonds de 6 à 7 m, ont formé une puissante rivière souterraine et des grottes qui, artificiellement reliées, se parcourent en barque sur une longueur de près de 300 m. La limpidité des eaux du « lac », d'une profondeur atteignant 18 m, quelques concrétions notables (l'« obus », les « chapeaux mexicains »...) ainsi que la belle cheminée proche de l'entrée participent à la force d'envoûtement des lieux.

Retour à Fontaine-Française par la D 960 en longeant la forêt de Velours.

Fontaine-Française pratique

Voir aussi les carnets pratiques de Dijon et de la vallée de la Saône.

Adresse utile

Syndicat d'initiative de Fontaine-Française – *5 r. de la Maladière - 21610 Fontaine-Française - 03 80 75 92 71 - téléphoner pour connaître jours et horaires d'ouverture.*

Se loger

Chambre d'hôte La Commanderie de la Romagne – *Hameau de la Romagne - 21610 St-Maurice-sur-Vingeanne - 9 km au N de Fontaine-Française par D 27[1] et D 30, au hameau de la Romagne - 03 80 75 90 40 - www.romagne.com - - 3 ch. 79 €.* Étape d'histoire et de caractère que cette ancienne commanderie de l'ordre des Templiers. Les vastes chambres agrémentées de poutres, tomettes et meubles anciens ouvrent leurs fenêtres sur la rivière. Goûteux petits-déjeuners et très bon accueil.

Se restaurer

Hôtel de la Tour – *5 pl. Henri-IV - 03 80 75 90 06 - fermé 3 sem. en sept. et merc. - 13 € déj. - 22/31 € - 5 ch. 41/44 € - 7,50 €.* Cet établissement, le seul sur le bourg, propose à midi en semaine une petite formule de base fort convenable. La carte s'étoffe de spécialités bourguignonnes ainsi que de quelques poissons, comme la truite ou le sandre. Adresse dans un style campagnard sans prétention, qui pourra rendre service le temps d'une pause.

Sports & Loisirs

Centre équestre des Champs Penets – *14 r. de la Crâa - 21260 Sacquenay - 03 80 75 85 12 - www.leschampspenets.com.* Envie de découvrir la région à dos de cheval ? Ce centre équestre à la ferme répondra à toutes vos attentes : de l'initiation au perfectionnement, en passant par la promenade en forêt, il propose aussi des stages de plusieurs jours. Hébergement possible en chambres d'hôte.

Abbaye de Fontenay★★★

CARTE GÉNÉRALE B2 – CARTE MICHELIN DÉPARTEMENTS 320 G4 – CÔTE-D'OR (21)

Tapie dans un vallon solitaire et verdoyant, parfaitement entretenue, l'abbaye de Fontenay donne une vision exacte et magnifique de ce qu'était un monastère cistercien au 12e s. : un ensemble d'art roman, protégé par son enceinte, tout en équilibre et en harmonie, invitant à une paisible promenade.

- **Se repérer** – Fontenay se trouve entre Châtillonnais et Auxois, à 6 km à l'est de Montbard.
- **À ne pas manquer** – Suivez la visite guidée pour mieux apprécier l'abbaye, surtout l'église et le cloître, et découvrir la vie des moines cisterciens.
- **Pour poursuivre la visite** – Voir aussi Alise-Ste-Reine, le château d'Ancy-le-Franc, le château de Bussy-Rabutin, Montbard.

D. Delacroix / MICHELIN

Cloître de l'abbaye de Fontenay.

Comprendre

Deuxième fille de Clairvaux – Devenu abbé de Clairvaux, **saint Bernard** fonda successivement Trois-Fontaines, près de St-Dizier, en 1115 ; Fontenay en 1118 (20 ans après Cîteaux) ; et Foigny, en Thiérache, en 1121. En 1130, l'ermitage établi à proximité de Châtillon-sur-Seine, sous la direction de son oncle Godefroy de Rochetaillé, fut transféré dans la vallée, là où se trouve l'abbaye actuelle. Fontenay connut une grande prospérité jusqu'au 16e s., comptant plus de trois cents moines et convers. Mais le régime de la Commende, établi en 1547, avec ses abbés nommés par faveur royale et ne s'intéressant guère qu'aux revenus de l'abbaye, ainsi que les désordres causés par les guerres de Religion allaient provoquer une rapide et irréversible décadence de Fontenay.

Les bâtiments, vendus en 1791 par les révolutionnaires, furent transformés en papeterie ; celle-ci périclita en 1903. En 1906, de nouveaux propriétaires entreprirent de restituer à Fontenay son aspect initial. En 1981, l'abbaye fut classée au Patrimoine mondial par l'Unesco.

Visiter

☎ 03 80 92 15 00 - www.abbayedefontenay.com - ♿ - possibilité de visite guidée (1h) de Pâques au 1er nov. : 10h-18h (juil.-août 19h) ; reste de l'année : 10h-12h, 14h-17h - 8,90 € (enf. 4,40 €).

Le portail de la Porterie est surmonté des armes de l'abbaye ; l'étage date du 15e s. À la voûte du portail, on remarque une

Fontenay pratique

Voir aussi les carnets pratiques d'Ancy-le-Franc, de Châtillon-sur-Seine et de Montbard.

Que rapporter

Lisa Terra – *21500 Marmagne - ☎ 03 80 92 38 02 - 9h15-19h.* Jolie poterie artisanale à Marmagne.

niche aménagée sous l'escalier : l'ouverture permettait au chien du frère portier, posté à l'entrée, de surveiller l'hôtellerie. Cette dernière, à droite, dans la cour intérieure, est un long corps de logis qui accueillait pèlerins, voyageurs et mendiants.

Le porche passé, longez sur la gauche un grand bâtiment du 13e s., qui contenait la chapelle des visiteurs et la boulangerie des moines, remarquable par sa cheminée cylindrique. Il abrite aujourd'hui la salle d'accueil, la librairie et un petit musée lapidaire. Un peu plus loin, à droite, se trouve le magnifique **colombier.**

Le saviez-vous ?

Les terres données par Raynard de Montbard, parent de saint Bernard, sont appelées Fontanetum car, comme nombre de lieux défrichés par les moines, elles « flottent sur des sources ». Les fontaines, toujours présentes, et peuplées de truites, sont devenues la parure du jardin qui entoure la propriété.

Fontenay servit de décor au cinéma, dans Angélique, marquise des Anges (1964), et plus récemment pour Cyrano de Bergerac (1990).

Église abbatiale

Édifiée grâce à la générosité du richissime **Ebrard**, évêque de Norwich, réfugié à l'abbaye de Fontenay, c'est l'une des plus anciennes églises cisterciennes conservées en France. En 1147, l'abbatiale est consacrée par le pape Eugène III, en présence de saint Bernard, l'année suivant son célèbre prêche à Vézelay pour la 2e croisade.

L'expression « simplicité monacale » lui convient tout particulièrement. Et comme le dit le dicton : « Jamais le vide n'aura été si richement peuplé qu'à Fontenay. » La façade, dépouillée de tout ornement, est soulignée par deux contreforts et sept baies en plein cintre, symbolisant les sept sacrements de l'Église. Les corbeaux, encore en place, soutenaient un porche qui a disparu. Les vantaux et peintures du portail sont la reproduction des battants primitifs.

Intérieur – La règle et le plan cisterciens y sont scrupuleusement observés et, malgré les dimensions relativement réduites de l'édifice (longueur : 66 m ; largeur du transept : 30 m), l'effet est d'une saisissante grandeur. Une sensation que renforce l'exception-

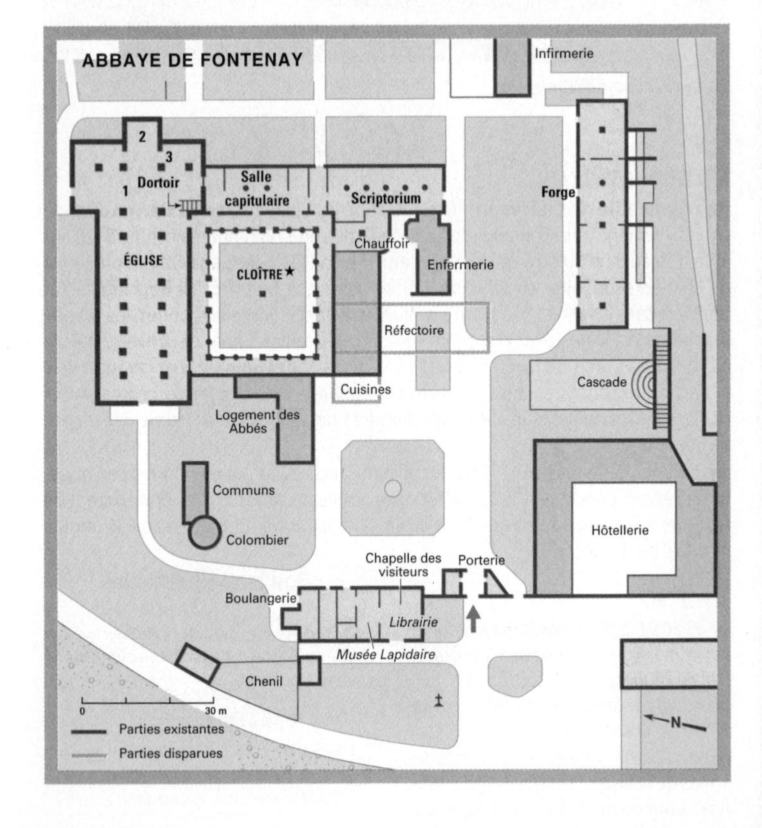

nelle qualité de l'acoustique. La nef, voûtée en berceau brisé, compte huit travées ; elle est étayée par des bas-côtés voûtés de berceaux transversaux qui forment une suite de chapelles éclairées par de petites baies en plein cintre. La nef aveugle reçoit la lumière par les ouvertures de la façade et celles qui s'étagent au-dessus de l'arc triomphal. Dans le vaste transept, la disposition des berceaux et des chapelles des croisillons rappelle celle des bas-côtés. Dans le bras nord, remarquez la **statue (1)** de Notre-Dame de Fontenay (fin du 13e s.). Le **chœur carré (2)**, à chevet plat, est éclairé par un double rang de triplets (symbole de la Trinité). On y a rassemblé des pierres tombales et les restes d'un pavage de carreaux émaillés du 13e s., qui recouvrait autrefois le sol du chœur et d'une grande partie de l'église. On peut voir, à droite, le **tombeau (3)** du seigneur de Mello d'Époisses et de son épouse (14e s.). Le retable en pierre de l'ancien maître-autel gothique (fin du 13e s.) a malheureusement subi des mutilations. Dans le transept, sur la droite, un escalier mène à l'ancien dortoir des moines.

Dortoir – À l'étage, les moines de chœur (40 à 50 individus) dormaient sur des paillasses disposées à même le sol, séparés les uns des autres par des cloisons basses. La puissante **charpente de chêne★**, en forme de carène renversée, date de la seconde moitié du 15e s. Elle porte une rare signature des charpentiers de la marine qui la construisirent : l'emplacement du mât !

Cloître★ – Adossé au flanc sud de l'église, à la fois robuste et élégant, le cloître est un accomplissement de l'art cistercien. Chaque galerie compte huit travées délimitées par de beaux contreforts ; les arcs en plein cintre (sauf ceux des portes donnant accès au préau) sont divisés par une double arcature reposant sur des colonnes géminées. Observez les corbeilles des chapiteaux, toutes différentes.

La **salle capitulaire**, aux chapiteaux ornés de feuilles d'eau, est voûtée sur croisée d'ogives ; elle communique avec la galerie est par une belle arcade. La grande salle de travail des moines, le **scriptorium**, se situe dans son prolongement. N'allez pas croire que le labeur des copistes relevait de la part intellectuelle des devoirs du moine : la tâche, assez pénible, était exécutée dans le froid (seules les encres bénéficiaient du chauffage) et nécessitait une concentration tant physique que mentale. Sur la droite, une petite porte ouvre sur le « chauffoir ». Cette pièce, présentant deux foyers, était la seule où la règle tolérait le feu, en dehors de la cuisine. Et sur la droite, en sortant du scriptorium, se trouve un petit bâtiment, l'enfermerie, qui, comme son nom l'indique, servait de prison *(ne se visite pas)*. De l'autre côté, à proximité de l'infirmerie, les moines cultivaient des plantes médicinales (ou simples) dans ce que l'on appelle aujourd'hui le Grand Jardin.

Vous pourrez aussi visiter la **forge,** construite le long de la rivière, afin d'utiliser la force hydraulique nécessaire pour actionner les martinets, qui battaient le fer, et les soufflets. Ces moulins du 12e s., témoins du rôle novateur des moines dans le domaine technique, furent les premiers d'Europe à forger le fer en quantité industrielle.

Jardins★ – Redessinés par l'architecte-paysagiste anglais Peter Holmes, ils sont ponctués de topiaires bordant les pelouses et embellis de rosiers, viornes, orangers du Mexique et hortensias, qui soulignent allées et bâtiments. Ils s'intègrent parfaitement au lieu par une palette de couleurs d'une grande sobriété.

Pour prolonger la visite, suivez les **sentiers pédestres** qui parcourent la forêt.

Chantier médiéval de Guédelon★★

CARTE GÉNÉRALE A2 – CARTE MICHELIN DÉPARTEMENTS 319 B6 – YONNE (89)

Il fallait être fou pour y penser, pour y croire et pour s'y lancer. Heureusement, ces fous-là se sont rencontrés et ont su rassembler les bras et les moyens pour construire un château fort du 13e s., avec les méthodes et les outils d'époque. L'aventure a débuté en 1997. Depuis, grâce au savoir et à la passion de ses « œuvriers », le château sort peu à peu de terre. Efforts couronnés de succès, avec, en 2005, la remise du grand prix européen Trophée Kids…

Se repérer – Le chantier médiéval de Guédelon se trouve sur la D 955, entre St-Sauveur-en-Puisaye et St-Amand-en-Puisaye.

À ne pas manquer – Vous trouverez ici tous les corps de métiers nécessaires à la construction d'un château fort, du vannier au carrier en passant par le charretier et le charpentier. Alors, n'hésitez pas à poser vos questions aux « œuvriers » du chantier : ils vous transmettront volontiers leur savoir.

Organiser son temps – Les inscriptions pour les visites guidées se font sur place. Les dates et horaires de ces visites sont communiqués quelques jours à l'avance sur www.guedelon.fr. Attention, le chantier est fermé le mercredi, en juillet et août. Pour compléter vos connaissances en architecture médiévale, songez à visiter la carrière souterraine d'Aubigny *(voir p. 217)*, qui vous livrera les secrets de la taille de la pierre.

Avec les enfants – L'atelier « taille de pierre ». Préparez vos jeunes internautes à vivre l'aventure médiévale de Guédelon en jouant en ligne pour gagner une entrée : www.guedelon.fr

Pour poursuivre la visite – Voir aussi la Puisaye, St-Fargeau.

Vue du château à l'automne 2007.

Comprendre

Un ambitieux projet – À l'origine de Guédelon, un véritable enthousiasme : celui de **Michel Guyot**, propriétaire et restaurateur du château de St-Fargeau… et aussi de vrais connaisseurs du Moyen Âge : un architecte en chef des Monuments historiques, deux historiens de l'art et de l'architecture et trois archéologues, spécialistes des charpentes et fortifications, ont associé leur savoir à celui des artisans.

Le château devrait être achevé en **2025**. Une image virtuelle de ce qu'il sera est déjà visible sur son site Internet. Et après ? L'aventure s'arrêtera-t-elle ? Pas si le succès continue. L'idée de construire un prieuré cistercien, riche d'une autre symbolique et d'une architecture différente, flotte déjà dans l'air…

Le modèle – L'architecture des châteaux forts semble avoir trouvé sous Philippe Auguste sa perfection. Le château de Guédelon se conformera donc aux plans de cette époque, et sera donc proche de celui de **Ratilly** *(voir la Puisaye)* ou de celui d'**Yèvre-le-Châtel**, dans le Loiret.

Un laboratoire à ciel ouvert – Guédelon veut être le lieu où les manuscrits et dessins du Moyen Âge se confrontent à la réalité. La **cage à écureuil** (quelle masse pouvait-elle soulever ? avec combien d'hommes ?) et la **voûte à croisée d'ogives** (allait-elle trouver son équilibre, une fois le coffrage retiré ?) sont déjà passées à l'essai. Des tuiliers expérimentent un **four à bois** pour fabriquer les carreaux de pavement et les milliers de tuiles qui serviront à créer la toiture des tours et du logis seigneurial. Petit à petit, les techniques médiévales livrent leurs secrets.

Découvrir

Le château fort et ses ateliers

03 86 45 66 66 - www.guedelon.fr - ♿ - possibilité de visite guidée (1h30, les inscriptions se font à l'accueil du chantier) - fermé merc. sf juil.-août - juil.-août : 10h-19h ; mi-mars-fin juin : 10h-18h ; sept. : 10h-17h30, w.-end 10h-18h ; du 1er oct. à déb. nov. : 10h-17h30 (dernière entrée 1h av. fermeture) - 9 € (enf. 7 €).

Vous ne verrez ni bulldozers, ni camions, ni grues d'acier sur ce chantier, mais leurs ancêtres : les charrois de pierre, de bois et de sable, tirés par des bœufs ou des chevaux, et les ingénieux systèmes de levage du Moyen Âge, telles les fameuses « cages d'écureuil », fidèlement reconstituées et, pour l'occasion, validées par une commission de sécurité. Les « œuvriers », en cagoule et en chausses, taillent la pierre, battent le fer, tressent le chanvre, hachent et scient le bois, reprenant les gestes oubliés des anciens bâtisseurs, à partir de la matière première locale. Tout, des pierres aux tuiles en passant par les clous, les cordes, les poteries, les carrelages et les poutres, est fabriqué et commenté en direct. N'hésitez donc pas à vous arrêter pour interroger la potière, le forgeron, l'essarteur (qui connaît la forêt du 13e s. comme sa poche), le cordier, etc. Les fortifications sont sorties de terre, et la **tour maîtresse** devrait à terme mesurer 30 m de haut. La première voûte à croisée d'ogives, dont l'élévation en 2002 fut une véritable épopée, abrite une citerne et des meurtrières rayonnantes. En 2008, les efforts ont porté sur le logis seigneurial, et notamment sur l'achèvement de la chambre et de la grande salle. Chemin de ronde et créneaux sont également en bonne voie.

La visite guidée

Pour les particuliers, les inscriptions aux visites guidées se font sur place (voir Organiser son temps).

Le guide fait entrer les visiteurs dans l'exacte période de la construction : 1236, durant le règne de Philippe Auguste, grand-père du futur Saint Louis. Armé d'une corde à nœuds et d'un bâton d'architecte, il montre comment on calcule et mesure, commente les pieds, empans, palmes, coudées, qui nous sont devenus mystérieux. Mieux : il apprend à déceler, dans ce château la richesse, le pouvoir ou le désir de paraître de son seigneur. Pourquoi le construire ? Parce que les châteaux forts apportent la paix en Europe en rendant inefficaces les attaques des bandes d'aventuriers de tous bords. Démonstration sur le terrain... Cours de stratégie militaire avec désamorçage des trappes, porte basse avec marche haute, meurtrière dérobée, fosses à sec où se briser le dos, créneaux d'où ébouillanter l'ennemi... Cette visite est une véritable aventure qui aide à mieux saisir, à travers la géniale invention du château fort, l'esprit d'une époque... finalement pas si lointaine.

L'atelier taille de pierre

Dans le cadre des visites en familles - inscription sur place - tlj pendant les vac. de printemps, sam. et dim. en mai-juin, tlj en juil.-août - pour connaître les horaires de l'atelier : www.guedelon.fr ou 03 86 45 66 66 - 4 € par enfant.

Dans un atelier proche du château, un tailleur de pierre explique aux enfants les différents types de pierre utilisés sur le chantier, leur dévoile les secrets de construction de l'édifice et les initie à son métier. Chaque enfant reçoit des outils et un bloc de pierre, puis taille ou sculpte l'objet de son choix.

Guédelon pratique

Voir aussi les carnets pratiques de la Puisaye et de St-Fargeau.

Se loger

Camping Le Parc des Joumiers – *Rte de Mézilles - 89520 St-Sauveur-en-Puisaye - 2,3 km au nord-ouest de St-Sauveur-en-Puisaye, par D 7, rte de Mézilles et chemin à dr. - 03 86 45 66 28 - campingmoteljoumiers@wanadoo.fr - 29 avr.-3 nov. - réserv. conseillée - 338 € par sem. en mobil-home pour 6 pers. - 37 € par nuit en motel (en semaine).* Vastes emplacements aménagés dans un cadre verdoyant, au bord d'un bel étang. Les campeurs ont accès à la charmante plage et peuvent s'adonner à la baignade ou à la planche à voile. Petit snack avec terrasse. Motel de 10 chambres, 3 chalets et 2 mobile-homes.

Se restaurer

Bon à savoir – Aires de pique-nique aménagées sur place.

Café Restaurant du Bal – *7 r. du Prof.-Lian - 89520 Treigny - 03 86 74 66 18 - http://www.gite-puisaye.com - 9,80/14 € - 2 ch. 30/45 € - 4,50 €.* Muret en pierre et poutres apparentes participent au décor de ce café-restaurant dont la présence anime un hameau. Plats traditionnels à déguster sur place (salle climatisée) ou à emporter, avec une spécialité : la tête de veau. Accueil cordial.

Joigny

10 100 JOVINIENS

CARTE GÉNÉRALE A1 – CARTE MICHELIN DÉPARTEMENTS 319 D4 – YONNE (89)

Situé aux portes de la Bourgogne, à l'orée de la forêt d'Othe, Joigny offre deux visages : celui d'un « front de l'Yonne » animé, et l'autre, plus discret, d'une ville ancienne aux rues bordées de maisons à pans de bois. Le canal de Bourgogne fait de Joigny un excellent point de départ pour naviguer dans le Tonnerrois.

- **Se repérer** – Joigny se trouve sur les bords de l'Yonne, à 27 km au nord d'Auxerre et à 30 km au sud de Sens.
- **À ne pas manquer** – La Vierge au sourire de l'église St-Thibault ; la côte St-Jacques et sa vue sur Joigny et la vallée de l'Yonne ; les superbes peintures murales de la Ferté-Loupière, chef-d'œuvre du 15e s. illustrant de façon saisissante l'imaginaire de la société à la fin du Moyen Âge.
- **Organiser son temps** – Joigny est une escale gastronomique réputée. Pourquoi ne pas y faire étape ?
- **Avec les enfants** – Partez à la découverte du musée rural des Arts populaires de Laduz et de la Fabuloserie, à Dicy. Deux mondes qui les feront rêver…
- **Pour poursuivre la visite** – Voir aussi Auxerre, Pontigny, St-Florentin, Sens, Villeneuve-sur-Yonne.

Se promener

Partez du boulevard du Nord.

Porte du Bois

Cette porte du 12e s., flanquée de deux tours rondes, faisait autrefois partie de l'enceinte médiévale dont il reste quelques vestiges le long du chemin de la Guimbarde, à l'est.

Église Saint-Thibault

Construite de 1490 à 1529, cette église, de style gothique et Renaissance est dominée par une tour carrée du 17e s., couronnée d'un léger campanile. Au-dessus du portail, la statue équestre de saint Thibault (1530) est l'œuvre du sculpteur Jean de Joigny, qui s'installa en Espagne, où il se fit appeler Juan de Juni. À l'intérieur, on est frappé par la déviation, très rare, du chœur vers la gauche, accentuée par l'asymétrie des voûtes. Celle du chœur comporte une curieuse clef pendante.

On y découvre de nombreuses œuvres d'art *(plan dans le bas-côté gauche, à hauteur de la chaire)* : peintures et sculptures, dont une série de bas-reliefs Renaissance provenant de l'ancien jubé, parmi lesquels le Christ aux Enfers, dans la chapelle axiale. Remarquez contre le 4e pilier à droite, face à la chaire, une charmante statue en pierre du 14e s., la **Vierge au sourire★**.

Maisons anciennes

Flâner dans les rues étroites entourant les églises St-Thibault et St-Jean permet de faire l'inventaire d'un certain nombre de vieilles demeures à pans de bois, des 15e et 16e s. Les quelques rescapées de l'incendie de 1530, qui détruisit toute la ville, ont été très endommagées lors des bombardements de 1940. La plupart ont été restaurées : voyez la maison d'angle dite « de l'arbre de Jessé », ainsi que les maisons du Pilori, de l'Ave Maria et du Bailli (début 16e s.).

Église Saint-Jean

Située sur les hauteurs, près du château des Gondi, elle est précédée d'un clocher-porche; dénuée de transept, elle se termine par un chevet à cinq pans. La nef est plafonnée d'une belle voûte de pierre en berceau et à caissons de style Renaissance, décorée de nervures et de médaillons sculptés. Dans le bas-côté droit repose un sépulcre en marbre blanc, du 15e s., orné de bas-reliefs. Remarquez le gisant d'Adélaïs, comtesse de Joigny, morte en 1187, sur un tombeau décoré d'élégantes sculptures, parmi lesquelles figureraient les enfants de la défunte.

En face, la **porte St-Jean** servait de passage entre le château et la ville.

Du **château des Gondi** (famille d'origine italienne qui posséda le comté de 1603 à 1792), on peut voir une belle façade de style Louis XIII ainsi qu'un pavillon carré maniériste.

On rejoint l'esplanade de l'ancien cimetière par la rue D.-Grenet.

Intégrée au palais de justice, la **chapelle des Ferrands** est un sépulcre octogonal édifié en 1530, sans doute dû à l'artiste jovinien Jean Chéreau, à voir pour ses panneaux sculptés de personnages fantastiques. Tout près de là, le petit **portail** de St-André, de la même époque, retrouve la sobre élégance de l'antique.

Pour finir avec de jolies **vues** sur la rivière, les promenades ombragées et la ville construite en amphithéâtre, n'hésitez pas à franchir le pont d'Yonne (qui conserve six arches du 18e s.) et à gagner le parc du Chapeau par le quai de la Butte sur la rive gauche.

Aux alentours

Côte Saint-Jacques★

1,5 km au nord. La route s'élève en lacet en contournant le haut de St-Jacques. Au milieu des vignes, on découvre, dans un virage à droite, à la Croix-Guémard, une belle **vue**★ semi-circulaire sur Joigny et la vallée de l'Yonne.

Musée des Arts populaires★

À Laduz, 15 km au sud de Joigny par la D 955, puis première route à gauche après le pont de l'autoroute. ☎ 03 86 73 70 08 - www.art-populaire-laduz.com - juil.-août : 14h30-18h; 15-30 juin et 1er-15 sept. : w.-end 14h30-17h30; reste de l'année sur demande - 6 € (6-14 ans 3 €).

Situé à la sortie sud-est du village, il présente les collections de Raymond Humbert, qui a porté son regard d'artiste sur la vie et le travail à la campagne d'avant 1914. Les outils, les gestes et la production des artisans sont exposés, ainsi qu'une importante collection de jouets anciens et de nombreuses « sculptures » peuplant l'univers quotidien d'autrefois. C'est un peu découvrir la recette d'un tour de magie que de visiter l'atelier d'un fabricant de manège de chevaux de bois.

La Ferté-Loupière

18 km au sud-ouest. Sur demande au ☎ 03 86 73 18 79 (9h-13h, 14h30-18h30).

Cet ancien bourg fortifié – comme en témoigne le mot « Ferté » – possède un centre plein de charme. Des 12e, 15e s. et 17e s., l'**église** abrite des **peintures murales**★★ à la fois saisissantes et exceptionnelles par leur état de conservation. Exécutées sur enduit sec à la fin du 15e s., la *Rencontre des trois morts et des trois vifs* et la *Danse macabre* ont été dégagées en 1910 du badigeon qui les recouvrait et les

Le saviez-vous ?

Les habitants de Joigny ou Joviniens sont surnommés **Maillotins** depuis 1438, suite à un soulèvement contre leur seigneur, le comte **Guy de La Trémoille**, qu'ils mirent à mort à coups de maillet, instrument dont les vignerons faisaient alors usage. L'outil détourné figure dans les armes de la ville.

L'écrivain **Marcel Aymé** est né à Joigny en 1902; il y passa les deux premières années de sa vie. L'auteur de *La Jument verte* et de *Clérambard* fut un fin observateur des mœurs de la province, comme ceux de la capitale.

protégeait. Ces peintures, aux tons vifs bleu, rouge et ocre, s'étendent sur le mur gauche de la grande nef au-dessus des trois premières arcades. On reconnaît, emportés par la mort, le pape, l'empereur, le roi, un paysan et même un nourrisson. Le thème, fréquent au 15ᵉ s., mêle le rappel de l'égalité de tous devant la mort à une satyre de la société. La présence de l'archange saint Michel terrassant le démon, et, à droite, de la Vierge de l'Annonciation, y apporte une nuance positive moins récurrente.

www.fabuloserie.com

La Fabuloserie.

La Fabuloserie

25 km à l'ouest (D 943). ✆ 03 86 63 64 21 - www.fabuloserie.com - visite guidée (2h) juil.-août : 14h-18h ; avr.-juin et de déb. sept. à déb. nov. : w.-end et j. fériés 14h-18h - 7 € (enf. 4-5 €).

Installé à **Dicy**, ce musée d'art brut (selon le terme de Jean Dubuffet) présente des œuvres insolites, réalisées à partir de matériaux ou objets de récupération par des artistes-bricoleurs de différents pays. Ce monde, plein de merveilleux et de naïveté, s'épanouit en plein air dans un parc « magique ».

Joigny pratique

Adresse utile

Office du tourisme de Joigny – *Quai H.-Ragobert - BP 52 - 89300 Joigny - www.tourisme-joigny.fr - ✆ 03 86 62 11 05 - juil.-août : 9h-12h30, 14h-19h, dim. et j. fériés 10h-13h ; nov.-fév. : lun. 14h-17h, mar.-vend. 9h-12h, 14h-18h, sam. 9h-12h, 14h-17h. ; reste de l'année lun. 14h-18h, mar.-sam. 9h-12h, 14h-18h.*

Visites

Nuits maillotines – Joigny, qui porte le label Ville d'art et d'histoire, propose des visites-découvertes *(1h30)* animées par des guides-conférenciers agréés par le ministère de la Culture et de la Communication. Visites-spectacles nocturnes *(9 €)* certains vend. ou sam. en juil.-août. *Renseignements à l'office de tourisme ou sur www.tourisme-joigny.fr.*

Se loger

⊖⊖⊖⊖ **Hôtel La Côte St-Jacques** – *14 fg de Paris - ✆ 03 86 62 09 70 - www.cotesaintjacques.com - fermé 5-29 janv., lun. midi et mar. midi - P - 31 ch. 150/460 € - ☕ 32 € - rest. 85/165 €.* Offrez-vous de délicieux moments au bord de l'eau dans cet hôtel luxueux où la famille Lorain s'installa dans les années 1950. Nuits paisibles dans les vastes chambres ou appartements sur le jardin au-dessus de l'Yonne. Cuisine originale et raffinée à la table réputée. Piscine intérieure.

Se restaurer

⊖⊖ **L'Orée des Champs** – *10 rte de Chambéry - 89400 Épineau-les-Voves - ✆ 03 86 91 20 39 - fermé vac. de fév., 15-31 août, dim. soir, lun. soir, mar. soir, jeu. soir, et merc. - 23/40 €.* La petite véranda de l'entrée est précédée d'un joli jardin-terrasse, très prisé en saison. Sobre salle à manger où l'on propose une cuisine traditionnelle.

Sports & Loisirs

Golf domaine du Roncemay – *par Aillant-sur-Tholon - 89110 Chassy - ✆ 03 86 73 50 50 - www.roncemay.com - 8h-20h (hte sais.) ; 9h-17h (basse sais.) - fermé janv.* Golf de dix-huit trous dans un parc de 85 ha avec bois (11 trous en forêt), étangs et links façon écossais ; hôtellerie, restauration gastronomique, club house, espace bien-être, piscine et tennis.

Louhans★

6 422 LOUHANNAIS
CARTE GÉNÉRALE C3 – CARTE MICHELIN DÉPARTEMENTS 320 L10 – SAÔNE-ET-LOIRE (71)

Son important marché aux volailles et ses foires de gros bétail font de cette petite ville attrayante la capitale de la Bresse bourguignonne. Connue pour sa Grande-Rue bordée d'arcades, Louhans, classée « Site remarquable du goût », est aussi le siège de la Confrérie des poulardiers de Bresse.

Se repérer – Cette jolie cité au confluent de la Seille et du Solnan se trouve à 29 km à l'est de Tournus par les D 975-971, et à 50 km au nord de Bourg-en-Bresse.

À ne pas manquer – La Grande-Rue et son ensemble de maisons médiévales ; la superbe collection de pots de pharmacie de l'apothicairerie de l'hôtel-Dieu.

Organiser son temps – Réservez votre lundi matin pour assister au spectacle de l'authentique marché aux volailles de Bresse, sur le Champ-de-Foire.

Avec les enfants – Ils aimeront l'atmosphère nostalgique de l'ancien atelier d'impression au plomb, avec sa rotative et ses presses en état de marche.

Pour poursuivre la visite – Voir aussi la Bresse, Bourg-en-Bresse, Tournus.

Se promener

Louhans s'appelait *Löwing* (ville agréable pourvue d'eau) à l'époque gallo-romaine ; elle était alors installée sur une colline. Au 5e s., les Burgondes lui donnèrent son implantation actuelle. C'est avec le commerce du sel qu'elle se développa et devint un relais prospère entre le Jura et la vallée de la Saône.

Grande-Rue★

Les 157 arcades de ses vieilles maisons, aux piliers de bois ou de pierre, constituent un superbe ensemble, dont la construction remonte à la fin du Moyen Âge. La maison du bailli (16e s.) et la loggia en sont de remarquables exemples. La longueur de cette artère (400 m) en fait un exemple unique en France.

Hôtel-Dieu

03 85 75 54 32 - visite guidée (1h15) avr.-nov. : 10h30, 14h30, 16h, 17h30 ; reste de l'année : 14h30, 16h, lun. 10h30, 14h30, 16h ; déc.-janv. : se renseigner - fermé mar., 1er janv., 1er Mai, 25 déc. - 4 € (-12 ans gratuit).

Cet édifice en pierres roses de Préty, des 17e et 18e s., abrite deux grandes salles communes séparées par une grille en fer forgé. Les lits à ruelle des malades portent chacun une plaque dite de fondation où est mentionné son destinataire – les donateurs offraient en général ce secours aux habitants d'une ville. La chapelle est ornée de belles boiseries. La **pharmacie**, décorée de boiseries Louis XIV, renferme une exceptionnelle collection de flacons en verre soufflé et de faïences lustrées italo-hispano-mauresques des 15e et 16e s. On y voit aussi un groupe bourguignon en bois d'une disposition très rare : la **Vierge de pitié** est agenouillée devant le Christ mort (début 16e s.).

Église Saint-Pierre

C'est un édifice fortement restauré en pierre et brique, couvert de tuiles polychromes vernissées. Sur le flanc gauche, voyez le clocher-porche et la grande chapelle aux pavillons à tourelle (14e s.).

L'Atelier d'un journal

03 85 76 27 16 - www.ecomusee-de-la-bresse.com - - de mi-mai à fin sept. : 15h-19h ; reste de l'année : tlj sf w.-end et j. fériés 14h-18h - fermé

S. Sauvignier / MICHELIN

L'Atelier d'un journal : casses de typographes à l'ancienne.

24 déc.-1er janv. - 3 € (7-18 ans 1,50 €). Les journalistes en herbe et leurs parents auront plaisir à découvrir cette antenne de l'écomusée de la Bresse bourguignonne *(voir p. 163)*. Installé au 29 rue des Dôdanes, dans les locaux mêmes du journal bressan *L'Indépendant*, abandonnés en 1984 après un siècle d'activité, l'atelier d'imprimerie a conservé toutes ses machines, son odeur d'encre et de plomb. Ses bureaux ont été reconstitués dans le style qui fut le leur pendant les années 1930.

Aux alentours

Chaisiers et pailleuses

À Rancy, 12 km au sud-ouest par la D 971. 03 85 76 27 16 - www.ecomusee-de-la-bresse.com - - de mi-mai à fin sept. : tlj sf mar. 15h-19h - 3 € (7-18 ans 1,50 €).

Cette autre antenne de l'écomusée de la Bresse bourguignonne présente ici l'évolution et les différentes étapes de fabrication des chaises, depuis le travail du bois jusqu'au paillage *(démonstrations)*. Ce savoir-faire n'était, au début du 19e s., qu'une activité d'appoint pour les agriculteurs de la région, mais il devint un métier à part entière vers la fin du siècle. Aujourd'hui, le petit village bressan de Rancy est le deuxième producteur français de chaises paillées.

Louhans pratique

Adresse utile

Office du tourisme de Louhans-Châteaurenaud – *Pl. St-Jean - 71500 Louhans - 03 85 75 05 02 - www.bresse-bourguignonne.com - juin-sept : 9h30-12h30, 14h-18h30 (sam. 18h) ; oct.-mai : 9h30-12h, 14h-18h (sam. 17h) ; fermé dim.*

Se loger

Hôtel Le Moulin de Bourgchâteau – *R. Guidon, sur la rte de Chalon - 03 85 75 37 12 - www.bourgchateau.com - - 19 ch. 57/105 € - 9 € - rest. 29/75 €.* Joli moulin paisible plongeant ses pieds dans la Seille. Construit au 18e s., il s'est tu depuis longtemps et ses mécanismes rutilants ornent le bar de l'hôtel ainsi que le restaurant dont la carte, traditionnelle, comporte quelques plats rappelant l'Italie natale des patrons. Chambres rustiques, certaines mansardées.

Se restaurer

Hostellerie du Cheval Rouge – *5 r. d'Alsace - 03 85 75 21 42 - www.hotel-chevalrouge.com - fermé 16-26 juin, 22 déc.-19 janv., dim. soir de déc. à mars et lun. - 19/42 €.* Hôtel de style campagnard occupant un ancien relais de poste bordé par une rue passante. La Buge, construction voisine plus récente jouxtant un jardin potager, dispose de chambres un peu plus calmes et confortables. Carte traditionnelle à composantes régionales.

Que rapporter

Marché aux volailles de Bresse – *Grande-Rue - 03 85 76 75 10 - lun. 8h-12h.* Promenade de la Charité. Marché reconnu « Site remarquable du goût ».

Sports & Loisirs

Canoë-Kayak Club – *9 chemin de la Chapellerie - 03 85 74 96 46 - sais. : 10h-12h, 14h-18h - fermé en hiver et lun.* Affiliée à la Fédération française de canoë-kayak, cette association propose des promenades, seul ou accompagné, pour apprendre les rudiments de ce sport. Formules à la journée ou à la demi-journée. Location de matériel.

Site de loisirs du Domaine de la loge – *Ferme de la Loge - 14 km à l'est par D 21 par St-Martin-du-Mont - 71580 Flacey-en-Bresse - 03 85 74 05 06 - asso@domainedelaloge.fr.* Implanté au cœur de 40 ha de nature préservée (classée réserve naturelle libre) le Domaine de la loge comprend une zone de tir à l'arc, un parcours de « swin golf » accessible à tous à partir de 5 ans, parcours VTT et un centre d'équitation comptant environ 40 chevaux et poneys. Manège couvert pour les débutants. Le domaine est habilité à accueillir et conduire le public handicapé.

Événement

Les « Glorieuses de Bresse » – www.pouletbresse.com. La 3e sem. de déc. se déroulent 4 concours de volaille de Bresse à Bourg-en-Bresse, Pont-de-Vaux, Montrevel-en-Bresse et Louhans.

Luzy

2 077 LUZYÇOIS
CARTE GÉNÉRALE B3 – CARTE MICHELIN DÉPARTEMENTS 319 G11 – NIÈVRE (58)

Ville importante au Moyen Âge, Luzy s'épanouit encore à l'ombre de la tour des barons de Luzy (14e s.), un donjon circulaire à campanile. C'est aujourd'hui une agréable localité traversée par l'Alène, sur la bordure sud du Morvan, d'où partent les sentiers de randonnées qui vous permettront de découvrir la région.

- **Se repérer** – Cette cité médiévale se trouve au sud-ouest d'Autun (34 km par la D 981), au nord-est de Bourbon-Lancy (28 km par la D 973) et à 22 km au sud-est de St-Honoré-les-Bains.
- **À ne pas manquer** – Admirez, dans l'hôtel de ville de Luzy, les tapisseries d'Aubusson illustrant l'histoire d'Esther, puis, à Ternant, les magnifiques triptyques flamands de l'église.
- **Pour poursuivre la visite** – Voir aussi le mont Beuvray, Bourbon-Lancy, Château-Chinon, le Morvan, St-Honoré-les-Bains.

Visiter

Tapisseries de l'hôtel de ville

03 86 30 02 34 - www.mairie-luzy.fr - tlj sf dim. et j. fériés 9h-12h30, 13h30-17h, sam. 9h-11h30 - gratuit.

Une salle de la mairie, installée dans l'hôtel Nault de Champagny, est décorée de remarquables tapisseries d'Aubusson, du début du 18e s., relatant l'histoire d'**Esther**, courageuse libératrice de ses compatriotes hébreux exilés en Perse. Racine s'inspira du livre éponyme de la Bible pour une œuvre où il fallait « que l'amour soit entièrement banni » ; sa tragédie (1689) est illustrée ici. L'ensemble, qui comprend deux compositions principales et six panneaux à un seul personnage, est d'une belle fraîcheur de coloris. Les impostes des deux portes de la salle sont peintes de scènes galantes de l'école de Lancret.

Aux alentours

Ternant★

13,5 km au sud-ouest. L'amateur d'art qui visite le Nivernais ou le Morvan ne doit pas manquer de se rendre à Ternant pour voir, dans la modeste **église** de ce village, deux magnifiques triptyques flamands.

Triptyques de l'église★★ – Du 15e s., en bois sculpté peint et doré, ils ont été offerts à l'église, l'un par le baron Philippe de Ternant, chambellan du duc de Bourgogne Philippe le Bon, l'autre par son fils Charles.

Mairie de Luzy

Tour des barons de Luzy.

Le **grand triptyque** est consacré à la Passion : dans le panneau central est figurée la Mort du Christ ; en bas, c'est la Pâmoison de la Vierge soutenue par saint Jean et les saintes femmes ; au premier plan sont agenouillés le donateur Charles de Ternant et sa femme Jeanne. Dans le compartiment de gauche, la pietà est entourée de saint Jean, de Marie-Madeleine et des saintes femmes. À droite, c'est la Mise au tombeau. Les volets peints représentent l'Agonie au jardin des Oliviers, le Christ portant sa croix, la Résurrection, la Descente de Jésus aux limbes.

Plus ancien, le **petit triptyque** est traité avec une finesse exquise ; il est dédié à la Vierge. Au centre du panneau sculpté, dans la scène de la Dormition, un petit ange extrait du chevet de la Vierge son âme, figurée par une fillette en prière. En haut du panneau, remarquez l'Assomption de la Vierge portée au Ciel sur un croissant de lune que soutient un ange : cette particularité ne se retrouve nulle part ailleurs. À gauche du motif central est représentée la dernière audience de la Vierge aux apôtres, tandis qu'à droite se déroule son cortège funèbre. Les peintures des volets sont remarquables. Outre des scènes de la vie de la Vierge – l'Annonciation, la Vierge couronnée, le Christ portant le globe, les Funérailles de la Vierge –, on peut y voir également représentés le donateur Philippe de Ternant, vêtu du damier (armes de la maison), le cou orné du collier de la Toison d'or, et son épouse Isabeau en costume d'apparat, accompagnée de la Vierge couronnée.

Luzy pratique

Adresse utile

Syndicat d'initiative de Luzy – *Pl. Chanzy - 58170 Luzy - ℘ 03 86 30 02 65 - de déb. mai à déb. sept : tlj sf dim. 9h30-12h30, 15h-18h, sam. 9h30-13h. Mairie - ℘ 03 86 30 02 34 - www.mairie-luzy.fr - de déb. sept. à fin avr. : tlj sf dim. et j. fériés 9h-12h30, 13h30-17h, sam. 9h-11h30.*

Se loger

Chambre d'hôte La Bruyère du Bois Droit – *Rte de St-Didier-sur-Arroux - 71190 Thil-sur-Arroux - ℘ 03 85 54 26 32 - http://earldevelay.club.fr - - 3 ch. 42/46 € - repas 17 €.* Les chambres logées dans l'ancienne écurie sont tout à fait convenables, mais on aura une petite préférence pour celles de l'étage, plus spacieuses et dotées de salles de bains complètes. Le point fort de la maison : la table d'hôte et ses petits plats à base de produits de la ferme et légumes du jardin.

Se restaurer

Morvan – *73 av. Docteur-Dollet - ℘ 03 86 30 00 66 - www.hotelrestaurantdumorvan.fr - fermé dim. soir hors sais, sam. midi et merc. - 14 € déj. - 20/70 € - 15 ch. 44/57 € - 9 €.* Si l'aspect général de cet établissement demeure très classique malgré le changement de propriétaire, on saluera les petites innovations apportées à la cuisine traditionnelle. Un mélange parfois audacieux, mais toujours agréable. Les chambres, un brin démodées, sont très bien tenues.

Sports & loisirs

Randonnée pédestre – Parmi les circuits possibles autour de Luzy : circuit Campagne *(6 km)* ; circuit des Crêtes *(8 km)* - Renseignements et guides disponibles au syndicat d'initiative : *30 balades et randonnées en Sud-Morvan.*

Mâcon

34 100 MÂCONNAIS

CARTE GÉNÉRALE C4 – CARTE MICHELIN DÉPARTEMENTS 320 I12 – SAÔNE-ET-LOIRE (71)

La plus méridionale des villes de Bourgogne affiche un caractère souriant. Le charme des places et ruelles de son centre historique, les façades colorées de ses bords de Saône, sa richesse architecturale, sa bonne table en font un lieu où il fait bon vivre… Aux portes d'une belle région célébrée par Lamartine, Mâcon est aussi le point de départ idéal d'agréables balades à travers les paysages vallonnés du vignoble alentour.

- **Se repérer** – Mâcon se trouve au carrefour des voies d'accès du bassin de Paris au Midi méditerranéen et du lac Léman aux rives de la Loire.
- **À ne pas manquer** – Les collections régionales d'archéologie et d'ethnographie du musée des Ursulines ; l'apothicairerie de l'hôtel-Dieu ; et, en soirée, la vue du pont St-Laurent qui s'illumine sur la Saône.
- **Organiser son temps** – Les amateurs éclairés comme les néophytes apprécieront la Foire nationale des vins, organisée à Mâcon aux alentours d'avril-mai.
- **Pour poursuivre la visite** – Voir aussi Bourg-en-Bresse, la Bresse, Cluny, le Mâconnais, Romanèche-Thorins, la roche de Solutré, la Voie verte.

Comprendre

LE PRINCE DU ROMANTISME

« Aimer, prier, chanter, voilà toute ma vie » – Né en 1790 à Mâcon, **Alphonse de Lamartine** connaît une enfance heureuse à Milly. Lors d'un premier voyage en Italie (1811-1812), il s'éprend d'une Napolitaine, **Antoniella**, qu'il fera revivre beaucoup plus tard en personnage de fiction poétique sous le nom de Graziella. Pendant une cure à Aix-les-Bains, en 1816, le jeune homme tombe éperdument amoureux de **Julie**, épouse du physicien Jacques Charles. Cet amour total, cet « ineffable bonheur d'aimer », brisé par la maladie et l'absence de Julie, qui mourra quelques mois plus tard, lui inspire *Le Lac*, ode au lac du Bourget.

En 1820 paraissent les *Méditations poétiques,* qui marquent le début de la gloire. Marié à la jeune Anglaise **Mary Ann Birch**, il connaît, parallèlement à sa carrière diplomatique, une intense période de création : *La Mort de Socrate, Les Nouvelles Méditations poétiques, Le Dernier Chant du pèlerinage d'Harold* (sur la mort très romantique de lord Byron). Le 5 novembre 1829, il est élu à l'Académie française.

S. Sauvignier / MICHELIN

Alphonse de Lamartine.

De 1831 à 1833, il donne corps à un rêve de toujours : faire un voyage en Orient, et tenter par là-même de raviver la flamme de sa foi que des doutes métaphysiques font vaciller depuis 1830. Son itinéraire le mènera jusqu'à Nazareth et Jérusalem. Au cours de ce « pèlerinage », sa fille de 10 ans, **Julia**, qu'il a laissée avec sa mère à Beyrouth, meurt de phtisie. Cet événement douloureux (qui préfigure la mort de Léopoldine pour Hugo, son confrère et ami) est traité dans le poème *Gethsémani.* Très affecté, remettant en cause les principes religieux qui l'avaient guidé jusque-là, il publie, en 1836, *Jocelyn,* qui connaîtra un accueil triomphal.

« **La Poésie doit se faire peuple** » – Chargé d'affaires en octobre 1827 à Florence et ne voulant pas se lier au nouveau roi Louis-Philippe, Lamartine se démet de ses fonctions diplomatiques. Il préfère garder sa liberté pour l'action politique. D'abord député de Bergues dans le nord, il est élu député de Mâcon en 1837, et réélu en 1842 et 1846. Il milite pour « l'intérêt de ces classes laborieuses, de ces masses prolétaires si souvent foulées sous nos lois aveugles ». Il expose ses idées dans le journal *Le Bien public,* qu'il crée à Mâcon en septembre 1842. Avec son *Histoire des Girondins*, publiée en 1847, qui évoque la période révolutionnaire, il connaît un immense succès, plus grand encore qu'Eugène Sue avec *Les Mystères de Paris.* En 1848, après le renvoi de Guizot et l'abdication du roi, Lamartine s'oppose à une régence et contribue à la fondation de la République, proclamée le 27 février.

Il est membre de l'éphémère gouvernement provisoire, où il tient le portefeuille des Affaires étrangères. La suppression des Ateliers nationaux et les émeutes de juin marquent la fin de son prestige. Le résultat des élections du président de la République au suffrage universel, le 20 décembre, est sans appel : Louis-Napoléon Bonaparte l'emporte avec 5 millions de suffrages contre seulement 18 000 voix à Lamartine.

Le Second Empire met fin à sa carrière politique. D'incessantes difficultés financières l'obligent à ce qu'il appelle « ses travaux forcés littéraires », puis la mort de sa femme, en 1863, assombrissent la fin de sa vie. Le poète s'éteint le 28 février 1869 à Paris. Il devait être enterré au Panthéon, mais resta, selon ses vœux, en sa terre d'élection, et repose à St-Point *(voir p. 304)*, près de sa famille.

Se promener

Sur le quai Lamartine, bordé de terrasses de cafés, veille une statue due à Falguière. Longez la rue Carnot (maison du 17e s. au n° 79), très commerçante.

Vieux Saint-Vincent (B1)

De l'ancienne cathédrale St-Vincent, fondée au 6e s. et détruite à la Révolution, ne subsistent guère que les parties les plus anciennes : l'avant-nef, deux tours octogonales et la travée qui les réunit. On distingue encore l'amorce de la nef. Dans l'**avant-nef**, on peut voir l'ancien tympan (12e s.) dont les sculptures ont

Le saviez-vous ?

Fondée par les Éduens vers le 1er s. av. J.-C., la ville de Mâcon s'appelait alors *Matisco*. À la fin de l'époque romaine, elle subit l'invasion des Barbares.

La plus célèbre figure des Mâconnais demeure celle du poète romantique **Lamartine**. Elle eut cependant un prédécesseur en la personne du poète **Pontus de Tyard** (1521-1605), membre de la Pléiade et évêque de Chalon.

été mutilées pendant les guerres de Religion. En cinq registres superposés se développent les scènes du Jugement dernier. On peut y distinguer la Résurrection des morts, le Paradis et l'Enfer.

Le Vieux St-Vincent abrite un **musée lapidaire**. *✆ 03 85 39 90 38 - www.musees-bourgogne.org - juin-sept. : 10h-12h, 14h-18h, dim. et j. fériés 14h-18h ; reste de l'année sur RV - fermé lun., 14 Juil. - gratuit.*

Maison de bois (B2)

22 r. Dombey (salon de thé). Une jolie maison Renaissance, ornée de fines colonnettes sculptées, forme l'angle de la place aux Herbes. Des animaux et des personnages grotesques et fantastiques, d'inspiration parfois grivoise, décorent les entablements.

Pont Saint-Laurent (B2)

Jusqu'au traité de Lyon, en 1601, où la Bresse fut rattachée au royaume de France, Mâcon était une ville frontière. Elle était fortifiée, ainsi que le pont St-Laurent, dont l'existence est attestée pour la première fois en 1077. Au 18e s., cet ouvrage a fait l'objet d'importants travaux de restauration et d'élargissement. Il offre une jolie **vue★** sur les quais et la ville, que dominent les tours du Vieux St-Vincent. Remarquez, sur une arche nord, la statue de saint Nicolas (patron des Mariniers). Et

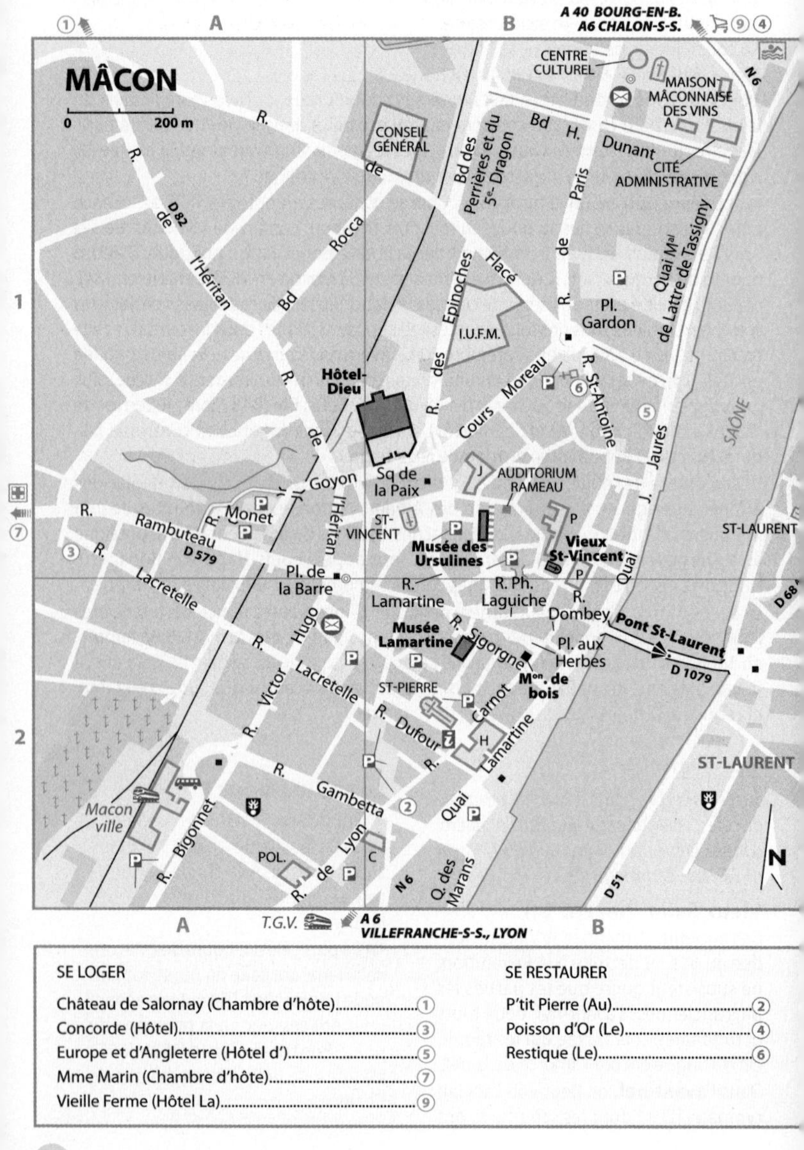

notez pour la petite histoire que le plan d'eau de la Saône, en face de l'hôtel d'Europe et d'Angleterre, fut utilisé pour la première escale technique des voyages effectués de 1937 à 1939 par les hydravions de la compagnie Imperial Airways qui reliaient Southampton... à l'Australie par Brindisi et l'Égypte.

Visiter

Musée Lamartine (B2)

✆ 03 85 38 96 19 - www.musees-bourgogne.org - 10h-12h, 14h-18h, dim. et j. fériés 14h-18h - fermé lun., 1er janv., 1er Mai, 14 Juil., 1er nov., 25 déc. - 2,50 €(enf. gratuit).
À la fois siège et propriété de la prestigieuse **Académie de Mâcon**, fondée en 1805, l'**hôtel Senecé** est une demeure de style Régence dotée de tableaux, tapisseries, objets d'art et meubles formant les collections historiques de l'Académie. Ce bel hôtel particulier du début du 18e s. héberge par ailleurs de nombreux documents graphiques et objets personnels, des gravures, dessins, sculptures et peintures, au cœur des collections lamartiniennes du musée. Celles-ci évoquent la vie, l'œuvre littéraire et le rôle politique du poète qui, en 1811, fut le plus jeune membre de l'Académie de Mâcon.

Musée des Ursulines★ (B1)

✆ 03 85 39 90 38 - www.musee-bourgogne.org - 10h-12h, 14h-18h, dim. et j. fériés 14h-18h - fermé lun., 1er janv., 1er Mai, 14 Juil., 1er nov., 25 déc. - 2,50 € (enf. gratuit).
Aménagé dans un ancien couvent du 17e s., le musée municipal évoque l'histoire et l'urbanisme de Mâcon à travers sa section d'**archéologie.** Des objets exhumés lors des fouilles de Solutré *(voir roche de Solutré)* et d'autres sites régionaux apportent d'intéressantes informations sur la préhistoire en Maconnais. Des statuettes, amphores et outils, ainsi qu'un four de potier gaulois et tout un mobilier funéraire issu de la nécropole de Mâcon illustrent les âges du bronze et du fer dans la vallée de la Saône, et rappellent l'importance de l'antique *Matisco* à l'époque gallo-romaine. Consacrée à l'époque médiévale, une collection lapidaire expose des fragments de sculptures et monuments romans et gothiques. Les arts et traditions populaires font l'objet d'une section d'**ethnographie** où sont notamment à l'honneur le travail des vignerons (reconstitution d'un pièce à vivre) et celui des bateliers, ainsi que les céramiques et meubles régionaux... et un sport, l'aviron, dont le Mâconnais accueille de prestigieuses compétitions. La section des **beaux-arts** comprend quant à elle des œuvres françaises et flamandes du 16e s.; des œuvres françaises des 17e et 18e s. de Le Brun, Perrier, Ph. de Champaigne, Greuze; des tableaux romantiques (Corot), académiques et symbolistes (Puvis de Chavannes) du 19e s. La peinture moderne et contemporaine est également illustrée par des toiles cubistes (Gleizes, M. Cahn, Villon) et par les créations d'artistes aussi divers qu'Albers, Bill, Nemours, Morellet, Fruhtrunk, ou encore Lussigny. *L'ancienne chapelle du couvent est réservée aux expositions temporaires.*

Hôtel-Dieu (A/B1)

✆ 03 85 39 90 38 - ♿ - juin-sept. : 14h-18h; reste de l'année sur RV - fermé lun. et 14 Juil. - 1,60 € (enf. gratuit). Construit au 18e s. par Melchior Munet, élève de Soufflot, sur les plans du maître, il contient une **apothicairerie★** de style Louis XV, notable par sa superbe collection de faïences d'époque. Outre les boiseries murales, celles des fenêtres, en parfaite harmonie avec le décor, sont remarquables. Admirez aussi les fresques de la chapelle.

Mâcon pratique

Adresses utiles

Office du tourisme de Mâcon – *1 pl. St-Pierre - 71000 Mâcon - ✆ 03 85 21 07 07 - www.macon-tourism.com - 15 juin-15 sept. : 9h30-12h30, 14h-18h30 ; 15 sept-5 avril : lun.-sam. 10h-12h, 14h-18h - 6 avr.-15 juin : lun.-sam. 10h-12h30, 14h-18h - fermé les j. fériés.*

Syndicat d'initiative de la route des Vins Mâconnais-Beaujolais – *6 r. Dufour -71000 Mâcon - ✆ 03 85 38 09 99 - www. suivezlagrappe.free.fr - 9h15-11h30, 14h-18h - fermé dim., lun. matin et j. fériés.*

Visite

Parcours patrimonial pédestre – Vous le ferez à votre rytme *(1h ou 2h)* en suivant le livret *Mâcon de place en place*, disponible à l'office du tourisme de Mâcon.

Se loger

Chambre d'hôte Mme Marin – *R. du Lavoir - 71960 Chevagny-les-Chevrières - 5 km à l'ouest de Mâcon par D 17 et rte secondaire - ✆ 03 85 34 78 60 - marie-therese.marin@wanadoo.fr - - 3 ch. 50 €* . Cette belle demeure de 1650, propriété de la même famille depuis six générations, a beaucoup de charme. Ses chambres ouvrent sur une terrasse commune offrant une vue imprenable sur la Roche de Solutré. La patronne, viticultrice, vous fera partager sa passion.

Chambre d'hôte Château de Salornay – *1024 rte de Salornay - 71870 Hurigny - 6 km à l'ouest de Mâcon par D 82 puis rte secondaire - ✆ 03 85 34 25 73 - www.freenet-homepage.de/chateaudesalornay - 5 ch. et 2 gîtes 52/57 €* . Ce château des 11e et 15e s. a beaucoup d'allure avec ses belles tours et ses épaisses murailles couronnées d'un chemin de ronde. Les chambres (l'une d'elles occupe le donjon), vastes et nanties de meubles anciens, ouvrent sur les champs alentour. Deux gîtes de caractère sont également disponibles.

Hôtel Concorde – *73 r. Lacretelle - ✆ 03 85 34 21 47 - www.hotelconcorde71.com - fermé 5 janv.-31 janv, fév. et dim. du 15 oct. au 15 avr. - 14 ch. 52/59 € - 8 €.* Voilà un petit hôtel bon marché, sans prétention, à l'écart du centre-ville. Les chambres sont simples et propres. Vous prendrez votre petit-déjeuner dans une salle rustique ou en terrasse.

Hôtel d'Europe et d'Angleterre – *92-109 quai Jean-Jaurès - ✆ 03 85 38 27 94 - www.hotel-europeangleterre-macon.com - P - 29 ch. 55/70 € - 7 €.* Même si un programme de rénovation est en cours, cet hôtel conserve quelques beaux vestiges de son glorieux passé. Ainsi, plusieurs chambres affichent encore le faste qui fit leur renommée à l'époque où la reine Victoria ou Marcel Pagnol y séjournèrent. Grand confort à prix raisonnable.

Hôtel La Vieille Ferme – *Bd du Gén.-de-Gaulle - 71000 Sancé - 3 km au nord de Mâcon par N 6 - ✆ 03 85 21 95 15 - www.hotel-restaurant-lavieilleferme.com - fermé 20 déc.-10 janv. - P - 24 ch. 50 € - 7 € - rest. 12/29 €.* Halte champêtre dans un parc au bord de la Saône. Les chambres sont aménagées dans une construction récente de type motel. La « vieille ferme » abrite le restaurant rustique (pierres et poutres apparentes, cheminée) ouvert sur une jolie terrasse à fleur d'eau.

Se restaurer

Le Restique – *56 r. St-Antoine - ✆ 03 85 38 38 76 - fermé 1er-4 janv., 27 juil.-18 août, dim. soir, mar. soir et merc. de sept. à juin, dim. et lun. en juil.-août - formule déj. 12,50 € - 17,50/21,50 €.* Ce restaurant à la décoration rustique propose 2 menus - terroir ou matelot - à des prix tout à fait abordables. Carrelage et mobilier en bois donnent au lieu un côté « bonne franquette », que ne dément pas la simplicité de l'accueil. Terrasse privative à l'étage.

Au P'tit Pierre – *10 r. Gambetta - ✆ 03 85 39 48 84 - laurechant@hotmail.fr - fermé 25 juil.-15 août, mar. soir, merc. sept. à juin, lun. midi et dim. en juil.-août - 17/32 €.* Les Mâconnais fréquentent avec assiduité ce bistrot récent. Frais décor, tables joliment dressées, carte bien tournée et prix sages au regard de la qualité assurent son succès.

Le Poisson d'Or – *Allée du Parc - 1 km au nord de Mâcon par N 6 et bord de Saône - ✆ 03 85 38 00 88 - www.lepoissondor.com - fermé 24 mars-2 avr., 19 oct.-12 nov., dim. soir, mar. soir, et merc. - 24/65 €.* La Saône coule le long du jardin de ce restaurant proche du port de plaisance. Pimpantes salles à manger surplombant la rivière ou terrasse ombragée au bord de l'eau ? Le temps décidera ! Fricassée de grenouilles toute l'année et fritures de poissons en été.

En soirée

Le Galion Pub – *46 r. Franche - ✆ 03 85 38 39 45 - publegalion@yahoo.fr - 22h-2h (3h jeu., vend. et sam.).* Tout en bois d'acajou, le décor de ce pub s'inspire des vaisseaux d'antan comme en témoignent notamment les deux bars en forme de proue. Face au majestueux escalier qui mène à la mezzanine se trouve la loge du DJ, perchée au-dessus de l'entrée. Soirées étudiants le jeudi et à thème le vendredi et samedi.

Que rapporter

Bon à savoir – Chaque année au mois d'avril se tient le Salon des vins au Parc des expositions.

Maison Mâconnaise des Vins – *484 av. de Lattre-de-Tassigny - ✆ 03 85 22 91 11 -*

www.maison-des-vins.com - 11h30-22h - fermé 1er-20 janv. Salle d'exposition, librairie, boutique, dégustations menées par des professionnels… La Maison des vins de Mâcon mérite vraiment une visite. Son restaurant permet en outre de savourer quelques spécialités régionales (petit salé, andouillette mâconnaise, entrecôte du Charollais…) et de les escorter de crus du Mâconnais sélectionnés.

Cave de Chaintré – *Rte de Juliénas - 5 km de Macon-Sud par D 186 - 71570 Chaintré - 03 85 35 61 61 - www.cavedechaintre.com - tlj 10h-12h et 15h-19h.* Cette boutique créée à l'initiative d'une association regroupant 100 vignerons détaille des vins blancs issus du cépage chardonnay (pouilly-fuissé, saint-véran, beaujolais, mâcon) et quelques crus rouges. Lors de la dégustation, une petite assiette garnie de charcuterie et de fromage vous aidera à apprécier leur saveur.

Sports & Loisirs

Bon à savoir – En amont du pont, la Saône forme un bassin de 300 m de largeur : c'est sur ce majestueux plan d'eau que se déroulent les championnats de France d'aviron.

Croisières à bord du « Ville-de-Pont-de-Vaux 2 » – *Pont-de-Vaux - 03 85 30 30 02 - www.cc-pontdevaux.com - fermé 16 oct.-14 avr. - balade 2h30 : 14 € ; croisière déjeuner : 52/63,50 €.* Visitez Pont-de-Vaux et ses environs au fil de l'eau. Un large choix de croisières commentées vous sont proposées, accompagnées ou non d'un repas dans la salle de restaurant climatisée. Une manière agréable et relaxante de découvrir la région.

Mâcon Pêche au gros – *4 r. de la Liberté - 03 85 39 07 50 - www.peche-au-silure.com - mai-sept. : tlj.* L'association propose de découvrir la pêche au silure sur la Saône. Michel, guide de pêche, dévoile tous les secrets pour traquer ce géant des rivières qui peut atteindre plus de 2,50 m. Tout le matériel de pêche et un bateau spécialement équipé sont mis à votre disposition. Les repas sont pris sur le lieu de pêche. Initiation de 3h ou séjours à partir d'une journée, ouvert à tous.

Le Mâconnais★★

CARTE GÉNÉRALE C4 – CARTE MICHELIN DÉPARTEMENTS 320 H/I 10/12 – SAÔNE-ET-LOIRE (71)

Entre Tournus et Mâcon, de la vallée de la Grosne au val de Saône, les monts du Mâconnais, parés de terre rouge, de vigne verte et de pittoresques villages perchés, raviront le promeneur, qu'il soit à pied, à vélo ou chaussé de rollers, pour emprunter la Voie verte, ou qu'il suive en voiture les traces de Lamartine.

- **Se repérer** – Entre la côte Chalonnaise au nord, le Charolais à l'ouest, le Beaujolais au sud et la vallée de la Saône à l'est, les monts du Mâconnais sont facilement accessibles de Tournus comme de Mâcon.
- **À ne pas manquer** – Rendez hommage au talent d'un grand poète, en visitant sa maison d'enfance à Milly-Lamartine. Puis admirez les deux Berzé : la Ville, avec sa chapelle aux Moines décorée de peintures du 12e s., et le Châtel, dominé par son… château doté d'un intéressant système défensif.
- **Organiser son temps** – Pour suivre la route Lamartine, prévoyez environ 3h. Et si une dégustation de vin vous tente, pensez à prévenir les vignerons de votre venue.
- **Avec les enfants** – Promenez-vous le long du sentier de la Boucherette, peuplé en été de jolis papillons bleus. Et montrez-leur les grottes préhistoriques d'Azé, où furent découverts des squelettes d'ours des cavernes.
- **Pour poursuivre la visite** – Voir aussi Brancion, la Bresse, Cluny, Chapaize, le château de Cormatin, Mâcon, la roche de Solutré, la Voie verte.

Comprendre

LA BOURGOGNE MÉRIDIONALE

Le pays – Si les monts du Mâconnais sont peu élevés (ils culminent à 758 m au **signal de la Mère-Boitier**), ils n'en présentent pas moins des aspects variés : les forêts des sommets, les landes arides des versants défavorisés contrastent avec les prairies qui tapissent les dépressions humides, tandis que le vignoble recouvre les paliers dominant la Saône et les versants bien exposés des coteaux. C'est en Macônnais qu'apparaissent les premières influences méditerranéennes : les grands toits pointus couverts d'ardoise ou de tuiles plates disparaissent au profit des toits plats couverts de tuiles rondes dites tuiles romaines ou provençales. Le Mâconnais est une région de transition entre le nord et le Midi, au doux climat.

Le vin – Les moines de Cluny ont planté ici les premières vignes, qui sont maintenant composées des cépages chardonnay, pinot et gamay. La production totale annuelle du Mâconnais est de 340 000 hl environ, dont 87 % de vins blancs.

Le vignoble du Mâconnais jouxte, dans sa partie sud, celui du Beaujolais (qui lui « prend » d'ailleurs quelques crus) ; s'étendant de Romanèche-Thorins, au sud, à Tournus au nord, il produit de bons vins rouges, frais et fruités, issus du gamay noir à jus blanc, et surtout d'excellents vins blancs, charnus et équilibrés. Pour ces derniers, l'encépagement est constitué par le chardonnay, noble cépage blanc de la Bourgogne et de la Champagne blanche. L'appellation la plus célèbre est celle de pouilly-fuissé. Elle donne un vin de bonne garde, d'une belle couleur d'or vert, sec, nerveux, fruité d'abord et, avec le temps, bouqueté. Les appellations pouilly-fuissé, pouilly-loché, pouilly-vinzelles, saint-véran et viré-clessé produisent des vins réputés. Les autres vins blancs sont vendus sous le nom de bourgogne blanc, mâcon, mâcon supérieur et mâcon-villages.

Circuits de découverte

AU MILIEU DES VIGNES 1

De Tournus à la roche de Solutré

79 km – environ 3h30.

Ce parcours permet de traverser une région pittoresque offrant de belles **vues** et de visiter de nombreux édifices de caractère, notamment des églises romanes *(un circuit fléché est proposé sur place, au départ de Cluny).*

Tournus★ *(voir ce nom)*

Quittez Tournus par la D 14.

La route s'élève rapidement, procurant des vues sur Tournus, le val de Saône et la Bresse.

Après le col de Beaufer, le paysage devient vallonné, les croupes sont couvertes de buis et parfois de pins.

Ozenay

Situé dans un vallon, le bourg possède un petit castel du 13e s. et une église rustique du 12e s.

Au-delà d'Ozenay apparaissent çà et là des rochers le long des pentes. La plupart des maisons sont précédées d'un large auvent formant loggia.

Du col de Brancion, gagnez le vieux bourg de Brancion, perché sur son promontoire.

Brancion★ *(voir ce nom)*

Quittez Brancion en direction de Tournus, puis prenez à droite la D 161. À Bissy-la-Mâconnaise, prenez à gauche la D 82.

D. Delacroix / MICHELIN

Castel d'Ozenay.

Lugny

Niché dans la verdure sur la « route des vins du Mâconnais », Lugny produit un vin blanc très apprécié et possède une cave coopérative moderne. L'**église**, proche des vestiges de l'ancien château fort, renferme un retable en pierre du 16e s. représentant les douze apôtres autour de Jésus.

Un sentier *(2 km)* permet, sur le **site naturel de la Boucherette**, de découvrir la faune et la flore typiques des plateaux calcaires secs : remarquez, au printemps et en été, les orchidées *(fleurs protégées)* et les papillons argus bleu nacré.

Revenez à Bissy, puis prenez à gauche vers Azé.

Site préhistorique d'Azé

03 85 33 32 23 - www.grottes-aze.com - visite guidée (1h30) avr.-sept. : 10h-12h, 14h-17h30 ; oct. : dim. 10h-12h, 14h-17h30 - 6 € (enf. 4 €).

Un **musée** présente de très nombreuses pièces provenant en majeure partie des fouilles effectuées dans les **grottes**. L'accès à celles-ci se fait par un arboretum. La première grotte, longue de 208 m, fut successivement le refuge d'ours des cavernes (ossements vieux de 300 000 ans), d'hommes préhistoriques, d'Éduens, de Gallo-Romains, etc. Dans une autre grotte coule une rivière souterraine qu'un parcours aménagé permet de suivre sur 800 m.

Le saviez-vous ?

Le Mâconnais est une terre de vignes qui acquit son titre de noblesse grâce à **Claude Brosse**, un simple vigneron de Chasselas. Au 17e s., celui-ci n'hésite pas à entreprendre le voyage de Paris afin de faire connaître les vins de son pays. Il charge deux barriques de son meilleur vin sur une charrette à bœufs, et arrive dans la capitale après un voyage de 33 jours. Il assiste à la messe du roi à Versailles. Après l'office, Louis XIV, qui a remarqué la taille herculéenne de cet inconnu, ordonne qu'il lui soit amené. Sans se démonter, Claude Brosse expose au monarque le but de son voyage et lui dit son espoir de vendre son vin à quelque grand seigneur. Le roi demande à goûter ce vin sur-le-champ et le trouve bien supérieur à ceux de Suresnes et de Beaugency, alors en usage à la Cour. Les vins de Mâcon sont désormais adoptés par tous les courtisans, et l'audacieux vigneron fait fortune.

Clessé

Parmi ses maisons anciennes, ce village viticole (cave coopérative) possède une **église** romane de la fin du 11e s. cantonnée d'une élégante petite tour à pans et à flèche en tuiles vernissées, comme celle du beau clocher octogonal, à arcatures et baies géminées, qui domine l'ensemble. La nef unique est couverte d'une charpente.

Poursuivez au sud jusqu'à Mâcon.

Mâcon *(voir ce nom)*

Quittez Mâcon à l'ouest par la D 17, tournez à gauche et traversez Prissé. Par la D 209, allez jusqu'à Davayé et prenez la D 177 en direction de Vergisson.

Roche de Solutré★★ *(voir ce nom)*

Pouilly

Ce hameau donne son nom à nombre de crus : pouilly-fuissé, pouilly-loché, pouilly-vinzelles. Délectables, ils accompagnent agréablement des spécialités bourguignonnes comme les écrevisses à la nage, la pochouse, le jambon persillé ou encore le poulet de Bresse aux morilles… Au-delà du village, le vignoble s'étage sur des coteaux aux formes très douces.

Fuissé

Avec Chaintré, Solutré, Pouilly et Vergisson, c'est l'une des communes produisant le pouilly-fuissé, un grand vin blanc (concurrent du chablis). Parsemé de remarquables maisons, Fuissé est le type même du village de vignerons aisés.

Prenez la D 172 à droite, puis de nouveau à droite vers Chasselas.

Chasselas

Le bourg de Claude Brosse *(voir encadré ci-dessus)* est dominé par des rochers gris affleurant sous la lande. Il a fourni un cépage qui donne un raisin de table renommé. On y produit du saint-véran. La roche de Solutré, telle une proue de navire, se détache sur

le ciel. À l'arrière-plan apparaissent la vallée de la Saône, la Bresse et le Jura. Le paysage est tourmenté, et la couleur ocre de la terre tranche avec les gris des rochers.
Revenez en arrière, puis prenez à droite la D 31 vers St-Vérand. Passez par Chânes et Vinzelles (D 169) pour regagner Mâcon.

LA ROUTE LAMARTINE 2

70 km – environ 3h.

Amateurs de poésie, ce circuit *(voir p. 35)* vous permettra de retrouver les horizons et le décor familier aux sources desquels Alphonse de Lamartine puisa son inspiration. Afin de mieux préparer cette excursion, faites d'abord étape à **Mâcon** *(voir ce nom)*, où vous pourrez visiter le **musée Lamartine** *(voir p. 297)* qui retrace la vie et l'œuvre du poète. Vous y verrez aussi l'**hôtel familial** *(3 r. Bauderon-de-Senecé)*, avec, dans le même corps de logis, la maison où naquit l'écrivain *(18 r. des Ursulines)*, et l'**hôtel d'Ozenay** *(15 r. Lamartine)*, maison paternelle où il vécut jusqu'à son mariage et où il aurait composé ses premiers vers.

Château de Monceau

9 km à l'ouest de Mâcon par la D 17. Entrée libre pour parc, jardins et chapelle.

Ancienne propriété de son oncle ***(accueillant aujourd'hui une maison de repos pour personnes âgées)*, ce fut l'une des rési**dences favorites de Lamartine, où il vécut en grand seigneur vigneron, malgré les difficultés financières dues à sa prodigalité (« Je suis démoralisé du gousset », disait-il). C'est dans un kiosque, appelé « la Solitude », au milieu des vignes, qu'il écrivit en 1847 son *Histoire des Girondins*.
Passez par la Roche-Vineuse et, sur la D 220, prenez à gauche vers Milly-Lamartine.

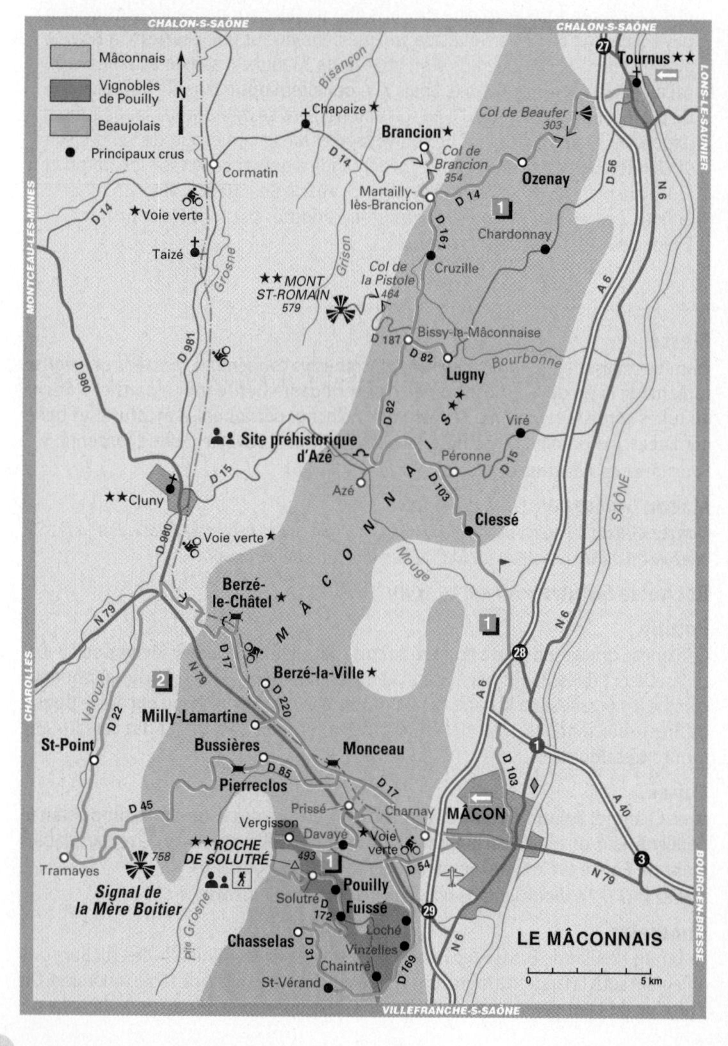

Milly-Lamartine

☎ 03 85 37 70 33 - visite guidée (45mn) mai-sept. : merc., dim. et j. fériés 11h et 16h ; avr. et oct. : dim. et j. fériés 11h et 16h ; reste de l'année : j. fériés 11h et 16h - fermé 1er janv., 25 déc. - 6 € (-12 ans gratuit) - dégustation de vin sur demande.

Une grille en fer forgé précède la **maison d'enfance de Lamartine★**. C'est dans cette demeure, construite au début du 18e s. par son trisaïeul, que Lamartine passa son enfance auprès d'une mère tendre et affectionnée. Il restera toute sa vie très attaché à ce village et à ses paysages de vignobles. En 1860, il dut, pour éviter la ruine, se résigner à vendre la propriété familiale chère à son cœur.

Après la visite du jardin, vous pouvez voir l'intérieur encore meublé de la maison, ainsi qu'un espace évoquant l'enfance de Lamartine, ses sources d'inspiration et son activité viticole.

L'église du 12e s. a été restaurée. En haut du village, devant la mairie, remarquez le buste en bronze du poète, et profitez de la vue sur le vignoble.

Revenez vers la D 220 et tournez à gauche.

Berzé-la-Ville★

Ce charmant village aux maisons de pierre jaune a été bien restauré. Sillonnez les ruelles pour voir le puits à deux étages, les fours à gypse, la petite église (11e-15e s.) ornée intérieurement de peintures au pochoir (15e s.). L'abbaye de Cluny possédait, près d'un ancien prieuré, une maison dite « château des Moines » où saint Hugues vint se reposer durant les dernières années de sa vie.

Chapelle des Moines – *☎ 03 85 38 81 18 - juil.-août : 9h-18h ; mai-juin et sept. : 9h-12h, 14h-18h ; du dernier sam. de mars à fin avr. et du 1er oct. au 2 nov. : 10h-12h, 14h-17h30 - 3 € (-12 ans gratuit).*

La chapelle romane du prieuré est célèbre pour ses peintures murales, magnifique exemple de l'art clunisien. Suivant l'école française, elles auraient été réalisées au début du 12e s. ; pour l'école américaine, elles dateraient de la fin du 11e s. Cet écart de quelques années maintient un terrible suspens, car si les Américains ont raison, les peintures dites « mixtes » (fresques retouchées à sec) seraient alors contemporaines de celles de Cluny III, sans doute exécutées par les mêmes maîtres, et donc seuls témoins de cette grandiose construction…

Les peintures murales★★ – La chapelle (12e s.), érigée en étage sur un bâtiment primitif du 11e s., est ornée dans le chœur de magnifiques fresques d'époque romane *(celles de la nef ont pratiquement disparu)*. Sur la voûte en cul-de-four de l'abside, on reconnaît, au centre d'une mandorle, un Christ en majesté de près de 4 m de hauteur, entouré d'apôtres, d'évêques, de diacres, donnant à saint Pierre un parchemin (la Loi). Les deux abbés bénédictins (et clunisiens) en tenue d'apparat sur les faces internes de l'arc, assistent à cette scène fondatrice de l'église pour marquer leur continuité avec les apôtres. Sur le soubassement des fenêtres, des groupes de saints particulièrement vénérés à Cluny et des martyrs émergent de draperies simulées. Sur les faces latérales de l'abside, on découvre, à gauche, la légende de saint Blaise et, à droite, le martyre de saint Vincent de Saragosse sur son gril, en présence de Dacien, préfet de Rome. De ce superbe ensemble se dégage une influence fortement byzantine. En effet, l'atelier clunisien qui travailla dans cette chapelle était dirigé par des peintres bénédictins venus du Mont-Cassin, dans le Latium, où l'influence de l'Empire romain d'Orient s'exerça jusqu'au 11e s.

De la route, qu'il domine de sa masse imposante, on aperçoit la triple enceinte du château de Berzé-le-Châtel.

Château de Berzé-le-Châtel★

☎ 03 85 36 60 83 - http://berze.free.fr - visite guidée (45mn) juil.-août : 10h-18h ; de déb. avr. à fin mai : dim. 16h ; juin et sept. : tlj sf jeu. 14h-18h - 6,50 € (enf. 4,50 €).

Au milieu des coteaux couverts de vigne, dominant sur son éperon rocheux

Ph. Gajic / MICHELIN

Château de Berzé-le-Châtel.

la vallée de Solutré et la Voie verte, cette très ancienne forteresse de la Bourgogne du sud est mentionnée dès l'an 991 dans un cartulaire de Cluny, où l'on dit qu'un castrum est construit au-dessus d'une chapelle – chapelle carolingienne qui existe d'ailleurs toujours. Au 13e s., afin de défendre la route de l'abbaye de Cluny, les fortifications sont consolidées et le château agrandi, avant d'être modernisé au 15e s. Réputé imprenable (Louis XI échoue devant ses murs lors de sa reconquête de la Bourgogne en 1471), Berzé ne sera pris que par la traîtrise ou la ruse. À la suite des guerres de la Ligue, il est érigé en comté, en reconnaissance de la fidélité de ses propriétaires au roi.

Les différentes terrasses mettent encore en évidence l'impressionnant **système défensif★★** de la forteresse médiévale : Berzé dispose encore de 13 tours dont deux donjons. On prolonge la visite dans les jardins étagés avec un grand potager fleuri, des arbres fruitiers, des charmes et des ifs taillés en pièces d'échec.

Remontez ensuite la vallée de la Valouze vers St-Point.

Saint-Point

Décorée d'une fresque (Christ en majesté) dans l'abside, sa petite **église** de type clunisien abrite deux tableaux peints par madame de Lamartine.

Château de Lamartine★ - *✆ 03 85 50 50 30 - www.chateaulamartine.com - visite guidée (45mn, dép. ttes les h.) juil.-août : 10h et 11h, 14h-18h ; avr.-juin et sept.-oct. : w.-end et j. fériés 10h et 11h, 14h-18h - fermé nov.-mars - 7 € (12-16 ans 4 €, -12 ans gratuit).* Lamartine avait reçu la propriété en dot à l'occasion de son mariage, en 1820. Il la restaura, l'agrandit et y ajouta un péristyle néogothique qui rappelle les origines anglaises de son épouse Mary Ann, inspiratrice et décoratrice des lieux : on lui doit plusieurs peintures dont les portraits de leur fille Julia, née ici (sa mort leur fera quitter les lieux), et de son chien Fido, ainsi que la belle « cheminée des poètes » dans la chambre à coucher. Le cabinet de travail, la chambre et le salon ont gardé l'empreinte de Lamartine, qui y reçut de nombreux amis (Hugo, Nodier, Liszt…). Le domaine compte de beaux arbres : le chêne de Jocelyn se dresse à 1 km du château.

Après Tramayes, la route, pittoresque, procure des vues étendues.

Signal de la Mère-Boitier

Un chemin goudronné, très raide, donne accès à un parking ; de là, 15mn à pied AR.

Du signal, point culminant (758 m) du Mâconnais, quelques percées entre les arbres permettent d'entrevoir un beau **panorama** balayant la butte de Suin au nord-ouest, la montagne de St-Cyr à l'ouest, la Bresse et le Jura à l'est *(table d'orientation).*

Château de Pierreclos

13 km au nord-est du signal de la Mère-Boitier. ✆ 03 85 35 73 73 - www.chateaude-pierreclos.com - 10h-18h, vend. et sam. 10h-16h - fermé dim. et j. fériés de la Toussaint à Pâques - 4,80 € (-10 ans gratuit).

Datant du 12e s. (donjon) et du 17e s., ce beau château, qui offre une magnifique vue sur le vignoble mâconnais, fut plusieurs fois dévasté pendant les guerres de Religion et abandonné vers 1950. De bonnes volontés ont permis de le sauver in extremis en 1986. On y conserve le souvenir de Marguerite Michon de Pierreclau (mademoiselle de Milly), la Laurence de *Jocelyn*, et de Nina de Pierreclau, sa belle-sœur, maîtresse de Lamartine.

Une grille en fer forgée, appuyée sur deux **pavillons en carène** (17e s.), ferme l'avant-cour. Dans la cour intérieure subsistent le chœur et le clocher de l'ancienne église du 12e s. À l'intérieur, on remarquera l'élégance du grand escalier Renaissance se déroulant en spirale (unique en France) et qui ouvre l'accès à la chambre de Marguerite Michon de Pierreclau, ainsi que la cheminée Renaissance de la salle des Gardes. On visite également une église romane aux beaux chapiteaux, une grande cuisine et une boulangerie à four banal, une salle des armes servant aux soldats du seigneur, de grandes caves voûtées du 12e siècle, et des cachots.

Bussières

L'**abbé Dumont**, premier maître et ami de Lamartine, qui l'a immortalisé dans *Jocelyn*, repose contre le chevet de la petite église.

De l'éperon de Monsard *(par Grand-Bussières)*, on dispose d'une **vue** sur le circuit qui vient d'être accompli, avant de rentrer à Mâcon *(15 km).*

Le Mâconnais pratique

Voir aussi les carnets pratiques de Mâcon, Cluny, la Voie verte, Brancion et Tournus.

Adresse utile

Syndicat d'initiative de la route des Vins Mâconnais-Beaujolais – *6 r. Dufour - 71000 Mâcon - 03 85 38 09 99 - www.suivezlagrappe.free.fr - 9h15-11h30, 14h-18h - fermé dim., lun. matin et j. fériés.*

Se loger

Chambre d'hôte de Rizerolles – *En Rizerolles - 71260 Azé - 8,5 km au sud-ouest de Lugny par D 82 - 03 85 33 33 26 - r.barry.aze@infonie.fr - fermé de nov. à mi-mars - - 5 ch. 38/48 €* . Dans ce hameau posté au pied des vignes, une vieille maison en pierre, embellie par un balcon fleuri et une cour ombragée, abrite des chambres dont on vient de refaire le décor. Accueil sympathique.

Chambre d'hôte Domaine de l'Arfentière – *Rte de Chardonnay - 71700 Uchizy - 10 km au sud de Tournus par N 6 puis D 163 - 03 85 40 50 46 - - 4 ch. 50 €* . Profitez de votre passage dans cette maison de vignerons pour déguster ou emporter les vins du domaine. Les chambres sont claires et plutôt modernes. Deux d'entre elles ouvrent sur les vignes.

Auberge de la Tour – *604 r. Vrémontoise - 71000 Sennecé-lès-Mâcon - 03 85 36 02 70 - www.auberge-tour.fr - fermé 9-25 fév., 22 oct.-10 nov., dim. soir, mar. midi et lun. - P - 24 ch. 55/77 € - 9 € - rest. 19/48 €.* La tour de guet, curiosité du village, voisine avec cette auberge familiale. Repas traditionnel dans une salle rustique décorée de toiles à thémathique vigneronne. Beau choix de vins du Mâconnais.

Chambre d'hôte Château de Messey – *Rte de Cluny, sur D 14 - 71700 Ozenay - 03 85 51 16 11 - www.demessey.com - fermé janv. - réserv. conseillée - 3 ch. 90/120 € - repas 30 €.* Au cœur d'un domaine de 90 ha (dont 17 ha de vigne), ce château et ses dépendances abritent 6 chambres d'hôte et 4 gîtes, alliant confort et caractère. Poutres apparentes et meubles anciens trouvent leur place dans des volumes agréables. Accueil chaleureux et bonne table, égayée des vins de la propriété, garantis.

Se restaurer

Chez Jack – *71960 Milly-Lamartine - RN 79 depuis sortie n° 4 - 03 85 36 63 72 - fermé les soirs du dim. au jeu. sf juil.-août et lun. - 11,50/30 €.* Le lieu est illustre puisque c'est ici que grandit Lamartine. Reconverti en auberge, il vous accueille dans une jolie salle au décor de bouchon avec tables en bois, photos et affiches de cinéma. Dans l'assiette, spécialités mâconnaises et lyonnaises.

Le Moustier – *Au bourg - 71960 Berzé-la-Ville - 03 85 37 77 41 - david.hoquet@neuf.fr - fermé le soir sf vend., sam. et de mi-juin à mi-sept et merc. - réserv. conseillée - 13,50/35 €.* De la terrasse ombragée de cette belle maison du 18e s., vous admirerez les monts du Mâconnais. Intérieur chaleureux (poutres, pierres apparentes, cheminée). La cuisine est simple et tout est fait maison.

Auberge la Pierre Sauvage – *Col des Enceints - 71520 Bourgvilain - 7 km à l'est de Milly-Lamartine par D 45 dir. Pierreclos et D 212 rte de St-Point puis suivre la rte Lamartine - 03 85 35 70 03 - www.lapierre-sauvage.com - fermé 10 janv.-10 fév., dim. soir, mar. midi et lun. ; hiver ouv. vend.-dim. - réserv. conseillée - 15,50/35,50 €.* Sauvée de la ruine il y a 20 ans et restaurée, depuis, à l'aide de matériaux de récupération, cette demeure en pierre a un charme certain. Ses trois salles à manger, où dominent la pierre et le bois, sont plaisantes et la cuisine traditionnelle goûteuse.

Au Pouilly Fuissé – *Au bourg - 71960 Fuissé - 03 85 35 60 68 - www.restaurant-pouillyfuisse.com - fermé lun. soir, mar. soir et merc. d'oct. à mars et dim. soir - 20/47 €.* Cette auberge familiale accompagne sa cuisine traditionnelle des bons vins de la région. Salle à manger-véranda et terrasse ombragée.

Le Relais de Montmartre – *Pl. André-Lagrange - 71260 Viré - 03 85 33 10 72 - www.relais-de-montmartre.fr - fermé 19 janv.-9 fév., 1er-7 juil., 6-13 oct., sam. midi, dim. soir et lun. - 22/68 €.* Le chef de cet ancien café de village converti en élégant restaurant a fait ses armes à la Tour d'Argent et chez Paul Bocuse. La carte mêlant tradition et inventivité et offrant un excellent rapport qualité-prix.

Que rapporter

Château de Fuissé – *Plan - sortie A 6, Mâcon-Sud, dir. Vinzelles - 71960 Fuissé - 03 85 35 61 44 - www.chateau-fuisse.com - lun.-jeu. 8h30-12h, 13h30-17h30, vend. jusqu'à 16h30, w.-end et j. fériés sur demande préalable - fermé 1 sem. en août, 1 sem. à Noël.* Au cœur d'une propriété viticole de 35 ha, élégante demeure flanquée d'une tour du 15e s. Visite des caves du 17e s. et dégustation dans la salle Renaissance de pouilly-fuissés provenant de terroirs réputés, dont certains sont des monopoles du domaine (le Clos, les Combettes, les Brûlés).

Domaine de la Hys de Montrevost – *71960 Bussières - 03 85 37 77 37 - tlj 9h-12h, 14h-18h - sur réserv.* En franchissant un porche du 15e s., on découvre un petit château pittoresque, encadré de deux ifs taillés en forme de bouteille. Visite des caves et dégustation commentée parmi une gamme prestigieuse de grands vins dont le fameux Château-Fuissé Vieilles Vignes.

Matour

1 074 MATOURINS
CARTE GÉNÉRALE B4 – CARTE MICHELIN DÉPARTEMENTS 320 G12 – SAÔNE-ET-LOIRE (71)

La « petite Suisse du Mâconnais » occupe le centre d'un vaste cirque de montagnes boisées, à la naissance de la Grosne. Au pied des pentes couvertes de cultures qui l'environnent, le bourg est doté d'une zone de loisirs aménagée au bord d'un étang où il fait bon pêcher et se promener. Non loin de là, deux sites dédiés aux arbres, Pezanin et Dompierre-les-Ormes, illustrent le patrimoine forestier de la région.

Se repérer – À la limite du Mâconnais, du Charolais et du Beaujolais, Matour se trouve à 37 km à l'ouest de Mâcon et à 20 km au sud-ouest de Cluny.

À ne pas manquer – Admirez le panorama sur les monts du Charolais du haut de la montagne de St-Cyr, et découvrez les essences forestières de l'arboretum de Pezanin.

Organiser son temps – Prévoyez des pique-niques pour agrémenter vos randonnées dans les collines boisées du haut Beaujolais.

Avec les enfants – Parcourez la belle et instructive Galerie européenne de la forêt et du bois, à Dompierre-les-Ormes. Et si le temps le permet, faites une halte baignade et un parcours de minigolf dans la zone de loisirs du Paluet.

Pour poursuivre la visite – Voir aussi Charolles, La Clayette, le Mâconnais, la roche de Solutré, la Voie verte.

Mairie de Matour

Matour, « petite Suisse du Mâconnais ».

Se promener

Station verte de vacances, Matour s'est dotée d'équipements de loisirs modernes (piscine, tennis, etc.). La forêt, plantée en partie de résineux, couvre des sommets qui offrent de vastes panoramas. De quoi faire de belles randonnées…

Maison des patrimoines en Bourgogne du sud

03 85 59 78 84 - www.maison-des-patrimoines.com - ♿ - juil-août : tlj sf mar. 14h-19h ; avr.-juin et sept.-oct. : tlj sf lun. et mar. 14h-18h - 4,60 € (enf. 2,40 €).

Le manoir du Parc, au cœur du village, accueille des expositions didactiques et vivantes qui invitent à découvrir différents aspects du patrimoine de la région : nature, histoire et traditions.

Aux alentours

Montagne de Saint-Cyr

7 km au nord-ouest. Quittez Matour par la D 211. À 4 km, tournez à gauche.

Un chemin à droite donne accès à la table d'orientation de la montagne de St-Cyr, à 771 m d'altitude. On y bénéficie d'un large **panorama** sur les monts du Charolais et, par beau temps, sur les Alpes.

Arboretum domanial de Pezanin

9 km au nord, à Audour. ✆ 03 85 50 23 86/28 43 - possibilité de visite guidée (1h30) par l'ONF - se renseigner pour horaires et tarifs.

Créé de 1903 à 1923 près de son château par le grand-père de **Louise de Vilmorin,** cet arboretum occupe un site agréable de 27 ha. Dans ce parc agrémenté d'un étang, propriété de l'État depuis 1935, sont entretenus avec soin quelque 420 espèces d'arbres et arbustes originaires du monde entier, dont de remarquables essences forestières.

Dompierre-les-Ormes

Galerie européenne de la forêt et du bois – *9 km au nord. ✆ 03 85 50 37 10 - www.gefb-cg71.com - ♿ - juil.-août : 10h-18h ; sept.-juin : tlj sf lun. 14h-18h - fermé 1er janv., 1er Mai, 25 déc. - 4 € (-18 ans gratuit).*

À deux pas de l'arboretum de Pezanin, un grand bâtiment moderne en bois et verre, de l'architecte Patrice Bailly, accueille cet espace dédié à la forêt, à l'arbre, au bois. Qu'elle soit boréale, tropicale ou sèche, la forêt est à la fois méconnue, menacée et source de multiples activités humaines. Grâce à une scénographie contemporaine *(écrans tactiles et approche ludique)*, des expositions permanentes et temporaires sensibilisent le public à la diversité, la complexité et la fragilité des milieux forestiers du monde et de Bourgogne.

Matour pratique

Voir aussi les carnets pratiques de La Clayette, Mâcon et du Mâconnais.

Adresse utile

Office du tourisme de Matour et de sa région – *Le Bourg, 71520 Matour - ✆ 03 85 59 72 24 - www.ot-matour.com - juil.-août : 10h-12h30, 14h30-19h ; mai-juin : tlj sf dim. et lun. 8h30-12h30, 13h30-17h30 ; oct.-avr. : lun.-jeu. 13h30-17h30, vend. 8h30-12h30, sam. 8h30-12h30, 13h30-17h30.*

Se restaurer

Christophe Clément – *Rte de St-Pierre-le-Vieux - ✆ 03 85 59 74 80 - fermé 22 déc.-15 janv., le soir sf sam. d'oct. à mai, dim. soir et lun. - 12/36 €.* Sur la place de l'église, façade peinte repérable à sa tête de coq. Mets traditionnels copieux et curieuse spécialité familiale d'andouillère aux grenouilles à apprécier dans un cadre rustique très « cocorico ».

Montargis

15 700 MONTARGOIS
CARTE GÉNÉRALE A1 – CARTE MICHELIN LOCAL 318 N4 – LOIRET (45)

Ses quelque 127 ponts et passerelles enjambant de multiples canaux ont valu à Montargis son surnom de « Venise du Gâtinais ». Dominée par les vestiges de son ancien château, la ville vous charmera, avec ses pittoresques rues sur l'eau, ses maisons à colombages et ses demeures Renaissance richement ouvragées. Les randonneurs profiteront de la vaste forêt domaniale aux portes de la ville, tandis que les pêcheurs apprécieront les eaux du lac des Closiers.

- **Se repérer** – Montargis se trouve au confluent de trois rivières et à la jonction des canaux de Briare, du Loing et d'Orléans. La ville est à 56 km au sud-ouest de Sens, 60 km à l'ouest de Joigny et 37 km au nord de Briare.
- **Se garer** – Au centre de l'agglomération, la place du Pâtis (place du 18-Juin-1940) offre un grand nombre de places de stationnement.
- **À ne pas manquer** – Le vieux Montargis et ses perspectives sur le canal de Briare ; le musée Girodet pour sa collection de peintures ; les magnifiques jardins du Grand-Courtoiseau, à 18 km à l'est ; les pralines, la spécialité de Montargis !
- **Organiser son temps** – Suivez, de septembre à mars, le mercredi ou le samedi, une chasse à courre dans la forêt de Montargis, avec l'ONF.
- **Avec les enfants** – Ils pourront s'amuser à repérer la reine des abeilles dans les ruches vitrées du musée vivant de l'Apiculture gâtinaise.
- **Pour poursuivre la visite** – Auxerre, Briare, Châtillon-Coligny, Joigny, St-Fargeau, Sens.

Se promener

Certaines rues du vieux Montargis ouvrent de plaisantes perspectives sur le canal de Briare. Enveloppant la vieille ville au nord et à l'est, celui-ci relie, depuis 1642, le Loing à la Loire. Les bras d'eau qui agrémentent le quartier ancien étaient alors aménagés comme régulateurs de niveau dans un pays où les crues sont toujours redoutables. La ville compte de multiples ponts ou passerelles pour traverser les canaux et bras de rivière qui quadrillent son centre historique.

Suivez la rue du Port, puis le bd du Rempart et, à partir du pont sur le canal, le bd Durzy, à hauteur du musée Girodet.

Musée Girodet

2 r. de la Chaussée - ☏ 02 38 98 07 81 - 9h-12h, 13h30-17h30, vend. 9h-12h, 13h30-17h (dernière entrée 30mn av. fermeture) - fermé lun., mar. et j. fériés - 3 € (enf. 2 €). Dédié au peintre **Anne-Louis Girodet-Trioson** (1767-1824), enfant de Montargis, élève préféré de David, prix de Rome en 1789 et l'une des gloires du néoclassicisme, ce musée occupe l'**hôtel Durzy** (19e s.), agrémenté d'un joli parc bordé sur un côté par le Loing.

La première partie de la galerie de peinture rassemble des tableaux français (*Moïse sauvé des eaux* de Nicolas Plattemontagne) et italiens (*l'Astronome* de Pietro Bellotti) du 15e s. au 18e s., des peintures flamandes et hollandaises des 16e et 17e s. (deux œuvres de Hieronymus Janssens), ainsi qu'un *Saint Jérôme pénitent* de Zurbarán. Ne manquez pas l'une des versions de l'extraordinaire *Déluge*, auquel le peintre consacra quatre ans d'études.

La **collection Girodet★** est à l'honneur, avec une vingtaine de tableaux parmi lesquels des portraits (du Dr Trioson et de Mustapha Sussen), la réplique peinte par l'artiste de sa plus célèbre toile (au Louvre), inspirée du roman de Chateaubriand, *Les Funérailles d'Atala*, ou encore la belle **Leçon de géographie** (1803). Une partie du riche fonds de dessins est présentée par roulement dans le salon Girodet.

La dernière partie de la galerie abrite des œuvres d'artistes français du 19e s. Le plafond, figurant des monuments de la région, fut peint par un élève de Girodet. La bibliothèque, dont le mobilier fut dessiné et conçu en 1861 par le sculpteur romantique **Henri de Triqueti** (1804-1874), abrite une importante collection de petites sculptures d'époque romantique réalisées par des contemporains de l'artiste montargois : Feuchère, Barre, Gechter, Pradier… À l'étage, sont exposées de ravissantes terres cuites et de nombreuses pièces issues du fonds d'atelier de Triqueti.

Le saviez-vous ?

👁 Les Montargois conservent le souvenir de **Renée de France**, fille de Louis XII et de Anne de Bretagne. Calviniste, elle se retira à Montargis sur la pression de son petit-fils, Henri de Guise. Elle fit de ce lieu un centre de diffusion du protestantisme dans la région, et sauva des centaines de protestants pendant les guerres de Religion.

👁 À la Révolution, un autre Montargois, **Pierre-Louis Manuel** (1751-1793), dirigea avec Danton la Commune insurrectionnelle du 9 août 1792. La mise en place d'un nouveau gouvernement à partir de la Commune (siégeant à l'hôtel de ville) précipita la chute de la monarchie. Manuel, opposé à l'exécution de Louis XVI, périra lui aussi sur l'échafaud.

Boulevard Durzy

Ombragé de platanes, il s'allonge entre le canal et le jardin Durzy. À son extrémité, une haute et élégante passerelle métallique en dos d'âne, œuvre des ateliers Eiffel en 1891, ferme la perspective. De la passerelle même, on a une jolie **vue** sur deux écluses.

Franchissez le canal par la passerelle et continuez tout droit.

Boulevard Belles-Manières

Il est bordé au nord par un étroit chenal, des passerelles donnant accès aux maisons élevées sur les tours arasées de l'ancien rempart.

Revenez à l'entrée du bd Belles-Manières, et prenez à gauche la rue du Moulin-à-Tan, puis laissant à gauche la place de la République, suivez la rue Raymond-Laforge.

Rue Raymond-Laforge

De vieilles maisons avec lavoirs veillent sur deux canaux, que vous traverserez l'un après l'autre. Des barques décoratives, faisant office de jardinières, y sont bercées par les flots.

Revenez sur vos pas pour tourner dans la rue de l'Ancien-Palais.

Au bout de la rue, empruntez à droite une venelle que prolonge un pont d'où s'offre une **vue** en enfilade sur le dernier canal franchi.

Encore à droite, prenez la rue de la Pêcherie.

On traverse un quartier rénové, où subsistent quelques maisons à pans de bois. De la place Jules-Ferry, la rue Raymond-Tellier mène, à environ 50 m, à une autre **perspective d'eau** (jusqu'au canal de Briare).

Empruntez la rue du Loing à gauche, continuez par la rue du Gén.-Leclerc qui longe le flanc sud de l'église Ste-Madeleine, et tournez à gauche dans la rue du Château.

Musée du Gâtinais

7 r. du Château - ✆ 02 38 93 45 63 - se renseigner pour les horaires - fermé j. fériés, 25 déc.-1er janv. et à 16h30 veille des j. fériés - 2,80 € (enf. 1,70 €).

Aménagé dans une ancienne tannerie du 15e s., ce musée présente des objets archéologiques issus des sites gallo-romains de Sceaux-en-Gâtinais et des Closiers (où furent respectivement découverts un ensemble cultuel proche d'un théâtre et une nécropole), dont une belle plaque dédiée à la déesse Segeta. Vous verrez aussi du matériel provenant de sépultures mérovingiennes fouillées au Grand Bezout, quelques pièces d'archéologie égyptienne et grecque, des objets relatifs aux tanneries d'autrefois, et des coiffes régionales du 19e s.

Musée des Tanneurs

Carr. Henri-Perruchot - ✆ 02 38 98 00 87 - sam. 14h30-17h30 (dernière entrée 30mn av. fermeture) - 2 € (enf. gratuit).

Non loin du musée du Gâtinais, dans le vieux quartier rénové de l'îlot des Tanneurs, une maison du 16e s. accueille cet espace dédié au dur travail artisanal de la tannerie, avec ses gestes et ses outils du siècle dernier. À l'étage, les traditions s'animent à travers une collection de costumes ruraux et de coiffes. On distingue par exemple la *fanchon* (foulard à carreaux) portée au quotidien, la *caline* pour sortir en ville et la *coiffe brodée* réservée aux grandes occasions.

Regagnez la place du 18-Juin-1940 par le pont du Québec.

Aux alentours

Ferrières

Empruntez de préférence la D 315 à travers la forêt de Montargis (18 km).

Le bourg groupe ses rues étroites et tortueuses au pied de son ancienne abbaye bénédictine, l'un des foyers de la civilisation carolingienne et le grand centre monastique du Gâtinais.

Ancienne abbaye St-Pierre-et-St-Paul – *Laissez votre voiture sur l'esplanade ombragée (ancien mail et ancien « champ royal ») qu'annonce la belle croix élancée de Ste-Apolline.* De style gothique, l'**église** est originale pour sa **croisée du transept★** (12e s.), construite en rotonde sur huit hautes colonnes. Un édifice carolingien du 9e s., sur plan centré, inspira sans doute cette architecture en dais. Remarquez le curieux accessoire liturgique dans le croisillon : un palmier doré décoré de pampres ayant servi à l'exposition du Saint-Sacrement. Le chœur (13e s.) est éclairé par cinq fenêtres aux vitraux Renaissance. Dans le bras gauche du transept, remarquez une collection de statues anciennes (14e et 17e s.). Du terre-plein, en contrebas de la cour de l'ancien cloître, on a une **vue** sur le côté sud de l'église et sur la chapelle Notre-Dame-de-Bethléem, maintes fois reconstruite depuis le 15e s.

La ville basse – Une dérivation de la Cléry lui apporte une ambiance pittoresque, d'autant que le lavoir de la Pêcherie est encore en service. Du pont sur le ruisseau, profitez de la **vue** sur le barrage d'un ancien moulin à tan, les vieux toits de la ville et la flèche de l'abbatiale.

Château-Renard

17 km au sud-est par la D 943. Cette petite ville, qui doit son nom à un château construit au 10e s. sur la colline dominant l'Ouanne, et au comte Renard de Sens, garde encore quelques maisons anciennes, dont la plus belle (15e s.), à pans de bois et sculptures, s'élève place de la République. On y voit aussi, sur la rive gauche de l'Ouanne, le château de la Motte *(privé)*, du début du 17e s., dans un joli parc fleuri.

L'**église** correspond à l'ancienne chapelle (11e et 12e s.) du château. Une porte fortifiée, entre deux tours, donne accès à l'édifice encastré dans les ruines. Un puits profond précède le clocher-façade que coiffe un lanternon. Le terre-plein voisin, où se trouve une meule à huile du 12e s., commande une **vue** intéressante sur l'agglomération en contrebas.

Si la vie des abeilles vous fascine, vous pourrez satisfaire votre curiosité au **musée vivant de l'Apiculture gâtinaise** de La Cassine, route de Chuelles (D 37). Après avoir suivi le sentier de découverte, vous saurez repérer la reine des abeilles dans les ruches vitrées. Ensuite, grâce aux scènes animées et à la vidéo, vous apprendrez comment fonctionne une ruche. Vous assisterez pour finir à l'extraction du miel et aurez même le plaisir d'en déguster. *02 38 95 35 56 - www.museevivant.com - ♿ - juil.-août : 10h-18h ; avr.-juin : merc. et w.-end 10h-18h ; reste de l'année sur RV - 5 € (enf. 3,50 €).*

Jardins du Grand-Courtoiseau★★

18 km à l'est de Montargis, entre Château-Renard et Triguères, par la D 943. 06 80 24 10 83 - www.grand-courtoiseau.com - ♿ (par temps sec) - de mi-avr. à mi-oct. : tlj sf mar. et merc. non fériés 14h30-18h - fermé de mi-oct. à mi-avr. - 8 € (-11 ans gratuit).

Dessinés avec talent par le paysagiste Alain Richert, ce site de 6 ha, qui a reçu le label Jardin Remarquable en 2005, allie avec bonheur verger, potager et jardins d'agrément autour d'un manoir du 17e s. qui appartint, dans les années 1970, à l'écrivain Hervé Bazin.Pour éviter toute déception, il est cependant recommandé de se renseigner avant la visite sur le stade exact de floraison du site. Parcourez le jardin du Faune et ses roses, le frais jardin italien et ses bassins en forme de losanges, le jardin des antiques, le jardin exotique… et ne manquez pas l'exceptionnelle avenue de tilleuls, plantée au 17e s., ni la collection de roses anciennes et les érables du Japon qui flamboient à l'automne. Statues, vasques et fontaines viennent agrémenter ces savantes compositions tracées selon des perspectives qui ouvrent sans cesse de nouveaux points de vue. Partout présent, le murmure de l'eau vous accompagnera dans votre découverte de plantes rares aux couleurs vives ou aux parfums capiteux.

Montargis pratique

Adresse utile

Office du tourisme de l'agglomération montargoise – *10 r. Renée de France - 45200 Montargis - 02 38 98 00 87 - www.montargis.fr - juil.-août : 9h-12h30, 14h-18h30, dim. 10h-12h ; de mi-avr. à fin juin et sept.-oct. : lun.-sam. 9h-12h30, 14h-18h30 ; nov. à mi-avr. : lun.-sam. 8h30-12h30, 14h-18h.*

Se loger

Hôtel Dorèle – *222 r. Émile-Mengin - 02 38 07 18 18 - les-hotels-dorele@wanadoo.fr - P - 50 ch. 49/57 € - 7 €.* Construction cubique récente dans le quartier de la gare. Les chambres, pas très spacieuses, sont très bien insonorisées et agencées. Confortable salon.

Hôtel Ibis – *2 pl. Victor-Hugo - 02 38 98 00 68 - www.ibishotel.com - 59 ch. 49/65 € - 7,50 €.* Les chambres de cet hôtel, modernes et pratiques, offrent les prestations habituelles de la chaîne. Celles du 3e étage conviendront particulièrement aux familles. Plaisant restaurant rétro : verrière, appliques et banquettes. Plats de brasserie.

Hôtel Central – *2 r. Gudin - 02 38 85 03 07 - www.hotel-montargis.com - fermé 25 déc.-1er janv. - 12 ch. 55 € - 6,50 €.* Au cœur de la ville, cet hôtel aménagé dans les murs d'un ancien couvent a bénéficié d'une rénovation complète. Les chambres, de taille variable, sont simples et bien tenues.

Hôtel Le Belvédère – *192 r. J.-Ferry - 45200 Amilly - 02 38 85 41 09 - perso.wanadoo.fr/hbelvedere - fermé 15-28 août et 20 déc.-4 janv. - P - 24 ch. 58 € - 10 €.* Cet hôtel familial devancé par un jardin fleuri fait face à l'école du village. Calme et confort caractérisent les petites chambres personnalisées.

Se restaurer

La Péniche – *Quai du Pâtis - face à la poste et à l'office de tourisme. - 02 38 98 93 02 - www.lapeniche.fr - fermé 1re sem. de janv. - formule déj. 12,50 € - 19/25 €.* Sans atteindre des sommets de gastronomie, ce restaurant-brasserie aménagé dans une péniche sert une formule du jour plutôt sympathique dans un cadre agréable. La grande salle à manger est sobre et très bien tenue, mais, en été, n'hésitez pas à demander une table sur le pont : charme garanti.

Les Dominicaines – *6 r. du Dévidet - 02 38 98 10 22 - www.restaurant-lesdominicaines.com - fermé 2e quinz. d'août, sam. midi, dim. et j. fériés - réserv. conseillée - 32/53 €.* Murs jaune mimosa, paysage de lavande et miroirs composent le décor des trois petits salons de ce restaurant niché dans une rue piétonne du centre-ville. Cuisine soignée. Spécialités de produits de la mer.

Que rapporter

Mazet – *43 r. du Gén.-Leclerc - place Mirabeau, centre-ville. - 03 38 98 63 55 - www.mazetconfiseur.com - 9h15-12h15, 14h15-19h15.* N'oubliez pas votre sachet de pralines : les plus authentiques sont les pralines de Mazet.

Montbard

5 815 MONTBARDOIS
CARTE GÉNÉRALE B2 – CARTE MICHELIN DÉPARTEMENTS 320 G4 – CÔTE-D'OR (21)

Les rues en pente de la ville, étagée sur une colline entre le cours de la Brenne et le canal de Bourgogne, ont conservé le souvenir d'un enfant du pays hors du commun : le célèbre naturaliste Buffon. À l'emplacement de la forteresse des comtes de Montbard, devenue résidence des ducs de Bourgogne, puis finalement abandonnée, le jeune mais non moins illustre homme de sciences avait fait aménager un parc aujourd'hui ouvert au public.

Se repérer – Montbard, à 18 km au nord de Châtillon-sur-Seine et à 31 km à l'est de Noyers, est l'une des portes de l'Auxois.

À ne pas manquer – Au musée de l'Ancienne Orangerie, découvrez l'œuvre de Buffon et celle de Daubenton, autre enfant du pays. Faites ensuite un crochet par la commune de Buffon, à quelques kilomètres de Montbard, pour aller voir la forge et les ateliers où le génial savant testa ses découvertes sur le fer et l'acier et poursuivit ses expériences sur les minéraux.

Organiser son temps – Enfourchez un vélo et pédalez le long du canal de Bourgogne : vous pourrez ainsi aller, si le cœur vous en dit, jusqu'à Tonnerre vers le nord, ou jusqu'à Pouilly-en-Auxois au sud.

Avec les enfants – S'ils s'intéressent aux sciences, faites-leur revivre, au musée de l'Ancienne Orangerie, les découvertes et voyages de deux des plus grands naturalistes de l'histoire, originaires de Montbard : Buffon et Daubenton.

Pour poursuivre la visite – Voir aussi Alise-Ste-Reine, le château de Bussy-Rabutin, l'abbaye de Fontenay, Semur-en-Auxois.

Musée Buffon

Portrait du comte de Buffon par Drouais (1761).

Comprendre

Un naturaliste réputé – Né en 1707, **Georges-Louis Leclerc**, futur comte de Buffon, est le fils d'un conseiller au parlement de Bourgogne. Très jeune, il se passionne pour les sciences. Il tire de plusieurs voyages en France, en Italie, en Suisse et en Angleterre le très vif désir d'étudier la nature. En 1733, à l'âge de 26 ans, il entre à l'Académie des sciences où il succède à Jussieu. Sa nomination au poste d'intendant du Jardin du roi, en 1739, est décisive pour sa carrière. À peine entré en fonctions, il conçoit l'ambitieux dessein d'écrire l'histoire de la nature. Désormais, il consacre l'essentiel de son temps à cette gigantesque entreprise. Les trois premiers tomes de son *Histoire naturelle* sont publiés en 1749, les suivants vont se succéder pendant quarante ans (36 volumes d'une œuvre inachevée).

En 1752, Buffon est élu à l'Académie française. Les honneurs qui lui sont prodigués en récompense de ses travaux n'ont guère de prise sur cet homme indépendant. Les souverains de l'Europe entière et les plus grands personnages de son temps sollicitent son amitié. « Monsieur de Buffon », lui dit ainsi l'empereur d'Allemagne Joseph II, arrivant au Jardin du roi sans s'être fait annoncer, « nous traiterons ici, si vous le voulez bien, de puissance à puissance, car je me trouve actuellement sur les terres de votre empire. »

Buffon et le Montbardois – Buffon n'aime point Paris, et les distractions que lui offre la capitale ne lui permettant pas de travailler à son gré, il s'établit en son pays natal. Il installe sur son domaine de Buffon une forge qu'il dirige en personne *(voir plus loin)*. Seigneur de Montbard, il fait raser le donjon central et les annexes du château médiéval, ne conservant que le mur d'enceinte et deux des dix tours. Il fait installer des jardins en terrasses et plante des arbres d'essences variées sans négliger fleurs et légumes. C'est à Montbard, où il menait la vie de son choix, que Buffon rédigea une grande partie de son œuvre. Mais c'est à Paris, au Jardin du roi, qu'il meurt en 1788.

Se promener

Parc Buffon★

☏ 03 80 92 50 42 - www.montbard.com - visite guidée (1h) juil.-août : 10h-12h, 14h-18h ; mars-juin et sept.-oct. : tlj sf lun. 10h-12h, 14h-18h - fermé mar., nov.-fév., 1er Mai - gratuit.

En 1735, Buffon achète le château, déjà en ruine, dont l'origine est antérieure au 10e s. Ne conservant que deux tours *(décrites ci-après)* et l'enceinte fortifiée, il y aménage les jardins – légèrement modifiés par le temps – qui forment aujourd'hui le parc Buffon. Sillonné de sentiers et d'allées, cet espace vert procure d'agréables promenades.

Tour de l'Aubespin – Haute de 40 m, elle permit à Buffon de réaliser des expériences sur les vents. Les gargouilles et merlons datent d'une restauration du 19e s. La première des trois salles superposées abrite des souvenirs d'histoire locale. Du sommet, on a une belle **vue** sur la ville et ses environs.

Tour St-Louis – La mère de saint Bernard, Aleth de Montbard, y naquit en 1070. Buffon rabaissa la tour d'un étage et y installa l'une de ses bibliothèques.

Cabinet de travail de Buffon – C'est dans ce petit pavillon aujourd'hui vide, mais toujours tapissé de gravures d'oiseaux en couleurs (18e s.), que Buffon rédigea une grande partie de sa fameuse *Histoire naturelle*.

Chapelle de Buffon

L'explorateur de la nature a été inhumé le 20 avril 1788 dans le caveau d'une chapelle latérale de l'église St-Urse, en dehors de l'enceinte.

Musée de l'Ancienne Orangerie

☏ 03 80 92 50 42 - www.montbard.com - mars-déc. : tlj sf mar. 10h-12h, 14h-18h ; janv.-fév. : tlj sf lun. et mar. 14h-17h, w.-end et j. fériés 10h-12h, 14h-17h - fermé 24 déc.-2 janv., 1er Mai - gratuit.

Au rez-de-chaussée du bâtiment de l'orangerie, transformée en écuries en 1760, trône un énorme plâtre de Buffon dû à Jean Carlus. À l'étage, un parcours scientifique nous dévoile, à travers les collections du musée, l'œuvre du grand naturaliste et celle de Louis Daubenton, deux grands savants du siècle des Lumières. Des expositions temporaires viennent compléter la visite.

Hôtel de Buffon

Fermé pour travaux - réouverture prévue au plus tôt en 2010.

À l'emplacement de sa maison natale, le savant fit construire ce vaste et confortable hôtel (achevé en 1741), d'où il pouvait gagner directement ses jardins et son cabinet de travail. Les bâtiments, en travaux, abriteront le musée Buffon. À lire, sous un porche de l'hôtel, la citation que Buffon appliqua visiblement lui-même : « Ne quittez jamais le chemin de la vertu et de l'honneur, c'est le seul moyen d'être heureux. »

Visiter

Musée des Beaux-Arts

☏ 03 80 92 50 42 - www.montbard.com - de mi-juin à fin sept. : tlj sf mar. 10h-12h, 14h-18h - gratuit.

Aménagé dans l'ancienne chapelle néogothique (1870) de l'institution des Ursulines, ce musée présente, outre une magnifique *Adoration des bergers* sur bois de 1599 peinte par André Menassier, des tableaux et sculptures des 19e et 20e s. Remarquez les peintures d'Yves Brayer, Maurice Buffet, Chantal Queneville, Ernest Boguet, et des sculptures de Pompon. Parmi les artistes exposés, notez le sculpteur montbardois **Eugène Guillaume** (1822-1905), académicien et directeur des Beaux-Arts sous Jules

Le saviez-vous ?

Les Montbardois vivent non seulement dans le souvenir du grand savant **Buffon**, mais aussi dans la continuation de son activité de maître de forges, puisque la cité est un important centre métallurgique spécialisé dans la fabrication des tubes d'acier.

La ville a donné naissance à un autre savant, le médecin **Louis Daubenton** (1716-1800), inventeur de l'anatomie comparée, qui collabora à l'*Histoire naturelle* ainsi qu'à la réorganisation du Jardin du roi. Celui-ci deviendra Museum d'histoire naturelle sous la Convention (actuel Jardin des plantes, où Daubenton est enterré).

Ferry. Le musée héberge également une collection de cycles anciens, et propose des expositions temporaires, essentiellement consacrées à des photographes de renom (Doisneau, Cartier-Bresson, Bettina Rheims...).

Aux alentours

Grande Forge de Buffon

Sur la commune de Buffon, à 7 km au nord-ouest. ✆ 03 80 92 10 35 - possibilité de visite guidée (45mn) avr.-sept. : tlj sf mar. 10h-12h, 14h30-18h - 6 € (-12 ans gratuit).

C'est sur ses terres que le célèbre naturaliste bourguignon, alors âgé de 60 ans, fit construire en 1768 une forge pour mettre en œuvre ses recherches sur la fusion, et poursuivre ses expériences sur les minéraux.

Ph. Gajic / MICHELIN

Escalier de la Grande Forge de Buffon.

Les **ateliers** regroupent trois bâtiments séparés par des bras d'eau. Les vestiges du haut-fourneau sont accessibles par un escalier monumental qui se divise en deux rampes et ménage des paliers, et d'où l'on pouvait assister à la coulée de la gueuse (fonte brute) : même la nuit (une lanterne est prévue), Buffon aimait transformer ce succès technique en spectacle pour ses nobles visiteurs... Suivent la forge proprement dite, où la fonte était refondue et frappée au martinet, et l'emplacement de la fenderie, où les barres de fer pouvaient être retravaillées en produits semi-ouvrés.

Abbaye de Fontenay★★★ *(voir ce nom)*

6 km par Marmagne.

Château de Nuits

18 km au nord-ouest (D 905). ✆ 01 47 63 82 78 ou ✆ 06 64 14 19 47 - www.chateau-de-nuits.com - visite guidée (45mn) avr.-nov. : 10h, 11h, 14h15, 15h15, 16h15, 17h15 - fermé mar. (sf juil.-août et j. fériés) - 6 € (enf. 3 €).

Élevé vers 1560 lors des guerres de Religion, le château a perdu l'enceinte fortifiée qui précédait sa belle façade Renaissance à lucarnes et pilastres. La façade est, tournée vers l'Armançon (ancienne frontière entre la Bourgogne et la Champagne) et soulignée par deux puissants pavillons en saillie, trahit par son austérité son rôle défensif.

Située dans les salles voûtées donnant accès à la terrasse est, la cuisine bénéficie d'un puits intérieur qui permettait de tenir en cas de siège. Un large escalier de pierre conduit à l'étage noble qui abrite, en particulier, une haute cheminée de pur style Renaissance ainsi que des lambris du 18e s.

À la visite du château s'ajoute celle de la **commanderie de St-Marc**, qui a compté parmi les plus influentes de Bourgogne. Ses bâtiments, près des rives de l'Armançon, constituent un bel ensemble architectural, dont une chapelle de la fin du 12e s.

Prieuré de Vausse

20 km à l'ouest dans la forêt de St-Jean, par la D 905, puis la D 68 à gauche dans Rougemont. ✆ 03 86 82 86 84 - visite guidée (45mn) juil.-août : tlj sf mar. et j. fériés 14h-19h ; juin et sept. : dim. 14h-18h - 4 € (enf. gratuit).

Fondé au 12e s. par un seigneur de Montréal, le prieuré de Vausse se composait d'une communauté de moines cisterciens. Placé sous l'égide de Notre-Dame et St-Denis, il jouit d'une certaine importance jusqu'au 15e s., mais la réforme religieuse entraina sa décadence. Vendu comme bien national à la Révolution, il fut racheté en 1792 par un faïencier qui y établit une fabrique. Vers les débuts du 19e s., le prieuré devint la propriété de la famille Petit, dont l'un des membres, Ernest Petit, allait consacrer sa vie à l'histoire bourguignonne. Aujourd'hui, lors de votre visite du site, vous remarquerez l'ancienne église (13e s.) qu'il avait transformée en bibliothèque. Vous verrez également un **cloître** roman (13e s.) bien conservé entourant un charmant jardin de curé, ainsi qu'une petite **chapelle** du 14e s.

Montbard pratique

Voir aussi les carnets pratiques d'Alise-Ste-Reine et de Semur-en-Auxois.

Adresse utile

Office du tourisme des communautés de communes du Montbardois – *Pl. Henri-Vincenot - 21501 Montbard - 03 80 92 53 81 - www.ot-montbard.fr - juil.-août : lun.-sam. 9h-13h15, 14h-18h30, dim. 9h-13h ; sept.-juin : tlj sf dim. : 9h-13h15, 14h-18h30.*

Se loger

Camping municipal – *R. Michel-Servet, quartier St-Pierre - par la D 980 déviation nord-ouest de la ville, près de la piscine - 03 80 92 21 60 - www.montbard.com - réserv. conseillée - 200/550 € par sem. pour 6 pers.* Outre ses 80 emplacements aménagés sur un terrain plat et herbeux, ce camping propose des locations de mobile homes et de « mini-chalets découverte », pratiques pour les séjours en famille. Diverses installations à la disposition des vacanciers : jeux pour enfants, tables de ping-pong et court de tennis.

Se restaurer

Le Marronnier – *6 rte des Forges - 21500 Buffon - 6 km au nord de Montbard par D 905 - 03 80 92 33 65 - http://perso.wanadoo.fr/lemarronnier - fermé 25 déc.-18 janv. - formule déj. 20 € - 12/29 € - 5 ch. 60/80 € - 7,50 €.* Cette maison de pays profite d'une belle situation face au canal de Bourgogne. La salle à manger est agréable avec ses murs de pierre et sa cheminée d'ornement, mais l'été on préférera la terrasse agrémentée d'une fontaine. Carte traditionnelle. Cinq chambres récemment créées.

L'Écu – *7 r. Auguste-Carré - 03 80 92 11 66 - www.hotel-de-l-ecu.fr - fermé 23 fév.-8 mars, vend. soir, dim. soir et sam. du 11 nov. au 30 mars - 20/52 €.* Ancien relais de poste (16e s.) à fière allure où l'on vient faire des repas traditionnels sous les voûtes des ex-écuries ou dans une salle moderne dotée de chaises Louis XIII. Bon accueil, ambiance provinciale, chambres classiquement aménagées et terrasse sur cour.

Sports & Loisirs

Golf – *21150 Venarey-les-Laumes - venarey.free.fr.* Accordez-vous un moment de détente sur ce golf situé au pied du mont Auxois et encerclé par une boucle de la Brenne. Parcours composé de 7 trous, d'une longueur totale de 2 075 m de par 27, il est accessible aux joueurs de tous niveaux.

Le Morvan★★

CARTE GÉNÉRALE B2/3 – CARTES MICHELIN DÉPARTEMENTS 320 C/F 5/8, 319 F/I 7/11
CÔTE-D'OR (21), NIÈVRE (58), SAÔNE-ET-LOIRE (71), YONNE (89)

Au cœur de la Bourgogne, le mystérieux massif du Morvan se répartit sur quatre départements. Ses caractéristiques géographiques et géologiques en font une région à part, bien distincte des contrées environnantes. À l'écart des grandes routes, avec ses vastes forêts, ses escarpements rocheux, ses lacs et ses cours d'eau tumultueux, le Morvan demeure un espace privilégié pour les sportifs et les amateurs de nature. Judicieusement mis en valeur, ses traditions et son patrimoine historique ont de quoi vous fasciner.

Se repérer – Le Morvan forme un quadrilatère d'environ 70 km de longueur sur 50 km de largeur, s'étendant d'Avallon à St-Léger-sous-Beuvray et de Corbigny à Saulieu.

À ne pas manquer – Découvrez les différentes facettes de cette région de caractère en visitant les maisons à thème de l'écomusée du Morvan.

Organiser son temps – Le Morvan invite à la randonnée : pensez à emporter de bonnes chaussures de marche pour suivre les nombreux chemins de petite ou de grande randonnée qui sillonnent cette belle nature sauvage. Et n'oubliez pas de vous renseigner sur la météo avant de partir en balade !

Avec les enfants – Véritable terrain de jeux naturel, le Morvan se prête à toutes sortes d'activités de plein air. Ils aimeront particulièrement la base de loisirs des Settons, les balades « accrobranches » dans les arbres *(voir carnet pratique)*, l'enclos à chevreuils de la forêt de Breuil-Chenue ou encore le sentier de découverte de l'étang Taureau. Ils apprécieront aussi les maisons à thème de l'écomusée du Morvan.

Pour poursuivre la visite – Voir aussi Autun, le mont Beuvray, Château-Chinon, Luzy, Moulins-Engilbert, St-Honoré-les-Bains, Saulieu.

Paysage du Morvan.

Comprendre

Les deux Morvans – Quand on l'aborde par le nord, le massif du Morvan ressemble à un vaste plateau à peine bosselé qui s'élève lentement vers le sud. Ces ondulations, qui s'étagent et viennent rejoindre en pente douce le Bassin parisien, forment le **bas Morvan**, où l'altitude ne dépasse pas 600 m. Dans la partie méridionale – au sud de Montsauche – se dressent les sommets : **mont Beuvray** (821 m), **mont Preneley** (855 m), **massif du Bois du Roi** (où le Haut-Folin culmine à 901 m), cédant brusquement devant la dépression de l'Autunois. En dépit de leur faible altitude, ils communiquent à la région un caractère montagneux : c'est le **haut Morvan**.

Le pays de la forêt – Autrefois, ce pays qui ne possédait ni vignobles, ni champs fertiles suscitait le mépris de ses riches voisines, les plaines du Bazois ou de l'Auxois, terres d'élevage et de culture. Aujourd'hui, grâce aux plantations de résineux effectuées depuis la Seconde Guerre mondiale, la forêt représente une nouvelle richesse, qu'il convient d'exploiter localement par l'installation d'entreprises de transformation. Ces surfaces boisées représentent un enjeu majeur pour l'avenir de la région.

La forêt (la plus vaste de Bourgogne), qui couvre environ 45 % de l'espace morvandiau, est l'élément caractéristique du massif. Progressivement, les futaies de hêtres ou de chênes cèdent la place aux résineux, plus rentables, dans un repeuplement que certains déplorent pour le risque de déséquilibre écologique encouru, les sols étant déjà acides. Le **douglas**, ou pin de l'Oregon, au bois rose saumon, atteignant les 50 m de hauteur, est ainsi devenu le roi de la forêt en Morvan. Ses propriétés font de lui la première essence utilisée dans le reboisement en France.

La mécanisation a modifié les modes d'exploitation forestière et, depuis que le flottage à bûches perdues vers Paris a disparu *(voir Clamecy)*, le bois est transporté par camions aux usines voisines (menuiserie et surtout carbonisation). La forêt est à la fois une source de revenus pour ses propriétaires, un espace de détente pour l'habitant ou le visiteur en quête de nature et un maillon essentiel dans la chaîne écologique.

Le sapin que vous avez décoré à Noël provenait sûrement du Morvan : il s'en cultive ici près de 2 millions sur un millier d'hectares. Il faut environ 6 ans à l'**épicéa** pour qu'il atteigne sa taille adulte... et plaise aux enfants.

L'eau, une richesse – De climat atlantique sub-montagnard, le massif du Morvan reçoit des pluies fréquentes qui, jointes au printemps à la fonte des neiges, transforment les ruisseaux en torrents. La roche, imperméable, est recouverte d'arène granitique, facilitant l'écoulement des eaux dans certaines zones.

Cela explique que des cours d'eau comme l'Yonne, la Cure, le Cousin ou encore le Chalaux roulent parfois des flots tumultueux. Plusieurs retenues (Pannecière-Chaumard, les Settons, Crescent, Chaumeçon) permettent d'en régulariser le cours au moment des crues et de soutenir leur débit en période d'étiage ; le lac de St-Agnan constitue une réserve en eau potable.

Le tourisme – Doté d'un patrimoine naturel d'exception, le Morvan mise sur un tourisme de loisirs et de découverte paysagère. Le lac des Settons, qui attire chaque année à lui seul des milliers de vacanciers, offre par exemple un cadre idéal à la pratique des sports nautiques. Les quelque 3 500 km de sentiers pédestres qui sillonnent le Parc naturel régional du Morvan permettent aux randonneurs de tous niveaux de découvrir une nature préservée. En hiver, les pentes du Haut-Folin, point le plus élevé du Morvan, font le bonheur des skieurs de fond. Le visiteur pourra par ailleurs se faire une idée vivante des traditions et métiers du cru en visitant les différentes maisons à thème de l'écomusée du Morvan réparties sur le territoire *(consultez la liste dans l'encadré p. 321)*. Une randonnée dans la nature peut ainsi se compléter par une autre dans l'histoire...

Découvrir

Parc naturel régional du Morvan

Créé en 1970, le parc couvre l'essentiel du « pays » et participe amplement à son essor touristique. Regroupant 95 communes des départements de la Côte-d'Or, de la Nièvre, de Saône-et-Loire et de l'Yonne, son rôle est de préserver et de valoriser les milieux naturels en assurant la promotion culturelle et l'information. Il a pris pour emblème le cheval au galop d'une monnaie éduenne découverte sur le site antique de Bibracte.

PNR Morvan

Espace Saint-Brisson

À St-Brisson, 10 km à l'ouest de Saulieu. ✆ 03 86 78 79 57 - www.parcdumorvan.org - ♿ - Maison des hommes et des paysages, expositions temporaires mai-sept. : 10h-13h, 14h-18h ; avr. et du 1er oct. au 11 Nov. : 10h-13h, 14h-17h - Maison des hommes et des paysages 3 € (-8 ans gratuit) - visite du domaine tte l'année (gratuit).

Au cœur de ce vaste domaine de 40 ha, un ensemble de bâtiments du 19e s. abrite plusieurs structures : la **Maison du Parc,** où vous obtiendrez toutes sortes d'informations utiles concernant le Parc naturel régional du Morvan (librairie, magasin de vente des produits locaux, dont le fameux miel) ; l'une des cinq maisons à thème de l'écomusée du Morvan : la **Maison des hommes et des paysages** (présentation synthétique de l'histoire du Morvan) ; le **musée de la Résistance en Morvan**.

Pour mieux vous familiariser avec les milieux naturels de la région, promenez-vous dans le domaine afin de découvrir l'**arboretum,** l'**herbularium** (jardin conservatoire), le **verger** conservatoire et le **sentier de découverte** de l'étang Taureau *(voir carnet pratique)*.

Circuits de découverte

LE BAS MORVAN

Circuit autour de Vézelay 1

73 km – 1 journée.

Cet itinéraire part de la bordure nord du Morvan jusqu'à Lormes, et revient par les lacs de Chaumeçon, puis du Crescent.

Quittez Vézelay en direction d'Avallon. Le site de Vézelay, couronné par la basilique, domine le paysage jusqu'à St-Père.

Saint-Père★

La Cure, un peu calmée, coule ici entre de vieilles maisons au pied de coteaux récemment replantés de vignes (AOC bourgogne vézelay). En arrivant au village, le regard est attiré cette fois par une haute et élégante tour-clocher.

Église Notre-Dame★ – Commencée vers 1200, l'église a enregistré toutes les étapes de l'évolution du style gothique bourguignon, du 13e au 15e s. Lors des guerres de Religion, elle devint église paroissiale, remplaçant dans ce rôle l'église St-Pierre (d'où le nom de St-Père) incendiée en 1567 et jamais reconstruite. Au-dessus de la rosace, le pignon est creusé d'arcatures abritant au centre les statues du Christ et de saint Étienne, encadrées d'un côté par la Vierge et les saints Pierre, André et Jacques, de l'autre par sainte Madeleine, saint Jean et deux évangélistes. Le porche ajouté à la fin du 13e s., restauré par Viollet-le-Duc, s'ouvre par trois portails, dont le central, avec arcade trilobée, est orné d'un Jugement dernier. Sous le porche, abritant les tombeaux des donateurs et d'une femme (1258), on remarque l'ampleur des voûtes et le beau dessin des larges baies latérales. L'intérieur est d'une grande pureté de style. À l'entrée, deux bénitiers en fonte du 14e s., en forme de cloches renversées, précèdent la nef centrale aux clefs de voûtes peintes et aux consoles sculptées de têtes expressives. Une étroite galerie située au niveau des fenêtres hautes allège l'ensemble. Notez, dans le collatéral gauche, un gisant mutilé du 13e s. ; dans la chapelle droite du chœur, une pierre d'autel du 10e s. provenant de l'église primitive ; et en sortant, de curieux fonts baptismaux peints, d'époque carolingienne.

Musée archéologique régional – *✆ 03 86 33 37 31 - www.saint-pere.fr - juil.-août : 10h-12h25, 14h30-19h ; avr.-juin et sept. : 10h-12h30, 13h30-18h30 ; oct.-nov. : 10h-12h30, 13h30-17h30 (dernière entrée 30mn av. fermeture) - billet combiné avec les fouilles des Fontaines salées : 4 € (enf. 1,60 €).* Installé dans l'ancien presbytère du 17e s., ce musée abrite les antiquités provenant des fouilles des Fontaines salées (maquette), notamment l'un des cuvelages protohistoriques, conduits faits de troncs de chênes évidés au feu, destinés à capter les sources minérales. On y voit aussi une balance en fer gallo-romaine du 4e s., des fibules en bronze émaillé, en forme d'hippocampe ou de canard sauvage, des armes et bijoux mérovingiens trouvés dans les nécropoles du Vaudonjon, près de Vézelay, et de Gratteloup, près de Pierre-Perthuis. La salle médiévale réunit des sculptures régionales du 12e au 14e s., dont une statue de saint Jacques le Majeur et un Christ bénissant du 13e s.

Quittez St-Père au sud.

La route remonte la haute vallée de la Cure qui s'enfonce dans une gorge boisée.

Fouilles des Fontaines salées – *1,5 km - ✆ 03 86 33 37 36 - www.saint-pere.fr - juil.-août : 10h-19h ; avr.-juin et sept. : 10h-12h30, 13h30-18h30 ; oct.-nov. : 10h-12h30, 13h30-17h30 (dernière entrée 30mn av. fermeture) - billet combiné avec le Musée archéologique.* Les fouilles, toutes proches de la D 958, ont mis au jour des thermes gallo-romains dépendant d'un sanctuaire d'origine gauloise (temple circulaire du 1er s. avant J.-C., avec un bassin sacré, faisant du site une sorte de précurseur païen de Vézelay) et une piscine, dans une vaste enceinte consacrée aux divinités des sources. Exploitées depuis la période néolithique, les fontaines furent comblées à partir du 14e s. par l'administration des gabelles. Dix-neuf cuvelages de bois du 2e millénaire av. J.-C. ont été conservés grâce à la forte minéralisation de l'eau. Un captage en pierre d'époque romaine donne accès à une source minérale, toujours utilisée localement pour soigner les maladies de peau.

Pierre-Perthuis★

4 km par la D 958. Aire de pique-nique aménagée. On entre dans le bourg par la porte d'un château féodal du 12e s. en ruine. Le village occupe un **site★** très pittoresque, avec une église qui surplombe la vallée de la Cure et trois ponts, l'un moderne, à 33 m au-dessus de la rivière tumultueuse, et son aîné de cent ans (1770) presque à ses pieds, faisant le gros dos. Le troisième (1851) enjambe, un peu plus loin, le ruisseau de Bazoches.

Sortez du village pour trouver en aval, sur la rive droite, la **roche Percée**, qui est une arcade à laquelle Pierre-Perthuis doit son nom.

Poursuivez vers le sud en direction de Lormes.

S. Sauvignier / MICHELIN

Site de la roche Percée, en aval de Pierre-Perthuis.

Bazoches★★ *(voir ce nom)*

Gagnez Lormes, 13,5 km au sud sur la D 42.

Lormes

Près de la perception, prenez la rue du Panorama, qui conduit à l'église, édifice néogothique bâti sur la montagne St-Alban (470 m). N'hésitez pas à y rentrer pour détailler les 82 chapiteaux historiés dus au sculpteur Guillaumet (19e s.).

De la terrasse du cimetière, un joli **panorama★** dévoile les sommets boisés du Morvan central *(au sud-est)* et les cultures parsemées de villages, entrecoupées des petits bois du Bazois et du Nivernais *(au sud-ouest)*. À l'horizon apparaît la butte de Montenoison.

Mont de la Justice★

1,5 km au nord-ouest. Table d'orientation.

Au sommet du mont (alt. 470 m), on découvre un autre beau **panorama★** procurant, si la végétation n'est pas trop dense, des vues sur Vézelay (au nord), la dépression de l'Yonne et la butte de Montenoison (à l'ouest), le Bazois (au sud-ouest), et par-delà le clocher de Lormes, au sud-est, la ligne du Morvan avec la croupe du Haut-Folin.

Le saviez-vous ?

Au loin, le massif du Morvan se signale par la couverture sombre de ses forêts : selon l'étymologie celtique, Morvan signifierait d'ailleurs « montagne noire ».

Les Morvandelles ont longtemps été, par tradition familiale, d'excellentes nourrices. À la ville au 19e s., il n'était pas de bon ton en effet que les jeunes mères allaitent leurs enfants ; aussi les Morvandelles allaient-elles à Paris, tantôt « se mettre en nourriture », tantôt accueillir les bébés que l'Assistance publique leur confiait (appelés localement « les Petits Paris »). Nombreux furent les enfants de la capitale qui passèrent dans le Morvan leurs premiers mois.

Dans Lormes, prenez la D 6 en direction de Dun-les-Places.

Lac de Chaumeçon

La route, sinueuse, traverse des bois au sol vallonné où affleurent les rochers. Elle parcourt ensuite un paysage de croupes boisées et de vallons herbagers.

Franchissez la digue et tournez aussitôt à gauche pour rejoindre à 800 m la D 235.

On domine bientôt le plan d'eau de Chaumeçon, entouré de hauteurs boisées, et qui semble parfois suspendu à la ligne des nombreux pêcheurs. Après Vaussegrois, la route en forte descente franchit un petit vallon et se rapproche de la rive dont elle épouse les sinuosités, avant de passer sur le barrage (arrêtez-vous pour apprécier sa hauteur, 42 m au-dessus de la gorge du Chalaux) et de monter à Plainefas.

Prenez la route de Chalaux à droite en quittant le bourg.

Barrage du Crescent

Terminé en 1933, au confluent du Chalaux et de la Cure, il est du type barrage-poids (jolie vue sur le lac à proximité) : il résiste par sa seule masse à la poussée de l'eau accumulée en amont dans les deux vallées. Sa retenue de 14 millions de m^3 alimente en énergie l'usine hydroélectrique de Bois-de-Cure et concourt à régulariser le débit de la Seine.

Prenez la D 944 en direction d'Avallon.

Château de Chastellux-sur-Cure★

(Voir p. 130). Du viaduc de la D 944 sur la Cure, on a la meilleure **vue** de la forteresse, bâtie à flanc de coteau dans un nid de verdure et dominant la gorge boisée.

Regagnez Vézelay par la D 20 puis la D 36 (17,5 km).

Circuit autour de Saulieu 2

80 km – 1 journée.

L'itinéraire offre une face naturelle, avec un passage à la Maison du Parc ainsi que de jolies vues sur le lac des Settons, et une face culturelle, avec les visites de l'abbaye de la Pierre-qui-Vire et de la Maison Vauban. En juin, les jacinthes font des tapis bleus en sous-bois et au bord des routes, ponctués de quelques orchidées pourpres.

Quittez Saulieu en direction de Dun-les-Places (22 km à l'ouest).

La route franchit un plateau parsemé de bois et d'étangs, puis une région en grande partie boisée.

Maison du Parc *(voir p. 316)*

Si vos enfants souhaitent voir des cervidés, vous pourrez faire un petit détour par l'**enclos à chevreuils**, près d'une ancienne maison forestière *(chalet*

d'accueil), un peu plus loin sur la D 6, 2 km après Les Fourches, dans la forêt de Breuil-Chenue. Des miradors situés àl'extérieur de l'enceinte permettent d'observer les animaux.
Sinon, prenez la D 225 aux Fourches en direction de St-Agnan.

Lac de Saint-Agnan

5 km au nord. Du village, on franchit le lac à la pointe sud, dans la vallée du Cousin, le barrage granitique (1969) qui forme la retenue du Trinquelin (la rivière en profite pour changer de nom) se trouvant à l'opposé. De là, on a une jolie **vue** sur ce long plan d'eau bien intégré au paysage entre ses rives boisées (sapins et feuillus).
Aux Michaux, prenez une petite route sur la gauche en direction de St-Léger-Vauban.

Abbaye de la Pierre-qui-Vire

Bâtie dans un site solitaire et sauvage du Morvan, sur une rive accidentée du Trinquelin, elle tire son nom d'une énorme pierre plate posée en équilibre sur un rocher et que l'on pouvait faire osciller d'une faible pression de la main.
En 1850, sur un domaine donné par la famille de Chastellux, le père **Muard** *(voir p. 349)* jette les bases du monastère. La progression est rapide, et les locaux édifiés de 1850 à 1953 se révèlent insuffisants et inadaptés pour accueillir les 85 moines bénédictins ainsi que les nombreux hôtes. Un concours d'architecture a été lancé en 1988. Les travaux réalisés par J. Cosse jusqu'en 1995 ont unifié l'ensemble des constructions successives.
L'église est dotée d'une avant-nef, espace de transition qui invite au silence ; le tympan de l'église a été décoré par le frère Marc. Sur l'esplanade, à droite, remarquez la bibliothèque, riche de 100 000 volumes. On retrouve dans cette salle le choix de l'encorbellement pour couvrir les baies. L'abbaye a fondé et longtemps dirigé les éditions du Zodiaque, spécialisées dans l'art religieux et plus particulièrement roman. Elle reste un pôle culturel dans ce domaine.
Visite – *✆ 03 86 33 19 20 - www.abbaye-pierrequivire.asso.fr - ♿ - 10h15-12h15, 15h-17h30, dim. et j. fériés 11h15-12h15, 15h-17h30 - fermé janv. - exposition et audiovisuel 2,30 € (enf. 1,20 €).*
Bien que la clôture monastique ne permette pas la visite des bâtiments, une **salle d'exposition** est ouverte aux personnes qui désirent en savoir plus sur l'existence des moines *(audiovisuel sur la vie monastique)* et sur leurs travaux. Vous y trouverez une grande librairie multimédia. Vous pouvez entrer à l'église pour les **offices** et rendre hommage à la pierre plate qui se trouve hors de l'enceinte. *Messe 9h15, dim. et j. fériés 10h ; vêpres 18h (lun. 17h30).*

Saint-Léger-Vauban

4 km par la D 226. Le village de St-Léger-de-Foucheret vit naître, en 1633, Sébastien Le Prestre, futur marquis de Vauban, l'une des gloires du Grand Siècle. Sur la place du petit bourg qui, en 1867, changea de nom, trône une statue en bronze de l'illustre homme, érigée au début du 20e s.
Église Saint-Léger – D'origine Renaissance, cette église de plan cruciforme, où fut baptisé Vauban, fut transformée au 19e s. Elle a reçu d'intéressantes adjonctions modernes dues au sculpteur bourguigon Marc Hénard (1919-1992) : les vantaux en bois du portail latéral sud, les sculptures et le vitrail de la chapelle Notre-Dame-du-

Vauban ou l'art de la guerre

Resté orphelin de bonne heure et sans fortune, **Sébastien Le Prestre** s'enrôla à 17 ans dans l'armée du prince de Condé, alors révolté contre la Cour, fut fait prisonnier par l'armée royale et s'attacha dès lors au service du roi Louis XIV. Ingénieur militaire à 22 ans, il travailla à 300 places anciennes, en construisit 33 nouvelles, dirigea et mena à bien 53 sièges, justifiant le proverbe : *« Ville défendue par Vauban, ville imprenable ; ville assiégée par Vauban, ville prise. »*
Brigadier général des armées, puis Commissaire général des fortifications, il reçut en octobre 1704 le bâton de maréchal. Il couvrit les frontières de la France d'une ceinture de forteresses de conception absolument nouvelle, utilisant des procédés tels que les feux croisés, le tir à ricochet, les boulets creux, les parallèles, les cavaliers de tranchée et de nombreuses autres inventions d'une portée révolutionnaire pour l'époque, souvent imaginées pour épargner les vies humaines *(voir Bazoches)*.

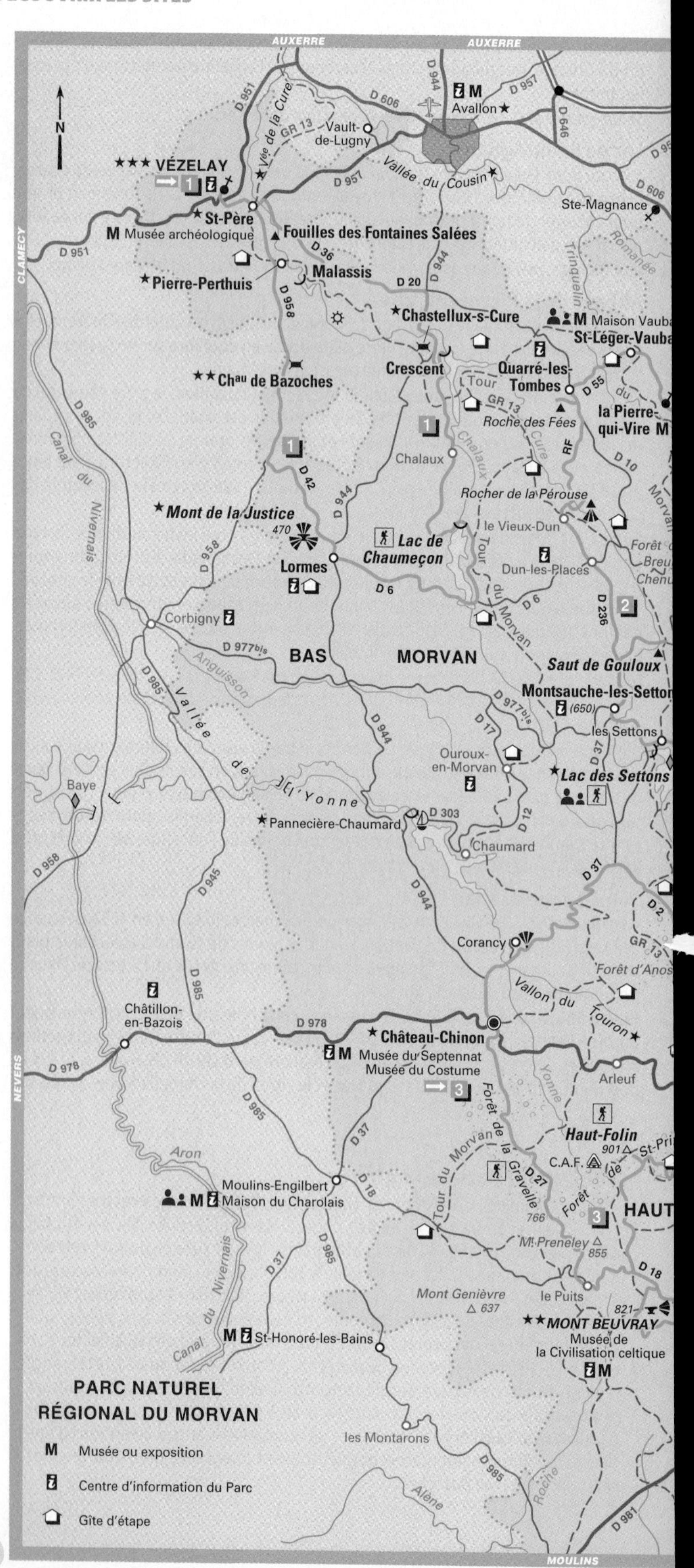
AUXERRE
AUXERRE
CLAMECY
NEVERS
MOULINS
★★★ VÉZELAY
Avallon★
Vault-de-Lugny
Vallée du Cousin
Ste-Magnance
St-Père
M Musée archéologique
Fouilles des Fontaines Salées
Malassis
Pierre-Perthuis
Chastellux-s-Cure
M Maison Vauban
St-Léger-Vauban
Crescent
Quarré-les-Tombes
★★ Chau de Bazoches
Roche des Fées
la Pierre-qui-Vire
Chalaux
Rocher de la Pérouse
le Vieux-Dun
★ Mont de la Justice
Lac de Chaumeçon
Lormes
Dun-les-Places
Corbigny
BAS
MORVAN
Saut de Gouloux
Montsauche-les-Settons
les Settons
Ouroux-en-Morvan
★ Lac des Settons
Vallée de l'Yonne
Baye
★ Pannecière-Chaumard
Chaumard
Corancy
Forêt d'Anost
Vallon du Touron★
Châtillon-en-Bazois
★ Château-Chinon
M Musée du Septennat
Musée du Costume
Arleuf
Haut-Folin
C.A.F.
Forêt de la Gravelle
Forêt de St-Prix
Moulins-Engilbert
M Maison du Charolais
Mt Preneley 855
Mont Genièvre 637
le Puits
★★ MONT BEUVRAY
Musée de la Civilisation celtique
St-Honoré-les-Bains
les Montarons
Canal du Nivernais
Aron
Alène
PARC NATUREL
RÉGIONAL DU MORVAN
M Musée ou exposition
Centre d'information du Parc
Gîte d'étape

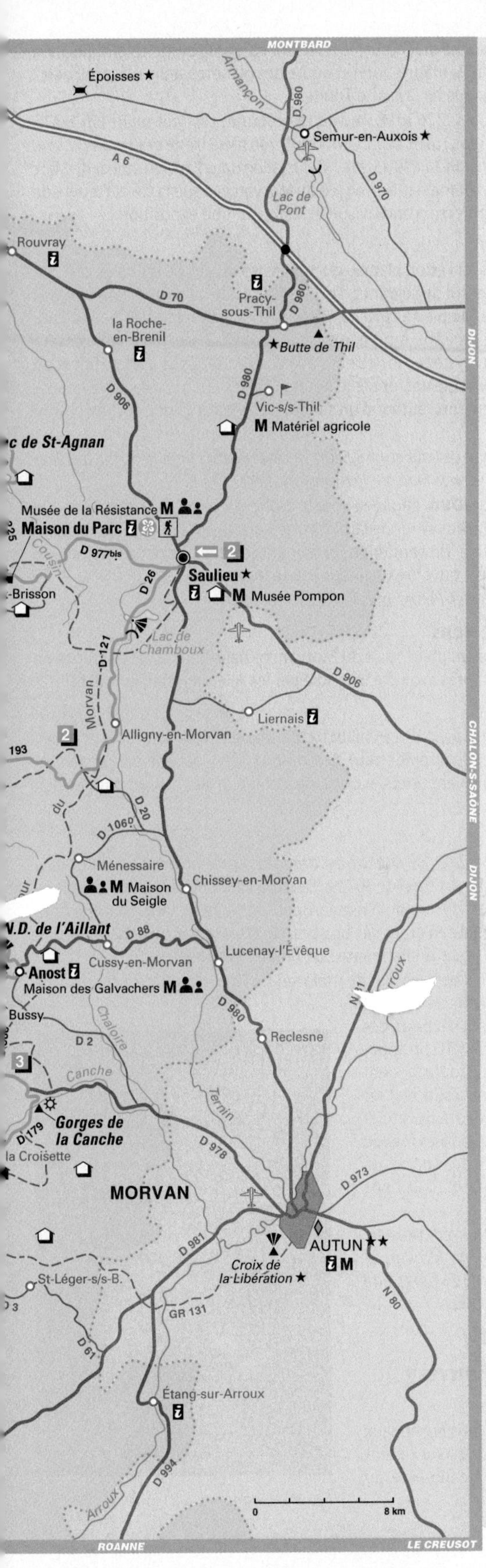

Écomusée du Morvan

Le réseau de l'écomusée comprend des Maisons à thème. Ce sont celles :

- du Ménessaire (21)
- des Galvachers à Anost (71)
- de l'élevage et du charolais à Moulins-Engilbert (58)
- des hommes et des paysages à St-Brisson (58)
- de Vauban à St-Léger-Vauban (89).

Leur sont associés :

- la saboterie Marchand à Gouloux (58)
- la Maison des métiers du monde rural à Tamnay-en-Bazois (58)
- le musée du Sabot à l'Étang-sur-Arroux (71)
- la Maison du vin et de la tonnellerie à Ouroux-en-Morvan (58).

Rando

Le Morvan offre aux randonneurs chevronnés comme aux simples promeneurs une multitude de sentiers aménagés : **GR 13 et 131** (grande traversée du Morvan du nord au sud), **GR de pays** (tour du Morvan par les grands lacs), circuits de **petite randonnée** et sentiers de découverte et de valorisation du patrimoine.

Pour en savoir plus, voir le carnet pratique p. 324.

Bien-Mourir (1625) à gauche du chœur; le ravissant **carrelage★** de céramique bleu et rose (1973) qui entoure le maître-autel et figure des planètes, animaux, outils, etc., gravitant autour du triangle de la sainte Trinité.

Maison Vauban – *✆ 03 86 32 26 30 - www.vaubanecomusee.org - juil.-août : 10h-12h30, 14h30-19h; mai.-juin et sept. : merc.-dim. 10h-12h30, 14h30-18; reste de l'année : w.-end et j. fériés 10h-12h30, 15h-18h - 5 € (8-15 ans 1 €).* Installée dans l'ancien atelier de Marc Hénard, cette maison à thème de l'écomusée du Morvan évoque la vie et l'œuvre de Vauban à travers une projection audiovisuelle *(20mn)* et une exposition.

Quarré-les-Tombes

5,5 km par la D 55. Situé sur l'étroit plateau qui sépare les vallées de la Cure et du Cousin, c'est un excellent centre de séjour et d'excursions. La localité doit son nom aux nombreux sarcophages de pierre calcaire (112 cuves ou couvercles actuellement), vestiges de plus d'un millier de tombeaux accumulés du 7e au 10e s., qui cernent l'église. Leur origine est mystérieuse : il peut s'agir d'un entrepôt lié à une fabrication locale ou bien d'une véritable nécropole (d'autant que les sarcophages auraient par le passé abrité des ossements) autour d'un sanctuaire dédié à saint Georges, patron des chevaliers.

Prenez la D 10 en direction de Saulieu. À 3,5 km, après le sentier pour la Roche des Fées (site d'escalade), bifurquez vers Dun par la route forestière.

Avant d'arriver au **Vieux-Dun**, engagez-vous à droite sur une route forestière que vous suivrez pendant 1,6 km avant de laisser votre voiture au parc signalé, à 200 m du **rocher de la Pérouse**. Un sentier en forte montée vous permet d'atteindre le sommet *(30mn à pied AR)*, qui offre un joli **point de vue**.

Reprenez la route de Dun-les-Places, puis la D 236 vers le sud.

Montsauche-les-Settons

Situé à 650 m d'altitude, en plein cœur du Morvan, ce haut-lieu de la Résistance en Morvan fut reconstruit après avoir été incendié par les Allemands en juin 1944.

Saut de Gouloux

6 km nord-est, puis 15mn à pied AR. Le Caillot forme, un peu avant son confluent avec la Cure, une belle cascade appelée saut de Gouloux. On y accède par un sentier qui, dans le premier tournant après le pont, descend à droite (ruines d'un ancien moulin).

Lac des Settons★

Au sud de Montsauche par la D 193. Voir carnet pratique. Après un pont sur la Cure, on longe la rive nord de ce lac artificiel de 367 ha. Destiné à l'origine à faciliter le flottage des bois sur la Cure, il sert désormais à régulariser le débit de l'Yonne. La route offre de jolies **vues** sur le plan d'eau et ses îles boisées. On atteint bientôt le barrage, une digue de pierre de 1860, puis la charmante station des **Settons**.

Entouré de bois de sapins et de mélèzes, à 573 m d'altitude, cet agréable plan d'eau s'étale au travers de la vallée de la Cure. On y pratique la pêche et, dès l'automne, le gibier d'eau fait son apparition. Des sentiers et une route longent le lac aménagé pour la plaisance et les sports nautiques. La beauté du site et les multiples activités proposées font du plus ancien lac artificiel du Morvan un lieu de séjour très fréquenté à la belle saison.

Prenez la D 193 vers Moux-en-Morvan, puis la D 121 vers Alligny-en-Morvan, et regagnez Saulieu par la D 26 après être passé par le lac de Chamboux.

Ph. Gajic / MICHELIN

Lac des Settons.

LE HAUT MORVAN

Circuit du mont Beuvray 3

84 km – 1 journée.

Ce parcours, traversant plusieurs beaux massifs forestiers, offre des vues étendues et la visite du site de Bibracte, au mont Beuvray.

À la sortie sud de Château-Chinon, prenez à droite la D 27 tracée à flanc de pente.
Une belle **vue** panoramique se révèle vers le sud sur un petit barrage blotti au fond d'un creux verdoyant dominé par des croupes boisées qui limitent le Morvan et se dégage vers l'ouest sur un paysage de prés, de cultures et de bois, puis la route en montée pénètre dans la **forêt de la Gravelle**. Elle suit la ligne de partage des eaux entre les bassins de la Seine (l'Yonne est à l'est) et de la Loire (l'Aron et ses affluents coulent vers l'ouest).
Remarquez une échappée, à droite, sur une lande aride couverte de genêts, peu avant d'atteindre le point culminant de la route (766 m) et de quitter la forêt.
La route débouche (18 km) sur la D 18, qui mène à gauche au mont Beuvray.

Le mont Beuvray★★ *(voir ce nom)*

Retournez à la D 18 via la petite D 274 qui fait le tour du mont pour rejoindre la forêt domaniale de St-Prix par Glux-en-Glenne (D 300, puis D 500 en forte pente). À droite, la route forestière du Bois-du-Roi mène à proximité du Haut-Folin.

Haut-Folin

La route forestière du Haut-Folin conduit au point culminant du Morvan (alt. 901 m ; station de ski de fond).
Reprenez la route qui traverse la **forêt de St-Prix**, peuplée d'épicéas et de sapins aux fûts immenses, et rejoignez la D 179 au lieu-dit La Croisette.

Gorges de la Canche

4 km au nord-est. La route suit à flanc de coteau les gorges de la Canche dans un paysage tourmenté de bois et de rochers. Les essences s'enrichissent ici d'érables, de tilleuls et d'ormes. Dans un virage à droite, un beau **point de vue** se dégage à hauteur d'un petit parc à voitures. On aperçoit, au fond de la gorge, l'usine hydroélectrique de la Canche. Le réservoir créé par le barrage en fait un endroit très agréable.
Empruntez la D 978 sur 1 km vers Château-Chinon, puis la D 388 à droite vers Anost.

Anost

8 km au nord-est. Dans un **site** agréable et pittoresque, Anost offre la possibilité de nombreuses promenades, en particulier dans la forêt *(itinéraires balisés)*, et de baignades en plein air, au pont de Bussy.
Le bourg de **Bussy** fut la capitale de la « galvache », transport itinérant en charrette à bœufs, activité typique du haut Morvan jusqu'à la Grande Guerre. Le jour du départ, le 1er Mai, les « galvachers » marquaient ici l'adieu au pays.

Maison des Galvachers – *03 85 82 73 26 - www.anost.com - juil.-août : tlj sf mar. 14h-18h ; mai-juin et sept. : w.-end et j. fériés 14h-18h - 2 €.* L'écomusée du Morvan montre, dans cette maison à thème, le savoir-faire des charroyeurs morvandiaux qui partaient, de mai à novembre, parfois jusqu'en Ardenne belge. Les techniques de débardage du bois et de transport de matières diverses sont clairement exposées.

Représailles à Anost

Pendant la Seconde Guerre mondiale, les forêts du Morvan abritèrent plusieurs maquis, notamment le courageux et combatif **maquis Socrate**, aux environs d'Anost. Entre mai et juillet 1944, le village fut donc à quatre reprises victime des représailles allemandes : pillages, quelques maisons brûlées, 3 déportations, des tortures et 3 exécutions arbitraires.

Notre-Dame-de-l'Aillant

Au nord-ouest d'Anost - 15mn à pied. Au-dessus de Joux, à hauteur de la statue de la Vierge, **panorama**★ semi-circulaire sur la cuvette d'Anost et, par-delà les collines, sur la dépression d'Autun.
Traversez la forêt d'Anost (enclos à sangliers de 16 ha à 1 km) jusqu'à Planchez, puis prenez la D 37, très sinueuse, en direction de Château-Chinon.
À 9 km, vue *(à gauche)* sur le site du village de **Corancy**, accroché à une colline.
Après un pont sur l'Yonne, retour à la capitale du Morvan.

Le Morvan pratique

Voir aussi les carnets pratiques de Arnay-le-Duc, Autun, Avallon, Bazoches, Château-Chinon, Saulieu, Semur-en-Auxois, Moulins-Engilbert, St-Honoré-les-Bains et Vézelay.

Adresse utile

Office du tourisme intercommunal du Morvan et des lacs – *5 rte d'Avallon - 58140 Lormes - 03 86 22 82 74 - www.morvan-des-lacs.com - juil.-août : mar.-sam. 9h30-12h30, 14h-19h, dim. et j. fériés 9h30-12h30 ; mars-juin et sept.-oct. : mar.-sam. 9h30-12h30, 14h-18h, dim. et j. fériés 9h30-12h30 ; nov.-fév. mar.-sam. 10h-12h30, 14h-17h30 - fermé 2 sem. en janv.*

Se loger

Chambre d'hôte M. et Mme Berthier – *1 r. du Gén.-Leclerc - 21530 Rouvray - 03 80 64 74 61 ou 06 80 65 98 65 - fermé 15 nov.-15 mars - - 2 ch. 47 €* . Étonnant endroit que cette ferme au mobilier rustique décorée d'un bric-à-brac d'objets insolites, ou détournés de leur fonction, et de souvenirs de voyages (une passion des habitants de céans). L'accueil est chaleureux et prévenant.

Chambre d'hôte L'Eau Vive – *Au bourg - 71990 St-Prix - 4,5 km au nord-ouest de St-Léger par D 179 - 03 85 82 59 34 - www.leauvive.over-blog.com - fermé 15-30 juin, nov.-mars - - réserv. le soir - 4 ch. 48 € - repas 19,50 €.* À une encablure du mont Beuvray, cette maison est un point de départ idéal pour vos randonnées. Décoration originale dans les chambres et le salon avec de nombreux souvenirs de voyages dans les îles. Table d'hôte dans la salle à manger avec poutres, faïence bleue et vieux outils aux murs.

Chambre d'hôte Le Château – *58120 Chaumard - 03 86 78 03 33 - fermé de fin déc. à mi-mars - - 5 ch. 49/59 € - repas 23 €.* Au cœur du Morvan, dans un parc de 2 ha, les chambres de cette grande maison carrée du 18e s. affichent calme et confort. En été, prenez votre petit-déjeuner en terrasse face au lac de Pannecière. Deux gîtes disponibles. Accueil de cavaliers.

Camping La Plage des Settons – *Au bord du lac des Settons - 58230 Les Settons - 03 86 84 51 99 – camping@settons-tourisme.com - ouv. 15 avr.-sept. - réserv. conseillée - 68 empl. 11,50 €.* Venez donc vous reposer dans ce camping tranquille près du lac. La plage vous tend les bras et pour les sportifs, un terrain de tennis est à proximité. Jeux pour les enfants.

Camping Les Genêts – *58230 Ouroux-en-Morvan - 03 86 78 22 88 - josette.guyollot@wanadoo.fr - ouv. 30 avr.-sept. - réserv. conseillée - - 70 empl. 12 €.* Ce camping ouvert sur la campagne vallonnée est agréable. Emplacements en terrasse délimités par des arbustes et des haies. Tennis tout proche.

Se restaurer

L'Auberge Ensoleillée – *58230 Dun-les-Places - A 6 sortie Avallon - 03 86 84 62 76 - fermé 25 déc. ; ouv. en hiver sur RV - 17/42 € - 9 ch. 38/43 € - 7,50 €.* En saison, vigne vierge et glycine couvrent la façade de ce restaurant familial morvandiau. Dégustez sa cuisine traditionnelle, tête de veau, œufs en meurette..., et crapiaux (crêpes épaisses au lard) sur commande. Quelques chambres simples. Relais équestre.

Le Morvan – *6 r. des Écoles - 89630 Quarré-les-Tombes - 03 86 32 29 29 - www.le-morvan.fr - fermé 6-16 oct., 22 déc.-27 fév., lun. et mar. - 22/49 € - 8 ch. 53/73 € - 10 €.* Attablez-vous en toute confiance dans cette sympathique auberge située en face du parc municipal. Salle à manger agrémentée de poutres apparentes et d'une horloge comtoise. Cuisine au goût du jour soignée valorisant les produits du terroir. Quelques chambres confortables.

Auberge des Cordois – *33 r. d'Avallon - 89420 Ste-Magnance - 03 86 33 11 79 - fermé 2-25 janv., 23 juin-2 juil., 12-19 nov., lun. soir, mar. et merc. - 27/38 €.* Près du hameau du même nom, demeure bicentenaire dont la façade jaune abrite deux petites salles rustiques embaumant la cire. Terrasse d'été pavée. Plats et vins locaux.

Que rapporter

Ferme de l'Abbaye de la « Pierre qui Vire » – *1 Huis-St-Benoît - 89630 St-Léger-Vauban - 03 86 33 03 73 - fromagerie.pierrequivire@orange.fr - 7h-12h, 17h19h, w.-end (sf janv.) 17h-19h.* La « Pierre qui Vire » est le nom d'un fromage frais au lait de vache à deux jours d'égouttage que vous trouverez dans la boutique sise à 500 m du monastère, au sein même de la fromagerie ainsi que dans le magasin de l'Abbaye. La visite de la ferme s'effectue sur rendez-vous pour les groupes.

Sports & Loisirs

RANDONNÉE PÉDESTRE

Le Parc naturel régional du Morvan offre quelque 3 500 km d'itinéraires balisés. Pour la liste des topoguides disponibles sur le secteur Morvan, consultez les sites de la Fédération française de randonnée pédestre (**www.ffrandonnee.fr**) et du Parc naturel régional du Morvan (**www.parcdumorvan.org**).

Grande randonnée – *Balisage blanc et rouge.* Les **GR13 et 131** traversent le Morvan du nord au sud *(318 km)* d'Auxerre à Nolay par Vézelay ou Autun.

Randonnée de pays – *Balisage jaune et rouge.* Le **GRP Tour du Morvan** *(220 km)* permet de découvrir le Parc naturel régional du Morvan et ses six grands lacs : St-Agnan, les Settons, le réservoir du Crescent, etc.

Promenade et randonnée – *Balisage généralement jaune.* Le Morvan se prête à une multitude de circuits de petite randonnée ou **PR**, généralement en boucle, de 5 à 25 km environ chacun.

Sentier Bibracte-Alésia – *Balisage jaune et bleu.* Long de 120 km, praticable à pied, à cheval ou en VTT, il relie deux sites phares de la civilisation celtique.

Sentier de découverte de l'étang Taureau – *Espace St-Brisson (voir p. 316). Accès libre.* Des panneaux d'interprétation jalonnent ce circuit *(1 km)* et donnent des informations sur les étangs du Morvan, leur faune et leur flore. Vous y trouverez aussi un observatoire ornithologique.

Guides en Morvan – *58170 Tazilly - ☎ 03 86 30 08 63 - guidesenmorvan@wanadoo.fr.* Toute l'année, des accompagnateurs spécialement formés vous font découvrir le Morvan, son patrimoine historique et naturel et ses traditions au gré de randonnées de quelques heures ou plusieurs jours.

RANDONNÉE ÉQUESTRE

Le Morvan regorge de chemins affectés à la randonnée équestre. Il est préférable de réserver à l'avance les hébergements susceptibles d'accueillir les cavaliers et leur monture.

Association pour la randonnée équestre en Morvan (AREM) – *Maison du parc - 58230 St-Brisson - ☎ 03 86 78 79 57 - www.morvan-tourisme.org.* Avec des centaines de kilomètres de sentiers balisés, la région se révèle idéale pour la randonnée à cheval. Sorties accompagnées par des guides de tourisme équestre (de quelques heures à quelques jours, tous niveaux), balades en calèche, tour équestre en attelage, séjours en roulotte, promenades en poney pour les enfants… *Pour avoir la liste des prestataires de tourisme équestre ou commander le topoguide du tour équestre du Morvan, contacter l'AREM.*

Morvan découverte – *« La Peurtantaine », école du Bourg - 71550 Anost - ☎ 03 85 82 77 74 - http://perso.wanadoo.fr/morvan-decouverte.* Randonnée équestre. Un grand itinéraire balisé de 500 km permet de découvrir le Parc en préparant des randonnées sur mesure, du week-end à la semaine, ou plus, par étapes de 15 à 40 km. *Topoguide édité par le Parc.*

VTT

Le Morvan bénéficie d'un important réseau de circuits balisés adaptés à la pratique du vélo tout terrain. Ces circuits sont accessibles, selon leur niveau de difficulté, aux débutants comme au spécialistes.

Association Vélo Morvan Nature, Maison du parc – *58230 St-Brisson - ☎ 03 86 78 71 77 - velo.morvan.nature@wanadoo.fr.* Le Parc naturel régional du Morvan bénéficie du label « site VTT-FFC » avec 2 476 km de circuits balisés au départ de 22 communes. Topoguide du site VTT-FFC Le Morvan à VTT *en vente par correspondance et dans les offices de tourisme.* L'association Vélo Morvan Nature propose des randonnées itinérantes encadrées par un guide local.

SPORTS NAUTIQUES

Activital - Base Sport et Nature des Settons – *Lac des Settons - 58230 Montsauche-les-Settons - ☎ 03 86 84 51 98 - www.activital.net - juil.-août : 9h-19h ; avr.-juin, sept.-oct. : 9h-12h, 14h-18h ; nov.-mars : tlj sf w.-end 9h-12h, 14h-17h - fermé 25 déc.-1er janv.* La base des Settons borde un lac situé au cœur du Parc naturel régional du Morvan, à 600 m d'altitude. Sports nautiques (voile, canoë-kayak, etc.) ou de plein air (VTT, course d'orientation, randonnée…) et port miniature pour les plus petits. Activités libres ou encadrées, formules de séjours itinérants.

Base de loisirs – *Plan d'eau du Vallon - 71400 Autun - ☎ 03 85 52 47 09 - www.autun.com - 13h-19h tte l'année sf juil.-août 9h-19h.* 140 km de sentiers balisés, location de vélos, tennis, minigolf, centre nautique, école de voile, etc.

Base Sport et Nature Activital de Baye – *Baye - 58110 Bazolles - ☎ 03 86 38 97 39 - www.activital.net - 9h-18h - fermé nov.-mars.*

EAUX VIVES

La Cure, l'Armance et l'Yonne sont le domaine des eaux vives. Le débit de la Cure et du Chalaux est régulé par les lâchers d'eau des barrages *(en principe tous les w.-ends de mars à nov.).* La région des lacs offre également un bon potentiel : passage de rapides, traversées de gorges, descentes en raft, hot dog, nage avec palmes, hydrospeed, canoë-kayak. S'informer à la Maison du Parc ou auprès des organismes suivants :

AN Rafting – *Auberge du lac - 58140 Plainefas - ☎ 03 86 22 65 28 ou 04 79 09 72 79 - www.an-rafting.com - 9h-12h, 13h-18h - fermé nov.-mars - 44 à 47 €.* « L'Aventure Nature », spécialiste des sports d'eau vive, propose sur son site de la Nièvre des activités telles que rafting, canoë hot-dog, nage en eau vive, et aussi spéléologie, VTT, parcours aventure. Encadrées par moniteurs diplômés. Prêt du matériel spécifique.

Centre Sport nature de Chaumeçon – *Plainefas - 58140 St-Martin-du-Puy - ☎ 03 86 22 61 35 - www.activital.net - 9h-18h - fermé déc.-mars.* Ce centre est complémentaire de la base nautique des Settons, car axé sur des sports d'eaux vives. Randonnées VTT autour du lac, escalade, parcours aventure et canoë, pêche (barque).

Okheanos – *À Bornoux - 58230 Dun-les-Places - ☎ 03 86 84 60 61 - www.okheanos.com - 9h-18h - fermé 20 déc.-20 janv.* Se voulant proche de la nature, cette importante structure propose différentes activités en eau vive, telles que le rafting, le hot-dog (canoë gonflable) et l'hydrospeed. Les amateurs de sensations opteront pour le parcours aventure ou le paint-ball et ceux qui trouvent le quad trop bruyant préfèreront le VTT.

AB Loisirs – *Rte du Camping - 89450 St-Père - ℘ 03 86 33 38 38 - www.abloisirs.com - 9h30-18h30 sur réserv. - fermé 20 déc.-5 janv.* Canoë, kayak, rafting, VTT, VTC, parcours aventure, quad, kart, paint-ball, montgolfière, équitation, spéléo et hydrospeed. Activités ouvertes à tous, enfants et adultes, individuels, familles ou groupes.

Compétition – *Rte du Barrage - 58140 St-Martin-du-Puy - ℘ 03 86 22 61 35 - www.activital.net - 9h-18h.* Entre Chaumeçon et le Crescent sont régulièrement organisées des compétitions de canoë-kayak et des descentes en rafting, toujours pleines de sensations fortes. Une base nautique et un centre d'hébergement sont ouverts aux champions de tous niveaux et au public à Plainefas (Activital).

ESCALADE

L'escalade se pratique surtout entre Vieux-Château (Côte-d'Or) et Dun-les-Places (Nièvre).

Loisirs en Morvan – *40 r. de Lyon - 89200 Avallon - ℘ 03 86 31 90 10 - ouv. tte l'année.* Parc aventure, activités diverses (escalade, spéléologie, rafting, etc.), séjours tout compris. Pour les autres activités (tir à l'arc, baignade).

BALADES DANS LES ARBRES

In Forest – *21380 Messigny-et-Vantoux - ℘ 06 19 50 09 35 - www.inforest21.fr - 14 avr.-30 nov. - réserv. obligatoire.* Escalade sécurisée.

Moulins-Engilbert

1 685 MOULINOIS
CARTE GÉNÉRALE B3 – CARTE MICHELIN DÉPARTEMENTS 319 F10 – NIÈVRE (58)

Dans cette longue plaine du Bazois, qui descend du Morvan jusqu'à la vallée de la Loire, Moulins-Engilbert eut un rôle politique notable en tant que résidence des comtes de Nevers. Ayant concédé ce statut à Château-Chinon, la cité se contente désormais d'une grande activité commerciale. L'harmonie des toits et des tourelles, groupés autour de la tour gothique de l'église à flèche d'ardoise, au pied des ruines d'un château, est particulièrement heureuse. En dehors des jours de marché, le calme règne dans le bourg, traversé nonchalamment par deux petits cours d'eau.

Se repérer – Cette porte du Morvan se trouve à 16 km au sud-ouest de Château-Chinon et à 11 km au nord de la station thermale de St-Honoré-les-Bains.

À ne pas manquer – Promenez-vous dans la vieille ville pour y admirer ses pittoresques maisons, puis découvrez l'histoire de l'agriculture à la Maison de l'élevage et du charolais.

Organiser son temps – Assistez le mardi au très moderne marché au cadran : le spectacle vaut vraiment le déplacement !

Pour poursuivre la visite – Voir aussi le mont Beuvray, Château-Chinon, le Morvan, St-Honoré-les-Bains.

Visiter

Parsemée de vieilles demeures, de passerelles sur le Garat ou le Guignon, la ville a conservé les ruines du **château comtal** (en 1424, Philippe le Bon y épousa Bonne d'Artois) et l'**église St-Jean-Baptiste,** dotée d'un beau portail.

Le 17e s. est bien représenté, avec l'**hôtel Salonnier** en face de l'église, l'ancien **couvent des Ursulines** et celui des **pères de St-François**, ainsi que la **mairie**, qui occupe un relais de poste.

Le saviez-vous ?

Cette petite localité doit son nom aux **moulins** qui peuplaient autrefois la région. Engilbert est sûrement le patronyme d'un propriétaire. Quant au seul moulin restant, il se trouve... à Commagny.

La ville s'anime chaque mardi matin, à l'occasion du **marché au cadran**, foire aux bovins charolais, qui fait usage d'un mode de vente du bétail ultramoderne. Les animaux sont présentés au bas d'un amphithéâtre d'acheteurs disposant de commandes électroniques pour enchérir ; sur un tableau s'affichent le poids de la bête, son numéro de lot et l'évolution de l'enchère, qui reste ainsi anonyme.

Maison de l'élevage et du charolais

R. de la Mission - ✆ 03 86 84 21 48 - www.ecomusee-elevagecharolais.com - de déb. juin à mi-sept. : tlj sf lun. 11h-13h, 15h-18h ; de Pâques à fin mai et de mi-sept. au 1er nov. : sam.-dim. et j. fériés 15h-18h - fermé déc. et janv. - 3,20 € (-15 ans 0,80 €). Cette maison à thème de l'écomusée du Morvan retrace l'histoire de l'agriculture morvandelle du 19e s. à nos jours. Outre la présentation des modes de production et de la vie des paysans, elle fait la part belle à la race charolaise, véritable symbole de la région. Visite guidée, exposition et espace de vente.

Aux alentours

Commagny

2,5 km au sud-ouest par la D 37 et la rampe du prieuré, à gauche au sommet de la montée. ✆ 03 86 84 21 48 - de Pâques à la Toussaint : 8h30-19h - gratuit.

Vous pourrez découvrir un **ancien prieuré** bénédictin, bien situé au-dessus des herbages du Bazois. De l'**église romane**, vous verrez surtout l'abside à cinq arcatures alternativement aveugles et ouvertes, inscrites dans un décor rappelant les bandes lombardes (pilastres réunis à leur sommet par une frise d'arceaux), ainsi que les chapiteaux sculptés.

En contournant le bâtiment par le pied de la tour, gagnez la grille de la propriété pour admirer le chevet de l'église. La **demeure du prieur** (15e s.), flanquée du clocher et d'une haute tour ronde, montre, au-dessus du petit cimetière, sa façade la mieux sauvegardée.

Châtillon-en-Bazois

17 km au nord-ouest par la D 985, puis la D 978 vers Nevers. Bourg agréablement situé sur l'Aron et sur le canal du Nivernais, Châtillon-en-Bazois est l'un des centres les plus importants de la navigation de plaisance en Bourgogne. Le chantier de construction de bateaux est dominé par un château des 16e et 17e s. flanqué d'une tour ronde du 13e s., qui s'élève entre la rivière et le canal.

Église – On peut y voir un grand tableau de Nicolas Mignard *(Baptême du Christ)* dans la chapelle à gauche de l'entrée, la pierre tombale de Jehan de Châtillon (14e s.) et un retable de 1423 en pierre, sur l'autel, représentant une pietà.

À **Rouy** *(10 km à l'ouest)*, l'**église** romane du 12e s. possède un beau clocher carré déjà gothique dont le premier étage est décoré de colonnettes sous arcatures et le second percé sur chaque face de deux baies géminées. À l'intérieur, la voûte de l'abside est peinte d'un Christ bénissant entre un ange et un démon.

Moulins-Engilbert pratique

Voir aussi les carnets pratiques de Château-Chinon, du mont Beuvray, du Morvan et de St-Honoré-les-Bains.

Adresses utiles

Point infos mairie – *58290 Moulins-Engilbert - ✆ 03 86 84 26 17 - de déb. juin à mi-sept. : tlj sf lun. 11h-13h, 15h-18h ; de mi-sept. au 1er nov. et de Pâques à fin mai : w.-end et j. fériés 15h-18h.*

Maison du Bazois – *58110 Alluy - ✆ 03 86 84 02 03 ou 03 86 84 14 54 - lun.-mar. et jeu. 8h-12h, 13h30-17h30, merc. 8h-12h, 13h30-16h30, vend. 8h-12h - fermé j. fériés.*

Se loger

Chambre d'hôte La Grande Sauve – *Rte de Limanton - 2 km au sud-ouest de Moulins-Engilbert, rte de Limanton - ✆ 03 86 84 36 40 - www.gites-de-france-nievre.com/grandesauve - fermé nov.-Pâques - 3 ch. 53 €.* Tout près d'une grosse ferme bourguignonne, parmi les arbres et la verdure, cette solide maison aux amples volumes aurait presque des vertus apaisantes. On se sent tout de suite à l'aise dans ses chambres décorées avec goût et garnies de beaux meubles anciens. Boxes pour chevaux à disposition.

Se restaurer

Auberge le Bon Coin – *15 r. Coulon - ✆ 03 86 84 25 99 - 12,50 bc/22 €.* Il faudra peut-être jouer des coudes pour avoir une place dans ce petit restaurant sans prétention, mais néanmoins plaisant. En effet, nombreux sont ceux qui, à midi, s'attablent autour d'un repas copieux avec buffet d'entrées… Accueil et service sympathiques et prix très sages.

Que rapporter

Marché – *oct.-avr. : mar., vend. et sam. 7h30-14h ; mai-sept. : 6h45-14h.* L'été, attention aux embouteillages, le 1er mardi du mois étant aussi jour de marché public (lundi matin : foire aux ovins).

Nevers★

38 200 NEVERSOIS – AGGLO : 100 556 HABITANTS
CARTE GÉNÉRALE A3 – CARTE MICHELIN DÉPARTEMENTS 319 B10 – NIÈVRE (58)

À quelques kilomètres du confluent de la Loire et de l'Allier, la capitale du Nivernais s'imposa aussi, au 17e s., comme celle de la faïence française. Sur la butte dominant le « dernier fleuve sauvage d'Europe » se dresse la silhouette des monuments emblématiques de cette ville d'art et d'histoire qui, bien que sévèrement meurtrie par le bombardement de sa cathédrale en 1944, a su mettre en valeur son patrimoine. Pittoresques et préservés, les paysages ligériens alentour forment un véritable joyau écologique, que vous apprécierez à pied le long des sentiers de bords de Loire, ou à l'occasion d'une agréable balade en bateau.

H. Champollion / MICHELIN

Vue sur Nevers et sa cathédrale depuis le pont sur la Loire.

Se repérer – Nevers est accessible au nord par l'A 77, et au sud par la N 7. Pour avoir une vue d'ensemble de la vieille ville, allez sur le grand pont en grès roux que franchit la nationale.

Se garer – Tentez votre chance sur les parkings du champ de Foire, Ravelin, de la Maison de l'agriculture, Roger-Salengro et quai de Mantoue. Et notez qu'une navette gratuite mène du parking Ravelin au centre-ville *(tlj sf dim.)*.

À ne pas manquer – Avis aux passionnés de sports automobiles : l'incroyable collection de bolides du musée Ligier F1 vaut le déplacement. Si vous êtes plutôt attiré par le patrimoine bâti de Nevers, suivez le « fil bleu », tracé au sol, qui vous fera découvrir à votre propre rythme les principaux monuments de la la ville : la cathédrale, le palais ducal, le quartier des faïenciers.

Organiser son temps – Pour une expérience inoubliable en termes de compétition automobile, venez assister au Grand Prix de France de F1 sur le célèbre circuit de Nevers - Magny-Cours, mi-juillet.

Avec les enfants – La piste de karting de Nevers - Magny-Cours *(voir carnet pratique)* leur est ouverte. Mais s'ils ne se sentent pas l'âme d'un Michael Schumacher, un arrêt s'impose… dans l'une des pâtisseries ou confiseries de Nevers, afin de goûter aux négus (caramels mous au chocolat, enrobés de sucre cuit) et aux nougatines.

Pour poursuivre la visite – Voir aussi La Charité-sur-Loire, Decize, Prémery, la Voie verte.

Comprendre

Un échec de César – Avant d'entreprendre le siège de Gergovie en 52 avant J.-C., Jules César fait de la ville forte située à la limite du territoire éduen, *Noviodunum Aeduorum*, un entrepôt de vivres pour son armée. À l'annonce de son échec, les Éduens n'hésitent pas à détruire *Noviodunum* par le feu, rendant ainsi précaire la situation de César en Gaule.

Faïence et verres filés – Devenu duc de Nivernais en 1565, **Louis de Gonzague**, troisième fils du duc de Mantoue, fait venir d'Italie un grand nombre d'artistes et d'artisans. Il introduit la faïence d'art à Nevers entre 1575 et 1585. Les **frères Conrade**, originaires d'Italie, « maîtres pothiers en œuvre blanche et autres couleurs », initient à leur art une pléiade d'artisans locaux.

Peu à peu, la forme, les coloris, les sujets d'ornementation, qui au début reproduisent seulement les procédés italiens, évoluent vers un style très particulier. Parallèlement se développe l'industrie de la verrerie – verres filés servant généralement à la composition de scènes religieuses –, qui devient, avec l'émaillerie, très à la mode. Les productions sont expédiées par la Loire vers Orléans et Angers. L'industrie de la faïence atteint son apogée vers 1650, douze fabriques occupant alors 1 800 ouvriers, mais la Révolution de 1789, dernier thème pour lequel la production fut importante, lui porte un grave préjudice. Les difficultés et la concurrence de la porcelaine contribuent à son déclin au cours du 19e s.

Actuellement, seuls une demi-douzaine d'ateliers de **faïenciers** *(pour les visiter, renseignez-vous à l'office de tourisme)* perpétuent cette activité traditionnelle qui attire toutes sortes d'amateurs lors de la **Biennale de la faïence**, organisée à Nevers les années impaires durant le week-end de Pâques.

Le saviez-vous ?

Tous ne sont pas d'aussi fins bretteurs que le **duc de Nevers**, rendu célèbre par le roman de Paul Féval, *Le Bossu* (1857). L'écrivain s'est inspiré d'un coup d'escrime prétendu infaillible qui remonterait au 17e s. et serait la marque de la famille des Nevers. Enchaînement de parades de tierce, et de prime, **la botte de Nevers** touche la tête. Autre caractéristique, elle serait plus accessible aux ambidextres, or les Nevers l'auraient tous été, de père en fils…

Palme d'or à Cannes en 1946 pour *La Symphonie pastorale*, Jean Delannoy réalisa *La Passion de Bernadette* à Nevers, en 1989.

Se promener

LA VIEILLE VILLE★

Visite : une demi-journée. Garez-vous près de la mairie.

Cathédrale Saint-Cyr-et-Sainte-Julitte★★ (2)

Cette vaste basilique composite fut consacrée en 1058, puis en 1331, complétée et plusieurs fois remaniée ou restaurée. Ce sont les photos exposées dans la nef qui en parlent le mieux : le 16 juillet 1944, la cathédrale subit un terrible bombardement allié qui la réduit presque à une ossature de pierre. Bizarrement, ce bombardement permit de révéler la partie la plus ancienne du site : un **baptistère** du 6e s., dans la dernière chapelle latérale gauche. *03 86 36 41 04 - en dehors des offices.*

Extérieur – Faites le tour de l'édifice, hérissé de contreforts, de piliers, d'arcs-boutants et de pinacles, pour comparer les portails et admirer la tour carrée, haute de 52 m, flanquée de contreforts polygonaux ; l'étage inférieur est du 14e s. ; les deux autres, richement décorés, sont du 16e s. Près de la cathédrale, un ancien évêché du 18e s. abrite le **palais de justice**.

Intérieur – La cathédrale présente un curieux plan, caractérisé par deux absides opposées à chaque extrémité de la nef : une romane dite « occidentée » à l'ouest, et une gothique à l'est, ce qui est plus fréquent sur les bords du Rhin (Worms, Spire et Mayence) que sur ceux de la Loire. L'abside romane, surélevée de 13 marches et voûtée en cul-de-four, est décorée d'une fresque datant du 12e s. représentant le Christ en gloire. La nef (13e s.) est de grande ampleur, mais sait rester légère grâce à un triforium orné et à des fenêtres hautes qui courent jusqu'au chœur cerné par un déambulatoire. Remarquez, le long de ce triforium, la guirlande de personnages : toute la société du 13e s. est représentée ici, soutenant l'Église, certains pliant sous le poids avec une visible douleur, d'autres levant les yeux au ciel.

En 1944, la cathédrale perdit ses vitraux anciens. Des vitraux contemporains ornent désormais les lieux (parmi les plus figuratifs, dessinés par Jean-Michel Alberola sur des sujets bibliques, repérez, dans le chœur, la Création, la Nativité, la Descente de croix). Quelques œuvres de valeur furent fort heureusement épargnées : le jaquemart (16e s) de la nef, qui ornait autrefois un jubé ; la Vierge de pitié (15e s.), dans la première chapelle latérale gauche ; et surtout, la **Mise au tombeau★** (15e s.), de style bourguignon, abritée dans la crypte.

Palais ducal★ (2)

©OTNR

Vitraux de la cathédrale.

L'ancienne demeure des ducs de Nevers est un beau spécimen de l'architecture civile du tout début de la Renaissance. Commencée dans la seconde moitié du 15e s. par Jean de Clamecy, comte de Nevers, désireux d'abandonner l'austère forteresse située à l'emplacement actuel de l'hôtel de ville, elle fut embellie au 16e s. par les familles de Clèves et de Gonzague. Les grosses tours rondes de la façade postérieure, qui donnent sur une cour surplombant la rue des Ouches, sont les plus anciennes. La façade ocre, coiffée d'ardoise, est ponctuée de deux tourelles. Une belle tour centrale à pans coupés, terminée par un lanternon, abrite l'escalier d'honneur. Elle est ajourée de fenêtres dont le décalage, d'un gracieux effet, souligne la révolution de l'escalier. Les bas-reliefs modernes évoquent la légende de saint Hubert ainsi que celle du « Chevalier au cygne », ancêtre de la maison de Clèves qui inspira le *Lohengrin* de Wagner. Remarquez encore les fenêtres en lucarne ornées de cariatides et d'atlantes, ainsi que les cheminées en tuyaux d'orgue. Sur la tourelle de gauche, une plaque commémorative signale que des princesses nivernaises devinrent reines de Pologne.

Longez le palais, puis prenez dans l'enfilade la rue des Récollets. Remarquez en passant à gauche le **théâtre** (19e s.), le portail de l'ancien **couvent des Récollets,** celui (du 17e s.) de l'**hôtel de Fontenay,** et la **tour médiévale,** aux nos 15 et 13. Le no 7 a gardé l'un des rares pignons flamands de Nevers.

Passé la place Mancini, prenez à gauche la rue François-Mitterrand.

Beffroi (1)

Il date du 15e s. Son clocher pointu domine un vaste bâtiment qui abritait autrefois les halles et la salle du bailliage ducal.

Continuez dans la même direction. Tournez à droite vers la place Guy-Coquille, puis prendre à droite la rue du Fer pour descendre vers la rue de Nièvre. Prenez-la à gauche.

Jetez un coup d'œil au no 5 de la rue Fonmorigny. Quand elle est ouverte, la belle porte de cet hôtel des 16e et 17e s. laisse apercevoir une charmante cour fleurie.

Hôtel des Bordes et rue Creuse (1)

À la hauteur de la rue Creuse, l'hôtel des Bordes (17e s.) était, à sa construction, entre ville et campagne. La veuve de Jean Sobieski, roi de Pologne, y vint en séjour chez sa sœur. Dans la rue Creuse, remarquez le monumental siège de la Mutuelle de la Nièvre (19e s.) et la tour de guet de l'hôtel de Maumigny (15e et 16e s). **Georges Simenon** vécut de 1923 à 1924 au no 7 de la rue Creuse. *Les Suicidés* se déroulent en partie dans ce quartier de Nevers.

Vous arrivez devant une jolie maison à pans de bois et banc d'échoppe au coin de la rue des Francs-Bourgeois. Prenez à droite.

Église Saint-Étienne★ (1)

Cette belle église romane, qui fit partie autrefois d'un prieuré clunisien, est d'une grande pureté de style. Elle fut édifiée de 1063 à 1097 sur l'initiative de Guillaume Ier, comte de Nevers. Entouré de sa ceinture d'absidioles, le chevet *(visible de la rue du Charnier)* est très élégant. La tour de la croisée du transept, dont il ne reste que la base, fut détruite sous la Révolution ainsi que les deux tours surmontant la sobre façade. Un porche y a laissé quelques traces. L'intérieur séduit par les tons dorés de la pierre et ses belles proportions. La nef est voûtée en berceau. Dans le chœur a été placé un autel roman. La rangée de fenêtres à la naissance du berceau est assez hardie.

Après avoir admiré les ferronneries du no 48, revenez un peu sur vos pas pour prendre à droite la rue Mirangron : elle vous permet d'arriver à l'église St-Pierre par le jardin et de remarquer le joli décrochement de la toiture qui la jouxte.

Église Saint-Pierre et porte de Paris (1)

Conçue pour le collège jésuite, cette église du 17e s. abrite un beau maître-autel et des fresques. Le portail monumental date de 1676. Parachevant une perspective, la porte de Paris est un arc de triomphe. Elle fut élevée en 1746 pour commémorer la victoire de Fontenoy ; des vers de Voltaire à la louange de Louis XV y sont gravés.

Revenez sur vos pas pour prendre la rue commerçante François-Mitterrand, puis à droite la place St-Sébastien.

Hôtel Flamen d'Assigny (1)

Remarquez, au n° 1, l'un des plus beaux hôtels particuliers de Nevers, du 18e s., avec une façade symétrique ornée en style rocaille.

Continuez par la rue St-Martin.

Chapelle Sainte-Marie (1)

C'est l'ancienne chapelle d'un monastère de visitandines. La **façade★**, chargée d'ornements dans le style baroque italien – niches, entablements, colonnes et pilastres – est due à Jean Collignon (époque Louis XIII).

Notez sur la gauche l'**hôtel de St-Phalle** (18e s.).

Les rues St-Martin, du 14-Juillet et de la Porte-du-Croux mènent à la porte du Croux.

Porte du Croux★ (2)

Coiffée d'une haute toiture, cette belle tour-porte de défense, avec mâchicoulis et tourelles en encorbellement, est l'un des vestiges des fortifications de la ville. Elle fut élevée en 1393, lorsque l'on remania l'enceinte établie deux siècles auparavant par Pierre de Courtenay. La porte de Croux abrite le **Musée archéologique du Nivernais** *(visite sur RV ; contacter la Société nivernaise des lettres, sciences et arts)*, un musée lapidaire composé d'une collection de chapiteaux romans provenant de l'ancienne

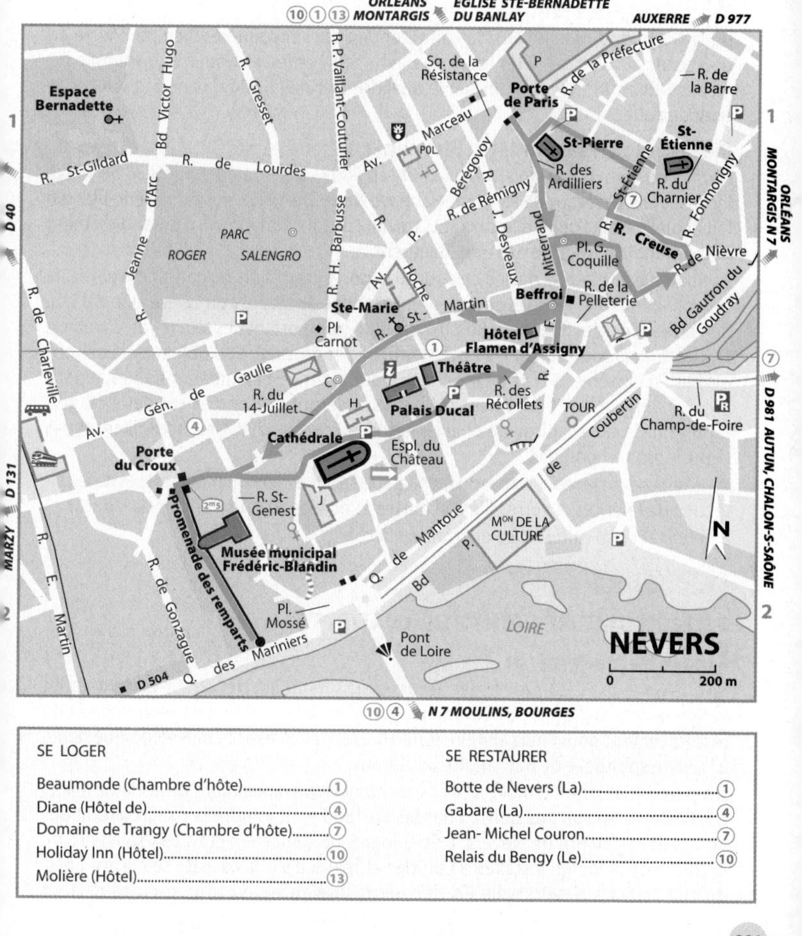

SE LOGER		SE RESTAURER	
Beaumonde (Chambre d'hôte)	1	Botte de Nevers (La)	1
Diane (Hôtel de)	4	Gabare (La)	4
Domaine de Trangy (Chambre d'hôte)	7	Jean- Michel Couron	7
Holiday Inn (Hôtel)	10	Relais du Bengy (Le)	10
Molière (Hôtel)	13		

Le perroquet Ver-Vert

Son histoire est contée par J.-B. Gresset dans un poème badin écrit en 1733 :
« À Nevers donc, chez les visitandines,
Vivoit naguère un perroquet fameux… »
Choyé, gâté, d'une éducation parfaite, il coulait des jours exempts de soucis. Les visitandines de Nantes, ayant entendu vanter les mérites de cet oiseau merveilleux, prient leurs sœurs de le « prêter » quelques jours. Ver-Vert part, mais, sur le coche d'eau, les mariniers de la Loire et des dragons lui enseignent un vocabulaire moins édifiant :
« Car les Dragons, race assez peu dévote,
Ne parloient là que langue de gargotte…
… Bien vite, il sut jurer et maugréer
Mieux qu'un vieux diable au fond d'un bénitier. »
À Nantes, il scandalise le monastère de ses jurons. On se hâte de renvoyer à Nevers ce suppôt de Satan. Jugé par le conseil de l'Ordre, il est condamné au jeûne, à la solitude et, châtiment suprême, au silence. Ayant fait amende honorable, il rentre en grâce auprès des visitandines, mais il est de nouveau tant gâté qu'il meurt d'indigestion.
« Bourré de sucre et brûlé de liqueurs,
Ver-Vert, tombant sur un tas de dragées,
En noirs cyprès vit ses roses changées. »

église St-Sauveur de Nevers, et de mosaïques, figurines et bas-reliefs exhumés lors de fouilles dans la Nièvre.

Promenade des remparts (2)

De la porte du Croux jusqu'à la Loire, remarquez l'enceinte édifiée par Pierre de Courtenay au 12e s., avec les tours du Havre, St-Révérien et Goguin. L'ensemble fut reconstruit au 15e s. Prolongez par le quai des Mariniers, dégageant une **vue** sur le pont de Loire.

Musée municipal Frédéric-Blandin (2)

Fermé pour travaux, réouverture possible en 2009 - se renseigner au 03 86 68 44 60.
Installé dans les locaux de l'ancienne abbaye Notre-Dame, le musée Frédéric-Blandin fait actuellement l'objet d'importants travaux de réhabilitation et d'agrandissement nécessitant la fermeture de l'établissement.
Par manque de place, le musée ne pouvait exposer jusqu'alors qu'une infime partie de ses collections, composées de superbes **faïences de Nevers** du 16e s à aujourd'hui, de **verres filés**, des donations Bossuat et Solon (comportant des œuvres de Vlaminck, Dufy, Utrillo, Modigliani, et de belles affiches et dessins), et d'objets d'art en tous genres : sculptures, pièces de monnaie, ivoires, armes, costumes, meubles, jouets, etc. Les expositions permanentes du musée seront présentées sur deux étages, tandis que la salle capitulaire et le chauffoir, au rez-de-chaussée, accueilleront des expositions temporaires.
En attendant la réouverture du musée, vous pourrez voir quelques pièces de la collection de faïences et verres filés du musée exposées au sous-sol du palais ducal.
Remontez vers la cathédrale par la rue des Jacobins.

Découvrir

EN MÉMOIRE DE SAINTE BERNADETTE

Espace Bernadette (1)

34 r. St-Gildard. Maison-mère des Sœurs de la Charité de Nevers, St-Gildard abrite le Centre international de pèlerinage, le Centre international de recherche et de ressourcement pour l'humanitaire (CIRRH), ainsi qu'un espace muséologique dédié à l'œuvre spirituelle de Bernadette Soubirous.
Un peu d'histoire – Témoin, à 14 ans, de nombreuses apparitions de la Vierge Marie, **Bernadette Soubirous** quitta Lourdes en 1866 pour joindre la congrégation des Sœurs de la Charité de Nevers, à St-Gildard. Bernadette n'était pas satisfaite de la statue de la Vierge installée à Lourdes et réalisée sur la base de ses récits. Lorsqu'elle arriva à Nevers, elle en découvrit une autre, au fond du jardin, dont

elle dit : « Celle-ci ressemble un peu à la dame que j'ai vue. » Cette statue est encore visible de nos jours, au même endroit. Bernadette vécut à St-Gildard jusqu'à sa mort, en 1879, et fut canonisée en 1933. Son corps, trois fois exhumé, intact, repose aujourd'hui dans une châsse vitrée de la chapelle de l'espace Bernadette.

Musée – *✆ 03 86 71 99 50 - www.sainte-bernadette-nevers.com - avr.-oct. : 7h (dim.8h) - 12h30, 13h30-19h30 ; nov.-mars : 8h-19h - 2,20 €.* Il propose au visiteur un parcours spirituel à la rencontre de Bernadette Soubirous, à travers ses paroles et écrits et quelques objets lui ayant appartenu (son parapluie, son sac, son fauteuil, etc.).

Église Sainte-Bernadette-du-Banlay

Accès par l'av. Colbert et la r. du Banlay.

Ce sanctuaire (1966), dû à Paul Virilio et Claude Parent, fondateur du modernisme en architecture, présente extérieurement, sous des lignes obliques, la forme lourde et ramassée d'un blockhaus. Contre toute attente, la nef concave est éclairée d'une lumière diffuse qui agrandit l'espace.

Aux alentours

Guérigny

14 km au nord par la D 977. La localité s'est développée autour de la métallurgie, au 18e s. Pour découvrir cette activité du temps de Buffon, voyez les expositions d'archéologie industrielle du **musée du Vieux Guérigny** *(✆ 03 86 37 01 08)*, consacré à l'histoire des Forges et de la métallurgie nivernaise, et visitez les forges de la Chaussade et ses bâtiments d'époque *(voir Cosne-Cours-sur-Loire)*.

Varennes-Vauzelles

8 km au nord de Nevers, au niveau de la sortie 32 de l'autoroute. Cette bourgade offre un intéressant exemple de **cité-jardin ouvrière** du début du 20e s.

Pougues-les-Eaux

11 km au nord. À proximité de la Loire, cette ancienne station thermale occupe un site agréable dans un vallon ombragé. Ses parcs aux futaies centenaires, la terrasse du parc de Bellevue sur le mont Givre, d'où l'on a une **vue** étendue sur la vallée de la Loire et le Berry, constituent d'agréables lieux de promenade ou de repos. La ville offre une gamme étendue de distractions : plan d'eau, casino, piscine, tennis, etc.

Marzy

3 km à l'ouest par la D 131. Remarquez une intéressante église romane du 12e s., surmontée d'un élégant clocher à deux étages.

Ponctué de panneaux d'interprétation, le **sentier de Ver-Vert** *(environ 7 km AR)*, qui relie Nevers *(départ quai des Mariniers)* à Marzy, sensibilise le promeneur à l'écosystème ligérien et aux activités traditionnelles des bords de Loire.

Au **bec d'Allier**, où la Loire vient retrouver sa fougueuse compagne, vous bénéficierez d'une jolie **vue** sur cette confluence, aux paysages d'une grande diversité : forêts alluviales, grèves et bras morts, prairies, landes… Et vous verrez des oiseaux, des poissons et des castors.

Circuit de découverte

PAYS D'ENTRE LOIRE ET ALLIER

Circuit de 82 km – environ 4h.

Dans la dernière partie de son cours, l'Allier, épanouie mais vive encore, trace jusqu'à la Loire une voie presque directe. Un pays verdoyant et bocager, avec au sud la forêt du Perray, est ainsi isolé. Les bourgs sont rares ; de belles demeures se cachent au milieu des vastes domaines où se pratique l'élevage des bœufs charolais. Leur calme est seulement troublé par le trafic de la N 7, et certains jours… par des Grands Prix !

Circuit de Nevers - Magny-Cours

13 km au sud par la N 7. Visite uniquement pour les groupes.

Inauguré en 1961 (on l'appelait alors le circuit Jean Behra), ce célèbre circuit auto-moto est aujourd'hui le théâtre de prestigieuses compétitions, comme par exemple le Grand Prix de France de Formule 1 ou encore le Grand Prix de France moto. Les jours de grandes manifestations sportives, son immense enceinte peut accueillir, dans une ambiance survoltée d'applaudissements et de vrombissements de moteurs, quelque 110 000 spectateurs. D'importants travaux ont été lancés, en 2006, sur la **piste Grand Prix**, pour suivre l'évolution des normes de sécurité des

Bec d'Allier.

pilotes. Le complexe comprend aussi la piste Club (initiation au pilotage et essais techniques), une piste de karting et une piste 4x4 (parcours tout-terrain).

Autour du circuit s'est développé, sur 25 ha, un **Pôle de performance** dédié aux sports mécaniques, comprenant notamment des écoles de pilotage, des concepteurs-constructeurs de véhicules de compétition et motoristes, ainsi qu'un centre d'activités de recherche technologique et de développement.

Musée Ligier F1★

03 86 21 80 00 - www.magnyf1.com - ♿ - ouvert lors des manifestations sportives - 5 € (enf. 3 €) - des visites guidées sont organisées : se renseigner à l'office de tourisme 03 86 68 46 00.

Sa collection quasi complète d'une écurie de F1, l'écurie Ligier, fait de ce lieu consacré à la compétition automobile de haut niveau un musée unique en Europe. Les voitures de légende présentées ici ont toutes participé aux courses et ont parfois même remporté la victoire. Chaque engin porte les initiales JS en mémoire de Jo Schlesser (1928-1968), ami de Guy Ligier, mort sur le circuit des Essarts à Rouen. Les premières années de l'« écurie bleue » furent marquées par la personnalité et les performances de Jacques Laffite, avant son terrible accident sur le circuit de Brands Hatch, en 1986. Il remporta plusieurs grands prix dont celui de Suède en 1977 avec la JS 7, et celui d'Allemagne en 1980 avec la JS 11/15. La présentation chronologique des voitures permet également de découvrir des modèles plus récents comme la JS 39, décorée par le dessinateur Hugo Pratt, ou encore la JS 41 de Panis en 1995. Le bâtiment accueille aussi des expositions thématiques temporaires et une boutique, ainsi qu'une cinémathèque des sports mécaniques.

Saint-Parize-le-Châtel

Tout près du circuit, ce riant village était déjà florissant à l'époque gallo-romaine grâce à ses sources d'eau gazeuse, naguère exploitées à l'est de la localité. Son église construite sur une terrasse dominant le paysage est surtout remarquable par sa **crypte** aux magnifiques chapiteaux du 12e s.

Mars-sur-Allier

De l'autre côté de la N 7 par la D 133. La petite église romane de Mars était au 12e s. un prieuré de Cluny. Bien dégagée sur une petite place, elle offre un plan rectangulaire très simple. Le tympan du portail figure le Christ en gloire entouré des symboles des quatre évangélistes et de plusieurs apôtres.

La dernière victoire de Jeanne d'Arc

Après le sacre de Reims, le Conseil du roi, jaloux du prestige de Jeanne, lui impose plusieurs mois d'inaction à la Cour alors qu'elle a hâte de reprendre Paris. En octobre 1429, il décide de l'envoyer débarrasser le comté de Nevers des bandes du mercenaire Perrinet-Gressard. Partie du Berry, la petite troupe royale prend d'assaut St-Pierre-le-Moûtier aux premiers jours de novembre. Après avoir dû attendre à Moulins des renforts en hommes et en matériel, l'armée repart en décembre pour tenter de reprendre La Charité. C'est un échec. L'année suivante, Jeanne sera capturée par les Bourguignons.

Saint-Pierre-le-Moûtier

11 km au sud-est de Mars-sur-Allier par la D 108. Cet ancien siège d'un bailliage royal est un bourg commerçant, aux tranquilles petites places. On y trouve les traces des remparts qui fortifiaient la ville au 15e s. et de jolies maisons anciennes.

Église – Elle appartenait à un prieuré bénédictin lié à St-Martin d'Autun. Sa masse carrée et solide est aujourd'hui isolée sur la place du marché. Le tympan du portail nord, malheureusement dégradé, représente le Christ et les quatre évangélistes avec leurs symboles, entourés d'anges dans les voussures. Certains chapiteaux de la nef sont ornés de scènes pittoresques. Notez aussi un gisant du 14e s.

Sur la place de l'église, l'entrée du presbytère est marquée par une porte gothique au décor flamboyant.

Gagnez Chantenay (9 km au sud) et bifurquez vers l'est (D 522).

Forêt du Perray

Plusieurs étangs viennent égayer ses 2 200 ha. Au centre, le Rond-du-Perray est une vaste clairière d'où partent en étoile des allées profondes. La forêt de Chabet prolonge le massif du Perray vers l'ouest.

Traversez la forêt. Aux Raguet, gagnez Luthenay-Uxeloup à 10 km au nord (D 13).

Dès la sortie est de Luthenay-Uxeloup, la silhouette du **château de Rozemont** (13e s.), l'un des repaires de Perrinet-Gressard, se détache sur l'autre versant de la vallée.

Descendez vers la Loire et gagnez Chevenon à environ 10 km au nord.

Chevenon

Fermeture pour travaux. En bordure des coteaux qui commandent la vallée, le château occupe un site qui explique son importance. Une impression de puissance se dégage de la haute construction dont la coloration rose adoucit la sévérité. Cet ancien logis seigneurial, étroitement resserré entre les fortes tours rondes, était autrefois entouré de fossés. Il fut édifié au 14e s. par Guillaume de Chevenon, « capitaine des châteaux et tours de Vincennes » sous Charles V.

Retour à Nevers par la D 13.

La route longe le canal latéral à la Loire dont les eaux calmes reflètent un paysage apaisant ; mais le fleuve, caché par une large bande alluviale, reste invisible.

Nevers pratique

Adresse utile

Office du tourisme de Nevers et sa région – *Palais ducal - 58000 Nevers - ✆ 03 86 68 46 00 - www.nevers-tourisme.com - avr.-sept. : 9h-18h30, dim. et j. fériés 10h-13h, 15h-18h ; oct.-mars : lun.-sam. 9h-12h, 14h-18h.*

Visites

Visites guidées – Nevers, qui porte le label Ville d'art et d'histoire, propose des visites-découvertes *(1h30)* animées par des guides-conférenciers agréés par le ministère de la Culture et de la Communication - *Visite du palais ducal avr.-oct. : dim. 15h30 - renseignements à l'office de tourisme ou au ✆ 03 86 68 46 25.*

Cheminement piéton – Deux **itinéraires bleus**, peints sur les trottoirs de la ville, vous permettront de découvrir à votre rythme les principales curiosités patrimoniales de Nevers, signalées par des plaques d'identification. Le premier relie le palais ducal à l'église St-Étienne ; le second vous fait parcourir le quartier des faïenciers (certaines faïenceries proposent des visites de leurs ateliers).

Renseignements disponibles auprès de l'office de tourisme.

Se loger

⊖ Chambre d'hôte Domaine de Trangy – *8 rte de Trangy - 58000 St-Éloi - par D 176 - ✆ 03 86 37 11 27 - http://chambreshotestrangy.free.fr - - (dîner seult) - 4 ch. 53 € - repas 23 €.* Au cœur du Val de Loire bourguignon, cette belle maison du 18e s. abrite 4 charmantes chambres d'hôte au cachet rustique. Agréable jardin aux arbres centenaires. Piscine.

⊖⊖ Hôtel Molière – *25 r. Molière - ✆ 03 86 57 29 96 - www.hotel-moliere-nevers.com - fermé 30 juil.-19 août et 21 déc.-6 janv. - P - 18 ch. 49 € - 6 €.* Accueil chaleureux, simplicité et propreté caractérisent cet hôtel situé dans un quartier résidentiel. Chambres rustiques ou contemporaines, plus calmes sur l'arrière.

⊖⊖ Chambre d'hôte Beaumonde – *18 rte de Parigny-les-Vaux, Le Margat - 58400 Chaulgnes - 7 km au nord de Pougues-les-Eaux par D 138 puis D 267 - ✆ 03 86 37 86 16 - cheryl.jj.trinquard@wanadoo.fr - fermé 15 nov.-28 fév. - - (dîner seult) - 4 ch. 65/80 € - repas 24 €.* Cette maison de caractère (1960) nichée dans un parc de 7 ha dispose d'une piscine à débordement, d'un fitness et d'un salon de lecture aménagé au coin du feu. Les chambres, décorées avec goût, offrent un très bon standing. La propriétaire, d'origine australienne, vous fera goûter quelques spécialités de son pays.

Hôtel de Diane – *38 r. du Midi - 03 86 57 28 10 - www.bestwesterndiane-nevers.com - fermé 20 déc.-4 janv. - 30 ch. 86/104 € - 10,50 € - rest. 18/28 €.* Cette demeure ancienne proche de la gare abrite des chambres rajeunies et meublées avec soin. La salle des petits-déjeuners occupe une tour du 14e s. Au restaurant, cuisine classique et cadre empreint de sobriété.

Hôtel Holiday Inn – *Ferme du domaine de Bardonnay - 58470 Magny-Cours - 12 km au sud de Nevers par D 907 - 03 86 21 22 33 - www.holidayinn-nevers.com - P - 70 ch. 96/215 € - 17 € - rest. 17/28 €.* Hôtel moderne accolé à une ancienne ferme désormais située à deux tours de roue du circuit automobile de Magny-Cours et d'un golf 18 trous. Les chambres sont spacieuses, claires et très confortables. Restaurant tourné sur la terrasse et la piscine.

Se restaurer

Jean-Michel Couron – *21 r. St-Étienne - 03 86 61 19 28 - www.jm-couron.com - fermé 2-17 janv., 12 juil.-3 août, dim. sf le soir de mars à août, mar. sf le soir d'août à fév. et lun. - réserv. obligatoire - 20/49 €.* Ce discret restaurant niché dans une ruelle de la vieille ville jouxte l'église St-Étienne. L'une de ses trois salles à manger est d'ailleurs aménagée sous les voûtes de l'ancien cloître. Les gourmands y savourent désormais une délicieuse cuisine inventive.

La Botte de Nevers – *R. du Petit-Château - 03 86 61 16 93 - labottedenevers@wanadoo.fr - fermé dim. soir et lun. - 21/50 €.* La décoration de ce restaurant, à deux pas du palais ducal, rappelle la fameuse botte du duc de Nevers. Murs de pierre, tapisseries, grande cheminée et poutres massives. Cuisine traditionnelle.

La Gabare – *58000 Challuy - 3 km au sud de Nevers par D 907 - 03 86 37 54 23 - www.restaurant-lagabare.fr - fermé 15-22 fév., 15-22 avr., 26 juil.-17 août, dim., lun. et j. fériés - 19/27 €.* Cette ancienne ferme aujourd'hui restaurée abrite deux salles à manger au plaisant caractère rustique : poutres apparentes, murs colorés et grande cheminée. Une petite terrasse d'été permet également d'apprécier la cuisine traditionnelle maison.

Le Relais du Bengy – *D 907 - 58640 Varennes-Vauzelles - 03 86 38 02 84 - www.le-behgy-restaurant.com - fermé vac. de fév. et 22 juil.-12 août - 19/32 €.* Andouillette au sancerre, contre-filet de bœuf charolais sauce marchand de vin ou marmite du pêcheur au vin de pouilly sont quelques-unes des recettes traditionnelles mitonnées par le chef du Bengy. On peut les déguster dans deux salles à manger ou sur la terrasse d'été dressée dans le jardin.

En soirée

Au Bistro Gourmand – *Sq. de la Résistance - 03 86 61 45 09 - www.au-bistro-gourmand.com - tlj sf dim. apr.-midi et lun. 12h-14h30, 19h-0h.* Café chic au décor un brin farfelu. Aux heures des repas, plats du terroir.

Que rapporter

Bon à savoir – Les vitrines de la rue St-Étienne, de la rue piétonne François-Mitterrand et de la rue St-Martin sont toujours un plaisir pour les yeux.

Marché Carnot – *R. St-Didier - www.achat-nevers.com - tlj sf dim. et lun. 7h-12h40, 15h-18h55, sam. 7h-14h.* Des maraîchers et des producteurs locaux s'installent le samedi autour des halles et sur la grande place de la ville. Le reste de la semaine, le marché Carnot abrite des primeurs, des fromagers, un boucher, un charcutier, des poissonniers, un volailler, un crémier, un boulanger, etc. vendant des produits de belle qualité.

Au Négus – *96 r. François-Mitterrand - 03 86 61 06 85 - alain.hiriart2@wanadoo.fr - tlj sf dim. 9h-12h, 14h-19h, lun. 15h-19h - fermé j. fériés sf mat. de Pâques et 25 déc.* Le négus, caramel mou au chocolat enrobé de sucre cuit, est la spécialité de ce confiseur qui propose d'autres gourmandises aussi savoureuses qu'originales. Le décor mauresque rend hommage au Négus originel, l'empereur d'Abyssinie.

Sports & Loisirs

Canoë Club Nivernais – *10 quai Médine - 03 86 36 72 47 - canœclubnivernais@wanadoo.fr.* Pour s'adonner à la pratique du canoë-kayac sur la Loire : stages découverte et initiation, entrainement ciblé pour la compétition. Les moniteurs possédent un brevet d'État.

Karting de Nevers - Magny-Cours-Technopole – *Technopole - 58470 Magny-Cours - 03 86 21 26 18 - karting.magny-cours@wanadoo.fr - 10h à la tombée de la nuit (téléphoner av. visite) - fermé vac. de Noël.* Bénéficiant du même revêtement que pour la Formule 1, cette piste de 1 100 m est sans doute l'une des meilleures de France. Vous découvrirez les joies du sport automobile au volant d'un kart (4-temps, 270 cm³) aux chromes rutilants. Si, d'aventure, vous vous sentez l'âme d'un Michael Schumacher, libre à vous de passer aux modèles supérieurs. Plus simplement, offrez-vous un baptême de piste au côté d'un pilote chevronné… Sensations garanties.

Événements

Grand Prix de France de F1 – Fin juin.

Marchés de l'été – Fête des produits du terroir et de l'artisanat d'art nivernais – Au parc Roger-Salengro, un merc. sur 2 en juil.-août. Nombreuses animations musicales et créatives.

Nolay

1 490 NOLAYTOIS
CARTE GÉNÉRALE B3 – CARTE MICHELIN DÉPARTEMENTS 320 H8 – CÔTE-D'OR (21)

Baignés par la Cosanne, des paysages partagés entre vignes et collines forment un agréable écrin de nature autour de Nolay, charmante cité médiévale aux pittoresques maisons à pans de bois. Durant les beaux jours, les amateurs d'escalade venus s'essayer sur les parois des falaises calcaires, aux environs du bourg, apprécieront, après l'effort, le réconfort d'un vin fruité de Nolay sur une bonne tarte aux fruits rouges.

- **Se repérer** – Nolay se trouve à 20 km au sud-ouest de Beaune, à 34 km au nord-ouest de Chalon-sur-Saône et à 28 km à l'est d'Autun.
- **À ne pas manquer** – Flânez dans les ruelles médiévales de Nolay, puis visitez le fier château de La Rochepot et admirez la vue du belvédère du mont de Sène.
- **Organiser son temps** – Profitez du marché sous les halles, le lundi matin.
- **Avec les enfants** – Au rendez-vous : un plan d'eau aménagé *(voir carnet pratique)*, pour se rafraîchir à la période estivale, et… une aventure au « Bout du monde » dans le vallon de la Tournée !
- **Pour poursuivre la visite** – Voir aussi Arnay-le-Duc, Autun, Beaune, Chalon-sur-Saône, la Côte, Le Creusot-Montceau-les-Mines, la vallée de l'Ouche.

Visiter

Vieilles halles

Construites au 14e s., elles possèdent une solide charpente recouverte de lourdes dalles calcaires (des « laves » pesant près de 600 kg au m^3).

Église Saint-Martin

Cet édifice du 15e s., incendié pendant les guerres de Religion, puis reconstruit au 17e s., est surmonté d'un curieux clocher de pierre abritant un jacquemart en bois polychrome (16e s.). Parmi toutes les statues qui décorent l'église, remarquez celles de saint Jacques *(1re chapelle à droite)* et de saint Benoît, du 15e s. *(déambulatoire)*.

Aux alentours

La Rochepot★

5 km au nord-est par la D 973. Le village, qu'une déviation de la nationale permet d'éviter, s'étage au pied du promontoire rocheux qui supporte un château féodal. La famille des **Pot** donna son nom au château : ici naquit le petit-fils de Régnier Pot, Philippe (1428-1494), ambassadeur à Londres des ducs de Bourgogne, dont le tombeau, chef-d'œuvre de l'école bourguignonne, se trouve au musée du Louvre. La famille des **Carnot**, dont l'un des membres, **Lazare Carnot** (1753-1823), né à Nolay, fut « organisateur de la victoire » au temps de la Convention, eut autant d'influence dès les débuts de la République. La reconstruction fidèle du château de La Rochepot est due au colonel Sadi Carnot, fils du président (1837-1894). Comme la maison natale de Lazare à Nolay, il est toujours dans la famille.

Ph. Gajic / MICHELIN

Château de La Rochepot.

Château – *✆ 03 80 21 71 37 - www.larochepot.com - visite guidée (1h) juil.-août : 10h-18h ; avr.-mai : 10h-11h45, 14h-17h30 (oct. 16h30) ; juin et sept. : 10h-17h30 - fermé mar. et nov.-mars - 7,50 € (enf. 4 €).*
Le château de La Rochepot se dresse sur un **site★** féerique, le piton de la Roche-Nolay. La construction primitive (13e s.) fut remaniée au 15e s., mais le donjon fut rasé durant la Révolution. On remarquera les défenses extérieures et les tours massives, mais élégantes. Deux ponts-levis mènent à la cour intérieure ; celle-ci, bordée d'une aile Renaissance

avec tourelles couvertes de tuiles vernissées, possède un puits en fer forgé (1228) profond de 72 m. La visite permet de découvrir la salle des Gardes, dotée d'armes de guerre et d'une vaste cheminée ; la chambre du Capitaine des gardes, belle pièce circulaire contenant une collection de coffres ; la cuisine et son fourneau monumental ; la salle à manger, notable par son riche mobilier néogothique et son décor floral peint ; l'ancienne chapelle (12e s.) ; la Chambre chinoise, cadeau de l'impératrice Tseu-Hi à Sadi Carnot ; et le chemin de ronde extérieur, offrant une vue sur les toits polychromes du château. D'une terrasse, au fond de la cour, **panorama** sur le village et les collines.

Église – Cette ancienne priorale fut édifiée au 12e s. par les bénédictins de Flavigny. Elle possède des chapiteaux historiés (ânesse de Balaam, Annonciation, Combat d'un chevalier contre un aigle) d'une facture rappelant celle d'Autun, et renferme plusieurs œuvres d'art intéressantes, en particulier un triptyque (16e s.) dû au peintre dijonnais Quentin, dont la partie centrale figure la Déposition de croix.

Vallon de la Tournée

5 km, plus 30mn à pied AR. Prenez au nord de Nolay la route de Vauchignon, étroite et sinueuse. Sur la droite s'élèvent les **falaises de Cormot**, remarquable école pour la varappe, dont la Dame de Paris est la plus majestueuse aiguille.

À la sortie de Vauchignon, suivre à gauche la route remontant le vallon de la Cosanne, au pied de hautes murailles rocheuses, jusqu'à un pont (fin de la route).

Le sentier de gauche, après une montée sous bois, mène à une grotte, où la Cosanne coule en cascade sur les rochers de granit rose. L'autre sentier conduit à travers prés au **cirque du Bout du monde**. Dans un **site**★ remarquable *(protégé)*, au milieu d'impressionnants à-pics calcaires tombe une cascade haute de 28 m. Vous y verrez une flore subméditerranéenne et une faune exceptionnelle (par exemple, des faucons pèlerins et des martinets à ventre blanc).

Mont de Sène★★

6 km au sud-est par la D 973, puis une route à droite en direction de Dezize-lès-Maranges. On accède au mont de Sène ou « montagne des Trois-Croix » (triple calvaire érigé au sommet), par des routes assez étroites. Ce belvédère offre un très beau **panorama**★★. Du sommet, on reconnaît au nord, au-delà de La Rochepot, la Côte et son célèbre vignoble ; à l'est, la vallée de la Saône, le Jura et les Alpes ; au sud, le Clunisois dominé par le mont St-Vincent ; à l'ouest, la masse du Morvan.

Nolay pratique

Voir aussi les carnets pratiques de Beaune et Chalon-sur-Saône.

Adresse utile

Office du tourisme de Nolay – *24 r. de la République - 21340 Nolay - 03 80 21 80 73 - www.nolay.com - juil.-août : tlj sf dim. 10h-12h, 14h-19h ; avr.-juin et sept. : mar.-sam. 10h-12h, 14h-18h ; oct.-mars. : mar.-sam. 10h-12h, 14h-17h.*

Se loger

Chambre d'hôte Au temps d'Autrefois – *Pl. Monge - 03 80 21 76 37 - www.terroirs-b.com/gite - - 3 ch., 1 suite et 1 gîte 66/68 €.* Une atmosphère délicieusement surannée règne dans cette jolie maison à colombages du 14e s. dressée sur une placette où coule une fontaine. L'intérieur est très chaleureux (poutres apparentes, mobilier ancien, carrelage de tomettes…) et les chambres sont coquettes et calmes. L'été, petits-déjeuners servis dans le jardin.

Se restaurer

Ferme-auberge la Chaume des Buis – *Cirey-les-Nolay - 03 80 21 84 10 - www.ferme-auberge-nolay.com - ouv. w.-end et j. fériés de fin mars à fin nov. et tlj sf lun. du 10 juil. à fin août - réserv. conseillée - 22 €.* Murs blancs, tomettes, poutres apparentes et tables en bois composent le décor campagnard de cette sympathique ferme-auberge dont la spécialité est le cochon (élevé sur place, en plein air). De la terrasse, vue panoramique sur les monts du Jura.

Sports et Loisirs

Baignade – Nolay est doté d'un plan d'eau aménagé pour la baignade surveillée près d'un camping.

Noyers★

741 NUCÉRIENS

CARTE GÉNÉRALE B2 – CARTE MICHELIN DÉPARTEMENTS 319 G5 – YONNE (89)

Nichée dans un méandre du Serein, Noyers est une ville médiévale aux toits couverts d'écailles appellées « laves », resserrée entre ses remparts aux tours rondes. Entourée de forêts, de prés et de haies, cette jolie cité du Tonnerrois offre, le long de ses rues pleines de charme, un bel échantillonnage d'architecture bourguignonne, depuis les modestes logis de vignerons sur caves de plain-pied aux maisons à pans de bois sur arcades, en passant par de belles demeures Renaissance en pierre sculptée.

Se repérer – Noyers se trouve à 30 km au nord d'Avallon en passant par l'Isle-sur-Serein et la belle D 86. Elle est aussi à 22 km au sud de Tonnerre, 25 km au sud-est de Chablis et 31 km au nord-ouest de Montbard.

Se garer – Attention, les dimanches d'été, la vieille ville se transforme en zone piétonnière. Garez-vous près de la salle polyvalente.

À ne pas manquer – Voyagez dans le temps en parcourant la vieille ville médiévale, qui devient magique lorsqu'elle s'éclaire, à la tombée de la nuit.

Organiser son temps – En été, profitez des Rencontres musicales, jumelées avec le Festival des grands crus de Bourgogne. Et ne manquez pas, le 1er dimanche de décembre, le Marché de la truffe de Bourgogne.

Avec les enfants – Découvrez les collections de tableaux d'arts naïf, brut et populaire du musée, puis embarquez à bord du « p'tit train de l'Yonne ».

Pour poursuivre la visite – Voir aussi le château d'Ancy-le-Franc, Chablis, la vallée de la Cure, Semur-en-Auxois, le château de Tanlay, Tonnerre.

Découvrir

Noyers se prononce « Noyère » selon l'origine latine *Nugerium*, dérivé de *nux*, la noix. Sur place, la ville s'est rebaptisée Noyers-sur-Serein… sans attendre l'officialisation de ce changement.

LA VILLE MÉDIÉVALE★★

Place de l'Hôtel-de-Ville

Elle est entourée de jolies maisons à pans de bois des 14e et 15e s. et de maisons à arcades. L'hôtel de ville présente une façade du 18e s. surmontée d'un fronton curviligne et ornée de balcons en fer forgé et de pilastres.

Prendre la direction de l'église pour découvrir la rue du Marché-au-Blé qui conduit à la place du même nom.

Place du Marché-au-Blé

Cette place, triangulaire, est bordée de maisons anciennes dont une en pierre, à arcades et à pignon, sur la droite : l'hôtel de la Croix-Blanche.

Par la rue de l'Église, gagnez l'église Notre-Dame, puis le musée.

Église Notre-Dame

Ce vaste édifice date de la fin du 15e s. Remarquez sa façade Renaissance, sa tour carrée et ses gargouilles. Voyez l'imposant chevet à contreforts, et, sur la façade nord, l'étrange figuration sculptée d'un gisant.

Musée

03 86 82 89 09 - juin-sept. : tlj sf mar. 11h-18h30 ; oct.-mai. : w.-end, j. fériés et vac. scol. 14h30-18h30 - fermé janv., mar., 25 déc. - 4 € (-13 ans gratuit).

Par la qualité de ses paysages et sa proximité de Paris, la vallée du Serein a su attirer nombre d'artistes solitaires. Le musée

A. Doire / CRT Bourgogne

Ville médiévale de Noyers.

de Noyers, situé dans l'aile méridionale de l'ancien collège du 17e s., en témoigne par les tableaux des Russes Michel Kikoïne (venu de la Ruche à Paris), Soutine et Pinchus Krémegne. Il abrite aussi, sur trois niveaux, des salles de peinture et d'histoire locales (où l'on découvre, au détour de quelques broderies, que le célèbre photographe Henri Cartier-Bresson était issu d'une famille de filateurs de Noyers) et d'intéressantes **collections de tableaux d'arts naïf, brut et populaire★** provenant entre autres de la donation du peintre Jacques Yankel, fils de Kikoïne, et du dépôt par le conseil général de l'Yonne de la collection Jean-Marc Luce. Le musée s'enrichit chaque année de nouvelles collections : objets d'art populaire d'Amérique latine et d'Asie, boîtes lithographiées de biscuits et de bonbons, de poétiques petites figurines en terre peintes, etc.

Revenez place du Marché-au-Blé et prenez, sous une voûte à gauche, la petite rue du Poids-du-Roy.

Rue du Poids-du-Roy

Sur la gauche, aussitôt après l'arcade, remarquez une ravissante maison en bois du 15e s. à pans de bois et à poteaux corniers sculptés. La rue du Poids-du-Roy aboutit, par un passage couvert, à la minuscule **place de la Petite-Étape-aux-Vins** encadrée de maisons à pans de bois : celle qui se trouve tout de suite à gauche, lorsqu'on débouche sur la place, porte trois naïves sculptures représentant des saints. À l'Assomption, les vignerons décorent leur protectrice – la Vierge à l'Enfant domiciliée à la porte de Tonnerre – de grappes de raisin vert.

La rue principale, **rue de la Petite-Étape-aux-Vins**, que l'on prend à gauche, elle aussi bordée de maisons anciennes, conduit à la place du Grenier-à-Sel. Au fond à droite, l'hôtel de la Vieille Tour où vécut Charles Louis Pothier (1881-1962), auteur de la chanson « *Les Roses blanches* ». À l'extrémité de cette place, engagez-vous dans la **rue de la Madeleine**, au début de laquelle vous verrez, à gauche, une maison Renaissance portant une inscription grecque (*kamato*, qui signifierait « grâce au travail »).

Continuez jusqu'à la place de la Madeleine, et prenez à droite la rue de Venoise pour arriver au **Saut Parabin,** ancienne place d'arme du château de Noyers. Profitez du panorama sur la vallée du Serein et le village.

Redescendez par la porte de Venoise, en bas de laquelle vous avez la possibilité de monter *(environ 300 marches)* au site du vieux château *(en cours de restauration)* : joli **panorama** du village et de la vallée. De la porte de Venoise, continuez à droite par une **promenade** ombragée le long de la rivière ; vous y verrez sept des vingt-trois tours qui défendaient autrefois la ville.

Vous arrivez à la **porte Peinte**, porte fortifiée de forme carrée, par laquelle on entre dans la rue de ce nom *(grande maison à pans de bois, à gauche)* pour regagner la place de l'Hôtel-de-Ville.

Noyers pratique

Voir aussi les carnets pratiques d'Ancy-le-Franc, de Chablis, la vallée de la Cure et Tonnerre.

Adresse utile

Syndicat d'initiative de Noyers-sur-Serein – *22 pl. de l'Hôtel-de-Ville - 89310 Noyers-sur-Serein - ✆ 03 86 82 66 06 - www.noyers-sur-serein.com - juin-sept. : 10h-13h, 14h-18h ; oct.-mai : tlj sf dim. 10h-13h, 14h-18h. Visites guidées de la ville (1h30) tte l'année sur RV (tarif variable selon le nombre de pers.).*

Visite

Visite illuminée – La magie de ce décor médiéval prend une autre dimension dès la tombée de la nuit. Un éclairage discret et chaleureux invite le promeneur à errer dans le dédale de ruelles et placettes *(uniquement pour groupes sur demande).*

Se loger

Chambre d'hôte de la Vallée du Serein – *35 Grande Rue - 89310 Annay-sur-Serein - ✆ 03 86 82 63 98 - http://valleeduserein.free.fr - fermé déc.-mars sf sur réserv. - 4 ch. 45/50 € - repas 20/36 €.* Tout est à savourer ici : la couleur des pierres du village, le calme de la cour intérieure, la sobriété du décor, les confitures exotiques et surtout les récits de voyage des véritables globetrotters, artistes de la rencontre, qui ont ouvert ces chambres. Table d'hôte sur réservation.

Chambre d'hôte Château d'Archambault – *Cours - 2 km au sud de Noyers par D 86 - ✆ 03 86 82 67 55 - www.chateau-archambault.com - fermé déc.-fév. - 5 ch. 77/90 €.* Cette grande maison de maître du 19e s. a appartenu au cuisinier de Napoléon III. Restaurées avec goût dans un style contemporain sobre, les chambres donnent sur le parc ou le potager. Accueil décontracté. Un gîte est également disponible.

Chambre d'hôte Le Calounier – *5 r. de la Fontaine, hameau de Arton - 89310 Môlay - 8 km au nord de Noyers par D 86 et rte secondaire - ✆ 03 86 82 67 81 - www.lecalounier.fr - fermé janv.-fév. - - 4 ch. 61 € - repas 17/24 €.* Tout concourt à vous charmer dans cette ferme bourguignonne magnifiquement restaurée, dont le nom patois est aussi celui des noyers plantés sur le domaine. Les chambres, au décor d'inspiration mi-« british », mi-régionale très réussi, se répartissent dans les deux ailes du bâtiment. À table, produits du terroir.

Se restaurer

Les Millésimes – *8 rue du Poids du Roy - 89310 Noyers-sur-Serein - ✆ 03 86 82 82 16 - dim. soir et lun.soir : uniquement brasserie. Menu déjeuner à 20 €, menu gastronomique à 32 et 44 €.* Traiteur-restaurant situé tout près de l'office de tourisme. Le menu déjeuner est d'un excellent rapport qualité-prix. La carte, variée, fait la part belle aux produits traditionnels et régionaux, accommodés de façon originale : mille-feuille d'asperges, foie gras au pamplemousse, ris de veau... Tout est bon. Accueil sympathique.

Auberge la Beursaudière – *9 chemin de Ronde - 89310 Nitry - ✆ 03 86 33 69 69 - www.beursaudiere.com - fermé 4-16 janv. - 25/38 €.* Même le soir en semaine et hors saison, il règne ici une chaleureuse ambiance de ripaille, sans cris ni serpentins, mais sur fond de musique, de costume et de décor typiquement bourguignons. Les spécialités régionales sont délectables, on hésite à en recommander une en particulier. Réserver.

Sports & Loisirs

Le p'tit train de l'Yonne – *ATPVM, rte de Courtanoux - 89440 Massangis - ✆ 03 86 33 93 33 - www.massangis.com - départ de Massangis - de mi-mai à mi-sept. : dim. et j. fériés 14h30-17h30 - 5 € (enf. 3 €).* 5 km aller-retour entre Massangis (à 9,5 km au sud de Noyers) et Civry-sur-Serein surplombant par moments de plus de 10 m la vallée du Serein.

Événements

Rencontres musicales de Noyers et du Tonnerrois – Une belle musique accompagnée de vins prestigieux assure souvent le succès d'une soirée. On ne s'étonnera donc pas de celui des Rencontres musicales de Noyers et du Tonnerrois *(fin juin à fin août)*, qui font partie du Festival musical des grands crus de Bourgogne, de déb. juil. à mi-sept. (Chablis, Noyers, Gevrey-Chambertin, Meursault, Cluny).

Gargouillosium – Mi-août, l'association Le Patrimoine oublié organise la rencontre de tailleurs de pierres qui sculptent... des gargouilles.

Vallée de l'Ouche

CARTE GÉNÉRALE C2/3 – CARTE MICHELIN DÉPARTEMENTS 320 I/J-6/7 – CÔTE-D'OR (21)

Le tracé sinueux de l'Ouche se fraie un chemin entre falaises calcaires, prairies et collines boisées, qui ont valu à cette trouée verdoyante le surnom de « Suisse bourguignonne ». Ce sont de riants paysages que vous découvrirez volontiers à pied, le long des nombreux sentiers de randonnée qui sillonnent la région, en bateau, sur le canal de Bourgogne, qui emprunte quelque temps la vallée de l'Ouche, ou encore à bord du petit train à vapeur de Bligny...

Se repérer – Entre le pays d'Auxois et les hautes côtes, la vallée de l'Ouche est facile d'accès depuis Dijon ou Beaune via l'A 6.

À ne pas manquer – Amateurs de pêche, sachez que l'Ouche abrite des populations de truites sauvages et offre des parcours diversifiés. Les marcheurs apprécieront quant à eux les jolis points de vue sur la vallée et ses hauteurs boisées.

Avec les enfants – Le petit chemin de fer touristique de la vallée de l'Ouche, qui part de Bligny-sur-Ouche, est une façon originale de leur faire découvrir la Suisse bourguignonne. Ils pourront aussi faire des balades à dos de cheval ou de poney dans la région *(voir carnet pratique)*.

Pour poursuivre la visite – Voir aussi Arnay-le-Duc, Beaune, la Côte, Dijon, Pouilly-en-Auxois.

Comprendre

Le canal de Bourgogne – Achevé en 1832, ce canal long de 242 km opère la jonction entre l'**Yonne** et la **Saône**, de Laroche-Migennes (altitude 84 m) à St-Jean-de-Losne (altitude 182 m). Empruntant les vallées opposées de l'Armançon

Canal de Bourgogne.

et de l'Ouche, il franchit, à 378 m d'altitude, le faîte de séparation des bassins de la Seine et du Rhône par un tunnel long de 3 333 m : la **voûte de Pouilly** *(voir p. 351)*. La navigation de plaisance, en forte croissance, emprunte le canal de Bourgogne sur toute sa longueur, mais la batellerie commerciale ne l'utilise que sur deux sections : Migennes-Tonnerre et Dijon-St-Jean-de-Losne. 189 **écluses** jalonnent son parcours, soit en moyenne une tous les 1,3 km. La succession d'écluses est particulièrement pénible entre Vénarey-les-Laumes et Pouilly.

Circuit de découverte

DE BLIGNY-SUR-OUCHE À DIJON

57 km – environ 1h30.

Après Bligny, la route (D 33) suit la verdoyante vallée de l'Ouche dans un paysage vallonné, entre des pentes boisées parsemées de rochers.

Juste avant **Pont-d'Ouche**, vous passez sous le grand ouvrage d'art (500 m de long) qui permet à l'autoroute A 6 de franchir la vallée, puis la route rejoint le canal de Bourgogne. Remarquez, au passage, l'**aqueduc** sur lequel le canal de Bourgogne franchit l'Ouche. La vallée s'élargit et le fond devient boisé et rocheux. Bientôt, des rochers apparaissent à gauche dans les côtes portant la forêt de Bouhey.

La Bussière-sur-Ouche

7 km au nord de Pont-d'Ouche par la D 33. Les bâtiments restaurés d'une ancienne abbaye cistercienne fondée en 1130 abritent un hôtel-château de luxe. L'**église** abbatiale, romane, est surmontée d'un fin clocher d'ardoise. À l'intérieur, la nef, en berceau brisé, est soutenue par des arcs doubleaux. Les bas-côtés possèdent des voûtes primitives, en calotte, légèrement bombées. L'église renferme des tombeaux, pierres tombales, bas-reliefs et de nombreuses statues. Dans le chœur, les panneaux peints, du 17e s., sont surmontés de deux intéressantes statues : sainte Barbe, à gauche, et saint Sébastien, à droite.

Peu après Auvillard, vous apercevez en haut d'un piton, à gauche, les ruines du **château de Marigny**.

Les jardins de Barbirey

À Barbirey-sur-Ouche par la D 33. ✆ 03 80 49 08 81 - www.barbirey.com - ♿ - juin-août : tlj sf lun. 14h-19h ; mai et 1er sept.-2 nov. : w.-end et j. fériés 14h-18h - possibilité de visite guidée sur demande - 6 € (-12 ans 2 €). Ce parc de 8 ha a été réaménagé autour de beaux communs (17e et 18e s.) et d'un château remanié au 19e s. Le vaste potager fleuri (iris et pivoines) en terrasse, à l'architecture régulière, fait

Info pratique

Le site **www.le-canal-de-bourgogne.com** dresse l'historique du canal de Bourgogne et le présente en images. Il contient aussi toutes sortes de renseignements utiles : haltes nautiques le long du canal ; communes traversées (avec mention des pharmacies, sanitaires et commerces de proximité) ; distance entre les écluses ; conditions de navigation et horaires de prise en charge ; liens vers des loueurs de bateaux.

face au parc à l'anglaise. Remarquez le mur à abeilles, au fond du potager, avant d'emprunter le sentier sous les arbres, bordé d'une jolie palissade en fer forgé, qui descend doucement vers les bords fleuris du ruisseau et de l'étang en forme de cœur. Dans la prairie et le parc, des œuvres contemporaines et des bancs invitent à découvrir des points de vue inattendus. Sur l'autre rive, passez les bois pour découvrir le verger et les terrasses pour plantes de rocaille.

Le saviez-vous ?

Les paysages de la vallée de l'Ouche inspirent non seulement les peintres, mais aussi les cinéastes. À un quart de siècle d'intervalle, deux films ont connu un succès à scandale : *Les Amants* de **Louis Malle**, tourné à Bligny en 1958, et *Les Valseuses* de **Bertrand Blier** (1974).

Poursuivez sur la D 33 jusqu'à Pont-de-Pany, puis prenez la D 35 vers le sud-est jusqu'au château de Montculot.

Château de Montculot

Sur la commune d'Urcy. Cette élégante demeure du 18e s. se distingue par sa façade rocaille, son parc et ses jolies pièces d'eau. L'une d'elles, la source du Foyard, fut chantée par **Lamartine** *(voir la route Lamartine p. 35)*, qui hérita de ce domaine familial. Le poète y composa une partie de son œuvre, entre 1801 et 1831, avant de vendre la propriété. Du site, on a une **vue** dégagée à l'est sur le mont Afrique et le mont de Siège, tous deux flirtant avec les 600 m d'altitude.

Rebroussez chemin sur la D 35 jusqu'à Pont de Pany, puis prenez la D 905 en direction de Velars-sur-Ouche. La route offre des vues sur les ouvrages d'art de la voie ferrée Paris-Dijon établie sur la falaise dominant le canal.

Notre-Dame-d'Étang

Au sud de Velars-sur-Ouche par la D10 F, puis 30mn à pied AR.

En 1435, la statuette miraculeuse d'une Vierge à l'Enfant (*aujourd'hui conservée dans l'église de Velars)* fut trouvée au sommet de la colline d'Étang. Le site devint dès lors un important lieu de pèlerinage, et en 1896 y fut érigée une chapelle coiffée d'un dôme portant une immense statue de la Vierge. L'endroit révèle un beau **panorama** sur la vallée de l'Ouche et les hauteurs boisées environnantes.

Revenez sur Velars par la D 10F, puis gagnez Dijon par la D 10 ; peu avant l'arrivée, l'Ouche s'élargit en un plan d'eau artificiel : le lac Kir (voir p. 274). Si vous voulez faire un petit détour par le mont Afrique, rejoignez plutôt Dijon par la D 108.

Vallée de l'Ouche pratique

Voir aussi les carnets pratiques d'Arnay-le-Duc, Dijon et Pouilly-en-Auxois.

Adresse utile

Office du tourisme de Bligny-sur-Ouche – *21 pl. de l'Hôtel-de-Ville - www.cc-cantondeblignysurouche.fr - 21360 Bligny-sur-Ouche - 03 80 20 16 51 - mai-sept. : mar-sam. 10h-13h, 14h-18h, w.-end. 9h-13h ; avr. : mar-sam. 10h-13h, 14h-18h, dim. 9h-13h ; oct. : mar-sam. 10h-13h, 14h-18h ; reste de l'année se renseigner.*

Se loger

Chambre d'hôte La Saura – *Rte de Beaune - 21360 Lusigny-sur-Ouche - 2 km au sud de Bligny-sur-Ouche par D 970 - 03 80 20 17 46 - www.douix.com/la-saura - - 5 ch. 75/85 €* . Le propriétaire de cette belle demeure de style régional est peintre à ses heures et collectionne des œuvres contemporaines. Les chambres, soignées et confortables, donnent toutes sur un charmant jardin en terrasse. Piscine.

Se restaurer

Auberge des Sources – *D 970 - 21360 Lusigny-sur-Ouche - 03 80 20 10 52 - fermé dernière sem. d'août et 2 sem. déb. sept. - 12,50 € déj. - 21,50/25 €.* En dépit de son intérieur un peu sombre (l'environnement boisé a tendance à tamiser la lumière) cette petite auberge sans prétention mise sur un rapport qualité-prix intéressant. Une cuisine simple, agrémentée de quelques spécialités à la carte, et accompagnée bien sûr des incontournables vins de la région.

Le Bistrot – *21360 La Bussière-sur-Ouche - 03 80 49 02 29 - www.abbayedelabussiere.fr - fermé 1er janv.-15 fév., lun., mar. et le midi sf dim. - 29/33 € - 15 ch. 160/375 € 29 €.* Cette ancienne abbaye cistercienne (12e s.) restaurée avec soin est agrémentée d'un superbe parc. Fine cuisine actuelle servie dans une atmosphère aristocratique. Choix simplifié à midi au bistrot. Chambres tout confort et salons cossus.

Sports & Loisirs

Chemin de fer de la vallée d'Ouche – *21360 Bligny-sur-Ouche - ☏ 03 80 20 17 92 ou 06 30 01 48 29 - www.lepetittraindebligny.com - dim. et j. fériés de mai à sept. 14h45-16h30 ; juil.-août : lun.-vend. 15h30. Billetterie : ouv. 14h - fermé oct.-avr. - 7,50 € (enf. 5 €).* Ce petit train à vapeur vous convie à une promenade sur l'ancienne ligne Dijon-Épinac (seconde ligne ferroviaire autorisée en France). Départ de la gare de Bligny-sur-Ouche, arrivée à Pont-d'Ouche. Une heure (temps de l'aller et retour) à travers une superbe vallée.

Ferme équestre la Volte – *21360 La Bussière-sur-Ouche - ☏ 03 80 49 04 73 – centre.equestre.la.volte@wanadoo.fr.* Cette ferme équestre de la vallée de l'Ouche propose des balades d'une demi-journée à dos de cheval ou de poney. Mais les plus mordus seront ravis d'apprendre que la structure organise aussi des séjours d'une semaine ou plus, en compagnie de tous les animaux de l'exploitation : poules, lapins, moutons et autres.

Location de vélos - office de tourisme – *21 pl. de l'Hôtel-de-Ville - 21360 Bligny-sur-Ouche - ☏ 03 80 20 16 51 - avr.-oct. 10h-13h, 14h-18h et dim.-lun. en sais. 9h-13h.* Voici le seul office de tourisme de la vallée d'Ouche. Non seulement on vous y prodiguera tous les conseils pour profiter de la région, mais vous pourrez louer le vélo compagnon de vos promenades. Également expositions tournantes et espace de vente de produits du terroir.

Paray-le-Monial★★

9 066 PARODIENS
CARTE GÉNÉRALE B4 – CARTE MICHELIN DÉPARTEMENTS 320 E11 – SAÔNE-ET-LOIRE (71)

Aux confins du Charolais et du Brionnais, Paray-le-Monial se distingue à la fois comme lieu de pèlerinage très fréquenté, et comme ville d'art, sa superbe basilique étant considérée comme le plus bel exemple conservé d'architecture clunisienne. Située sur la Bourbince, un affluent de la Loire que longe le canal du Centre, c'est également un bon point de départ de la Voie verte, appréciée des cyclistes, rollers et marcheurs.

Se repérer – Paray-le-Monial se trouve entre Digoin et Charolles, à 71 km à l'est de Moulins et 66 km à l'ouest de Mâcon.

Se garer – Vous trouverez un parking à proximité de la basilique, sur la rive gauche de la Bourbince.

À ne pas manquer – Admirez la superbe basilique du Sacré-Cœur, dont vous pourrez apprécier l'harmonie architecturale, et l'étonnante œuvre d'orfèvrerie du grand joaillier Chaumet, la *Via Vitae*, au musée eucharistique du Hiéron.

Organiser son temps – Les pèlerins affluent à Paray-le-Monial en juillet et août, et aussi le 16 octobre, fête de sainte Marguerite-Marie.

Avec les enfants – Le musée du Hiéron a créé à leur attention un parcours spécifique. Si cette idée leur paraît trop sérieuse, emmenez-les faire un pique-nique dans le parc du moulin Liron, le long de la Bourbince *(espace de jeux et parcours santé)*, ou louez un vélo pour vous promener sur la Voie verte.

Pour poursuivre la visite – Voir aussi le Brionnais, Charolles, Digoin, la Voie verte.

Comprendre

La grâce mystique – Fille du notaire royal de Verosvres-en-Charolais, **Marguerite-Marie Alacoque** manifeste très tôt le désir de se faire religieuse, vœu qu'elle réalise à 24 ans. Le 20 juin 1671, elle entre au couvent de la Visitation de Paray-le-Monial. Dès 1673, se produisent pour sœur Marguerite-Marie des apparitions du cœur charnel de Jésus, qui se poursuivront jusqu'à sa mort, le 17 octobre 1690. Secondée par son confesseur, le père Claude de La Colombière, elle a consigné les messages reçus : « Voilà ce Cœur qui a tant aimé les hommes » et préconisé, à la suite de saint Jean Eudes, la dévotion au Sacré-Cœur. Sœur Marguerite-Marie a été canonisée en 1920.

Un nouveau culte – Définie comme l'union au cœur de Jésus par les mystiques, ce n'est qu'au début du 19e s., après la tourmente révolutionnaire, que la dévotion au Sacré-Cœur se développe. En 1817 commence en Cour de Rome le procès qui aboutit, en 1864, à la béatification de sœur Marguerite-Marie. Ce sont 200 000 personnes qui participent en 1873 au premier grand pèlerinage, où se décide la consécration de la France au Sacré-Cœur de Jésus. Chaque année, en juin, la fête se renouvelle, le 3e ven-

dredi qui suit la Pentecôte. Le pape Jean-Paul II est venu à Paray en octobre 1986.
Les sessions d'été – Depuis 1976, la communauté catholique de l'Emmanuel organise des sessions internationales, attirant aujourd'hui plus de 20 000 pèlerins par an. De tendance « charismatique » (en référence aux « charismes » ou manifestations de l'Esprit saint), cette communauté met l'accent sur l'adoration, la louange et l'évangélisation, ce qui s'entend jusque dans les rues en juillet et août.

Découvrir

PÈLERINAGE ET ART SACRÉ

Basilique du Sacré-Cœur★★

Sur la rive droite de la Bourbince, aménagée en **coulée verte**, se dresse l'église primitivement dédiée à Notre-Dame, puis élevée au rang de basilique en 1875. Construite d'un jet entre 1092 et 1109, sous la direction de saint Hugues, abbé de Cluny, l'église peut être considérée comme un modèle réduit de la célèbre abbaye bénédictine (contemporaine de Cluny III). Elle n'en conserve cependant que la structure architecturale, délaissant la magnificence décorative et le gigantisme conçus à la gloire de Dieu, au profit d'une beauté abstraite, favorable au recueillement, fondée sur l'agencement rythmique des volumes, les jeux d'ombres et de lumières et le dépouillement ornemental. Les rares sculptures privilégient largement les motifs géométriques, dont saint Hugues découvrit probablement la séduisante perfection dans l'art islamique, à l'occasion de deux voyages en Espagne.
Extérieur – La façade est d'une élégante asymétrie : deux tours carrées, épaulées à leurs angles par de puissants contreforts, présentent quatre étages de fenêtres dont le premier éclaire l'avant-nef; la tour de droite, construite au début du 11e s., a une décoration très sobre; celle de gauche, postérieure, est plus riche : les étages supérieurs sont percés de deux baies géminées, et, au dernier, l'arc des baies est formé de deux rangs de claveaux au lieu de trois, tandis que les chapiteaux des colonnettes sont réunis par un cordon d'oves et de losanges. La tour octogonale située à la croisée du transept a été restaurée en 1856.
Pour admirer l'unité du chevet, harmonieusement étagé, contournez l'édifice et placez-vous en haut de l'escalier de l'ancienne maison des Pages qui abrite la chambre des Reliques. Au passage, vous découvrirez le bras gauche du transept, dont la belle porte romane est décorée de motifs floraux et géométriques.
Intérieur – À la hauteur de l'édifice (22 m dans la nef principale) et à la sobriété du décor s'ajoutent les caractéristiques de l'art clunisien. Le chœur et son déambulatoire à trois absidioles – le promenoir des Anges – constituent un ensemble d'une grande élégance. Huysmans observait le symbole de la Trinité dans la triple nef comportant trois travées, trois arcatures au-dessus des grandes arcades surmontées de trois fenêtres. La restauration et le rafraîchissement des peintures ont rendu à l'édifice sa luminosité d'origine. Les chapiteaux historiés des fines colonnes sont un exemple typique de l'art bourguignon du 12e s. L'abside en cul-de-four est décorée d'une fresque du 14e s., représentant le Christ en gloire bénissant.

Jardin du cloître

Dans l'enceinte des bâtiments monastiques, le cloître a été reconstruit au 18e s. dans un style classique. Le jardin est organisé, comme au Moyen Âge, suivant un plan en croix. Vous y découvrirez l'hysope, la guimauve, la sauge, la bourrache, l'oreille d'âne… entourés d'armoise et de santoline, odorantes en toutes saisons. Observez la belle porte romane qui donnait accès à l'église.

Musée eucharistique du Hiéron

☎ 03 85 81 79 72 - www.musee-hieron.fr - ♿ - juil.-août 11h-19h : mars-juin et sept.-déc. 10h-12h, 14h-18h - fermé 1er nov. et 25 déc. - 4 € (-16 ans gratuit).

F. Klingen / MICHELIN

Basilique du Sacré-Cœur.

Parcours spécifique pour les jeunes enfants. Avec ses objets liturgiques, ses peintures anciennes, dont *La Lévitation de Thomas Cori* par Cavallucci, et ses sculptures, comme le *Christ au sourire* (16e s.) et le très beau **tympan d'Anzy-le-Duc** (12e s.), ce musée d'art sacré présente l'image du Christ de manière thématique. Ne manquez pas la **Via Vitae★★** (ou *Chemin de vie)*, réalisée entre 1894 et 1904 par le joaillier Joseph Chaumet. Ce chef-d'œuvre d'orfèvrerie monumentale (haut de 3 m), composé de 138 figurines d'or et d'ivoire (hautes de 10 à 12 cm), retrace avec ferveur la vie du Christ sur une montagne de marbre et d'albâtre.

Le saviez-vous ?

À l'origine de « Paray », le latin *paries* qui signifie « paroi, clôture », sans doute des anciennes fortifications. « Monial » vient de *monie*, « moine » en vieux français. À l'instar de Cluny, la ville s'est construite autour du monastère. Au fil des siècles, de nombreuses communautés religieuses s'y sont fixées.

Espace Saint-Jean

Dans l'ancienne maison des pages du cardinal de Bouillon (18e s.), un accueil des pèlerins a été aménagé, avec film d'introduction à Paray-le-Monial d'un côté, objets conventuels datant de l'époque de sainte Marguerite-Marie de l'autre.

Parc des chapelains

Ce vaste enclos, orné d'un chemin de croix, accueille les grandes cérémonies de pèlerinage. Un **diorama** est consacré à la vie de sainte Marguerite-Marie. *03 85 81 62 22 - 9h30-12h, 14h-18h, dim. et j. fériés 10h-12h, 14h-18h - fermé janv. (15 j. déb. janv.) - gratuit.*

Chapelle des apparitions

03 85 81 62 22 - ♿ - 6h30-21h - possibilité de visite guidée sur demande.

C'est dans cette chapelle que sainte Marguerite-Marie reçut ses principales révélations, illustrées dans le chœur. La châsse en argent doré abritant ses reliques se trouve dans une chapelle à droite. Celle de son confesseur Claude de La Colombière, canonisé en 1992, est dans la **chapelle de La Colombière**, en face du musée du Hiéron. Elle est dotée d'un décor de mosaïques, marbre rouge et arêtes bicolores des années 1930.

Hôtel de ville★

La façade en pierre dorée de ce bel hôtel Renaissance, construit en 1525 par un riche drapier, Pierre Jayet, est ornée de coquilles et de médaillons représentant les rois de France et des notables parodiens.

Tour Saint-Nicolas

Cette grosse tour carrée du 16e s. est le clocher de l'ancienne église St-Nicolas, désaffectée. La façade qui borde la place Lamartine s'orne d'une belle rampe en fer forgé et d'une fine tourelle construite en encorbellement à la pointe du pignon.

Musée Paul-Charnoz

03 85 81 40 80 - www.musee-carrelage-charnoz.org - juil.-août : 14h30-18h30 - 2 €.

Créé en 1994 par les ouvriers de l'usine de carrelages céramiques, non loin de l'entreprise qui a fermé ses portes en décembre 2005, le musée organise chaque année une exposition temporaire autour de l'étonnante **grande rosace** qui avait été réalisée pour l'Exposition universelle de 1900, et de la « fresque » qui reçut le premier prix à l'Exposition universelle de 1889.

Aux alentours

Château de Digoine

15 km au nord-est de Paray-le-Monial, à Palinges, par la D 248, puis à gauche la D 974 qui longe le canal du Centre. Traversez le canal à hauteur de Varennes, il reste 1 km à parcourir. 03 85 70 20 27 - visite guidée (45mn) du château juil.-août : 14h30-17h30 ; mai-juin et du 1er sept. au 1er nov. : w.-end et j. fériés 14h30-17h30 - visite libre du parc et des jardins 14h-19h (mêmes périodes que le château) - 7 € château (-12 ans gratuit), 3,50 € parc et jardins.

Cette belle demeure du 18e s., construite sur l'emplacement d'un château fort, présente deux façades d'aspects très différents. La façade d'entrée néoclassique, flanquée de deux pavillons en saillie, est précédée d'une cour d'honneur que ferme une grille de fer forgé ; elle porte un élégant fronton sculpté. La façade donnant sur le jardin anglais comprend quant à elle en son milieu un avant-corps à deux étages ; à ses extrémités se dressent deux tours d'angle de la forteresse d'origine, cylindriques, à coupoles. À l'intérieur, une enfilade de pièces de réception permet de découvrir un subtil décor aquatique par Clodion (1782), une bibliothèque troubadour et, construit en 1842, un petit théâtre à l'italienne attribué à Cicéri, célèbre pour avoir décoré l'Opéra de Paris.

Ne manquez pas, dans le parc de 35 ha, les orangers bicentenaires du parterre de la cour d'honneur, le jardin floral, le potager avec sa serre (vers 1830), et le jardin à la française, face à la serre, redessiné vers 1920 par le paysagiste Achille Duchêne.

Paray-le-Monial pratique

Voir aussi les carnets pratiques de Digoin, Charolles et du Brionnais.

Adresse utile

Office du tourisme de Paray-le-Monial – *25 av. Jean-Paul-II - 71600 Paray-le-Monial - 03 85 81 10 92 - www.paraylemonial.fr - juil.-août : 9h-19h ; de Pâques à fin juin et sept.-oct. : 9h-12h, 13h30-18h, dim. 10h-12h, 14h30-18h ; du 1er nov. à Pâques : tlj sf dim. 9h-12h, 13h30-18h.*

Visites

Visites guidées – Pour découvrir la richesse architecturale de Paray-le-Monial et de sa basilique, suivez les visites-découvertes proposées par l'office de tourisme : *juil.-août.*

Se loger

Chambre d'hôte Les Bruyères – *Les Bruyères - 71600 Vitry-en-Charollais - 6 km au nord-ouest de Paray-le-Monial dir. Digoin et D 479 à gauche après le passage à niveau - 03 85 81 10 79 - ferme-des-bruyeres@wanadoo.fr - - 5 ch 45 € - repas 17 €.* Cette ferme charolaise, spécialisée dans l'élevage et l'agriculture biologiques, vous accueille pour un séjour nature. Les chambres, sises dans l'ancienne grange, ont gardé les lucarnes par lesquelles on nourrissait jadis les bêtes. La cuisine est élaborée à partir de bœuf, porc, volaille et légumes produits sur place.

Chambre d'hôte M. et Mme Mathieu – *Sermaize - 71600 Poisson - 12,5 km au sud-est de Paray-le-Monial par D 34 puis D 458 (dir. St-Julien-de-Civry) - 03 85 81 06 10 - mp.mathieu@laposte.net - fermé 11 nov.-15 mars - - 5 ch. 50/60 €.* Ce relais de chasse du 14e s. a fière allure avec sa tour ronde et sa cour carrée fleurie. Accédez aux chambres personnalisées par un escalier en colimaçon d'époque. Parquets, meubles anciens et cheminées. Jardin ouvert sur la campagne.

Hôtel Le Parada – *ZAC. Champ-Bossu - 03 85 81 91 71 - www.hotel-leparada.com - P - 30 ch. 54/68 € - 7 €.* Aux portes de la ville, entouré d'un terrain clos, hôtel récent dont les grandes chambres insonorisées sont dotées de TV grand écran. Petit-déjeuner dans une véranda en verre fumé. Borne de paiement et de délivrance de clé mise en service le soir.

Hôtel Terminus – *27 av. de la Gare - 03 85 81 59 31 - www.terminus-paray.fr - fermé vac. de Toussaint et dim. - P - 16 ch. 62 € - 7,50 € - rest. 17/21 €.* Typique hôtel de gare 1900, bien rénové et facilement repérable à sa façade rose bonbon et turquoise. Hall d'époque et bonnes chambres aux futuristes salles de bains « monobloc ». Cuisine traditionnelle, correcte mais sans prétention.

Se restaurer

Grand Hôtel de la Basilique – *18 r. de la Visitation - 03 85 81 11 13 - www.hotelbasilique.com - fermé 1er nov.-19 mars - 15/40 €.* Cinq générations de la même famille se sont succédé à la tête de cet établissement. Chambres simples et propres, parfois avec vue sur la basilique. Salle à manger fleurie sentant bon la campagne et la tradition.

La Poste – *Au bourg - 71600 Poisson - 8 km au sud de Paray-le-Monial par D 34 - 03 85 81 10 72 - la.reconce@wanadoo.fr - fermé 1er fév.-6 mars, 28 sept.-15 oct., lun. et mar. sf le soir en juil.-août - 28/84 € - 7 ch. 68 € - 11 €.* D'un côté, table traditionnelle axée terroir, aménagée dans une maison en pierre avec salle à manger prolongée d'une véranda et terrasse à l'ombre des platanes. De l'autre, bâtisse 1900 rénovée, abritant des chambres confortables, garnies de meubles en merisier et de parquets cirés.

Sports & Loisirs

Location de vélos – *25 av. Jean-Paul-II - 03 85 81 10 92 - ot.paray@wanadoo.fr - tlj sf dim. 9h-12h, 13h30-18h ; juil.-août : 9h-19h - fermé 1er janv., 1er et 11 Nov. et 25 déc - à partir de 5 €.* Auprès de l'office de tourisme, service de location de vélos et VTT pour une demi-journée, une journée ou 5 jours. Également, petit espace de vente de produits du terroir.

Voie verte – *ot.paray@wanadoo.fr - tlj sf dim. 9h-12h, 13h30-18h ; juil.-août : 9h-19h - fermé 1er janv., 1er et 11 Nov. et 25 déc.* Longeant le canal du Centre entre Digoin et Volesvres, en passant par Paray-le-Monial, cette voie verte de 15 km sillonne les bocages du pays Charolais, où paissent les fameux bœufs au pelage blanc. Nombreux édifices d'architecture romane aux alentours. Une jolie croisière est possible au départ de Digoin.

Abbaye de Pontigny★

CARTE GÉNÉRALE B1 – CARTE MICHELIN DÉPARTEMENTS 319 F4 – YONNE (89)

Bâti au bord du Serein, dont l'environnement est particulièrement propice à la détente, le paisible village de Pontigny vit à l'ombre de sa célèbre abbaye, seconde fille de Cîteaux, fondée en 1114. Toutefois, contrairement à cette dernière dont ne subsistent que des vestiges, Pontigny a conservé intacte sa majestueuse église. Aujourd'hui, son imposante silhouette demeure l'un des grands témoins de l'esprit et de l'art cisterciens.

L'église abbatiale de Pontigny.

- **Se repérer** – Pontigny se trouve à 18 km au nord-est d'Auxerre par la N 77, à 27 km au sud-est de Joigny, et à 10 km au sud de St-Florentin.
- **À ne pas manquer** – Prenez le temps de faire le tour de l'abbaye par la gauche du pâté de maisons, afin d'obtenir la meilleure vue du chevet de l'abbatiale. Celle-ci, construite dans la pure tradition d'austérité cistercienne, contient, à l'ntérieur, de superbes stalles de la fin du 17e s.
- **Organiser son temps** – Renseignez-vous auprès de l'office de tourisme pour connaître le programme des concerts dans l'abbaye et des visites nocturnes.
- **Pour poursuivre la visite** – Voir aussi Auxerre, Chablis, Joigny, St-Florentin, Seignelay, Tonnerre.

Comprendre

La fondation – Au début de l'année 1114, douze religieux, ayant à leur tête l'abbé **Hugues de Mâcon**, un compagnon de Bernard de Clairvaux, sont délégués de Cîteaux par saint Étienne pour établir un monastère au bord du Serein, dans une clairière, au lieu-dit Pontigny. L'abbaye, à la limite de trois évêchés (Auxerre, Sens, Langres) et de trois provinces (comtés d'Auxerre, de Tonnerre, de Champagne), bénéficie dès son origine de la protection et de la générosité de six maîtres différents. Un vieux dicton disait que trois évêques, trois comtes et un abbé pouvaient dîner sur le pont de Pontigny tout en restant sur leurs terres !

Thibault le Grand, comte de Champagne, est le plus généreux donateur de l'abbaye : en 1150, il donne à l'abbé le moyen d'entreprendre la construction d'une église plus vaste que la simple chapelle St-Thomas d'alors. Il fait entourer la propriété de l'abbaye d'une enceinte, haute de 4 m, dont subsistent encore de nombreuses traces.

Les archevêques de Cantorbéry – Assez important pour avoir affilié 38 abbayes en France, Pontigny fut, au Moyen Âge, le refuge des persécutés d'Angleterre. Trois archevêques de Cantorbéry y trouvèrent ainsi asile. Le premier, **Thomas Becket**, primat d'Angleterre, en conflit avec le roi Henri II Plantagenêt, vint se retirer à Pontigny en 1164. De retour dans son pays en décembre 1170, après un séjour à Sens, il fut assassiné dans sa cathédrale le jour de Noël. Ses derniers moments et son martyre sont remémorés dans le fameux *Meurtre dans la cathédrale*, écrit par le poète et critique littéraire Thomas Stearns, dit **T.S. Eliot** (1888-1965). Le second, **Étienne Langton**, désavoué par Jean sans Terre, se réfugia à Pontigny de 1208 à 1213. Enfin, le troisième, **Edmond d'Abingdon** (saint Edme), entré en conflit avec les moines du chapitre de sa cathédrale et le roi Henri III, se retira à Pontigny où il tomba malade et fut inhumé en 1240. Canonisé en 1246, il fit longtemps l'objet d'un culte dans la région.

Grandeur et décadence – Abandonnée pendant la Révolution, l'église sert de paroissiale et l'abbaye de carrière aux villages voisins jusqu'en 1840. Les ruines, rachetées par l'archevêque de Sens, sont mises à la disposition des pères missionnaires des Campagnes, congrégation fondée par le père **Muard** *(voir p. 319)*, qui restaurent l'église et les bâtiments.

Les Décades de Pontigny – Au début du 20e s., les pères sont expulsés et la propriété rachetée par le philosophe **Paul Desjardins** (1859-1940), qui y organise les fameuses Décades groupant tous les esprits éminents de l'époque : Thomas Mann et André Gide, T.S. Eliot et Paul Valéry ont eu, à l'occasion de ces « retraites » de fructueuses conversations littéraires dans la célèbre allée des Charmilles. À la mort de Desjardins, d'autres colloques furent organisés à Cerisy-la-Salle.

Découvrir

Face au monument aux morts du village, franchissez un portail du 18e s. flanqué de petits pavillons et prenez une avenue ombragée qui conduit à l'église abbatiale en longeant les bâtiments monastiques. Ne manquez pas de faire le tour par la gauche du pâté de maisons et de gagner le champ qui s'étend au sud du cimetière à la limite de l'ancien enclos : vous aurez la meilleure **vue** sur la nef et le chevet de l'abbatiale.

Église★

✆ 03 86 47 54 99 - www.abbayedepontigny.eu -été : 9h-19h ; hiver : 10h-17h.

Construite dans la seconde moitié du 12e s. par Thibault, comte de Champagne, dans le style gothique de transition, elle est d'une austérité rigoureuse, conformément à la règle cistercienne. De dimensions imposantes (108 m de longueur à l'intérieur – 117 m avec le porche – et 52 m de largeur au transept), presque aussi vaste que la cathédrale Notre-Dame de Paris, elle est la plus grande église cistercienne de France.

Extérieur – Un porche en appentis festonné d'arcatures, reposant soit sur consoles, soit sur colonnettes, occupe toute la largeur de la façade. Fermé latéralement, il est percé de deux baies géminées en plein cintre et d'une porte centrale en arc surbaissé. La façade, ornée d'une haute fenêtre en arc brisé et de deux arcatures aveugles, se termine en pignon aigu avec oculus. La seule décoration en est une simple croix sculptée au centre du tympan : on est bien dans le monde de saint Bernard.

L'absence de clocher tient au fait qu'il n'y avait pas d'appel à la prière pour les paroissiens. Il y a là un manque, puisque l'église est paroissiale. Les flancs de l'édifice sont caractéristiques avec leur longue ligne de faîte que ne coupe aucune tour. Le transept et les bas-côtés sont d'une grande simplicité, avec contreforts à pans plats et arcs-boutants au chevet et au flanc nord.

Intérieur – D'un gothique minimaliste, la longue nef à deux étages, très lumineuse, compte sept travées. La perspective est coupée par la clôture en bois du chœur monastique.

Les bas-côtés trapus, voûtés d'arêtes, contrastent avec la nef de forme plus dégagée. Le transept, éclairé à chaque extrémité par une rosace, est très caractéristique avec ses six chapelles rectangulaires ouvrant dans chaque bras. Le chœur date de la fin du 12e s. ; il est d'une grande élégance avec son déambulatoire et ses onze chapelles rayonnantes, dont certaines discrètement hexagonales, ce qui est fort rare. Au fond du chœur se trouve la châsse (18e s.) contenant les reliques de saint Edme, surmontée d'un lourd baldaquin. Des chapiteaux à crochets terminent les

Pontigny pratique

Voir aussi les carnets pratiques d'Auxerre, Chablis, St-Florentin, Seignelay et Tonnerre.

Adresse utile

Office du tourisme du canton de Ligny-le-Châtel – *22 r. Paul-Desjardins - 89230 Pontigny - ✆ 03 86 47 47 03 - www.pontignytourisme.free.fr - avr.-oct. : 10h-12h30, 14h-18h ; nov.-mars : mar.-sam. 10h-12h30, 14h-16h30. Fermé 1er Mai et vac. scol. Noël.*

Événement

Concerts et visites nocturnes – De la Pentecôte au mois de septembre, visites nocturnes à la lueur des bougies sur fond de chants et méditations.

belles colonnes monolithes ; ceux de la nef ont, pour tout élément décoratif, des feuilles d'eau stylisées.

On peut voir, dans l'une des chapelles de l'abside, une châsse en bois de la Renaissance qui a contenu le corps du saint. Les imposantes **stalles★** sont de la fin du 17e s., ainsi que les grilles du transept et le buffet d'orgue. La tribune d'orgues, très ouvragée, les grilles du chœur et l'autel datent de la fin du 18e s., une époque où il restait très peu de moines.

Les bâtiments monastiques

Des bâtiments cisterciens du 12e s., il ne reste aujourd'hui que l'aile des frères convers. La façade, où le moellon s'allie à la fine pierre de Tonnerre, est épaulée par des contreforts. Des autres bâtiments ne demeure que la galerie méridionale du cloître, reconstruite au 17e s. *(accès par l'église).*

Aux alentours

Ligny-le-Châtel

4,5 km à l'est. L'**église** date des 12e s. (nef) et 16e s. (chœur). Le plan du chevet s'inspire de celui de l'abbaye de Pontigny, mais l'abside, circulaire à Pontigny, est ici polygonale. Dans la deuxième chapelle nord, on peut voir un tableau du 16e s. représentant saint Jérôme. Remarquez aussi deux statues en bois polychrome, un saint Jean et la Vierge au pied de la croix, du 16e s.

Pouilly-en-Auxois

1 438 POLLIENS

CARTE GÉNÉRALE B2 – CARTE MICHELIN DÉPARTEMENTS 320 H6 – CÔTE-D'OR (21)

Cette petite localité s'est développée au pied du mont de Pouilly, au débouché de la fameuse « voûte de Pouilly », tunnel souterrain long de 3 333 m qui fait passer le canal de Bourgogne du bassin du Rhône à celui de la Seine. Elle constitue un excellent point de départ pour découvrir le patrimoine naturel de la région, riche d'une multitude de vieux châteaux qui, comme le disait l'écrivain Henri Vincenot, « gardent cet étroit passage entre France du nord et France du sud ».

- **Se repérer** – Pouilly se trouve au croisement des autoroutes A 6 et A 38, à 43 km à l'ouest de Dijon, à 20 km au sud de Vitteaux, 32 km à l'est de Saulieu et 16 km au nord d'Arnay-le-Duc.
- **À ne pas manquer** – Du plus haut bief de France (alt. 378 m), embarquez à bord d'un bateau-promenade ; traversez la voûte de Pouilly et passez l'une ou plusieurs des écluses qui ponctuent le canal de Bourgogne. Poursuivez l'aventure en explorant les superbes châteaux des alentours, comme ceux de Châteauneuf et de Commarin, et qui sait… en survolant la Bourgogne en montgolfière *(voir carnet pratique)* !
- **Organiser son temps** – Différentes formules *(certaines de 2h30 environ, d'autres à la journée)* vous sont proposées pour découvrir le canal de Bourgogne au fil de l'eau. Renseignez-vous auprès de l'office de tourisme.
- **Avec les enfants** – La perspective d'une croisère fluviale commentée *(voir carnet pratique)* les séduira à coup sûr. Avant la balade en bateau, pourquoi ne pas en profiter pour faire un tour au centre d'interprétation de Cap Canal ?
- **Pour poursuivre la visite** – Voir aussi Arnay-le-Duc, la vallée de l'Ouche, St-Thibault, Saulieu.

Comprendre

Ligne de partage des eaux – Sur l'autoroute A 6, avant d'arriver au péage de Pouilly-en-Auxois, à l'ouest de Dijon, on voit un panneau indiquant la « ligne de partage des eaux ». Curieuse indication qui signifie qu'à proximité se trouve le **mont de Pouilly** (559 m). Toute l'eau qui ruisselle sur ses pentes sud s'en va vers la Méditerranée ; toute l'eau qui coule sur le versant nord s'en va vers la Seine et la mer du Nord, et l'eau qui s'écoule à l'ouest se dirige vers la Loire. Vincenot, dans ses romans, appelle joliment ce mont « le toit du monde occidental ».

Visiter

Église Notre-Dame-Trouvée

Fermée pour travaux. Cette petite chapelle des 14e et 15e s., centre de pèlerinage et sanctuaire, fut construite pour conserver une statue très ancienne de la Vierge (volée en 1981), appelée Notre-Dame-Trouvée depuis sa découverte miraculeuse. Elle s'élève à mi-pente de la butte St-Pierre, au milieu d'un cimetière, et renferme un beau sépulcre du 16e s., à neuf personnages, où l'on retrouve à la fois des influences bourguignonnes (modelés des draperies), champenoises (saintes femmes groupées au centre) et italiennes (de nombreux figurants complètent la scène : soldats endormis, anges portant les instruments de la Passion).

À l'extérieur, près de l'une des entrées du cimetière, se dresse un original ensemble du 15e s., en pierre, constitué par une chaire, un autel et un calvaire.

Cap Canal

℘ 03 80 90 67 20 - www.cap-canal.fr - juil.-août : 10h-12h30, 14h-18h ; avr.-juin et sept.-oct : tlj sf lun. 10h-12h30, 14h-18h, dim. et j. fériés 14h-18h ; fermé 1er Mai et 14 juil.

Situé au port de plaisance de Pouilly, ce centre d'interprétation propose une découverte originale du canal de Bourgogne. Tout en tubes de carton et nœuds d'aluminium, la **halle du Toueur,** œuvre de l'architecte japonais Shigeru Ban, abrite un remorqueur fluvial qui tirait jadis les péniches. Voyez aussi l'autre réalisation novatrice de cet architecte, l'**Institut du canal**, bâtiment transparent abritant un espace muséographique interactif.

Aux alentours

Château d'Éguilly

5 km au nord-ouest. ℘ 03 80 90 72 90 - visite guidée (1h15) - de déb. juil. à mi-août : 9h-12h, 14h-19h - du 9 juin à fin juin : 9h-12h, 14h-18h - 4 € (-15 ans gratuit).

Cette place forte fut édifiée au 12e s. à l'emplacement d'un château en bois implanté sur l'Armançon. Il conserve de l'époque médiévale son plan carré flanqué de tours et son importante **porterie** du 13e s. où s'ouvrent les logements verticaux des bras de l'ancien pont-levis. La cour, ornée d'un joli puits Renaissance à dôme, se sépare en deux parties distinctes suivant l'axe de l'entrée.

Au sud, les communs s'adossent aux murs d'enceinte primitifs ; des vestiges du chemin de ronde sont visibles dans l'écurie qui s'élève en retour. Une chapelle gothique ferme ce côté et vient buter, au nord, contre l'aile d'habitation, transformée au 17e s. Des expositions temporaires d'art contemporain ont lieu l'été.

Croix Saint-Thomas

18 km au nord-ouest. On y découvre un très vaste **panorama★** sur l'Auxois et le Morvan.

Mont-Saint-Jean

À 2 km au sud de la Croix. Ce village médiéval occupe un **site★** remarquable, avec son château des 12e-15e s., dominant la vallée du Serein.

Chailly-sur-Armançon

6,5 km à l'ouest. Son beau **château** de la Renaissance *(aujourd'hui transformé en hôtel-golf)* possède une façade joliment décorée.

Sainte-Sabine

9 km au sud-est. Son **église** gothique est précédée d'un porche d'une surprenante hauteur.

Châteauneuf★

À 10 km au sud-est de Pouilly par la D 977bis et la D 18. Dans un **site★** en hauteur, ce vieux bourg fortifié est célèbre par son château fort qui commandait la route de Dijon à Autun et toute la plaine environnante. On l'aperçoit de l'autoroute A 6 de Dijon comme du canal de Bourgogne. La **vue** la plus saisissante naît de la D 18A au sud, aussitôt après avoir franchi le canal.

Château★ – *℘ 03 80 49 21 89 - visite guidée (45mn sur demande (suivant dispo. des guides) - dernière entrée 45mn av. fermeture) de mi-mai à mi-sept. : 10h-12h, 14h-19h ; de mi-sept. à mi-mai : 10h-12h, 14h-18h - fermé lun., 1er janv., 1er Mai, 1er et 11 Nov., 25 déc. - 5 € (-18 ans 3,50 €, -12 ans gratuit).*

Au 12e s., le sire Jean de Chaudenay, dont le château en ruine s'élève dans un joli site à Chaudenay-le-Château *(6 km au sud)*, fit bâtir pour son fils une seigneurie indépendante. Ce dernier, suivant l'usage féodal, prit le nom de Jean de Châteauneuf et s'y installa en 1175. La forteresse fut agrandie et remaniée dans le style gothique flamboyant à la fin du 15e s. par Philippe Pot, sénéchal de Bourgogne *(voir p. 337)*. Le dernier propriétaire, le comte Georges de Vogüé, en fit don à l'État en 1936.

L'imposante construction, ceinturée d'épaisses murailles flanquées de tours massives, est séparée du village par un fossé. Jadis, deux portes fortifiées desservaient le château ; aujourd'hui, un seul pont-levis, encadré de grosses tours rondes, donne accès à la cour intérieure, d'où l'on a une vue d'ensemble des deux corps de logis.

Le saviez-vous ?

Natif de Dijon, **Henri Vincenot** (1912-1985) vécut dans le village de Commarin, non loin de Pouilly. Véritable chantre de l'Auxois, son amour immodéré de la région s'est traduit dans de célèbres romans comme *Le Pape des escargots* ou *La Billebaude*, mais aussi dans des peintures, car ce cheminot avait tous les talents.

Vincenot fut longtemps l'auteur fétiche de son presque voisin **Bernard Pivot** pour l'émission *Apostrophes*.

En partie ruiné, le **logis des hôtes** ou « logis de Philippe Pot » conserve ses belles ouvertures en accolade traversées de meneaux. L'étage a perdu son plancher : la grande cheminée qui dotait une des pièces paraît, là-haut, comme suspendue dans le vide. Le **grand logis**, surmonté de hautes lucarnes, a bénéficié de plusieurs campagnes de restauration ; la salle des Gardes impressionne par ses vastes proportions et son imposante cheminée. La **chapelle** (1481), restaurée avec soin, a retrouvé ses belles peintures à la détrempe ; elle abrite dans le chœur la réplique du tombeau de Philippe Pot en armure, exposé au Louvre. Les chambres, à l'étage, ont été aménagées aux 17e et 18e s. Celle de Charles Ier de Vienne (1597-1659), dans le donjon, est précédée d'une pièce qui a gardé ses cloisons en galandage (15e s.). Voyez son immense cheminée et une tenture de la fin du 16e s. illustrant la vie de Moïse dans un style où l'esprit médiéval persiste à côté de nouveautés venues d'Italie. D'une chambre ronde, admirez la **vue** sur les contreforts du Morvan et, en premier plan, sur le canal de Bourgogne.

Le village★ – Il forme un bel ensemble médiéval, avec ses vestiges de remparts et ses rues étroites, et possède de vieilles demeures fort bien conservées, construites du 14e au 17e s. par de riches marchands bourguignons. Notez des linteaux de porte sculptés ou en accolade, et remarquez l'échoppe d'un potier d'étain dans la rue principale.

Château de Commarin★

Sur la D 977 bis à 7,5 km au nord de Châteauneuf par la D 18. ✆ 03 80 49 23 67 - www.commarin.com - visite guidée (45mn) avr.-nov. : 10h-12h, 14h-18h - 6,50 € (enf. 3,50 €) - visite libre du parc tte l'année.

Aux confins de l'Auxois et de la Côte, ce grand château est resté dans la même lignée depuis le 14e s. On franchit ses douves en eau entre deux tours carrées ; dans la cour d'honneur, deux tours rondes (fin 14e s.), vestiges d'un château féodal, précèdent le corps de logis élevé en 1702 et couvert de beaux combles à la française. L'aile gauche

D. Delacroix / MICHELIN

Château de Commarin, aux environs de Pouilly-en-Auxois.

a été reconstruite sous Louis XIII, au-dessus d'une jolie chapelle gothique laissée intacte *(fresques restaurées)*. Celle-ci abrite une Vierge bourguignonne du 15e s. et une Mise au tombeau du 16e s.

Dans la partie visitable du château *(aile gauche)*, la décoration et le mobilier se distinguent surtout par de belles **tapisseries★** armoriées du 16e s. aux teintes miraculeusement conservées. Dans le grand salon domine la représentation en majesté de Charles X (atelier de Gérard), assortie d'un délicat portrait de Mme de Vogüé. On rencontre, au fil de la visite, l'étonnante personnalité de Marie-Judith de Vienne (1699-1780), qui marqua de son empreinte la gestion et la décoration du château. Vous pourrez aussi vous rendre dans les écuries du 17e s. conservées dans leur aspect d'origine.

Échannay

4 km au nord-est de Commarin. Dans le chœur de la petite **église** romane se trouve un très joli retable en marbre, jadis polychrome, du 16e s. *Sur demande au ✆ 03 80 33 45 80 (M. Hyacinthe).*

Pouilly-en-Auxois pratique

Voir aussi les carnets pratiques d'Arnay-le-Duc et de la vallée de l'Ouche.

Adresse utile

Office du tourisme de Pouilly-en-Auxois – *Le Colombier - 21320 Pouilly-en-Auxois - ✆ 03 80 90 74 24 - www.pouilly-auxois.com - mai-sept. : tlj sf dim. 9h30-13h, 14h-18h30, dim. 10h-12h ; oct.-avr. : mar.-sam. 9h-12h30, 14h-17h. Fermé 1er janv., 1er Mai et 14 Juil.*

Se loger

Hostellerie du château Ste-Sabine – *21320 Ste-Sabine - 8 km au sud-est de Pouilly par D 981, D 977bis puis D 970 - ✆ 03 80 49 22 01 - http://chste-sabine.ifrance.com/- fermé 1er janv.-17 fév. - P - 30 ch. 80/186 € - 10 € - rest. 26/66 €.* Passé le vaste parc et la grande cour intérieure, vous voilà introduit dans les fastes des châteaux de la Renaissance et du 17e s. Mais dans les chambres spacieuses, la sobriété et le sens pratique sont de rigueur. Belle vue sur l'étang. Animaux en liberté et piscine d'été.

Chambre d'hôte Mme Bagatelle – *R. des Moutons - 21320 Châteauneuf-en-Auxois - ✆ 03 80 49 21 00 - www.chateauneuf.net/bagatelle - fermé vac. de fév. - - réserv. obligatoire - 4 ch. 60/70 € - 5 €.* Au cœur de ce charmant village, cette ancienne bergerie est aménagée avec goût. La pierre, le bois et les poutres créent une atmosphère chaleureuse dans ses chambres confortables. Deux pièces en mezzanine, pratiques pour les familles. Une adresse de caractère.

Chambre d'hôte Péniche Lady A – *Canal de Bourgogne - 21320 Vandenesse-en-Auxois - 7 km au sud-est de Pouilly-en-Auxois par D 970 et D 18 - ✆ 03 80 49 26 96 ou 06 21 89 00 90 - www.peniche-lady-a.com - 3 ch. 65/75 € - repas 25 €.* Envie de séjourner à bord d'une péniche ? Franchissez la passerelle de Lady A amarrée le long du canal : trois cabines vous y attendent, le dépaysement est garanti. Sur le pont, jolie vue sur la colline de Châteauneuf et son château. Vélos à disposition des hôtes.

Chambre d'hôte « Au Fil de l'Eau » – *Canal de Bourgogne - 21320 Vandenesse-en-Auxois - ✆ 06 72 51 62 91 - www.penichevoyage.fr - - 4 ch. 73 € .* Cette ancienne péniche de marchandises, complètement réaménagée, vous accueille pour un séjour au fil de l'eau. Les chambres, assez exiguës, offrent un confort limité, mais cette maison flottante ne manque pas de charme, d'autant plus qu'il vous sera possible de naviguer si vous restez plusieurs jours. Joli pont ensoleillé.

Se restaurer

Le Grill du Castel – *Grande-Rue - 21320 Châteauneuf-en-Auxois - ✆ 03 80 49 26 82 - 14,90 € déj. - 16,90/32,90 €.* À proximité du château, le grill vient de décider, pour l'été seulement, d'abandonner le feu dans la cheminée, par crainte de canicule. On continuera néanmoins à y déguster bonnes viandes grillées et moutardes régionales toute l'année. L'été, service en terrasse.

Que rapporter

Maison de pays de l'Auxois Sud – *Le Seuil - ✆ 03 80 90 75 86 - www.maison-auxois.com - hiver : 10h-12h, 13h30-18h, sam. 10h-18h, dim. 15h-18h ; été : 10h-19h, dim. 15h-19h - fermé 1er janv. et 25 déc.* Comme son nom le laisse deviner, cette maison assure la promotion des produits de l'Auxois. On y trouve aussi bien des produits de bouche – pain d'épice, nectars de cassis, de framboise ou de groseille, biscuits de Vergy ou de Fouchères, terrine morvandelle aux cèpes, saucisson de bison, moutardes, escargots, vins et liqueurs – que de l'artisanat (poteries, jouets en bois, sculptures, etc.).

Sports & Loisirs

CAP Canal-Bateau Promenade la Billebaude – *Port de Plaisance - ✆ 03 80 90 67 20 - www.cap-canal.fr - avr.-*

oct. sur réserv. : tlj sf lun. - fermé 1er Mai et 14 Juil. - à partir de 11,50 € (3-12 ans 7 €). À bord de la Billebaude, bateau promenade de 50 places, venez découvrir la vie et l'histoire du canal de Bourgogne. La croisière dure de 2h à une journée. Vous pourrez traverser la voûte (souterrain de plus de 3 km) et les écluses fleuries. À visiter aussi l'Institut du canal, espace muséographique et ludique sur le port de plaisance. Découverte libre du parcours pédagogique.

Air Adventures – *R. du Terreau - A 6, sortie Pouilly-en-Auxois - 21320 Bellenot-sous-Pouilly - ✆ 03 80 90 74 23 - www.airadventures.fr - 219 €.* Survol de la région en montgolfière, en compagnie de Vincent Dupuis, double champion du monde de dirigeable.

Hôtel-golf du château de Chailly – *21320 Chailly-sur-Armançon - ✆ 03 80 90 30 40 - www.chailly.com - tlj 8h-20h.* Superbe château-hôtel (à 6mn de la sortie Pouilly-en-Auxois par l'A 6). Golf 18 trous.

Prémery

2 201 PRÉMERYCOIS
CARTE GÉNÉRALE A3 – CARTE MICHELIN DÉPARTEMENTS 319 C8 – NIÈVRE (58)

Sise au bord de la Nièvre, l'ancienne résidence d'été des évêques de Nevers occupe un agréable écrin de verdure. Son musée, à deux pas de l'église et d'une vieille maison à pans de bois, recèle une exceptionnelle collection de grès anciens. Avec leurs plans d'eau et leurs sentiers de randonnée, les environs de Prémery attireront pêcheurs et amateurs de voile ou de balades en pleine nature.

Se repérer – Prémery se trouve sur l'axe Nevers-Clamecy-Auxerre, à 29 km au nord-est de Nevers, 28 km à l'est de La Charité-sur-Loire et 24 km au sud de Varzy.

À ne pas manquer – La pureté des pièces de l'école de Carriès, exposées au musée du Grès ancien ; l'église romane de St-Révérien et son très bel intérieur ; le panorama sur le Morvan du haut de la butte de Montenoison.

Avec les enfants – Pourquoi ne pas sillonner en famille, à pied ou à vélo, les paysages vallonnés et boisés du Nivernais-Morvan *(voir carnet pratique)* ? Autre possibilité : se rendre aux postes d'observation de la faune de l'étang de Vaux, environné de bois.

Pour poursuivre la visite – Voir aussi La Charité-sur-Loire, Nevers, Varzy.

Se promener

Église Saint-Marcel

Cette ancienne collégiale des 13e et 14e s. est surmontée d'un clocher massif. Son intérieur présente des voûtes gothiques surbaissées et de larges bas-côtés. Remarquez l'abside et sa double rangée de fenêtres, et admirez une pietà sculptée du 15e s. due à un disciple du célèbre Claus Sluter *(voir Dijon)*. Notez, pour la petite histoire, que la dépouille du bienheureux chanoine **Nicolas Appeleine**, mort en 1466, repose dans l'église. Celui-ci avait une telle réputation de sainteté que Louis XI, malade, se fit apporter sa robe. Le roi guérit et renvoya la robe avec force remerciements… mais sans supprimer les impôts des bourgeois de Prémery, comme ceux-ci l'espéraient !

La **maison** dite « du Saint » (14e-15e s.) se trouve à proximité de l'église. Vous apprécierez ses pans de bois et son encorbellement.

Ancien château

C'est ici que les évêques de Nevers séjournaient à la belle saison. De son origine médiévale, le château a conservé un beau porche fortifié (14e s.), petit frère de la porte du Croux à Nevers. Le corps de logis a été remanié au 16e s.

Une agréable promenade permet de faire le tour du plan d'eau (3 ha).

Le saviez-vous ?

Prémery aurait une étymologie celte et tirerait son nom de *prem* (« proche ») et *ri* (« rivière »).

Ancienne capitale de la chimie du bois, la ville accueillit jusqu'en 2003 les usines Lambiotte, dont les activités principales reposaient sur la fabrication de **charbon de bois** et l'extraction de composés chimiques, essentiellement par **distillation**.

Musée du Grès ancien★

03 86 68 10 32 - de Pâques au du 1er nov. : w.-end 14h30-18h30 - 5 € (-12 ans 4 €).
Présentée de façon moderne et élégante, cette importante collection privée (1 250 pièces) est l'aboutissement de 25 années de recherches passionnées. Voici, rassemblés sur trois niveaux, des grès traditionnels de Puisaye, du bas et haut Berry, objets utilitaires ou témoins de l'art populaire, des rares bleus des 16e et 17e s., ainsi que quelque 250 superbes **œuvres de l'école de Carriès★★** (1884-1914), qui s'est développée à l'époque de l'Art nouveau. Clairement influencées par l'art japonais, les pièces alors produites se distinguent par leurs tons chauds et la pureté de leurs lignes.

Aux alentours

Butte de Montenoison★

10 km au nord-est. Au sommet d'une butte témoin, l'un des points culminants du Nivernais (alt. 417 m), subsistent quelques vestiges d'un important château du 13e s., construit par Mahaut de Courtenay, comtesse de Nevers. Passez à gauche de la chapelle pour monter au **calvaire** élevé sur l'emplacement d'une ancienne motte féodale. De là *(table d'orientation)*, on découvre un vaste **panorama★**, notamment sur les monts du Morvan : par temps clair, l'église de Lormes se détache nettement.

Saint-Révérien

15 km à l'est. Ce village du Nivernais possède l'une des plus intéressantes églises romanes de la région.
Église – De l'église primitive, édifiée au milieu du 12e s., il ne reste, après un incendie en 1723, que le chœur et le chevet, avec son déambulatoire et les chapelles rayonnantes,

Chœur de l'église St-Révérien.

qui manifestent son ancienne appartenance à un prieuré clunisien. Au 19e s., la nef fut reconstruite et le clocher central remplacé par un clocher-porche. Parmi les églises à nef dépourvue de fenêtres hautes, c'est l'une des seules à posséder un chevet à déambulatoire. La porte est surmontée de deux anges à quatre ailes, d'inspiration byzantine, provenant du portail primitif.
L'**intérieur★** est d'une grande pureté. Remarquez la nef aux arcs doubleaux, et l'alternance des piles fortes et des piles faibles, ainsi que les beaux chapiteaux à feuillages à la retombée des voûtes et ceux, historiés, des trois petites chapelles. La chapelle axiale et celle de droite, consacrée à saint Joseph, conservent des fresques du 16e s.

Étang de Vaux

10 km au sud-est de St-Révérien. Avec son voisin, l'**étang de Baye**, dont il est séparé par une digue, il alimente le canal du Nivernais. Le premier, le plus important des deux, environné de bois, est un agréable lieu de pêche ; le second se prête aux évolutions des voiliers.
Au départ de la digue et à proximité de Vaux, des sentiers balisés conduisent à des postes d'observation de la faune.

Saint-Saulge

17 km au sud-est de Prémery. Situé sur un éperon rocheux qui annonce les premiers contreforts du Morvan, le bourg doit son nom à saint Salve, ermite auxerrois martyrisé au 6e s. Cet ancien fief des comtes de Nevers, connu pour ses foires et ses légendes, a vu naître **dom de Laveyne** (1653-1719), fondateur de l'ordre des Sœurs de la Charité de Nevers. L'une des fameuses légendes de St-Saulge, immortalisées sur des cartes postales au début du 20e s., porte sur la construction de l'**église** : elle serait l'œuvre des fées, qui d'ailleurs n'auraient pas pris la peine de l'achever. Ses trois nefs, de style gothique, sont couvertes de belles voûtes d'ogives. Dans les travées des bas-côtés, on peut voir d'intéressants vitraux du 16e s.

Tout près de là, on gagne par une route bucolique l'église romane de **Jailly**. Elle est bâtie à flanc de coteau dans un site agréable, et faisait partie d'un prieuré clunisien. Un noble tilleul se dresse devant le portail roman surmonté d'une petite frise de roses, précédant l'église couronnée d'un clocher octogonal.

Prémery pratique

Voir aussi les carnets pratiques de La Charité-sur-Loire et de Nevers.

Adresse utile

Office du tourisme du canton de Prémery – *Tour du Château - 58700 Prémery - ☏ 03 86 37 99 07 - www.pommery-tourisme.com - avr.-oct. : mar.-sam. 9h30-12h, 13h30-18h ; reste de l'année : mar.-sam. 10h-12h.*

Se restaurer

Crêperie Gourmande – *9 pl. de la Mairie - ☏ 03 86 37 97 37 - fermé dim. soir et lun. soir - formule déj. 8,50 € - 11,50/17 €.* Certes, la façade de cet établissement ne paye pas de mine. Mais sachez que vous serez ici toujours bien servi, et sans « chichi » ! Le menu crêpe (avec son entrée traditionnelle) s'avère d'un très bon rapport qualité-prix. Enfin, l'accueil souriant et chaleureux fait du lieu une adresse à retenir.

Sports & Loisirs

Randonnées au Cœur du Nivernais – *Syndicat d'initiative - 58330 St-Saulge - ☏ 03 86 58 25 74 - www.tourisme-saint-saulge.com.* 550 km de circuits VTT, 150 km dédiés aux randonnées pédestres, pour découvrir la faune, les monuments, les produits locaux et les légendes avec la montée de la vache sur le clocher de l'église.

La Puisaye

CARTE GÉNÉRALE A2 – MICHELIN DÉPARTEMENTS 319 A/C-5/6 – NIÈVRE (58), YONNE (89)

Presque comme au temps de Colette, les prés et champs coupés de haies vives, les étangs en chapelet, les rivières, les collines boisées, les silhouettes de nombreux châteaux ponctuent les charmantes petites routes de Puisaye… et vibrent encore de son tendre souvenir. La nature sauvage de ce pays vert, le cachet particulier de ses vieilles pierres, sa riche tradition potière vous réserveront de bien agréables surprises.

- **Se repérer** – Clairement détaché des régions voisines, ce plateau de verdure entre la Loire et l'Yonne a pour villes principales St-Amand, St-Sauveur et St-Fargeau.
- **À ne pas manquer** – Le romanesque château de St-Fargeau, bien sûr, mais aussi celui de Ratilly, à l'écart des grandes routes ; St-Sauveur-en-Puisaye et son musée Colette ; la vallée de l'Ouanne, entre Toucy et Charny.
- **Organiser son temps** – Participez à la fête de la Forêt sauvage, le 15 août, dans le Parc naturel de Boutissaint. Et pensez bien à réserver votre place à bord du train touristique du pays de Puisaye-Forterre.
- **Avec les enfants** – Plusieurs pôles d'attractions les attendent en Puisaye, notamment le Parc naturel de Boutissaint, le chantier médiéval de Guédelon *(p. 286)*, le cyclo-rail au départ de Villiers-St-Benoît, et le parc d'aventures du Bois de la Folie *(voir carnet pratique)*.
- **Pour poursuivre la visite** – Voir aussi Auxerre, Briare, Châtillon-Coligny, Cosne-Cours-sur-Loire, le chantier médiéval de Guédelon, St-Fargeau, Vézelay, la vallée de l'Yonne.

Comprendre

D'argile et d'eau – Le sol de la Puisaye contient des silex non roulés, empâtés d'argile blanche ou rouge utilisée dès le haut Moyen Âge par les potiers de St-Amand, Treigny, St-Vérain et Myennes. L'industrie de la **poterie** se développe surtout au 17e s. Aux pièces de luxe, dites « bleu de St-Vérain », succèdent, au siècle suivant, des productions pour la plupart utilitaires; l'artisanat de la fin du 19e s. leur assure une réputation nouvelle. Actuellement, l'activité s'est concentrée à St-Amand-en-Puisaye, devenu centre de formation, et aux abords mêmes de la localité, où fonctionnent plusieurs ateliers, lui assurant l'un des premiers rangs pour la fabrication des grès. Moutiers, proche de St-Sauveur, propose des grès au lieu-dit La Bâtisse (four couché du 18e s.), où exercent les descendants de la dynastie de potiers des Cagnat.

Le pays de Colette – **Sidonie Gabrielle**, fille de Jules Colette, second époux de sa mère, vit le jour le 28 janvier 1873. C'est à St-Sauveur qu'elle passe les 19 premières années de sa vie, avant de partir habiter à Châtillon-Coligny et d'épouser un écrivain mondain, **Henry Gauthier-Villars**; sous sa coupe, elle rédige la série des *Claudine*, que celui-ci signe sous le pseudonyme de Willy et qui fut un grand succès en librairie. Elle réside à Paris et d'autres maris se succèdent, mais elle conservera toujours un attachement à la terre et au pays natal, qu'elle appelait « le musée de ma jeunesse », jusqu'à sa mort, en pleine gloire, le 3 août 1954. La romancière a évoqué plus particulièrement son village et sa mère bien-aimée dans la *Maison de Claudine* (1922) et dans *Sido* (1930).

La Bourgogne de Colette

« Lieu de ma naissance, la Puisaye autrefois boisée serrée, peut-elle compter pour enclave de la Bourgogne ? [...] Ma Bourgogne n'a point de vignes [...]. Point de pampres au-dessus de mon berceau, si ce ne fut que quelques treilles bordant un mur, des tonnelles bien épaisses sous lesquelles la grappe trop ombragée s'étire, maigrit, et ne mûrit que si l'arrière-saison se fait brûlante. » (Extrait de *En Pays connu*.)

Circuits de découverte

CŒUR DE PUISAYE

Saint-Amand-en-Puisaye

Idéalement installée sur un gisement d'argile de Myennes, cette petite ville est la capitale de la Puisaye potière. Parmi les nombreux ateliers et points de vente, ne manquez pas d'aller rendre visite à la boutique de Jean Cacheleux, qui expose aussi ses céramiques d'art en région parisienne et en Normandie.

Musée du Grès – *℘ 03 86 39 63 72 (mairie) - possibilité de visite guidée (1h) - juin-sept. : 10h-12h30, 14h30-19h ; avr.-mai : w.-end et j. fériés 10h-12h30, 14h30-18h30 - 2 €.*

Le château Renaissance de St-Amand accueille, dans deux salles, les pièces qui retracent l'évolution de la production régionale, depuis les grès utilitaires déjà répandus au 14e s. jusqu'à la poterie décorative développée à la fin du 19e s. par le sculpteur Jean Carriès et ses amis, représentants de l'Art nouveau. Remarquez *Le Défi*, superbe tête de berger, par son élève Paul Jeanneney.

Château de Saint-Fargeau★★ *(voir ce nom)*

13 km au nord par la D 18.

Lac du Bourdon

Prenez la D 185 à l'est du château, sur 3 km.

Il couvre 220 ha et forme un beau réservoir destiné à alimenter le canal de Briare. Plan d'eau aménagé *(promenades autour du lac, voile, canotage, pêche et baignade)*.

Parc naturel de Boutissaint★

Soyez prudents : au moment du rut, les animaux peuvent être agressifs, en particulier les cerfs en sept.-oct. ℘ 03 86 74 18 18 - www.boutissaint.com - de déb. fév. à mi-nov. : 8h-20h (dernière entrée 18h30) - 8 € (enf. 5 €).

Créé en 1968 au sud du lac du Bourdon, ce parc occupe 400 ha de bois, de prairies et d'étangs, et ménage environ 100 km de promenades. Son but est de maintenir dans leur biotope plus de 400 grands animaux vivant à l'état sauvage. Des itinéraires pour piétons et cavaliers permettent de découvrir des hardes de cerfs, de biches, de daims, de chevreuils en pleine liberté. Dans de vastes enclos vivent des bisons d'Europe, de nombreux sangliers et des mouflons de Corse. On peut également observer de petits animaux tels que des écureuils, des lapins, des belettes, des hermines ainsi qu'une multitude d'oiseaux sédentaires ou migrateurs. Si vous êtes un adepte du safari-photo et que le Kenya vous paraît trop lointain ou trop cher, c'est ici que vous pourrez exercer vos talents aux meilleures conditions. Notez que le pique-nique y est autorisé. Si la vénerie vous intéresse, ne manquez pas, le 15 août, la **fête de la Forêt sauvage** *(spectacle de fauconnerie, spectacle équestre, et recensement des animaux).*

Un peu plus loin, prenez à gauche la D 955 en direction de St-Sauveur-en-Puisaye.

Chantier médiéval de Guédelon★★ *(voir ce nom)*

Reprenez la D 955 vers St-Amand-en-Puisaye, puis la D 185 à gauche.

Château de Ratilly★

✆ 03 86 74 79 54 - www.chateauderatilly.fr - de mi-juin à mi-sept. : 10h-18h ; de déb. avr. à mi-juin : 10h-12h, 14h-18h ; de mi-sept. à fin oct. : 10h-12h, 14h-16h30, w.-end et j. fériés 15h-18h ; hiver : horaires sur répondeur - fermé 1er sem. vac. de janv. - 4 € (-12 ans gratuit), gratuit w.-end de Pâques. La découverte de cette importante bâtisse du 13e s., à l'écart des grandes routes, dans un écrin de beaux arbres, ne manque pas de charme. Dans les années 1730, la forteresse servit de refuge aux jansénistes qui y imprimèrent un journal clandestin, *Les Nouvelles ecclésiastiques*, temporairement à l'abri des poursuites de la police royale et avec l'appui de l'évêque d'Auxerre. Des tours massives et de hauts murs d'aspect sévère surplombent les douves sèches entourant le château construit en belle pierre ocre, patinée par le temps.

On visite un atelier artisanal de poteries de grès dans l'aile gauche, ses combles et les deux ailes basses sur l'arrière, aux salles rénovées *(expositions temporaires d'art contemporain, concerts).*

Redescendez sur le village.

Treigny

Dans cette commune, frontière entre la Puisaye et la Forterre, trône une belle **église** du 15e s., de style gothique flamboyant. Ses vastes proportions, étonnantes pour un sanctuaire de campagne, la font surnommer la « cathédrale de la Puisaye ». Remarquez la masse imposante des contreforts. À l'intérieur, deux Christ en croix : l'un, aux extrémités rongées, posé sur le bas-côté de la nef, exécuté par un lépreux au 16e s., l'autre accroché au-dessus du portail, de facture janséniste.

Le Couvent – *Colette Biquand - ✆ 03 86 39 81 26 ou 03 86 74 75 38 - www.potiers-createurs-puisaye.com - juil.-août : 14h-19h ; de fin avr. à fin juin : w.-end et j. fériés 14h-19h.*

Dans ce joli bâtiment, qui fut jadis occupé par les jansénistes, les potiers créateurs de Puisaye exposent tous les ans leurs dernières œuvres, de grande qualité, et accueillent des artistes invités. Vous verrez donc des créations de Chevilly, Deblander, Gardelle, Gueneau, Méheust… à la personnalité bien marquée.

Empruntez la D 66 en direction de Moutiers.

Moutiers-en-Puisaye

L'**église** paroissiale appartenait autrefois à l'abbaye St-Germain d'Auxerre. Elle conserve quelques belles œuvres, telles que les motifs sculptés ornant l'embrasure des baies de l'avant-nef (13e s., remaniés au 16e s.) et les fresques médiévales de sa nef. Découverts en 1982 sous un badigeon du 17e s., deux cycles peints, roman et gothique, se superposent. Les fresques romanes (seconde moitié du 12e s.) ont été privilégiées sur le mur nord (Annonciation, Nativité, Annonce aux bergers, Christ entouré d'anges montrant ses plaies), le mur ouest au revers de la façade (grands personnages énigmatiques) et la 1re travée du mur sud (scène d'Adoration). Trois registres gothiques (vers 1300) complètent ce dernier : en haut, procession ; au centre, scènes de la Genèse ; en bas, histoire de saint Jean-Baptiste et Arche de Noé. *✆ 03 86 45 51 64 - possibilité de visite guidée (1h) sur demande - 2 €.*

Au lieu-dit **La Bâtisse**, la vieille poterie Louis-Cagnat abrite le dernier grand **four couché** du 18e s., pouvant accueillir jusqu'à 3 000 poteries. Il brûlait en moyenne 50 m3 de gros bois et plus de 5 000 fagots de brindilles par cuisson. *✆ 03 86 45 68 00 - www.poterie-batisse.com - juin-sept. : 10h-12h30, 14h-18h30, dim. 14h-19h ; reste de l'année : tlj sf dim. 10h-12h30, 14h-18h - possibilité de visite guidée 11h et 17h - fermé lun. - 2,50 €.*

Saint-Sauveur-en-Puisaye

Dans la rue Colette, sur la façade d'une grande maison à perron en pente, un médaillon de marbre rose porte la sobre inscription : « Ici Colette est née ».

Musée Colette★ – *☏ 03 86 45 61 95 - ♿ - avr.-oct. : tlj sf mar. 10h-18h - 5 € (enf. 2 €).*
Consacré à la vie et l'œuvre de Colette, ce musée est aménagé dans le château de St-Sauveur, à proximité d'une étrange tour sarrasine du 12e s. – la dernière de ce type subsistant en France – construite en pierre de fer sous une forme ovoïde. L'enfance, les passions et la carrière de Colette sont illustrées par quelque 250 photos accompagnées d'une bande sonore qui reprend quelques-uns de ses textes sur des morceaux de piano. Le salon et la chambre qu'elle occupait au Palais-Royal, à la fin de sa vie, sont reconstitués autour de son mobilier, comme le célèbre lit-radeau au damas rouge, doté d'une table qui lui permettait d'écrire en dépit de son arthrite. L'ensemble est complété par de nombreux souvenirs légués par la famille de Jouvenel, son deuxième mari. Après un bel escalier dont chaque marche porte un titre de son œuvre, la visite se termine à la bibliothèque factice, un espace de lecture ou plutôt de « dégustation », dans lequel 1 500 faux livres renferment des citations de l'écrivain.

Sentier « Colette » – *2h30, 6 km. Les silhouettes de Colette et de son chat sur fond blanc balisent le chemin.* Vous pourrez lire les passages de ses livres consacrés aux lieux de son enfance, tout en les découvrant par la promenade.

Du musée, passez devant la maison Colette, puis devant le lavoir du Petit-St-Jean. De là, suivez le balisage qui traverse le village de Moutiers, et s'en retourne sous la voie de chemin de fer.

Retour à St-Fargeau par la D 85 (11 km).

Circuit de découverte

VALLÉE DE L'OUANNE

25 km de Toucy à Charny par la D 950 qui longe la voie du chemin de fer touristique de Puisaye-Forterre.

Toucy

Cette localité, bâtie sur la rive droite de l'Ouanne, fut le pôle historique de la Puisaye jusqu'au 14e s. Sur une hauteur, l'**église St-Pierre** a l'aspect d'une forteresse : le chevet, plat, flanqué de deux tours du 12e s., et le mur nord de l'édifice sont les restes de l'enceinte du château des barons de Toucy. Promenez-vous près des anciens remparts, d'où l'on découvre la ville basse, le buste du célèbre enfant du pays, le lexicographe **Pierre Larousse** (1817-1875), et les environs. La Galerie de l'ancienne poste expose, dans le cadre d'un ancien hôtel particulier, les œuvres d'artistes céramistes avec, chaque année, un invité de renom. Autour de l'étang alimenté par l'Ouanne, un espace de verdure a été aménagé en parc de loisirs *(camping)*.

Ne quittez surtout pas le bourg sans avoir embarqué à bord du **train touristique du pays de Puisaye-Forterre** pour une sympathique balade de Toucy à Villiers-St-Benoît à travers la campagne poyaudine *(voir carnet pratique)*.

Quittez Toucy au nord-ouest par la D 950.

Villiers-Saint-Benoît

Ce village se distingue par la qualité de son patrimoine. Les murs de son église portent une fresque du 15e s., une conversation surnaturelle d'un bel équilibre trinitaire, le *Dict des trois morts et des trois vifs.*

Dans une grande maison typique de la région (18e s.), un **musée d'Art et d'Histoire de Puisaye** a été aménagé. Il a réouvert ses portes en 2008 après d'importants travaux de rénovation.

Le rez-de-chaussée présente la reconstitution d'un intérieur poyaudin doté d'un beau mobilier, et celle d'un cabinet d'érudit du 19e s. Au premier étage est exposée une collection de faïences (principalement de l'Auxerrois, des 18e et19e s.) et de grès de Puisaye. Dans l'autre bâtiment, que l'on rejoint par une galerie, on peut voir un remarquable ensemble de sculptures bourguignonnes (du 12e au 16e s), dont quelques chefs-d'œuvre des ateliers dijonnais du 15e s. Le musée accueille par ailleurs chaque été une exposition d'art contemporain.
r. Paul-Huillard- ☏ 03 86 45 73 05 - mah.

Le « Petit » Larousse

Tout jeune, les mots le fascinaient déjà. À vingt ans, il fut nommé directeur de l'école primaire supérieure de Toucy. Son besoin d'« instruire tout le monde et sur toute chose » le poussa à entreprendre un *Dictionnaire de la langue française*. Travailleur acharné, il consacra la fin de sa vie à un monument intellectuel considérable, le *Grand Dictionnaire universel du XIXe siècle*, auquel il a laissé son nom.

villierssaintbenoit@orange.fr - tlj sf mar., 1er Mai-30 sept. : 10h-12h, 14h-18h, 15 mars-30 avr. et 1er oct.-15 nov. 10h-12h, 14h-17h - 4 €.

Poursuivez sur la D 950.

Grandchamp

Le village abrite un **château** d'aspect longiligne très original, remanié plusieurs fois de la Renaissance au second Empire. Entre les quatre tours circulaires, les façades emploient la brique avec un goût très sûr. Les dépendances (début 17e s.) bénéficient elles aussi de cette décoration très spécifique.

Continuez sur la D 950.

Charny

Le village marque par une plaque commémorative le souvenir terrible du 14 juillet 1944, jour où tous les hommes et quelques femmes du village, soupçonnés de soutenir le maquis, furent regroupés sous les armes dans la petite école. Quarante-cinq furent arrêtés, dont 14 torturés et déportés en Allemagne. Au centre de la petite ville, la **halle** ne manque pas d'allure avec ses murs de brique à pans de bois posés sur des piliers de pierre. Elle abritait autrefois la mairie.

La Puisaye pratique

Adresse utile

Office du tourisme de Toucy – *1 pl. de la République - 89130 Toucy - 03 86 44 15 66 - de déb. juin à mi-oct. : mar.-vend. 9h30-12h, 15h-18h, lun. (sf juin et sept.-oct.) 15h-17h, sam. 9h-12h30, 15h-18h ; de mi-oct. à déb. juin : 10h-12h et 15h-17h - fermé dim. et lun.*

Se loger

Chambre d'hôte La Bruère – *La Bruère - 89130 Fontaines - 9 km au sud-ouest de Toucy par D 955, rte de St-Sauveur - 03 86 74 30 83 - - 5 ch. 43 € - repas 16 €.* Cette exploitation agricole perdue en pleine campagne constitue une adresse idéale pour se mettre au vert. Les chambres aménagées dans l'ancien grenier à grains sont spacieuses. La cuisine privilégie les produits de la ferme, spécialisée dans l'agriculture biologique.

Se restaurer

La Mare aux fées – *1 pl. Lucien-Gaubert, le Vieux Pont - 89130 Mézilles - 11 km au nord-est de St-Fargeau par D 965 - 03 86 45 40 43 - www.restaurant-mareauxfees.fr - fermé fév., lun. soir, mar. soir et merc. - 19/25,50 €.* Derrière l'avenante façade tapissée de vigne vierge, deux petites salles de restaurant d'esprit rustique avec pierres et poutres apparentes, tomettes et cheminée pour l'une d'elles. Copieuse cuisine traditionnelle et accueil sympathique.

Sports & Loisirs

Cyclo-rail de Puisaye – *Gare de Villiers-St-Benoît, Les Usages - 89130 Villiers-St-Benoît - 03 86 45 70 05 ou 06 85 22 80 72 - www.cyclorail.com.* Une façon originale de partir à la découverte de la Puisaye : rouler en vélo-rail sur une ancienne voie ferrée. Le parcours, d'une longueur maximum de 21 km (aller et retour), offre la possibilité de pique-niquer ou de se restaurer en chemin.

Train touristique du pays de Puisaye-Forterre – *Av. de la Gare - 89130 Toucy - 03 86 44 05 58 - http://train-touristique-de-puisaye.fr - w.-end et j. fériés (groupes en sem.) d'avr. à sept. : 9h-17h - fermé oct.-mars sf pour les groupes, 1er janv. et 25 déc.* Ce train touristique qui emprunte la voie ferrée entre Villiers-Saint-Benoît et Moutiers-la-Batisse, via Toucy, vous fera découvrir la verdoyante Puisaye sur un trajet de 30 km. À noter que le billet, valable toute la journée, vous permet de monter et descendre à n'importe quelle gare.

Parc d'aventures du Bois de la Folie – *D 185 - 89520 Treigny - 03 86 74 70 33 - www.natureadventure.fr.* Ateliers aériens et parcours accrobranches dans un cadre agréable d'arbres centenaires.

Événement

Salon du livre ancien – Organisé à Toucy par l'association Pierre Larousse à la mi-avril.

Romanèche-Thorins

1 767 ROMANÉCHOIS
CARTE GÉNÉRALE C4 – CARTES MICHELIN DÉPARTEMENTS 327 H2 OU 328 B3 –
SAÔNE-ET-LOIRE (71)

Au cœur des beaujolais-villages, Romanèche-Thorins est réputé pour son célèbre cru du moulin-à-vent, « seigneur des beaujolais », qui doit son appellation à un vieux moulin situé au milieu des vignes, en haut d'une colline. Deux sites d'attractions majeurs, l'un consacré au monde animal, l'autre dédié à l'univers du vin et de la vigne, vous inviteront à y passer de bons moments.

Se repérer – Entre la Saône et la montagne beaujolaise, Romanèche-Thorins, traversé par la N 6, se trouve à 18 km au sud de Mâcon et à 35 km à l'ouest de Bourg-en-Bresse.

À ne pas manquer – Admirez la démarche gracieuse des très rares tigres blancs royaux, et laissez-vous attendrir par le regard tendre des gorilles du Touroparc.

Organiser son temps – Comptez une journée pour visiter le Hameau du vin et découvrir son théâtre d'automates, ses expositions, sa gare et son jardin. Vous pourrez, si vous le désirez, vous restaurer sur place.

Avec les enfants – Les animaux des quatre coins du monde et les attractions en tous genres du Touroparc.

Pour poursuivre la visite – Voir aussi la Bresse, Bourg-en-Bresse, Mâcon, le Mâconnais, la roche de Solutré.

Visiter

Parc zoologique et d'attractions Touroparc★

Accès : au carrefour de la Maison-Blanche, sur la N 6, prenez la D 466ᴱ route de St-Romain-des-Îles. ☎ 03 85 35 51 53 - www.touroparc.com - ♿ - juin-août. : 9h30-19h (attractions 11h-12h, 13h30-18h) ; mars-mai : 9h30-18h ; nov.-fév. : 13h30-17h30 (pas d'attractions) - 16,50 € sais., hors sais. se renseigner.

Dans un cadre de verdure égayé de constructions ocrées, ce parc zoologique accueille, sur 10 ha, quelque 120 espèces d'animaux des cinq continents évoluant en semi-liberté. Ne manquez pas le belvédère des singes, avec ses gorilles, chimpanzés et orangs-outans, la serre tropicale, le vivarium ou encore la **planète sauvage★**, où vous découvrirez de merveilleux tigres blancs royaux ; le Touroparc, qui participe activement à la conservation de cette espèce en voie de disparition, a eu à plusieurs reprises le privilège extraordinaire de voir naître en ses murs des petits. Touroparc est également un parc d'attractions dont le monorail aérien, le petit train, le « TGV des étoiles », les toboggans et jeux aquatiques divers feront le bonheur des enfants.

F. Klingen / MICHELIN

Parc zoologique et d'attractions Touroparc.

Maison de Benoît-Raclet

☎ 03 85 35 51 37 - visite guidée sur RV - fermé nov.-avr. - gratuit.

Vers 1830, les vignes du Beaujolais étaient dévastées par le « ver coquin » ou pyrale, et les vignerons se trouvèrent désemparés face à ce fléau. Un certain **Benoît Raclet** remarqua qu'un pied de vigne planté le long de sa maison, près du déversoir d'eaux de ménage, se portait à merveille. Il décida d'arroser tous ses ceps avec de l'eau chaude, portée à 90 °C, dès le mois de février, afin de tuer les œufs de la pyrale. C'est ainsi qu'il sauva sa vigne, sous l'œil sceptique de ses voisins. Ceux-ci finirent pourtant par adopter sa technique. Les vignerons lui sont à jamais reconnaissants d'avoir découvert la technique de l'échaudage des vignes qui fut généralisée et utilisée jusqu'en 1945. Souvenirs divers et matériels d'échaudage sont rassemblés dans sa maison.

Le Hameau du vin★★

☎ 03 85 35 22 22 - www.hameauduvin.com - ♿ - avr.-oct. : 9h-19h ; nov.-mars : 10h-18h - fermé 25 déc. - jardin fermé nov.-mars - 16 € sais., 13 € hors sais. (-16 ans gratuit). « Sta-

tionné » en gare de Romanèche-Thorins, ce vaste site est avant tout un outil de promotion, conçu avec des moyens spectaculaires, du producteur de beaujolais Dubœuf, mais c'est aussi une très belle vitrine de l'univers de la vigne. La visite du **Hameau en Beaujolais** commence dans la salle des pas perdus d'une gare 1900 *(reconstitution)*, où l'on prend son ticket pour partir à la découverte de l'univers du vin. Une succession labyrinthique de salles est consacrée à l'histoire du vignoble, aux outils du vigneron, aux goûts du vin et à leurs liens avec la terre, aux étapes de fabrication du vin (impressionnant pressoir mâconnais de 1708), des tonneaux, des bouchons de liège, du verre, des étiquettes, etc. De beaux objets bénéficient d'une muséographie résolument moderne, avec un théâtre d'automates et divers petits films, dont une comédie musicale en 3D mettant en scène Paul Bocuse et Bernard Pivot… Une dégustation vient logiquement clore la visite dans la **salle du limonaire★**.

F. Klingen / MICHELIN

Au Hameau en Beaujolais.

En face du Hameau en Beaujolais, la **Gare** explique au visiteur le lien étroit qui unissait le vin et le rail aux 19e et 20e s. Elle abrite le beau **wagon impérial** qu'utilisait Napoléon III pour saluer la foule, une collection d'objets et de trains électriques circulant dans des maquettes de villes et paysages, et une exposition sur l'aventure du TGV.

Rendez-vous ensuite au **Jardin en Beaujolais** *(prenez le petit train, ce n'est pas tout près)*, pour y découvrir les arômes propres aux vins du Beaujolais à travers des parterres thématiques (fleuri, végétal, boisé, fruits à coques, fruité, épices). Trônant au milieu de ce grand jardin de 5 000 m², le **centre de vinification** des vins Georges Dubœuf permet d'enrichir la visite avec la découverte, grandeur nature, de toutes les étapes de la production.

Musée du Compagnonnage Guillon

℘ 03 85 35 22 02 - www.cg71.fr/musee_compagnonnage/ - visite audio-guidée (50mn) juin-sept. : 10h-18h ; oct.-mai : 14h-18h - fermé 1er Mai et 16 déc.-1er janv.- 3,50 € (-18 ans gratuit), gratuit 1er dim. du mois. Voici une belle illustration du compagnonnage à travers la collection de **Pierre-François Guillon** (1848-1923). Des chefs-d'œuvre, des documents et des souvenirs ont été réunis dans cet atelier où, à la fin du 19e s., ce compagnon charpentier dirigeait une école de dessin appliqué à la construction en bois.

Romanèche-Thorins pratique

Voir aussi les carnets pratiques de la Bresse, Bourg-en-Brese, Mâcon et le Maconnais.

Se loger

Chambre d'hôte Les Pasquiers – *Les Pasquiers - 69220 Lancié - 2,5 km au sud-est de Fleurie par D 119e - ℘ 04 74 69 86 33 - www.lespasquiers.com - - réserv. obligatoire - 4 ch. 80 € - repas 30 €.* Un grand jardin clos entoure cette belle demeure du Second Empire qui a conservé ses aménagements d'origine : tapis, bibliothèque, piano à queue dans le salon, etc. Les chambres du bâtiment principal possèdent de beaux meubles du 19e s., celles de la dépendance offrent un « look » plus contemporain.

Se restaurer

Les Platanes de Chénas – *Aux Deschamps - 69840 Chénas - 2 km au nord de Chénas par D 68 - ℘ 03 85 36 79 80 - chgerber@wanadoo.fr - fermé fév., 22 déc.-6 janv., le soir du 15 nov. au 15 avr., mar. et merc. - 17/68 €.* Lorsque vous êtes installé sous les platanes de la terrasse, votre regard s'étend sur les vignobles de Chénas et votre palais découvre les vins d'ici accompagnés d'une honnête cuisine au goût du jour.

Que rapporter

Château du moulin-à-vent – *Le Moulin à Vent - 3,5 km à l'est de Fleurie - ℘ 03 85 35 50 68 - chateaudumoulinavent@wanadoo.fr - 9h-12h, 14h-18h, w.-end et j. fériés sur demande préalable - fermé 1re quinz. d'août.* Vous voici sur les lieux de production d'une des plus fameuses appellations du Beaujolais. De couleur rubis, ronds, corsés et charpentés, les moulin-à-vent sont des vins puissants et racés aptes à bien vieillir. Dégustation sur place, millésimes anciens disponibles.

Saint-Fargeau

1 693 FARGEAULAIS
CARTE GÉNÉRALE A2 – CARTE MICHELIN DÉPARTEMENTS 319 B6 – YONNE (89)

La capitale de la Puisaye a conservé un château millénaire, superbe géant rose où plane encore le souvenir d'Anne Marie Louise d'Orléans, cousine de Louis XIV, plus connue sous le nom de Mlle de Montpensier ou de la Grande Mademoiselle, incorrigible frondeuse et touchante amoureuse. Chaque année, les vénérables murs du château se prêtent à une fabuleuse épopée historique.

Se repérer – Au cœur de la Puisaye, St-Fargeau se trouve au sud-ouest d'Auxerre par la D 965 (44 km), au sud-est de Châtillon-Coligny par la D 90 (31 km) et au nord-est de Cosne-Cours-sur-Loire par la D 955 (32 km).

À ne pas manquer – Le château de St-Fargeau qui, sous ses dehors médiévaux, révèle un intérieur d'une élégance inattendue et de très beaux combles ; la collection de phonographes, radios et instruments de musique mécanique du musée de l'Aventure du son.

Avec les enfants – En été, venez assister au **Spectacle historique de St-Fargeau★** *(voir carnet pratique)*, dont ils apprécieront le jeu des acteurs, les prouesses des cavaliers et les effets de lumières. Emmenez-les aussi à la ferme pédagogique du château où les attendent toutes sortes d'animations. Ils pourront câliner ânes, vaches, chèvres et moutons. La tétée des animaux nouveaux-nés remporte toujours un franc succès !

Pour poursuivre la visite – Voir aussi Briare, Châtillon-Coligny, le chantier de Guédelon, la Puisaye.

Ph. Gajic / MICHELIN

Château de St-Fargeau.

Comprendre

Un château romanesque – Édifié en plusieurs étapes, à partir de la Renaissance, le château actuel se trouve à l'emplacement d'une forteresse élevée par un parent d'Hugues Capet vers 980. Sur les six tours qui encadrent le bâtiment, la plus grosse (au point de renfermer une cour intérieure à ciel ouvert) fut bâtie par **Jacques Cœur**, banquier du roi Charles VII. Un ancien compagnon de Jeanne d'Arc, l'homme d'armes **Antoine de Chabannes**, acquit le château lors de l'emprisonnement de Jacques Cœur, et y fit exécuter d'importants travaux d'agrandissement en lui donnant son plan pentagonal.

Sur l'ordre de son cousin Louis XIV, Anne Marie Louise d'Orléans, duchesse de Montpensier, dite **la Grande Mademoiselle**, passa cinq années à St-Fargeau après sa participation à la Fronde. Parmi les trois châteaux qu'il lui proposa, elle choisit celui-ci pour sa relative proximité de la Cour ; mais lorsqu'elle y pénétra en 1652, elle trouva une bâtisse délabrée, sans « porte ni fenêtre » et dut « traverser la cour avec de l'herbe jusqu'aux genoux ». C'est elle qui, durant son exil, fit transformer l'aspect des bâtiments et concevoir l'aile qui porte son nom par l'architecte de Versailles, **Louis Le Vau** (v. 1655). En 1681, elle fit don de St-Fargeau au duc de Lauzun, courtisan en disgrâce auquel elle s'unit en secret, après de nombreux projets de mariage avortés.

En 1715, la propriété fut acquise par Le Peletier des Forts. Son arrière-petit-fils, **Louis-Michel Le Peletier de St-Fargeau**, réélu député du tiers État à la Convention nationale en 1792, vota la mort au procès de Louis XVI. Assassiné la veille de l'exécution du roi par le garde du corps Pâris, il fut considéré par les révolutionnaires comme le premier « martyr de la liberté ». David le peignit sur son lit de mort. Sous la Restauration, sa mémoire tomba en disgrâce, et sa fille racheta le tableau à prix d'or pour… le faire oublier (en fait, le détruire). Son corps repose dans la chapelle. Vous pouvez voir son effigie en cire dans l'une des salles du rez-de-chaussée.

Visiter

Tour de l'Horloge

En contrebas du château, cette tour carrée en brique et pierre est une ancienne porte fortifiée de la fin du 15e s.

Église Saint-Ferréol

Sa façade gothique, de la fin du 13e s., s'éclaire d'une rose rayonnante inscrite dans un carré (vitraux modernes). L'église conserve d'intéressantes pièces, comme dans la nef, à droite, une pietà en pierre polychrome du 15e s., une statue de la Vierge en bois polychrome et, dans le chœur, des stalles du 16e s. ainsi qu'un Christ en bois du 14e s. Dans la chapelle du bas-côté sud sont réunis un triptyque de la Passion (peu visible) et la « Charité de saint Martin », remarquable bois sculpté du 16e s.

Château★

✆ 03 86 74 05 67 - www.chateau-de-saint-fargeau.com. Visite guidée de mi-mars. à mi-nov. : 10h-12h, 14h-18h - 9 € (enf. 5 €). La tendre couleur rose de la brique et du crépi enlève à cette imposante construction, cernée de fossés, l'aspect rébarbatif que pourraient lui conférer ses tours massives. De la même façon, celles-ci s'affinent grâce à des lanternes ajourées très élancées, installées par Le Vau. À l'intérieur de ce corset féodal, la vaste cour d'honneur, entourée de cinq corps de logis (le plus récent à droite de l'entrée date de 1735), forme un ensemble d'une élégance inattendue.

« Au plaisir de Dieu »

Gravée sur le chambranle d'une porte, près de la chapelle, en haut de l'escalier monumental, cette inscription rappelle le titre d'un célèbre roman de **Jean d'Ormesson**, dont la famille maternelle a des attaches à St-Fargeau.

La galerie, les caves et les combles – *Visite libre.* Dans l'angle des deux ailes principales, un escalier semi-circulaire donne accès à la rotonde d'entrée. La chapelle est aménagée dans l'une des tours : à gauche s'ouvre la galerie qui desservait les appartements de la Grande Mademoiselle, entièrement brûlés en 1752 ; à droite s'étend la salle des gardes du 17e s. La visite des **combles★** révèle de très vieilles charpentes (certaines ont près de 400 ans). Celle de la tour Jacques-Cœur, tant vue d'en bas que dévoilée dans sa structure, est spectaculaire.

Les appartements de Le Peletier – *Visite guidée.* Grâce aux efforts de l'actuel propriétaire, les salles de billard, le grand salon et la salle à manger ont retrouvé un mobilier et des décors d'époque. Dans la belle bibliothèque de chêne de Hongrie (19e s.), vous pourrez repérer quelques ouvrages originaux de Voltaire.

Le parc – Dans le parc à l'anglaise de 118 ha, la grande pièce d'eau est alimentée par le ruisseau du Bourdon. Vu de la berge, le château se présente sous son meilleur jour. Huit **locomotives** – dont le dernier exemplaire du mastodonte à vapeur de 1905 qui relia Paris à Rouen avec des pointes de 120 km/h – ont trouvé leur place parmi les belles futaies.

Ferme du Château

✆ 03 86 74 03 76 - www.ferme-du-chateau.com - ouv. tte l'année sur réserv. - de fin mars à fin juin : tlj sf lun. 10h-12h, 14h-17h, w.-end 10h-12h, 14h-18h - juil.-août : 10h-12h, 14h-18h - sept. : w.-end 14h-18h - 6 € (4-12 ans 4 €).

Revêtus de la tenue de leurs aïeux, des Fargeaulais présentent, à travers de nombreuses animations, les animaux de la ferme, la vie rurale et les métiers de la campagne au début du 20e s. Au cours de votre visite, vous verrez la maison du Fermier, avec sa laiterie, son four à pain et sa cuisine dotée d'ustensiles d'époque. Vous découvrirez aussi les gestes du maréchal-ferrant ou du cordier, et vous vous laisserez peut-être tenter par une promenade en calèche ou en malle-poste tandis que vos enfants assisteront à la traite des chèvres ou à l'attelage des chevaux de trait.

Musée de l'Aventure du son de Saint-Fargeau★

/fax 03 86 74 13 06 - mai-sept. : 10h-12h, 14h-18h ; mars-avr. et oct. : tlj sf. mar. 14h-18h - fermé nov.-fév - 5,50 € (7-16 ans 3 €). Objets de souvenir pour les uns, de curiosité pour les autres, phonographes, radios et toutes sortes d'instruments de musique mécanique forment une des plus belles collections du genre. C'est à une véritable remontée dans le temps que nous invite ce musée qui rend hommage à l'ingéniosité de nombreux inventeurs. On découvre ici qu'Edison et Cros avaient pour point commun d'être autodidactes et touchés de près par la surdité, ce qui orienta leurs recherches. En état de marche, les phonographes, orgues de manèges et orgues de Barbarie rivalisent de rengaines nostalgiques, dont on peut comparer les sons. Les heures de gloire de la radio se suivent également à travers l'exposition de centaines de postes : récepteurs à cohéreurs, à galène, à lampes extérieures... En 1907, on enterra à Paris des disques avec l'intention de les déterrer un siècle plus tard. La presse d'alors s'extasiait : « Oh, merveille ! Ils entendront parler les morts. » Redécouvrez les exploits de la technique en écoutant des voix mémorables : celles de l'actrice Sarah Bernhardt, du pape Léon XIII, ou d'**Édith Piaf**, à qui une salle est dédiée.

CDMY.CG89 / Musée de l'aventure du son

Pièce de collection du musée de l'Aventure du son.

Saint-Fargeau pratique

Voir aussi les carnets pratiques de Briare et la Puisaye.

Adresse utile

Office du tourisme de la communauté de communes de la Puisaye-Fargeaulaise – *3 pl. de la République - 89170 St-Fargeau - 03 86 74 10 07 - juil.-août : lun.-sam. 9h-12h, 14h-18h ; nov.-mars : 14h-17h, avr.-juin et sept.-oct : 10h-12h, 14h-17h, ouvert le dim. d'avr. à oct. 10h-12h, 15h-17h.*

Se loger

Hôtel Les Grands Chênes – *Les Berthes-Bailly - 03 86 74 04 05 - www.hotel-de-puisaye.com - fermé 22 fév.-8 mars, 24 août-1er sept., 21 déc.-4 janv. - 12 ch. 69/72 € - 7 €.* Entre maison d'hôte et demeure de charme, une bâtisse bourgeoise pleine de cachet aux chambres colorées, près du « chantier médiéval » (édification d'un château fort) de Guédelon.

Chambre d'hôte Moulin de la forge – *89350 Tannerre-en-Puisaye - 11 km au nord-est de St-Fargeau par D 18 puis D 160 - 03 86 45 40 25 - renegagnot@aol.com - 5 ch. 69 €* . Chambres confortables (poutres apparentes, mobilier des années 1930), beau jardin fleuri avec piscine et étang poissonneux : cet ancien moulin à tan (14e s.) ne manque pas de charme.

Se restaurer

Ferme-auberge Les Perriaux – *89350 Champignelles - 3 km au nord-ouest de Champignelles par D 7 (dir. Château-Coligny) puis rte secondaire - 03 86 45 13 22 - www.lesperriaux.com - réserv. conseillée - 25/35 €.* Dans cette ferme du 16e s., aujourd'hui vouée aux céréales et à l'élevage de volailles, venez déguster tous les produits du terroir : terrines, foie gras et cidre maison. Cadre rustique agrémenté d'un feu de cheminée.

Événement

Spectacle historique de Saint-Fargeau – *03 86 74 05 67 - vend. et sam. de mi-juil. à fin août.* En une quinzaine de fresques, 600 acteurs, 3 000 costumes et 60 cavaliers vous font vivre près de mille ans d'histoire en Puisaye.

Saint-Florentin

5 076 FLORENTINOIS
CARTE GÉNÉRALE B1 – CARTE MICHELIN DÉPARTEMENTS 319 F3 – YONNE (89)

Les plaisanciers et les pêcheurs apprécient cette ville ancienne desservie par le canal de Bourgogne, au confluent de l'Armance et de l'Armançon. Son théâtre de verdure et la proximité des forêts d'Othe et de Pontigny confèrent un charme supplémentaire à ce petit centre industriel niché au cœur d'une région réputée pour ses fromages : le soumaintrain et le saint-florentin.

Se repérer – St-Florentin se trouve à 33 km au nord d'Auxerre par la N 77.

À ne pas manquer – De passage à St-Florentin, profitez-en pour déguster les délicieux fromages de vache à pâte molle de la région, et accompagnez-les d'un irancy, vin rouge concentré et puissant de l'Yonne.

Organiser son temps – Concerts et ambiance de fête assurée pour le Festival en Othe et en Armance, qui a lieu au mois de juillet. Retenez aussi le samedi matin, jour de marché sous la halle de St-Florentin.

Avec les enfants – Munis de jumelles et d'un petit goûter, partez observer les oiseaux d'eau à la gravière du Bas-Rebourseaux.

Pour poursuivre la visite – Voir aussi Auxerre, Chablis, Joigny, Pontigny, Seignelay, Sens, Tonnerre, la Voie verte.

Se promener

Église

L'église de St-Florentin domine le bourg du haut de la colline où s'élevait jadis l'ancien château médiéval. Sa construction, ralentie par la guerre de Cent Ans et les guerres de Religion, s'échelonna de 1376 à 1625. Le monument comprend une nef inachevée, de deux travées, tandis que le chœur, prolongé par une abside à déambulatoire, en compte trois. Le gros œuvre de style gothique finissant a été enrichi par des décors Renaissance, comme en témoignent les portails du transept, le jubé à triple arcature, le retable du maître-autel et la clôture du chœur.

Ses beaux **vitraux**★ du 16e s. forment un ensemble cohérent. Comme pour la statuaire, on y reconnaît le travail de la florissante école troyenne. Elle se caractérise par son goût pour les couleurs intenses, la fréquente utilisation du thème de la vie des saints et le recyclage des cartons afin de rentabiliser le capital de l'atelier. Il faut surtout remarquer l'arbre de Jessé et la Genèse à droite du chœur, et l'Apocalypse, inspirée des gravures de Dürer, à gauche après le jubé.

Grande Fontaine

Cette belle fontaine de style Renaissance est une reconstitution (1979) de l'ancienne, démolie au 19e s. Seuls sont d'origine (1512) les trois griffons de bronze crachant l'eau.

Promenade du Prieuré

De cette terrasse, sur le lieu de l'ancienne abbaye, on a une jolie **vue** sur la vallée de l'Armançon et sur la vieille ville, qui n'a conservé de ses fortifications qu'une seule des six tours d'origine : la **tour des Cloches** (12e s.).

Aux alentours

Neuvy-Sautour

8 km au nord-est par la N 77.

Dominant le bourg, l'**église**, construite aux 15e et 16e s., possède deux beaux portails latéraux. Le chœur et le transept sont de style Renaissance ; les influences champenoise et bourguignonne s'y entremêlent.

Remarquez à droite du chœur une grande croix en pierre du début du 16e s., dite « Belle-Croix », ornée de nombreuses statues.

Le saviez-vous ?

Saint Florentin, noble chevalier champenois, mourut martyr : la ville, gardienne de ses reliques, prit alors son nom. *Castrodunum* à l'époque gallo-romaine (place forte), siège d'un important bailliage au Moyen Âge, la ville a porté pendant la Révolution le nom de **Mont-Armance**.

Les Florentinois aiment bien faire la fête. Tout au long de l'année se succèdent : Journée gauloise, fête folklorique, fête de l'Amicale des Portugais, fête du Port, Festival en Othe et en Armance, fête du Cheval, foires St-Simon et Ste-Catherine…

Office du tourisme de St-Florentin

Prieuré de St-Florentin.

Gravière du Bas-Rebourseaux

4 km au sud-ouest.

Un poste d'observation a été aménagé pour observer les oiseaux d'eau. Et le dimanche, des bénévoles vous renseigneront et pourront vous prêter du matériel.

Brienon-sur-Armançon

8 km à l'ouest par la D 943.

Cette ville d'origine gauloise dispose de « monuments » civils consacrés à l'eau : un très joli lavoir ovale à *impluvium* d'époque Louis XV et les plus anciennes maisons éclusières du canal de Bourgogne (fin 18e s.).

Saint-Florentin pratique

Voir aussi les carnets pratiques d'Auxerre, de Chablis, Pontigny et Tonnerre.

Adresse utile

Office du tourisme de Saint-Florentin – *8 r. de la Terrasse - 89600 St-Florentin - 03 86 35 11 86 - juin-sept. : 9h15-12h30, 14h30-19h, dim. 10h15-12h15, 16h-18h ; de déb. oct. à nov. et de mi-mars à fin mai : tlj sf dim. 9h15-12h15, 14h30-18h30 ; de déb. nov. à mi-mars : tlj sf dim. et sam. apr.-midi 9h15-12h15, 14h30-18h30.*

Se loger et se restaurer

Hôtel Les Tilleuls – *3 r. Decourtive - 03 86 35 09 09 - www. hotel-les-tilleuls.com - fermé 16 fév.-16 mars, 17-24 nov., 24 déc.-6 janv., dim. soir de mi-sept. à mi-juin et lun. - 9 ch. 51/62 € - 9,50 € - rest. 16/40 €.* Ce plaisant hôtel familial blotti dans un petit jardin fleuri occupe les murs des anciens dortoirs d'un couvent fondé en 1635. Aujourd'hui, la maison propose des chambres confortables et une cuisine traditionnelle soignée servie sous les poutres colorées de la salle à manger ou sur la verdoyante terrasse.

Chambre d'hôte La Grange de Boulay – *Lieu-dit Boulay - 89570 Neuvy-Sautour - 2 km à l'ouest de Neuvy-Sautour par D 12 - 03 86 88 00 86 ou 06 23 47 79 27 - www.lagrangedeboulay.com - - 5 ch. 50/90 € - repas 22 €.* Cette maison ancienne peut accueillir jusqu'à 62 personnes grâce à ses différentes formules d'hébergement. Parmi les 4 gîtes, « La Forge » surprendra par sa grande salle de style médiéval, « La Fontaine », « La Tour ». Quant aux 5 chambres, réunies dans un bâtiment baptisé « La Palombière », elles bénéficient chacune d'une décoration personnalisée. Piscines, spa, hammam, ping-pong, billard et VTT à disposition.

Saint-Honoré-les-Bains

848 SAINT-HONORÉENS
CARTE GÉNÉRALE B3 – CARTE MICHELIN DÉPARTEMENTS 319 G10 – NIÈVRE (58)

Porte sud du Parc naturel régional du Morvan, St-Honoré-les-Bains est un lieu de cure et de villégiature apprécié. Cette petite station thermale offre à ses visiteurs des eaux pures aux vertus thérapeutiques reconnues et un environnement paisible.

Se repérer – Nevers se trouve à 69 km au nord-ouest de St-Honoré, Château-Chinon à 27 km au nord et le mont Beuvray à 28 km à l'est par de charmantes routes tortueuses.

À ne pas manquer – Du belvédère de la Vieille Montagne, vous profiterez d'une jolie vue sur le mont Beuvray et la forêt de la Gravelle.

Organiser son temps – Le casino propose spectacles et soirées à thèmes. Renseignez-vous sur les horaires.

Pour poursuivre la visite – Voir aussi le mont Beuvray, Château-Chinon, Decize, Luzy, le Morvan, Moulins-Engilbert.

Découvrir

La station

Découvertes par les Romains l'année du siège d'Alésia, les eaux sulfurées, arsenicales et radioactives de Saint-Honoré sont employées dans le traitement des maladies des voies respiratoires (asthme, bronchite, emphysème), contre les rhumatismes et en ORL. Trois sources ont fait la réputation de St-Honoré. Celles-ci peuvent débiter à elles trois jusqu'à un million de litres d'eau à 25-30 °C chaque jour.

Un prieuré bénédictin consacré à saint Honoré fut fondé ici au 10e s., donnant son nom à la localité. La construction, en 1854, de l'**établissement thermal** *(voir p. 36)* entraîna malheureusement la disparition des thermes antiques, qui comportaient notamment sept puits, une piscine et un système de chauffage par hypocauste.

Destinés à répondre aux besoins de l'importante clientèle de curistes, des villas, des hôtels, des aménagements de loisirs (casino, théâtre, kiosque à musique, etc.) se construisirent jusque vers 1930. C'est d'ailleurs dans l'un des beaux hôtels de St-Honoré que **Louis Malle** tourna, en 1971, *Le Souffle au cœur*.

Aujourd'hui, les curistes peuvent jouir des ombrages du **parc** tapi dans un vallon ou utiliser les nombreuses installations sportives mises à leur disposition.

Musée Georges-Perraudin

Au départ de la D 403 vers Rémilly. 03 86 30 72 12 - - juin-sept. : merc.-dim. 14h30-18h30 ; reste de l'année : sur demande - possibilité de visite guidée (1h30) - 4 € (enf. 2 €).

Ce musée de la résistance en Morvan présente une étonnante collection de tracts, contrepèteries politiques, affiches et journaux en français, anglais et allemand. Au fil de la visite apparaît le destin peu ordinaire de Paul Sarrette, fondateur du maquis Louis (dont faisait partie Georges Perraudin).

Aux alentours

Vieille Montagne

Environ 8 km au sud-est par la D 985 jusqu'aux Montarons, puis D 502 vers le nord-est. Faire ensuite 30mn à pied AR.

Partant d'une clairière *(où vous pourrez laisser votre voiture)* entourée de beaux arbres, un sentier donne accès au **belvédère** de la Vieille Montagne, dans un site agréable près des ruines d'un château, d'où l'on bénéficie d'une **vue** étendue *(en partie masquée par la végétation)* sur le mont Beuvray et la forêt de la Gravelle.

S. Sauvignier / MICHELIN

L'établissement thermal.

Vous pourrez revenir à St-Honoré-les-Bains en faisant une boucle par le hameau du **Niret**, au pied du mont Genièvre (637 m), puis le joli village de **Préporché**.

Vandenesse

6 km à l'ouest par la D 106.

La route traverse presque constamment la forêt. En arrivant à Vandenesse, on aperçoit le vaste château, construit en 1475, et flanqué de nombreuses tours.

Revenez à St-Honoré par les D 3 et D 403 pour profiter de jolies **vues** sur le lac de Chèvre.

Rémilly

12,5 km au sud par la D 403, puis la D 3.

Dans ce bourg où se trouve la gare de St-Honoré, on peut voir des maisons fortifiées du Moyen Âge.

Revenez par **Sémelay** *(D 158)* ; cela vous permettra de découvrir les vestiges d'un castrum gallo-romain.

Saint-Honoré-les-Bains pratique

Voir aussi les carnets pratiques de Château-Chinon, du mont Beuvray, de Decize, Luzy, du Morvan et de Moulins-Engilbert.

Adresse utile

Office du tourisme de Saint-Honoré-les-Bains – *13 r. Henri-Renaud - 58360 St-Honoré-les-Bains - ✆ 03 86 30 71 70 - http://st-honore-les-bains.com - juil.-sept. : 14h30-17h30, dim. et j. fériés 11h-12h ; avr.-juin et oct. : tlj sf dim. 14h-17h30 ; nov.-mars : tlj sf w.-end 14h-17h30. Fermé de mi-déc à déb. janv.*

Se loger

Camping les Bains – *- 15 av. Jean-Mermoz - au sud-ouest, rte de Vandenesse - ✆ 03 86 30 73 44 - www.campinglesbains.com - avr.-oct. - réserv. conseillée - 130 empl. 20 €.* Entouré de verdure, ce petit terrain propose des emplacements bien délimités, répartis en îlots. Blocs sanitaires rénovés et équipements entièrement mis à jour. Village de gîtes sur le site et nombreuses activités disponibles : piscines dont une avec toboggan, minigolf et ping-pong.

En soirée

Casino – *Av. Jean-Mermoz - ✆ 03 86 30 70 99 - www.partouche.fr.* Doté d'une salle de jeu traditionnel et de machine à sous, d'un bar et d'un restaurant, ce casino vous propose aussi des spectacles, des soirées à thèmes…

Sports & Loisirs

Randonnée pédestres – Parmi les nombreuses randonnées à faire dans la région, les suivantes vous permettront de profiter d'une nature sauvage et vous procureront notamment de jolies vues sur la plaine du Nivernais, la Vieille Montagne et les monts du Morvan : circuit du Four Monté *(4 km)* ; circuit du moulin de la Queudre *(5 km)* ; circuit de l'Abatas *(4,5 km)* ; circuit de l'Hâte par La Chaume *(3,5 km)* ; circuit de l'Hâte par Les Loges *(4,5 km). Renseignements auprès de l'office de tourisme.*

Route des villes d'eaux – Voici une adresse Internet à retenir : **www.villesdeaux.com**. En vous rendant sur ce site, vous découvrirez toutes sortes de renseignements utiles sur les villes d'eaux de Bourgogne et du Massif central : séjours et week-ends de bien-être et de remise en forme, hébergement, loisirs, gastronomie, rendez-vous festifs, patrimoine.

Saint-Thibault

143 THÉOBALDIENS
CARTE GÉNÉRALE B2 – CARTE MICHELIN DÉPARTEMENTS 320 G5 – CÔTE-D'OR (21)

Siège d'un ancien prieuré, ce village de l'Auxois reçut au 13e s. les reliques de saint Thibault. Son église est munie d'un chœur d'une exquise finesse et d'un portail qui constitue l'un des plus beaux chefs-d'œuvre de la sculpture bourguignonne. Vous ne pourrez manquer d'apercevoir cet édifice situé non loin du canal de Bourgogne et de la Voie verte.

Se repérer – St-Thibault se trouve à 19 km au sud-est de Semur-en-Auxois par la D 970 et à 15 km au nord-ouest de Pouilly-en-Auxois.

À ne pas manquer – Le portail de l'église de St-Thibault est un véritable livre d'images. Venez admirer ce petit chef-d'œuvre de l'art bourguignon.

Organiser son temps – Prévoyez le temps de faire un pique-nique au bord du canal de Bourgogne. Et assistez aux réunions hippiques estivales à Vitteaux.

Avec les enfants – Rendez-vous au parc de l'Auxois, près d'Arnay-sous-Vitteaux, sur la Brenne. Vous y verrez des animaux des quatre coins du monde.

Pour poursuivre la visite – Voir aussi Alise-Ste-Reine, le château de Bussy-Rabutin, Flavigny-sur-Ozerain, Pouilly-en-Auxois, Saulieu, les sources de la Seine, Semur-en-Auxois.

Découvrir

Église★

Visite : 30mn. 03 80 64 66 07 ou 03 80 64 62 63 - de mi-mars à mi-nov. : 9h30-18h - visite de la chapelle St-Gilles sur demande. On aborde l'édifice par le flanc nord. De l'église, construite grâce aux libéralités de Robert II, duc de Bourgogne, et de sa femme Agnès de France, fille de Saint Louis, pour abriter les reliques de saint Thibault, il ne reste que le chœur, une chapelle absidiale et le portail sculpté appartenant à l'ancien transept (écroulé avec la nef au 17e s.). Le **portail★** est un admirable livre d'images. Les sculptures du tympan, consacrées à la Vierge, ont été exécutées dans la seconde moitié du 13e s. Vers 1310, cinq grandes statues furent ajoutées : saint Thibault, le duc Robert II et son fils Hugues V, bienfaiteurs de l'église (sous l'aspect de Aaron et David), la duchesse Agnès et l'évêque d'Autun, Hugues d'Arcy (la reine de Saba et Salomon) ; l'expression des physionomies est extrêmement réaliste et vivante. Les vantaux, aux beaux panneaux sculptés, sont de la fin du 15e s. Qu'est-ce qui différencie les vierges sages *(à gauche)* des vierges folles *(à droite)*, visibles sur les voussures ? L'orientation de la lampe, bien sûr !

Intérieur – La modeste nef, reconstruite au 18e s., est décorée de boiseries de l'époque, provenant de Semur-en-Auxois, mais tout l'intérêt se concentre sur le chœur et l'abside, chefs-d'œuvre de légèreté édifiés à la fin du 13e s. Le **chœur★** à cinq pans est la plus élégante des constructions bourguignonnes de l'époque. Du sol aux voûtes, les fines colonnettes s'élèvent d'un seul jet, unissant dans le même mouvement ascensionnel l'arcature aveugle du soubassement, les fenêtres basses bordées d'une claire-voie délicate, le triforium et les fenêtres hautes. À droite du chœur, sous un enfeu aux bas-reliefs restaurés en 1839, se trouve le tombeau de Hugues de Thil, et, à ses côtés, une piscine d'autel à deux vasques, tous deux du 13e s. Le **mobilier★** est fort intéressant : l'autel est décoré de deux retables ; au fond du chœur se voient un grand crucifix du 14e s. et, au-dessus de l'autel, sur une belle crosse, une colombe eucharistique du 16e s. Dans la nef, à droite, contre le mur du chœur, remarquez la jolie statue de la Vierge regardant l'Enfant Jésus jouer

Ph. Gajic / MICHELIN

Décor polychrome du retable de l'église de St-Thibault.

avec un oiseau (14e s.) ; enfin, dans la chapelle St-Gilles, partie la plus ancienne de l'église, accompagnant la châsse de saint Thibault, les statues figurant l'Ancien et le Nouveau Testament.

Saint-Thibault pratique

Voir aussi les carnets pratiques du Morvan, de Pouilly-en-Auxois, Saulieu et Semur-en-Auxois.

Adresse utile

Office du tourisme cantonal de Vitteaux – *16 r. Hubert-Languet - 21350 Vitteaux - 03 80 33 90 14 - juin-sept. : 9h-12h30, 14h-19h, dim. (sf juin et sept.) 10h-13h ; reste de l'année : mar.-vend. 9h30-12h30, 14h-18h, sam. 9h30-12h30 - fermé lun.*

Aux alentours

Vitteaux

7 km au nord-est. L'**église St-Germain** possède un portail aux lignes harmonieuses du 13e s., avec des vantaux sculptés du 15e s., comme à St-Thibault. À l'intérieur, les amateurs de bois sculpté seront enchantés : belle tribune d'orgues retraçant le récit de la Passion selon saint Matthieu et stalles aux scènes délectables. Ces deux ensembles datent du 15e s. Les **halles** couvertes des 13e s. et 14e s. ont été partiellement reconstruites au 17e s. À proximité des halles, vous remarquerez une belle demeure aux fenêtres gothiques, dite « **maison Bélime** ». À l'emplacement de l'ancien château *(beau point de vue sur l'éperon de Myard et sur Vitteaux)* subsiste un vieux puits où résiderait la Vouivre, créature mythique, mi-serpent, mi-humaine… Pour en savoir plus, lisez (ou relisez) le roman de Marcel Aymé !

Arnay-sous-Vitteaux

15 km au nord. À proximité du village, sur la Brenne, le **parc de l'Auxois** est un but de promenade récréative. Ce parc animalier et de loisirs de 35 ha propose de nombreuses animations (promenades en carriole, piscine, manèges) et présente des animaux d'Afrique, d'Asie, d'Amérique et d'Océanie : zèbres, autruches, watusis, castors, ratons laveurs… *03 80 49 64 01 - www.parc-auxois.com - - 10h-19h - fermé de mi-nov. à fin-fév. - 11 € (3-14 ans 8 €).*

Château de Posanges

10 km au nord-est. Ne se visite pas. Cette imposante construction, érigée par Guillaume Dubois, premier maître d'hôtel et conseiller du duc Philippe le Bon, date du 15e s. Remarquez la poterne d'entrée fortifiée : un pont-levis commandait autrefois l'accès du château. Les quatre tours rondes sont reliées par des courtines.

Vallée de la Saône ★

CARTE GÉNÉRALE C3/4 – CARTE MICHELIN DÉPARTEMENTS 320 K/M-5/8
CÔTE-D'OR (21), SAÔNE-ET-LOIRE (71)

La Saône, majestueuse, prend sa source à Vioménil, au contact du Plateau lorrain et des Vosges, à 395 m d'altitude. Elle pénètre en Bourgogne aux abords de Pontailler et conflue avec le Rhône à la sortie de Lyon. Sa très faible pente et la régularité de son débit en font une voie d'eau facile et douce, navigable sur la plus grande partie de son cours.

- **Se repérer** – La Saône coule du nord au sud, via Chalon-sur-Saône, Tournus et Mâcon.
- **À ne pas manquer** – Visitez les petites villes fortifiées le long de son cours : Auxonne, Verdun-sur-le-Doubs, St-Jean-de-Losne…
- **Organiser son temps** – Mangez une pôchouse à Verdun-sur-le-Doubs : cette matelote de poissons est un véritable régal ! Après ce bon repas, rien de tel qu'une petite balade digestive en bord de Saône.
- **Avec les enfants** – Les secrets de la meunerie et de la panification leur seront révélés à la Maison du blé et du pain, antenne de l'écomusée de la Bresse bourguignonne, à Verdun-sur-le-Doubs.
- **Pour poursuivre la visite** – Voir aussi Auxonne, la Bresse, Chalon-sur-Saône, Fontaine-Française, le Mâconnais, Tournus.

Comprendre

Paysages de la Saône – La Saône traîne ses eaux lentes dans une large plaine (fossé bressan) entre le Massif central et le Jura. La rivière inonde sa vallée chaque hiver et dépose des alluvions fertiles dont bénéficient les prairies voisines, les « paquiers », ainsi que les cultures maraîchères (vers Auxonne). Les vallées de l'Ouche et des Tilles, anciens marécages, sont aujourd'hui dévolues à des cultures industrielles comme le tabac ou la betterave. Après Seurre, la Saône se rapproche de la Côte, mais en reste séparée par une zone boisée discontinue (forêts de Cîteaux, de Gergy).

Une voie de passage – Les échanges commerciaux se développent très tôt. Dès l'époque romaine, Lyon est relié à Trèves par la Via Agrippa qui traverse Mâcon, Tournus, Chalon-sur-Saône et Langres. On emprunte aussi la rivière, et Chalon-sur-Saône joue dès lors un rôle de port fluvial et d'entrepôt de la corporation des « nautes ». Parmi les produits importés d'Italie figurait le vin : on a pu retrouver à Chalon-sur-Saône, dans le lit du fleuve, un dépôt estimé à 24 000 pointes d'amphores. Aux 13ᵉ et 14ᵉ s., les foires de Chalon-sur-Saône sont de grandes assises du commerce international : les drapiers de Dijon, Châtillon, Beaune y côtoient ceux de Flandre et les marchands italiens. La Saône est reliée par canal à la Loire en 1793, puis à la Seine en 1832, au Rhin en 1833 et à la Marne en 1907. Des travaux d'aménagement devaient permettre la remontée des convois poussés de 4 000 t de Fos-sur-Mer à Auxonne, mais ce projet a été abandonné, et la navigation de tels convois n'est possible que jusqu'à Mâcon. Pour l'instant, la Saône se contente des nombreux bateaux de croisière.

Le saviez-vous ?

À l'époque romaine, la Saône s'appelle *Arar*. Elle devient *Souconna* après la conquête, à partir d'une racine qui signifie « marécage ».

Axe naturel nord-sud majeur en Europe occidentale, la Saône permit à la Bourgogne de s'ouvrir au commerce dès l'âge du bronze, avec les routes de l'**ambre** (venant de la mer Baltique), de l'**étain** (de Cornouailles, par la vallée de la Seine) et du **sel** (d'Italie). Bien plus tard, en 1840, pour effectuer le trajet Chalon-Lyon sur un bateau à vapeur mû par des roues à aubes, il fallait compter 6h à la descente et 9h à la remontée.

Circuits de découverte

DE TALMAY À VERDUN-SUR-LE-DOUBS

76 km – environ 3h

Château de Talmay★

03 80 36 13 64 - visite guidée du chätdau (45mn) juil.-août : tlj sf mar. 15h-18h (dernière entrée 15mn av. fermeture) - 7 € (enf. 3 €). Le puissant donjon carré du 13ᵉ s., haut de 46 m, coiffé d'une toiture d'époque Louis XIV surmontée d'un lanternon, est le seul vestige du château féodal primitif qui fut détruit en 1760 et remplacé par le beau château actuel de style classique.

Le corps de logis, entouré de jardins à la française arrosés par la Vingeanne, porte à son fronton une curieuse décoration : Cybèle au centre, le Soleil et la Lune à droite et à gauche.

Les différents étages de la tour sont meublés avec goût. On visite tout d'abord de belles pièces Renaissance, avec plafond sculpté et boiseries du 17ᵉ s., puis, à l'étage, la bibliothèque, une salle ornée de boiseries Louis XIV et le corps de garde, doté d'une belle cheminée. Du haut de la tour, un panorama s'offre à l'ouest sur la Côte, prolongée au nord par le plateau de Langres, tandis que se profilent au sud-est les hauteurs du Jura.

Madame Sans-Gêne

Thérèse Figueur, future hussard qualifié de « Sans-Gêne » dans les armées napoléoniennes, naquit au village de Talmay en 1774. Elle servit de modèle à Émile Moreau, puis à Victorien Sardou en 1893, pour un rôle devenu légendaire, qui fut tenu par les plus grandes, de Réjane à Madeleine Renaud en passant par Arletty.

Pontailler-sur-Saône

6 km au sud de Talmay par la D 976.

Du mont Ardoux, éminence dominant cette localité située au confluent de la Vingeanne, on jouit d'une belle **vue** sur la plaine de la Saône et sur les sommets du Jura qui la limitent à l'est.

Auxonne *(voir ce nom)*
14 km au sud de Pontailler par la D 961, la D 976, puis la D 24.

Saint-Jean-de-Losne
18 km au sud-ouest d'Auxonne par la D 20.
Véritable « échangeur » en eau, l'ancienne capitale de la batellerie est à l'origine du canal de Bourgogne, et à proximité du point de départ du canal du Rhône au Rhin. C'est aussi la plus petite commune de France par sa superficie (36 ha de terre et 20 ha d'eau).
Cette ancienne place forte soutint en 1636 un siège mémorable contre les Autrichiens, alors que la Saône servait de frontière entre la France et le Saint Empire romain germanique. Les quelques centaines d'hommes de sa garnison résistèrent aux 60 000 soldats du général Gallas, les contraignant à la retraite.
Dans l'**église**, surmontée d'un clocher à tourelles et beaux toits à forte pente, un vitrail illustre l'étonnante victoire contre les Impériaux. La plus ancienne maison de la ville (15e s.) abrite la **Maison des mariniers** *(petite exposition sur la batellerie).*

Seurre
14 km au sud-ouest de St-Jean-de-Losne par la D 976.
Cette active petite ville est située près du confluent de deux bras de la Saône : un point de vue s'offre sur ce site depuis l'extrémité de la rue de Beauraing. Seurre possède un **hôpital** du 17e s. dont la salle commune rappelle, en plus modeste, la Grand-Salle de l'hôtel-Dieu de Beaune. On peut voir aussi l'église St-Martin, du 14e s., quelques maisons à pans de bois et, au no 13, rue Bossuet, la maison où vécurent les parents du grand prédicateur et où cohabitent maintenant l'office de tourisme et l'écomusée de la Saône.

Verdun-sur-le-Doubs
21 km au sud-ouest de Seurre par la D 35D, la D 5, puis la D 970.
Cette petite localité occupe un joli site au confluent de la Saône nonchalante et du Doubs turbulent, dans un paysage de prairies et de murailles en ruine. La spécialité locale est la **pôchouse verdunoise**, une matelote de poissons, comme le brochet, la perche, l'anguille et la tanche : une confrérie en maintient la tradition à Verdun-sur-le-Doubs, dont les intronisations ont lieu en octobre.
Maison du blé et du pain – *03 85 76 27 16 - www.ecomusee-de-la-bresse.com - de mi-mai à fin sept. : 15h-19h ; de déb. oct. à mi-mai : 14h-18h - fermé 25 déc.-1er janv. - 3 € (7-18 ans 1,50 €).*
Cette antenne de l'écomusée de la Bresse bourguignonne *(voir p. 163)* rappelle que Verdun-sur-le-Doubs se trouve au débouché de la plaine céréalière du val de Saône. On y découvre les origines et l'évolution de la culture du blé, ainsi que l'histoire de la meunerie et de la panification (collection de pains, maquettes d'outils et machines, animations).

Château de Talmay.

DE VERDUN-SUR-LE-DOUBS À MÂCON

90 km – environ 2h30.

À partir de Verdun-sur-le-Doubs, la Saône devient plus large. Peu avant d'entrer dans Chalon, la D 5 traverse le canal du Centre, qui rejoint la Loire par la vallée de la Dheune et la Bourbince. La base de loisirs et de sports, ainsi que la roseraie St-Nicolas occupent la boucle du dernier méandre avant Chalon.

La Voie bleue

Cet itinéraire, lancé peu après la Voie verte *(voir ce nom)*, permet de découvrir les bords de la Saône en vélo. En 2007, deux premiers tronçons ont été ouverts, sur environ 40 km. Ils relient Mâcon à Fleurville, et Verdun-sur-le-Doubs à Gergy. D'ici à 2010, cette Voie bleue longera l'ensemble des bords de Saône et reliera les Vosges à Lyon.

Chalon-sur-Saône★ *(voir ce nom)*

Quittez Chalon par la N 6, puis tournez à gauche sur la D 6 pour rejoindre Marnay, au débouché de la Grosne. Suivez la direction de Boyer et de la halte nautique.

Ancienne écluse de Gigny

Avec la maison de l'éclusier *(aujourd'hui café-restaurant en saison)*, voilà un excellent point d'observation sur la Saône. Depuis Chalon, la rivière a pris, large et majestueuse, son axe tranquille nord-sud, qu'elle garde jusqu'à son confluent avec le Rhône.

Sur la rive gauche (côté Empire pour les anciens, par opposition au côté Royaume) s'étendent d'immenses prairies inondables qui permettent l'élevage extensif des bovins.

Les amateurs de marche pourront suivre à leur guise l'ancien chemin de halage où les rangées de peupliers font partie du paysage tout comme les péniches et, en été, les bateaux de plaisance.

La route rejoint la N 6 à Venière, 5 km avant Tournus.

Tournus★ *(voir ce nom)*

Au sud de Tournus, la Saône reçoit la Seille, sur la rive gauche, au petit village de **La Truchère** (charmante écluse sur le bras sud de l'embouchure de la Seille, restaurants et location de bateaux).

De la N 6, tandis qu'à droite s'élèvent les monts du Mâconnais, on trouve, sur la gauche, de nombreuses petites routes qui mènent aux anciens « ports » de Farges et d'Uchizy (simples accès fluviaux pour des villages bâtis sur des terrasses hautes, à 2 ou 3 km de la rivière). Les bords de la Saône, très agréables, permettent la pratique de la pêche. Sur la rive, aux « ports », quelques maisons se rassemblent, avec parfois une auberge où vous pourrez déguster les traditionnelles fritures et cuisses de grenouilles.

Le Villars

Des plaques commémoratives fixées à l'entrée de l'église rappellent que dans ce village vécurent le pianiste **Alfred Cortot** (1877-1962) et l'ingénieur **Gabriel Voisin** (1880-1973), qui fut, avec son frère, le premier à construire industriellement des avions en France. **Anatole France** situe ici l'épilogue de sa *Rôtisserie de la reine Pédauque*, roman satirique de type voltairien. Son héros, l'abbé Coi-

Un poisson géant

Originaire d'Europe centrale, le **silure** a envahi de nombreux cours d'eau. Très allongé, sans écailles, brun marbré sur le dos et les flancs, plus clair sur le ventre, il a une tête énorme, aplatie, munie de barbillons. Il nage lentement et affectionne les fonds vaseux. Vorace, il se nourrit de poissons, de petits mammifères, de canards et de poules d'eau… Ce « monstre », qui peut atteindre 3 m de longueur et peser plus de 100 kg, peut être pêché avec un matériel assez léger, au vif, au poisson mort ou au lancer avec des leurres.

M. Dewynter / MICHELIN

gnard, trouve sur la route de Lyon une fin édifiante, au grand dam de son élève Tournebroche.

L'**église**, curieux édifice des 11e et 12e s. à deux nefs (l'une, condamnée, était réservée aux religieuses d'un prieuré contigu), est précédée d'un vaste porche et contient quelques sculptures.

Farges-lès-Mâcon

Ce village possède une **église** romane du début du 11e s., modeste par ses dimensions, dont l'intérieur ne manque pas d'intérêt. La nef, aux beaux piliers, présente une certaine ressemblance avec celle de St-Philibert de Tournus. *Visite libre ou sur demande à la mairie, 8h-18h - ✆ 03 85 40 51 00.*

Uchizy

L'**église** aurait été construite à la fin du 11e s. par les moines de Tournus. Elle est surmontée d'un haut clocher constitué de cinq étages en dégradé, le dernier n'étant pas d'origine.

Poursuivez par la N 6, entre l'autoroute et la Saône.

Au niveau de **Fleurville**, la rivière reçoit la Ressouze, qui passe par Pont-de-Vaux, en Bresse.

Les amateurs d'églises romanes s'arrêteront à **St-Albain** pour apprécier l'heureuse harmonie de l'église.

Peu avant d'arriver à Mâcon, à **St-Martin-Belle-Roche**, remarquez les carrières dans des falaises de couleur ocre.

Vallée de la Saône pratique

Voir aussi les carnets pratiques d'Auxonne, de Chalon-sur-Saône, Mâcon et Tournus.

Adresses utiles

Office du tourisme de Seurre – *21250 Seurre - ✆ 03 80 21 09 11 - tlj sf dim. 9h-12h, 14h-18h.*

Office du tourisme de Verdun-sur-le-Doubs – *3 pl. Charvot - 71350 Verdun-sur-le-Doubs - ✆ 03 85 91 87 52 - www.tourisme-en-bourgogne.com - juil.- août : 10h30-12h, 15h-18h30 ; juin : 15h-18h ; avr. : lun.-vend. : 9h-12h, 14h-18h ; mai et sept. : merc.-dim. et j. fériés 15h -18h ; reste de l'année : se renseigner.*

Se loger et se restaurer

L'Auberge des Gourmets – *Pl. de l'Église - 71700 Le Villars - ✆ 03 85 32 58 80 - www.aubergedesgourmets.fr - fermé 5-29 janv., 4-11 juin, 29 oct.-7 nov., 24-27 déc., dim. soir, mar. soir et merc. sf j. fériés - 20/46 €.* Petite auberge à façade jaune où l'on vient faire des repas traditionnels personnalisés sous les poutres peintes d'une salle dont le bel appareil de pierres nues est égayé par des expositions picturales temporaires. Accueil et service avenants.

Hostellerie bourguignonne – *Rte de Ciel - 71350 Verdun-sur-le-Doubs - ✆ 03 85 91 51 45 - www.hostelleriebourguignonne.com - fermé 23 fév.-8 mars, 27 oct.-2 nov., dim. soir hors sais., mar. sf le soir de mai à sept. et merc. midi - 22/80 € - 9 ch. 90/120 € - ☕ 13 €.* Dans son jardin arboré, cette grande bâtisse fleure bon la tradition. Sa table fait la part belle aux recettes du terroir dans un cadre rustique plaisant et soigné. L'été, la terrasse dévoile ses charmes. Les chambres sont plutôt confortables avec parquet et tissus chatoyants.

Sports & Loisirs

Location de vélos – Le Verdunois est une région plane, sans difficulté particulière. Si vous voulez la parcourir à vélo, adressez-vous à la **capitainerie** de Verdun-sur-le-Doubs - *✆ 03 85 91 85 06.* Celle-ci vous propose des locations de vélos à l'heure, à la demi-journée ou à la journée.

Au fil de l'eau – La capitainerie de Verdun-sur-le-Doubs *(voir ci-dessus)* loue également des barques de 2 à 4 personnes maximum, avec ou sans moteur, pour partir à la découverte de la Saône et du Doubs. Elle organise par ailleurs, à la demande, des petits circuits en bateau. Renseignez-vous !

Randonnée – Toutes sortes de promenades à pied sont possibles au départ de Verdun-sur-le-Doubs, notamment un circuit de 17 km le long de la Saône (Verdun-Verjux-Gergy) et un autre de 10 km le long du Doubs (Verdun-Les Bordes-Saunières). *Brochures disponibles à l'office de tourisme.*

Saulieu★

2 837 SÉDÉLOCIENS
CARTE GÉNÉRALE B2 – CARTE MICHELIN DÉPARTEMENTS 320 F6 – CÔTE-D'OR (21)

Aux confins du Morvan et de l'Auxois, Saulieu doit sa réputation à la qualité de sa gastronomie, un savoir-faire qui s'accompagne avec succès d'un faire-savoir. En effet, l'animation de la rue du Marché, le hall d'exposition ouvert toute l'année, les Journées gourmandes organisées en mai et la renommée de son grand restaurant en font une vitrine des mille saveurs.

Se repérer – Au bord de la D 906, Saulieu est à 41 km au nord d'Autun et 39 km au sud-est d'Avallon.

À ne pas manquer – La basilique St-Andoche et ses superbes chapiteaux ; Et de la pittoresque butte de Thil, à quelques kilomètres au nord-est de la ville, profitez d'un beau panorama sur l'Auxois et le Morvan.

Organiser son temps – Voici deux manifestations à marquer dans vos calendriers : la fête du Charolais, en août, et les Journées gourmandes, organisées à la période de l'Ascension.

Avec les enfants – Découvrez avec eux, au musée municipal, les sculptures animalières du fameux sculpteur bourguignon Pompon. Puis faites un pique-nique dans la forêt domaniale de Saulieu, agrémentée d'aires de jeux.

Pour poursuivre la visite – Voir aussi Arnay-le-Duc, Avallon, Autun, le Morvan, Pouilly-en-Auxois, St-Thibault, Semur-en-Auxois.

Visiter

Basilique Saint-Andoche★

03 80 64 00 21 - de Pâques au 1er nov. : tlj sf lun. 9h-12h, 13h30-18h30, dim. 14h-18h30 ; reste de l'année : tlj sf dim. et lun. 9h-12h, 14h-16h30. St-Andoche se dresse sur la place du Dr-Roclore *(jolie fontaine du milieu du 18e s.)*. Légèrement postérieure à celle de Vézelay, elle fut édifiée au début du 12e s. pour remplacer l'église d'une abbaye fondée au 8e s. sur les lieux du martyre de saint Andoche, saint Thyrse et saint Félix. Mais ce beau monument roman a été fort maltraité : le chœur brûlé par les Anglais en 1359 a été reconstruit en 1704 ; le portail, mutilé au 18e s., a été refait au 19e s., sans toucher au sol exhaussé de l'intérieur, dans lequel la base des piliers est enterrée de près d'un mètre.

Intérieur – L'intérêt se concentre sur les **chapiteaux★★** historiés ou décoratifs, inspirés par ceux d'Autun. On reconnaîtra l'Apparition du Christ à Madeleine (celui-ci opérant à la fois un mouvement de recul et d'ascension), la scène dramatique de la Pendaison de Judas, la Fuite en Égypte (l'âne portant Marie et l'Enfant au milieu des vignes), la Tentation du Christ au désert, face à un animal monstrueux, et l'ânesse de Balaam arrêtée par l'ange du Seigneur.

Les stalles du chœur (14e s.) sont agrémentées de figurines sculptées de l'école bourguignonne et de hauts-reliefs, dont une belle Annonciation. La tribune d'orgues est du 15e s., et les nouvelles orgues, bleu et or, ont été conçues dans un style néomédiéval. Très restauré, le tombeau en marbre de saint Andoche se trouve sous l'autel. À droite du chœur, vous remarquerez une Vierge Renaissance en pierre et, à gauche, une statue de saint Roch du 14e s. Dans le bas-côté gauche, notez une belle pierre tombale ainsi qu'une Pietà polychrome offerte, dit-on, par Mme de Sévigné. Le trésor comporte un évangéliaire du 12e s., dit « de Charlemagne ».

La capitale du sapin de Noël

Première région française productrice d'arbres de Noël, le Morvan consacre environ 900 ha de sa superficie à cette activité qui concerne quelque 250 propriétaires et engendre un chiffre d'affaires annuel de plus de 5 millions d'euros. Il part chaque année de Saulieu plus d'un million de sapins (essentiellement des épicéas) à destination des grandes villes de France et des pays d'Europe. *Pour des détails sur les méthodes culturales des sapins de Noël, consultez www.patrimoinedu-morvan.org/sapins_noel.html.*

Musée municipal François-Pompon

03 80 64 19 51 - mars-déc. : 10h-12h30, 14h-17h30 (avr.-sept. 18h), dim. et j. fériés 10h30-12h, 14h30-17h, lun. 10h-12h30 - fermé lun. apr.-midi et mar., janv.-fév., 1er Mai et 25 déc.- 4 € (12-16 ans 2,50 €).

Installé dans un hôtel particulier du 17e s. attenant à la basilique, ce musée expose, au rez-de-chaussée, des chartes

Saulieu, cité gastronomique

Au cours de l'histoire, d'illustres personnages ont vanté les richesses culinaires de Saulieu. Mme de Sévigné, y faisant halte le 26 août 1677, aurait ainsi déclaré s'être grisée, pour la première fois de sa vie, au cours d'un plantureux repas. Fidèles à cette tradition de bonne chère, les restaurants de Saulieu ont à cœur de bien « traiter » les voyageurs de passage. De très grands chefs étoilés au Michelin s'y sont succédé : Alexandre Dumaine, Bernard Loiseau et, aujourd'hui, Patrick Bertron au restaurant *La Côte d'Or (voir carnet pratique).*

Célèbre pour la qualité exceptionnelle de sa viande de charolais, Saulieu se distingue depuis 1999 comme **Site remarquable du goût** *(voir p. 24-25).*

médiévales et bornes anciennes rappelant la vocation de ville-étape tenue depuis des siècles par Saulieu, située sur la route Paris-Lyon. L'étage est consacré à l'œuvre (dessins, bronzes, moulages) du bourguignon **François Pompon** (1855-1933), élève de Rodin, célèbre pour ses sculptures animalières aux volumes arrondis et lisses. La gastronomie est également à l'honneur, avec un large espace consacré aux grands cuisiniers que furent Alexandre Dumaine et Bernard Loiseau. De retour au rez-de-chaussée, la vie rurale traditionnelle reprend ses droits, avec l'évocation de vieux métiers tels que ceux de l'apiculteur ou du sabotier, dont Saulieu abritait jadis un grand nombre d'ateliers.

Aux alentours

Butte de Thil★

On y accède depuis Précy-sous-Thil, à 16 km au nord-est de Saulieu par la D 980. Visite supprimée, domaine privé.

Au centre d'une région exploitée autrefois pour son minerai de fer, la butte de Thil, qui culmine à 492 m, est couronnée des vestiges d'une collégiale et d'un château jadis redoutable, démantelé par Richelieu. Une allée bordée de tilleuls séculaires conduit à ces deux sites.

Ancienne collégiale – Fondée en 1340 par Jean II de Thil, sénéchal de Bourgogne, sur l'emplacement de l'église paroissiale du village disparu, cette collégiale fut consacrée quatre ans plus tard par l'évêque d'Autun. L'édifice, de plan très simple, et dont la toiture de « laves » a disparu, comporte un chevet plat à trois baies. La voûte, avec ses pierres se présentant de chant, est remarquable. On notera quelques chapiteaux reposant sur des culs-de-lampe et la présence de trois pierres tombales. Les inscriptions sur l'une des dalles funéraires se composent de caractères inconnus, d'aspect assez archaïque. La tour-clocher, à gauche, a été aménagée pour constituer la demeure du propriétaire des lieux.

Faites le tour de la collégiale par la droite pour avoir un bon aperçu du bâtiment. Remarquez, sur la corniche, une frise très fine et la belle tour carrée. Cette dernière, haute de 25 m, permettait de surveiller un territoire de 50 km à la ronde ; on l'avait d'ailleurs surnommée « l'espionne de l'Auxois » ou « la sentinelle ». Profitez du très beau **panorama** sur l'Auxois et le Morvan.

Château – Construit au sommet de la butte, directement sur l'oppidum romain dont il a adopté la forme ovale, le château comporte des murs d'enceinte, percés d'étroites meurtrières, remontant au règne de Charlemagne, un donjon restauré du 14e s. et, parmi les vestiges des salles médiévales, des cuisines dotées de trois cheminées. Vous verrez également des fortifications en pierre de taille du 12e s.

D. Delacroix / MICHELIN

Butte de Thil.

Saulieu pratique

Voir aussi les carnets pratiques du Morvan, de Pouilly-en-Auxois et de Semur-en-Auxois.

Adresse utile

Office du tourisme de Saulieu – *24 r. d'Argentine - 21210 Saulieu - www.saulieu.fr - ℘ 03 80 64 00 21 - juil.-août : 9h-12h30, 14h-19h, dim. 9h30-12h30, 14h-17h ; reste de l'année : tlj sf. lun. et dim. 9h-12h, 14h-18h.*

Se loger et se restaurer

La Vieille Auberge – *15 r. Grillot - ℘ 03 80 64 13 74 - lavieilleauberge3@wanadoo.fr - fermé 12-30 janv., 27 fév.-11 mars, 30 juin-10 juil., mar. soir et merc. du 1er sept. au 13 juil. - 13/35 € - 5 ch. 35/42 € - 6 €.* Une auberge campagnarde à l'entrée de Saulieu. Dans sa salle coquette, aux tables soignées, vous aurez le choix entre différents menus aux prix sages qui pianotent sur des saveurs régionales ou traditionnelles réactualisées. Chambres simples en dépannage.

La Borne Impériale – *16 r. Argentine - ℘ 03 80 64 19 76 - www.borne-imperiale.com - fermé 10 janv.-10 fév., lun. soir et mar. sf juil.-août - 23/56 € - 7 ch. 55 € - 9,50 €.* Auberge traditionnelle où une cuisine régionale comblera votre appétit dans une salle soignée ou sur sa terrasse invitante dominant un beau jardin. Hébergement pratique à l'étage.

La Guinguette – *Moulin de la Serrée - 58230 Alligny-en-Morvan - 7 km au sud de Saulieu par D 26 - ℘ 03 86 76 15 79 - www.laserree.com - ouv. sam. soir et dim. midi de Pâques au 1er nov. et tlj en juil.-août - 18/23 €.* Tout le charme d'une grande cabane au bord de l'eau, au milieu des roseaux, qui fera le bonheur des flâneurs. Élevage piscicole, truites fario et saumons de fontaine à déguster sur place ou à emporter. Prêt de cannes à pêche pour les amateurs.

La Côte d'Or – *2 r. d'Argentine - ℘ 03 80 90 53 53 - www.bernard-loiseau.com - fermé 5 janv.-5 fév. et mar. du 6 fév. au 14 avr. et du 18 nov. au 20 déc. - 98/185 €.* L'épouse de Bernard Loiseau, entourée d'une équipe passionnée, se décarcasse chaque jour pour séduire les gourmands dans ce temple du bien-manger. Atmosphère raffinée tant au restaurant que dans la luxueuse hostellerie.

Que rapporter

La Fouchale – *4 pl. de la République - ℘ 03 80 64 02 23 - www.achat-cote-d-or.com - tlj sf dim. et lun. 9h-12h30, 15h-19h ; dim. 10h-12h30 de Pâques à la Toussaint.* Vous trouverez dans cette boutique un très grand choix de chèvres fermiers, de magnifiques vacherins, langres, époisses, chaources et soumaintrains, de goûteux petits suisses et yaourts, de la crème fraîche et une sélection de vins de pays parfaits pour accompagner ces perles fromagères. Les curieux apprendront que le mot patois fourchale veut dire faisselle.

Boutique Bernard Loiseau – *℘ 03 80 90 53 50 - www.bernard-loiseau.com - 9h30-12h30, 15h-19h - fermé 5 janv.-5 fév. et mar.-merc. de nov. à mi-avr. sf fête de Noël.* La boutique, créée en 1995 par Bernard Loiseau, fait partie des adresses incontournables de Saulieu. Riche d'environ 1 000 références, elle propose des produits rigoureusement sélectionnés selon trois critères : authenticité, simplicité et qualité. Vous y trouverez des denrées alimentaires, mais aussi des livres et ustensiles de cuisine ou encore du linge de maison.

Sports & Loisirs

Forêt domaniale de Saulieu – Ce bel espace de 768 ha a été aménagé. Vous y trouverez des aires de pique-nique et de jeux, des sentiers de promenade, des sentiers équestres et un étang à truites.

Seignelay

1 546 SEIGNELOIS

CARTE GÉNÉRALE A1 – CARTE MICHELIN DÉPARTEMENTS 319 E4 – YONNE (89)

Construit au flanc d'une colline boisée de l'Auxerrois au pied de laquelle serpente le Serein, la ville présente de belles maisons de pierre serrées le long de rues en pente. En 1429, en route vers Reims où allait être sacré Charles VII, Jeanne d'Arc fit une halte à ce qui était à l'époque une importante seigneurie. Mais c'est à Jean-Baptiste Colbert, marquis de Seignelay, que le village doit véritablement ses titres de noblesse… et vice versa.

- **Se repérer** – Seignelay se trouve à 13 km au nord d'Auxerre par la D 84, à 8,5 km à l'ouest de Pontigny, et à 21 km au sud-est de Joigny.
- **À ne pas manquer** – En flânant dans les rues de Seignelay, vous remarquerez sa belle halle en bois du début du 17e s., coiffée d'un curieux toit présentant des pans brisés à la Mansart.
- **Pour poursuivre la visite** – Voir aussi Auxerre, Chablis, Joigny, Pontigny, St-Florentin.

Se promener

Château

Détruit à la Révolution, il n'en reste que l'ancien parc, un pan de l'enceinte fortifiée, une tour, restaurée au siècle dernier, et un pavillon d'entrée construit à la fin du 17e s.

Place Colbert

Une avenue bordée de platanes aboutit à cette place au charme classique préservé. L'ancien auditoire ou salle du bailliage (actuel hôtel de ville), remarquable pour sa façade ornée d'un fronton et ses portes à fortes moulures, fut édifié sous Colbert. Le bâtiment du Trésor public, tout proche, correspond à l'ancienne capitainerie, construite en équerre avec le pavillon d'entrée du château. L'ensemble forme un corps de bâtiment harmonieux, avec ses toits à la Mansart couverts d'ardoises.

Le saviez-vous ?

Lorsqu'il fait, en 1657, l'acquisition de la baronnie de Seignelay, **Colbert** (1619-1683) est encore au service de Mazarin, qui le recommandera à Louis XIV. Fait intendant des Finances à la mort du cardinal, en 1661, ce fils de marchand drapier conduira la politique économique du royaume pendant près de 20 ans. Son système, qui consistait pour l'essentiel à augmenter la masse monétaire, a été appelé « colbertisme ». Il fit ériger la baronnie de Seignelay en marquisat (son fils, futur ministre de la Marine, en portera le nom) et obtint, pour restaurer le château, le détachement de l'architecte du roi, Le Vau.

Église Saint-Martial

Rebâtie au 15e s. sur une église romane dont les contreforts extérieurs ont été conservés, elle est dotée d'une belle tour-clocher, à la masse surmontée d'un lanternon ; elle surprend par son plan irrégulier (un seul bas-côté). Le chœur, l'abside, la chapelle de la Vierge et les fonts datent du 15e s. Au siècle suivant, la voûte du collatéral a été élevée à hauteur de celle de la nef, alors refaite. De cette époque date aussi le petit portail Renaissance surmonté d'un auvent. L'intérieur abrite un banc d'œuvre Louis XIII. Dans le chœur, remarquez six chandeliers Louis XVI en cuivre argenté, provenant du château, ainsi que trois tabourets et deux petites châsses aux armes de Colbert, et une Vierge peinte du 17e s. Aux fenêtres de la nef gauche et du chœur, on peut observer les restes des remplages de vitraux du 16e s., œuvre des frères Veissières et de leur élève Mathieu, originaires de Seignelay.

Aux alentours

Appoigny

4 km au sud-ouest, sur la D 606. Cette localité faisait partie du domaine des évêques d'Auxerre, qui y firent construire au 13e s. la **collégiale St-Pierre**. La haute tour carrée qui la surmonte fut ajoutée au 16e s. Remarquez les grappes de raisin et les feuilles de vigne qui ornent le tympan : elles nous rappellent qu'à l'époque les vins d'Auxerre étaient les plus réputés de France. L'intérieur, très restauré, présente un beau jubé sculpté, daté de 1610.

Seignelay pratique

Voir aussi les carnets pratiques d'Auxerre, de Chablis, Joigny et St-Florentin.

Adresse utile

Syndicat d'initiative d'Appoigny – *4 r. du Fer-à-Cheval - 89380 Appoigny - 03 86 53 20 90 - www.appoigny.com - mai-oct. : merc.-vend. 14h30-17h, sam. 10h-12h ; hiver : merc. 14h30-17h, sam. 10h-12h.*

Se loger

Bon à savoir – À quelques kilomètres de Seignelay, la sortie 19 de l'autoroute vous conduira à une importante concentration d'hôtels et de restaurants. Si ces établissements font partie de chaînes bien connues et sans surprise, ils offrent de correctes prestations dans une fourchette de prix assez large. De quoi rendre service le temps d'une pause et jusque tard le soir.

Chambre d'hôte Le Puits d'Athie – *1 r. de l'Abreuvoir - 89380 Appoigny - 03 86 53 10 59 - www.appoigny.fr - - 4 ch. 69/160 € - repas 45 €.* Les chambres personnalisées de cette demeure bourguignonne ravissent les yeux, en particulier Mykonos, habillée de bleu et blanc, et Porte d'Orient, décorée d'une authentique porte du Rajasthan. La patronne concocte des plats régionaux ou méditerranéens.

Sources de la Seine

CARTE GÉNÉRALE C2 – CARTE MICHELIN DÉPARTEMENTS 320 I5 – CÔTE-D'OR (21)

Souvenez-vous de vos leçons de géographie : les sources de la Seine se situent à 470 mètres d'altitude, sur le plateau de Langres, dans la Côte-d'Or. Elle jaillissent aux pieds d'une nymphe de pierre, dans un petit vallon planté de sapins, qui fut fréquenté dès l'Antiquité, et qui appartient depuis 1864 à la Ville de Paris.

Statue de nymphe allongée à l'entrée de la grotte.

- **Se repérer** – On atteint les sources de la Seine par la D 971 au nord-ouest de Dijon (37 km) en direction de Châtillon-sur-Seine. Sur la même route, à 10 km après St-Seine-l'Abbaye, tournez à gauche.
- **À ne pas manquer** – Allez d'abord voir la source principale, abritée sous une grotte gardée par une statue, puis rendez-vous à la source de la Coquille, dont le site escarpé vous offrira de jolies vues sur le Châtillonnais.
- **Avec les enfants** – Après avoir suivi le sentier menant à la source de la Coquille, faites une pause pique-nique dans ce joli cirque glaciaire fossile.
- **Pour poursuivre la visite** – Voir aussi Alise-Ste-Reine, le château de Bussy-Rabutin, Dijon, Flavigny-sur-Ozerain.

Découvrir

SOURCES ET EAUX VIVES

Sources de la Seine

La source principale bouillonne sous une grotte artificielle abritant *La Nymphe de la Seine*, copie de la statue symbolisant le fleuve exécutée par **Jouffroy**. Le petit filet d'eau s'en va à travers le val, passant au bout de 50 m sous son premier pont, miniature.

En aval, des fouilles ont mis au jour les vestiges d'un temple gallo-romain, des objets en bronze (faune, *Dea Sequana*) témoignant d'un culte et nombre de statuettes en bois et ex-voto, dont des « planches anatomiques » (au total 200 pièces environ) exposées au Musée archéologique de Dijon.

Source de la Coquille – *Se procurer le dépliant indispensable au bon déroulement*

Le saviez-vous ?

Étymologiquement, le mot *sequana* ou *secana* viendrait du celte *squan* ou *quan* qui signifie tortueux (il est vrai que le fleuve est assez sinueux). La déesse fluviale **Sequana**, vénérée aux sources de la Seine, aurait été « christianisée » dans le personnage de saint Seine (en latin *Sequanus*), moine qui aurait vécu en Bourgogne au 6ᵉ s. et qui serait le fondateur de l'abbaye du même nom.

de la visite au ☎ 03 80 79 25 99 (Conservatoire), auprès des principaux offices de tourisme de la région, de la mairie d'Étalante ou en le téléchargeant sur www.sitesnaturelsbourgogne.asso.fr.

Boucle de 1 km environ. Équipez-vous de bonnes chaussures. Aires de pique-nique. À Étalante *(27 km au nord des sources de la Seine)*, voici une source enchâssée dans un site théâtral. La Coquille présente aujourd'hui un débit modeste, mais c'est elle qui, alors qu'elle était bien plus abondante à la période glaciaire, a provoqué la formation de ce cirque dans les roches calcaires très friables de la petite falaise qui la surplombait. Un sentier, bien balisé, permet d'en faire le tour, en commençant par une bonne mais courte montée. Le site est un cirque glaciaire fossile, et la flore spécifique (linaire des Alpes) qui pousse sur ses éboulis disparaîtrait si on n'empêchait pas la stabilisation des éboulis par les arbres et la pelouse calcaire (en hauteur, avec diverses orchidées). Il offre un beau panorama sur le Châtillonnais. On redescend par un sentier escarpé jusqu'à la résurgence de la Coquille, aux eaux très claires.

Autres sources

Au hasard de randonnées sur le **plateau de Langres**, vous rencontrerez de nombreuses sources, celles de l'Ignon, par exemple, qui va, lui, vers la Saône ; il s'agit souvent de résurgences vauclusiennes appelées *dhuys ou douix* dans la région (du latin *dux*, chef, tête, la source étant à la tête de la rivière), liées à l'existence d'un sous-sol argileux sous la couche calcaire.

Aux alentours

Blessey

À 1 km à l'ouest de la source de la Seine.

En contrebas de la route qui mène au vallon de la Potelle, l'étonnant **lavoir** du village aligne en arc de cercle des colonnes doriques supportant un toit de zinc autour d'un bassin semi-circulaire.

Aignay-le-Duc

À 5 km au nord de la source de la Coquille.

Cette localité possède une intéressante **église** gothique du 13e s., de proportions régulières, coiffée d'un clocher de bardeaux. Dans le chœur, voyez le retable en pierre du début du 16e s. représentant des scènes de la Passion dans de hauts-reliefs polychromes de facture naïve.

Le **lavoir** de la Margelle, restauré, est couvert d'un toit de lave sur voûte clavée. Il abrite un bassin rectangulaire s'écoulant par une rigole dans un second bassin, extérieur, rond. Illumination le soir.

Circuit des lavoirs

Dans la Côte-d'Or et dans l'Yonne, diverses initiatives ont permis la sauvegarde de nombreux lavoirs. Citons celle de la Fondation de France, qui combine restauration et installation d'œuvres d'art contemporaines à l'intérieur des lavoirs. *Pour découvrir les lavoirs du Châtillonnais et du Tonnerrois, consultez les sites www.cote-dor-tourisme.com/flash/lavoirs2.htm et www.tonnerre89.com ou contactez les offices de tourisme locaux pour plus de détails.*

Saint-Seine-l'Abbaye

Situé non loin des sources de la Seine *(12 km au sud-est)*, le village s'appelait Siscaster lorsqu'un certain Sigo, au 6e s., fonda sur son territoire une abbaye bénédictine à laquelle il donna son nom (adapté en « Soigne », puis associé à Seine).

Église abbatiale – Datant du début du 13e s., elle marque la transition entre le style roman bourguignon et le style gothique venu de l'Île-de-France. Après un incendie (1255), elle fut restaurée au 14e s. La façade date du 15e s. Le porche est resserré entre deux tours épaulées de contreforts, mais seule celle de gauche est terminée.

La nef est éclairée de fenêtres hautes ; le chevet plat s'ajoure d'une belle rose reconstituée au 19e s. Sur le transept à fond plat s'ouvrent des chapelles communiquant avec les collatéraux du chœur par des clôtures de pierre ajourées de baies. Dans le croisillon, notez les nombreuses pierres tombales. L'ancien jubé a été placé au fond de l'abside. Les stalles sculptées (18e s.) s'appuient sur une clôture Renaissance, au revers de laquelle des peintures assez détériorées représentent d'un côté la légende de saint Seine (1504), de l'autre les litanies de la Vierge (1521).

En sortant de l'église, remarquez la **fontaine de la Samaritaine**, dont le bassin est surmonté d'un bronze du 18e s.

Sources de la Seine pratique

Voir aussi les carnets pratiques de Dijon et de Flavigny-sur-Ozerain.

Adresse utile

Office du tourisme du pays de Saint-Seine – *Pl. de l'Église - 21440 St-Seine-l'Abbaye - 03 80 35 07 63 - de mi-juin à mi-sept. : 10h-12h30, 15h-18h30 ; vac. scol. horaires sur répondeur ; hors sais. : mar. et vend. 14h30-18h.*

Se loger

Chambre d'hôte La Demoiselle – *R. Sous-les-Vieilles-Halles - 21510 Aignay-le-Duc - 03 80 93 90 07 - www.maisonlademoiselle.com - - 4 ch. 41 € - repas 18 €.* Surplombant la ville, la maison à flanc de coteau étage ses chambres sur plusieurs… rez-de-chaussée, dont un ouvrant sur un charmant jardinet, ensoleillé jusque tard. Le décor des chambres – belle voûte de pierre, mobilier simple et choisi, gros bouquet de fleurs séchées – reste sobre, sans froideur. Mais l'atout majeur de cette maison est l'accueil parfaitement attentif et discret de ses propriétaires, M. Bonnefoy étant originaire de la ville même. Cuisine on ne peut plus régionale, et de qualité.

Hôtel la Poste – *17 r. Carnot - 21440 St-Seine-l'Abbaye - 03 80 35 00 35 - www.postesoleildor.fr - fermé fév., 23 déc.-6 janv. et dim. - P - 15 ch. 63/70 € - 10 € - rest. 25/35 €.* Un ancien relais de poste bien au calme avec sa cour servant de terrasse. Les chambres sont un peu anciennes mais sont rafraîchies progressivement. Des cuivres étincelants et des étains anciens ornent la cheminée et les murs habillés de boiseries dans la salle à manger.

Chambre d'hôte Manoir de Tarperon – *Rte de St-Marc - 21510 Aignay-le-Duc - sur la D 901 à mi-chemin entre Aignay-le-Duc et St-Marc-sur-Seine - 03 80 93 83 74 - www.tarperon.fr - fermé nov.-mars - - réserv. conseillée - 5 ch. 70 € - repas 28 €.* Agréable manoir dans son écrin de verdure, au bord de la rivière. Les coquettes chambres personnalisées sont colorées et meublées avec soin. Confortable salon-bibliothèque prolongé d'une véranda ; parcours de pêche dans le parc. Séjours de 2 nuits minimum.

Sports & Loisirs

Domaine de Tarperon – *Rte de St-Marc - 21510 Aignay-le-Duc - 03 80 93 83 74 - manoir.de.tarperon@wanadoo.fr - de mi-mars à mi-sept. - fermé mar. et vend de mars à fin mai.* 2,5 km de parcours de mouche au confluent de la Coquille et du Revinson. Demi-journée 30 €, journée 50 €.

Semur-en-Auxois★

4 195 SEMUROIS
CARTE GÉNÉRALE B2 – CARTE MICHELIN DÉPARTEMENTS 320 G5 – CÔTE-D'OR (21)

Capitale de l'Auxois, riche pays de culture et d'élevage s'inscrivant entre le Morvan et les plateaux dénudés du Châtillonnais, Semur est une cité médiévale campée sur une falaise de granit rose. À l'abri de ses remparts s'accrochent un entrelacs de petites maisons claires et une cascade de jardins, que dominent les grosses tours du donjon et la flèche effilée de la collégiale Notre-Dame.

Se repérer – Semur-en-Auxois se trouve à 18 km au sud de Montbard, à 35 km à l'est d'Avallon et 22 km au nord-est de Saulieu.

À ne pas manquer – En arrivant, arrêtez-vous sur le pont Joly pour avoir une belle vue sur la ville et les remparts. Visitez la collégiale, qui recèle une superbe Mise au tombeau, puis rendez-vous au château d'Époisses.

Avec les enfants – Faites une halte baignade à la plage aménagée du lac de Pont, en emportant dans votre panier un bon fromage d'époisses que vous, parents, accompagnerez volontiers d'un vin blanc sec des coteaux de l'Auxois !

Pour poursuivre la visite – Voir aussi Alise-Ste-Reine, le château de Bussy-Rabutin, Flavigny-sur-Ozerain, l'abbaye de Fontenay, Montbard, Pouilly-en-Auxois, St-Thibault.

Comprendre

Une ville réputée imprenable – Ayant toujours eu des remparts, la ville fut baptisée *Sinemuro castrum*, « sinemurus » (dénomination prélatine d'une citadelle). Au 14e s., lorsqu'on eut renforcé sa citadelle par un rempart appuyé sur 18 tours, Semur devint la place la plus redoutable du duché. La ville se divisait alors en trois parties entourées chacune d'une enceinte. Au centre, occupant toute la largeur de l'éperon rocheux, le quartier du Donjon était une vraie citadelle, plongeant à pic sur la vallée de l'Armançon, et défendue, aux angles, par quatre énormes tours rondes : tour de l'Orle d'or, tour de la Géhenne, tour de la Prison et tour Margot. À l'ouest, le quartier du Château (qu'Henri IV fit démanteler en 1602 car il avait servi de refuge aux Ligueurs) couvrait la partie haute de la presqu'île enfermée dans le méandre de la rivière. À l'est, le bourg Notre-Dame demeura le quartier le plus peuplé, même lorsque la ville se fut étendue sur la rive gauche de la rivière.

Se promener

Après avoir trouvé place au parking Collenot, prenez la rue de l'Ancienne-Comédie.

Porte Sauvigny

Précédée d'une poterne et décorée aux armes de la ville, cette porte marquait l'entrée principale de l'enceinte dite « du Bourg-Notre-Dame ». Elle doit son nom au receveur des Finances Jean de Sauvigny, qui la fit construire en 1417.

Empruntez la rue Buffon, qui se distingue par ses commerces et maisons du 16e s.

Collégiale Notre-Dame★

Elle s'élève sur une petite place bordée de maisons anciennes. Fondée au 11e s., reconstruite au cours du 13e s., plusieurs fois remaniée et agrandie par l'adjonction de chapelles sur les bas-côtés nord, elle fut restaurée par Viollet-le-Duc.

Extérieur – Flanquée de tours carrées, sa façade (14e s.) est précédée d'un vaste porche. Le tympan, martelé en 1793, garde de jolis anges musiciens. Avancez-vous, à gauche de l'église, dans la rue Notre-Dame : la porte du croisillon nord, dite « porte des Bleds » (13e s.), a conservé un beau tympan contant l'incrédulité de saint Thomas et l'évangélisation des Indes. Au sommet de l'archivolte, un ange ouvre les bras en un geste d'accueil. De fines colonnettes encadrent le portail ; sur l'une d'elles, deux escargots sculptés symbolisent la vie humaine.

Le porche (15e s.), à trois arcades, abrite trois portails ; de sa décoration, la Révolution n'a laissé, peuplant les piédroits de chacun des portails, que de petits personnages sculptés en bas-relief.

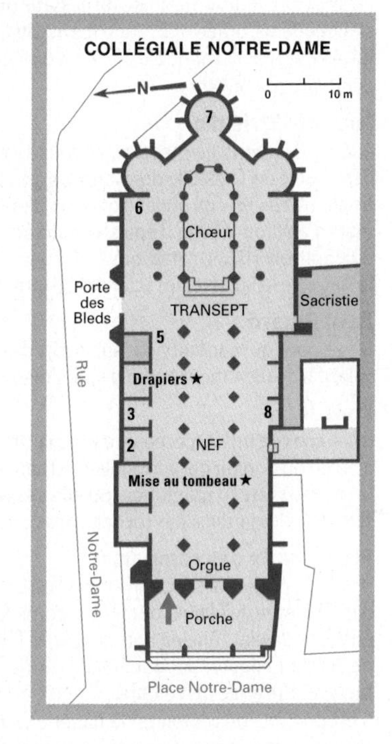

Du jardin, derrière l'église, on a une jolie **vue** sur le chevet élancé, un peu surprenant par son élévation et ses chapelles aux toits coniques. Le carré du transept est surmonté d'une tour octogonale coiffée d'une flèche (56 m).

Intérieur – En entrant, on est impressionné par l'étroitesse de la nef centrale (13e et 14e s.), qui accuse la hauteur des voûtes soutenues par de fines colonnes. Gagnez le bas-côté gauche où s'ouvrent plusieurs chapelles intéressantes.

Dans la deuxième chapelle, une **Mise au tombeau★ (1)** polychrome de la fin du 15e s., dotée de personnages monumentaux, est attribuée à l'atelier d'Antoine Le Moiturier, sculpteur des ducs de Bourgogne. Elle était entourée de quatre anges ; deux sont au Louvre, et deux au musée de Semur.

La troisième chapelle, voûtée en étoile, est éclairée par un vitrail **(2)** du 16e s. illustrant la légende de sainte Barbe. Les deux chapelles suivantes conservent des panneaux de vitraux offerts au 15e s. par diverses confréries de l'époque : bouchers **(3)** et **drapiers★ (4)**. Ce dernier décline la tonte, le lavage, le travail du foulon, la coupe, le cardage, le tissage et le peignage. Les quatre vitraux du bas sont du 16e s., les autres du 19e s. Derrière la chaire, adossé au mur, le remarquable **ciborium (5)** en pierre, orné d'un clocheton finement sculpté et haut de 5 m (15e s.), servait à conserver les huiles saintes.

Autour des bras du transept et du chœur règne un triforium aveugle aux élégantes colonnettes surmontées de masques sculptés, d'un curieux réalisme. La grande clef

Vue de la ville de Semur-en-Auxois.

de voûte peinte représente le Couronnement de la Vierge, au milieu de feuillages et de têtes angéliques.

Le chœur est flanqué d'un double collatéral ; sur le déambulatoire s'ouvrent trois chapelles rayonnantes séparées par des fenêtres à triple baie. Certains vitraux datent du 13e s. Remarquez aussi l'orgue Grantin-Riepp-Callinet des 17e, 18e et 19e s.

Dans la dernière chapelle du collatéral gauche, un retable peint en 1554 **(6)** représente l'arbre de Jessé ; un dais gothique en bois sculpté le surmonte. De beaux vitraux du 13e s., restaurés par Viollet-le-Duc, éclairent la chapelle axiale dédiée à la Vierge **(7)**.

Plus loin, la chapelle Ste-Julite **(8)** possède un encadrement Renaissance avec une jolie clef pendante ornée d'un ange lisant. Un Christ aux cinq plaies, statue polychrome de la fin du 15e s., montre de la main droite l'une d'elles.

Continuez rue Fevret.

Tour de l'Orle d'or

Rue des Remparts. Fermée pour travaux. Cette tour lézardée faisait partie du donjon, démantelé en 1602. Elle doit son nom aux créneaux (supprimés), qui étaient revêtus de plomb cuivré (« un ourlet d'or »). Ses dimensions sont imposantes : 44 m de hauteur, murs d'environ 2,20 m d'épaisseur au sommet, 5 m à la base. Avant la construction du pont Joly (1787), cette tour était l'une des entrées de la ville. Elle est aujourd'hui le siège de la Société des sciences historiques et naturelles de Semur.

Pont Pinard

De ce pont qui conduit aux faubourgs de la rive gauche, la **vue** est très belle sur la ville, particulièrement en fin d'après-midi.

Pont Joly

Il commande une superbe **vue** ★ de la cité médiévale. Ce pont franchit l'Armançon au pied du donjon qui verrouillait l'isthme étroit rattachant la falaise rose, où naquit la cité, au plateau granitique, où elle s'est étendue. La vue s'ouvre sur la vallée ; on se régale des jardins, des rochers, des parcs, des cascatelles.

Promenade des remparts

Aménagée sur l'ancienne muraille à la proue de l'éperon granitique, cette promenade, plantée de tilleuls, domine en corniche la vallée de l'Armançon. Pour s'y rendre, on passe devant l'ancien hôpital, qui fut l'hôtel du marquis du Châtelet, gouverneur de Semur et lieutenant général des armées du roi, dont la savante épouse, Émilie, fut la tendre amie de Voltaire.

Il est possible de prolonger la flânerie en descendant la rue basse du Rempart. Le site est alors mis en valeur par les énormes masses de granit rouge pailleté de mica et de quartz qui servent d'assise au donjon.

Revenir par la rue Collenot.

Musée municipal

Rue J.-J. Collenot. ✆ 03 80 97 24 25 - possibilité de visite guidée (1h) - avr.-sept. : tlj sf mar. 14h-18h ; oct.-mars : tlj sf w.-end 14h-17h - fermé 1er janv., 1er et 8 Mai, 14 Juil., 15 août, 1er et 11 Nov., 25 déc. - gratuit. Installé depuis 1880 dans l'ancien couvent des jacobines

(18e s.), tout comme la bibliothèque, ce musée recèle sur trois étages une grande variété d'œuvres. Vous trouverez, dans la section d'archéologie, des objets provenant de sites préhistoriques, gallo-romains (ex-voto des sources de la Seine) et mérovingiens. La section dédiée aux beaux-arts contient notamment des sculptures du 13e s. au 19e s., dont de nombreux plâtres originaux d'Augustin Dumont, auteur de décors monumentaux et statues commémoratives (génie de la Liberté de la colonne de Juillet, place de la Bastille à Paris), et d'émouvants **anges deuillants** qui encadraient la Mise au tombeau de la collégiale Notre-Dame. Vous remarquerez aussi des peintures du 17e s. au 19e s. et les oiseaux naturalisés de la section d'histoire naturelle.

Aux alentours

Lac de Pont

3 km au sud. Long de 6 km environ, le lac artificiel s'étend entre Pont-et-Massène et Montigny. Cette retenue a été créée au 19e s. sur l'Armançon pour alimenter le canal de Bourgogne. Ses rives forment un joli site, dans un cadre de verdure et de rochers *(plage aménagée et sports nautiques).*

Époisses

12 km à l'ouest. Cet agréable bourg, érigé sur le plateau de l'Auxois, fut le lieu de villégiature préféré de la reine Brunehaut, établie à Autun au 6e s. Il doit sa célébrité à son château ainsi qu'à un célèbre fromage à pâte molle au fort caractère.

Château★ – *03 80 96 40 56 - - visite guidée (45mn) juil.-août : tlj sf mar. 10h-12h, 15h-18h ; parc : tte l'année 9h-18h - 7 € (-12 ans gratuit, 12-18 ans 3 €).*

« Cette maison est d'une grandeur et d'une beauté surprenante », écrivit Mme de Sévigné en 1673. Entourée d'une double enceinte de douves sèches, on y accède par une poterne, qui conduit dans l'avant-cour, véritable petit village où s'assemblent des maisons et des granges autour d'une église, ancienne collégiale du 12e s., et d'un important pigeonnier Renaissance comportant quelque 3 000 « boulins » (trous destinés à la ponte des œufs de pigeons).

Avant de franchir le second fossé, contournez le château par la droite pour observer les quatre tours qui relient entre eux les bâtiments d'habitation. Il y en avait sept à l'origine, mais la moitié sud, démolie en 1794, a été remplacée par une balustrade ; remarquez, dans la cour d'honneur, le puits finement ouvragé. Le château, propriété de la même famille depuis le 17e s., offre une suite de galeries et de salons richement décorés. Le grand salon abrite un beau mobilier Louis XIV, dont les sièges sont recouverts de tapisseries des Gobelins. Des tableaux et souvenirs évoquent de nombreux personnages historiques, en particulier les hôtes du château : les grands-ducs de Bourgogne, Henri IV, Mme de Sévigné, Chateaubriand, le prince de Condé.

L'époisses

Ce sont les moines d'une communauté cistercienne venue s'installer à Époisses au 16e s. qui auraient inventé la recette du « roi des fromages », comme l'appelait Brillat-Savarin. À l'époque, ils retournaient quotidiennement, et ce pendant deux mois, chaque fromage, et le lavaient à l'eau salée avant de l'arroser au marc de Bourgogne. Quatre siècles plus tard, la transformation profonde du monde agricole faillit avoir raison du petit fromage, mais relancé par la famille **Berthaut** vers la fin des années 1950, il échappa à l'oubli et connaît aujourd'hui un regain de popularité. Pour mériter sa prestigieuse appellation, l'époisses, reconnu **AOC** depuis 1991, est désormais soumis à de strictes règles définissant précisément son aire géographique de production et ses méthodes de fabrication.

Château de Bourbilly

9 km au sud-ouest (D 9). 03 80 97 05 02 ou 01 42 27 73 11- - visite guidée (45mn, dernière entrée 15mn av. fermeture) 1er juil.-15 sept. : tlj sf mar. 10h-12h, 15h-18h - parc 10h-18h tte l'année - 7 €, parc 2 € (-10 ans gratuit).

Campée dans la vallée du Serein, cette place défensive fut achevée en 1379 par Marguerite de Beaujeu. Elle appartint à Jeanne Frémyot de Chantal, fondatrice en 1610, avec François de Sales, de l'ordre de la Visitation et canonisée sous le nom de sainte Jeanne de Chantal. Au fait, qui était la petite-fille de sainte Jeanne de Chantal ? La marquise de Sévigné, qui séjourna à Bourbilly à plusieurs reprises, notamment lors de son voyage de noces. Démantelé pendant la Révolution, puis réhabilité au Second Empire, le château a noble allure, dans son parc, avec ses trois ailes en équerre (la quatrième n'a pas été relevée) cantonnées de tours rondes, et ses hautes toitures sur lesquelles se dressent de curieuses **cheminées** cylindriques.

À l'intérieur, on visite la salle des Gardes, dotée d'un billard Louis XIII et d'une tapisserie flamande du 17e s. *(Prise de Tyr par Alexandre)* ; la chapelle, endommagée par un incendie en 1952 et redécorée avec des matériaux modernes (belle charpente), que ferme une grille en fer forgé aux motifs de roses et de croix (1889) ; la bibliothèque néogothique ; la salle à manger, ornée d'un plafond à la française ; enfin, le Grand Salon, au décor vénitien (lustres fleuris en cristal de Murano).

Semur-en-Auxois pratique

Voir aussi les carnets pratiques d'Alise-Ste-Reine, de Flavigny-sur-Ozerain et de Montbard.

Adresse utile

Syndicat d'initiative de Semur-en-Auxois – *2 pl. Gaveau - 21140 Semur-en-Auxois - 03 80 97 05 96 - www.ville-semur-en-auxois.fr. - juin-sept. : 9h-19h, dim. et j. fériés 10h-17h ; reste de l'année : mar.-vend. 9h-12h, 14h-18h, sam. 9h-12h, 14h-17h.*

Se loger et se restaurer

Chambre d'hôte La Maison du Canal – *Au Pont-Royal - 21390 Clamerey - 16 km au sud-est de Semur-en-Auxois par D 970 puis D 70 (dir. Vitteaux) - 03 80 64 62 65 - gdf.lamaisonducanal@wanadoo.fr - - 5 ch 44/54 € - repas 22 €.* Cette maison du début du 19e s. plantée au bord du canal de Bourgogne face à un petit port de plaisance abritait autrefois un bureau de poste. Les chambres bien tenues s'ouvrent sur la calme campagne de l'Auxois. Information sur la navigation sur place.

Hôtel Cymaises – *7 r. Renaudot - 03 80 97 21 44 - www.hotelcymaises.com - fermé 5 fév.-3 mars et 3 nov.-7 déc. - P - 18 ch. 65 € - 7 €.* Au cœur de la cité médiévale, demeure d'aspect cossu (18e-19e s.), dont la cour intérieure est desservie par un portail en pierre. Calmes chambres classiquement aménagées, véranda utilisée au petit-déjeuner et jardin de repos.

Hostellerie d'Aussois – *Rte de Saulieu - 03 80 97 28 28 - www.hostellerie.fr - P - 42 ch. 78/90 € - 12 € - rest. 24/46 €.* Ensemble des années 1980 doté de chambres fonctionnelles refaites par étapes et tournées vers la capitale de l'Auxois ou la campagne. Restaurant au cadre actuel donnant sur la piscine et sa terrasse, avec les remparts de Semur à l'arrière-plan. Bonne table au goût du jour.

Que rapporter

Berthaut – *Pl. du Champ-de-Foire - 21460 Époisses - 03 80 96 44 44 - www.fromagerie-berthaut.com - tlj sf dim. 9h-12h15, 14h-18h ; juil.-août : 9h-12h15, 14h-18h, dim. 10h-13h - fermé 1er janv., 1er Mai, 25 déc.* Dans leur fromagerie fondée en 1956, les Berthaut valorisent la recette traditionnelle de l'époisses – affiné au marc de Bourgogne – qui bénéficie aujourd'hui de l'appellation d'origine contrôlée et développent de nombreuses autres spécialités : le Perrière, vendu à la coupe, l'Aisy cendré, l'Affidélice lavé au chablis et le soumaintrain. La boutique propose également quelques bons petits crus de pays.

Sens★★

26 800 SÉNONAIS
CARTE GÉNÉRALE A1 – CARTE MICHELIN DÉPARTEMENTS 319 C2 – YONNE (89)

Dotée de maisons à pans de bois, d'hôtels particuliers et d'églises anciennes, cette superbe ville des bords de l'Yonne est ceinte de boulevards et de promenades qui ont remplacé les anciens remparts. Vous y découvrirez deux véritables joyaux : la cathédrale St-Étienne et le palais synodal, témoins de la grandeur passée de celle qui, d'ancien archevêché de Paris, est devenue simple sous-préfecture, mais demeure une belle porte d'entrée en Bourgogne.

Se repérer – Desservie par la D 606, Sens se trouve à 31 km au nord de Joigny.

Se garer – Des places vous attendent sur les parkings des boulevards Garibaldi et de Maupeou.

À ne pas manquer – Visitez St-Étienne, première des grandes cathédrales gothiques de France, dotée de superbes vitraux. Découvrez son trésor, célèbre pour ses merveilles de tapisseries, de soieries et de pièces d'orfèvrerie. Et au palais synodal, ne manquez pas les graffiti médiévaux sur les murs des cachots.

Organiser son temps – Notez qu'à Sens, beaucoup de commerces sont généralement fermés le mardi.

Avec les enfants – Emmenez-les, de mai à octobre, aux serres tropicales du parc du Moulin à tan. Il y verront fleurir une bien étrange plante aquatique géante originaire d'Amérique du Sud : *Victoria Cruziana*. Et ils apprécieront aussi les aires de jeux aménagées sur le site du parc.

Pour poursuivre la visite – Voir aussi Joigny, Montargis, St-Florentin, Villeneuve-sur-Yonne.

Comprendre

Des Senons aux Campont – Le peuple des Senons fut longtemps l'un des plus puissants de la Gaule. En 390 av. J.-C., commandés par Brennus, ils envahirent l'Italie et s'emparèrent de Rome. Maîtres à leur tour de toute la Gaule au 4e s., les Romains firent de Sens la capitale d'une province de la Lyonnaise, la **Grande Senonie**, comprenant Chartres, Auxerre, Meaux, Paris, Orléans et Troyes. Cette tutelle dura fort longtemps à travers l'archevêché qui, ajoutant à ses suffragants l'évêché de Nevers, prit pour devise « Campont » (acronyme formé de l'initiale des sept cités). Le séjour qu'y fit le pape **Alexandre III** en 1163-1164 transforma la ville en capitale provisoire de la chrétienté. Douze ans auparavant s'y était tenu, sous l'autorité de saint Bernard, le concile qui condamna Abélard. C'est dans la cathédrale que fut célébré, en 1234, le

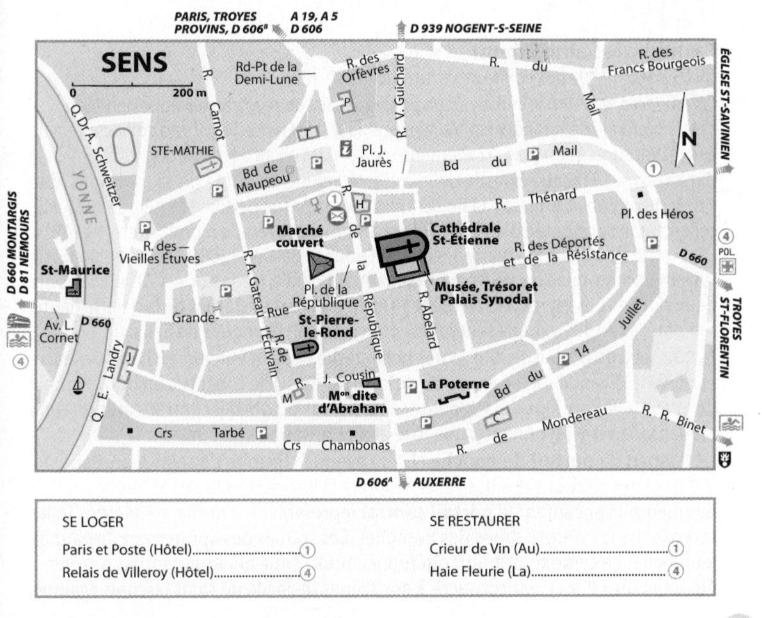

SE LOGER		SE RESTAURER	
Paris et Poste (Hôtel)	①	Crieur de Vin (Au)	①
Relais de Villeroy (Hôtel)	④	Haie Fleurie (La)	④

mariage de **Saint Louis** et de Marguerite de Provence. Avec la création de l'évêché de Paris, en 1622, le diocèse de Sens perdit Meaux, Chartres et Orléans. La résidence des archevêques de Sens dans le Marais (à Paris), construite vers la fin du 15e s., montre le rapport de force ecclésiastique si longtemps subi par la capitale.

Se promener

Marché couvert

Face à la cathédrale, ces halles sont caractéristiques des réalisations en vogue au cours de la seconde moitié du 19e s. : architecture métallique à remplage de briques. Observez la charpente apparente et la toiture à clochetons.

Quartier de l'église Saint-Pierre-le-Rond

De part et d'autre du clocher élevé en 1728, la façade de l'**église** et celle de l'ancien hôtel-Dieu (13e s.) se répondent harmonieusement, avec leurs pignons ornés de hautes fenêtres lancéolées.

Quelques rues du cœur de ville

À l'angle de la rue de la République et de la rue Jean-Cousin, la **maison** dite **« d'Abraham »** (16e s.) montre un poteau cornier, très ouvragé, sculpté d'un arbre de Jessé. La maison mitoyenne, au 50 r. Jean-Cousin, dite **« maison du Pilier »** (16e s.), possède un porche singulier. Plus loin, au no 8, la **maison Jean-Cousin**, dont la façade sur jardin donne sur la rue Jossey, est aussi une construction du 16e s.

La Grande-Rue, piétonne et commerçante, est bordée de nombreuses **maisons à pans de bois** dont certaines portent des plaques rappelant leur activité passée.

Proche du palais synodal, la rue Abélard est bordée de beaux **hôtels particuliers** des 17e et 18e s.

La poterne

Sur le boulevard du 14-Juillet, au sud, on peut remarquer des vestiges de la muraille gallo-romaine.

Église Saint-Maurice

R. de l'Île d'Yonne. Bâtie sur l'île d'Yonne au cours de la seconde moitié du 12e s., elle présente un chevet plat à pans de bois et un toit asymétrique surmonté d'une flèche d'ardoise qui lui donnent, vue depuis la rive droite de la rivière, un cachet tout particulier.

Église Saint-Savinien

137 bis r. d'Alsace-Lorraine, à 750 m du bd du Mail, sur la gauche. Construite au 11e s. sur l'emplacement de la première église de Sens, St-Savinien présente un plan basilical sans transept à trois absides orientées et une nef charpentée. À l'extérieur, le gracieux clocher du 13e s. est mis en valeur par la sobriété de l'édifice.

Visiter

Cathédrale Saint-Étienne★★

℘ 03 86 65 19 49 - possibilité de visite guidée : 8h-18h.

Commencée vers 1130 à l'initiative d'un proche de saint Bernard, l'archevêque Henri Sanglier, c'est la première des grandes cathédrales gothiques de France. Nombre d'édifices firent de larges emprunts à son plan, à l'alternance de ses piles ou au dessin de son triforium.

Extérieur – La façade ouest a de la majesté, même amputée de sa tour nord, dite « tour de plomb » : édifiée à la fin du 12e s. avec la participation de Philippe Auguste, celle-ci était surmontée d'un beffroi en charpente, couvert de plomb, détruit au 19e s. La tour sud, ou « tour de pierre », écroulée pour sa part en 1268, fut rebâtie au siècle suivant et couronnée en 1534 par un élégant campanile, qui la porte à 78 m. Elle abrite deux cloches pesant respectivement 14 et 16 tonnes. Les statues de la galerie haute, remplacées au 19e s., représentent les principaux archevêques de Sens.

Au trumeau du portail central, la très belle statue de saint Étienne, en habit de diacre et portant l'Évangile, est une œuvre de la fin du 12e s. Elle constitue un bon exemple de la statuaire gothique à ses débuts. Au-dessus du portail central s'étagent une immense fenêtre rayonnante, une rose et un Christ bénissant (moderne).

Le tympan du **portail de gauche** (12e s.) évoque l'histoire de saint Jean-Baptiste. À la base des piédroits des bas-reliefs figurent la libéralité et l'avarice. Les bas-reliefs des piédroits encadrant le **portail central** représentent, à droite, les vierges folles et à gauche les vierges sages des Évangiles. Les statues des apôtres ont disparu de leur niche. Le tympan primitif, qui représentait, croit-on, le Jugement dernier, a été refait au 13e s. : il est consacré à des scènes de la vie de saint Étienne. Maintes statuettes de saints ornent les voussures. Sur le soubassement, vous verrez les arts libéraux, les travaux des mois et un amusant bestiaire.

Le tympan du **portail de droite** (début 14e s.) est consacré à la Vierge. Les statuettes représentant les prophètes ont été décapitées.

Contournez la cathédrale par le nord jusqu'à l'impasse Abraham.

Au **croisillon nord,** admirez la magnifique façade de style flamboyant, exécutée de 1503 à 1513 par Martin Chambiges et son fils. Le décor sculpté est d'un grand raffinement. Au pignon, notez une statue moderne d'Abraham.

J.-P. Elie / Musées de Sens

Vitrail du Bon Samaritain.

Intérieur – L'ample nef communique avec les bas-côtés par des arcades surmontées d'un triforium. L'alternance de piles fortes et de piles faibles est caractéristique du gothique primitif. L'aspect de l'église a été modifié par des remaniements successifs : les fenêtres hautes ont été encore rehaussées au 13e s. dans le chœur et au 14e s. dans la nef ; le transept fut ajouté au 15e s. par l'archevêque Tristan de Salazar (fils d'un compagnon de Jeanne d'Arc), coupant ainsi le chœur de la nef.

Les **vitraux★★**, exécutés du 12e au 18e s., méritent que l'on prenne le temps de les regarder. Dans le bas-côté droit, à la troisième travée, **vitrail (1)** de 1536, attribué à Jean Cousin, dit « le Père ». Sur le côté gauche, on peut voir, soudé à un pilier, un retable Renaissance et le **monument (2)** élevé par Tristan de Salazar à la mémoire de ses parents. Les verrières du croisillon droit proviennent d'ateliers troyens (1500-1502) : celles qui figurent l'arbre de Jessé et la légende de saint Nicolas sont remarquables ; la rosace représente le Jugement dernier. La verrière du croisillon gauche a été exécutée en 1516-1517 par Jean Hympe et son fils, verriers à Sens ; la rosace représente le paradis.

Le chœur est fermé par de belles grilles de bronze, relevées de dorures (1762) et portant les armes du cardinal de Luynes. Le maître-autel monumental a été exécuté

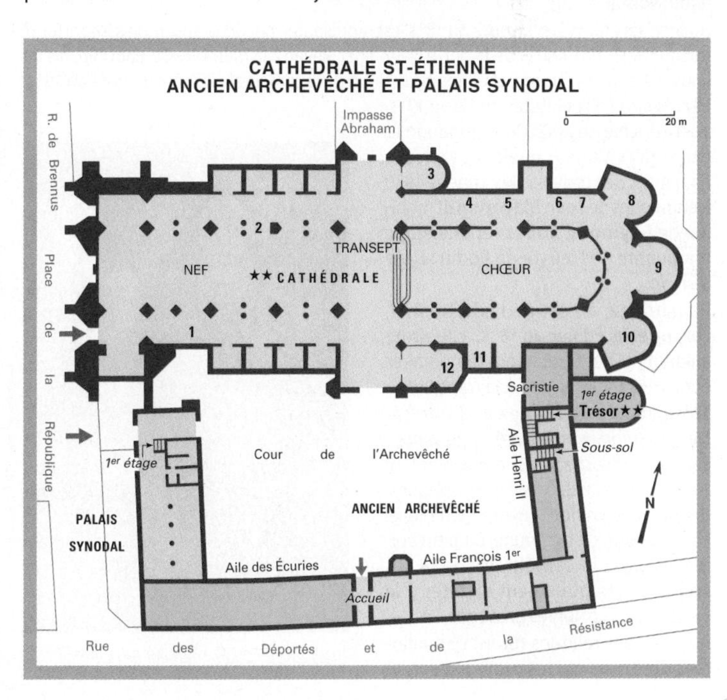

au 18e s. par Servandoni sur le modèle de celui de St-Pierre de Rome. Dans le transept nord, la chapelle de St-Jean renferme un beau **calvaire (3)** du 13e s.

Des vitraux, comptant parmi les plus anciens de la cathédrale (fin 12e s.), éclairent la partie nord du déambulatoire : on reconnaît tour à tour l'histoire de **saint Thomas de Cantorbéry (4)**, celle de **saint Eustache (5)**, la parabole de l'**Enfant prodigue (6)** et celle du **Bon Samaritain (7)**. Le **mausolée** du dauphin Louis, et de la dauphine Marie-Josèphe de Saxe, parents de Louis XVI, par Guillaume Coustou **(8)**, se trouve dans la chapelle suivante. La chapelle axiale, du 13e s., conserve des **vitraux (9)** d'époque. Dans la chapelle du Sacré-Cœur, remarquez le **vitrail** attribué à Jean Cousin **(10)**. Un escalier du 13e s. donne accès au trésor en été *(accès par le musée en hiver)*. Après la sacristie, dans une chapelle, se trouve un **retable** Renaissance **(11)**, et au-dessus de l'autel de la chapelle Notre-Dame, une **Vierge** assise **(12)** du 14e s.

Sortez par le bras droit du transept.

Croisillon sud – Exécuté par Martin Chambiges, maître d'œuvre de Beauvais et de Troyes, c'est une belle réussite du style flamboyant. La décoration du portail de Moïse est remarquable.

Musée, trésor et palais synodal★

✆ 03 86 64 46 22 - juil.-août : 10h-18h ; juin et sept. : 10h-12h, 14h-18h ; oct.-mai et vac. scol. : merc., w.-end 10h-12h, 14h-18h - fermé mar., 1er janv., 25 déc. - 4 € (-18 ans 3 €), gratuit les dim. Cet ensemble, composant les musées de Sens, occupe les bâtiments de l'**ancien archevêché** et du palais synodal qui bordent la cathédrale du côté sud. Admirez le raffinement du décor des façades, des gouttières et des cheminées.

Ailes François Ier et Henri II – Construites au 16e s., elles abritent des collections consacrées à l'histoire de Sens et du Sénonais. Les premières salles exposent des découvertes pré- et protohistoriques : important outillage de pierre du paléolithique, sépultures et maison du néolithique (7500 à 2500 av. J.-C.), objets de l'âge du bronze (2500 à 750 av. J.-C.), dont le **trésor de Villethierry** (fonds d'un artisan bijoutier), armes et parures de l'âge du fer. Notez la présence des ossements de l'*Homme des Planchettes*, qui tient son nom du lieu-dit voisin où il a été découvert : ils sont curieusement disposés, selon le mode des momies péruviennes.

Au sous-sol sont présentés des **vestiges gallo-romains★** utilisés comme matériaux de récupération lors de la construction de la muraille de Sens : blocs d'architecture, sculptures, stèles… Sous la cour, des fouilles ont livré les bases d'un édifice thermal du 4e s. et, parmi le matériel retrouvé, une collection de peignes en os. Dans la salle attenante, est exposée une grande mosaïque dite « des Cerfs », exhumée dans un jardin voisin.

Au premier étage, la sculpture du 18e s. est représentée par deux ensembles importants (maquettes) : bas-reliefs de la porte Dauphine, élevée à la mémoire du dauphin, fils de Louis XV, et de sa femme, et éléments du jubé de la cathédrale (1762) démonté au 19e s.

La collection de peintures du 17e au 19e s. s'est enrichie en 2002 de la donation et des dépôts Marrey : quelques tableaux flamands, des œuvres des années 1930 (céramiques de **Jean Mayodon** et mobilier de **Raymond Subes**) et une étape marquante de l'œuvre de Rodin : *L'Âge d'airain.*

Remarquez, à l'est de l'aile Henri II, l'**orangerie.** Édifiée au 18e s., elle abrite aujourd'hui des expositions temporaires et ouvre sur des jardins à la française.

Trésor de la cathédrale★★ – *Dans l'ancienne chapelle privée des archevêques et dans la sacristie ; accès par le musée.* Il s'agit, avec celui de Ste-Foy de Conques, de l'un des plus riches trésors de France. Par la fenêtre de la tribune, on peut voir le chœur de la cathédrale. De là, les archevêques pouvaient assister à la messe et contrôler les passages.

Au 19e s., les reliques furent démaillotées des tissus qui les protégeaient, et

J.-P. Elie / Musées de Sens, Ville de Sens, Service communication

Tapisserie du Couronnement de la Vierge.

l'on découvrit des étoffes précieuses, originaires de Perse, de Byzance ou d'ailleurs, témoignant de leur commerce et de leurs itinéraires.

Le musée renferme donc une splendide collection de ces **tissus** et de vêtements liturgiques : suaire de saint Victor, mitre de soie brodée d'or du 13e s., aube et chasuble de **saint Thomas Becket** du 12e s. ; des tapisseries de haute lisse du 15e s. en parement d'autels *(Adoration des Mages, Couronnement de la Vierge)* et des bourses à reliques ; des ivoires (pyxides, peigne liturgique de saint Loup du 7e s., la Sainte Châsse, coffret reliquaire byzantin) ; des pièces d'orfèvrerie (la Sainte Coupe, ciboire de vermeil et crosses d'évêques) ; et aussi une belle Vierge hiératique en bois du 12e s...

Palais synodal – Construit au début du 13e s., il fut restauré et couvert de tuiles vernissées par Viollet-le-Duc. Au rez-de-chaussée, la salle voûtée à deux nefs était le tribunal de l'Officialité *(expositions temporaires)*.

Deux travées ont été cloisonnées afin d'aménager des **cachots** ; cet ensemble de prisons du 13e s. conserve de nombreux graffiti, dont quelques-uns d'époque médiévale (notamment un évêque et un chevalier du Temple). Le 1er étage est occupé par une grande salle qui servait aux assemblées ecclésiastiques (synodes). Le dépôt lapidaire sera présenté au fur et à mesure de l'aménagement des salles du nouveau musée.

Aux alentours

Parc du Moulin à tan

À la sortie sud, sur la route d'Auxerre.

Traversé par la Vanne et la Lingue, ce parc de 10 ha préfigure la ceinture verte qui devrait, à terme, entourer la ville de Sens. Il doit son nom à un type de moulin (1887) peu connu, qui servait à broyer de l'écorce de chêne pour fabriquer le **tan**, poudre utilisée dans le tannage du cuir.

Sa partie paysagère comporte une roseraie, un arboretum, trois serres vouées aux plantes tropicales, dont la géante *Victoria Cruziana*, des enclos animaliers, une aire de jeux, un sous-bois... de quoi procurer d'agréables moments de détente aux petits et aux grands.

Villeneuve-l'Archevêque

24 km à l'est. Cette petite ville de la vallée de la Vanne, fondée au 12e s. par Guillaume de Champagne, archevêque de Sens, se situait aux confins des territoires de Saint Louis. C'est donc là que celui-ci reçut solennellement des Vénitiens, en 1239, la couronne d'épines pour laquelle il fera construire un magnifique reliquaire à Paris : la Sainte-Chapelle.

Église Notre-Dame

La façade est flanquée d'une tour coiffée d'ardoise. À sa base se dresse un beau portail du 13e s. consacré à la Vierge. La voussure du tympan est formée par un triple cordon de personnages en relief (remarquez, à gauche, l'ange qui sourit). Au sommet est représenté le Couronnement de la Vierge. À l'intérieur, une Mise au tombeau (1528) provient de l'abbaye de Vauluisant *(voir ci-dessous)*.

Abbaye de Vauluisant

30 km au nord-est de Sens, à 6 km au nord de Villeneuve-l'Archevêque en direction de Courgenay. ℘ 03 86 86 78 40 - www.vauluisant.com - visite guidée (1h) de mi-avr. à fin oct. : dim et j. fériés 14h-17h30 - 5 € (-12 ans gratuit).

On visite les vestiges d'une abbaye cistercienne du 12e s. qui servit de ferme modèle au 19e s. Les bâtiments restants ont été retouchés au 16e s. L'escalier d'honneur de l'ancien logis abbatial (17e s.) est classé. À voir : le pigeonnier, encore pourvu de son échelle rotative.

Vallery

19 km au nord-ouest par la D 26.

Vallery est un petit village de l'Yonne qui fut, avant Chantilly, le domaine des princes de Condé. Dans l'allée cavalière dominant le château, allez rendre visite au vénérable **chêne** du Grand Condé, planté en 1621, au pied duquel les maîtres des lieux avaient coutume d'enterrer leurs chiens de chasse.

Château des Condé – *℘ 03 86 97 77 00 - www.chateaudesconde.com - de mi-juil. à mi-août : 15h-17h30 ; de déb. avr. à mi-juil. et de mi-août au 1er nov. : dim. et j. fériés 15h-17h30 - 4 € (enf. 3 €).*

Ce site très particulier, qui accueillit à plusieurs siècles d'intervalle des « combattants de la foi » – au Moyen Âge, les seigneurs de Vallery, compagnons croisés de Saint Louis ; puis lors des guerres de Religion, le chef huguenot Louis de Condé – a conservé de

toutes ces époques des bâtiments, ce qui compose un mélange hétéroclite d'architecture militaire et civile d'influence à la fois médiévale et Renaissance.
Du Moyen Âge subiste une vaste enceinte qui était capable d'accueillir, au 13e s., quelque 5 000 hommes. Notez la poterne d'entrée, les anciens remparts portant des tours à encorbellement et, dans les communs, un pigeonnier de belle taille.
Favori d'Henri II, l'extravagant maréchal de St-André fit appel à l'illustre **Pierre Lescot** (1515-1578), ami de François Ier et l'un des architectes du Louvre, pour construire, sur une partie de l'ancienne forteresse, un somptueux palais Renaissance digne des plus grands rois. Dans sa sobriété et son heureuse combinaison de brique et de pierre, le **pavillon Renaissance** (1550) anticipe d'un siècle le style Louis XIII. Derrière le pavillon, l'aile ouest abrite une Grande Galerie classique (l'aile sud fut démolie au début du 17e s.). À l'extérieur, une roseraie a été reconstituée à la manière des jardins de la Renaissance.
Dans l'église *(ne se visite pas)*, où reposent les princes et princesses de Condé, se trouve le **mausolée** d'Henri II de Bourbon, père du Grand Condé, mort en 1646.Réalisée par un grand sculpteur du 17e s., Gilles Guérin, cette œuvre se distingue par ses cariatides symbolisant la Prudence, la Tempérance, la Force et la Justice.

Sens pratique

Adresse utile

Office du tourisme de Sens – *Pl. Jean-Jaurès - 89100 Sens - ✆ 03 86 65 19 49 - www.office-de-tourisme-sens.com - juil.-août : 9h-19h, dim. 10h-17h ; sept.-juin : 9h-12h, 13h30-18h15, sam. 9h-12h, 13h30-17h15, fermé dim.*

Se loger

⊖⊖ **Hôtel Paris et Poste** – *97 r. de la République - ✆ 03 86 65 17 43 - www.hotel-paris-poste.com - 26 ch. 75/160 € - ☕ 14 € - rest. 36/74 €.* Hostellerie de tradition à l'ambiance provinciale. Chambres de tailles diverses, les plus spacieuses et modernes donnant sur un joli patio. Au restaurant, cuisine classique revisitée servie dans une chaleureuse salle à manger ou dans l'agréable véranda.

⊖⊖ **Hôtel Relais de Villeroy** – *89100 Villeroy - 7 km à l'ouest de Sens par D 81 - ✆ 03 86 88 81 77 - www.relais-de-villeroy.com - fermé 30 juin-11 Juil., 20 déc.-8 janv. et dim. soir - 8 ch. 50/60 € - ☕ 8 € - rest. 32/60 €.* Cette pimpante construction régionale située à l'écart du village abrite une salle à manger cossue, une véranda et des petites chambres confortables. Joli jardin fleuri.

Se restaurer

⊖⊖ **Au Crieur de Vin** – *1 r. Alsace-Lorraine - ✆ 03 86 65 92 80 - www.restaurant.lamadeleine.fr - fermé 1er-16 juin, 9-25 août, 19 déc.-4 janv., mar. midi, dim., lun. et j. fériés - 25/52 €.* Les vins de l'Yonne accompagnent cuisine traditionnelle (tête de veau, salade de gras double…) et mets cuits à la broche sous vos yeux (volailles, agneaux, jambons). L'adresse étant bien connue des Sénonais, nous vous conseillons de réserver votre table.

⊖⊖⊖ **La Haie Fleurie** – *30 rte de Coutenay - 89100 Subligny - 7 km à l'ouest de Sens par D 660 - ✆ 03 86 88 84 44 - fermé 28 juil.-10 août, 29 déc.-4 janv., dim. soir, merc. soir et jeu. - 27/49 €.* Auberge de campagne dans la traversée d'un hameau. Petit salon d'accueil ouvrant sur une avenante salle à manger rustico-moderne. Terrasse fleurie. Cuisine traditionnelle.

En soirée

👁 **Bon à savoir** – La plupart des cafés de Sens sont réunis autour de la place de la République, située face à la cathédrale. Un lieu agréable, ensoleillé et animé.

Que rapporter

👁 **Bon à savoir** – Longue enfilade de commerces dans la Grande-Rue piétonne.

Marché – À Sens, le marché a lieu le lundi et le vendredi matin (en centre-ville), le mercredi matin et le dimanche matin (aux Champs-Plaisants).

À la Renommée des Bons Fromages - Sarl Parret – *1 r. des Vieilles-Étuves, marché couvert - halles de Sens - ✆ 03 86 65 11 54 - lun. 7h30-15h, vend. et sam. 7h-12h30 - fermé vac. de fév. et 3 sem. en août.* Dans cette crémerie située sous le marché couvert, vous trouverez tous les fromages de la région (époisses, chaource, soumaintrain…), mais aussi une sélection du Jura et de Savoie, ainsi qu'une gamme importante de chèvres fermiers.

Brasserie Larché – *89 r. Bellociers - 89100 Sens - ✆ 03 86 65 19 89 - www.brasserie-larche.fr - tlj sf sam. 8h-17h - fermé j. fériés.* Plusieurs sortes de bières sortent des cuves de cette petite brasserie artisanale. Une blonde aux notes très aromatiques, une blanche estivale, une ambrée au goût un peu caramélisé. Visite du site, dégustation et vente sur place.

Événements

Quinte et Sens – ✆ 03 86 83 97 70 - Festival de musique et de danse dans la cour du palais synodal (fin juin).

Festival d'orgue à la cathédrale certains dim. (juin-oct.).

Roche de Solutré★★

CARTE GÉNÉRALE C4 – CARTE MICHELIN DÉPARTEMENTS 320 I12 C – SAÔNE-ET-LOIRE (71)

Site emblématique du sud Mâconnais, à l'entrée du Val lamartinien, la roche de Solutré s'observe depuis la Bresse, de Bourg à Mâcon. D'une importance archéologique de premier plan, ce superbe escarpement calcaire dont la forme insolite s'élève au dessus des vignes a révélé l'un des plus riches gisements préhistoriques d'Europe. Aux abords du musée et du jardin archéologique, des chevaux konik polski gambadent sur les pelouses calcicoles de la célèbre roche, rappellant cette époque lointaine où les chasseurs de Solutré piégeaient les hordes d'animaux entre la falaise et les éboulis rocheux.

G. Corbic / MICHELIN

La roche de Solutré.

- **Se repérer** – Le site de Solutré se trouve à 9 km à l'ouest de Mâcon.
- **À ne pas manquer** – Suivez le sentier qui monte au sommet de la roche de Solutré, site naturel protégé, pour admirer le panorama sur la vallée de la Saône, la Bresse et le Jura, voir même les Alpes, si le temps est dégagé…
- **Organiser son temps** – Poursuivez votre découverte de la région en prenant rendez-vous chez les vignerons pour déguster les fameux crus pouilly-fuissé et saint-véran.
- **Avec les enfants** – Visitez avec eux le musée départemental de Préhistoire de Solutré. Celui-ci leur donnera une image intéressante du quotidien des chasseurs du paléolithique et des instruments qu'ils utilisaient pour dépecer et boucaner les rennes, chevaux sauvages et autres animaux qu'ils avaient capturés. Apès la visite, promenez-vous dans le jardin archéologique.
- **Pour poursuivre la visite** – Voir aussi Mâcon, le Mâconnais, la Voie verte.

Comprendre

Un immense ossuaire – Les premières fouilles entreprises au pied de la roche en 1866 mirent au jour un incroyable amoncellement d'ossements de chevaux formant, avec quelques os de bisons, d'aurochs, de cerfs et de mammouths,

Le saviez-vous ?

C'est sur le site de Solutré que fut identifié pour la première fois un **outillage de pierre** désigné dès lors comme **solutréen** (18 000 à 15 000 ans avant notre ère). Il se caractérise par des retouches plates obtenues par pression, progrès technique de la taille de la pierre qui permit de réaliser des bifaces d'une extrême finesse : les « feuilles de laurier ». La fin de cette période est marquée par l'apparition de l'aiguille à chas.

Jusqu'aux dernières années de son mandat, le président **François Mitterrand** avait l'habitude d'effectuer, une fois par an, l'ascension de la roche de Solutré, accompagné de quelques fidèles.

une couche de 0,5 à 2 m d'épaisseur sur près de 4 000 m^2 (environ 100 000 individus). Ce site de chasse fut fréquenté pendant plus de 25 000 ans par les hommes du paléolithique supérieur (aurignacien, gravettien, solutréen et magdalénien).

Du mythe à la réalité – Émise en 1872 par le géologue et archéologue préhistorien **Adrien Arcelin** dans son roman *Solutré ou les Chasseurs de rennes de la France centrale,* l'hypothèse d'une « chasse à l'abîme », selon laquelle les chasseurs préhistoriques auraient rassemblé les chevaux au sommet de la roche d'où ils les auraient contraints à se jeter dans le vide en les effrayant par le bruit et le feu, a été depuis longtemps démentie. Des fouilles réalisées de 1968 à 1976 ont en effet permis de démontrer que c'est au pied même de l'escarpement que les troupeaux de chevaux sauvages étaient traqués jusqu'aux blocs d'effondrement, pour être ensuite abattus et dépecés sur place, surpris lors de leur migration printanière.

Découvrir

Panorama

En venant de Mâcon par la D 54, traversez Solutré et, après le cimetière, prenez la deuxième route à droite qui aboutit au parking. Suivez les marques jaunes, 45mn à pied AR. Demandez le plan des circuits à l'office du tourisme de Pierreclos - ✆ 03 85 35 77 15.

Un sentier bien aménagé conduit au Crot-du-Charnier (où se trouve le musée), puis au sommet de la roche de Solutré (alt. 493 m). Le parcours offre une **vue** étendue sur la vallée de la Saône, la Bresse, le Jura et, lorsque les conditions climatiques s'y prêtent, les Alpes et le mont Blanc. Vous découvrirez aussi tout un paysage typiquement mâconnais, composé de vignes, de villages et de hameaux.

Au départ de la place du village de Vergisson, une belle randonnée permet de découvrir d'autres points de vue sur les deux roches.

Opération « Grand Site »

La roche de **Solutré** et ses voisines, les roches de **Pouilly** et de **Vergisson**, sont au cœur d'une opération ayant pour but, sous l'égide gouvernementale, d'assurer la préservation et la restauration de paysages français exceptionnels, et la gestion de leur fréquentation touristique, dans le respect des milieux naturels environnants.

Musée départemental de Préhistoire

✆ 03 85 35 85 24 - ♿ - avr.-sept. : 10h-18h ; oct.-mars : 10h-12h, 14h-17h - fermé déc., 1er janv. et 1er Mai - 3,50 € (- 18 ans gratuit), gratuit 1er dim. du mois.

D'une architecture volontairement très discrète, à cause des mesures de protection du site, ce musée enterré au pied de la roche évoque successivement l'archéologie préhistorique du sud Mâconnais, les chasses du paléolithique supérieur à Solutré et la culture solutréenne dans le contexte européen. Ces trois espaces sont séparés par deux points de vue privilégiés sur l'extérieur, l'un sur la vallée de la Saône, l'autre sur la roche de Solutré. Des expositions temporaires relatives à des sujets archéologiques, préhistoriques ou ethnographiques sont également proposées.

En sortant du musée, promenez-vous dans le **jardin archéologique**, où vous découvrirez des plantes « anciennes ».

Pour plus d'informations sur Solutré et ses environs, contactez l'**office du tourisme intercommunal du Val lamartinien** - *71960 Pierreclos - ✆ 03 85 35 77 15 - www.france-bourgogne.com,* et consultez les carnets pratiques de Mâcon, du Mâconnais et de la Voie verte.

Château de Tanlay★★

CARTE GÉNÉRALE B1/2 – CARTE MICHELIN DÉPARTEMENTS 319 H4 – YONNE (89)

À la lisière de la petite commune de Tanlay, halte agréable au bord du canal de Bourgogne, cet élégant château est un rare témoin à la fois de la Renaissance bourguignonne et de la lutte entre Ligueurs et partisans d'Henri III. Son architecte, Pierre Le Muet, ancien ingénieur militaire responsable des travaux, imagina les curieux obélisques de forme pyramidale qui se dressent à l'entrée du pont et accueillent le visiteur.

- **Se repérer** – Tanlay se trouve à 9 km à l'est de Tonnerre, 20 km au nord-ouest du château d'Ancy-le-Franc et 17 km au sud-ouest d'un autre château remarquable, celui de Maulnes.
- **À ne pas manquer** – Admirez les fresques en trompe-l'œil de la Grande Galerie et la voûte en coupole de la tour de la Ligue.
- **Organiser son temps** – Prévoyez la visite des autres châteaux de la Renaissance du Tonnerrois : Ancy-le-Franc, Maulnes et Nuits-sur-Armançon. Et si vous jouez au golf, faites un 9 trous dans le parc du château !
- **Pour poursuivre la visite** – Voir aussi le château d'Ancy-le-Franc, Noyers, Tonnerre, la Voie verte.

G Corbic / MICHELIN

Vue du château.

Découvrir

03 86 75 70 61 - visite guidée (1h) du 1er avr. à mi-nov. : tlj sf mar. (sf mar. fériés) 10h, 11h30, 14h15, 15h15, 16h15, 17h15 - 8,50 € (enf. 4 €).

Architecture extérieure

Une belle avenue bordée de tilleuls séculaires mène à cet édifice Renaissance bâti vers 1550, peu de temps après le château voisin d'Ancy-le-Franc. Le petit château (le Portal), gracieuse construction de style Louis XIII, donne accès à la Cour verte bordée d'arcades sur trois côtés ; à gauche, un pont franchissant les larges douves conduit au portail monumental et à la cour d'honneur du grand château.

Deux ailes, en retour d'équerre et plus basses que le corps de logis principal, s'articulent sur celui-ci par deux belles tourelles d'escalier à pans coupés. Chacune d'elles se termine par une tour ronde couverte d'un dôme à lanternon : à gauche la tour des Archives, à droite celle de la Chapelle.

Intérieur

Avec ses peintures murales, ses cheminées monumentales et ses portraits de familles peints par Jean-Baptiste Oudry ou Nicolas de Largilière, l'intérieur du château présente un grand intérêt. Au rez-de-chaussée, le vestibule dit des Césars est fermé

Le saviez-vous ?

C'est **François de Coligny d'Andelot** qui construisit, sur une ancienne forteresse féodale, le premier grand château, à partir de 1559. Il fut terminé et embelli en 1642 par Michel Particelli d'Hémery, surintendant des Finances. Comme son frère Gaspard de Châtillon (assassiné en 1572), François de Coligny d'Andelot s'était tourné vers la Réforme. Tanlay devint alors, avec Noyers, fief du prince de Condé, l'un des deux centres du protestantisme dans la région.

par une remarquable grille en fer forgé (16e s.) donnant sur le parc. On traverse le grand salon et l'antichambre, où a été placé un joli bureau Louis XIV.

Salle à manger – Elle contient un étonnant cabinet Renaissance aux armes de la famille de Tanlay et un coffre bourguignon de la même époque, orné d'un bas-relief représentant Adam et Ève.

Salon de compagnie – Les deux sphinx à tête de femme, sur la cheminée, représenteraient Catherine de Médicis ; au centre, sa victime, l'amiral de Coligny. Les boiseries en chêne du 17e s. sont sculptées au chiffre MPH de Michel Particelli d'Hémery, le second bâtisseur du château. Notez au mur une rare représentation de la circoncision du Christ, du 16e s.

Chambre des marquis de Tanlay – *Au premier étage.* Une crucifixion peinte sur cuivre, de l'école allemande de la fin du 16e s., y est exposée.

Grande Galerie★ – Les fresques de cette ancienne salle de réception, traitées en trompe-l'œil et grisaille (camaïeu), sont dues à l'artiste troyen Rémi Vuibert.

Tour de la Ligue★ – Les réunions des conspirateurs huguenots, à l'époque des guerres de Religion, se seraient tenues au dernier étage de cette tour. Ses ouvertures circulaires permettaient de surveiller les environs, et ses souterrains de s'égailler en cas de mauvaise surprise. La voûte en forme de coupole qui surmonte la pièce est ornée d'une peinture à la détrempe de l'école de Fontainebleau ; des catholiques et des protestants de la cour d'Henri II y sont représentés sous les attributs mythiques de dieux et de déesses, à partir d'une ode de Ronsard. On reconnaît Diane de Poitiers, en Diane chasseresse, Catherine de Médicis, nue, de dos, et… le Diable, dans le camp des catholiques, qui battent le fer pour semer la guerre, tandis que les protestants se montrent pacifiques. Une partie de la fresque fut d'abord grattée (des protestants ont disparu), puis l'ensemble fut masqué sous un enduit.

Le parc

En partie accessible aux visiteurs. Il s'étend le long du grand canal (526 m), bordé d'arbres centenaires. La clarté des eaux laisse en général voir de nombreux poissons entre les nénuphars.

Les communs abritent le **Centre d'art contemporain** qui présente, chaque année en saison, des expositions.

Til-Châtel

819 HABITANTS

CARTE GÉNÉRALE C2 – CARTE MICHELIN DÉPARTEMENTS 320 L4 – CÔTE-D'OR (21)

Ce bourg, au confluent de l'Ignon et de la Tille, appartient au verdoyant pays des Tilles, délimité et arrosé par les nombreux affluents de la rivière. Célèbre pour son église modèle, dédiée à saint Florent, qui fut martyrisé par les Barbares vers la fin du 3e s., il conserve quelques maisons anciennes.

- **Se repérer** – Til-Châtel se trouve à 21 km au nord-est de Dijon par la D 974 ; vous pouvez aussi y accéder par la sortie 5 de l'autoroute A 31. Fontaine-Française est à 20 km à l'est.
- **À ne pas manquer** – Admirez le Christ en majesté du portail du portail de l'église St-Florent.
- **Organiser son temps** – Prenez le temps de vous promener dans le parc du château de Grancey.
- **Avec les enfants** – Montez à bord du train touristique des Lavières, pour une agréable promenade en famille à travers une forêt de pins.
- **Pour poursuivre la visite** – Voir aussi Dijon, Fontaine-Française.

Le saviez-vous ?

Au 3e s. de notre ère, Til-Châtel s'appelait alors *Tilae Castrum*, en référence à un castrum qui avait été édifié en bordure de la **Via Agrippa** reliant Châlon à Langres. Bénéficiant d'un emplacement stratégique, ce camp romain permettait non seulement de surveiller la route, mais aussi de défendre la vallée de la Tille contre d'éventuels envahisseurs. Le castrum fut détruit lors d'une invasion au début du 5e s., et des fouilles menées dans le bas de Til-Châtel ont révélé des vestiges de l'époque romaine.

Le nom du village a connu, au cours des siècles, de bien nombeuses variations, parmi lesquelles Tilicastro, Tylicastrum, Trichastel, Trichâteau, Trichâtel, Tilchastel, Tréchâteau, ou encore Mont-sur-Tille... C'est en 1860 que le bourg prit enfin le nom qu'on lui connaît aujourd'hui.

Visiter

Église Saint-Florent

Cette église romane (12e s.) s'ouvre par un beau portail : au tympan, le Christ en majesté est entouré des symboles des quatre évangélistes. Le portail latéral, d'inspiration identique, est plus dépouillé.

À l'intérieur, on remarque les chapiteaux de la nef, la coupole sur trompes à la croisée du transept, l'abside en cul-de-four avec ses absidioles. L'église recèle un riche patrimoine : statues de bois anciennes (Christ aux outrages du 12e s. et calvaire italien du 17e s.), tombeau de saint Honoré et sa châsse naïve en bois peint, du 16e s., fonts baptismaux du 9e s. et cinq pierres tombales gravées. L'autel du 12e s. est construit sur une énorme pierre qui serait celle du pont où fut décapité saint Florent.

Aux alentours

Château de Grancey

26 km au nord-ouest par la D 959. ✆ 03 80 75 60 30 ou (en été) 03 80 75 63 45- visite guidée (45mn) juil.-août : 15h, 16h - fermé dim., 14 Juil. - 1,50 €.

À côté des vestiges d'un château des 12e et 15e s. (fossés, pont-levis, vaste chapelle seigneuriale), le « petit Versailles de Bourgogne » fut édifié aux 17e et 18e s., sur une terrasse dominant un beau parc dans un site attrayant.

Til-Châtel pratique

Voir aussi les carnets pratiques de Dijon et Fontaine-Française.

Adresse utile

Syndicat d'initiative du pays des Trois Rivières – *1 r. Général-Charbonnel - 21120 Is-sur-Tille - ✆ 03 80 95 24 03 - www.covati.fr - juin-août : 9h-12h, 14h-18h, dim. 9h30-12h30 ; avr.-mai et sept.-oct. : mar-sam. 9h-12h, 14h-18h ; nov.-mars : mar-sam. 9h-12h.*

Se loger et se restaurer

⊖⊜ **Hôtel Le Bourguignon** – *R. Porte-de-Bessey - 21310 Bèze - ✆ 03 80 75 34 51 - www.lebourguignon.com - fermé 20 oct.-10 nov. - P - 25 ch. 57/65 € - ☕ 8 € - rest. 20/40 €.* Chambres d'esprit contemporain aménagées dans une construction récente à pans de bois. La salle à manger rustique (poutres apparentes et cheminée) occupe un bâtiment à façade Renaissance. À l'heure de l'apéritif, n'oubliez pas de demander un kir !

Sports & Loisirs

Train touristique des Lavières – *R. des Pins - 21120 Is-sur-Tille - ✆ 03 80 95 36 36 - de mi-juin à mi-sept. : dim. et j. fériés 15h-19h - 1,50 € (-15 ans 1 €).* Ce petit train touristique vous emmène, au long d'un circuit de 1,4 km, à travers la forêt de pins près d'Is-sur-Tille.

Tonnerre

5 440 TONNERROIS
CARTE GÉNÉRALE B1 – CARTE MICHELIN DÉPARTEMENTS 319 G4 – YONNE (89)

Tonnerre est l'une des principales villes de l'Yonne. Entourée de vignes et de verdure, traversée par le canal de Bourgogne, cette agréable petite cité est adossée à l'une des collines qui soulignent la rive gauche de l'Armançon. Vieille ville et nouveaux quartiers étagés sont dominés par l'église St-Pierre et la tour Notre-Dame.

Ph. Gajic / MICHELIN

Étonnante et mystérieuse fosse Dionne.

- **Se repérer** – Tonnerre se trouve à 35 km à l'est d'Auxerre par la D 965, et à 49 km à l'ouest de Châtillon-sur-Seine. Et Chablis n'est qu'à 17 km à l'ouest.
- **À ne pas manquer** – Vous serez ébahi par l'hôtel-Dieu de Tonnerre, son immense salle des malades, d'époque médiévale, sa superbe *Mise au tombeau* du 15e s. et son curieux cadran solaire du 18e s.
- **Organiser son temps** – Sachez que la halle de Tonnerre abrite un grand marché le samedi matin. Et si vous comptez venir en été, réservez vos places pour les concerts des Rencontres musicales de Noyers et du Tonnerrois en juillet.
- **Avec les enfants** – La fosse Dionne.
- **Pour poursuivre la visite** – Voir aussi Chablis, Noyers, Pontigny, St-Florentin, Seignelay, le château de Tanlay, la Voie verte.

Comprendre

Le mystère de l'hermaphrodite – C'est à Tonnerre que naquit, en 1728, Charles-Geneviève de Beaumont, connu sous le nom de **chevalier ou chevalière d'Éon**. Après une carrière d'agent secret, au cours de laquelle il avait dû se déguiser, il subit des revers de fortune, s'exila à Londres et ne fut autorisé par Louis XVI à reparaître en France que sous des vêtements de femme. Reparti en Angleterre, il y mourut en 1810. Pris longtemps pour un hermaphrodite, l'annonce de sa mort provoqua un vaste mouvement de curiosité. L'autopsie de son cadavre mit un point final à la controverse : Charles d'Éon n'était pas une femme.

Incarné par Claire Nebout, le chevalier d'Éon apparaît dans un film d'Édouard Molinaro : *Beaumarchais, l'insolent*.

Le saviez-vous ?

À l'époque romaine, un castrum appelé **Tornodurum** (citadelle de Tornus) fut érigé à l'emplacement actuel de l'église St-Pierre. La petite ville se développa ainsi au carrefour de deux axes importants : la voie reliant Alésia à Sens, et celle reliant Auxerre à Langres.

En 1556, Tonnerre fut ravagée par un terrible incendie qui détruisit les deux tiers de la ville, d'où la quasi-absence d'édifices antérieurs à cette époque. L'hôtel-Dieu *(voir ci-contre)* échappa fort heureusement au sinistre.

Se promener

Promenade du Pâtis

Agréable promenade ombragée.

Fosse Dionne★

Cette source, qui tire son nom de *Divonna*, divinité celte des eaux, fut longtemps considérée comme une source divine. La tradition prétendait même que ce bassin était sans fond, ou qu'il était une des entrées de l'enfer; une autre légende affirmait qu'un serpent au regard meurtrier (le basilic) y habitait, avant que l'évêque saint Jean de Réôme ne l'en débarrassât.

Un escalier, dont on a retrouvé la trace au 16e s., reliait la fosse au castrum romain situé sur la colline. Plus tard, ce bassin circulaire, qu'emplit une belle eau de couleur bleu-vert (changeant selon l'heure et la saison), fut utilisé comme lavoir : l'actuel date du 18e s. La source est alimentée par une résurgence de type vauclusien : l'eau, infiltrée dans les roches calcaires des plateaux du Tonnerrois, rejaillit après avoir parcouru dans les rochers une galerie à forte pente de 45 m de longueur et débouche par un entonnoir au centre du bassin; son débit est très variable suivant l'abondance des pluies. Elle se déverse dans l'Armançon par un petit cours d'eau.

Le vignoble tonnerrois

Planté en pinot noir (120 ha) et en chardonnay (91 ha), le Tonnerrois produit du bourgogne blanc, du bourgogne rouge, du vin rosé et du crémant. La Bourgogne compte désormais à son actif **101 AOC** (vins d'appellation d'origine contrôlée), la dernière en date étant le bourgogne-tonnerre pour les vins blancs. Ambassadeurs des vins du Tonnerrois, les membres de la **Confrérie des foudres tonnerrois**, créée en 1994, se réunissent à l'occasion de la foire de Tonnerre, des Vinées tonnerroises et de la St-Vincent.

Église Saint-Pierre

Fermée pour travaux. Elle s'élève sur une terrasse rocheuse offrant une belle vue sur l'enchevêtrement des toits de tuiles de la vieille ville, à droite. À l'exception du chœur du 14e s. et de la tour carrée du 15e s., l'église fut reconstruite après le grand incendie de 1556. Sur le côté droit, admirez le beau portail orné d'une statue de saint Pierre au trumeau. Remarquez aussi, en entrant, la sculpture de la porte de 1881. À l'intérieur, le buffet d'orgue ainsi que la chaire et le banc d'œuvre (réservé aux marguilliers) sont du 17e s. Deux peintures sur bois, du 16e s., représentent la Passion.

Hôtel d'Uzès

La Caisse d'Épargne occupe ce charmant logis de la Renaissance, maison natale du chevalier d'Éon de Beaumont. Le dessin des portes de la façade est particulièrement raffiné.

Visiter

Ancien hôpital (hôtel-Dieu)

☎ 03 86 55 14 48 - juil.- août : 9h30-18h, sam. 9h30-12h, 13h30-18h, dim. et j. fériés 10h-12h30, 14h-18h; avr.-juin et sept. : 9h-12h30, 13h30-18h, dim. et j. fériés 10h-12h30, 14h-18h; reste de l'année : tlj sf merc., dim. et j. fériés 9h-12h, 13h30-17h (dernière entrée 45mn av. fermeture) - fermé 25 déc.-1er janv. et 1er Mai - 4,50 €, (-18 ans 2,50 €).

Peu de monuments survécurent à l'incendie qui ravagea la ville au 16e s., mais les flammes épargnèrent son vieil hôpital, qui figure aujourd'hui parmi les trésors bourguignons. Si grand, si imposant, ce bel édifice servit de modèle pour la conception de l'hôtel-Dieu de Beaune *(voir p. 137)*, postérieur d'un siècle et demi. Il fut bâti de 1293 à 1295 à la demande de Marguerite de Bourgogne, venue se retirer à Tonnerre à la mort de son époux Charles d'Anjou, roi de Naples et de Sicile, frère de Saint Louis. Parvenu intact jusqu'à nous, à quelques détails près, comme par exemple la façade ouest, transformée au 18e s., l'hôtel-Dieu de Tonnerre offre un superbe exemple d'architecture médiévale.

Intérieur★ – L'ancienne **salle des malades,** pourtant raccourcie au 18e s., offre des proportions impressionnantes : longueur 90 m, largeur 18 m, hauteur 20 m... et vus de l'extérieur, les murs qui l'abritent semblent bien frêles au regard de la volumineuse toiture qui couvre une telle surface (4 500 m^2) ! Cette salle renfermait jadis une quarantaine de lits, installés dans des alcôves de bois, qui s'alignaient le long des murailles percées de hautes baies cintrées que divisent des arcs brisés. Remarquez tout particulièrement le berceau lambrissé et la **charpente** en chêne. À partir de 1650, la salle des malades fut désaffectée et servit plusieurs fois d'église

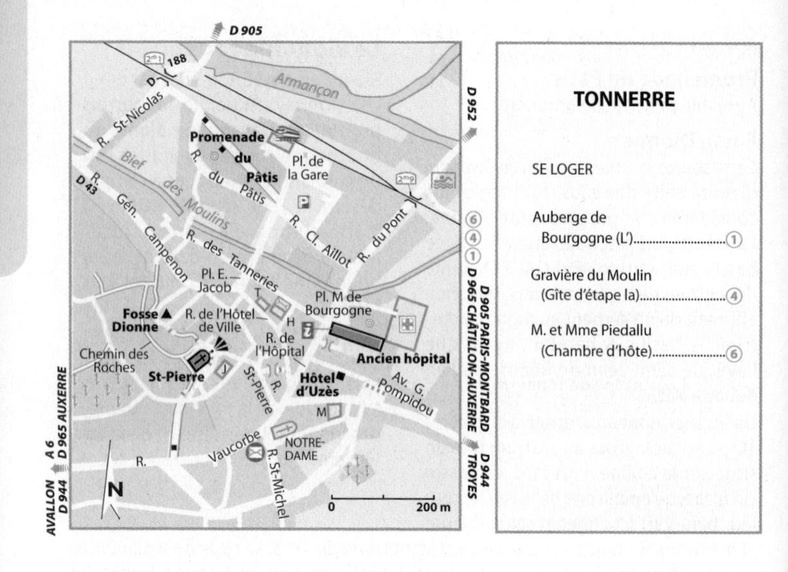

paroissiale (Notre-Dame-des-Fontenilles). Maints Tonnerrois y furent inhumés, d'où la présence de nombreuses dalles funéraires.

Vous verrez aussi l'ancienne **église** de l'hôpital, située dans le prolongement de la salle des malades, de manière à leur permettre de suivre l'office sans avoir à se déplacer. Un mausolée fut édifié en 1826 au centre du chœur, là même où Marguerite de Bourgogne fut inhumée en 1308. Au-dessus de l'autel se trouve une Vierge en pierre, du 14e s. À droite du maître-autel, une petite porte donne accès à la chapelle du Revestiaire, abritant une superbe **Mise au tombeau★** offerte au 15e s. par un riche marchand de la ville. On sent, dans cette scène d'une dramatique intensité, l'influence de Claus Sluter, chef de file de l'école burgondo-flamande *(voir p. 271)*. Dans la chapelle latérale gauche, on peut voir le tombeau monumental de Louvois, ministre de Louis XIV, qui acquit le comté de Tonnerre en 1684. Les statues de bronze représentent l'une la Vigilance, par Desjardins, l'autre la Sagesse, par Girardon, concepteur de l'ensemble.

Avant de partir, inspectez bien le dallage. Vous distinguerez le traçage au sol d'un **gnomon** (ou méridienne), sorte de cadran solaire datant du 18e s.

Musée Marguerite-de-Bourgogne – *03 86 55 14 48 - juil.- août : 9h30-18h, sam. 9h30-12h, 13h30-18h, dim. et j. fériés 10h-12h30, 14h-18h ; avr.-juin et sept. : 9h-12h30, 13h30-18h, dim. et j. fériés 10h-12h30, 14h-18h ; reste de l'année : tlj sf merc., dim. et j. fériés 9h-12h, 13h30-17h - fermé 25 déc.-1er janv., 1er Mai - 4,50 € (-18 ans 2,50 €, -10 ans gratuit).*

Installé dans des bâtiments du 17e s., ce musée rassemble plusieurs objets et manuscrits liés à l'histoire hospitalière, entre autres un très beau reliquaire en argent massif du 18e s., la charte de fondation de 1293, le testament de Marguerite de Bourgogne daté de 1305. Dans la salle des Chartes, des statues de bois (fin du 13e s.) représentent Marguerite de Bourgogne et Marguerite de Beaumont, comtesse de Tripoli, qui se retira ici avec la fondatrice. Dans la salle d'art religieux, vous pourrez voir une grande croix d'or. À l'étage, remarquez la surprenante reconstitution d'un bloc opératoire de 1908 et l'équipement chirurgical complet de l'époque, ainsi qu'une chambre de malade de 1850.

Aux alentours

Château de Maulnes★

Sur la commune de Cruzy-le-Châtel, 24 km à l'est de Tonnerre. Empruntez la D 952 jusqu'à Villon, et tournez à droite. L'accès se fait par un chemin en montée dans la forêt de Maulnes. 03 86 72 85 03 - www.maulnes.com - de mi-avr. à fin oct. : w.-end et j. fériés 14h-18h - 2 €.

Voilà un château Renaissance *(en cours de restauration)* original : tout d'abord parce qu'il a été construit sur un plan pentagonal renforcé de cinq tours, suivant un dessin aux formes géométriques pures ; ensuite parce qu'il est bâti sur des sources qui jaillissent en haut d'une colline. Ces sources, que l'on entend lorsqu'on visite le château car elles passent au pied du bel escalier, alimentaient le nymphée.

Cette commande audacieuse est due à Antoine de Crussol, duc d'Uzès (1528-1573), et son épouse, Louise de Clermont (v. 1504-1596), comtesse de Tonnerre, sœur d'Antoine de Clermont, qui fit bâtir le château d'Ancy-le-Franc *(voir p. 103)*. Les travaux furent exécutés essentiellement entre 1566 et 1570, certainement d'après les plans de Philibert de l'Orme, mais restèrent inachevés à la mort du duc.

Tonnerre pratique

Voir aussi les carnets pratiques de Chablis et de Noyers.

Adresse utile

Office du tourisme de Tonnerre – *Pl. Marguerite-de-Bourgogne - 89700 Tonnerre - 03 86 55 14 48 - www.tonnerre.fr - juil.- août : 9h30-18h, sam. 9h30-12h, 13h30-18h, dim. et j. fériés 10h-12h30, 14h-18h ; avr.-juin et sept. : 9h-12h30, 13h30-18h, dim. et j. fériés 10h-12h30, 14h-18h ; reste de l'année : tlj sf merc., dim. et j. fériés 9h-12h, 13h30-17h.*

Se loger

Chambre d'hôte M. et Mme Piedallu – *5 av. de la Gare - 89160 Lézinnes - 11 km au sud-est de Tonnerre par D 905 - 03 86 75 68 23 - - 3 ch. 45 €* . Cette maison neuve bâtie dans le respect de la tradition locale a beaucoup de charme. Les chambres, aménagées sous les toits, se garnissent de meubles anciens. La véranda de la salle à manger offre un cadre agréable pour les petits-déjeuners. Tranquille petit salon réservé à la lecture et au repos.

Gîte d'étape La Gravière du Moulin – *7 rte de Frangey - 89160 Lézinnes - 11 km au sud-est de Tonnerre par D 905 - 03 86 75 68 67 - cc-ancylefranc.net - - 11 €/nuit/par pers.* Cet ancien moulin du 19e s., enjambant l'Armançon, abrite aujourd'hui un gîte d'étape. Chambres de deux, six ou douze lits pour une capacité maximale de 32 places. Aménagements simples (mobilier en pin), bibliothèque, labo photo et nombreuses activités de loisirs.

L'Auberge de Bourgogne – *Rte de Dijon - 03 86 54 41 41 - www.aubergedebourgogne.com - fermé 15 déc.-15 janv. - P - 39 ch. 58 € - 8 € - rest. 17/24 €.* Bâtiment voisin des vignobles d'Épineuil. Chambres fonctionnelles et rafraîchies ; celles situées sur l'arrière offrent une jolie vue sur la campagne. Wi-fi. Cuisine régionale servie dans une lumineuse salle avec les rangées de ceps en toile de fond.

Tournus★

5 892 TOURNUSIENS

CARTE GÉNÉRALE C4 – CARTE MICHELIN DÉPARTEMENTS 320 J10 – SAÔNE-ET-LOIRE (71)

Porte nord du vignoble du Mâconnais, étirée en bord de Saône, Tournus est une ville pleine d'attraits. Dans cette cité riche de vieilles pierres, l'abbatiale St-Philibert constitue l'un des témoins majeurs du premier art roman en France. Vous serez également séduit par la douceur du climat et le charme des paysages du Tournugeois, composés de vignes, de prairies et forêts, et de pittoresques villages à découvrir à votre rythme…

Se repérer – Tournus serre ses ruelles étroites et ses maisons de caractère entre la Saône et la N 6. La ville est située à 24 km au sud de Chalon-sur-Saône et 29 km au nord de Mâcon.

Se garer – Vous trouverez à vous garer près de l'abbaye ou sur le parking devant l'hôtel-Dieu.

À ne pas manquer – Visitez l'abbaye St-Philibert, chef-d'œuvre roman magnifiquement restauré. Admirez aussi les superbes pots de faïence de l'apothicairerie de l'hôtel-Dieu. Et pour une escapade verte, empruntez l'un des sentiers proposés et partez à la découverte de la réserve naturelle de la Truchère.

Avec les enfants – Faites étape à Cuisery. Si vos enfants aiment la lecture, ils apprécieront les bouquinistes et artisans du village. Sinon, ils pourront visiter le petit centre Éden qui propose des expositions sur la faune et la flore bourguignonnes. Et pour passer de la théorie à la pratique, proposez-leur une balade d'observation de la nature sur les sentiers de la réserve de la Truchère.

Pour poursuivre la visite – Voir aussi Brancion, Bresse, Chapaize, Cormatin, Louhans, la Voie verte.

Comprendre

Une cité monastique – Ayant échappé aux persécutions lyonnaises de 177, **saint Valérien** (chrétien d'Asie Mineure) vient à Tournus évangéliser la population ; il y est martyrisé. Les sanctuaires fondés à l'emplacement de son tombeau sont convertis en abbaye et regroupés sous le vocable de saint Valérien. Au début du 9e s., des moines vendéens fuient devant les Normands et mènent une vie errante avant de s'installer à l'abbaye, concédée par Charles le Chauve. Ils y apportent les reliques de **saint Philibert**, fondateur de Jumièges, mort à Noirmoutier en 685, qui devient le nouveau saint patron de l'abbaye, et lui donne un élan considérable.

Une invasion hongroise, en 937, compromet sa prospérité. Incendiée, puis reconstruite, elle est quelques années plus tard abandonnée par les religieux, regroupés en Auvergne au monastère de St-Pourçain. L'abbé Étienne, ancien prieur, est rappelé à l'abbaye St-Philibert en 949, sur décision du concile. Sous son impulsion reprennent les constructions, qui s'achèvent au 12e s. par l'une des plus belles parties de l'église. Plusieurs fois endommagée au cours des siècles, elle est restaurée et remaniée jusqu'à sa mise à sac par les huguenots en 1562. Transformée en collégiale en 1627, l'abbaye devient église paroissiale en 1790, échappant ainsi à la destruction.

Abbé de Tournus de 1660 à sa mort en 1715, **Emmanuel Théodose de La Tour d'Auvergne**, duc d'Albret et cardinal de Bouillon, institue l'hôtel-Dieu en 1672. La première salle de malades (salle des femmes) est achevée en 1675. Le **cardinal de Fleury** lui succède en 1715 ; il achève les travaux de l'hôtel-Dieu, fait élever des casernes et s'intéresse à l'éducation des enfants pauvres.

Se promener

Garez-vous près du quai de la Saône et de la rue St-Laurent.

Vue du pont et des quais

Du pont sur la Saône, prolongeant la rue Jean-Jaurès, on a une belle **vue** sur l'église St-Philibert et sur la ville. N'hésitez pas à poursuivre la promenade jusqu'au port de plaisance. Découvrez les demeures anciennes et les vieux hôtels qui se blottissent rue du Docteur-Privey, rue de la République et rue Désiré-Mathivet. Et remarquez la jolie place de l'Hôtel-de-Ville, ornée d'une statue de Greuze.

A. Cassaigne / MICHELIN

Vieille ville surplombant la Saône.

Musée bourguignon – Perrin de Puiycousin

✆ 03 85 51 29 68 - 8 pl. de l'abbaye - 1er avr.-31 oct. : tlj sf lun. et mar. 10h-13h, 14h-17h - 2,50 €. Cette demeure familiale, léguée de son vivant par Albert Thibaudet à sa ville natale, abrite les collections offertes à la municipalité par Maurice Perrin de Puycousin en 1929. Des scènes quotidiennes de la vie paysanne d'autrefois ont été reconstituées avec des mannequins de cire habillés en costumes régionaux. Les salles reproduisent notamment l'intérieur d'une ferme bressane, l'atelier des fileuses de chanvre et, au sous-sol, un cellier bourguignon.

Abbaye★★ *(voir « Découvrir »)*

Hôtel-Dieu-Musée Greuze★

✆ 03 85 51 23 50 - ♿ - de fin mars à déb. nov. : tlj sf mar. 10h-13h, 14h-18h - 5,45 € (- 12 ans gratuit).

L'hôtel-Dieu a cessé de fonctionner en 1982. Les salles anciennes ont alors été restaurées pour témoigner des conditions de soins et de vie hospitalières depuis le 17e s. Les lits clos en chêne sont alignés dans les salles des femmes et des hommes, séparées par la chapelle du Saint-Sacrement, et dans celle des soldats, plus tardive.

La très belle **apothicairerie★** du 17e s. conserve quelque 300 pots en faïence de Nevers et de Dijon.

L'herboristerie (19e s.), la salle des étains et le jardin des simples complètent la visite de cet établissement dans lequel, en 1960, travaillaient encore cinq religieuses de l'ordre de Ste-Marthe.

L'hôtel-Dieu abrite aussi le **musée Greuze,** consacré à l'archéologie du Tournugeois (ne manquez pas les aiguilles à cataracte), aux sculpteurs de la région (D. Mathivet, 1887-1966) et aux dessins et peintures de Jean-Baptiste Greuze.

Le saviez-vous ?

◉ *Tinurtium*, ancienne cité gauloise des Éduens, se prononce aujourd'hui « Tournu ». Le quartier de la Madeleine correspond au castrum romain, qualifié de *trenorchium*. Tours et détours...

◉ Né à Tournus en 1725, **Jean-Baptiste Greuze** (1725-1805) est apprécié pour ses portraits, où son talent s'est s'exprimé plus librement que dans certaines scènes domestiques à caractère moralisateur, prisées en leur temps par Diderot. **Albert Thibaudet** (1874-1936) est également un vrai Tournusien ; critique littéraire, il analysait un texte comme un biologiste l'aurait fait d'un organisme vivant, cherchant à comprendre et non pas à juger.

Église de la Madeleine

Construite au centre de l'ancienne ville romaine, elle offre, en dépit de dégradations extérieures, un aspect charmant. Le chevet, entouré de vieilles bâtisses, se voit des bords de la Saône. Le porche en plein cintre (12e s.) a subsisté, avec ses fines colonnettes ornées de galons perlés, d'imbrications de guirlandes verticales ou rampantes et ses chapiteaux décorés de feuillages ou d'oiseaux affrontés.

L'intérieur présente une nef voûtée d'ogives du 15e s. Dans le bas-côté droit s'ouvre une chapelle Renaissance dont la jolie voûte est décorée de caissons carrés reliés par un réseau de nervures. On y voit un tabernacle de style Empire et une Madeleine en bois doré.

Découvrir

ABBAYE★★

On y accède depuis la N 6 par la rue Albert-Thibaudet, qui passe entre les deux tours rondes marquant jadis l'entrée principale de l'enceinte de l'abbaye, la « porte des Champs ».

Église Saint-Philibert

Façade – Bâtie en belles pierres taillées aux 10e et 11e s., aux couleurs chaudes, elle se présente comme une sorte de donjon percé d'archères. La nudité des murs puissants est rompue par des bandes lombardes. Le parapet crénelé avec mâchicoulis reliant les tours renforce l'aspect militaire de l'édifice. La galerie de la terrasse et le porche sont des restaurations de Questel, au 19e s. La tour de droite est coiffée d'un toit en bâtière, tandis que sa voisine a été rehaussée, à la fin du 11e s., par un clocher à deux étages, ornementé et surmonté d'une flèche.

Comparant l'art du compositeur à celui du tailleur de pierre (« chaque pierre s'ajustant parfaitement »), Edgar Varèse, auteur d'un poème symphonique intitulé *Bourgogne*, et qui passa sa jeunesse au bord de la Saône, déclara un jour : « S'il y a dans ma musique de la force et de la beauté, je les dois à la basilique St-Philibert. »

Pénétrez dans l'église.

Chapelle St-Michel (a) – C'est la salle haute de l'avant-nef *(accès par un escalier à vis)*, dont la construction est antérieure à celle de la nef. Son plan est identique à celui du rez-de-chaussée, mais l'étonnante élévation du vaisseau central et la luminosité en modifient totalement l'aspect.

La grande baie cintrée, qui ouvre sur la tribune d'orgues mise en place en 1629, marquait l'entrée d'une abside construite en encorbellement à cette hauteur, et sacrifiée alors. Autour de l'arche, les sculptures archaïques des chapiteaux sont une survivance de l'époque carolingienne : l'inscription de Gerlannus à la base de l'archivolte pourrait évoquer l'an mil.

Avant-nef – Dans la rudesse et la simplicité, son architecture atteint une singulière grandeur. Quatre énormes piliers à tailloir circulaire la divisent en trois nefs de trois travées. La voûte, dont une travée, à gauche, est peinte en échiquier noir et blanc (blason des Digoine, ancienne et puissante famille mâconnaise), s'orne au-dessus de l'entrée de la nef d'un Christ en majesté **(1)** ; une autre fresque du 14e s., sur le mur du fond du bas-côté gauche, figure la Crucifixion **(2)**. Les pierres tombales, d'une forme circulaire particulière à la région, font songer à des puits ou à des bases de piliers.

Nef – Dépourvue d'ornementation, la nef (début du 11e s.) est illuminée d'une lumière rosée. Disposition très originale, la voûte centrale se compose d'une suite de cinq berceaux transversaux juxtaposés qui reposent sur des arcs doubleaux, aux claveaux alternativement blancs et roses, s'appuyant sur des colonnettes surmontant de grandes colonnes. Les fenêtres hautes qui éclairent la nef sont dissimulées par les arcs. Une voûte d'arêtes prodigieusement rehaussée, compartimentée par des doubleaux, couvre les collatéraux. Les chapelles latérales du bas-côté nord ont été ouvertes aux 14e et 15e s. Une niche du collatéral sud abrite une statue-reliquaire du 12e s. d'influence auvergnate, Notre-Dame-la-Brun **(3)**. En cèdre peint et redoré au 19e s., cette Vierge a gardé sa beauté majestueuse au calme rayonnant.

Transept et chœur – Édifiés au début du 12e s. par Francon de Rouzay, ils tranchent avec le reste de la construction par la blancheur de la pierre et montrent l'évolution rapide de l'art roman. Après l'ampleur de la nef, une rupture s'opère au niveau du transept et le chœur surprend par son étroitesse, l'architecte ayant dû suivre les contours de la crypte existante.

L'abside en cul-de-four est supportée par six colonnes surmontées de fenêtres entourées d'un fin décor sculpté. Le déambulatoire (début du 11e s.), voûté en berceau, compte cinq chapelles, dont trois rayonnantes et deux orientées. La chapelle axiale abrite la châsse de saint Philibert **(4)**. Au sol, des **mosaïques (5)** très fines du début du 12e s. illustrent les mois et les signes du zodiaque. Les vitraux modernes, d'un camaïeu rouge-brun, éclairent sobrement le déambulatoire.

Crypte★ (b) – *Accès par le croisillon nord, à gauche du chœur.* Cette crypte, aux murs épais, est une construction de l'abbé Étienne, de la fin du 10e s. ; sa hauteur sous clef de voûte (3,50 m) est exceptionnelle. La partie centrale, bordée par deux rangs de très fines colonnes, dont certaines à fût galbé, aux chapiteaux à feuillages inspirés de l'antique, est entourée d'un déambulatoire avec chapelles rayonnantes. La fresque (12e s.) décorant la voûte de la chapelle de droite représente une Vierge à l'Enfant et un Christ en majesté. Notez le sarcophage de saint Valérien et la présence d'un puits très profond à l'intérieur de la crypte.

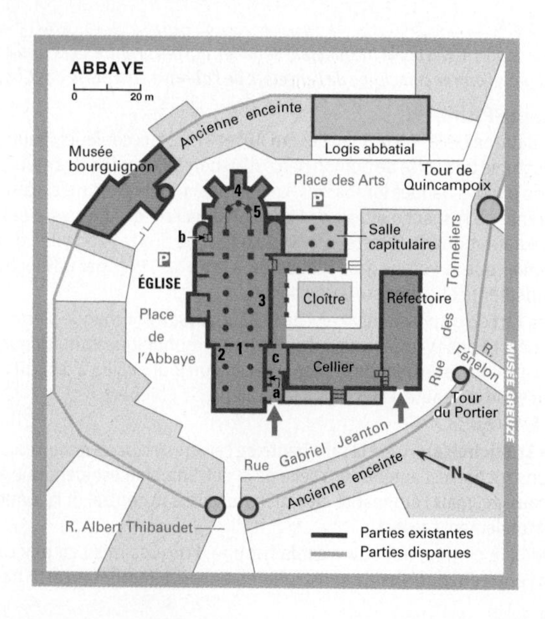

Bâtiments abbatiaux

Pour rejoindre le cloître, on traverse l'ancienne **salle des Aumônes (c)**, ou chauffoir, ou parloir (13e s.), accolée au mur sud de l'avant-nef. Elle abrite une collection lapidaire comprenant les statues-colonnes et les chapiteaux provenant de la tour nord, ainsi que des sculptures venant du cloître.

Cloître – Du cloître St-Ardain du 11e s., il ne reste que la galerie nord; un portail du 13e s. s'ouvre à son extrémité sur le bas-côté de l'église. Les bâtiments sud abritent la bibliothèque de la ville et celle de l'abbaye, qui conserve de nombreux manuscrits enluminés du Moyen Âge. C'est le siège du Centre international d'études romanes, dont le premier président fut le grand historien de l'art Émile Mâle. La tour carrée du Prieuré les domine.

Salle capitulaire – Rebâtie par l'abbé Bérard après un incendie en 1239, elle abrite des expositions temporaires. On peut en admirer l'intérieur voûté d'ogives par les baies romanes donnant sur le cloître.

Sortez place des Arts et admirez le chevet aux cinq chapelles ainsi que la belle tour-clocher du 12e s., d'inspiration clunisienne.

Logis abbatial – Jolie demeure *(privée)* de style gothique flamboyant (fin 15e s.).

Un peu plus loin sur la droite, la **tour de Quincampoix** fut érigée après l'invasion des Hongrois en 937. Elle fait partie de l'enceinte de l'ancienne abbaye, au même titre que la tour voisine, dite « du Portier ».

Réfectoire – Cette magnifique salle (12e s.), longue de plus de 33 m, haute de 12 m, est un grand vaisseau voûté en berceau légèrement brisé. En 1627, après la sécularisation de l'abbaye, elle fut utilisée pour jouer à la paume, d'où le nom de Ballon qui la désigne encore. Le réfectoire sert de cadre, fin mai, au Salon des antiquaires (l'ancienne église St-Valérien, du 11e s., est pour sa part occupée à demeure par un antiquaire).

Cellier – Également du 12e s., il est éclairé par deux ouvertures en forme de soupirail, placées très haut, et voûté en berceau brisé sur doubleaux. Les caves immenses, où travaillent des artisans, s'étendent en dessous. Expo-vente à l'entrée.

Aux alentours

Sennecey-le-Grand

10 km au nord. Au bord d'une grande place ceinturée de fossés, la mairie et l'office de tourisme occupent ce qui reste du château féodal. La partie disparue a été remplacée au 19e s. par une **église** monumentale de style classique.

On peut voir, à proximité du bourg, les églises romanes de deux villages voisins, l'une et l'autre de plan très simple, montrant extérieurement des arcatures lombardes, des toitures de « laves » et, au-dessus de la croisée du transept, un clocher carré porté par une petite coupole sur trompes.

Église de St-Julien – *Près de l'autoroute.* Sa nef et son clocher sont du 11e s.; le reste de l'édifice est du 15e s., ainsi que les fresques récemment découvertes.

Église St-Martin de Laives – *À 2,5 km à l'ouest. Accès par la D 18 et, après le passage sous l'autoroute, par un chemin se détachant à gauche.* Située sur un éperon d'où la vue s'étend sur la Bresse, le Jura, Chalon et ses environs, la vallée de la Grosne et le Charolais *(tables d'orientation)*, cette église fut construite, comme celle de St-Julien, au 11e s., et complétée par des chapelles aux 15e et 16e s. Remarquez les clefs de voûte sculptées.

Cuisery

8 km à l'est. Agréable village dominant la Seille.

Église Notre-Dame – La sobriété extérieure de cette église (16e s.) contraste avec la richesse de sa décoration intérieure : des stalles en chêne, un grand triptyque du peintre flamand Guérard (16e s.), et de très belles **peintures murales** (v. 1530) dans la chapelle Caron, figurant la Résurrection de Lazare et les prophètes.

Centre Éden – *R. de l'Église. ✆ 03 85 27 08 00 - www.centre-eden.com - ♿ - juil.-août : 10h-18h; du déb. vac. scol. printemps à fin juin et de déb. sept. à fin vac. scol. Tous-*

Cuisery « Village du livre »

Quatrième Village du livre de France, Cuisery propose tout au long de l'année de nombreuses animations donnant aux visiteurs l'occasion de découvrir sa vingtaine de bouquinistes, disquaires et artisans du livre. Tous les premiers dimanches du mois, par exemple, les rues du village accueillent le **Marché mensuel du livre**.

Renseignements au ✆ 03 85 40 16 08 - www.cuisery-livre.com

saint : tlj sf lun. 14h-18h - possibilité de visite guidée (1h30-2h) - fermé 1er Mai - 4 € (-18 ans gratuit), gratuit 1er dim. du mois.

Dans cet espace muséographique moderne et dans le parc qui l'entoure, doté d'une station météorologique, sont présentés les cinq grands milieux naturels de la Bourgogne (forêt, bocage, pelouses calcaires, milieux humides, vallées alluviales), leur flore et leur faune (notamment les insectes). En 2008, le centre a fait construire, dans son parc, un planétarium, qui peut accueillir jusqu'à 30 personnes. *Projection et explications sur le ciel et les étoiles avec un animateur chaque dernier dim. du mois, 1h, 5,34 € (enf. 4,58 €), visite libre du musée comprise.*

Découverte de la réserve naturelle de la Truchère★

8,5 km au sud. Prenez la D 37, puis à Lacrost, à droite, la D 933 jusqu'au lieu-dit Pont Seille. Dépliant disponible auprès du conservatoire (✆ 03 80 79 25 99), de la Maison de la réserve (✆ 03 85 51 35 79) et des principaux offices de tourisme locaux. Deux sentiers-nature sont proposés : l'un sur les dunes continentales, l'autre autour de l'étang Fauget - possibilité de visite guidée.

La composition de ce paysage est un héritage des dernières glaciations, en particulier la fin de la période glaciaire de Würm. La dernière étude sur le sujet (datant de 1960 !) suppose que des vents très forts ont apporté jusqu'ici des sables de Bresse. Ces dunes ne seraient que les maigres vestiges de grands espaces ensablés. Les pluies filtrant au travers de ces sables naturellement pauvres et acides ont entraîné des particules d'argile, qui ont constitué le plancher imperméable où, en période de glaciation, ont pu se développer les tourbières.

15mn. Au départ du parking indiqué à gauche, au-delà de la Maison de la réserve. Un sentier en sous-bois longe la rive de l'**étang Fouget** jusqu'à un observatoire (canards et hérons à demeure et passage de migrateurs), puis à une passerelle en bois en suspens au-dessus des herbiers. Retour par le même chemin.

S. Petit / Réserve Naturelle de La Truchère Ratenelle

Réserve naturelle de la Truchère.

45mn. Second parking à droite par la D 376. L'itinéraire de découverte de l'étonnante succession de **dunes** et de **tourbières**★ commence en sous-bois et devient tout de suite sableux. Les arbres chétifs cèdent peu à peu la place à de vastes étendues d'une végétation rase et grise, comme en pleine toundra : c'est le « lichen des rennes », ainsi nommé parce que de la même famille que celui dont se nourrissent les rennes. Il est parsemé de callunes fausse-bruyère et de corynéphores, touffes d'herbe semblables à des hérissons en boule. Les passages arborés (bouleaux, chênes) alternent avec des zones découvertes. La boucle se referme.

15mn. Du même point de départ, on prend à droite en épingle à cheveux le sentier en sous-bois à la hauteur de la grande étendue de lichen. L'eau paraît à fleur de sol, et le passage est surélevé par endroits sur des planches *(ne pas s'en écarter)*. De part et d'autre apparaissent les formes rondes et moelleuses des coussins de sphaigne, dont la décomposition forme la tourbe. Il faut un œil plus aigu (et plus près du sol) pour détecter les petites droséras, plantes carnivores qui pallient la pauvreté du terrain en se nourrissant des insectes qui se collent sur leurs poils. Le sentier débouche sur la route, à quelques dizaines de mètres du parking à droite.

Tournus pratique

Adresse utile

Office du tourisme de Tournus – *2 pl. de l'Abbaye - 71700 Tournus - ✆ 03 85 27 00 20 - www.tournugeois.fr - du 1er juil. à mi-sept. : 9h30-13h, 14h-19h ; de mi-sept. au 1er avr. : 9h-12h, 14h-18h, fermé dim.*

Se loger

Bon à savoir – Ville-étape entre le Nord et le Midi, Tournus connaît des affluences importantes quand arrive le week-end (les locaux parlent même de « transhumance »). Pour ne pas se retrouver à la rue, il est prudent de réserver sa chambre d'hôtel et sa table si l'on veut faire une halte dans les environs.

Village Motel – *RN 6 Nord - sortie A 6 - ✆ 03 85 51 07 45 - www.village-motel.com - P - 35 ch. 39/58 € - 6 € - rest.15,80/20 €.* Un peu à l'écart de la ville, ce motel entouré de verdure abrite des chambres de plain-pied, simples et fonctionnelles. La structure, un peu vieillotte, bénéficie d'un bon entretien général et comprend une piscine réservée aux résidents. À noter aussi la présence d'une pizzeria-grill à prix très sages.

Camping Château de l'Épervière – *À l'Épervière - 71240 Gigny-sur-Saône - 12 km au nord de Tournus par D 271 - ✆ 03 85 94 16 90 - domaine-de-leperviere@wanadoo.fr - ouv. avr. à sept. - réserv. indispensable - 100 empl. 33 € - restauration (soir seult).* Ce camping est aménagé autour d'un château des 14e et 18e s., dans un parc boisé au bord d'un étang. Vous y trouverez des emplacements bien ombragés. Piscine avec bassin pour les enfants. Tennis à proximité. Gîtes à louer.

Chambre d'hôte Le Tinailler du Manoir de Champvent – *Lieu-dit Champvent - 71700 Chardonnay - 11 km au sud-ouest de Tournus par D 56 puis D 463 - ✆ 03 85 40 50 23 - jeanpaulrulliere@orange.fr - fermé nov.-mars - - 5 ch. 65/70 €.* Beau manoir en pierre jaune dont les dépendances abritent des chambres agrémentées de meubles anciens, de natures mortes et de tableaux abstraits. Grand pré où peuvent se défouler les enfants et jolie cour fleurie. Un théâtre accueille régulièrement des spectacles (pièces, concerts, humour, etc.) et des expositions.

Se restaurer

Le Terminus – *21 av. Gambetta - ✆ 03 85 51 05 54 - www.hotel-terminus-tournus.com - fermé merc. - 18/45 € - 13 ch. 67 € - 9 €.* Spacieuse salle à manger rénovée dans l'esprit contemporain et terrasse ombragée où l'on se sent parfaitement à l'aise pour apprécier la cuisine au goût du jour concoctée par le chef. Mention spéciale pour l'original menu « cent pour cent charolais ». Chambres toutes non-fumeurs.

Aux Terrasses – *18 av. du 23-Janvier - ✆ 03 85 51 01 74 - www.aux-terrasses.com - fermé 2 janv.-2 fév., 6-14 juin, 16-22 nov., dim. soir, mar. midi et lun. - 26/80 € - 18 ch. 62/75 € - 11 €.* Impossible de passer par Tournus sans goûter à la délicieuse cuisine traditionnelle de cette maison : pâté chaud de colvert, poulet de Bresse braisé au chardonnay ou sandre au jambon du Morvan, que vous prendrez soin d'escorter avec un cru choisi dans la belle carte des vins. Jolies salles à manger. Accueil aimable.

Restaurant Greuze – *1 r. Albert-Thibaudet - ✆ 03 85 51 13 52 - www.restaurant-greuze.fr - fermé 14 nov.-5 déc. - 50/105 €.* Ce restaurant proche de l'abbaye est un véritable temple de la tradition culinaire française. Attablez-vous dans sa vaste salle à manger rénovée – mariage harmonieux d'éléments anciens et contemporains – pour déguster une cuisine classique réalisée dans les règles de l'art.

Que rapporter

La Cave des vignerons de Mancey – *N 6 - ✆ 03 85 51 00 83 - www.cave-mancey.fr - 8h-12h, 14h-18h, dim. et j. fériés 9h30-12h, 14h30-18h - fermé 1er janv. et 25 déc.* Cette cave est la vitrine d'une association regroupant 80 vignerons qui cultivent 140 ha de vignes. L'offre est diverse et toujours de qualité. Citons parmi les réussites la belle gamme des Essentielles avec un mâcon-mancey (blanc et rouge) et un bourgogne (pinot noir) remarquables.

Sports & Loisirs

Base de loisirs nautique de Laives – *Lacs de Laives - 71240 Laives - ✆ 03 85 44 97 39.* Baignade surveillée, jet-boat, jet-ski, pédalo, jeux, pique-nique, balades en forêt, poneys, VTT… et un bar exotique avec soirées à thème tous les jeudis (karaoké, concerts…). Ce lieu joyeux est tenu par une équipe énergique et sympathique.

Pavillon Saône – *71700 Chardonnay - ✆ 03 85 40 55 50 - contact@house-boat.net - sur RV.* La Saône qui borde la ville, et la Seille, plus sauvage, vous invitent à d'inoubliables croisières à bord de confortables bateaux habitables. Prenez le temps de vivre ces moments de calme et de silence ponctués par l'envol d'un héron, le passage d'une écluse ou la découverte d'agréables villages. Renseignements auprès de Pavillon Saône.

Varzy

1 359 VARZYCOIS
CARTE GÉNÉRALE A2 – CARTE MICHELIN DÉPARTEMENTS 319 D7 – NIÈVRE (58)

Sur le chemin de Saint-Jacques-de-Compostelle, Varzy accueillit en son temps des milliers de pèlerins qui vénérèrent ici, lors de leur passage, les reliques de sainte Eugénie d'Alexandrie. Blottie à l'orée des forêts du Nivernais, et enserrée par de beaux boulevards ombragés, l'ancienne résidence préférée des évêques d'Auxerre se place, par ses activités, sous le signe du bois.

- **Se repérer** – Varzy est situé entre Clamecy (16 km) et La Charité-sur-Loire (34 km), et à 24 km de Prémery.
- **À ne pas manquer** – Visitez le musée Grasset, qui rassemble les collections de Prosper Mérimée et d'Auguste Grasset.
- **Organiser son temps** – Prenez le temps de suivre la visite guidée des jardins du château de Lurcy-le-Bourg.
- **Avec les enfants** – Allez faire un pique-nique au bord du plan d'eau aménagé pour la baignade, autour du moulin Naudin.
- **Pour poursuivre la visite** – Voir aussi La Charité-sur-Loire, Clamecy, Cosne-Cours-sur-Loire, Prémery, la vallée de l'Yonne.

Varzy pratique

Syndicat d'initiative de Varzy et sa région – *8 r. Delangle - 58240 Varzy - ✆ 09 64 08 90 77 - disponibilités variables, appeler pour connaître les horaires.*

Se promener

Église Saint-Pierre

Cette église de style gothique rayonnant (13e s.) possède une nef aux hautes arcades comportant un élégant triforium. Dans le chœur, notez une statue polychrome et le triptyque de sainte Eugénie, du 16e s. Autre triptyque, du 17e s., dans le croisillon droit : scènes de la vie de saint Pierre. Provenant de la collégiale Ste-Eugénie, le trésor renferme deux bras reliquaires (13e s.) de la sainte et de saint Régnobert, un coffret contenant le crâne de ce dernier et un christ en bois (début du 16e s.). Il se trouve dans une chambre forte à droite du chœur.

Musée Grasset

✆ 03 86 29 72 03 - ♿ - possibilité de visite guidée (1h30) juil.-août : 10h-12h, 14h-19h, dim. 14h-19h ; avr.-juin et sept.-oct. : tlj sf lun. mat. 10h-12h, 14h-18h, fermé mar. et dim. mat. - 3 € (-16 ans 1 €). On trouve ici plus de 4 000 objets rassemblés par des amateurs éclairés, dont l'inspecteur des Monuments historiques **Auguste Grasset** (1799-1879) et son collègue **Prosper Mérimée** : sarcophages égyptiens, objets rapportés lors des expéditions de Dumont d'Urville dans les îles du Pacifique, armes, faïences nivernaises et émaux limousins, meubles anciens, tapisseries (*Didon et Énée*, tapisserie d'Aubusson), peintures (*Judith et Holopherne*, attribué à J. Massys, *La Mort de Camala* par Girodet). Ne manquez pas de visiter le **salon de musique** et ses instruments, successivement mis en lumière et expliqués au son d'une partition.

Prenez la rue St-Pierre en sortant du musée.

Lavoir

Ses deux auvents, qui se font face de part et d'autre d'une petite pièce d'eau, témoignent par leurs dimensions de l'importance passée du bourg.

Prolongez votre flânerie par la rue des Grandes-Promenades et la rue Delangle, artère commerçante.

Sur la route de Clamecy, faites une au halte plan d'eau aménagé autour du moulin Naudin.

Aux alentours

Jardins du château de Lurcy-le-Bourg

27 km en direction de Nevers. ✆ 03 86 68 16 83 - visite guidée (1h30 à 2h) juin et août-sept. : 14h30-20h - 5 € (-10 ans gratuit). Cette gentilhommière du 17e s. a été modifiée et agrémentée de jardins à la française au 18e s (boulingrin, fabrique Louis XVI, buis taillés en topiaires). Dans la cour, pris dans le mur, un rare « puits dû », dont la jouissance est partagée par le château et le village.

Vézelay★★★

473 VÉZELIENS
CARTE GÉNÉRALE B2 – CARTE MICHELIN DÉPARTEMENTS 319 F7 – YONNE (89)

Aux confins du Morvan, Vézelay occupe pentes et sommet d'une colline dominant la vallée de la Cure. À la grande époque du pèlerinage vers Saint-Jacques-de-Compostelle, la ville abrita jusqu'à 10 000 personnes dans les maisons blotties le long de ses ruelles escarpées. Sauvé de la ruine par Mérimée et le jeune architecte Viollet-le-Duc, ce haut lieu spirituel, site majeur de l'histoire de l'art, figure depuis 1979 au Patrimoine mondial de l'humanité.

S. Sauvignier / MICHELIN

De charmantes petites routes mènent à la « colline éternelle ».

Se repérer – Vézelay se trouve à 16 km à l'ouest d'Avallon par la D 957 et à 51 km au sud d'Auxerre par la D 606, puis la D 951. La basilique se voit de loin !

Se garer – Tentez votre chance sur le parking de la place du Champ-de-Foire.

À ne pas manquer – Suivez la visite guidée de la basilique Ste-Marie-Madeleine ; le tympan de son portail central est une œuvre magistrale que vous n'oublierez pas plus que les superbes chapiteaux de la nef ; mais pour mieux examiner ces chefs-d'œuvre en détail, munissez-vous de jumelles ! Allez ensuite admirer le panorama sur la vallée de la Cure depuis la terrasse du château. Et n'oubliez pas de faire un saut au musée Zervos, où vous attend une belle collection d'art moderne.

Organiser son temps – Pour éviter les foules de pèlerins, venez hors des grandes fêtes religieuses. Et si vous aimez la musique classique, pensez à réserver vos places aux Rencontres musicales de Vézelay, à la fin du mois d'août.

Avec les enfants – Avis aux amateurs de tigres à dents de sabre, diplodocus (en construction !) et créatures préhistoriques en tous genres : le parc de Cardo-land attend votre visite…

Pour poursuivre la visite – Voir aussi Avallon, le château de Bazoches, Clamecy, la vallée de la Cure, le Morvan, la vallée de l'Yonne.

Comprendre

LES RICHES HEURES DE L'ABBAYE

Girart de Roussillon, le fondateur – Au milieu du 9e s., ce pieux et riche chevalier installe un groupe de religieuses à l'emplacement actuel de la commune de St-Père. Le monastère de femmes cède bientôt la place à un monastère d'hommes. Détruit lors des invasions normandes, il est transféré sur la colline voisine, position naturellement plus facile à défendre. Dès 878, le pape Jean VIII le consacre.

À l'appel de saint Bernard – Quand, le 31 mars 1146, Bernard le cistercien lance du flanc de cette « colline inspirée » un vibrant appel en faveur de la 2e croisade, en présence du roi de France Louis VII, l'abbaye est à l'apogée de sa gloire. Depuis un siècle, l'église abrite les reliques de sainte Madeleine : Vézelay est devenu alors un grand lieu de pèlerinage et la tête de ligne de l'un des itinéraires qui, à travers la France, mènent pèlerins et marchands jusqu'à St-Jacques-de-Compostelle (les autres partant de Paris, du Puy et d'Arles). En 1217, la mission est confiée par saint François d'Assise à deux de ses disciples d'y fonder le premier couvent de Frères mineurs en France. Ils élisent domicile près de la petite église Ste-Croix, bâtie en souvenir du prêche de saint Bernard dans la vallée d'Asquins.

De la Réforme aux restaurations – En 1519, Vézelay voit naître **Théodore de Bèze**, qui prêchera la Réforme avec Calvin, et, en 1557, une communauté protestante s'y installe. La guerre de Cent Ans avait ruiné l'abbaye. Les siècles suivants verront la dégradation de l'église ; transformée en chapitre de chanoines dès 1537, pillée de fond en comble par les huguenots en 1569, elle est en partie rasée à la Révolution. Grâce aux travaux de restauration du 19e s., elle a retrouvé son âme et l'ampleur de ses pèlerinages.

Fraternités monastiques de Jérusalem – Après avoir été confiée aux bénédictins de La Pierre-qui-Vire, puis aux franciscains encore présents à Vézelay, la basilique est depuis 1993 entre les mains des Fraternités monastiques de Jérusalem. Fondé en 1975 à Paris, cet ordre s'installe au cœur des villes et des grands lieux de passage (Paris, Florence, Le Mont-St-Michel...) parce que, selon le père fondateur Pierre-Marie Delfieux, c'est là que le signe de la vie monastique manifeste le mieux son sens. Les prieurés d'hommes et de femmes vivent séparément, mais se retrouvent pour les offices, et travaillent à mi-temps hors de la communauté. La liturgie, méditative, est chantée et psalmodiée. Elle puise aux sources byzantines, à l'interprétation de la tradition grégorienne par le père André Gouzes et au fond commun de la tradition catholique.

Se promener

Promenade des Fossés

De la place du Champ-de-Foire, en bas de la ville, suivez la promenade des Fossés, aménagée sur les anciens remparts qui ceinturaient la ville au Moyen Âge et que jalonnent sept tours rondes.

La **porte Neuve** (14e-16e s.), sur laquelle on voit un écusson aux armes de la ville de Vézelay, est flanquée de deux tours à bossages et mâchicoulis et donne accès à une jolie promenade ombragée de noyers.

De la **porte Ste-Croix** ou porte des Cordeliers, jolie **vue** sur la vallée de la Cure. Un chemin descend à la Cordelle, qui garde le souvenir de saint Bernard, venu prêcher la 2e croisade, par une croix commémorative.

La promenade aboutit à la terrasse du château, derrière la basilique.

Maisons anciennes

De la place du Champ-de-Foire à la basilique, la **rue St-Étienne**, en forte pente, est bordée de maisons anciennes : portes sculptées, fenêtres à meneaux, escalier en encorbellement formant tourelle, vieux puits surmontés d'une armature en fer forgé constituent le plus charmant des décors.

Amusez-vous à retrouver les maisons d'hommes célèbres qui ont vécu à Vézelay : Théodore de Bèze, Max-Pol Fouchet, Georges Bataille, Romain Rolland... Ce dernier, qui aimait « le souffle des héros » et souhaitait, en pacifiste, l'éveil de la conscience européenne, passa les dernières années de sa vie au n° 20 de la Grande-Rue, rédigeant une biographie de son ami Péguy, et mourut peu après la Libération.

Visiter

Musée Zervos★

03 86 32 39 26 - juil.-août : 10h-18h ; de mi- mars à fin juin et de sept. à mi- nov. : tlj sf mar. 10h-18h - 3 € (-18 ans gratuit).

Dans la maison restaurée où Romain Rolland *(voir Clamecy)* rédigea *le Voyage intérieur, Péguy* et *La Cathédrale interrompue*, sont exposées les plus belles pièces de la collection léguée à la ville de Vézelay par Christian Zervos, quelques mois avant sa mort en 1970. Le fondateur de la revue *Les Cahiers d'Art* (1926-1960) avait constitué une collection d'art moderne (1920 à 1960) où sont représentés les différents mouvements, du cubisme au surréalisme et à l'abstraction, avec des artistes comme Brauner, Calder, Ernst, Giacometti, Hélion, Kandinsky, Laurens, Léger, Lurçat, Mirò, Picasso, Balla... Ne manquez pas la belle *Sauterelle* de Max Ernst, ni les *Instruments de musique* de Laurens et *Le Peintre et l'enfant* de Picasso.

Maison Jules-Roy

89450 - Vezelay - ☏ 03 86 33 35 01 - avr.-sept. : tlj sf mar. 14h-18h, lun. 14h-17h - gratuit.

Pour découvrir un peu la personnalité de **Jules Roy** (1907-2000), il est désormais possible d'accéder au bureau et au jardin du romancier et homme de paix qui repose dans le cimetière de Vézelay. Les terrasses embrassent un magnifique **panorama**. Cette maison accueille régulièrement des écrivains.

Musée de l'Œuvre - Viollet-le-Duc

Place du Cloître, à dr. de l'abbaye - ☏ 03 86 33 24 62 - juil.-août : 14h-18h ; de Pâques à fin juin et de déb. sept. au 1er nov. : w.-end 14h-18h - 3 €.

Au-dessus de l'aile du cloître de la basilique, dans l'ancien dortoir des moines, sont présentés clefs de voûtes, fragments sculptés et chapiteaux rassemblés par Viollet-le-Duc. On peut ainsi appréhender sa démarche lors de la restauration de la basilique, remplaçant par des éléments modernes les sculptures endommagées. Dessins et estampages permettent d'apprécier les détails iconographiques.

Découvrir

BASILIQUE SAINTE-MARIE-MADELEINE★★★

7h-20h - juil.-août : visite guidée (1h) 14h30 - en dehors de cette période, pour les visites guidées (tlj sf lun.), s'adresser au ☏ 03 86 33 23 69 ou 03 86 33 39 50 - http://vezelay.cef.fr. Fondé au 9e s., le monastère passe en 1050 sous l'invocation de sainte Marie-Madeleine dont il conserve les reliques. Les miracles qui se produisent sur le tombeau de

Chapiteaux du côté droit :

1) Un duel.
2) La Luxure et le Désespoir.
3) Légende de saint Hubert.
4) Signe du zodiaque : la Balance.
5) Le moulin mystique.
6) La mort du mauvais riche et de Lazare.
7) Lemech tue Caïn.
8) Les quatre vents de l'année.
9) David chevauchant un lion.
10) Saint Martin écarte un arbre dont la chute le menace.
11) Daniel respecté par les lions.
12) Lutte de l'ange et de Jacob.
13) Isaac bénit Jacob.

Chapiteaux du côté gauche :

14) Saint Pierre est délivré de prison.
15) Adam et Ève.
16) Légende de saint Antoine.
17) Exécution d'Agag.
18) Légende de sainte Eugénie.
19) Mort de saint Paul ermite.
20) Moïse et le Veau d'or.
21) La mort d'Absalon.
22) David et Goliath.
23) Meurtre de l'Égyptien par Moïse.
24) Judith et Holopherne.
25) La Calomnie et l'Avarice.

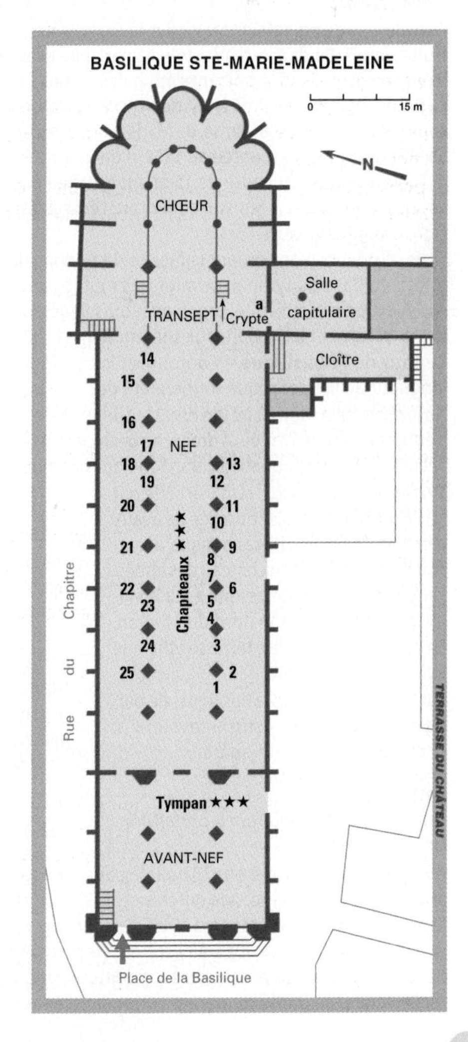

Le saviez-vous ?

Chaque année, ce sont des centaines de milliers de visiteurs qui parcourent la butte, colline éternelle, haut lieu de l'art chrétien. De nombreux intellectuels (écrivains et artistes) sont venus ici et ont même pris racine ! Parmi les plus connus : Théodore de Bèze, Romain Rolland, Paul Claudel, Georges Bataille, Maurice Clavel, Max-Pol Fouchet, Jules Roy (auteur notamment de *Vézelay ou l'Amour fou)*.

celle-ci attirent bientôt une telle foule de pénitents qu'il faut agrandir l'église carolingienne (1096-1104). En 1120, un violent incendie éclate la veille du 22 juillet, jour du grand pèlerinage, détruisant toute la nef et tuant plus de mille pèlerins.

Les travaux reprennent aussitôt; la nef est rapidement reconstruite, puis, vers le milieu du 12e s., l'avant-nef. En 1215, le chœur romano-gothique et le transept sont terminés. Depuis le 7e s., un autre lieu de pèlerinage affirmait détenir les reliques de sainte Marie-Madeleine : la Ste-Baume en Provence. À la fin du 13e s., le différend qui oppose les deux sites les amène à faire appel au pape, qui invite à se référer à la tradition la plus ancienne : les pèlerinages à Vézelay s'espacent donc, les foires et marchés perdent de leur importance.

Lorsqu'au 19e s., **Prosper Mérimée**, romancier et inspecteur des Monuments historiques, attira l'attention des pouvoirs publics sur l'état de l'admirable monument, celui-ci était sur le point de s'effondrer. En 1840, **Viollet-le-Duc**, alors âgé de moins de 30 ans, assuma la tâche difficile de sa restauration, qu'il n'acheva qu'en 1859. L'abbatiale, devenue église paroissiale en 1791, fut érigée en basilique en 1920.

L'extérieur

Façade – Elle a été refaite par Viollet-le-Duc d'après des documents anciens. Construite vers 1150 dans un pur style roman, elle avait été dotée au 13e s. d'un vaste fronton gothique comportant cinq baies étroites aux meneaux ornés de statues. La partie supérieure forme un tympan orné d'arcatures encadrant les statues du Christ couronné entouré de la Vierge, de Madeleine et de deux anges. La tour de droite – tour St-Michel – a été surmontée au 13e s. d'un étage à hautes baies géminées ; la flèche octogonale en bois, haute de 15 m, fut détruite par la foudre en 1819. L'autre tour est restée inachevée. Sur son côté droit, l'édifice est dominé par la tour St-Antoine (13e s.), haute de 30 m.

Trois portails romans ornent la façade ; le tympan du portail central a été reconstitué sur la base du tympan primitif très mutilé (conservé à l'extérieur) : la voussure supérieure de l'archivolte, ornée de motifs végétaux, est authentique, mais le reste des voussures et les chapiteaux sont modernes.

Le tour de la basilique – Contournez la basilique par la droite pour découvrir la longueur du vaisseau, que soutiennent des arcs-boutants.

Au fond, la salle capitulaire (fin du 12e s.) prolonge le croisillon sud. La galerie du cloître a été entièrement recréée. À droite, de beaux jardins *(privés)* s'étendent sur les lieux des anciens bâtiments abbatiaux, dont quelques vestiges subsistent (réfectoire du 12e s.).

Terrasse du château – On y accède par la rue du même nom, ombragée de beaux arbres et située derrière la basilique, à l'emplacement de l'ancien château des abbés. Elle offre un beau **panorama★** sur la vallée de la Cure et sur le nord du Morvan. En contrebas, une autre terrasse offre une jolie vue sur Asquins.

Sur le côté gauche de la basilique, de belles demeures ont été construites au 18e s. par les chanoines du chapitre.

« Voici le superbe, l'immense vaisseau dressé face à l'est magnétique, fier et de si haut. Gardé par des bastions plus altiers encore au-dessus d'un énorme rocher, il vogue droit vers le soleil levant, l'éventre, l'éclabousse d'écume, s'en recouvre et, le soir, se charge d'or et de pourpre avant de s'enfoncer dans les étoiles, ah, Vézelay... » **Jules Roy**

L'intérieur

Entrez dans la basilique par le portail principal de la façade.

Avant-nef – Consacrée en 1132 par le pape Innocent II, elle est postérieure à la nef et à la façade intérieure. À la différence de l'église elle-même, voûtée en arêtes, cet espace de structure romane est coiffé d'arcs brisés et de voûtes d'ogives. Par ses vastes dimensions, l'avant-nef apparaît comme une première église, avec un vaisseau central de trois travées et deux bas-côtés surmontés de tribunes : c'est ici que les pèlerins se recueillent et se purifient avant d'entrer dans le sanctuaire... et dans la lumière.

Les quatre élégants piliers cruciformes sont ornés de chapiteaux historiés (restaurés) qui retracent des scènes de l'Ancien Testament (Joseph et la femme de Putiphar, Jacob, Isaac et Ésaü, la mort de Caïn, Samson terrassant le lion...) et des Évangiles (histoire de saint Jean-Baptiste, résurrection d'un enfant mort par saint Benoît...).

Trois portails font communiquer l'avant-nef avec la nef et les bas-côtés. Lorsque le premier est ouvert, la perspective sur le long vaisseau radieux de lumière que forment la nef et le chœur est un émerveillement. Il faut prendre le temps d'examiner en détail leurs sculptures datant du second quart du 12e s., et surtout celles du portail central dont le tympan offre un magnifique exemple de l'art roman bourguignon.

Tympan du portail central★★★ – Dans cette œuvre magistrale, le souffle de l'Esprit envahit les apôtres, tel un vent tumultueux qui agite les draperies et les plis des robes, modèle les corps et dessine des tourbillons. La virtuosité de la ligne domine, trahissant l'œuvre d'un calligraphe que le sculpteur a probablement dû suivre pour la scène principale. Pour les médaillons du zodiaque, l'artiste s'est senti libre de représenter avec bonhomie ses contemporains au travail.

Au centre de la composition, le Christ **(1)**, immense, trône dans une mandorle. Il étend les mains vers ses apôtres **(2)** assemblés près de lui et, de ses stigmates, rayonne le Saint-Esprit qui va toucher la tête de chacun d'eux. Tout autour, dans les tableaux de la première voussure et sur le linteau, se pressent les peuples évangélisés, qu'accueillent, aux pieds du Christ, saint Pierre et saint Paul **(3)**, piliers de l'Église universelle.

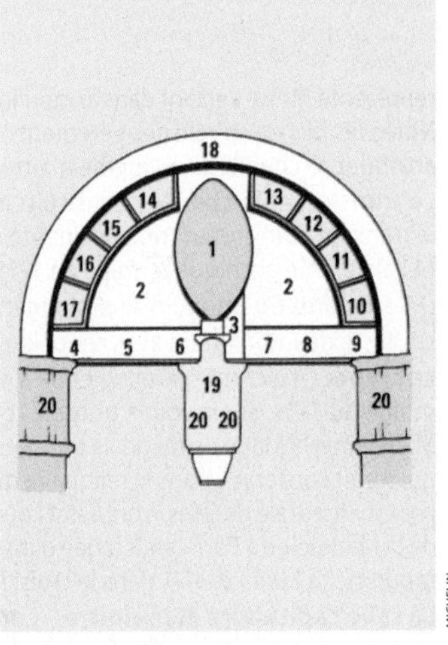

Tympan du portail central.

Tous les peuples sont appelés, mais tous n'accèdent pas au salut : sur le linteau, à gauche, d'élégants et sveltes chasseurs à l'arc **(4)**, pêcheurs **(5)**, agriculteurs **(6)** ont reçu la grâce physique mais sont arrêtés par un soldat armé d'une lance. À droite en revanche, des géants **(7)**, des pygmées (cherchant à monter à cheval grâce à une échelle – **8**), des boiteux, des laids, des hommes à grandes oreilles (dont un a le corps couvert de plumes – **9**) sont hissés vers le salut par saint Pierre et saint Paul.

Sur la voussure, ce sont les Arméniens (chaussés de socques – **10**) puis, peut-être, les Byzantins **(11)**, les Phrygiens **(12)** et les Éthiopiens **(13)** ; à la droite du Christ, des hommes à tête de chien (les cynocéphales d'Inde évangélisés par saint Thomas – **14**).

Les deux tableaux suivants rapportent que des miracles accompagnaient la parole divine annoncée par les apôtres : des lépreux se montrent leurs jambes guéries **(15)** et deux paralytiques leurs bras revivifiés **(16)**. Enfin, deux évangélistes écrivent ce qu'ils ont vu **(17)**.

Cette grandiose composition montre que l'annonce de la parole divine touche le monde entier ; une deuxième voussure **(18)** coiffant l'ensemble est un calendrier où alternent les signes du zodiaque et les travaux des mois, introduisant la notion du temps : la mission des apôtres doit également se transmettre à travers l'histoire.

Au trumeau, le Précurseur, saint Jean-Baptiste **(19)**, est placé sous les pieds du Christ, comme le supportant et l'introduisant à la place centrale qui lui revient. À ses côtés et sur les piédroits, des apôtres **(20)** complètent l'iconographie.

Tympans des portails latéraux – Sur les portes latérales, deux voussures ornées de rinceaux et de rosaces encadrent un tympan historié.

Celui de droite représente l'enfance du Christ : au linteau, l'Annonciation, la Visitation, la Nativité ; au tympan, l'Adoration des Mages.

Celui de gauche figure les apparitions du Christ après sa résurrection ; au tympan, Apparition aux apôtres ; au linteau, Apparition aux disciples d'Emmaüs.

La nef – Reconstruite entre 1120 et 1135 après un terrible incendie, cette nef romane se caractérise par ses dimensions imposantes – 62 m de longueur –, son appareil en pierre calcaire de tons différents et sa luminosité. Beaucoup plus haute que les bas-côtés, la nef est divisée en dix travées séparées par des arcs doubleaux en plein cintre aux claveaux alternativement clairs et foncés, ce qui dénote une probable

Hommage de Paul Claudel

« Nous n'aurons eu qu'à pousser cette lourde porte pour nous trouver au milieu même et à l'intérieur de cette âme lumineuse et respirable, de cette couleur blonde. [...] Quand on étudie chacun de ces chapiteaux, on est émerveillé de l'œil, de l'esprit, de la malice [...] de ces artistes romans et surtout de l'intensité, du sens du mouvement et de l'attitude, de ce génie lyrique, dramatique et psychologique [...] : ce ne sont plus des corps en mouvement, c'est le mouvement qui fait le corps. »

influence sarrazine. Les grandes arcades en plein cintre, surmontées de fenêtres, reposent sur des piles cruciformes. Un gracieux décor d'oves, de rosaces et de rubans plissés souligne les doubleaux, les arcades ainsi que les corniches, trouvant son point d'orgue dans la série de chapiteaux.

Les chapiteaux★★★ de la nef, plus beaux que ceux de l'avant-nef et presque tous d'origine, méritent pour la plupart d'être examinés en détail. Avec une science étonnante de la composition et du mouvement, le génie des artistes anonymes qui les ont créés – on veut reconnaître la main de cinq sculpteurs différents – se manifeste avec esprit et malice. Le plus célèbre des chapiteaux est le **moulin mystique** (**5** - *plan p. 411)*, thème illustré à St-Denis et expliqué par l'abbé Suger. Il représente Moïse versant dans le moulin de saint Paul le grain de la première alliance. Notez les plis en spirale des vêtements, identiques à ceux du tympan, qui incitent à attribuer ce chapiteau au même maître.

Le transept et le chœur – Construits en 1096 pour agrandir l'église carolingienne, le transept et le chœur romans ont été démolis à la fin du 12e s. et remplacés par ce bel ensemble gothique terminé en 1215.

Les arcatures du triforium se prolongent sur les croisillons du transept.

Un vaste déambulatoire avec chapelles rayonnantes enveloppe le chœur.

La crypte – La crypte carolingienne a été complètement remaniée dans la seconde moitié du 12e s. Sur la voûte, notez les peintures du 13e s. C'est une relique de sainte Madeleine, la Marie de Magdala qui annonça la première la Résurrection aux apôtres, qui serait conservée dans le reliquaire du 19e s. de la crypte. Elle fut restituée en 1879 par la cathédrale de Sens, à qui Saint Louis l'avait confiée. Une autre relique, provenant de la Madeleine à Paris, était logée dans le fût d'une colonne surmontée d'une statue moderne *(**a** - plan p. 411)*, dans le croisillon droit, mais elle a été volée en 2002.

La salle capitulaire et le cloître – Construite à la fin du 12e s., peu de temps avant le chœur de la basilique, la salle capitulaire est couverte de six voûtes d'ogives. Elle a été restaurée par Viollet-le-Duc. Rasé à la Révolution, le cloître comportait au centre une vaste citerne qui existe toujours, et qui fut pendant longtemps la seule réserve d'eau de la ville. Viollet-le-Duc a reconstitué une galerie, de style roman.

Aux alentours

Chamoux

7 km en direction de Clamecy.

Offrez à vos enfants, que l'austérité de Vézelay pourrait rebuter, quelques heures de détente au parc « préhistorique » de **Cardo-land** 👪. Vous découvrirez, le long d'un parcours agréablement ombragé, les dinosaures grandeur nature et les reconstitutions de scènes préhistoriques (dont une grotte ornée) de l'artiste espagnol Cardo. Cet ancien danseur de l'Opéra de Paris, devenu peintre, sculpteur, voire même conteur, a façonné de ses propres mains, en métal et en béton, ces œuvres qui vous surprendront par leur originalité, leurs couleurs et leur expressivité. Une petite collection de paléontologie vient compléter cette visite pas comme les autres.

✆ 03 86 33 28 33 - www.cardoland.com - ♿ - possibilité de visite guidée (1h30) - juin-août : 10h-19h, sam. 13h30-19h ; avr.-mai et de déb. sept. au 11 Nov. : 13h30-17h30, dim. et j. fériés 10h-18h - sais. 7,80 €, hors sais. 7,50 € (enf. 5,50 € et 5,30 €).

F. Klingen / MICHELIN

Le parc de Cardo-land contient de bien étranges créatures...

Vézelay pratique

Voir aussi les carnets pratiques d'Avallon, de la vallée de la Cure et du Morvan.

Adresse utile

Office du tourisme de Vézelay – *12 r. St-Étienne - 89450 Vézelay - 03 86 33 23 69 - www.vezelaytourisme.com - juin-sept. : 10h-13h, 14h-18h ; oct.-mai : tlj sf jeu. 10h-13h, 14h-18h - fermé dim. du 1er nov. à Pâques.*

Se loger

Hôtel Compostelle – *Pl. du Champ-de-Foire - 03 86 33 28 63 - monsite.wanadoo.fr/compostelle.vezelay - fermé 3 janv.-15 fév., 1er-27 déc. - 18 ch. 49/61 € - 9 €.* Petit hôtel familial dont certaines chambres, fonctionnelles, en rez-de-jardin ou avec balcon, donnent sur la vallée. Salle des petits-déjeuners panoramique.

Hôtel Poste et Lion d'Or – *Pl. du Champ-de-Foire - 03 86 33 21 23 - www.laposte-liondor.com - fermé janv. et fév. - P - 38 ch. 69/104 € - 11 € - rest. 18/37 €.* Cet ex-relais de poste cossu accueille les voyageurs depuis plus de 200 ans ! Confortables chambres de style classique ; celles ouvertes sur la campagne sont très prisées. Cuisine régionale revisitée au restaurant et vente de produits du terroir à la boutique.

Hôtel Crispol – *Rte d'Avallon, à Fontette - 89450 Fontette - 5 km à l'est de Vézelay par D 957 - 03 86 33 26 25 - www.crispol.com - fermé janv., fév. et lun. de nov. à avr. - P - 12 ch. 74 € - 9 € - rest. 23/54 €.* Au cœur d'un hameau du Vézelien, bâtisse en pierres de taille dont les chambres offrent un original décor contemporain égayé d'œuvres de la patronne-artiste. Vous goûterez le calme du jardin, bien que la route dessine à cet endroit un virage en épingle. Élégant restaurant tourné vers la colline de Vézelay.

Hôtel la Palombière – *Pl. du Champ-de-Foire - 03 86 33 28 50 - www.lapalombierevezelay.com - fermé janv.-fév. et lun. hors sais. - 10 ch. 88 € - 11 €.* Cette maison de maître du 18e s. tapissée de vigne vierge a du caractère. Ses chambres, spacieuses et cossues, équipées de salles de bains « rétro », font cohabiter en douceur les styles Louis XIII, Louis XV et Empire. Les petits-déjeuners, garnis de confitures maison, sont servis dans la véranda grande ouverte sur la campagne. Jardin fleuri.

Se restaurer

Le Bougainville – *28 r. St-Étienne - 03 86 33 27 57 - fermé de mi-nov.-à mi-fév., mar. et merc. - 20/27 €.* Dans une maison ancienne sur la rue montant à la basilique, un restaurant familial au cachet rétro proposant une cuisine du terroir accompagnée de vins de la région.

Le St-Étienne – *39 r. St-Étienne - 03 86 33 27 34 - www.le-saint-etienne.fr - fermé de mi-janv. à fin fév., merc. et jeu. - 27/57 €.* Cette bâtisse du 18e s. borde la rue principale conduisant à la basilique. À l'intérieur : chaleureux décor rajeuni avec belles poutres peintes. Cuisine au goût du jour.

L'Entre-Vignes – *89450 St-Père - 03 86 33 33 33 - reservation@marc-meneau.com - fermé 15 nov.-15 mars, mar. midi, dim. et lun. - 30/40 €.* Le décor de ce bistrot se veut gai et chaleureux : chaises en rotin, meubles en chêne et fer forgé. Appétissante carte traditionnelle ; brunch le dimanche midi.

Que rapporter

Les Caves du Pèlerin – *32 r. St-Étienne - 03 86 33 30 84 - cavesdupelerin@wanadoo.fr - 9h30-12h, 14h-18h - fermé de janv. à mi-mars, mar. et merc.* Au pied de la basilique, cette maison de village aux caves médiévales abrite le « musée des vignobles » de Vézelay et présente une sélection des meilleurs produits régionaux. Boutique et dégustation sur place.

Événements

Offices chantés – Lundi 18h30, messe. Du mardi au vendredi, 7h laudes, 12h30 office du milieu de jour, 18h vêpres et messe. Samedi, 7h laudes, 12h30 office du milieu de jour, 18h vêpres. Dimanche, 8h laudes, 11h messe, 17h30 vêpres.

Rencontres musicales de Vézelay – Fin août. Concerts dans la basilique, le village, à St-Père, Asquins et Avallon. Les foules médiévales se reconstituent lors des cérémonies religieuses comme Pâques, la Pentecôte, l'Assomption et la Sainte-Marie-Madeleine le 22 juil. (pèlerinage annuel).

Villeneuve-sur-Yonne

5 404 VILLENEUVIENS
CARTE GÉNÉRALE A1 – CARTE MICHELIN DÉPARTEMENTS 319 C3 – YONNE (89)

Le moraliste et essayiste Joseph Joubert reçut à plusieurs reprises, dans sa retraite de Villeneuve, son ami Chateaubriand venu lui rendre visite, loin de la tourmente révolutionnaire. Aimablement située sur les bords de l'Yonne, au cœur d'une région de collines boisées, la petite cité a conservé de charmantes demeures des 17e et 18e s. Les fossés de ses remparts médiévaux, dont deux portes fortifiées subsistent encore, ont été aménagés en jardins où coule un petit ruisseau.

- **Se repérer** – Villeneuve-sur-Yonne se trouve à 14 km au sud de Sens et à 17 km au nord de Joigny, sur la D 606.
- **À ne pas manquer** – La ville compte d'intéressants éléments d'architecture moyenâgeuse : la porte de Joigny et celle de Sens ; la Grosse Tour ; les vestiges de l'enceinte fortifiée, le long desquels vous pourrez vous promener.
- **Organiser son temps** – Venez à Villeneuve le 3e week-end de décembre pour le Salon de la gastronomie.
- **Avec les enfants** – Ils pourront se baigner dans l'Yonne (plage surveillée) et même y faire du pédalo.
- **Pour poursuivre la visite** – Voir aussi Joigny, Sens.

A. Cassaigne / MICHELIN

Vue générale de Villeneuve-sur-Yonne.

Se promener

Laissez votre voiture au parking près de l'office de tourisme, en bordure de l'Yonne.

Porte de Sens (ou de Champagne)

Doté d'archères, de herses et d'un assommoir, ce bel exemple de l'architecture militaire médiévale (13e s.) accueille les collections d'histoire et d'archéologie du Musée villeneuvien *(renseignements : mairie de Villeneuve - ☏ 03 86 87 62 00). Poursuivez rue Carnot.*

Maison des Sept-Têtes

Au n° 41, ancienne maison de poste du 18e s. dotée de balcons en fer forgé et de mascarons.

Église Notre-Dame

Selon la tradition, la première pierre de cet édifice fut posée par le pape

Info pratique

Voir aussi les carnets pratiques de Joigny et de Sens.

Adresse utile

Syndicat d'initiative de Villeneuve-sur-Yonne – *Cour de l'Europe - 99 r. Carnot - 89500 Villeneuve-sur-Yonne - ☏ 03 86 87 12 52 - www.villeneuve-yonne.fr - juil.-août : mar.-sam. 10h-12h30, 14h-18h30 ; reste de l'année : mar.-vend. 10h-12h30, 13h30-18h, sam. 14h30-18h.*

Alexandre III lors du baptême de la cité en 1163. La construction, où se mêlent les influences bourguignonnes et champenoises, s'est échelonnée du 13e au 16e s. La façade Renaissance, due à Jean Chéreau, est remarquable tant par l'harmonie de ses proportions que par la délicatesse de son ornementation. La vaste nef gothique est décorée de chapiteaux à feuillages. Le chœur et le déambulatoire sont les parties les plus anciennes. Dans le bas-côté gauche, la chapelle du Sépulcre abrite une Mise au tombeau, comprenant un christ en bois du 14e s. et des personnages en pierre de la Renaissance. Dans le bas-côté droit, une statue de la Vierge, portant l'Enfant Jésus, loge dans la chapelle Notre-Dame-des-Vertus, au beau vitrail du 16e s.

Porte de Joigny★ (ou de Bourgogne)

Édifié au 13e s., puis, remanié au 16e s., ce châtelet carré forme un bel ensemble avec les maisons environnantes. Il abrite une partie des collections du Musée villeneuvien.

Grosse Tour

Édifié pour Philippe Auguste au début du 13e s., le donjon de l'ancien château royal est un énorme ouvrage cylindrique (hauteur : 21 m), un peu à l'écart.

Le saviez-vous ?

Créée de toutes pièces en 1163 par le roi Louis VII, Villeneuve-sur-Yonne fut d'abord la « ville nouvelle ». Résidence royale au Moyen Âge, elle devint « Villeneuve-le-Roi », et plus récemment, la « ville neuve ». Si, dans l'Yonne, on compte sept « Villeneuve », ce sont plus de 90 localités qui portent ce nom sur tout le territoire français… sans parler des villes nouvelles.

Villeneuve reçut des rois : Louis VII, Philippe Auguste et Saint Louis ; puis des combattants, les Armagnacs et les Bourguignons ; plus tard, les riches mariniers des « rues basses » et les riches vignerons des « rues hautes », rois du négoce des vins, charbons et cuirs, se disputèrent le haut du pavé.

Aux alentours

Dixmont

10 km à l'est.

Vous y verrez les vestiges de l'**église** d'un ancien prieuré, édifié en 1209, détruit durant la guerre de Cent Ans, puis rebâti au 16e s. Au portail d'entrée, remarquez deux fines statues de l'Annonciation.

Visite guidée sur demande à la mairie, ☎ 03 86 96 02 13.

Saint-Julien-du-Sault

6 km au sud. Ce petit bourg s'élève sur la rive gauche de l'Yonne. Son origine remonte au 12e s., au cours duquel les archevêques de Sens construisirent, sur la butte de Vauguillain, une chapelle protégée par de solides fortifications.

Église – Des 13e et 14e s., elle fut en partie remaniée à la Renaissance. À l'extérieur, remarquez les porches latéraux et à l'intérieur, le chœur, de proportions hardies, ainsi que de beaux vitraux à médaillons du 13e s., dus pour certains aux verriers de la Sainte-Chapelle, et des vitraux à personnages (saint Julien) du 16e s.

De la place du Général-Leclerc, prenez, devant la façade ouest de l'église, la rue Notre-Dame (D 107) en direction de Courtenay.

Maison de bois – Dans la première rue à gauche *(rue du Puits-de-la-Caille),* vers la place Fontenotte, s'élève une belle maison du 16e s., à pans de bois.

Chapelle de Vauguillain – Une route en forte montée conduit à la chapelle et aux vestiges du **château** édifié sur la butte. De là, on découvre une belle vue sur St-Julien et la vallée de l'Yonne.

Voie verte★

CARTE GÉNÉRALE C4 – CARTE MICHELIN DÉPARTEMENTS 320 H/I-9/12
SAÔNE-ET-LOIRE (71)

Lancée en 1997 sous l'impulsion du conseil général de Saône-et-Loire, la Voie verte a rencontré un tel succès qu'elle formera, à l'horizon 2010, une boucle de 800 km destinée aux adeptes de la petite reine. Ces derniers pourront traverser les quatre départements de la région et faire ainsi le Tour de Bourgogne à vélo®... Un ambitieux projet qui s'inscrit dans une initiative européenne non moins ambitieuse : celle de l'« Eurovéloroute des Fleuves », dont le but est de relier Nantes à Budapest sur 2400 km... La Voie verte est donc un vaste réseau cyclable en pleine évolution, qui suit tantôt le tracé de voies ferrées désaffectées, tantôt celui de chemins de vignes ou de halage, auxquels se greffent par endroits des « véloroutes » (routes de campagne ou chemins vicinaux balisés). Elle constitue un parcours généralement facile, sans fortes pentes, que cyclistes, rollers et piétons peuvent parcourir d'étape en étape sans se soucier de la circulation automobile. Nous vous proposons, à titre d'exemple, deux circuits qui vous révèleront la Bourgogne du Sud sous un angle nouveau. Mais bien d'autres possibilités s'offrent à vous, car l'originalité de la Voie verte est précisément de vous permettre de créer vos propres itinéraires, au gré de vos envies et de vos goûts...

Escapade cycliste le long de la Voie verte...

Se repérer – Situés en Saône-et-Loire, les deux itinéraires décrits ci-après vont de Charnay-lès-Mâcon à Cormatin, soit un total de 33 km. Ils reprennent en partie le tracé de la toute première Voie verte, aménagée le long de l'ancienne voie ferrée de Buxy à Cluny.

À ne pas manquer – Toutes les étapes sont belles le long de la Voie verte, car elle traverse des paysages variés, chemine le long de charmants cours d'eau et passe à portée de guidon de sites patrimoniaux majeurs, comme Cluny ou la mystérieuse roche de Solutré.

Organiser son temps – Révisez bien votre matériel avant de partir, réservez vos étapes... et surtout, n'oubliez ni la bouteille d'eau, ni le pique-nique !

Avec les enfants – La Voie verte offre à votre famille un environnement sécurisé, bien à l'abri des voitures. N'hésitez pas à faire vivre à vos enfants d'agréables aventures à vélo, en rollers ou tout bonnement à pied ! Ils découvriront, pour quelques heures ou peut-être même quelques jours, une nouvelle façon de voyager, à la fois sportive et conviviale. Vos grimpeurs en herbe pourront aussi tester leurs dons d'acrobate... en toute sécurité *(voir carnet pratique).*

Pour poursuivre la visite – Voir aussi Cluny, le château de Cormatin, Mâcon, le Mâconnais, la roche de Solutré.

Circuits de découverte

DE CHARNAY-LÈS-MÂCON À CLUNY

Circuit de 19 km. Environ 140 m de dénivelé. Déconseillé aux enfants de moins de 8 ans.

Charnay-lès-Mâcon

Point de départ de la Voie verte, ce petit bourg est dominé par l'église romane **Ste-Madeleine** et son charmant clocher octogonal, coiffé d'une toiture en dôme. Cet édifice du 12e s. est doté d'un tympan contemporain représentant le Christ entouré de Marie-Madeleine et de Pierre.

Votre circuit commence devant l'ancienne gare de Charnay, qui abrite aujourd'hui le syndicat d'initiative. D'abord plane, la Voie verte traverse bientôt des paysages tourmentés : on aperçoit à gauche un beau **panorama**, avec une succession d'escarpements recouverts de roche cristalline, parmi lesquels on reconnaît la fameuse **roche de Solutré★★** *(voir ce nom)*.

Sur la droite, on rencontre très vite les vignes du Mâconnais : Prissé, la Roche-Vineuse alignent des paysages peignés.

Une première halte, et une boucle de 21,5 km dans le Val lamartinien, sur les traces du célèbre poète, est possible à **Prissé**.

La Voie verte conquiert alors un petit tronçon de l'ancienne voie ferrée, avec le **tunnel du Bois clair** *(1,6 km)*, aménagé pour le passage des cyclistes et la protection des chauves-souris qui s'y sont installées. Il faut compter environ 8mn pour franchir ce tunnel qui évite un contournement escarpé d'environ 5 km.

À la sortie du tunnel, la Voie verte retrouve un tracé sinueux jusqu'à Cluny.

DE CLUNY À CORMATIN

Circuit de 14 km. Accès facile. Aucun dénivelé.

Le centre de **Cluny★★** (*voir ce nom*) n'est qu'à 800 m de la Voie verte et mérite bien sûr une visite ! Pofitez-en pour voir son abbaye, son musée d'Art et d'Archéologie, et son panorama, du haut de la tour des Fromages.

Les nombreux chevaux qui paissent à proximité de la piste cyclable n'appartiennent pas au haras de Cluny. Ils cohabitent parfois avec des vaches et des taureaux.

À partir de Cluny, et jusqu'à Cormatin, la Voie verte est parfaitement plane. La promenade devient familiale : elle est d'ailleurs plus fréquentée, presque jusqu'à l'encombrement à la saison estivale. Mais on y passe en toute saison, à vélo, en rollers ou à pied. Il n'est pas rare de croiser en chemin des marcheurs en route vers Saint-Jacques, via Le Puy-en-Velay, venant parfois même d'Allemagne.

On longe et traverse des bosquets de la forêt de Cluny. Les roches et la couleur de la terre changent à plusieurs reprises tout au long du parcours : on passe dans une zone de faille érodée.

À **Massilly**, il est possible de prendre une boucle de 10 km reliant les églises romanes de Massilly, Bray, Chissey-lès-Mâcon, Ameugny et Taizé.

Après avoir traversé la Grosne, on aperçoit sur la gauche le village escarpé de **Taizé** *(voir Cluny)*, dont la communauté œcuménique est ouverte à tous, et on remarque une belle ferme en contrebas.

Rejoignez ensuite le château de **Cormatin★★** (*voir ce nom*), tout proche, qui possède un somptueux intérieur Louis XIII.

On traverse à nouveau la Grosne pour pénétrer dans le village où se termine cet agréable circuit de découverte.

Voie verte pratique

Voir aussi les carnets pratiques de Chalon-sur-Saône, Cluny, château de Cormatin, Mâcon, le Mâconnais, Tournus.

Adresse utile

Syndicat d'initiative de Charnay-lès-Mâcon – *Rte de Davaye - 71850 Charnay-lès-Mâcon - ✆ 03 85 20 53 90 - www.charnay.com - juil.-août. : 9h-12h, 13h30-18h, w.-end et j. fériés 9h-12h, 14h-18h ; mai-juin et sept.-oct : tlj sf. lun. 9h-12h, 13h30-18h, w.-end et j. fériés 9h-12h, 14h-18h ; nov.-avr. : 9h30-12h, 13h30-17h30, w.-end 13h30-17h30 - fermé vac. de noël.*

Transports

Kits Voie verte – Ils permettent de n'emprunter la Voie verte que dans un sens et de rallier son point de départ entre Dijon et Mâcon en mettant son vélo dans le bus ou le train. *En vente dans les gares SNCF - valables pour 1, 2 ou 3- 6 personnes - ligne de bus n° 7 entre Chalon et Mâcon : 6 bus par jour - TER à Dijon, Nuits-St-Georges, Beaune, Chagny, Chalon, Tournus, Mâcon : une quinzaine de trains par jour - de 8 € à 21 €.*

Organiser son voyage

En constante évolution, la Voie verte s'enrichit chaque année de nouveaux tronçons. Pour en connaître précisément tous les tracés, contactez les conseils départementaux du tourisme et agences de développement touristique *(coordonnées p. 15)* qui vous adresseront une carte à jour. Vous pouvez aussi vous adresser à **France Randonnée** - *✆ 02 99 67 42 21 - www.france-randonnee.fr.*

Bon à savoir – Si l'idée d'un périple à vélo à travers la Bourgogne vous tente, vous pourrez consulter les documents suivants *(gratuits et téléchargeables)*. Vous y découvrirez le réseau de voies vertes et les services utiles le long des circuits.

- « Voies vertes et cyclotourisme en Bourgogne du Sud » *(comité départemental du tourisme de Saône-et-Loire - ✆ 03 85 21 02 20 - www.bourgogne-du-sud.com).*

- « À vélo le long de l'Yonne et du canal du Nivernais » *(Agence de développement touristique de l'Yonne - ✆ 03 86 72 92 00 - www.tourisme-yonne.com).*

- « À vélo, le long du canal de Bourgogne » *(Agence de développement touristique de l'Yonne - voir ci-dessus ; Côte-d'Or Tourisme - ✆ 03 80 63 69 49 - www.cotedor-tourisme.com).*

- « Le Tour de Bourgogne à vélo® » *(comité régional du tourisme de Bourgogne - ✆ 0 825 00 21 00 (n° Indigo) - www.bourgogne-tourisme.com).*

Se loger

Le Manoir des Grandes Vignes – *Au Bourg - 71960 Prissé - ✆ 03 85 37 84 99 - www.manoir-des-grandes-vignes.com - 11 ch. 18,50 € par pers. - 4,50 €.* Idéalement situé près de la Voie verte, ce gîte occupe une grande maison bourgeoise flanquée d'une cour fermée. Les chambres (2 à 6 couchages) sont impeccablement tenues et disposent pour la plupart de salles de bains privées bien équipées. Très bon rapport qualité-prix.

Camping municipal St-Vital – *71250 Cluny - ✆ 03 85 59 08 34 - camping.st.vital@orange.fr - ouv. 28 avr.-6 oct. - réserv. conseillée - 174 empl. 14 €.* Réservez votre emplacement dans cet agréable site ombragé et verdoyant, situé non loin du cœur de la ville et le long duquel passe la Voie verte. Magnifique vue sur Cluny. Piscine, tennis et centre équestre à proximité.

Se restaurer

Le Moulin du Gastronome – *540 rte de Cluny - 71850 Charnay-lès-Mâcon - ✆ 03 85 34 16 68 - www.moulindugastronome.com - fermé 16 fév.-2 mars, 21 juil.-4 août, dim. soir et lun. - 24/58 € - 7 ch. 72/76 € - 10 €.* La façade aux volets bleu lavande donne un petit air méridional à cette maison. Salle à manger néo-classique et jardin-terrasse ; bon choix de vins (régionaux et bordeaux).

Que rapporter

Groupement de producteurs de Prissé-Sologny-Verzé – *Les Grandes Vignes - 71960 Prissé - ✆ 03 85 37 88 06 - 9h-12h30, 13h30-18h30 (été 19h) - fermé 1er janv. et 25 déc.* Cette cave propose une gamme complète des vins de la région, blancs et rosés, ainsi que des crémants légers et fruités. Mais les vedettes restent cependant les vins rouges tels que le saint-Véran, le bourgogne pinot noir et le pouilly-fuissé, dont les noms sont chantés par les sommeliers.

Sports & Loisirs

Bon à savoir – Locations de matériel, WC, points d'eau, aires de pique-nique sont répartis le long de la Voie Verte.

Ludisport – *71850 Charnay-lès-Mâcon - ✆ 06 62 39 09 58.* Grande variété de vélos, disponibles sur plusieurs sites le long de la Voie verte.

Acro'Bath – *En Chateleine - 71250 Bergesserin - ✆ 03 85 50 87 14 - www.acrobath.com - ouv. w.-end, j. fériés et vac. scol. : 14h-19h du 22 mars à fin juin et sept.-oct. ; juil.-août : tlj 10h-19h.* Prenez la passerelle pour l'aventure et le grand frisson avec 80 ateliers répartis en 4 parcours. Que vous soyez débutant ou grimpeur confirmé, vous sentirez forcément monter l'adrénaline face aux défis proposés. À découvrir en famille ou entre amis, mais toujours en toute sécurité.

Vallée de l'Yonne

CARTE GÉNÉRALE A/B-2/3 - CARTE MICHELIN DÉPARTEMENTS 319E/G 5/9 – NIÈVRE (58), YONNE (89)

La vallée de l'Yonne traverse toute la basse Bourgogne. C'est une région vallonnée où les plateaux portent des champs et des forêts, tandis que sur les versants bien exposés poussent la vigne et les arbres fruitiers. La reine des rivières morvandelles constitue une agréable voie d'accès vers les sommets du Morvan. Elle coule, paisible et sereine, accueillant parfois dans ses méandres des baigneurs et des pêcheurs. Un vrai régal à la belle saison!

Ph. Gajic / MICHELIN

Le charme des bords de l'Yonne à Vincelottes.

- **Se repérer** – Le circuit proposé débute à Auxerre, qui se trouve à 25 km au sud de Joigny. Il part vers le sud, passe par Clamecy, puis Corbigny, porte du Morvan, et se poursuit jusqu'à Château-Chinon.
- **À ne pas manquer** – Visitez la collégiale St-Potentien de Châtel-Censoir, bâtie au sommet d'une colline. Admirez les étonnants fossiles de coraux de la réserve naturelle du Bois du parc. Et aux abords de Château-Chinon, remarquez le lac de Pannecière-Chaumard et son barrage, dans un joli site de collines boisées.
- **Organiser son temps** – Cette région est propice à l'escalade, à la pêche, à la randonnée à pied ou à vélo : tous ces loisirs offrent la possibilité de découvrir la vallée de fond en comble.
- **Avec les enfants** – Tentez une balade en canoë sur l'Yonne, assortie d'un bon pique-nique, et complétée d'une balade au Bois du parc, parmi les fougères scolopendres.
- **Pour poursuivre la visite** – Voir aussi Auxerre, le château de Bazoches, Clamecy, Château-Chinon, la vallée de la Cure, le Morvan, Vézelay.

Comprendre

Un cours d'eau peu à peu dompté – Née à 730 m d'altitude, sur les pentes du mont Preneley au sud-est de Château-Chinon, l'Yonne se jette dans la Seine à Montereau après un parcours de 273 km. Au confluent, à Montereau, le débit de l'Yonne est supérieur à celui de la Seine, ce qui fait dire à certains que c'est l'Yonne et non la Seine qui baigne Paris. Allez savoir!

Les pluies fréquentes qui tombent sur le Morvan et l'imperméabilité de presque tous les terrains que la rivière traverse provoquent des **crues** violentes. L'Yonne, élément perturbateur, est considérée comme l'enfant terrible du système hydrographique du bassin de la Seine. La construction d'un certain nombre de barrages et de retenues, dont le principal ouvrage est celui de Pannecière-Chaumard, a permis de régulariser le débit en retenant une partie des eaux des crues et en les lâchant pendant l'été.

À partir d'Auxerre, l'Yonne est classée comme rivière navigable ; des locations de bateaux permettent de descendre l'Yonne jusqu'à Montereau.

Le canal du Nivernais et le canal de Bourgogne, également navigables, relient l'Yonne aux bassins de la Loire et de la Saône.

Le saviez-vous ?

Jusqu'en 1923, une part importante de la population riveraine vivait de l'utilisation de l'Yonne et de la Cure comme chemins d'eau, grâce à l'invention du « flottage à bûches perdues » *(voir Clamecy)*. On ne voit plus, le long des rives, les **triqueurs** harponnant leurs bûches, mais des plaisanciers qui suivent tranquillement le cours de la rivière. La région attire également de nombreux artistes, séduits par cette campagne verdoyante, si proche de Paris.

Circuits de découverte

D'AUXERRE À CLAMECY

59 km – environ 4h.

D'Auxerre à Cravant, l'Yonne présente les caractères d'une rivière de plaine ; ses eaux, grossies par celles de la Cure, s'étalent dans une vallée assez large. Les coteaux voisins sont couverts de vignes ; ceux qui dominent la route, à droite, sont plantés de cerisiers.

Longez l'Yonne jusqu'à Vincelles (13 km au sud), de préférence par la D 163 (notez au passage le village d'Escolives-Ste-Camille, décrit p. 123). Poursuivez en direction de Bazarnes (D 100).

Au sommet d'une côte, on a une vue vers l'est sur le village de **Cravant**, au confluent de l'Yonne et de la Cure.

Après Bazarnes, la route longe de très près la rivière bordée d'arbres.

Mailly-le-Château

Cet ancien bourg fortifié, commandé par les comtes d'Auxerre, est bâti sur un escarpement qui domine un méandre de l'Yonne. Une terrasse ombragée au-dessus des remparts offre une jolie **vue** sur la rivière et le canal du Nivernais, tandis qu'au loin se détachent les collines du Morvan. De l'extrémité droite de la terrasse, on aperçoit le bourg d'en bas, construit au bord de l'eau, avec son vieux pont du 15e s. dont une pile supporte une petite chapelle.

Église St-Adrien – Cet édifice fortifié du 13e s., surmonté d'un solide clocher à gargouilles, se singularise par une façade de style gothique primitif à pignon aigu et galerie d'arcs en plein cintre reposant sur des statues-colonnes. Les personnages représentés seraient la comtesse Mathilde (ou Mahaut) entourée de serfs. Fille de Pierre de Courtenay, signataire de la charte d'affranchissement de 1223, Mathilde aurait beaucoup contribué à l'abolition du servage.

Chapelle du cimetière – De la fin du 12e s., restaurée, elle présente un chevet plat et, sur son toit, un joli clocheton de pierre à arcades trilobées. L'intérieur, éclairé par six petites fenêtres en plein cintre, est décoré de peintures murales sur la vie du Christ.

Après Mailly-le-Château, on franchit deux bras de l'Yonne sur un joli **pont** du 15e s., en double dos d'âne et avec chapelle, qui offre une jolie vue sur la falaise de Mailly.

Poursuivez sur la D 130, passez la voie ferrée. La réserve se trouve sur la gauche.

Réserve naturelle du Bois du parc

Non accessible aux personnes à mobilité réduite. Visite guidée de janv. à sept. sur demande : ✆ 03 86 81 15 67 - www.guidesdepays.com - (guides de pays de la vallée de l'Yonne - 5 chemin des Clercs - Mailly-le-Château). Des dépliants gratuits sont disponibles au Pavillon du milieu de la Loire et dans les offices de tourisme. La floraison est la plus belle aux mois de mai et juin. Toute cueillette de plantes et toute récolte de fossiles sont strictement interdites.

Des marches de bois sont ancrées à flanc de coteau. Le départ de la promenade est escarpé, mais cela ne dure que quelques minutes. Ensoleillées, ces petites falaises sont couvertes d'une végétation et d'une faune méridionale inattendues à cette latitude. Se succèdent donc les floraisons des liserons roses des monts Cantabriques, géraniums sanguins sauvages, hélianthèmes des Apennins, anémones pulsatiles, etc. Quelques panneaux aident à repérer ces raretés. Profitez d'une belle **vue** sur la vallée de l'Yonne, et redescendez en pente plus douce qu'à la montée, parmi les fougères scolopendres.

Une seconde partie de la promenade est accessible à partir d'un autre parking, un peu plus loin sur la gauche. Accès aisé.

L'exploitation de cette carrière pour la construction de l'A 6 a été arrêtée pour préserver d'étonnants **fossiles de coraux★**, témoins de la période où un massif corallien marquait ici la proche limite d'une mer chaude et peu profonde, il y a 150 millions d'années. Du pied des falaises pourtant élevées, on aperçoit les fossiles, car certains d'entre eux mesurent 3 m de haut ! On reconnaît divers types de coraux, ceux en gerbes étant plus faciles à repérer.

Rochers du Saussois

Une fois dépassée la réserve du Bois du parc, la route passe, face au village joliment situé de **Merry**, au pied des rochers escarpés du Saussois. Ces rochers calcaires constituent une véritable muraille, utilisée comme école d'escalade. Les hautes falaises de la région attirent un grand nombre de varappeurs. Ils prennent soin de ne pas déranger les faucons pèlerins nichant, d'avril à juin, dans les cavités de la roche *(pour les observer, munissez-vous de jumelles)*.

Châtel-Censoir

Cette localité est adossée à une colline qui domine le confluent du Chamoux et de l'Yonne. Bâtie au sommet de la colline, la **collégiale St-Potentien** est entourée de hautes murailles que l'on franchit par une poterne. Elle a conservé un chœur roman du 11e s. La nef et le bas-côté s'ouvrent par deux portails de la Renaissance. Dans le bas-côté gauche, on peut voir deux bas-reliefs : la Cène (16e s.) et, très endommagée, la Crucifixion (15e s.). De la sacristie, dans le bas-côté droit, on a accès à la charmante salle capitulaire du 12e s. Le chœur, surélevé au-dessus d'une crypte, a des chapiteaux romans archaïques. De la terrasse près de l'église, on a une jolie **vue** sur la ville.
Après Châtel-Censoir, on aperçoit à gauche le château de Faulin.
Dans Lucy-sur-Yonne, tournez à gauche (D 214).

Ph. Gajic / MICHELIN

L'imposant château de Faulin, cerné par les champs.

Château de Faulin

Ne se visite pas. Belle et massive demeure de la fin du 15e s., entourée d'une enceinte de hauts murs flanquée de tours circulaires.
Revenez à Lucy-sur-Yonne et poursuivez vers l'ouest sur 5 km.

Surgy

L'**église** St-Martin, du 16e s., se distingue par son clocher surmonté d'une belle flèche de pierre.
Après ce village, la route passe au pied des roches de Basseville, suite de falaises et d'escarpements calcaires *(école d'escalade)*, et atteint Clamecy par sa banlieue industrielle.

DE CLAMECY À CORBIGNY

38 km – environ 2h30. Quittez Clamecy par l'est.
De Clamecy à Corbigny, la route longe l'Yonne au pied de mamelons boisés.

Armes

Cette petite localité occupe un site agréable en bordure de l'Yonne et du canal du Nivernais.

Poursuivez au sud-est par Dornecy (joli lavoir à charpente de bois) et Brèves (tombe de Romain Rolland) : la route suit la vallée de l'Armance.

Metz-le-Comte

Perchée sur une butte isolée du village, et bordée par son cimetière, ombragé de grands arbres et quelques carrés de vignes, l'église constitue un **site★** original. De la terrasse, derrière l'église, on découvre une **vue★** étendue sur l'Avallonnais et le Morvan ainsi que sur la vallée de l'Yonne.

Tannay

Par la D 165 qui franchit la rivière puis le canal. Au centre d'un vignoble s'étalant sur des collines calcaires bien exposées et produisant un excellent vin blanc, sec et très bouqueté, Tannay est perché sur un coteau qui domine la rive gauche de l'Yonne. Ses maisons anciennes font partie de son cachet.

L'**église St-Léger**, édifiée au 13e s. et agrandie au 15e s., flanquée d'une massive tour carrée, a fière allure. Les voûtes de la nef sont supportées par des piliers sans chapiteau, en palmiers.

Faites un détour jusqu'au village d'**Amazy**, au nord de Tannay, pour visiter son église gothique richement ornée du 16e s. *(ouverte de mai à sept.).*

Bordée de hauts platanes, la route traverse ensuite des paysages typiques du bocage d'élevage, strié de haies taillées.

Revenez à la D 985, et tournez à droite. Prenez à gauche après Monceaux-le-Comte la D 6, puis à droite après Anthien la D 958.

Château de Villemolin

✆ 03 86 22 01 09 - visite guidée (50mn) - juil.-août : tlj sf mar. 14h-18h - 5,60 € (-16 ans 3,80 €). On aperçoit par endroits les hauteurs du Morvan. C'est le tournage, en 2002, du *Mystère de la chambre jaune* par Bruno Podalydès qui a révélé ce château, construit à l'emplacement d'une tour du 14e s. et plusieurs fois remanié du 15e au 19e s. La famille de Certaines est fière d'en être propriétaire depuis 1538. Son histoire se mêle à celle des lieux et du mobilier.

Reprenez la D 958 à droite.

Corbigny

Située aux confins du Morvan et du Nivernais, Corbigny est une petite ville active, avec ses foires et ses abattoirs.

Abbaye St-Léonard – *✆ 03 86 20 02 53 - juin-sept. : 9h-12h30, 14h-18h30 ; oct.-mai : 9h30-12h30, 14h-18h.*

Dominant la ville et la vallée de l'Anguison, elle connut la réforme mauriste, qui tenta de faire revivre sa règle bénédictine, et lui valut d'être reconstruite juste avant la Révolution. Ses harmonieuses façades symétriques, discrètement ornées, s'inspirent de cette réforme. La restauration de l'abbaye *(en cours)* a rendu de nouveau visible son superbe escalier d'honneur Louis XV à volées droites, doté d'une rampe d'inspiration à la fois baroque et grecque.

L'abbaye abrite un centre d'art contemporain qui propose des spectacles toute l'année (danse, théâtre…).

Au bord de l'Anguison guettent quatre tours des anciennes fortifications. L'église St-Seine est un édifice gothique flamboyant revu au 16e s.

DE CORBIGNY À CHÂTEAU-CHINON

45 km – environ 2h.

De Corbigny à Château-Chinon, la fougue naturelle de l'Yonne est brisée par divers travaux destinés à régulariser son cours : la rigole d'Yonne, qui alimente aussi le canal du Nivernais, le barrage de compensation et le barrage-réservoir de Pannecière-Chaumard.

Marcilly

Le château du 15e s, cantonné de quatre tours d'angle, a été modifié aux 18e et 19e s.

Poursuivez sur la D 126 vers le sud-est sur 11 km.

Le paysage de bocage alterne avec des bosquets de charmes et de chênes. Petit à petit, les cultures cèdent la place à l'élevage. Un aqueduc apparaît, barrant la vallée de ses treize arches.

Aqueduc de Montreuillon

Long de 152 m et haut de 33 m, cet ouvrage d'art qui franchit la vallée de l'Yonne est utilisé par la rigole d'Yonne.

Aussitôt l'aqueduc dépassé, la gorge cesse et les pâturages réapparaissent dans une vallée élargie. La route est encadrée, à droite par l'Yonne, à gauche par la rigole d'Yonne. On passe entre un étang et le lac-réservoir formé par le barrage de compensation édifié en aval du barrage de Pannecière-Chaumard.

Après l'Huis-Picard, obliquez à gauche par la D 303 vers le barrage, sur la crête duquel vous passerez.

Lac de Pannecière-Chaumard★ *(voir Château-Chinon)*

Longez le lac par le côté est, puis gagnez Château-Chinon. En amont de Pannecière, l'Yonne n'est qu'une toute petite rivière indisciplinée.

Vallée de l'Yonne pratique

Voir aussi les carnets pratiques de d'Auxerre, de Château-Chinon et de Clamecy.

Adresse utile

Office du tourisme du pays corbigeois – *8 r. de l'Abbaye - 58800 Corbigny - ✆ 03 86 20 02 53 - juin-sept. : 9h-12h30, 14h-18h30 ; oct.-mai : 9h30-12h30, 14h-18 - fermé dim. et lun.*

Se loger

Gîte de séjour municipal – *R. Hérisson - 58500 Surgy - ✆ 03 86 27 17 83 (mairie) ou 03 86 27 97 89 (gîte) - www.domaine-surgy.com - fermé oct.-mars - 35 lits 28 € - 4 € - repas 11 €.* Au cœur d'un parc de 6 000 m², ce superbe bâtiment du 18e s., récemment restauré, vous propose une capacité d'accueil de 35 lits. Possibilité de demi-pension ou pension complète.

Se restaurer

Le Cépage – *7 Grand-Rue - 58800 Corbigny - ✆ 03 86 20 09 87 - hoteleuropelecepage@tiscali.fr - fermé 23 fév.-8 mars, 22 déc.-4 janv., dim. soir, merc. soir et jeu. - 28/62 €.* Cette maison de village dans la rue principale propose deux restaurations. Prenez le temps d'un repas traditionnel dans la salle à manger aux pierres et poutres apparentes. Ou bien, au bistrot, dégustez le menu bourguignon et des plats régionaux. Quelques chambres toutes neuves.

Sports & Loisirs

Escalade aux Rochers du Saussois – Des passages aménagés donnent accès à ces falaises.

Club alpin d'escalade – Jean-Luc Thomas - ✆ 03 86 62 07 19 ou www.clubalpin.com. .

Nom

Adresse

Lieu

Nom

Adresse

Lieu

Nom

Adresse

Lieu

Nom

Adresse

Lieu

Nom

Adresse

Lieu

Nom

Adresse

Lieu

Nom

Adresse

Lieu

Nom

Adresse

Lieu

Nom

Adresse

Lieu

Nom

Adresse

Lieu

Nom

Adresse

Lieu

Nom

Adresse

Lieu

Nom

Adresse

Lieu

Nom

Adresse

Lieu

Nom

Adresse

Lieu

Nom

Adresse

Lieu

Nom ....
Adresse ....
.... Ville ....
☎ .... ✆ ....
@ ....

Nom ....
Adresse ....
.... Ville ....
☎ .... ✆ ....
@ ....

Nom ....
Adresse ....
.... Ville ....
☎ .... ✆ ....
@ ....

Nom ....
Adresse ....
.... Ville ....
☎ .... ✆ ....
@ ....

Nom ....
Adresse ....
.... Ville ....
☎ .... ✆ ....
@ ....

Nom ....
Adresse ....
.... Ville ....
☎ .... ✆ ....
@ ....

Nom ....
Adresse ....
.... Ville ....
....
@ ....

Nom ....
Adresse ....
.... Ville ....
....
@ ....

Nom ....
Adresse ....
.... Ville ....
....
@ ....

Nom ....
Adresse ....
.... Ville ....
....
@ ....

Nom ....
Adresse ....
.... Ville ....
....
@ ....

Nom ....
Adresse ....
.... Ville ....
....
@ ....

Nom ....

Date de la visite .... Lieu ....

....

Nom ....

Date de la visite .... Lieu ....

....

Nom ....

Date de la visite .... Lieu ....

....

Nom ....

Date de la visite .... Lieu ....

....

Nom ....

Date de la visite .... Lieu ....

....

Nom ....

Date de la visite .... Lieu ....

....

Nom ....

Date de la visite .... Lieu ....

....
....
....
....
....

Nom ....

Date de la visite .... Lieu ....

....
....
....
....
....

Nom ....

Date de la visite .... Lieu ....

....
....
....
....
....

Nom ....

Date de la visite .... Lieu ....

....
....
....
....
....

Nom ....

Date de la visite .... Lieu ....

....
....
....
....
....

Nom ....

Date de la visite .... Lieu ....

....
....
....
....
....

Nom ....

Date de la visite .... Lieu ....

....

Nom ....

Date de la visite .... Lieu ....

....

Nom ....

Date de la visite .... Lieu ....

....

Nom ....

Date de la visite .... Lieu ....

....

Nom ....

Date de la visite .... Lieu ....

....

Nom ....

Date de la visite .... Lieu ....

....

Nom ....

Date de la visite .... Lieu ....

....

Nom ....

Date de la visite .... Lieu ....

....

Nom ....

Date de la visite .... Lieu ....

....

Nom ....

Date de la visite .... Lieu ....

....

Nom ....

Date de la visite .... Lieu ....

....

Nom ....

Date de la visite .... Lieu ....

....

date	objet	montant

date	objet	montant

MES DÉPENSES

date	objet	montant

date	objet	montant

Dijon : villes, curiosités et régions touristiques.
Larousse, Pierre : noms historiques et termes faisant l'objet d'une explication.
Les sites isolés (châteaux, abbayes, grottes...) sont répertoriés à leur propre nom.
Nous indiquons par son numéro, entre parenthèses, le département auquel appartient chaque ville ou site. Pour rappel :

01 : Ain
21 : Côte-d'Or
42 : Loire
45 : Loiret
58 : Nièvre
71 : Saône-et-Loire
89 : Yonne

A

B

D

E

F

N

O

P

Q

R

S

T

U

V

W

Y

Z

CARTES ET PLANS

CARTES THÉMATIQUES

PLANS DE VILLES ET DE QUARTIERS

PLANS DE MONUMENTS

CARTES DES CIRCUITS

Changement de numérotation routière

Sur de nombreux tronçons, les routes nationales passent sous la direction des départements. Leur numérotation est en cours de modification.
La mise en place sur le terrain a commencé en 2006 mais devrait se poursuivre sur plusieurs années. De plus, certaines routes n'ont pas encore définitivement trouvé leur statut au moment où nous bouclons la rédaction de ce guide. Nous n'avons donc pas pu reporter systématiquement les changements de numéros sur l'ensemble de nos cartes et de nos textes.
Dans la majorité des cas, on retrouve le n° de la nationale dans les derniers chiffres du n° de la départementale qui la remplace. Exemples : la N 16 devient D 1016, la N 51 devient D 951.

Manufacture française des pneumatiques Michelin
Société en commandite par actions au capital de 304 000 000 EUR
Place des Carmes-Déchaux - 63000 Clermont-Ferrand (France)
R.C.S. Clermont-Fd B 855 200 507

Compogravure : Maury, Malesherbes
Impression et brochage : «La Tipografica Varese S.p.A.»
Dépôt légal : 08 2008
Imprimé en Italie : 08 2008